DARWIN ET LE TOP END
Pages 258-269

LE QUEENSLAND DU NORD ET L'OUTBACK
Pages 240-249

AU SUD DE TOWNSVILLE
Pages 226-239

BRISBANE
Pages 210-225

• Cairns

SYDNEY
Pages 56-147

DES BLUE MOUNTAINS À BYRON BAY
Pages 156-173

QUEENSLAND

• Brisbane

LA SOUTH COAST ET LES SNOWY MOUNTAINS
Pages 174-181

NOUVELLE-
GALLES
DU SUD

• Port Augusta

• Adélaïde

• Sydney

CANBERRA •
ET ACT

VICTORIA

• Melbourne

LA TASMANIE
Pages 440-459

CANBERRA ET L'ACT
Pages 182-199

GUIDES VOIR

AUSTRALIE

Libre Expression

CE GUIDE VOIR A ÉTÉ ÉTABLI PAR :
Louise Bostock Lang, Jan Bowen, Helen Duffy,
Paul Kloeden, Jacinta le Plaistrier,
Sue Neales, Ingrid Ohlsson, Tamara Thiessen

DIRECTION :
Isabelle Jeuge-Maynart

DIRECTION ÉDITORIALE :
Catherine Marquet

ÉDITION :
Hélène Gédouin

TRADUIT ET ADAPTÉ DE L'ANGLAIS PAR :
Dominique Brotot
avec la collaboration d'Isabelle de Jaham

MISE EN PAGES (P.A.O.) :
Anne-Marie Le Fur

Conception originale de la collection,
maquette et charte graphique
© Dorling Kindersley 1998
Publié pour la première fois en Grande-Bretagne
en 1998 sous le titre :
Eyewitness Travel Guides : Australia
© Hachette Livre (Hachette Tourisme) 1999
pour la traduction et l'édition française
© Éditions Libre Expression ltée, 1999,
pour l'édition française au Canada.

Aussi soigneusement qu'il ait été établi, ce guide
n'est pas à l'abri des changements de dernière heure.
Faites-nous part de vos remarques, informez-nous
de vos découvertes personnelles : nous accordons
la plus grande attention au courrier de nos lecteurs.

Éditions Libre Expression
2016, rue Saint-Hubert
Montréal (Québec) H2L 3Z5

DÉPÔT LÉGAL : 2ᵉ trimestre 1999
ISBN : 2-89111-833-2

SOMMAIRE

COMMENT UTILISER
CE GUIDE 6

PRÉSENTATION DE L'AUSTRALIE

AUSTRALIE, LA TERRE
DES ANTIPODES 10

UNE IMAGE
DE L'AUSTRALIE 12

L'AUSTRALIE
AU JOUR LE JOUR 36

HISTOIRE
DE L'AUSTRALIE 42

Éléphant du Taronga Zoo de Sydney

SYDNEY

PRÉSENTATION 58

LES ROCKS ET
CIRCULAR QUAY 70

LE CENTRE-VILLE
ET DARLING
HARBOUR 82

LES BOTANIC
GARDENS ET
THE DOMAIN 100

KINGS CROSS,
DARLINGHURST ET
PADDINGTON 112

Sur la côte sud de la Nouvelle-Galles du Sud au Ben Boyd National Park

MELBOURNE *372*

LE VICTORIA
OCCIDENTAL *412*

LE VICTORIA
ORIENTAL *428*

LA TASMANIE

PRÉSENTATION *440*

LA TASMANIE *444*

**LES BONNES
ADRESSES**

HÉBERGEMENT *462*

RESTAURANTS *492*

FAIRE DES ACHATS *524*

SÉJOURS À THÈMES
ET ACTIVITÉS
DE PLEIN AIR *526*

**RENSEIGNEMENTS
PRATIQUES**

L'AUSTRALIE MODE
D'EMPLOI *532*

ALLER EN AUSTRALIE ET
S'Y DÉPLACER *542*

INDEX ET
REMERCIEMENTS *552*

RENSEIGNEMENTS
PRATIQUES *124*

ATLAS DES RUES
DE SYDNEY *140*

**LA NOUVELLE-
GALLES DU SUD
ET L'ACT**

PRÉSENTATION *150*

DES BLUE MOUNTAINS
À BYRON BAY *156*

LA SOUTH COAST ET LES
SNOWY MOUNTAINS *174*

CANBERRA
ET L'ACT *182*

LE QUEENSLAND

PRÉSENTATION *202*

BRISBANE *210*

AU SUD DE
TOWNSVILLE *226*

LE NORD ET L'OUTBACK
DU QUEENSLAND *240*

**LE TERRITOIRE
DU NORD**

PRÉSENTATION *252*

DARWIN ET LE
TOP END *258*

LE RED CENTRE *270*

**L'AUSTRALIE-
OCCIDENTALE**

PRÉSENTATION *284*

PERTH ET LE
SOUTHWEST *290*

LE NORD DE PERTH ET
LE KIMBERLEY *312*

**L'AUSTRALIE-
MÉRIDIONALE**

PRÉSENTATION *326*

ADÉLAÏDE
ET LE SOUTHEAST *332*

LES PÉNINSULES
D'YORKE ET D'EYRE
ET LE FAR NORTH *350*

LE VICTORIA

PRÉSENTATION *364*

**Rippon Lea
à Melbourne**

COMMENT UTILISER CE GUIDE

Ce guide a pour but de vous aider à profiter de votre séjour en Australie. L'introduction, *Présentation de l'Australie,* situe ce pays-continent dans son contexte historique et culturel. Dans les dix-sept chapitres régionaux, y compris ceux consacrés aux grandes villes, textes, plans et illustra-tions présentent en détail les principaux sites et monuments et dévoilent les particularismes locaux. Les *Bonnes adresses* conseillent hôtels et restaurants et les *Renseignements pratiques* facili-teront votre vie quotidienne. Les cités de Sydney, Melbourne et Brisbane pos-sèdent leurs propres rubriques pratiques.

SYDNEY

Nous avons divisé le centre de la plus grande ville australienne en quatre quartiers. À chacun correspond un chapitre. Des numéros localisent clairement les sites présentés sur un *plan du quartier.* Ils correspondent à l'ordre dans lequel les sites sont décrits en détail dans le corps du chapitre.

Le quartier d'un coup d'œil donne une liste par catégories des centres d'intérêt : rues et bâtiments historiques, musées, parcs et jardins, etc.

Un repère rouge signale toutes les pages concernant Sydney.

2 **Plan du quartier pas à pas**
Il offre une vue aérienne détaillée du quartier.

Le meilleur itinéraire de promenade apparaît en rouge.

1 **Plan général du quartier**
Des numéros désignent sur ce plan les monuments et sites de chaque quartier. Ceux-ci apparaissent aussi sur les plans des Atlas *des rues de Sydney (p. 140-147) et* Melbourne *(p. 404-411).*

Une carte de situation montre la place du quartier dans le centre-ville.

Des étoiles signalent les sites à ne pas manquer.

3 **Renseignements détaillés**
La rubrique consacrée à chaque site de Sydney fournit notamment les informations pratiques telles qu'adresse, numéros de téléphone et heures d'ouverture. La légende de tous les symboles utilisés se trouve sur le rabat de couverture en fin de volume.

1 Introduction
Elle présente les principaux attraits touristiques de chacune des régions du guide et décrit ses paysages et sa personnalité en montrant l'empreinte de l'histoire.

L'AUSTRALIE RÉGION PAR RÉGION
Ce guide divise l'Australie (hors Sydney) en seize régions. Il consacre à chacune un chapitre comportant au début une *carte illustrée* où sont recensés les localités et les sites les plus intéressants.

Un repère de couleur correspond à chaque région. Le premier rabat de couverture en donne la liste complète.

2 La carte illustrée
Elle offre une vue de toute la région et de son réseau routier. Des numéros situent les principaux centres d'intérêt. Des informations sur les modes de transport sont fournies.

3 Renseignements détaillés
Les localités et sites importants sont décrits individuellement dans l'ordre de la numérotation de la carte illustrée. Les notices présentent en détail les édifices importants et les sites à ne pas manquer.

Un mode d'emploi vous aide à organiser votre visite.

4 Les principaux sites
Deux pleines pages, ou plus, leur sont réservées. La représentation des édifices historiques en dévoile l'intérieur. Les cartes des parcs nationaux indiquent les sentiers. Les monuments des plus grandes villes apparaissent sur un plan.

Des encadrés approfondissent des sujets spécifiques.

PRÉSENTATION DE L'AUSTRALIE

AUSTRALIE, LA TERRE DES ANTIPODES 10-11
UNE IMAGE DE L'AUSTRALIE 12-35
L'AUSTRALIE AU JOUR LE JOUR 36-41
HISTOIRE DE L'AUSTRALIE 42-55

Australie, la terre des antipodes

Seul continent habité situé entièrement dans l'hémisphère Sud, entre le Pacifique, à l'est, et l'océan Indien, l'Australie possède une superficie de 7 772 535 km², y compris la Tasmanie, grande île au sud de la terre principale. La fédération australienne a une population de dix-huit millions d'habitants, installés pour la plupart sur le littoral, plus hospitalier que l'intérieur des terres. Elle a pour capitale Canberra mais la ville la plus peuplée est Sydney.

OCÉAN INDIEN

Bathurst Island
Darwin
Mer de Timor
Arnher
Katherine
Wyndham
Derby
Broome
Fitzroy
Port Hedland
Karratha
Newman
Lake Disappointment
Lake Mackay
TERR
Tennant Creek
DU
Alice Springs
Carnarvon
A U S T R
AUSTRALIE-
OCCIDENTALE
Uluru (Ayers Rock)
Geraldton
AUSTRALIE-
Kalgoorlie
Perth
Fremantle
Esperance
Grande Baie Australienne
Augusta
Cape Leeuwin
Albany
Ord
Victoria

AUSTRALASIE ET CEINTURE DU PACIFIQUE

CHINE — JAPON
CORÉE DU NORD
CORÉE DU SUD
INDE
BOUTHAN
BIRMANIE
THAÏLANDE
CAMBODGE
MALDIVES
MALAISIE
TAIWAN
PHILIPPINES
OCÉAN PACIFIQUE
ÎLES MARSHALL
MICRONÉSIE
INDONÉSIE
PAPOUASIE-NOUVELLE-GUINÉE
ÎLES SALOMON
VANUATU
FIJI
OCÉAN INDIEN
AUSTRALIE
NOUVELLE-ZÉLANDE

Sydney vue des airs depuis l'entrée de sa baie

Mer d'Arafura

Détroit de Torres
Cape York

Golfe
de
Carpentarie

Groote
Eylandt

Mornington
Island

Cooktown

Cairns ✈🚢

TOIRE

Flinders

Townsville ✈🚢

Mount Isa

Mackay 🚢

Grande Barrière de corail

ORD

QUEENSLAND

Longreach

Rockhampton ⊠

Blackall

Fraser
Island

Diamantina

Charleville

Brisbane ✈🚢

Toowoomba

Coolangatta ⊠

Lake
Eyre

Coober
Pedy

ÉRIDIONALE

Moree

Lake Torrens

Bourke

Coffs Harbour

Lake
Gairdner

Darling

NOUVELLE-
GALLES
DU SUD

Ceduna

Broken Hill

Whyalla

Dubbo
Maitland

Newcastle

Murray

SYDNEY 🚢

Port
Lincoln ✈🚢

Mildura

Wollongong

Adelaide

Wagga Wagga ✈

CANBERRA
TERRITOIRE
DE LA CAPITALE
AUSTRALIENNE

Kangaroo
Island

VICTORIA

Melbourne ✈
Geelong 🚢

King
Island

Détroit de Bass

Flinders
Island

Mer de Tasman

Launceston ⊠

TASMANIE

Hobart ⊠🚢

0   500 km

OCÉAN PACIFIQUE

Vue aérienne de Melbourne en
regardant vers le casino

Légende

✈ Aéroport international

⊠ Aéroport domestique

🚢 Port de passagers

━ Autoroute

— Voie ferrée

━ Frontière d'État

UNE IMAGE DE L'AUSTRALIE

Aux antipodes de l'Europe, l'Australie est le plus vieux continent du monde. Les Aborigènes qui le peuplent depuis plus de 40 000 ans ne sont plus qu'une petite minorité dans une nation de plus de dix-huit millions d'habitants marquée par son héritage anglo-saxon. Près de neuf Australiens sur dix vivent dans les grandes villes de la côte, laissant l'intérieur au désert et aux moutons.

Aussi vaste que les États-Unis ou la totalité du continent européen, l'Australie possède près de 18 000 km de côte et offre des paysages contrastés, forêts tropicales et récifs de corail du Nord, terres rouges et désertiques de l'intérieur et reliefs verdoyants de la Tasmanie. La principale chaîne de montagne, le Great Dividing Range, ne dépasse guère 1 500 m d'altitude et court le long du littoral oriental, séparant la bande fertile en bord de mer de l'immense zone aride de l'Outback.

L'Australie, à cause de son isolement, abrite une flore particulière dominée par l'eucalyptus ou gommier,

Image aborigène de Namerredje

dont il existe quelque 500 espèces. Ici, les arbres perdent leur écorce plutôt que leurs feuilles, les fleurs n'ont pas de parfum et, en dehors de l'acacia, ne s'épanouissent que brièvement. La faune est tout aussi exceptionnelle car les marsupiaux tels que le kangourou et le koala l'emportent sur les mammifères placentaires. L'ornithorynque et l'échidné sont les seuls animaux de la planète à pondre des œufs mais à allaiter leurs petits.

L'ancienneté géologique du continent n'apparaît nulle part de manière plus évidente que dans l'immense territoire intérieur désertique ou semi-désertique appelé Outback.

Le Sydney Opera House dominant le port de Sydney

◁ **Sol rouge et herbes spinifex, un paysage typique de l'Outback**

Les reliefs sculptés par l'érosion des monts Olga dans l'Uluru-Kata Tjuta National Park

Là s'étendait jadis une mer intérieure et l'aridité a préservé en Australie-Occidentale des fossiles âgés de 350 millions d'années, les plus vieilles formes de vie connues de la planète.

LES ABORIGÈNES

Les premiers habitants de l'Australie représentent aujourd'hui environ 1,6 % de la population nationale. Leur place au sein de la société constitue un des grands enjeux actuels du pays.

Aborigène australien

La colonisation européenne a coûté la vie à des centaines de milliers d'Aborigènes décimés par les tueurs à gage et les maladies infectieuses. En les privant de leurs territoires ancestraux et de leurs sites sacrés, fermiers et éleveurs ont ôté aux survivants le cadre qui donne un sens à leur existence. L'aide qu'on leur apporta ensuite avait pour but de les assimiler, les obligeant ainsi à renier leur culture, que ce soit dans des réserves dirigées par des missionnaires au XIXe siècle ou dans les banlieues où on les déplaça de force après la Seconde Guerre mondiale.

Depuis le référendum de 1967 qui leur accorda la citoyenneté, la situation commence à s'améliorer. Les Australiens en général reconnaissent désormais l'identité et la spécificité des Aborigènes. En 1992, la Haute Cour de justice a dénoncé le concept de *terra nullius* (l'Australie n'appartenait à personne à l'arrivée des Anglais) qui régissait auparavant toute la jurisprudence. Le gouvernement a alors voté le Native Title Act, qui permet aux Aborigènes de revendiquer le contrôle d'une terre qu'ils ont occupée de façon ininterrompue. Mais les Aborigènes doivent encore affronter les lobbys miniers.

Le kangourou, l'un des symboles de l'Australie

Nourri des mythes du Temps du Rêve *(p. 26-27),* l'art aborigène a trouvé un large écho sur la scène internationale, tandis que des écrivains s'imposaient au premier rang de la littérature australienne. Les jeunes générations se battent pour l'égalité des droits et des chances, mais les Aborigènes ont encore un revenu moyen inférieur de moitié à celui de leurs compatriotes, une espérance de vie (56 ans) de vingt ans plus courte et un taux de mortalité infantile quatre fois supérieur.

Société

Malgré une colonisation du territoire à partir d'implantations très éloignées les unes des autres, la société australienne possède une homogénéité remarquable. On ne distingue même pas d'accents régionaux réellement marqués.

Chez un producteur de vin de liqueur dans la Barossa Valley en Australie-Méridionale

La principale différence de mode de vie sépare en fait les citadins des habitants des zones rurales. Près de neuf Australiens sur dix vivent dans les villes du littoral, ou plutôt dans les banlieues résidentielles très étendues qui les entourent. Ils y jouissent en majorité d'un revenu confortable dans un pays très égalitaire qui compte peu de riches et de pauvres. 70 % de la population travaille dans le secteur tertiaire et 25 % pour une administration.

Les habitants de l'Outback mènent une existence plus rude et plus conservatrice. Ils vivent en petites communautés isolées par de longues distances. Si l'on a longtemps dit que l'Australie « avançait à dos de mouton », la laine n'est plus aujourd'hui la principale source de revenus du pays. Elle reste néanmoins un important produit d'exportation à côté du charbon, de l'or, des diamants et du blé, tandis que le tourisme et la production viticole jouent un rôle croissant dans l'économie.

Après avoir longtemps cherché à l'occulter, les Australiens revendiquent aujourd'hui le passé pénitentiaire de leur pays qui serait à l'origine de leur société peu hiérarchisée. Pourtant, contrairement à une opinion répandue, très peu d'Australiens comptent un bagnard parmi leurs ancêtres.

Église perdue dans l'Outback à Silverton, Nouvelle-Galles du Sud

16

En fait, vingt-cinq ans après l'arrivée de la Première Flotte en 1788, l'Australie était une nation d'immigrants libres. Au début, ces immigrants venaient presque exclusivement des îles britanniques. Aujourd'hui, un Australien sur trois a une autre origine. Après la dernière guerre, l'ouverture des frontières à des réfugiés du continent européen, en particulier des Italiens, des Grecs, des Polonais et des Allemands, puis, depuis quelques années, à des ressortissants de l'Asie du Sud-Est a diversifié l'origine des immigrants. Malgré quelques réactions racistes, ce mélange de cultures s'est révélé dans l'ensemble un succès et l'Australie tire une fierté justifiée de l'harmonie qui règne entre ses différents groupes ethniques.

Étal de brochettes indonésiennes au Parap Market de Darwin dans le Territoire du Nord

VIE POLITIQUE

L'Australie est depuis 1901 une fédération. Elle se compose de six États et deux territoires et a pour capitale Canberra, ville créée de toutes pièces afin d'accueillir les structures gouvernementales au sein de l'Australian Capital Territory (ACT), territoire qui la rend indépendante des États. Son parlement comprend le Sénat, où chaque État envoie douze délégués, et la Chambre des représentants qui comporte 147 députés élus dans tout le pays au prorata de la population. C'est elle qui nomme le Premier ministre.

Chaque État possède aussi un parlement et un gouvernement, calqué sur ceux de la fédération. Deux grands pôles dominent la vie politique : l'Australian Labor Party travailliste et la coalition conservatrice formée du Liberal Party et du National Party. L'Australie reste en outre un membre du Commonwealth et la reine d'Angleterre, représentée par un gouverneur général, demeure officiellement le chef de l'État. Le pays compte cependant de plus en plus de partisans d'une réforme constitutionnelle qui instaurerait la république. D'autant que les liens historiques avec l'Europe se sont distendus

Le quartier du Parlement et le lac Burley Griffin à Canberra

pour être remplacés par des échanges avec les autres nations du Pacifique, en particulier celles de l'Asie du Sud-Est. Le Japon est ainsi devenu le premier partenaire commercial de l'Australie.

ART ET CULTURE

Les Australiens jouissent d'un climat ensoleillé et vivent au bord de la mer, ce qui explique la faveur des activités de plein air et de la plage. Ils vouent une grande passion aux sports, notamment au football australien, au rugby, au cricket, au tennis et au golf. Mais les Australiens ne sont pas seulement sportifs, ils consacrent beaucoup de temps aux loisirs culturels.

Match de rugby à Melbourne

Aussi n'est-ce pas un hasard si le Sydney Opera House offre au pays l'un de ses emblèmes les plus célèbres. Nellie Melba et Joan Sutherland sont de grandes chanteuses lyriques et l'Australian Ballet de Sydney jouit d'une très bonne réputation.

Jeune adepte du boogie board

Tous les États possèdent d'excellents musées riches en œuvres du monde entier et une multitude de galeries privées exposent les créations de peintres nationaux créatifs, où les Aborigènes sont largement représentés.

La fondation en 1970 de l'Australian Film Corporation a permis l'émergence de solides structures de production. À côté de grands succès commerciaux tels la série des *Mad Max* (1979, 1981 et 1985) et *Crocodile Dundee* (1985), le cinéma australien peut ainsi s'illustrer avec des films à plus petits budgets tels que *Shine* (1996) et *Muriel* (1995), régulièrement primés dans des festivals internationaux. Ses vedettes ou ses réalisateurs ne résistent cependant pas toujours aux attraits de Hollywood. Mel Gibson s'y est établi et le réalisateur Peter Weir, par exemple, y tourna *Le Cercle des poètes disparus* (1992). Les productions australiennes ne sont pas toujours aussi culturelles, mais les feuilletons télévisés à petit budget comme *Neighbours* sont des produits d'exportation très rentables.

La musique populaire et le rock australiens ont également conquis un public planétaire avec des groupes comme les Bee Gees, Midnight Oil, INXS et des chanteuses comme Kylie Minogue et Olivia Newton-John.

Dans presque tous les registres, semble-t-il, l'Australie se montre à la hauteur de son surnom de « pays chanceux », et rares sont ses habitants à ne pas être convaincus que leur nation est la plus belle du monde.

Affiche du film *Shine* (1996) de Scott Hicks

Les paysages australiens

L es paysages du plus vieux, du plus plat et du plus sec des continents habités sont marqués par sa stabilité géologique. En effet, depuis le soulèvement du Great Dividing Range, il y a 80 millions d'années, l'Australie sommeille, tandis que l'érosion rabote ses montagnes jusqu'à rendre difficile la formation de nuages de pluie. Mais bien que des déserts occupent des régions jadis verdoyantes et que l'aridité règne sur plus de 70 % du territoire, les paysages australiens ne sont pas uniformes, allant de formes étranges taillées dans certains des plus anciens rochers de la planète jusqu'à des plages de rêve et des forêts tropicales.

La dérive de l'Australie *vers l'équateur a entraîné un climat de mousson ; ici le Kakadu National Park* (p. 268-269).

La Cradle Mountain (p. 456), *située au sud-ouest de la Tasmanie, offre des paysages sans équivalent en Australie. Ses gorges et ses lacs ont été creusés par le ravinement et d'anciens glaciers.*

KATA TJUTA (MONTS OLGA)
Vestiges d'un lit de roches sédimentaires presque entièrement recouvert de sable, les Kata Tjuta formaient jadis une entité unique beaucoup plus grande que l'Ayers Rock d'Uluru *(p. 278-281).*

Plateau occidental

Plaine centrale

Great Dividing Range

Il existe trois *principales régions géologiques en Australie : le littoral, qui inclut le massif du Great Dividing Range, la plaine centrale et le plateau occidental. Relativement récent à l'échelle géologique, le Great Dividing Range présente les plus hauts sommets australiens. Les fractures engendrées par la dérive du continent ont entraîné l'affaissement de la plaine centrale et le soulèvement de ses pourtours. Formé de roches parmi les plus vieilles de la Terre, le plateau occidental abrite une grande partie des vastes déserts australiens.*

*À **la fin de l'ère glaciaire**, l'inondation de la région à l'est du Queensland créa les conditions qui permirent l'apparition d'une merveille de la nature : la Grande Barrière de corail (p. 204-209).*

*La **Nullarbor Plain** (p. 359) fut créée par la remontée d'un ancien fond marin. Au sud, d'abruptes falaises plongent dans l'océan depuis le désert, donnant à l'Australie une de ses côtes les plus spectaculaires.*

LE CONTINENT AUSTRALIEN

Depuis qu'il s'est séparé de l'Antarctique il y a 40 millions d'années, le continent australien a connu une longue période d'isolement qui a permis à la flore et à la faune de suivre une évolution sans équivalent *(p. 20-21)*. Venus d'Asie du Sud-Est, les Aborigènes (dont la civilisation est la plus ancienne de la planète) purent y vivre en paix pendant au moins 40 000 ans jusqu'à l'arrivée des Européens en 1770 *(p. 42-47)*.

Il y a 200 millions d'années, ce qui forme aujourd'hui l'Australie appartenait à la moitié sud de l'unique masse émergée de la Terre, la Pangée.

Il y a 65 millions d'années, la Pangée a fini de se diviser en deux supercontinents, le Gondwana au sud et la Laurasie au nord.

Il y a 50 millions d'années, la fragmentation du Gondwana a créé les divers continents du sud mais l'Antarctique et l'Australie restent attachés.

Aujourd'hui, la dérive des continents se poursuit et l'Australie se dirige au nord vers l'équateur à la vitesse de 8 cm par an.

La flore et la faune

Le continent, qui fut isolé de toute autre masse terrestre pendant 40 millions d'années abrite une faune et une flore uniques au monde. Certains animaux et certaines plantes ont dû suivre de curieuses évolutions pour survivre sur des sols pauvres et secs. Ces conditions difficiles ont entraîné une incroyable diversité biologique. Deux mille espèces végétales (sur les 25 000 qui poussent en Australie) et la plus grande concentration de reptiles différents de la planète vivent dans le centre désertique. Peu de forêts sur la planète ont une flore aussi riche que celles de la côte est.

L'ornithorynque vit dans l'eau comme un poisson, a un bec de canard, pond des œufs et allaite ses petits !

La forêt pluviale abrite de nombreuses espèces indigènes.

Épiphytes, fougères et lianes abondent près des cours d'eau.

Au moins 30 espèces d'herbes spinifex poussent dans le désert.

FORÊTS PLUVIALES
Les forêts pluviales de la côte est font partie des plus anciens écosystèmes terrestres et abritent 18 000 espèces végétales descendant souvent de celles du Gondwana *(p. 19)*. Certains arbres ont plus de 2 500 ans.

RÉGIONS ARIDES
Les vastes étendues arides et semi-arides grouillent de vie car plantes et animaux ont acquis des caractéristiques physiques et des comportements qui leur permettent de survivre à ces conditions extrêmes.

L'oiseau à berceau doit son nom aux structures en brindilles, parfois longues de plus de 2 m, qu'il construit pour accueillir ses parades nuptiales.

Le baobab est un arbre qui perd ses feuilles à la saison sèche pour survivre.

Le pin Wollemi découvert en 1994 fit sensation car il appartient à un genre que l'on croyait disparu depuis au moins 65 millions d'années.

L'herbe spinifex du désert a besoin de fréquents incendies pour prospérer.

Le moloch épineux ne se nourrit que de fourmis, plus de 3 000 en un repas.

MAMMIFÈRES

Deux groupes rares ou sans représentants dans le reste du monde dominent la population de mammifères. Les monotrèmes comme l'ornithorynque vivent uniquement en Australie et en Nouvelle-Guinée. Les marsupiaux, très rares ailleurs, sont représentés par 180 espèces en Australie. En revanche, depuis l'extinction de nombreuses espèces il y a 20 000 ans, les placentaires, omniprésents sur le reste de la planète, ne sont représentés que par des chauves-souris, des rongeurs et le dingo importé récemment.

Le kangourou est un marsupial très répandu. Il existe plusieurs espèces.

Le dingo fut introduit par l'homme il y a environ 3 500 ans.

Les eucalyptus nourrissent opossums et koalas.

Les fougères du sous-bois cachent petits mammifères et insectes.

Les récifs de corail abritent de nombreux mollusques, crustacés et poissons.

FORÊT CLAIRSEMÉE

Les bois du littoral oriental, du sud-est et du sud-ouest portent le nom de *bush*. Les eucalyptus dominent une végétation qui a dû évoluer pour survivre aux incendies, à la sécheresse et à la pauvreté des sols.

FONDS MARINS

Bien que pauvres en substances nutritives, les fonds possèdent de riches flores et faunes, écosystèmes complexes créant de splendides paysages sous-marins. Sur les côtes nichent de nombreux oiseaux de mer.

Les koalas qui se nourrissent de feuilles d'eucalyptus peu énergétiques dorment vingt heures par jour pour compenser.

Dans les lits d'algues vit une riche faune marine. La Shark Bay abrite le plus grand nombre de mammifères marins du monde (p. 318-319).

Chez les kookaburras, un jeune reste au nid pour s'occuper de la portée suivante. Les deux parents peuvent ainsi chercher de la nourriture.

L'otarie australienne a un cycle de reproduction plus long qui lui permet de se contenter de faibles réserves de nourriture.

Les sites du Patrimoine mondial en Australie

Depuis 1972, la convention du Patrimoine mondial de l'Unesco a pour but de protéger des sites à l'importance culturelle ou naturelle universelle. L'Australie compte onze sites enregistrés, notamment des formations rocheuses inhabituelles, des forêts primitives et des zones à la diversité biologique exceptionnelle. Quatre appartiennent à l'histoire des Aborigènes : le Kakadu National Park, les Willandra Lakes, la forêt de Tasmanie et l'Uluru National Park.

Les fossiles de Riversleigh (p. 249) *et Naracoorte datent de phases cruciales de l'évolution en Australie.*

Le Kakadu National Park protège une superbe jungle tropicale et de très nombreuses peintures rupestres aborigènes (p. 268-269).

TERRITOIRE DU NORD

AUSTRALIE-OCCIDENTALE

AUSTRALIE-MÉRIDIONALE

Shark Bay abrite de nombreux mammifères marins. Les stromatolithes (rochers couverts d'algues) sont la plus ancienne forme de vie (p. 318-319).

Fossiles de mammifères australiens de Naracoorte (p. 347)

L'Uluru-Kata Tjuta National Park renferme deux sites majeurs pour les Aborigènes, dont le plus gros monolithe du monde (p. 278-281).

LÉGENDE

Zone de Patrimoine mondial

Zone de Patrimoine marin mondial

Grande Barrière de corail *(p. 202-209)*

Les forêts humides du Queensland (p. 244-245) *offrent un tableau presque complet de l'évolution végétale en Australie. Quelque 50 % des espèces d'oiseaux du pays et 30 % de celles des marsupiaux, y vivent.*

Les Willandra Lakes *abritent les sites archéologiques les plus anciens du continent puisqu'ils datent de plus de 40 000 ans. Ils entourent un lac asséché* (p. 173).

Fraser Island *(p. 234)*

QUEENSLAND

NOUVELLE-GALLES DU SUD ET ACT

Forêts pluviales des Blue Mountains *(p. 162-165)*

VICTORIA

TASMANIE

Lord Howe Island *est une île en forme de croissant d'origine volcanique. Elle porte banians et pins kentia qui abritent un oiseau rare, l'ocydrome. Grâce à son isolement, elle fournit des informations essentielles sur l'évolution de ces espèces.*

La Tasmanie *possède la zone protégée la plus vaste d'Australie. Ses rochers gardent l'empreinte de toutes les périodes géologiques, y compris l'ère glaciaire. L'île abrite une végétation spécifique et certains des plus vieux arbres et des plus longues grottes du monde* (p. 442-443).

0   500 km

L'Outback australien

Varan de l'Outback

L'Outback forme le cœur du continent australien, un cœur où parfois il ne pleut pas pendant plusieurs années. Un ciel d'un bleu éclatant met en valeur les tons ocre, rouges et pourpres de roches qui sont parmi les plus vieilles de la planète. Les « villes » ne comportent que quelques édifices au confort sommaire et des centaines de kilomètres séparent parfois une station-service de la suivante. Cependant, partir à la découverte de l'Outback est une expérience enrichissante. Équipez-vous bien *(p. 550)* ou participez à un voyage organisé.

Carte de situation

☐ *Outback australien*

Les dromadaires furent importés du Moyen-Orient vers 1870 pour servir de montures. L'Outback est le dernier endroit au monde où vivent des dromadaires à l'état sauvage. Les touristes peuvent participer à des safaris.

Le *saltbush* (buisson de sel) doit son nom à sa capacité à supporter des taux de salinité élevés.

LA VIE DANS L'OUTBACK

L'Outback reste dans sa majeure partie une terre de pionniers à l'écart de la nation moderne. Son image traditionnelle, une bicoque en bois entourée jusqu'à perte de vue d'un désert de poussière rouge, n'a rien perdu de sa justesse. Cependant, quelques localités ont vu le jour au cours de ce dernier siècle et les principales routes entre États n'exigent plus de véhicule tout-terrain.

Camper dans le **bush,** *la brousse australienne, seul ou en groupe, constitue un des grands plaisirs d'une expédition dans l'Outback. Pour jouir d'un confort relatif sous les étoiles, prévoyez un matériel de couchage protégé, une moustiquaire et un bon réchaud.*

L'industrie cinématographique apprécie depuis longtemps les vastes espaces et les couleurs violentes de l'Outback. La comédie Priscilla, reine du désert, *fit en 1994 un usage spectaculaire des paysages arides et poussiérieux du Red Centre.*

Les « hôtels » de l'Outback ne sont souvent que des bars qui ont pris cet intitulé pour contourner des lois jadis strictes.

Un **débit de boissons** isolé dans le désert, une image de l'Outback qui reste actuelle.

PIONNIERS ET EXPLORATEURS

Plusieurs explorateurs européens tels qu'Edward Eyre et John Stuart se risquèrent dans l'Outback au XIXe siècle. Ironie de l'histoire, ce sont les équipes envoyées au secours de la tragique expédition conduite depuis Victoria jusqu'au golfe de Carpentarie par l'inexpérimenté Robert O'Hara Burke *(p. 49)* qui ouvrirent réellement l'intérieur du continent.

Robert O'Hara Burke (1820-1861)

Les Birdsville Races du Queensland sont les courses de chevaux les plus importantes de l'Outback.

Les opales extraites dans des villes comme Coober Pedy (p. 360) assurent d'importants revenus. Les touristes peuvent acquérir une licence pour se transformer en prospecteurs.

La culture aborigène

Loin de constituer une ethnie homogène, les quelque 750 000 Aborigènes, selon une estimation, qui peuplaient l'Australie à l'arrivée des Européens au XIXᵉ siècle parlaient au moins 200 langues distinctes et avaient des modes de vie très éloignés. Par exemple, les tribus de la côte Nord comme les Tiwi entretenaient des contacts avec des étrangers d'Indonésie et possédaient une culture très différente des Pitjantjatjara des déserts de l'intérieur ou des Koorie du Sud-Est. Cependant, des traits communs aux différentes ethnies aborigènes ont franchi les siècles pour nourrir les traditions actuelles.

Hache de pierre

Men's Dreaming **par Clifford Possum Tjapaltjarri**

Outils et objets aborigènes ornés de motifs traditionnels

MODES DE VIE TRADITIONNELS DES ABORIGÈNES

Pendant des milliers d'années, les premiers habitants de l'Australie menèrent une existence de chasseurs et de cueilleurs nomades. Ils fabriquaient des outils légers aux usages multiples comme le boomerang et dormaient à la belle étoile ou sous des abris temporaires. L'ampleur des déplacements dépendait des régions ; les territoires abondant en eau et nourriture permettaient aux tribus de se sédentariser. Malgré l'unité de leur culture, les Aborigènes vivaient en tribus aux langues et coutumes différentes. Les tribus étaient elles-mêmes partagées en groupes familiaux de vingt à quarante personnes, qui se retrouvaient régulièrement pour célébrer les cérémonies religieuses, décider des mariages et régler les disputes entre clans. Le commerce jouait un rôle important dans la vie sociale. Coquillages, ocre et bois circulaient le long de routes d'échanges à travers tout le continent.

Le nomadisme cessa presque complètement quand les colons anglais accaparèrent de vastes territoires, mais d'autres coutumes ont survécu. Les anciens sont toujours très respectés. Ce sont eux qui font observer les lois et décident du châtiment des coupables. Ils révèlent également les secrets des rituels qui transmettent l'histoire de chaque tribu depuis le Dreamtime, le Temps du Rêve où le monde spirituel a donné naissance à l'univers matériel.

LE DREAMTIME

« **D**reamtime » ou « Dreaming » sont les termes anglais appliqués à la croyance aborigène en un monde spirituel d'où sont issus les « ancêtres de la création ». Ceux-ci, tel le serpent arc-en-ciel, par leurs chants et leurs déplacements sur la terre, formèrent les vallées, les rivières et les montagnes et donnèrent naissance aux plantes, aux animaux et aux humains. Ils léguèrent aussi aux tribus leurs lois et leurs rites. Ces êtres fondateurs subsistent sous la forme de forces surnaturelles qui continuent d'insuffler la vie et d'influer sur les éléments.

Chaque clan tire son origine d'un ancêtre du Temps du Rêve qui a laissé son empreinte en des sites sacrés toujours vénérés aujourd'hui.

LE BOOMERANG

Contrairement à la croyance populaire, tous les boomerangs ne reviennent pas à leur point de départ. Le mot signifie à l'origine « bâton de lancer » et les premiers boomerangs, qui servaient à chasser, n'avaient pas besoin de revenir puisqu'ils devaient blesser suffisamment leurs cibles pour les immobiliser. Utilisé également pour combattre et remuer les braises d'un feu afin de l'entretenir, ou encore pour des jeux traditionnels, le boomerang prit avec le temps la forme élaborée qui lui permet d'effectuer la courbe le ramenant jusqu'au lanceur. Sous cette forme, il n'a toutefois que des fonctions limitées : jeu, chasse aux oiseaux et rabattage de gibier vers des pièges.

Boomerang aborigène

Pour les Aborigènes, tout être vivant possède deux âmes, l'une mortelle et l'autre reliée à l'esprit ancestral, ou totem, et destinée à le rejoindre après la disparition du corps. Les esprits et les ancêtres assurent le bien-être du clan. Un événement malheureux ne peut découler que d'un manquement dans l'observation des lois et des rites, en particulier de ceux concernant les sites sacrés.

Les rites liés au Dreamtime déterminent les déplacements des clans dans leur territoire, contigu à d'autres territoires, et ils dessinent à travers tout le continent les « lignes de chants », voies d'échange entre les tribus, sans rapport avec les routes des Blancs.

Le blanc repousse les esprits mauvais

CHANTS ET DANSES ABORIGÈNES

Accompagnés par des instruments simples comme le *didgeridoo*, tube de bois long d'un mètre au son grave, les chants transmettent les traditions issues du Temps du Rêve et sont intimement associés au culte des esprits. Les paroles souvent incompréhensibles protègent le secret de certains rites ou mythes. Les danses permettent de communiquer avec les ancêtres. Elles connaissent aujourd'hui un nouvel élan avec de jeunes compagnies qui interprètent danses traditionnelles et œuvres modernes.

LES ABORIGÈNES AUJOURD'HUI

Peu d'Aborigènes ont conservé un mode de vie nomade, mais tous restent attachés aux coutumes, aux croyances et à l'art à la base de leur culture. À l'intérieur des réserves *(p. 254-255)*, beaucoup suivent les cérémonies et pratiques médicales d'antan.

Les Anglais colonisèrent l'Australie comme si le continent n'appartenait à personne avant leur arrivée. Aussi la question de la propriété foncière fut-elle rapidement cruciale pour un peuple qui se sent responsable de l'entretien du territoire de la tribu et des sites sacrés de ses ancêtres. Le Land Rights Act de 1976 a commencé à prendre en compte leurs revendications. Si les terres dont les Aborigènes ont récupéré la jouissance sont principalement désertiques, le gouvernement a accepté que certaines puissent être régies par les lois aborigènes et les lois du gouvernement australien.

Écorce peinte à l'ocre naturelle

La majorité des Aborigènes, souvent déplacés de force, ont perdu leurs racines rurales. Ils habitent aujourd'hui les grandes villes, généralement au sein de communautés qui s'efforcent de résoudre de fréquents problèmes d'alcoolisme et de toxicomanie.

Les Australiens blancs reconnaissent pour la plupart la qualité de l'art aborigène. Des artistes contemporains comme Emily Kngwarreye, qui utilise aussi bien de la toile et des acryliques que des matériaux traditionnels, écorce et ocre, pour illustrer les mythes du Dreaming dans un langage moderne font rayonner cette culture.

Mais si la reconnaissance de leur identité et de la richesse de leur civilisation commence à faciliter une coexistence plus harmonieuse, les Aborigènes sont encore désavantagés par rapport aux autres Australiens, en particulier en matière de logement, de santé et d'éducation.

Danse rituelle au coucher du soleil

L'art aborigène

Peinture rupestre

Nomades qui ne s'encombraient que du minimum, les Aborigènes ont longtemps utilisé comme support d'expression des éléments naturels, rochers et grottes *(p. 43-44)*. Beaucoup de sites portent des peintures vieilles de milliers d'années dont certaines ont été maintes fois recouvertes. Les œuvres rupestres représentent les rites et mythes du Temps du Rêve ou figurent des animaux aujourd'hui disparus ou des visages humains aux yeux bleus et aux armes étranges accompagnés de chevaux : les premiers Européens. On peut aussi admirer l'art aborigène sur des objets tels que ceintures ou paniers.

La peinture sur écorce, ici un poisson, ne se pratique plus dans le Sud mais reste florissante dans l'Arnhem Land et sur les îles Melville et Bathurst.

Les parois des grottes étaient très utilisées, notamment quand les tribus y trouvaient refuge pendant la saison des pluies.

La gravure sur roc est la plus riche près de la Hawkesbury River à côté de Sydney (p. 122) grâce à de vastes affleurements de grès meuble. Plus de 4 000 images ont été recensées. Certaines sont gigantesques, comme celle qui représente une baleine de plus de 20 m de long. Des groupes de figures peuvent couvrir plus d'1 ha.

Les silhouettes représentant l'anatomie humaine ont souvent des formes stylisées exagérées.

Darwin

Brisbane •

Sydney

• Perth

Adelaide

Melbourne

Hobart

PRINCIPAUX SITES D'ART ABORIGÈNE

	Arnhem Land, Territoire du Nord
	Uluru-Kata Tjuta National Park
	Désert central
	Laura, Queensland
	Îles Melville et Bathurst
	Région de Sydney-Hawkesbury

Les quinkins, *personnages émaciés de la région de Laura dans le Queensland oriental, représentent des esprits habitués à jaillir brutalement de crevasses pour rappeler aux humains que les fautes entraînent un rapide châtiment.*

Les poteaux funéraires *sont typiques du goût du décor des Aborigènes. Ces poteaux du peuple Tiwi des îles Melville et Bathurst (p. 266) sont utilisés pour la cérémonie pukamani qui marque la fin du deuil six mois après l'enterrement.*

Le crocodile incarne la force de la nature mais symbolise aussi le rapport de l'homme à son environnement. Ces deux thèmes sont très fréquents dans l'art aborigène.

Bush Plum Dreaming
(1991) de Clifford Possum Tjapaltjarri offre un exemple moderne des techniques traditionnelles des Papunya.

La technique « du rayon X » *montre, comme ici sur le Nourlangie Rock du Kakadu National Park (p. 268-269), le squelette et les organes du sujet représenté.*

ART RUPESTRE DE L'ARNHEM LAND
Vaste territoire aborigène qui s'étend de l'est de Darwin au golfe de Carpentarie *(p. 254-255),* l'Arnhem Land abrite de magnifiques peintures rupestres qui comptent parmi les plus vieilles du continent. Elles datent de 16 000 av. J.-C. *(p. 43).*

L'art totémique d'Uluru
(p. 278-281) serait une représentation des êtres mythiques qui auraient créé le monolithe.

Les artistes et écrivains australiens

Frederick McCubbin

Les premiers peintres qui prirent l'Australie comme sujet étaient des Européens arrivés avec l'*Endeavour* (*p. 46-47*), mais il fallut attendre la prospérité créée par les ruées vers l'or vers 1850 pour que les artistes jouissent d'une reconnaissance publique. La première école spécifiquement australienne s'est imposée à la fin du XIXᵉ siècle. En littérature aussi, cent ans s'écoulent entre les journaux intimes des premiers colons et la publication en 1888 de *Robbery under arms* de Rolf Boldrewood (1826-1915). Ce récit héroïque qui se déroule dans le *bush* marque la naissance d'une véritable tradition.

Sir Russel Drysdale

ARTISTES

Nommée d'après une localité de la région de Melbourne, l'école de Heidelberg est à la fin du XIXᵉ siècle le premier mouvement pictural original. Les jeunes peintres, Tom Roberts (1856-1931), Charles Conder (1868-1909), Frederick McCubbin (1855-1917) et Arthur Streeton (1867-1943) s'inspirent des techniques de peinture en plein air qui en France déboucheront sur l'impressionnisme. Elles leur permettent de rendre la lumière particulière et l'immensité du territoire australien. Au début du XXᵉ siècle, Hans Heysen suscite l'intérêt avec ses paysages aux couleurs délicates, mais ce sont ceux de sir Sydney Nolan (1917-1992) qui propulsent pour la première fois l'art australien sur la scène internationale. L'artiste exécute également dans les années quarante une célèbre série de « Ned Kelly » inspirée par le plus connu des *bushrangers (p. 386).*

Membre d'une famille talentueuse, Arthur Boyd (né en 1920) acquiert une renommée mondiale en 1960 avec sa série de l'« Half-Caste Bride ». Personne, peut-être, n'a mieux réussi à décrire la dureté de l'Outback que sir Russell Drysdale (1912-1981). Brett Whiteley (1939-1992) a produit des œuvres sensuelles où s'affirme une vision personnelle du monde.

Lauréat de l'Archibald Prize, un prix de portrait, William Dobell (1899-1970) est souvent considéré comme la tête de proue du mouvement moderniste de Sydney. Il dut toutefois une grande part de sa notoriété au procès que lui intentèrent en 1944 deux concurrents. Ceux-ci estimaient que son portrait de Joshua Smith « n'était pas un portrait mais une caricature ». Dobell gagna le procès mais son travail fit ensuite l'objet d'une publicité déplacée.

Aujourd'hui, le peintre australien le plus populaire est Ken Done. Ses toiles aux couleurs éclatantes, souvent jugées trop commerciales, atteignent des prix de vente très élevés.

La plus riche collection d'art australien, qui comprend un beau choix d'œuvres aborigènes, anciennes et contemporaines, est exposée à la National Gallery de Canberra (*p. 194-195*)

***Toberua* (1994) par Ken Done**

LES « ANTIPODIENS »

Sept artistes modernes nés dans les années vingt : Charles Blackman, Arthur Boyd, David Boyd, John Brack, Robert Dickerson, John Perceval et Clifton Pugh, fondèrent à Melbourne en 1959 le groupe des « Antipodiens » dans le but de défendre la peinture figurative face à l'abstraction. Le nom d'« Antipodiens » fut choisi car le groupe à la recherche d'une reconnaissance internationale ne voulait pas apparaître comme un mouvement pictural uniquement australien. Ironie de l'histoire, le mot *antipodean* s'appliqua plus tard à l'art australien en général.

***Kelly in Spring* (1956) de la série « Ned Kelly » de sir Sydney Nolan**

Miles Franklin peinte par Marie McNiven

ÉCRIVAINS

La fiction australienne a deux thèmes principaux : les difficultés des colons face à une nature inhospitalière et les relations entre Blancs et Aborigènes. Ils apparaissent déjà dans l'œuvre de Henry Handel Richardson, *alias* Ethel Robertson (1870-1946), nominée au prix Nobel de littérature pour sa trilogie, *The Fortunes of Richard Mahoney* (1929). Ces deux thèmes restent au cœur des préoccupations de l'auteur contemporain David Malouf dans *Je me souviens de Babylone* (1993), récompensé par le prix Baudelaire, et *Dernière Conversation dans la nuit* (1996). Un prix Nobel obtenu en 1973 pour *L'Œil du cyclone* a fait de Patrick

Affiche du film de David Spielberg *La Liste de Schindler*

White (1912-1990) le romancier le plus renommé d'Australie. Ces œuvres plus récentes comprennent *Une ceinture de feuilles* (1976) et *Les Incarnations d'Eddie Twyborn* (1979). Il n'est toutefois pas le seul auteur à avoir atteint la célébrité. Thomas Keneally remporta en 1982 le Booker Prize pour un roman dont l'adaptation valut à Steven Spielberg l'un de ses grands succès : *La Liste de Schindler*.

Bien que le film *Crocodile Dundee* ait donné de l'Australie l'image d'un pays d'hommes rudes façonnés par le *bush*, les femmes ne furent pas absentes de sa scène littéraire. Rédigé entre 1888 et 1905, le journal de Louisa Lawson (1848-1920), *Dawn*, relate ses efforts de suffragette. À la même époque, une autre féministe, Miles Franklin (1879-1954), refusait le rôle traditionnel alors imparti aux femmes en menant une vie indépendante en Australie, en Angleterre et aux États-Unis. Elle l'a décrite dans une série d'autobiographies qui commence par *Ma brillante carrière* (1901). Ruth Pak (née en 1922) peint très bien les quartiers pauvres de Sydney dans des romans comme *Harp in the South* (1948) et Sally Morgan (née en 1951) ouvre une porte sur la sensibilité aborigène avec son autobiographie *My Place* (1988).

POÈTES

Les premiers poètes australiens écrivirent principalement des ballades sur la rude vie menée par les pionniers dans le *bush*. Les œuvres d'A.B. « Banjo » Paterson (1864-1941), *The Man from Snowy River* et *Clancy of the Overflow*, sont des grands classiques appris

par tous des écoliers du continent. Son contemporain, Henry Lawson, évoqua aussi le *bush* mais produisit entre la fin du XIXᵉ siècle et sa mort en 1922 une œuvre plus politique. Son premier poème publié en 1887 dans le magazine littéraire *Bulletin* était le chant de ralliement *Song for the Republic*.

Judith Wright (née en 1945) et, surtout, Oodgeroo Noonuccal (1920-1993) ont su par leurs poèmes exprimer avec puissance et sensibilité la détresse du peuple aborigène.

Henry Lawson

THÉÂTRE

Né en 1942, David Williamson est le plus prolifique des auteurs dramatiques contemporains d'Australie. Il porte un regard satirique sur les mœurs et les valeurs de la classe moyenne australienne et certaines de ces pièces, comme *Dead White Males,* sont jouées à Londres et à New York.

Ray Lawler a atteint la renommée en 1955 avec *Summer of the Seventeenth Doll,* qui remettait en cause le mythe de l'amitié virile célébré par ses compatriotes. Le compositeur Richard Meale a écrit la musique de l'opéra qui en fut tiré. Nick Enright, Stephen Sewell et Louis Nowra, auteurs contemporains, doivent également être cités.

Les vins australiens

L a vigne fut implantée en Australie peu de temps après l'arrivée de la Première Flotte en 1788 *(p. 46-47)*. En 1827, des éleveurs de bétail, John et Elizabeth MacArthur, devinrent les premiers viticulteurs professionnels d'Australie en mettant en vente 90 000 litres de vin issu de leur ferme de Sydney *(p. 123)*. Quelques années plus tard, James Busby jetait les bases de la vocation vinicole de la Hunter Valley. En

Vin du Ballan- 1859, la Nouvelle-Galles du Sud, le Victoria,
dean Estate l'Australie-Méridionale, la Tasmanie, l'Australie-Occidentale et le Queensland possédaient tous des vignobles. Ces dernières années, la production n'a cessé de gagner en qualité et en quantité, passant de 53 millions de litres en 1960 à 500 millions de litres aujourd'hui.

CARTE DE SITUATION

☐ *Principales régions viticoles d'Australie*

Le domaine Mount Hurtle *propose d'intéressants blancs de table dans le McLaren Vale* (p. 330-331).

Le Leeuwin Estate *de Margaret River, en Australie-Occidentale (p. 306), est l'un des plus grands producteurs de vins de qualité, avec notamment des chardonnays et des cabernets sauvignons.*

• PERTH

ADELAÏDE

0   500 km

LÉGENDE

☐ Australie-Occidentale

☐ Tasmanie

☐ Australie-Méridionale

☐ Queensland

☐ Victoria

☐ Nouvelle-Galles du Sud et ACT

LE PÈRE DU VIN AUSTRALIEN

Souvent considéré comme le fondateur de l'industrie viticole australienne, James Busby, né en Écosse, arriva à Sydney en 1824 après avoir transcrit dans un livre pendant le voyage ce qu'il savait des vignobles français. Il créa un domaine à Kirkton, dans la Hunter Valley de la Nouvelle-Galles du Sud, puis retourna en Europe en 1831 pour rassembler en France et en Espagne une collection de

James Busby 570 marcottes de vigne. Elle furent ensuite cultivées à Kirkton et dans les jardins botaniques de Sydney et d'Adélaïde. En 1833, après avoir donné à l'Australie sa première région viticole, James Busby émigra en Nouvelle-Zélande.

Le Ballandean Estate est réputé pour ses sémillons et ses sauvignons blancs. Des visites de caves sont organisées. Le climat frais du sud-ouest du Queensland permet une production de vin excellente mais limitée.

LES CÉPAGES DE L'AUSTRALIE

En Australie-Occidentale, les meilleurs rouges sont issus du cabernet sauvignon et les blancs du chardonnay, du sémillon, du chenin blanc et du verdelho. Le pinot noir apprécie le climat frais de la **Tasmanie.** La Granite Belt du **Queensland** convient, pour les rouges, au cabernet sauvignon, au shiraz, au pinot noir et au merlot ; pour les blancs, au sémillon, au chardonnay, au marsanne et au sauvignon. En **Nouvelle-Galles du Sud,** les principaux cépages sont le cabernet sauvignon, le sémillon et le chardonnay. Le climat varié de l'**Australie-Méridionale** convient à des cépages de rouges comme merlot et le grenache et, pour les vins blancs, au riesling et au frontignac. Le **Victoria** est surtout connu pour le marsanne.

BRISBANE

Brown Brothers, fondé en 1889 par John Graham Brown, est un des premiers vignobles du Victoria (p. 370-371). Il produit un cabernet sauvignon de classe internationale.

SYDNEY

CANBERRA

MELBOURNE

HOBART

Pipers Brook, qui produit de bons chardonnays, existe en Tasmanie depuis 1973.

PIPERS BROOK VINEYARD
1988 CHARDONNAY
Tasmania

La Balmoral House fait partie du Rosemount Estate de l'Upper Hunter Valley (p. 154-155) et a donné son nom à l'excellent balmoral shiraz vinifié au domaine.

Le surf et la plage

**Sauveteur
et sa planche**

L'Australie, cette île-continent qui possède des milliers de kilomètres de littoral, a développé une véritable « culture de la plage ». Rares sont les Australiens à vivre à plus de deux heures de voiture de la mer. Pendant les chaudes journées ensoleillées, tout le pays semble n'avoir plus qu'une idée en tête : « the beach », qu'il s'agisse de longues bandes de sable où déferlent les rouleaux ou de criques plus intimes. Les plages de sable doré se couvrent alors de magnifiques corps bronzés et les vagues attirent les baigneurs de tous âges. Le surf, sport national australien, compte encore plus de spectateurs que de pratiquants et attire de vastes foules lors des compétitions organisées régulièrement. Un séjour en Australie offre une merveilleuse occasion de s'initier.

Corps bronzés et cheveux décolorés par le soleil caractérisent les adeptes de la plage.

Aux surf carnivals, des milliers de spectateurs assistent à des compétitions variées, y compris en canots de sauvetage.

SURFEUR EN ACTION
Surfer sur les vagues est un vrai « travail », les passionnés n'hésitent pas à parcourir de longues distances pour rejoindre la plage où les médias ont annoncé que déferleraient les meilleures vagues.

S'accroupir augmente la stabilité sur la planche.

OÙ FAIRE DU SURF

Le littoral de la Nouvelle-Galles du Sud *(p. 170-171)* et les côtes méridionales de l'Australie-Occidentale *(p. 304-305)* et du Queensland sont les plus appropriés. Ce dernier État possède deux zones balnéaires très réputées : Surfer's Paradise et la Sunshine Coast *(p. 230-231).* Il existe aussi quelques plages propices au surf à la pointe nord-ouest de la Tasmanie *(p. 454-455).* Dans le nord du Queensland, la Grande Barrière de corail arrête les rouleaux bien avant qu'ils n'atteignent le rivage. En été, des méduses aux piqûres redoutables rendent la baignade impossible dans de nombreux endroits.

Des sauveteurs, bénévoles entraînés, reconnaissables à leurs bonnets de bain rouge et jaune, interviennent régulièrement sur les plages australiennes et s'assurent que les nageurs ne sortent pas des zones de sécurité marquées par des drapeaux.

ACTIVITÉS DE PLAGE

La plupart des régions côtières jouissent de températures clémentes en hiver, ce qui permet de pratiquer toute l'année de nombreuses activités de loisirs. Le week-end, des milliers d'embarcations de plaisance, du modeste dériveur jusqu'au yacht, s'affrontent en régate ou sortent en promenade. Les véliplanchistes sortent les jours de vent et le cerf-volant est devenu une forme d'art que le Festival of the Winds célèbre en septembre sur Bondi Beach à Sydney *(p. 36)*. Enfin, le volley-ball, à l'origine simple distraction entre amis, a désormais sa place aux Jeux olympiques.

Festival of the Winds

Les plats à emporter disponibles à la plage sont d'une grande variété et comprennent fish and chips (beignets de poisson et frites), brochettes et hamburgers.

Les planches de surf jadis taillées dans le bois sont désormais fabriquées dans des matériaux légers comme la fibre de verre.

Le crawl australien révolutionna la natation à la fin du XIXᵉ siècle. La plupart des Australiens apprennent à nager dès leur plus jeune âge et pratiquent ce sport tous les jours.

SÉCURITÉ

Les plages sont sûres à condition de respecter quelques règles :
• Rester « entre les drapeaux ».
• Ne pas nager seul.
• Tenir compte des panneaux signalant courants ou méduses.
• En cas de problème dans l'eau, ne pas agiter frénétiquement les bras mais tenir un bras dressé en l'air.
• Se protéger du soleil avec un filtre solaire, une chemise et un chapeau.

L'AUSTRALIE
AU JOUR LE JOUR

L'Australie a des saisons inversées par rapport à l'hémisphère Nord. Dans la moitié sud du pays, le printemps commence en septembre, l'été dure de décembre à février, l'automne lui succède de mars à mai et l'hiver débute en juin. Le climat tropical de la côte nord est plus simplement divisé entre une saison humide, le

Participants au Melbourne Festival

wet, de novembre à avril, et une saison sèche, le *dry.* Le temps ne varie guère dans l'intérieur désertique du continent : journées torrides et nuits fraîches se succèdent toute l'année.

Partout, les températures demeurent en toutes saisons suffisamment élevées pour permettre l'organisation de manifestations en plein air.

PRINTEMPS

Alors que les températures se réchauffent, les jardins et les parcs nationaux se couvrent de fleurs. Les festivals artistiques, musicaux et culinaires se succèdent. La saison des jeux de ballon s'achève, celle du cricket débute et les champs de course attendent les parieurs.

L'Australian Football League Grand Final de septembre

SEPTEMBRE

Open Garden Scheme *(sept.-mai),* Victoria. Les plus beaux jardins privés de l'État s'ouvrent au public *(p. 366-367).*
Mudgee Wine Festival *(du 1er au 21 sept.).* Fête du vin et danses du *bush (p. 169).*
Festival of the Winds *(2e dim.),* Bondi Beach *(p. 35).* Danse et musique pour la fête du cerf-volant.

Royal Melbourne Show *(2 der. sem.).* Foire agricole, spectacles et attractions.
Australian Contemporary Art Fair *(der. sem. de sept. et 1re sem. d'oct.),* Sydney. Biennale d'art moderne.
Australian Football League Grand Final *(der. sam. de sept.),* Melbourne. Match de football australien *(p. 389).*
Australian Rugby League Grand Final *(der. week-end),* Sydney. Rugby à treize.
Henley-on-Todd Regatta *(der. week-end),* Alice Springs. Course de bateaux sans fond sur une rivière à sec.

OCTOBRE

Melbourne Marathon *(1er week-end).* Course à pied pour amateurs au centre de la ville.
Lygon Street Festa *(1er week-end),* Melbourne. Carnaval exubérant dans la grand-rue du quartier italien

Parterre coloré de la Floriade, floralies d'octobre de Canberra

de la cité *(p. 387).*
Floriade *(3 premières sem.),* Canberra. Superbes floralies dans le Commonwealth Park *(p. 183).*
Tulip Festival *(2 premières sem.),* Bowral. Les Corbett Gardens se couvrent de tulipes *(p. 178).*
Leura Garden Festival *(du 2e au 3e week-end),* Blue Mountains. Fête de village et jardins fleuris *(p. 164).*
Melbourne Writers' Festival *(2e et 3e sem.).*

La Henley-on-Todd Regatta d'Alice Springs

Lectures et débats littéraires.

Melbourne Festival
(2 der. sem.). Festival d'arts
vivants *(p. 389).*

Carnival of Flowers
(der. sem.), Toowoomba.
Fête des fleurs marquée par
de magnifiques expositions
(p. 232).

Rose and Rodeo Festival
(der. week-end), Warwick. Le
plus ancien rodéo d'Australie
attire des centaines de
spectateurs et des cavaliers
du monde entier *(p. 232).*

Jacaranda Festival *(der.
sam.),* Grafton. Les plus
anciennes floralies
d'Australie donnent lieu à un
« carnaval vénitien » et à un
défilé de chars *(p. 170).*

Célébration de Noël sur Bondi Beach à Sydney

**Spectateurs costumés pour la
Melbourne Cup de novembre**

NOVEMBRE

Rose Festival *(2 premières
sem.),* Benalla. Célébration
de la rose *(p. 439).*

**Great Mountain Race of
Victoria** *(1er sam.),*
Mansfield. Course de cross
à cheval *(p. 436).*

Melbourne Cup *(1er mar.).*
Tout le pays s'arrête le temps
de cette course hippique.

Maldon Folk Festival
(1er week-end). Musique folk
dans une ville rurale.

ÉTÉ

Le début des vacances
scolaires de Noël marque
le commencement de l'été
et les célébrations
se poursuivent jusqu'au

26 janvier, date de l'Australia
Day. Ponctuée de nombreux
festivals d'art et de musique,
la saison permet de s'initier
au cricket et d'assister à
des compétitions de tennis
et de surf.

DÉCEMBRE

Carols by Candlelight
(24 déc.), Melbourne.
Musiciens locaux et de
renom fêtent Noël.

Noël à Bondi Beach
(25 déc.). Les vacanciers
organisent des soirées sur la
célèbre plage *(p. 122).*

Régate Sydney-Hobart
(26 déc.). Carnaval pour
l'arrivée de la régate *(p. 448).*

**Match international de
cricket** *(26 déc.),*
Melbourne.

Veille du nouvel an
(31 déc.), port de Sydney.
Fêtes et feux d'artifice.

JANVIER

**Hanging Rock Picnic
Races** *(1er et 26 janv.).*
Grande course de chevaux
en campagne *(p. 423).*

Australian Open
(2 der. sem.), Melbourne.
Tournoi de tennis du Grand
Chelem.

Country Music Festival
(2 der. sem.), Tamworth.
Principal festival de musique
country d'Australie et remise
des Golden Guitars Awards
(p. 169).

Midsumma Festival *(de mi-
janv. à mi-fév.),* Melbourne.
Fête annuelle des
homosexuels de Melbourne.

Opera in the Alps

(der. ven.), Mount Buffalo
(p. 437).

Tunarama Festival
(der. week-end), Port Lincoln.
Concours de lancer de thon
et feux d'artifice *(p. 358).*

Australia Day Concert
(26 janv.), Sydney. Un
concert gratuit commémore
la fondation de l'Australie
(p. 52).

Nouvel an chinois *(fin
janv. ou déb. fév.),* Sydney.

Match de cricket, Sydney.

**Feux d'artifice à Sydney
pour l'Australia Day**

FÉVRIER

**Gay and Lesbian Mardi
Gras Festival** *(tout le mois),*
Sydney. Manifestations et
défilés exubérants.

Festival of Perth *(de mi-fév.
à mi-mars).* Le plus vieux
festival d'arts vivants du pays.

**Leeuwin Estate Winery
Music Concert** *(mi-fév.),*
Margaret River. Grand
concert *(p. 306).*

Adelaide Festival
(de mi-fév. à mi-mars).
Années paires seulement.

Le Grand Prix d'Australie a lieu en mars à Melbourne

AUTOMNE

Après l'humidité de l'été, matins frais et journées moins chaudes se succèdent en automne. Un temps idéal pour les spectacles en plein air et la randonnée, le vélo ou la pêche. De nombreux domaines viticoles ouvrent leurs portes pour les vendanges et organisent dégustations et fêtes culinaires. Pâques donne lieu à de sompteux défilés dans toutes les principales villes. Le 25 avril, l'Anzac Day commémore depuis 1916 les milliers d'Australiens qui périrent en tentant de prendre le détroit des Dardanelles pendant la Première Guerre mondiale.

Vin de la Yarra Valley

MARS

Grand Prix d'Australie (*1er week-end*), Melbourne. Prestigieuse course automobile de Formule 1 et réjouissances en ville (*p. 395*).
Yarra Valley Grape Grazing (*1er week-end*). Foulage du raisin, courses de tonneaux, plats bien arrosés.
Begonia Festival (*2 premières sem.*), Ballarat. Exposition de bégonias aux Botanical Gardens (*p. 425*).
Moomba Festival (*2e week-end*), Melbourne. Courses internationales sur la Yarra River (*p. 392-393*) et manifestations culturelles.
St Patrick's Day Parade

(*17 mars ou dim. précédent*), Sydney. Défilé dans le Hyde Park et bière verte dans les pubs pour la fête des Irlandais.

AVRIL

Royal Easter Show (*sem. précédant le ven. saint*), Sydney. Foire agricole, attractions foraines, artisanat et rencontres sportives.
International Surfing Competition (*week-end de Pâques*), Bells Beach. Cette rencontre attire des surfeurs amateurs et professionnels du monde entier (*p. 418*).
Easter Fair (*week-end de Pâques*), Maldon. Défilé et carnaval coloré pour Pâques dans ce village pittoresque (*p. 423*).

International Flower and Garden Show (*5 jours à Pâques*), Melbourne. Floralies organisées dans les Exhibition Gardens (*p. 387*).
Melbourne International Comedy Festival (*3 premières sem.*). Des comiques du monde entier se produisent dans des théâtres, des pubs et en plein air.
Bright Autumn Festival (*der. sem.*), Bright. Défilés, expositions d'art et visites de caves viticoles (*p. 437*).
Anzac Day (*25 avr.*). Ce jour férié donne lieu dans tout le pays à des défilés de vétérans et à des services religieux à la mémoire des soldats morts au combat.

MAI

Australian Celtic Festival (*1er week-end*), Glenn Innes. Cette petite ville célèbre son héritage celte (*p. 168*).
Kernewek Lowender Cornish Festival (*1er week-end*), Little Cornwall. Tous les deux ans, en souvenir des émigrants des Cornouailles qui exploitèrent les mines de cuivre vers 1860 (*p. 355*).
Torres Strait Cultural Festival (*der. week-end*), Thursday Island. Des Aborigènes célèbrent leurs traditions spirituelles par des danses, des chants et des expositions d'art.

Cérémonie à Canberra pour l'Anzac Day

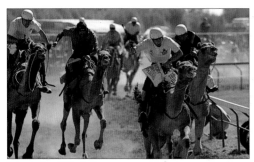
La Camel Cup d'Alice Springs

HIVER

En hiver, les températures suffisamment fraîches dans l'Est imposent un manteau, tandis qu'il gèle au Victoria et en Tasmanie. L'Outback, plus tempéré, permet des manifestations en plein air. Certaines manifestations célèbrent cette « rigueur » du climat, d'autres, tels les festivals du film de Sydney et de Melbourne, se déroulent dans des salles.

JUIN

Three Day Equestrian Event (1er week-end), Gawler. La plus vieille rencontre équestre d'Australie donne lieu à des démonstrations d'adresse.
Sydney Film Festival (2 sem. vers la mi-juin). Des rétrospectives aux dernières superproductions.
Melbourne Film Festival (2 sem. vers la mi-juin). Un grand festival international de cinéma.

Aboriginal Dance Festival, Cape York. Célébration biannuelle de la culture aborigène.
Bandemonium (de mi-juin à mi juil.), Sydney. Le festival de musique le plus populaire d'Australie.

JUILLET

Yulefest (tout juillet), Blue Mountains. Des hôtels, des pensions et quelques restaurants proposent un « Noël traditionnel » d'hiver avec feu de cheminée, sapins, guirlandes, etc.
Brass Monkey Festival (1er week-end), Stanthorpe. L'intérieur du Queensland célèbre les basses températures hivernales (p. 233).
Alice Springs Show (1er week-end). Ce salon de l'agriculture donne lieu à des expositions d'art et d'artisanat et à des démonstrations culinaires.
Cairns Show (2e week-end). Célébration culturelle de la vie d'aujourd'hui et d'antan en Australie tropicale.

Camel Cup (der. week-end), Alice Springs. Course de dromadaires dans un oued.

Le Mount Isa Rodeo

AOÛT

Almond Blossom Festival (1re sem.), Mount Lofty. Fête de l'amande et concours de cassage de coquilles.
City to Surf Race (2e dim.). Course de 14 km du centre-ville à Bondi Beach.
Shinju Matsuri Festival (der. week-end), Broome. Fête asiatique de la perle.
Mount Isa Rodeo (der. week-end). Le plus grand rodéo d'Australie (p. 249).

Barques décorées pour le Shinju Matsuri de Broome

Les climats de l'Australie

Les trois quarts du continent ont un climat aride marqué par des pluies faibles et irrégulières. Les journées sont chaudes dans l'immense désert de l'intérieur mais les nuits peuvent se révéler très froides. La côte sud et la Tasmanie jouissent d'étés chauds et d'hivers doux. Les différences saisonnières s'estompent en remontant vers la côte nord. Soumise aux pluies de mousson et parfois aux cyclones, celle-ci ne connaît que deux saisons : la sèche et l'humide.

QUEENSLAND DU NORD

Moyenne mensuelle des températures maximales

Moyenne mensuelle des températures minimales

Ensoleillement moyen quotidien

Moyenne mensuelle des précipitations

°C				
32	29	26	30	
23	21		20	
		16		
8 h	9 h	9 h	8 h	
422 mm	287 mm	41 mm	53 mm	
mois	avr.	juil.	oct.	janv.

NORD DE PERTH

°C			
33	34	28	33
26	22		22
		14	
8 h	9 h	7 h	9 h
160 mm	30 mm	5 mm	1 mm
mois	janv.	avr.	juil.	oct.

DARWIN ET LE TOP END

°C			
32	33	31	34
25	24		25
		19	
6 h	8 h	10 h	10 h
386 mm	97 mm	0 mm	51 mm
mois	janv.	avr.	juil.	oct.

RED CENTRE

°C			
36	27		31
21		19	14
	12		
		4	
10 h	10 h	9 h	10 h
43 mm	10 mm	8 mm	18 mm
mois	janv.	avr.	juil.	oct.

Darwin

TERRITOIRE DU NORD

AUSTRALIE-OCCIDENTALE

AUSTRALIE-MÉRIDIONALE

Perth

Adéla

PERTH ET LE SOUTHWEST

°C			
29	24		21
17	14	17	12
		9	
10 h	7 h	5 h	8 h
8 mm	43 mm	170 mm	56 mm
mois	janv.	avr.	juil.	oct

PÉNINSULES D'EYRE ET D'YORKE

°C			
32	26		26
19	13	17	13
		7	
10 h	6 h	5 h	7 h
15 mm	18 mm	18 mm	23 mm
mois	janv.	avr.	juil.	oct.

ADÉLAÏDE ET LE SOUTHEAST

°C			
30	23		23
16	13	15	11
		7	
10 h	6 h	4 h	7 h
20 mm	46 mm	66 mm	43 mm
mois	janv.	avr.	juil.	oct.

DES BLUE MOUNTAINS À BYRON BAY

°C				
	26	23		23
	18	13	16	15
			9	
☀	6 h	5 h	6 h	7 h
☂	95 mm	138 mm	110 mm	67 mm
mois	janv.	avr.	juil.	oct.

AU SUD DE TOWNSVILLE

°C				
	31	29		28
	24	21	24	22
			15	
☀	7 h	8 h	9 h	9 h
☂	277 mm	84 mm	15 mm	33 mm
mois	janv.	avr.	juil.	oct.

CANBERRA ET L'ACT

°C				
	28	19		20
	13	7	11	6
			1	
☀	9 h	7 h	5 h	8 h
☂	48 mm	41 mm	46 mm	56 mm
mois	janv.	avr.	juil.	oct.

BRISBANE

°C				
	29	26		27
	21	16	20	16
			9	
☀	8 h	7 h	7 h	8 h
☂	163 mm	94 mm	56 mm	64 mm
mois	janv.	avr.	juil.	oct.

SYDNEY

°C				
	26	22		22
	18	14	16	13
			8	
☀	7 h	6 h	6 h	7 h
☂	89 mm	135 mm	117 mm	71 mm
mois	janv.	avr.	juil.	oct.

SOUTH COAST ET SNOWY MOUNTAINS

°C				
	24	21		22
	19	15	14	15
			8	
☀	7 h	5 h	6 h	6 h
☂	85 mm	140 mm	122 mm	75 mm
mois	janv.	avr.	juil.	oct.

VICTORIA ORIENTAL

°C				
	27	19		21
	12	10	12	8
			4	
☀	8 h	6 h	4 h	7 h
☂	40 mm	52 mm	45 mm	59 mm
mois	janv.	avr.	juil.	oct.

QUEENSLAND

Brisbane •

NOUVELLE-GALLES DU SUD

• Sydney

• Canberra

VICTORIA

Melbourne •

TASMANIE

• Hobart

TASMANIE

°C				
	22	17		17
	12	9	11	8
			4	
☀	8 h	5 h	4 h	6 h
☂	48 mm	48 mm	53 mm	58 mm
mois	janv.	avr.	juil.	oct.

VICTORIA OCCIDENTAL

°C				
	25	18		17
	11	9	10	9
			3	
☀	7 h	5 h	5 h	6 h
☂	38 mm	50 mm	77 mm	70 mm
mois	janv.	avr.	juil.	oct.

MELBOURNE

°C				
	26	20		19
	14	11	13	9
			6	
☀	8 h	5 h	4 h	6 h
☂	48 mm	58 mm	48 mm	66 mm
mois	janv.	avr.	juil.	oct.

HISTOIRE DE L'AUSTRALIE

L'*Australie est une jeune nation sur une terre très ancienne que les Aborigènes furent seuls à parcourir pendant des milliers d'années. Pour exploiter ses richesses, les premiers colons européens durent affronter une nature difficile. La société qu'ils créèrent resta longtemps très anglo-saxonne avant de se tourner résolument vers l'Asie et le Pacifique.*

Armoiries australiennes

Le socle rocheux de l'Australie actuelle commença à se former il y a quatre milliards et demi d'années et, bien que des couches plus récentes l'aient recouvert depuis, dans les lieux comme la région de Pilbara *(p. 320)*, l'érosion a mis à nu des strates vieilles de trois milliards et demi d'années. Il y a 500 millions d'années, l'Australie appartenait, avec l'Amérique du Sud, l'Afrique, l'Inde et l'Antarctique, à un supercontinent appelé Gondwana. En se divisant, il traversa diverses zones climatiques ; l'intérieur désertique du continent fut pendant un temps une mer peu profonde *(p. 18-19)*.

LES PREMIERS IMMIGRANTS

Les premiers hommes à atteindre l'Australie arrivèrent d'Asie par la mer il y a plus de 60 000 ans à une époque où les masses émergées étaient beaucoup plus rapprochées. Ils mirent 25 000 ans à se répandre dans tout le continent et à atteindre la Tasmanie. Ils ne pratiquèrent jamais l'agriculture ni l'élevage et restèrent des chasseurs, des pêcheurs et des cueilleurs. Leurs premiers outils étaient des plus rudimentaires, souvent de simples éclats de roche à peine retouchés. Cependant, vers 8000 av. J.-C., les Aborigènes avaient inventé le boomerang capable de revenir vers son lanceur *(p. 29)* et, probablement, les premières pointes denticulées du monde.

Malgré l'apparente simplicité d'un mode de vie resté à l'âge de pierre, les Aborigènes vivaient dans une société complexe basée sur un réseau de clans, pour la plupart nomades, qui comptaient de 50 à 100 membres étroitement apparentés. Il n'existait aucun système formel de gouvernement mais chaque groupe obéissait à des règles et des coutumes strictes sous la direction des hommes les plus respectés, généralement des anciens. La pluralité des cultures aborigènes, 200 langues et environ 800 dialectes, s'appuie sur une tradition homogène qui fait remonter les règles de la société à l'époque de la création du monde, le Dream Time, ou Temps du Rêve *(p. 26-29)*. Des fouilles au Lake Mungo ont permis de découvrir les traces de rites funéraires très anciens, y compris ce qui apparaît

CHRONOLOGIE

Diprotodon, 20000 av. J-C

43000-38000 av. J.-C. Les outils trouvés dans une tombe près de la Nepean River sont l'une des premières preuves datées d'occupation humaine de l'Australie	**35000 av. J.-C.** Les Aborigènes atteignent la Tasmanie		**13000** Fin de l'ère glaciaire
60000 av. J.-C. 50000	**40000 av. J.-C.** 30000	**20000 av. J.-C.** 10000
170-60 000 av. J.-C. Des Aborigènes atteignent sans doute l'Australie	**42000 av. J.-C.** Gravures aborigènes d'Olary, Australie-Méridionale	**25000 av. J.-C.** La crémation d'une femme au Lake Mungo est la plus ancienne crémation connue	**20000 av. J.-C.** Des hommes habitent les Blue Mountains malgré l'ère glaciaire. Le plus grand des marsupiaux, le diprotodon, existe encore

◁ *Desmond, A New South Wales Chief* (vers 1825) par Augustus Earle

Estampe d'un « Antipode » (1493)

LES THÉORIES D'UNE TERRE DES ANTIPODES

En Europe, on supposait dès l'Antiquité l'existence d'un continent inconnu au sud de l'équateur. Au Ve siècle av. J.-C., 2 000 ans avant la découverte de l'Australie par des Occidentaux, le mathématicien grec Pythagore avança qu'il devait exister des terres australes pour équilibrer celles de l'hémisphère Nord. Vers 150 apr. J.-C., le géographe Ptolémée d'Alexandrie poussa cette spéculation jusqu'à dessiner une carte où figurait un continent entourant l'océan Atlantique et l'océan Indien. La légende alla jusqu'à peupler cette terre des antipodes, située à l'opposé de nos pieds, d'hommes pourvus de pieds à l'envers.

L'Église elle-même n'échappa pas à la polémique. Saint Augustin (354-430) affirma catégoriquement que l'hémisphère Sud ne contenait aucune terre et que tout avis contraire était héré-tique. Six siècles plus tard, cependant, en 1086, l'*Osma Beatus,* une série de cartes illustrant le travail du moine Beatus, représentait sous l'équateur une hypothétique contrée peuplée.

Il fallut attendre le XVe siècle et le début des grandes explorations européennes pour que ces théories pussent se vérifier. Financés par le prince Henri le Navigateur (1394-1460), les marins portugais franchirent pour la première fois l'équateur en 1470. En 1488, ils contournèrent le cap de Bonne-Espérance, pointe sud de l'Afrique et, en 1502, ils affirmèrent avoir localisé une terre australe lors d'un voyage d'exploration de l'Amérique du Sud. Le navigateur italien Amerigo Vespucci la décrivit comme un paradis empli d'arbres et d'oiseaux colorés, mais il ne s'agissait pas de l'Australie.

En 1519, une nouvelle expédition portugaise commandée par Ferdinand Magellan fut la première à faire le tour du monde. Aucun dessin des terres explorées n'a survécu, mais des cartes ultérieures montrent la Terre de Feu à la pointe d'une terre au sud des Amériques. Mais celle-ci n'apparaît pas sur les cartes de l'Anglais Francis Drake qui lui aussi fit le tour du monde entre 1577 et 1580. D'autres cartes, dessinées en France, à Dieppe, entre 1544 et 1560, représentaient quant à elles un continent, Java la Grande, au sud-est de l'Indonésie.

LA DÉCOUVERTE HOLLANDAISE

Au XVIIe siècle, la puissance portugaise en Asie du Sud-Est commençait à décliner face à celle des Pays-Bas

Première carte connue de l'Australie datant de 1530-1536

CHRONOLOGIE

2000 av. J.-C. Le dingo venu d'Asie du Sud-Est est le premier animal domestiqué qui atteint l'Australie	**500 av. J.-C.** Pythagore spécule sur l'existence de terres australes	**150 apr. J.-C.** Ptolémée pense que la terre australe entoure l'Atlantique et l'océan Indien	**450** Macrobe envisage une terre australe inhabitée dans son commentaire sur *Le Songe de Scipion*

2000 av. J.-C.	**1000 av. J.-C.**	**1 apr. J.-C.**	**1000**

Gravure sur cuivre d'un dingo	**400** Saint Augustin rejette toute idée d'habitants des antipodes	**1086** Beatus montre sur sa *Mappa mundi* une terre australe habitée par un monstre à un seul pied

Les navires du Hollandais Abel Tasman

alors qu'il se dirigeait vers les Indes orientales, accosta une île de l'Australie-Occidentale et y cloua une plaque en étain sur un poteau pour signaler son passage *(p. 318).* Entre 1642 et 1644, Abel Tasman découvrit l'île qui portera finalement son nom, mais qu'il baptisa d'abord Terre de Van Diemen en l'honneur du gouverneur général des Indes orientales, ainsi que la Nouvelle-Zélande et les côtes nord de l'Australie. Les Hollandais explorèrent la région pendant encore plus d'un siècle mais, malgré l'intérêt géographique de leurs découvertes, ils n'en retirèrent aucun bénéfice économique et ne cherchèrent pas à connaître l'intérieur des terres.

qui contrôlaient les Indes orientales (Indonésie). En 1606, Willem Jansz, capitaine du *Duyfken,* longea la péninsule du cap York alors qu'il cherchait la Nouvelle-Guinée qui avait la réputation de regorger d'or. Il trouva cette côte inhospitalière et s'en éloigna rapidement. En 1616, Dirk Hartog, commandant de l'*Eendracht,* dérouté

LE PREMIER ANGLAIS

Le premier Anglais qui foula le sol de l'Australie fut le flibustier William Dampier en 1688. Le Britannique ne manifesta pas plus d'enthousiasme pour ce nouveau territoire que ses rivaux hollandais mais relata tout de même son périple en 1697 dans *Le Grand Voyage.* La Couronne lui confia alors le *Roebuck* avec lequel il explora en détail la côte nord-ouest de l'Australie. Son navire coula dans l'Atlantique au cours du retour. William Dampier, rapatrié en 1700, fut condamné pour s'être conduit de façon cruelle envers son équipage.

Portrait de William Dampier

L'ESPAGNOL OUBLIÉ

En 1606, l'année où Willem Jansz posait le pied sur le sol australien, un amiral espagnol, Luis Vaez de Torres, dirigeait une expédition à la recherche de la « Terra Australia » et franchissait le détroit qui sépare l'Australie de la Nouvelle-Guinée et porte aujourd'hui son nom *(p. 266).* Sa découverte resta toutefois ignorée pendant 150 ans, sans doute parce qu'il mourut peu après avoir envoyé son rapport au roi Philippe III d'Espagne. L'importance de ses cartes fut également négligée, probablement à cause de ce décès prématuré.

Relief en bronze de Luis Vaez de Torres

Sir Francis Drake

Plaque de Hartog

1300 Marco Polo décrit une terre du Sud que les cartes de la Renaissance ajoutèrent plus tard à l'imaginaire *Terra Australis*

1577-1580 Sir Francis Drake fait le tour du monde mais n'évoque aucune région australe en dessous de l'Amérique du Sud

Compas de Dampier

1688 William Dampier foule le sol australien

1616 Dirk Hartog, parti d'Amsterdam, débarque sur une île de la côte ouest de l'Australie et laisse une plaque

1756 Dernier voyage en Australie du *Buis* hollandais

1200 · 1400 · 1600

La colonisation de l'Australie

Chapeau en palme tressée

Au milieu du XVIIIᵉ siècle, l'Angleterre était la première puissance maritime du globe. Elle envoya en 1768 le capitaine James Cook explorer les mers du Sud à bord de l'*Endeavour*. En 1770, Cook prit possession au nom du roi Georges III de la côte est australienne qu'il baptisa Nouvelle-Galles du Sud. La perte de ses colonies américaines et la surpopulation qui régnait dans ses geôles incitèrent la couronne britannique à fonder une colonie pénitentiaire sur cette nouvelle terre. La Première Flotte constituée de deux vaisseaux de guerre et de neuf bateaux de transport atteignit la Sydney Cove en 1788. Elle débarqua 750 prisonniers, 210 soldats et 40 femmes et enfants.

Capitaine James Cook *(v. 1800)*
Le navigateur anglais dressa les cartes de l'Australie orientale entre 1770 et 1771.

Bateau en construction

Prise de possession
En hissant l'Union Jack sur la côte est de l'Australie en 1770, les Anglais revendiquèrent la possession du continent récemment découvert.

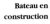

Aborigènes représentés près de la colonie blanche.

Sir Joseph Banks
Le botaniste Joseph Banks, qui accompagnait Cook sur l'Endeavour, proposa Botany Bay comme site de la première implantation.

UNE VUE DE LA SYDNEY COVE

Ce tableau idyllique dressé par Edward Dayes et gravé par F. Jukes en 1804 montre les Aborigènes vivant en paix à l'intérieur de la jeune colonie fondée à Port Jackson (baie qui fut plus tard rebaptisée Sydney Cove) et où prospèrent les activités industrielles et navales. En réalité, à la fin du XVIIIᵉ siècle, les premiers occupants de l'Australie étaient déjà systématiquement spoliés de leurs terres.

First Fleet Ship *(v. 1787)*
*Cette peinture par Francis Holman
montre trois vues du* Borrowdale, *l'un des
trois ravitailleurs de la Première Flotte.*

Scrimshaw
*Pour occuper le
temps des longues
traversées, les
matelots
gravaient os ou
ivoire.*

Les édifices
étaient construits
de façon hâtive.

Logement de forçats

Maison du gouverneur Phillip, Sydney
*Cette maison coloniale au jardin à la
française abrita le premier gouvernement
d'Australie.*

**Caserne du Rum
Corps**

Prison flottante
*De vieux navires hors d'usage servirent
à emprisonner des forçats jusqu'au
milieu du XIXᵉ siècle.*

CHRONOLOGIE

1768 James Cook part
d'Angleterre pour
Tahiti sur l'*Endeavour*

1775 Grave
surpopulation dans
les geôles anglaises

Bennelong

1788 L'Aborigène Bennelong
est retenu pendant cinq mois puis
envoyé en Angleterre pour
rencontrer le roi George III

1770   **1780**   **1790**

1770 Cook débarque
sur la côte est de l'Australie
et en prend possession
pour l'Angleterre

1779 Le botaniste
Joseph Banks conseille
Botany Bay pour une
colonie pénitentiaire

*Mouton
mérinos*

1797 John MacArthur
introduit le mouton
mérinos du cap de
Bonne-Espérance
(p. 123)

L'EXPLORATION DE LA CÔTE

Une fois la survie de la première colonie assurée, et après que des immigrants libres l'eurent rejointe, le gouvernement et les pionniers se lancèrent dans l'exploration de ce vaste continent inconnu. Le littoral offrait l'accès le plus facile et, entre 1798 et 1799, l'enseigne de vaisseau Matthew Flinders et le chirurgien George Bass dressèrent la carte de la majeure partie de la côte australienne au sud de Sydney. Ils firent aussi le tour de la Tasmanie appelée à l'époque Terre de Van Diemen *(p. 45)*. En 1801, Flinders, à qui l'on confia le commandement du sloop *Investigator,* reconnut tout le littoral australien, devenant le premier homme à faire le tour complet du continent.

John Batman parlant avec des Aborigènes

L'EXPLORATION DE L'INTÉRIEUR

L'intérieur du pays s'ouvrit à la colonisation en 1813 quand George Blaxland, William Wentworth et William Lawson réussirent à trouver un passage à travers les Blue Mountains *(p. 162-165)*. En 1824, les explorateurs Hamilton Hume et William Lovell rejoignirent par voie de terre le site de l'actuelle Melbourne alors baptisée Port Phillip Bay.

Entre 1828 et 1830, Charles Sturt, un ancien secrétaire du gouverneur de l'État, conduisit deux expéditions le long du réseau fluvial australien. La première lui permit de découvrir la Darling River. Au cours de la seconde, il longea la Murray River et atteignit l'océan en Australie-Méridionale. Les épreuves endurées par Sturt fragilisèrent sa santé pour le reste de sa vie.

NOUVELLES COLONIES

Tout au long du XIXᵉ siècle, de nouvelles communautés s'implantèrent d'un bout à l'autre du continent. Colonisée à partir de 1804, la Tasmanie obtint son autonomie en 1825. En 1829, l'Australie-Occidentale connut une première existence légale avec la fondation de Perth. Les colons libres, à l'origine de sa création, acceptèrent bientôt l'envoi de bagnards.

En 1835, un fermier tasmanien, John Batman, signa un contrat avec des Aborigènes locaux qui lui permit d'aquérir 250 000 ha de terre en bordure de Port Phillip Bay *(p. 373)* où il fonda Melbourne. La colonie fut reconnue en 1837, l'État du Victoria fut établi en 1851, au début de la ruée vers l'or qui allait lui donner sa prospérité *(p. 50-51)*. Le Queensland se sépara de la Nouvelle-Galles du Sud en 1859.

Reconnue en 1836, l'Australie-Méridionale était la seule colonie à se

L'expédition de Sturt attaquée par des Aborigènes sur la Murray River

E.J. Eyre

1798-1799 Matthew Finders et George Bass font le tour de la Tasmanie	1808 Le major Johnston dirige la Rum Rebellion	1825 La Terre de Van Diemen (future Tasmanie) devient autonome	1840-1841 Edward John Eyre est le premier Européen à traverser la Nullarbor Plain
1800	**1810**	**1820**	**1830** **1840**
1801-1803 Finders fait le tour de l'Australie	1804 Fondation de Hobart		1833 Ouverture du pénitencier de Port Arthur. Il ne fermera qu'en 1877
	1813 Premières monnaies : le *holey dollar* et le *dump*	Holey dollar *et* dump *tirés de pièces espagnoles*	1829 L'Australie-Occidentale est colonisée grâce au travail des bagnards

Maison coloniale typique de Hobart, en Tasmanie, en 1856

passer de forçats car, selon une théorie formulée par des réformateurs anglais, elle finançait les aménagements publics et le transport de travailleurs libres par des ventes de terrain. Elle devint un asile pour des dissidents religieux, tradition qui perdure aujourd'hui.

LA TRAVERSÉE DU CONTINENT

En 1840, un éleveur de moutons arrivé d'Angleterre en 1833, Edward John Eyre, fut le premier Européen à rejoindre l'Australie-Occidentale depuis Adélaïde en passant par la Nullarbor Plain. En 1859, le gouvernement de l'Australie-Méridionale offrit une récompense à celui qui réussirait l'exploit de traverser le continent du sud au nord. Une expédition d'une vingtaine d'hommes et de dromadaires, conduite par un policier, Robert O'Hara Burke, et un géomètre, William Wills, partit de Melbourne en 1860. L'équipe installa un camp de base à Coopers Creek, dans le Queensland, d'où Burke, Wills et deux compagnons partirent en direction du golfe de Carpentarie. Ils s'épuisè-

LA RÉVOLTE DU RHUM

En 1808, les militaires, sous le commandement du major George Johnston et de John MacArthur *(p. 123)*, déposèrent le gouverneur William Bligh (1754-1817), déjà victime d'une mutinerie en 1789 en tant que capitaine du *Bounty*, et s'emparèrent du pouvoir pour garder le contrôle de la contrebande du rhum. Les soldats restèrent à la tête de la colonie 23 mois jusqu'à l'arrivée d'Angleterre d'un régiment dirigé par le gouverneur Lachlan Macquarie.

William Bligh

rent dans des marécages, perdirent un homme et revinrent avec tellement de retard au campement que le reste de leur troupe l'avait quitté quelques heures auparavant. Burke et Wills moururent de faim et d'épuisement. Finalement, John McDouall Stuart fut le premier à réussir la traversée sud-nord en 1862 mais il revint à Adélaïde diminué par le scorbut et presque aveugle.

Le retour de Burke et Wills à Coopers Creek en 1860

1851 Découverte d'or en Nouvelle-Galles du Sud et au Victoria *(p. 50-51)*	**1862** John Stuart réussit la première traversée du sud au nord	**1872** Le télégraphe relie Adélaïde à Darwin *via* Alice Springs	**1899** Des Australiens participent à la guerre des Boers
		1873 Des Européens découvrent Uluru (Ayers Rock)	

1850	1860	1870	1880	1890

	1854 Eureka Stockade *(p. 50)*	**1868** Dernier envoi de bagnards en Australie	**1876** Mort du dernier Aborigène de Tasmanie : Truganinni *(p. 457).*	**1880** Pendaison de Ned Kelly *(p. 439)*
	1853 Derniers bagnards envoyés en Tasmanie			*Masque mortuaire de Ned Kelly*

La ruée vers l'or des années 1850

En 1851, la découverte d'or près de Bathurst en Nouvelle-Galles du Sud, à Ballarat et à Bendigo dans le Victoria vida presque toutes les villes du pays, tandis qu'affluaient des immigrants venus d'Europe et de Chine. Certains de ces prospecteurs devinrent extrêmement riches mais d'autres quittèrent les régions aurifères les mains vides. L'Australie, à la fin du siècle, était devenue un pays prospère aux villes ornées d'élégants édifices, dont certains furent construits par les dernières vagues de forçats. Mais malgré l'or découvert vers 1890 en Australie-Occidentale, le pays connut à la fin du siècle une période de récession économique causée par l'écroulement du cours de la laine et une grave sécheresse.

Ornement en or du XIXᵉ siècle

Edward Hargraves, *Hargraves devint célèbre en 1851 en découvrant de l'or à Bathurst.*

Écuelle d'orpailleur

Lampe

Pic

Outils de prospecteur
L'extraction de l'or était au début un travail ingrat et dur qui nécessitait trois ustensiles : un pic pour dégager le minerai, une écuelle pour le filtrer par décantation et une lampe pour percer l'obscurité.

Eureka Stockade
En 1854, des mineurs se révoltèrent contre le prix trop élevé des licences de prospection et élevèrent une barricade à la sortie de la ville de Ballarat (p. 424).

À LA RECHERCHE DE L'OR
Australian Gold Diggings (1855) d'Edwin Stocqueler montre les diverses méthodes d'extraction de l'or et le dur travail fourni par des milliers de prospecteurs. Ces hommes et leurs familles, venus du monde entier à la recherche d'or, firent du Victoria une région prospère. Les modestes villages de tentes du début se transformèrent en de véritables villes au sein de contrées désertiques.

Might versus Right *(v. 1861)*
Ce tableau de S.T. Gill intitulé La Force
contre le droit *a pour sujet les émeutes
qui éclatèrent en 1861 sur les champs
aurifères de Lambing Flag en Nouvelle-
Galles du Sud. Des chercheurs d'or
chinois furent victimes des violences
racistes de colons européens.*

Des villages de tentes
couvrirent le Victoria vers 1850.

L'orpaillage était la
méthode d'extraction
la plus populaire.

Prospérité à Bendigo
*Williamson Street, à Bendigo
(p. 420), doit son élégance aux
fortunes bâties grâce à l'extraction
de l'or dans le Victoria.*

**Médaille de
mineurs chinois**
*Le racisme envers
les mineurs
chinois s'atténua et
ils offrirent cette
médaille au
district de
Braidwood
(Victoria) en 1881.*

Chapeaux et épais
pantalons protégeaient les
mineurs du soleil.

Le débourbeur était une
gouttière garnie de barres de
bois qui retenaient l'or.

**Chercheurs d'or à dos
de dromadaire**
*Alors que les filons s'épuisaient au
Victoria vers 1890, la découverte d'or
en Australie-Occidentale incita des
mineurs à traverser le continent.*

Mouchoir célébrant la Fédération australienne

PREMIERS PAS FÉDÉRAUX

Après les années de dépression de la fin du XIXe siècle, l'Australie aborda le XXe siècle sur une note optimiste : ses six colonies se fédérèrent en une seule nation le 1er janvier 1901. Cette union se fit autour d'une idée forte : l'Australie doit rester « européenne » et étroitement liée à la Grande-Bretagne. L'un des premiers actes de son parlement fut de promulguer l'Immigration Restriction Bill (loi de restriction de l'immigration), fondement d'une politique qui resta longtemps en vigueur : la « politique de l'Australie blanche ».

Affiche électorale du Labor Party

Tout candidat à l'immigration devait passer une épreuve de dictée dans une langue européenne et ceux que l'on désirait écarter étaient interrogés dans des idiomes peu usités comme le gaélique. Neuf gouvernements dirigés par cinq Premiers ministres différents se succédèrent entre 1901 et 1910 car les trois principales formations politiques, les Protectionnists, les Free Traders et le Labor Party, ne parvinrent pas à conserver une majorité. À partir de 1910, les électeurs purent choisir entre un parti conservateur (Liberal) et un parti travailliste (Labor) à qui ils conférèrent alternativement le pouvoir.

Invitation à s'engager

PREMIÈRE GUERRE
MONDIALE

L'entrée en guerre du Royaume-Uni en 1914, entraîna à sa suite l'Australie qui voulut défendre la « mère patrie ». Le pays paya très cher sa fidélité. Sur 331 781 hommes engagés, tous volontaires (un référendum repoussa un projet de conscription en 1916), 64 % périrent ou furent blessés. Dans tout le pays, des monuments aux morts, du plus simple au plus imposant, tel l'Australian War Memorial de Canberra *(p. 192-193),* rendent depuis hommage à leur sacrifice. Celui-ci joua un rôle fondateur dans la construction de l'identité australienne et, plus que l'Australia Day, c'est l'Anzac Day qui est considéré comme la véritable fête nationale. L'Anzac Day commémore le débarquement de l'Australian and New Zealand Army Corps sur la presqu'île

---

CHRONOLOGIE

1901 Création du Commonwealth of Australia. Le vote de l'Immigration Restriction Bill légalise la « politique de l'Australie blanche »	*Drapeau australien*	**1919** Le mouvement du « Grand Frère » permet l'accueil d'immigrants adolescents	**1921** Edith Cowan est la première femme député du pays

1900	1905	1910	1915	1920

1902 Droit de vote des femmes	**1912** Walter Burley Griffin est choisi pour concevoir Canberra *(p. 183)*		**1920** Création de Qantas, compagnie aérienne encore locale
	1914-1918 Première Guerre mondiale	*Logo de Qantas*	

turque de Gallipoli le 25 avril 1915. La tentative de prendre le contrôle du détroit des Dardanelles échoua mais les soldats australiens, qui se montrèrent héroïques, combattaient pour la première fois sous leurs propres couleurs.

L'ENTRE-DEUX-GUERRES

L'Australie connut après la guerre une période de grand dynamisme nourri par l'arrivée de quelque 300 000 immigrants. La société Qantas (Queensland and Northern Territory Aerial Service Ltd) fut créée en 1920. Le premier vol intercontinental de la future compagnie aérienne internationale eut lieu en 1943. L'année 1923 marqua le début de la construction du Sydney Harbour Bridge *(p. 76-77)*. En 1925, le pays comptait déjà six millions d'habitants.

La Grande Dépression mit un terme à cet élan. Les cours du blé et de la laine, principales ressources à l'exportation, s'effondrèrent et, en 1931, le chômage touchait un tiers de la population. Des gens dormaient dans des tentes dressées dans les jardins

Inauguration du Sydney Harbour Bridge

publics et des *swagmen* (vagabonds) prenaient la route pour chercher du travail hors des villes. La reprise commença à se faire sentir dès 1933 mais la population, à la veille d'une nouvelle guerre, n'eut guère le temps d'en profiter.

SECONDE GUERRE MONDIALE

Au départ, les Australiens participèrent à la Seconde Guerre mondiale pour défendre à nouveau la liberté et la « mère patrie » britannique mais l'enjeu changea soudain quand les Japonais entrèrent dans le conflit. L'Australie connut le premier acte de guerre sur son propre territoire quand les Japonais bombardèrent en 1942 Darwin, Broome et Townsville. Elle vota la conscription et décida alors de conserver toutes ses forces pour se défendre et arrêter les Japonais qui progressaient vers Port Moresby en Nouvelle-Guinée. Le pays refusa aussi d'envoyer de nouveaux renforts à la Grande-Bretagne. Cette implication de l'Australie dans le Pacifique marqua un profond changement de la politique étrangère du pays.

Swagmen (vagabonds) pendant la Grande Dépression

Pot de Vegemite

1923 Premiers pots de Vegemite	1932 Ouverture du Sydney Harbour Bridge	1933 L'Australie-Occidentale vote la sécession du Royaume-Uni. Refus du Parlement	1939-1945 Seconde Guerre mondiale
			1941 Inauguration de l'Australian War Memorial à Canberra

1925	1930	1935	1940	1945

| 1927 Première réunion du Parlement à Canberra dans un édifice temporaire | 1929 La Grande Dépression frappe l'Australie | | 1948 La Holden est la première voiture entièrement fabriquée en Australie |
| | 1928 Début des Royal Flying Doctors | | |

Première voiture australienne

L'Australie s'allia en effet aux États-Unis pour repousser les Japonais et accueillit sur son territoire environ 250 000 soldats américains pendant le conflit. Cette alliance conduisit en 1951 au premier traité de défense signé par l'ancienne colonie britannique, l'ANZUS, conclu entre l'Australie, la Nouvelle-Zélande et les États-Unis. À la fin de la guerre, près d'un million d'Australiens, sur une population de sept millions d'habitants, avaient combattu, 34 000 étaient morts et 180 000 avaient été blessés.

Affiche de promotion du tourisme en Australie dans les années cinquante

l'Italie et la Grèce. L'Australie, qui vivait une époque de reconstruction, avait besoin de matières premières. Les immigrants stimulèrent l'économie de leur nation d'accueil et lui donnèrent un esprit plus ouvert. Le statut de « résident permanent » permit à des non-Européens de demander la citoyenneté dès 1956. Cependant, en 1966, quinze ans de résidence étaient encore nécessaires aux non-Européens pour l'obtenir contre cinq aux Européens.

L'IMMIGRATION D'APRÈS-GUERRE

La Seconde Guerre mondiale avait fait prendre conscience à l'Australie de sa vulnérabilité, aussi le pays lança-t-il un vaste programme d'immigration sur le thème « peupler ou périr » et accueillit près de deux millions de nouveaux arrivants en vingt ans. Ceux-ci étaient européens mais n'étaient pas tous d'origine britannique. En effet, 800 000 personnes arrivèrent de pays comme

Sydney 1967 : premier contact d'immigrants britanniques avec leur nouveau pays

L'ÈRE MENZIES

Entre 1949 et 1966, le Premier ministre conservateur Robert Menzies remporta huit élections consécutives. L'aug-

LE MABO RULING

En 1982, Edward Koiki (Eddie) Mabo, un insulaire du détroit de Torres, attaqua l'État du Queensland en revendiquant pour son peuple un droit sur sa terre. La Haute Cour de justice prit un arrêt, dit le *Mabo ruling,* qui reconnaissait aux communautés aborigènes le droit de réclamer la propriété d'un territoire sur lequel elles avaient maintenu une présence traditionnelle. Cette décision annulait le concept de *terra nullius* (l'Australie n'appartenait à personne à l'arrivée des Européens), fondement de la jurisprudence depuis deux siècles.

Edward Koiki Mabo

CHRONOLOGIE

1955 Troupes australiennes en Malaisie

1966-1972 Manifestations contre la guerre du Viêt-nam

1958 La dictée n'est plus imposée aux immigrants

1967 Un référendum donne la citoyenneté aux Aborigènes

1973 Ouverture de l'opéra de Sydney (p. 80-81)

Sydney Opera House

1955	1960	1965	1970	1975

1956 Jeux olympiques de Melbourne

1965 Des appelés australiens sont envoyés au Viêt-nam

Neville Bonner

1971 Neville Bonner devient le premier député aborigène

1972 Edward Gough Whitlam est le 1er Premier ministre travailliste depuis 1949

1976 *Advance Australia Fair* devient l'hymne national

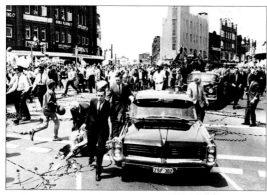

Manifestations contre la guerre du Viêt-nam lors de la venue de L.B. Johnson

mentation de la population et les exportations de matières premières nourrissaient une croissance élevée. Les Australiens jouissaient d'un haut niveau de vie et aspiraient à la paix pour en profiter. Menzies leur donna la stabilité qu'ils désiraient, mais les entraîna aussi dans trois guerres en Corée (1950), en Malaisie (1955) et au Viêt-nam (1965) où, pour la première fois, l'Australie ne se battit pas aux côtés de la Grande-Bretagne.

AGITATION SOCIALE ET CHANGEMENT

À la fin des années soixante, l'opposition à la conscription et à la guerre du Viêt-nam donna lieu à de grandes manifestations dans les principales villes du pays. Dans le même temps, de plus en plus de voix s'élevèrent pour protester contre le sort des Aborigènes victimes depuis la fin de la guerre d'une politique d'assimilation forcée. En 1967, un référendum leur accorda à une écrasante majorité,

soit 90,8 % des voix, la nationalité australienne. Il donna aussi au gouvernement fédéral le pouvoir de légiférer dans les domaines qui les concernaient, mettant fin aux différences entre États. Les travaillistes dirigés par Edward Gough Whitlam remportèrent les élections en 1972 avec un programme de réformes sociales. Ils abolirent la conscription, instaurèrent la gratuité de l'enseignement universitaire, abaissèrent l'âge du droit de vote de 21 ans à 18 ans et accordèrent quelques droits territoriaux aux Aborigènes. En 1974, la politique d'immigration perdit ses clauses discriminatoires. L'augmentation de l'inflation entretint toutefois des rumeurs de mauvaise gestion économique.

L'AUSTRALIE AUJOURD'HUI

En 1975, le gouverneur général, représentant de la reine d'Angleterre qui reste officiellement le chef de l'État australien, démit Whitlam au profit de son adversaire conservateur Malcolm Fraser. Les gouvernements suivants s'intéressèrent plus à l'économie qu'aux enjeux sociaux. Depuis, l'Australie se tourne résolument vers le Pacifique et l'Asie et aborde, en outre, l'avenir avec un grand optimisme, avec l'organisation en l'an 2000 des Jeux olympiques d'été de Sydney *(p. 139)*.

Les Aborigènes se voient reconnaître leurs droits territoriaux en 1975

1979 Début de trois ans de sécheresse	1983 Bob Hawke élu Premier ministre	1988 Bicentenaire-inauguration du nouveau Parlement	1991 Paul Keating remplace Hawke à la tête du parti travailliste et du pays	2000 Sydney accueillera les Jeux olympiques
	1980	1985	1990	1995
1981 Augmentation de l'immigration asiatique et préférence accordée au rapprochement familial	1983 Victoire à l'America's Cup — *Coupe de l'América's Cup*	1986 L'Australia Act rompt les liens légaux avec la Grande-Bretagne	1992-1993 Le *Mabo ruling* reconnaît la présence aborigène avant la colonisation anglaise	1996 John Howard est élu Premier ministre

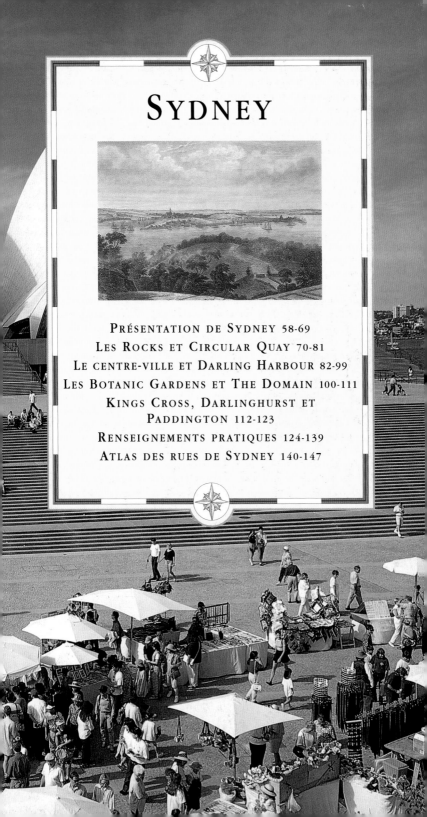

SYDNEY

PRÉSENTATION DE SYDNEY 58-69

LES ROCKS ET CIRCULAR QUAY 70-81

LE CENTRE-VILLE ET DARLING HARBOUR 82-99

LES BOTANIC GARDENS ET THE DOMAIN 100-111

KINGS CROSS, DARLINGHURST ET
PADDINGTON 112-123

RENSEIGNEMENTS PRATIQUES 124-139

ATLAS DES RUES DE SYDNEY 140-147

Le centre de Sydney

Ce guide divise le centre de Sydney
en quatre quartiers qui renferment
les principaux monuments et sites de la
ville. Sur la Sydney Cove, les Rocks et
Circular Quay forment la partie la plus
ancienne du cœur de la cité près du
quartier des affaires. À l'ouest s'étendent
Darling Harbour et son Chinatown.
À l'est des Botanic Gardens et du
Domain qui créent une oasis de verdure
en centre-ville, Kings Cross et
Darlinghurst ont bâti leur réputation sur
l'animation de leurs cafés,
tandis que Darlington
conserve beaucoup de son
charme victorien.

*Le Lord Nelson Hotel, pub
traditionnel des Rocks
(p. 467), ouvrit ses portes en
1834. Il propose ses propres
bières à la pression.*

LÉGENDE

▢	Site exceptionnel
▢	Site intéressant
🚆	Gare du CityRail
🚈	Station du monorail
🚌	Terminus de bus
🚍	Gare routière
⛴	Embarcadère de ferries
⛴	Embarcadère de JetCat/RiverCat
🚓	Poste de police
P	Parc de stationnement
ℹ	Informations touristiques
✚	Hôpital de garde
✝	Église
✡	Synagogue

*Le Queen Victoria Building,
ancienne halle construite vers
1890, fait partie d'un beau
groupe de bâtiments victoriens
du centre. Il abrite une galerie
marchande et conserve
beaucoup de ses traits
originaux, y compris
les statues du toit.*

◁ **Les habitants de Sydney profitent du soleil sur les marches du Sydney Opera House**

(Carte) Sydney Harbour Bridge · Sydney Opera House · LES ROCKS ET CIRCULAR QUAY · Sydney Cove · CIRCULAR QUAY · OBSERVATORY PARK · TOLL POINT · GROSVENOR PLACE · GROSVENOR ST · MARTIN PLACE · KING STREET · MARKET STREET · DRUITT ST · BATHURST STREET · DARLING HARBOUR · HYDE PARK · THE DOMAIN · PHILLIP PARK · COOK PARK · Australian Museum · LIVERPOOL STREET · National Maritime Museum · Cockle Bay · Powerhouse Museum · GOULBURN STREET · HAY STREET · ULTIMO ROAD · EDDY AVENUE · RAILWAY SQUARE · Central Railway Station · WILLIAM S · OXFORD · HICKSON ROAD · ARGYLE STREET · CUMBERLAND STREET · BRADFIELD HIGHWAY · KENT STREET · GEORGE STREET · PITT STREET · MACQUARIE STREET · CAHILL EXPRESSWAY · BRIDGE STREET · YORK STREET · CLARENCE STREET · SUSSEX STREET · PYRMONT · HARRIS STREET · PIER STREET · LEE STREET · GEORGE STREET · PITT STREET · ELIZABETH STREET · CASTLEREAGH STREET · PHILLIP STREET · ST JAMES ROAD · COLLEGE · LIVERPOOL

GRAND SYDNEY

Fort Denison

Broken Bay
Palm Beach
Mona Vale

Hawkesbury River
South Creek
Penrith
Glenbrook
Blacktown
Prospect Reservoir
Parramatta
Hornsby
Chatswood
Manly
Port Jackson
CENTRAL SYDNEY
Bondi
Burwood
Sydney Airport
Bankstown
Rockdale
Maroubra
Nepean River
Camden
Campbelltown
George River
Sutherland
Cronulla
Botany Bay

0   10 km

BOTANIC GARDENS ET THE DOMAIN

ROYAL BOTANIC GARDENS

Farm Cove

Art Gallery of New South Wales

YOUNG CRESCENT
NICHOLSON ST
COWPER WHARF ROADWAY
CHALLIS AVE
MACLEAY STREET
HUGHES ST
GREENKNOWE AVE
ELIZABETH BAY RD
BROUGHAM STREET
VICTORIA STREET
WARD AVENUE
DARLINGHURST ROAD
KINGS CROSS ROAD
CRAIGEND STREET
MCELHONE STREET
BOURKE STREET
FORBES STREET
LIVERPOOL STREET
BURTON STREET
FORBES STREET
DARLINGHURST ROAD
VICTORIA STREET
WOMERAH AVENUE

KINGS CROSS, DARLINGHURST ET PADDINGTON

BOUNDARY STREET
GLENMORE ROAD
BROWN STREET
ORMOND STREET
STAFFORD STREET
PADDINGTON STREET
UNDERWOOD STREET
OXFORD STREET
RENNY STREET
GORDON STREET
LEINSTER STREET
QUEEN STREET
JAMES STREET
OXFORD STREET

SOUTH DOWLING STREET
SELWYN STREET
GREENS ROAD
OXFORD STREET
MOORE PARK ROAD

MOORE PARK
Kippax Lake
GREGORY AVENUE
DRIVER AVENUE
SYDNEY FOOTBALL STADIUM
MOORE PARK ROAD
LEINSTER STREET

SYDNEY CRICKET GROUND

ROYAL AGRICULTURAL SOCIETY SHOWGROUND (MAIN ARENA)

CENTENNIAL LANE ROAD

CENTENNIAL PARK

0   250 m

L'Art Gallery of New South Wales, est le principal musée d'art de la ville. Il abrite dans la verdure du quartier des Botanic Gardens et du Domain (p. 106-107) une riche collection d'œuvres européennes, australiennes et aborigènes.

Elizabeth Bay se trouve au cœur du Sydney victorien à la pointe nord du quartier formé par Kings Cross, Darlinghurst et Paddington (p. 112-121), et ménage près de Potts Point un beau panorama du Sydney Harbour.

Les meilleurs musées et galeries de Sydney

Sydney regorge de musées et galeries, dont la plupart accordent une large place aux modes de vie, passés et actuels, des habitants de la ville. Des petits musées permettent de découvrir des maisons historiques restaurées datant de l'époque coloniale. Les grandes collections d'art, en revanche, occupent pour la plupart des édifices imposants et monumentaux, depuis l'Art Gallery of New South Wales de style néo-classique jusqu'au Museum of Contemporary Art (MCA) de Circular Quay, qui a redonné vie à un bâtiment Art déco datant des années cinquante.

Figurine, Powerhouse Museum

Au Museum of Sydney, The Edge of the Trees *est une exposition interactive, située à côté de l'entrée* (p. 88).

LES ROCKS ET CIRCULAR QUAY

La Merchant's House de style Greek Revival désormais gérée par le National Trust est actuellement fermée (p. 75).

CENTRE-VILLE ET DARLING HARBOUR

Le Museum of Contemporary Art comprend une excellente section aborigène avec des œuvres telles que Mud Crabs de Tony Dhanyula Nyoka (p. 74).

Le National Maritime Museum propose une réplique de l'Endeavour, navire sur lequel le capitaine Cook dressa la carte de la côte est de l'Australie en 1770 (p. 96-97).

0   500 m

Au Powerhouse Museum, le King's Cinema diffuse chaque jour des films. Le décor en granit du sol du hall date des années quatre-vingt mais rend hommage aux techniques des années trente (p. 98-99).

L'Art Gallery of New South Wales *possède des aquarelles de l'époque coloniale, visibles quelques semaines par an pour être préservées. La collection australienne comprend aussi des tableaux récents comme* Australian Beach Pattern *(1940) de Charles Meere (p. 106-109).*

L'Elizabeth Bay House *abrite un élégant mobilier datant de 1840 environ, époque où la maison fut brièvement occupée par le secrétaire colonial Alexander Macleay (p. 116).*

BOTANIC
GARDENS ET
THE DOMAIN

KINGS CROSS,
DARLINGHURST
ET
PADDINGTON

Les Hyde Park Barracks, *prison bâtie par des bagnards, servirent ensuite à l'accueil d'immigrants. L'exposition évoque la vie quotidienne de leurs anciens occupants (p. 110).*

Le Sydney Jewish Museum *retrace la longue histoire de la communauté juive de la ville. Elle est illustrée entre autres par des reconstitutions, ici George Street et ses commerces en 1848 (p. 117).*

L'Australian Museum, *le plus important des musées d'histoire naturelle d'Australie, a pour principale attraction ses squelettes d'animaux disparus comme le diprotodon (p. 90-91).*

L'architecture à Sydney

Malgré sa jeunesse, Sydney présente une grande diversité de styles architecturaux, de la simplicité des bâtiments georgiens de Francis Greenway (p. 161) jusqu'à l'expressionnisme ambitieux de l'Opera House de Jørn Utzon (p. 80-81). Dans la seconde moitié du siècle dernier, les revenus des ruées vers l'or ont permis la construction d'édifices victoriens tels que le Sydney Town Hall. Le style Federation spécifiquement australien s'est ensuite imposé.

Les constructions des bagnards s'inspiraient, à l'instar du Cadman's Cottage, des maisons anglaises des premiers colons (p. 74).

Les édifices contemporains abondent, telle la Governor Phillip Tower qui abrite à sa base le Museum of Sydney (p. 88).

De style georgien colonial, St James' Church (p. 111), conçue par Peter Greenway, était à l'origine un tribunal.

L'American Revivalism utilisa beaucoup vers 1890 les galeries reliant différentes rues. Le Queen Victoria Building en offre un bon exemple (p. 86).

LES ROCKS ET CIRCULAR QUAY

Victorien, le Sydney Town Hall renferme un plafond en métal qui résiste mieux aux vibrations d'un orgue qu'un plafond en plâtre.

CENTRE-VILLE ET DARLING HARBOUR

L'expressionnisme contemporain a apporté une dimension novatrice à des stades et des musées comme le National Maritime Museum (p. 96-97).

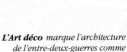

L'Art déco marque l'architecture de l'entre-deux-guerres comme le montre l'Anzac Memorial de Hyde Park (p. 89).

0   500 m

L'expressionnisme moderne
a donné au XXe siècle certains de ses plus beaux monuments. La construction du Sydney Opera House de Jørn Utzon débuta en 1958. Malgré la démission de l'architecte en 1966, il ouvrit en 1973 (p. 80-81).

BOTANIC GARDENS ET THE DOMAIN

Les débuts de l'ère coloniale
marquent les bâtiments gouvernementaux, ici les Hyde Park Barracks (p. 110).

L'Australian Regency, *style populaire vers 1830 fut superbement représenté par John Verge. La magnifique Elizabeth Bay House est considérée comme son chef-d'œuvre (p. 116).*

KINGS CROSS, DARLINGHURST ET PADDINGTON

L'architecture militaire *connut quelques réussites à l'ère coloniale ; par exemple les élégantes Victoria Barracks georgiennes qui furent dessinées par des ingénieurs (p. 121).*

Les styles inspirés de la Grèce *comme le Greek Revival ont marqué de nombreux édifices publics entre 1820 et 1850. Le Darlinghurst Court House (p. 117) en est un bon exemple.*

Les ferronneries victoriennes *incorporaient des éléments en fonte préfabriqués. Elles parent notamment les terrasses de Paddington (p. 118-119), superbe exemple de ce style en vogue vers 1880.*

Les plus beaux parcs et réserves de Sydney

Fleur cotonneuse

Des parcs nationaux encerclent presque entièrement le centre-ville, et la ceinture de banlieues formant le Grand Sydney abrite plusieurs réserves naturelles où les paysages restent proches de ce qu'ils étaient avant l'arrivée des Européens. Les parcs urbains qui ont été aménagés font se côtoyer plantes indigènes et exotiques et abritent une faune riche. De nombreux oiseaux, en particulier, ont su s'adapter à l'environnement citadin. L'un des intérêts d'un séjour à Sydney est ainsi l'incroyable diversité des oiseaux que l'on peut y voir, depuis de grands rapaces comme le pyrargue et le milan jusqu'à des espèces plus timides telles que le roitelet et la minuscule fringille.

Le Garigal National Park *fournit avec sa forêt pluviale et ses ravines un abri aux oiseaux-lyres et aux sucriers.*

Le North Arm Walk se couvre en automne de grevilleas et de fleurs cotonneuses.

Le Lane Cove National Park *protège une forêt d'eucalyptus, de gommiers rouges et bleus et de xanthorrhées où viennent se percher des perruches.*

Au Bicentennial Park *situé sur Homebush Bay* (p. 139), *une mangrove attire de nombreux oiseaux aquatiques, dont le pélican.*

Le Hyde Park *est situé en bordure du centre-ville* (p. 110). *Le parc offre un cadre verdoyant propice à la détente au milieu, entre autres, d'iris indigènes. L'ibis, oiseau aquatique, s'y montre souvent.*

Le Middle Head et Obelisk Bay conservent des plate-formes d'artillerie et des casemates bâties dans les années 1870 pour protéger Sydney. On aperçoit parfois le dragon d'eau, prenant le soleil sur les rochers.

Le North Head est couvert de landes. Des banksies, des leptospermums et des casuarinas dominent les falaises. Sur le côté à l'abri du vent, la forêt entoure de petites plages abritées.

Au Grotto Point, callistemons, grevilléas et fleurs cotonneuses bordent les sentiers qui serpentent jusqu'au phare.

Le Bradleys Head, où nichent des opossums et où l'on entend fréquemment des volées de loriquets arc-en-ciel, ménage une vue spectaculaire de Sydney.

Le South Head abrite des plantes rares comme la drosera.

Le Neilsen Park abrite des kookaburras rieurs au cri caractéristique.

The Domain est planté de palmiers et de ficus macrophylla. Il reçoit souvent la visite de pies australiennes au plumage noir et blanc (p. 105).

Au Moore Park, les roussettes apprécient les énormes ficus macrophylla.

Le Centennial Park est composé d'espaces dégagés et de bosquets de mélaleucas et d'eucalyptus fréquentés par de très nombreux cacatoès. Des opossums, oiseaux très craintifs, sortent la nuit (p. 121).

0   4 km

De Garden Island à Farm Cove

**Nénuphar des Royal
Botanic Gardens**

Également appelée Port Jackson, du nom d'un secrétaire de cabinet de l'amirauté britannique, la vaste baie de Sydney occupe une vallée fluviale engloutie. La topologie complexe de ses anses et de ses caps ne permet pas de se repérer facilement, même si l'on connaît bien Sydney. Depuis la toute première colonie qui dépendait pour sa survie de l'approvisionnement envoyé par la Grande-Bretagne, un lien étroit unit la ville à l'océan. Sydney tira un grand profit de ses activités maritimes ; des témoignages de ses périodes de prospérité et de récession sont encore visibles en bord de mer.

Le centre-ville s'est développé sans plan directeur et des gratte-ciel se dressent au milieu d'édifices victoriens.

Deux phares du port, qui compte quelque 350 balises en service, doivent à leur forme de porter le surnom de « gâteaux de mariage ». Ils fonctionnent à l'énergie solaire.

La caserne de la garnison navale date de 1888.

Garden Island occupe un terrain de 12 ha qui a été gagné sur la mer dans les années quarante.

Faire de la voile dans le port n'est pas réservé à une élite huppée. Parmi les centaines de milliers de bateaux de plaisance enregistrés, certains peuvent se louer, d'autres embarquent des passagers.

Mrs Macquarie's Chair, un siège sculpté dans le rocher, se trouve sur Mrs Macquarie's Road (p. 104). Les premiers colons cultivèrent ici des légumes jusqu'en 1805.

0   250 m

L'Andrew (Boy) Charlton Pool, *piscine appréciée des citadins, porte le nom d'un garçon de seize ans qui remporta une médaille d'or en 1924. Elle a remplacé les Domain Baths qui avaient une tribune de 1 700 places.*

Le Woolloomooloo Finger Wharf accueillait les passagers avant l'essor de l'avion.

CARTE DE SITUATION
Voir l'atlas des rues, plan 2

LES ROCKS ET CIRCULAR QUAY

BOTANIC GARDENS ET THE DOMAIN

CENTRE-VILLE ET DARLING HARBOUR

KINGS CROSS, DARLINGHURST ET PADDINGTON

Le Harry's Café de Wheels est une institution culinaire de Sydney depuis plus de 50 ans, comme en témoignent les photos de clients célèbres punaisées sur la roulotte.

Les Royal Botanic Gardens *abritent encore des arbres qui furent plantés par les premiers colons européens de l'Australie (p. 102-103).*

La Farm Cove *sert de lieu de mouillage aux navires de guerre étrangers en face des Botanic Gardens, un terrain cultivé depuis plus de 200 ans.*

De la Sydney Cove à la Walsh Bay

Selon les estimations, le terrain gagné sur la mer depuis le milieu du XIXe siècle a fait disparaître plus de 70 km de plage et de laisse dans la baie de Sydney. Le simple fait qu'il ne subsiste que huit des treize îles existant en 1788 quand arriva la Première Flotte donne une indication de l'ampleur de ce bouleversement géographique. De l'avis général, l'avenir architectural de la ville repose sur une relation encore plus intime avec son port, son plus grand atout naturel. Les aménagements entrepris depuis les années quatre-vingt près de Circular Quay et de la Walsh Bay ont ouvert le front de mer à un usage public.

Détail d'une balustrade de Circular Quay

Conservatorium of Music

Man O'War Steps (1857)

Le Sydney Opera House
construit dans un site spectaculaire se découpe entre terre et mer comme un paysage visionnaire avec ses toits qui brillent pendant la journée et semblent luire la nuit (p. 80-81).

La Government House
de style néo-gothique servit de résidence aux gouverneurs de l'État jusqu'en 1996.

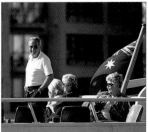

Les bateaux-promenades *qui partent de Circular Quay de jour comme de nuit offrent un moyen incomparable de découvrir la ville et ses voies d'eau.*

Le Sydney Harbour Bridge *prit le surnom de « poumon d'acier » à sa construction car, en pleine dépression, il fournit, rien que sur le site, du travail à environ 1 400 ouvriers (p. 76-77).*

0   250 m

Le quartier des Rocks
conserve ses rues étroites malgré la pression urbaine. Il a fallu pourtant démolir trois rues pour faire de la place aux fondations du Harbour Bridge.

Le Tank Stream, première source d'eau potable de la colonie, coule désormais sous terre.

CARTE DE SITUATION
Voir l'atlas des rues, plans 1 et 2

Cahill Expressway

Circular Quay, *qui portait à l'origine le nom plus précis de Semi-Circular Quay, fut la dernière réalisation des bagnards. Ils comblèrent les bancs de boue du Tank Stream pour donner sa forme au quai et bâtirent la digue en grès.*

Le Wharf Theatre *a ouvert en 1984 sur un quai dont la construction, perturbée par la Première Guerre mondiale, prit six ans.*

Les quais furent achevés en 1922.

Des entrepôts servirent au trafic de marchandises jusqu'en 1977.

Les quais *comportaient une digue à l'épreuve des rats, depuis l'épidémie de peste de 1900 dont on rendait ces rongeurs responsables.*

LES ROCKS ET CIRCULAR QUAY

On dit souvent que Circular Quay, jadis appelé Semi-Circular Quay, est le « lieu de naissance de l'Australie ». En effet, c'est ici que la Première Flotte débarqua en 1788 sa cargaison de forçats, de soldats et de fonctionnaires pour fonder la colonie anglaise de la Nouvelle-Galles du Sud. Depuis l'époque où les pionniers s'y pressaient à l'arrivée des navires d'approvisionnement, la Sydney Cove reste un lieu de rassemblement populaire les jours de célébrations nationales ou festives. Circular

Sculpture de l'AMP Building, Circular Quay

Quay est ainsi un des grands pôles des réjouissances du nouvel an et une foule immense s'y rassembla en 1994 quand Sydney remporta l'organisation des Jeux olympiques de l'an 2000. Le quartier des Rocks offre aux visiteurs un aperçu du Sydney d'antan, mais on est loin de l'époque où la majorité de ses habitants vivaient dans des taudis infestés de rats. Aujourd'hui restaurés et briqués, ses immeubles s'intègrent dans la promenade aérée qui s'étend du Harbour Bridge au spectaculaire Sydney Opera House.

LES ROCKS ET CIRCULAR QUAY D'UN COUP D'ŒIL

Musées et galeries
Justice and Police Museum ⑮
Merchants' House ⑤
Museum of
   Contemporary Art ②
National Trust Centre ⑪
Sailors' Home ④
Susannah Place ①

Opéra
*Sydney Opera House
   p. 80-81* ⑰

Rues et bâtiments historiques
Cadman's Cottage ③
Campbell's Storehouses ⑥
Customs House ⑭
Hero of Waterloo ⑧
Macquarie Place ⑬
*Sydney Harbour Bridge
   p. 76-77* ⑦

Sydney Observatory ⑩
Writers' Walk ⑯

Églises
Garrison Church ⑨
St Philip's Church ⑫

COMMENT Y ALLER
Bacs et trains s'arrêtent à Circular Quay où passent la plupart des bus de la ville. Le Sydney Explorer et les bus des lignes 431, 432, 433 et 434 desservent les Rocks.

LÉGENDE

Plan pas à pas
p. 72-73

P Parc de stationnement

◁ **Façade blanche du Sailors' Home près du front de mer dans le quartier des Rocks**

Les Rocks pas à pas

Le gouverneur Arthur Phillip

« Berceau de la nation », le quartier des Rocks s'étend sur le promontoire gréseux où les hommes de la Première Flotte érigèrent des abris de fortune sous le commandement du gouverneur Phillip. Les bagnards y construisirent ensuite des bâtiments plus permanents le long de rues grossièrement taillées dans le rocher. L'Argyle Cut demanda dix-huit ans de travaux à partir de 1843. Insalubre au tournant du siècle, le quartier n'eut pas toujours l'aspect soigné que lui a donné sa réhabilitation, au point que la rue appelée Suez Canal portait jadis le nom de Sewer's Canal (canal de l'égout).

Hero of Waterloo
Sous ce pub historique passe un tunnel qui servait à la contrebande ❽

★ Le Sydney Observatory
À l'emplacement d'un moulin à vent, l'ancien observatoire abrite les premiers instruments astronomiques apportés en Australie ❿

Garrison Church
Les insignes des troupes anglaises stationnées ici jusqu'en 1870 ornent l'« église de la Garnison » ❾

Suez Canal

★ Le Museum of Contemporary Art
Derrière une façade des années cinquante, ce musée présente une exposition constamment renouvelée d'art australien et international ❷

Promenade de Circular Quay West

Hero of Waterloo ↑

WATSON ROAD

ARGYLE STREET

TRINITY AVENUE

L O W E

UPPER FORT STREET

BRADFIELD HIGHWAY

CUMBERLAND STREET

GLOUCESTER

HARRINGTON STREET

ARGYLE STREET

PLAY

GEORGE STREET

★ Le Cadman's Cottage
Cette caserne désaffectée servit d'habitation à John Cadman, un ancien bagnard qui fit fonction de préfet maritime. Son épouse, Elizabeth, serait la première femme à avoir voté en Nouvelle-Galles du Sud ❸

CARTE DE SITUATION
Voir l'atlas des rues, plan 1

Merchant's House
Une collection, en cours de rénovation, d'objets liés à l'enfance occupe cet édifice de style Greek Revival ❺

Le Rocks Market propose le week-end des étals de souvenirs aux thèmes australiens, de la feuille de gommier au koala *(p. 129)*.

0   100 m

LÉGENDE

– – –   Itinéraire conseillé

L'Overseas Passenger Terminal est l'endroit où accostent des paquebots de luxe tels que le *Queen Elizabeth II*.

À NE PAS MANQUER

★ Cadman's Cottage

★ Museum of Contemporary Art

★ Sydney Observatory

Épicerie à l'ancienne, Susannah Place

Susannah Place ❶

58-64 Gloucester St, The Rocks. **Plan** 1 B2. **(** *(02) 9241 1893.*
Sydney Explorer, 431, 432, 433, 434. ○ *janv. : 10 h-17 h, t.l.j. ; fév.-déc. : 10 h-17 h, sam. et dim.* ● *ven. saint, 25 déc.*

Cette rangée *(terrace)* de quatre maisons de brique et de grès bâtie en 1844 resta occupée jusqu'en 1990. Elle abrite désormais un musée consacré aux conditions de vie de ses anciens habitants. L'exposition ne retrace pas une période unique mais décrit les améliorations et rénovations successives apportées aux maisons.

Construites pour Edward et Mary Riley qui arrivèrent d'Irlande avec leur nièce Susannah en 1838, les maisons possèdent des cuisines en sous-sol et des jardins dotés de remises. L'eau courante et le tout-à-l'égout furent probablement installés vers 1855.

Susannah Place échappa aux démolitions qui suivirent l'épidémie de peste de 1900 et à celles qu'entraînèrent la construction du Harbour Bridge *(p. 76-77)* et de la Cahill Expressway. Elle dut ensuite sa sauvegarde à la Builders Labourers'

Federation qui s'opposa dans le quartier des Rocks à tout projet immobilier risquant de détruire le patrimoine.

Museum of Contemporary Art ❷

Circular Quay West, The Rocks. **Plan** 1 B2. **(** *(02) 9252 4033.*
Sydney Explorer, 431, 432, 433, 434. ○ *10 h-18 h, t.l.j.* ● *25 déc.*

Quand le collectionneur d'art John Power mourut en 1943, il légua toutes ses œuvres et un capital à l'université de Sydney. En 1991, cette collection s'installa sur Circular Quay West dans un édifice datant des années cinquante, au pseudo-style Art déco. Elle comprenait alors des œuvres d'Andy Warhol, David Hockney, Roy Lichtenstein et Christo. Le musée accueille également des expositions temporaires. Sa boutique vend des cadeaux dessinés par des stylistes australiens.

Cadman's Cottage ❸

110 George St, The Rocks. **Plan** 1 B2. **(** *(02) 9247 8861.* *431, 432, 433, 434.* ○ *9 h-16 h 30, t.l.j.* ● *ven. saint, 25 déc.*

Bâtie en 1816 pour héberger les équipages des chaloupes du gouverneur, la plus ancienne demeure de Sydney renferme aujourd'hui le centre de renseignements et la boutique du Sydney Harbour National Park.

Le cottage porte le nom de John Cadman, un *convict* condamné pour vol de chevaux et déporté en 1798. Pilote d'un bateau de transport de bois en 1813, il devint ensuite le patron de la chaloupe du gouverneur. Amnistié, il emménagea en 1827 en tant qu'officier de marine en chef du gouverneur.

Cadman épousa en 1830 Elizabeth Mortimer qui avait été condamnée à sept ans de bagne pour le vol d'une brosse à cheveux. Ils habitèrent le cottage jusqu'en 1846. Celui-ci se dressait alors au bord de l'océan mais le développement du port de Sydney l'a depuis éloigné de l'eau.

Façade d'inspiration Art déco du Museum of Contemporary Art

Sailors' Home ④

106 George St, The Rocks. **Plan** 1 B2.
📞 (02) 9255 1788. 🚌 Sydney
Explorer, 431, 432, 433, 434.
🕐 9 h-18 h, t.l.j. ♿

Le centre d'information touristique des Rocks occupe depuis 1994 un édifice élevé en 1864 pour proposer aux marins de passage une alternative aux hôtels borgnes et aux maisons de passe du quartier. Résider au Sailors' Home réduisait aussi les risques de tomber entre les griffes des *crimps*, ces escrocs qui attendaient les matelots fraîchement débarqués pour les entraîner dans les bars. Lorsqu'elles dessoûlaient, leurs victimes se réveillaient en pleine mer sur des navires où elles n'avaient jamais songé à s'enrôler.

Le Sailors' Home perdit sa fonction de foyer en 1980, mais la reconstitution d'une alcôve du XIXᵉ siècle au deuxième étage donne un aperçu des conditions de vie spartiates des gens de mer.

Merchants' House ⑤

43 George St, The Rocks. **Plan** 1 B2.
📞 (02) 9241 5099. 🚌 Sydney
Explorer, 431, 432, 433, 434.
🕐 jusqu'à nouvel ordre.

James Combes et John Martyn, patrons d'une entreprise de peinture, de vitrerie et de plomberie, commandèrent en 1848 à l'architecte John Bibb une demeure en grès, en bois dur et en cèdre comprenant un entrepôt. Le terrain avait été acheté en 1841 à Robert Campbell des magasins Campbell.

Une restauration entreprise par la Sydney Cove Authority a rendu à l'édifice de style Greek Revival son aspect d'origine. Géré par le National Trust of Australia, il abrite un musée consacré à l'enfance, en cours de rénovation et encore fermé au public.

Terrasses de restaurants aux Campbell's Storehouses

Campbell's Storehouses ⑥

7-27 Circular Quay West, The Rocks.
Plan 1 B2. 🚌 Sydney Explorer, 431,
432, 433, 434. ♿

Personnage influent d'origine écossaise, Robert Campbell fut le seul négociant qui réussit au début de la colonisation australienne à déjouer le monopole détenu par la Compagnie des Indes orientales britannique. Il acquit en 1799 un terrain en bordure de la Sydney Cove et commença en 1802 la construction d'un quai privé et d'entrepôts pour stocker le thé, le sucre et les boissons alcoolisées qu'il importait des Indes. L'édification des cinq premiers magasins s'étala de 1839 à 1844, celle des sept suivants de 1854 à 1861. L'ensemble des constructions ne fut achevé qu'en 1890.

Une partie de la vieille digue et onze des entrepôts ont survécu au temps et à la décrépitude dans laquelle tomba le quartier du début du XXᵉ siècle avant d'être rénové par la Sydney Cove Redevelopment Authority dans les années soixante-dix. Les bâtiments, qui conservent près du toit les poulies servant à hisser les marchandises, abritent aujourd'hui des petites galeries d'art et des restaurants variés, cuisine australienne contemporaine, spécialités chinoises ou italiennes *(p. 494)*, entre autres. Les panoramas que ménagent leurs terrasses du Sydney Opera House *(p. 80-81)* et du Sydney Harbour Bridge

Anneau de dentition de la Merchants' House

(p. 76-77) sont aussi populaires auprès des hommes d'affaires locaux que des touristes.

Sydney Harbour Bridge ⑦

Voir p.76-77.

Le Hero of Waterloo, pub de 1844

Hero of Waterloo ⑧

81 Lower Fort St, Millers Point. **Plan**
1 A2. 📞 (02) 9252 4553. 🚌 431,
432, 433, 434. 🕐 10 h-23 h, lun-sam.,
10 h-22 h, dim. ⬤ 25-26 déc. ♿

Des feux de cheminée rendent ce vieux pub pittoresque (1844) particulièrement accueillant en hiver.

Débit de boissons apprécié des soldats de la garnison voisine, le Hero of Waterloo aurait aussi servi à enrôler de force des matelots. Les clients trop éméchés passaient à la trappe dans les caves reliées par des tunnels aux quais où les attendaient les navires en mal d'équipage.

Le Sydour Harbour Bridge ❼

Achevé en 1932, et financé avec des crédits dont le remboursement dura jusqu'en 1988, le Sydney Harbour Bridge occupe une place particulière dans le cœur des habitants de Sydney. Véritable exploit technique, il a de plus fourni de nombreux emplois en période de dépression économique. Avant son ouverture, il fallait soit emprunter des bacs, soit faire 20 km de route et franchir cinq ponts pour aller du centre-ville, au sud du port, jusqu'aux quartiers résidentiels du Nord. Sa construction, y compris la voie ferrée, dura huit ans. Son arche unique, qui fut fabriquée par morceaux sur le site de l'actuel Luna Park, vaut à l'ouvrage d'art le surnom affectueux de « Cintre ».

Ciseaux de cérémonie

Inauguration en 1932
Un royaliste fervent, Francis de Groot, se précipita pour couper le ruban au nom, affirma-t-il, du roi et de l'empire.

Le tablier, à 59 m d'altitude, fut construit à partir du centre.

L'arche, d'une portée de 503 m, supporte le poids du tablier.

CENTRE-VILLE

Harbour Bridge Pylon Lookout

Construction des fondations

Début de l'arche

Fermeture de l'arche

Construction du tablier

CONSTRUCTION DU PONT
L'arche, qui repose sur des fondations de 12 m de profondeur ancrées dans du grès, fut construite en deux moitiés retenues par des câbles. Une fois la jonction effectuée, le travail commença sur le tablier.

Les deux bouts des tunnels d'ancrage, longs de 36 m, pénètrent dans le rocher.

Les câbles de soutien permettent aux deux moitiés de se rejoindre.

Plaque de fixation temporaire

Conception du pont
L'arche supporte le tablier et, à chacune de ses extrémités, des charnières transmettent le poids du pont aux fondations. Ces charnières absorbent les mouvements dus au vent ou aux variations de température.

The Bridge in Curve *(1930)*
Le pont a inspiré de nombreux artistes, ici Grace Cossington Smith.

MODE D'EMPLOI

Plan 1 B1. (02) 9247 3408.
Toutes les lignes vers les Rocks.
Circular Quay. Circular Quay, Milsons Point. **Harbour Bridge Pylon Lookout**
10 h-17 h, t.l.j. 25 déc.
Films.

Plus de 150 000 véhicules traversent le pont chaque jour, quinze fois plus qu'en 1932.

Ouvriers
1 400 personnes travaillèrent à la construction du pont, qui coûta la vie à seize d'entre elles.

RIVE NORD

Entretien
« Peindre le pont » désigne, à Sydney, une tâche sans fin. Il faut 30 000 l de peinture pour chaque couche, assez pour recouvrir l'équivalent de 60 terrains de football.

Des poutres verticales soutiennent les traverses qui portent le tablier.

Péage
Le péage qui aida à rembourser les emprunts sert maintenant à financer l'entretien du pont et les travaux du Sydney Harbour Tunnel ouvert en 1992.

LE PÈRE DU PONT

L'ingénieur John Bradfield supervisa pendant plus de vingt ans tous les aspects de la conception et de la construction du pont. La route qui emprunte le pont porte son nom en son honneur. La photo montre ici John Bradfield serrant la main du conducteur du premier train à franchir l'ouvrage d'art.

DRAPEAU SUR BANCS DE SABLE

Sur Loftus Street, près de la Customs House, un mât porte le drapeau britannique, l'Union Jack. C'est ici que, le 26 janvier 1788, date que célèbre l'Australia Day *(p. 39)*, le capitaine Arthur Phillip dirigea la cérémonie de salut au drapeau qui marquait officiellement la fondation de la colonie. Le mât se dressait alors sur le rivage de la Sydney Cove, le terrain gagné sur la mer au fil du développement de Sydney le sépare aujourd'hui du bord de l'eau.

The Founding of Australia par Algernon Talmage

Garrison Church ❾

Angle d'Argyle St et Lower Fort St, Millers Point. **Plan** 1 A2. ☎ *(02) 9247 2664.* 🚌 *431, 433.* ⏰ *9 h-18 h, t.l.j.* ♿

Officiellement consacré à la sainte Trinité, ce sanctuaire devint la première église militaire de la colonie, ce qui lui valut d'être appelé « église de la Garrison ».

Henry Ginn dessina l'édifice, entrepris en 1840, et Edmund Blacket fut engagé en 1855 pour l'agrandir de manière qu'il puisse accueillir 600 personnes.

À l'intérieur, vous remarquerez le vitrail de la fenêtre est, la chaire sculptée en cèdre rouge et les insignes de régiments qui décorent les murs.

Fenêtre est de la Garrison Church

Sydney Observatory ❿

Watson Rd, Observatory Hill, The Rocks. **Plan** 1 A2. ☎ *(02) 9217 0485.* 🚌 *Sydney Explorer, 431, 432, 433, 434.* ⏰ *10 h-17 h, t.l.j.* **Observations nocturnes** ⏰ *20 h 30, mar.-jeu. (réserver).* ● *ven. saint, 25 et 31 déc.* ♿ ✉

Après avoir servi de centre d'étude et de recherche pendant 125 ans, l'observatoire de Sydney devint en 1982 un musée d'astronomie où expositions interactives et jeux permettent aux visiteurs d'approfondir leur culture scientifique. Il propose aussi des séances d'observation nocturne (réservation obligatoire).

À l'origine, au milieu du XIXᵉ siècle, l'édifice portait à son sommet une balle qui signalait chaque jour l'heure exacte en tombant à 13 h, tandis qu'était tiré un coup de canon du Fort Denison *(p. 104)*. La tradition du coup de canon a d'ailleurs été maintenue.

L'observatoire de Sydney acquit vers 1880 une réputation internationale en prenant certaines des premières photos du ciel de l'hémisphère Sud. De 1890 à 1962, il dressa la carte de quelque 750 000 étoiles, permettant d'élaborer un atlas de la totalité du ciel nocturne.

National Trust Centre ⓫

Observatory Hill, Watson Rd, The Rocks. **Plan** 1 A3. ☎ *(02) 9258 0123.* 🚌 *Sydney Explorer, 343, 431, 432, 433, 434.* ⏰ *9 h-17 h, lun.-ven.* **Galerie** ⏰ *11 h-16 h, t.l.j.* ● *certains jours fériés.* ♿

Le siège du National Trust of Australia, organisme national de défense du patrimoine, occupe les bâtiments d'un hôpital militaire édifié en 1815 par le gouverneur Macquarie. Ils abritent des salons de thé, la boutique du National Trust et la SH Ervin Gallery qui expose les œuvres d'artistes australiens des XIXᵉ et XXᵉ siècle comme Margaret Preston et Conrad Martens.

St Philip's Church ⓬

3 York St (entrée par Jamison St). **Plan** 1 A3. ☎ *(02) 9247 1071.* 🚌 *Lignes de George St.* ⏰ *9 h-17 h, lun.-ven. (s'inscrire au bureau).* ● *26 janv., 25 avr.* ✉

Cette église victorienne néo-gothique paraît aujourd'hui écrasée par les bâtiments modernes qui l'entourent. Pourtant, son clocher servait jadis de point de repère dans la ville.

Commencée en 1848 sur des plans d'Edmund Blacket, elle fut achevée en 1856 malgré une interruption en 1851 due à la ruée vers l'or. Le carillon reçu en 1888 pour le centenaire de Sydney appelle toujours les fidèles à l'office.

Grand orgue de l'église néo-gothique St Philip's Church

Macquarie Place ⑬

Plan 1 B3. 🚌 *lignes de Circular Quay.*

L e gouverneur Macquarie créa ce parc en 1810 sur le site de l'ancien jardin potager de la première Government House. L'obélisque en grès dessiné par Francis Greenway *(p. 161)* et érigé en 1818 marquait le point de départ de toutes les routes de la colonie. Les lampes à gaz rappellent que le premier lampadaire fut allumé ici en 1826.

Sur la place subsistent aussi les vestiges d'un canon et de l'ancre de proue du *Sirius*, le vaisseau amiral de la Première Flotte. La statue de Thomas Mort, un industriel du XIXᵉ siècle, sert de point de ralliement aux coursiers à bicyclette de la ville.

Customs House ⑭

Alfred St, Circular Quay. **Plan** 1 B3.
📞 (02) 9247 2285. 🚌 *lignes de Circular Quay.* ♿

S ur un emplacement qu'occupait déjà auparavant une douane, l'architecte colonial James Barnet érigea en 1885 ce bâtiment en grès d'inspiration classique. Il évoque l'époque révolue où les navires de commerce accostaient à Circular Quay pour décharger leurs marchandises.

L'édifice, remarquable par les hautes colonnes en granit poli du porche et ses armoiries sculptées, se dresse près de l'embouchure du Tank Stream qui alimentait en eau potable la jeune colonie. Le cadran d'horloge orné de tridents et de dauphins fut ajouté en 1897. La reine Victoria, dont le portrait est accroché au-dessus de la porte d'entrée, jette aux visiteurs un regard impérieux.

Les projets qui prévoyaient d'aménager la Customs House en centre culturel et en galerie d'art n'ont pas encore abouti, aussi l'avenir de cet édifice élégant demeure-t-il incertain.

Photos de criminels au Justice and Police Museum

Justice and Police Museum ⑮

8 Phillip St. **Plan** 1 C3. 📞 (02) 9252 1144. 🚌 *lignes de Circular Quay.* 🕐 *janv. : 10 h-17 h, dim.-jeu. ; fév.-déc. : 10 h-17 h, dim.* ⚫ *ven. saint, 25 déc.* 📷 ♿

I nstallé dans des bâtiments qui comprennent l'ancien tribunal de police de la navigation dessiné par Edmund Blacket en 1856, le poste de police de la navigation (1858) d'Alexander Dawson et le tribunal de police (1885) de James Barnet, le musée de la Justice et de la Police fait revivre un passé turbulent. Mineurs ou violents, les délits commis par la pègre de Circular Quay étaient ici promptement jugés. La salle d'audience, restaurée, permet d'imaginer le formalisme du système judiciaire de la fin de l'ère victorienne. Une exposition réunit les souvenirs macabres de crimes célèbres tels que coups-de-poing américains ou matraques. La salle d'accusation, la cellule de détention préventive, des uniformes de prisonniers et un diaporama illustrent les modes de répression de l'époque. Des expositions temporaires mettent en relief certains aspects particuliers de l'histoire du maintien de l'ordre.

Détail de la Customs House

Writers' Walk ⑯

Circular Quay. **Plan** 1 C2. 🚌 *lignes de Circular Quay.*

L a « promenade des Écrivains », où se succèdent des plaques scellées à intervalles réguliers dans le trottoir de Circular Quay offre l'occasion de lire en flânant les observations de célèbres auteurs australiens sur leur pays natal, ainsi que les réflexions de quelques personnalités littéraires étrangères qui y séjournèrent.

Consacrée à un écrivain particulier, chaque plaque porte une citation et une brève note biographique. Les Australiens ainsi honorés comprennent les romanciers Miles Franklin et Peter Carey, les poètes Oodgeroo Noonuccal et Judith Wright *(p. 31)*, les humoristes Barry Humphries et Clive James et l'essayiste féministe Germaine Greer. Parmi les étrangers qui séjournèrent à Sydney figurent Mark Twain, Charles Darwin et Joseph Conrad.

Promenade sur la Writers' Walk de Circular Quay

Le Sydney Opera House ⓱

L'opéra de Sydney est un édifice très particulier, connu pour ses coquilles (certains préfèrent y voir des voiles) qui abritent quatre salles de spectacle. La gestation fut longue et compliquée et la construction, commencée en 1959, dura quatorze ans, son architecte, Jørn Utzon, démissionnant en 1966. L'argent récolté par des loteries permit d'achever l'édifice et d'assumer son coût final de 102 millions de dollars australiens. Le centre culturel, parmi les plus actifs du monde, offre une riche programmation d'opéra, de musique, de ballet, de théâtre et de cinéma. Il est aussi devenu l'attraction touristique la plus populaire de Sydney.

Affiche publicitaire

★ L'Opera Theatre
*Cette salle de 1 547 places accueille principalement des ballets et des opéras comme l'*Aïda *de Verdi.*

L'Opera Theatre possède des murs et un plafond peints en noir.

Détail de *The Possum Dreaming* (1988)
Le panneau mural du hall de l'Opera Theatre est de Michael Tjakamarra Nelson, un artiste du désert central.

Promenades de l'opéra
De larges promenades publiques offrent de beaux points de vue autour du bâtiment.

À NE PAS MANQUER

★ Le Concert Hall

★ L'Opera Theatre

★ Les toits

Halls du nord
Le Reception Hall et les grands halls d'entrée de l'Opera Theatre et du Concert Hall ménagent des panoramas spectaculaires et peuvent se louer pour des congrès ou des mariages.

★ Le Concert Hall

La plus grande salle compte 2 690 places. Elle accueille des concerts symphoniques, de musique de chambre, de rock et de jazz, des opéras, des ballets et même des défilés de mode.

L'escalier et l'avant-cour sont réservés aux spectacles gratuits.

Bennelong Restaurant
Une coque abrite l'une des meilleures tables de Sydney (p. 500).

Le Playhouse, d'un peu moins de 400 places, est surtout destiné à des productions intimistes.

★ Les toits

La légende qui affirme que Jørn Utzon pelait une orange quand il imagina ces conques de béton culminant à 67 m est fausse, bien qu'elle soit drôle.

Curtain of the Moon (1972)
L'œuvre et son pendant, Curtain of the Sun *de John Coburn, ornaient le Drama Theatre et l'Opera Theatre. Pour les protéger, il a fallu les décrocher mais elles devraient de nouveau être exposées.*

Le centre-ville vu depuis le Habourside Shopping Centre

LE CENTRE-VILLE ET DARLING HARBOUR D'UN COUP D'ŒIL

Musées et galeries
Australian Museum
  p. 90-91 ⑩
Harris Street Motor Museum ⑯
Museum of Sydney ⑦
National Maritime Museum
  p. 96-97 ⑮
Powerhouse Museum p. 98-99 ⑱

Marché
Paddy's Market ⑲

Cathédrales et synagogue
Great Synagogue ⑪
St Andrew's Cathedral ⑬
St Mary's Cathedral ⑧

**Rues et bâtiments
historiques**
AMP Tower p. 87 ⑤
Chinatown ⑳
Lands Department Building ⑥
Martin Place ④

Queen Victoria Building ①
Strand Arcade ③
Sydney Town Hall ⑫

Parc et jardin
Chinese Garden ⑰
Hyde Park ⑨

Distractions
State Theatre ②
Sydney Aquarium ⑭

LE CENTRE-VILLE
ET DARLING HARBOUR

George Street, la pre-
mière rue d'Australie,
courait à l'origine
entre des huttes de bran-
chages et de boue. Après la
ruée vers l'or, elle vit se multi-
plier magasins et banques. Le
premier gratte-ciel fut achevé
en 1913. Le paisible Hyde Park
occupe près du centre-ville l'emplacement d'un ancien champ de courses.
Elizabeth Street, la rue qui le borde,
regorgeaient à l'époque de tavernes où

**Détail du pavement
St Mary's Cathedral**

les paris allaient bon train.
C'est à Darling Harbour que
l'Australie bascula dans l'ère
industrielle en 1815 avec
l'ouverture d'un moulin à
vapeur. Pourtant, ce quartier
de docks sombra ensuite dans
une désolante décrépitude. Un
gigantesque projet de réhabilitation urbaine en a fait dans les années
quatre-vingt une espèce d'immense
parc de loisirs qui renferme d'excellents
musées.

COMMENT Y ALLER
Le train dessert le
centre-ville aux gares de
Town Hall, Wynyard,
Martin Place, St James et
Museum et des bus
circulent le long
d'Elizabeth Street et
George Street. Le
monorail s'arrête à City
Centre, Park Plaza,
World Square, Harbour
Side, Convention et
Haymarket. On peut
rejoindre Darling
Harbour en bac.

0   500 m

LÉGENDE

Plan pas à pas
p. 84-85

Plan pas à pas
p. 92-93

P Parc de stationnement

Le centre-ville pas à pas

Sculpture du MLC Centre

Malgré la concurrence de Melbourne, Sydney reste la capitale économique et commerciale de l'Australie. La vie qui anime ses rues pendant la journée tend toutefois à s'assoupir le soir quand ses habitants retournent dans leurs villas de banlieue. Immense métropole aux faubourgs résidentiels très étendus, Sydney ne possède en fait qu'un centre relativement réduit. La croissance anarchique de la cité a malgré tout suivi les axes tracés depuis le port par des convois de bêtes de charge. Ces axes anciens limitèrent ainsi son expansion. De plus en plus de Sydneysiders reviennent vivre au centre-ville et fréquentent ses cafés, ses restaurants, ses cinémas et ses théâtres.

★ Le Queen Victoria Building
Il occupe tout un pâté de maisons et abrite une magnifique galerie marchande ❶

State Theatre
Bâti en 1929, le cinéma jadis salué comme la « plus grande salle de l'empire » rappelle l'âge d'or du septième art ❷

Vers le Sydney Town Hall

La statue de la reine Victoria qui se dressait devant le parlement irlandais, fut enlevée en 1947 ; elle fut finalement retrouvée dans un petit village au terme d'une quête qui s'acheva seulement en 1983.

À NE PAS MANQUER

★ L'AMP Tower

★ Martin Place

★ Le Queen Victoria Building

0   100 m

LÉGENDE

– – –   Itinéraire conseillé

Le Marble Bar, bar de l'hôtel Tattersalls ouvert en 1893, a été remonté à l'identique en 1973 dans le Sydney Hilton.

YORK STREET · STREET · GEORGE · PITT STREET · PARK STREET · CASTLEREAGH · ELIZABE · MA

Strand Arcade
Cette galerie marchande soigneusement restaurée fait partie des élégants édifices victoriens dont Sydney tirait fierté à la fin du siècle dernier ❸

CARTE DE SITUATION
Voir l'atlas des rues, plans 1 et 4

CENTRE-VILLE

BOTANIC GARDENS ET THE DOMAIN

DARLING HARBOUR

MLC Centre

★ **Martin Place**
Pôle des cérémonies de l'Anzac Day, le cénotaphe Art déco de Martin Place date de 1929 ❹

STRAND STREET

GEORGE STREET

MARTIN PLACE

KING STREET

PITT STREET

CASTLEREAGH STREET

ELIZABETH STREET

STREET

Theatre Royal

Skygarden, centre commercial récent, abrite des boutiques élégantes et, au dernier étage, des cafés et des restaurants.

Pointe nord du Hyde Park

★ **L'AMP Tower**
Le plus haut édifice de l'hémisphère Sud ménage une vue extraordinaire de l'ensemble de la ville. Il mesure 305 m de haut et peut se voir de très loin ❺

Queen Victoria Building ❶

455 George St. **Plan** 1 B5. 📞 *(02) 9264 9209.* 🚌 *lignes de George St.* 🕐 *9 h-18 h, lun.-mer. et ven.-sam. ; 9 h-21 h, jeu. ; 11 h- 17 h, dim et jours fériés.* 🚻 *Voir **Faire des achats** p. 128-131.*

Le styliste français Pierre Cardin a qualifié le Queen Victoria Building, appelé QVB, de « plus beau centre commercial du monde ». Pourtant, cet édifice victorien, au décor extérieur chargé, dominé par des coupoles en cuivre fut d'abord une halle aux produits agricoles. Achevé en 1898 sur les plans de l'architecte George McRae, il possède une grande verrière qui laisse entrer un flot de lumière à l'intérieur.

La halle ferma à la fin de la Première Guerre mondiale et le bâtiment faillit être démoli dans les années

Statues du toit du Queen Victoria Building

cinquante. Restauré pour plus de 75 millions de dollars australiens, il rouvrit en 1986 et abrite plus de 190 boutiques. Une fontaine ornée de sculptures de la reine Victoria et de son chien Islay incorpore une pierre de Blarney Castle.

Dans la galerie marchande, la Royal Clock dessinée en 1982 par Neil Glasser arbore, au-dessus d'une copie des quatre cadrans de Big Ben, une partie du château écossais de Balmoral. À chaque heure, une parade montre des scènes de la vie de divers monarques anglais.

State Theatre ❷

49 Market St. **Plan** 1 B5. 📞 *(02) 9373 6655.* **Tours** *(02) 9231 4629.* 🚌 *lignes de George St.* **Billetterie** 🕐 *9 h-17 h 30, lun.-sam.* ⬤ *ven. saint, 25 déc.* 🚻 🎥 *réservation nécessaire.*

Le State Theatre, dont l'inauguration eut lieu en 1929, est l'un des plus somptueux cinémas anciens d'Australie. Il accueille aujourd'hui de nombreux

Foyer du State Theatre

concerts et manifestations. Le haut plafond, le sol en mosaïque et les colonnes et les statues de marbre du foyer illustrent un style baroque triomphant. Un lustre de 20 000 pièces éclaire la salle et un magnifique orgue Wurlitzer sous la scène est sorti juste avant la représentation.

Strand Arcade ❸

412-414 George St. **Plan** 1 B5. 📞 *(02) 9232 4199.* 🚌 *lignes de George St.* 🕐 *9 h-17 h 30, lun.-mer et ven. ; 9 h-21 h, jeu. ; 9 h-16 h, sam. ; 11 h-16 h, dim.* ⬤ *la plupart des jours fériés.* 🚻 *Voir **Faire des achats** p. 128-131.*

Le Sydney victorien de la fin du XIXᵉ siècle était réputé pour ses vastes galeries marchandes. La plus belle, la Strand Arcade, dessinée par

Entrée sur Pitt Street de l'élégante Strand Arcade

l'architecte anglais John Spencer, fut inaugurée en avril 1892. Elle relie George Street et Pitt Street. Des lustres s'allumaient quand sa verrière ne suffisait plus à l'éclairer.

Une restauration a rendu à l'édifice, ravagé par un incendie en 1976, sa splendeur originelle. Le Harris Coffe and Tea près de l'entrée de Pitt Street est une pause agréable.

Martin Place ❹

Plan 1 B4. 🚌 *ligne de George St et Elizabeth St.*

Cette voie ouverte en 1891 est devenue piétonnière en 1971. Elle s'anime à midi quand les employés du quartier viennent y manger un sandwich en regardant des spectacles gratuits dans l'amphithéâtre proche de Castlereagh Street.

Chaque année, l'Anzac Day *(p. 38)* donne lieu à l'aube à un service religieux et un dépôt de gerbes au cénotaphe situé du côté de George Street. Œuvre de Bertram McKennal, ce monument aux morts date de 1929.

Au sud s'élève la façade inspirée de la Renaissance du General Post Office (1866) considéré comme la plus grande réussite de l'architecte colonial James Barnet.

Assemblage de cubes en acier, la Dobell Memorial Sculpture créée par Bert Flugelman en 1979 rend hommage à l'artiste australien William Dobell.

L'AMP Tower ❺

Appelée à l'origine Sydney Tower, elle devait s'intégrer dans le centre commercial de Centrepoint entrepris dans les années soixante-dix. Mais le plus haut édifice public de l'hémisphère Sud ne fut achevé qu'en 1981. Plus d'un million de personnes empruntent chaque année les ascenseurs ultrarapides qui mènent à la tourelle et son étage panoramique qui offre une vue de 360 degrés de la ville, de sa baie et même des Blue Mountains.

MODE D'EMPLOI

100 Market St. **Plan** 1 B5.
📞 (02) 9229 7430. 🚌 Sydney Explorer, toutes les lignes urbaines.
🚊 Darling Harbour. 🚆 St James, Town Hall. 🚇 City Centre.
🕐 9 h-23 h, lun.-ven. et dim. ; 9 h 30-23 h 30, sam. **Der. entrée :** 30 mn avant la fermeture.
🚫 25 déc. ♿ 🎥 🍴 🛍 📷

Étage panoramique
Du niveau 4, la vue montre le port s'ouvrant sur l'océan et porte jusqu'à Pittwater au nord, Botany Bay au sud et les Blue Mountains à l'ouest.

La flèche de 30 m, donne à la tour sa hauteur totale de 305 m.

Le château d'eau d'une capacité de 162 000 l, fait office de stabilisateur en cas de vent violent.

Niveau 4 : panorama

Niveau 3 : café

Niveau 2 : buffet

Niveau 1 : restaurant

La tourelle, d'une capacité de près de 1 000 personnes, abrite deux restaurants pivotants, un café et l'étage panoramique.

Les 56 câbles pèsent 7 t chacun. Mis bout à bout, ils relieraient Sydney à la Nouvelle-Zélande.

Les fenêtres comportent trois épaisseurs et celle de l'extérieur a un revêtement de poudre d'or.

Le fût peut résister à des vents très forts, qui statistiquement soufflent tous les 500 ans et à des séismes sans précédent.

Les escaliers offrent deux issues de secours séparées. Chaque année, en septembre ou octobre, une course a lieu sur leurs 1 474 marches.

Les ascenseurs mettent 40 secondes pour atteindre l'étage panoramique. Ils peuvent emmener 2 000 personnes à l'heure.

Construction de la tourelle
Assemblés à la base de la tour, les huit étages de la tourelle furent hissés par des vérins hydrauliques.

Veille du nouvel an
Chaque 31 décembre, des feux d'artifice partent du sommet de l'AMP Tower pour fêter le nouvel an.

Lands Department Building ❻

23 Bridge St. **Plan** 1 B3. 🚌 *325, lignes de George St.* ⭘ *seul. 2 sem. par an, dates variables.* ♿

Dessiné par l'architecte colonial James Barnet, cet édifice victorien édifié entre 1877 et 1890 présente un parement en grès de Pyrmon similaire à celui de la poste centrale. Le partage des terres agricoles d'une grande part de l'Australie orientale se décida ici.

Vingt-cinq des quarante-huit niches de la façade restent vides. Les autres abritent les statues de législateurs et d'explorateurs qui « promurent le peuplement ». Parmi les plus célèbres figurent Hovell et Hume, sir Thomas Mitchell, Blaxland, Lawson et Wentworth, Ludwig Leichhardt, Bass, Matthew Flinders et le botaniste sir Joseph Banks.

Belvédère du niveau 3 du Museum of Sydney

Museum of Sydney ❼

37 Phillip St. **Plan** 1 B3. 📞 *(02) 9251 5988.* 🚌 *lignes de Circular Quay.* ⭘ *10 h-17 h, t.l.j.* ⭘ *ven. saint, 25 déc.* 📷 ♿

Le musée de Sydney est installé à la base de la Governor Phillip Tower à l'emplacement de la Government House qui servit de résidence et de siège administratif aux neuf premiers gouverneurs de la Nouvelle-Galles du Sud entre 1788 et 1846. Ouvert en 1995, il retrace

Sol en mosaïque de granito de la crypte de St Mary's Cathedral

l'histoire de la ville depuis l'arrivée des colonisateurs britanniques en 1788 jusqu'en 1850. Site archéologique et exposition s'intègrent dans un immeuble moderne.

Les Eora

Les premiers habitants de la baie laissèrent des outils de chasse, regroupés au niveau 2, et des articles de la vie quotidienne tels que silex et ocre, exposés au niveau 3. Dehors, la sculpture *The Edge of the Trees (p. 60)* symbolise le premier contact entre Aborigènes et Européens. Les signatures de membres de la Première Flotte et les noms d'espèces végétales écrits en aborigène et en latin sont gravés dans le bois.

Colonisation européenne

Hors du musée, un tracé sur le sol marque l'emplacement de la première Government House. On peut voir ses fondations, sous le niveau de la rue, à travers une fenêtre. Un pan de mur a été reconstruit avec le grès d'origine.

Rendue plus vivante grâce à des moyens multimédias, hologrammes et vidéos notamment, l'exposition s'appuie sur des documents provenant aussi de musées étrangers. Des images panoramiques de la ville en train de grandir leur donnent un arrière-plan éloquent.

Pièces exposées au niveau 3

St Mary's Cathedral ❽

Cathedral St. **Plan** 1 C5. 📞 *(02) 9220 0400.* 🚌 *lignes d'Elizabeth St.* ⭘ *6 h 30-18 h 30, t.l.j.* ♿ *en prévenant à l'avance.* 📷 *dim. midi.*

Les bagnards de la Première Flotte comptaient des catholiques mais les gouverneurs britanniques interdirent jusqu'en 1820 la nomination de prêtres et la célébration de la messe. Ils craignaient d'entretenir le nationalisme des Irlandais. La cathédrale Sainte-Marie se dresse sur le site où le gouverneur Macquarie posa en 1821 la première pierre de St Mary's Chapel sur le premier terrain concédé à l'Église catholique.

La partie initiale de l'église actuelle, de style néo-gothique, ouvrit en 1882 et fut achevée en 1928, mais sans les deux flèches de la façade sud prévues par son architecte, William Wardell. Deux œuvres de Bertram MacKenneal, se dressent près de l'entrée : les statues du cardinal Moran, le premier cardinal d'Australie, et de l'archevêque Kelly qui ouvrit officiellement en 1913 les travaux de la dernière partie. La réalisation du pavement en mosaïque de granito de la crypte prit quinze ans.

Hyde Park ❾

Plan 1 B5. 🚌 *lignes d'Elizabeth St.*

L e gouverneur Macquarie donna en 1810 au premier parc créé à Sydney le nom du plus célèbre espace vert de Londres. Lieu d'entraînement de la garnison, le Hyde Park renferma plus tard un champ de course et un terrain de cricket. Beaucoup plus petit aujourd'hui, il reste cependant un havre de paix en plein cœur de la cité.

Haut de 30 m, l'Anzac Memorial de style Art déco rend hommage aux Australiens morts au combat. Inauguré en 1934, il renferme au rez-de-chaussée une exposition sur le passé militaire du pays.

La reine Élisabeth II inaugura en 1954 le Sandringham Garden dédié aux rois anglais Georges V et Georges VI et empli de glycine.

Commandée par J.F. Archibald, l'un des fondateurs du magazine littéraire *Bulletin*, et achevée en 1932, l'Archibald Fountain en bronze et en granit commémore l'alliance de la France et de l'Australie pendant la Première Guerre mondiale.

À l'angle de College Street et de Liverpool Street, un canon célèbre une action navale menée dans les îles Cocos. Le 9 novembre 1914, le *Sydney* y détruisit le bateau corsaire allemand *Emden* et fit à cette occasion 180 prisonniers.

Australian Museum ❿

Voir p. 90-91.

Great Synagogue ⓫

187 Elizabeth St. **Plan** 1 B5.
📞 *(02) 9267 2477.* 🚌 *394, 396, 380, 382.* ⏰ *offices et visites guidées seul.* ◑ *fêtes publiques et juives.* ♿
📷 *mar. et jeu. midi.*

D es juifs arrivèrent avec la Première Flotte mais ils n'obtinrent la liberté de culte que vers 1820. La Grande synagogue consacrée en 1878 accueille la plus ancienne congrégation juive orthodoxe d'Australie (plus de 900 familles). Avec son porche aux colonnes sculptées et ses portes en fer forgé, l'édifice est peut-être la plus belle réalisation de Thomas Rowe, l'architecte du Sydney Hospital *(p. 109).* À l'intérieur, de minuscules étoiles dorées parent un plafond lambrissé.

Chandelier de la Great Synagogue

Sydney Town Hall ⓬

483 George St. **Plan** 4 E2. 📞 *(02) 9265 9333.* 🚌 *lignes de George St.* ⏰ *8 h 30-18 h, lun.-ven.* ◑ *1er janv., 25 déc.* ♿ 📷 *(02) 9231 4629.*

D epuis l'inauguration en 1869 de l'hôtel de ville de Sydney sur le site d'un ancien cimetière, ses escaliers sont un des grands lieux de

Grand orgue du Centennial Hall

rendez-vous de la ville.

L'édifice offre un exemple exubérant du style victorien. J.H. Wilson en dessina les plans initiaux mais ceux-ci dépassaient les possibilités des constructeurs et d'autres architectes lui succédèrent pour mener l'ouvrage à terme. Le vestibule, élégant salon éclairé par des vitraux et un lustre en cristal, est ainsi l'œuvre d'Albert Bond, tandis que les frères Bradbridge achevèrent la tour de l'horloge en 1884. D'autres architectes intervinrent encore pour le Centennial Hall où trône un orgue de plus de 8 500 tuyaux. Le Sydney Town Hall prête aujourd'hui son cadre imposant à des concerts et à des bals.

St Andrew's Cathedral ⓭

Sydney Square, angle de George St et Bathurst St. **Plan** 4 E3. 📞 *(02) 9265 1661.* 🚌 *lignes de George St.* ⏰ *7 h 30-18 h, lun. au ven. ; 9 h 30-16 h, sam. ; 8 h -20 h, dim.* ♿ 📷

D essinée par Edmund Black, la plus ancienne cathédrale anglicane d'Australie, consacrée en 1868, s'inspire de la cathédrale gothique d'York. L'intérieur abrite des mémoriaux dédiés aux pionniers, une Bible de 1539 et des perles taillées dans des noyaux d'olives de Terre sainte. Le mur sud incorpore des pierres de la cathédrale Saint-Paul de Londres, de l'abbaye de Westminster et de la Chambre des lords.

Partie en cours sur l'échiquier géant du Hyde Park

L'Australian Museum ❿

Tête de
Tyrannosaurus Rex

Fondé en 1827, le premier musée créé en Australie présente une riche collection sur l'histoire naturelle du continent. Le bâtiment principal, imposante construction en grès dotée d'un escalier en marbre, fait face au Hyde Park. Son premier architecte, Mortimer Lewis, dut démissionner quand le coût des travaux commença à dépasser largement le budget prévu. James Barnet acheva la construction dans les années 1860. L'exposition propose un voyage visuel et sonore à travers la géologie, la botanique, la zoologie, la préhistoire, l'environnement et l'héritage culturel de l'Australie et du Pacifique proche. La galerie d'art aborigène accueille des danses et autres spectacles. Le musée présente aussi des expositions temporaires.

Entrée du musée
Des pilastres corinthiens
animent la façade.

Planet of Minerals
Cette section comprend
une exposition de pierres
et minéraux dans une
mine reconstituée.

Crocoïte   **Azurite**

Agate   **Centre**
pédagogique

★ _Rock Painting_
David Mowaljarlai peignit en 1984 cette
image du wandjina, _esprit de la nature,_
des nuages de pluie et de la loi dont la
punition prend la forme d'un cyclone.

Squelettes

Rez-de-
chaussée

À NE PAS MANQUER

★ L'Afrovenator

★ « Eric », le pliosaure
« opalisé »

★ _Rock Painting_ par
David Mowaljarlai

SUIVEZ LE GUIDE
Le rez-de-chaussée abrite
la section Aborigène et la
collection de squelettes,
le 1er étage les minéraux, le
2e étage les dinosaures et les
expositions consacrées aux
oiseaux, aux insectes,
à l'évolution humaine,
à l'Indonésie et aux
invertébrés marins.

Entrée
principa

Aboriginal Australia
présente des poteaux
funéraires et des objets
quotidiens, lances et
meules, par exemple.

Search and Discover
*Les Sydneysiders
viennent ici faire
identifier insectes,
roches ou os et
consulter des cédéroms.*

2ᵉ étage

MODE D'EMPLOI

6 College St. **Plan** 4 F3.
(02) 9320 6000. Sydney
Explorer, 323, 324, 325, 327, 389.
Museum, St James. Park
Plaza. 9 h 30-17 h, t.l.j.
25 déc.
Concerts, films.

**Évolution
humaine**

★ **« Eric », le pliosaure « opalisé »**
*Ce fossile de reptile marin était en
train de se transformer en opale au
moment de sa découverte.*

**Invertébrés
marins**

**Espace de
découverte**

Galerie indonésienne
*Le gamelan exposé et
parfois utilisé lors de
concerts comprend des
xylophones pour la
mélodie et des gongs
pour le rythme.*

1ᵉʳ étage

★ **L'Afrovenator**
*Découvert presque
complet au Niger en
1993, le squelette de
ce prédateur disparu
mesure près de 9 m
de long.*

Oiseaux et insectes
*À découvrir : la plus
venimeuse des araignées
australiennes. Elle ne vit que
dans la région de Sydney.*

LÉGENDE DU PLAN

☐ Environnements australiens
☐ Galerie indonésienne
☐ Dinosaures
☐ Peuples d'Australie
☐ Expositions temporaires
☐ Circulations et services

« WELCOME STRANGER »

Dans le cadre d'une exposition
consacrée aux conséquences de la
ruée vers l'or, le musée présente
un moulage de la plus grosse
pépite, surnommée « Bienvenue
étranger », jamais trouvée en
Australie. Découverte en 1869 au
Victoria, elle pesait 71 kg.

←— 67,5 cm de largeur —→

Darling Harbour pas à pas

Darling Harbour est le cadeau que s'est fait la Nouvelle-Galles du Sud à l'occasion de son bicentenaire. Un parc de loisirs a pris la place d'une zone

Bateau-phare, National Maritime Museum

portuaire de 54 ha en déclin malgré l'exportation de laine, de céréales et de charbon. Quand le trafic des conteneurs s'essouffla à son tour, rien ne semblait pouvoir lui rendre une viabilité commerciale et elle commença à tomber en ruine jusqu'à la création en 1984 de la Darling Harbour Authority. Le complexe qui ouvrit en 1988 comprenait déjà de nombreux restaurants et magasins et plusieurs musées dont le National Maritime Museum et le Sydney Aquarium, deux des principales attractions touristiques de la ville.

Le Harbourside Shopping Centre offre un large choix de souvenirs et de cadeaux, et des restaurants y côtoient des magasins de disques et de prêt-à-porter.

Passage vers le Harris Street Motor Museum (p. 94)

DARLING DRIVE

Le Convention and Exhibition Centre achevé en 1988 accueille des foires commerciales, internationales ou locales, aux thèmes très variés qui vont de la décoration d'intérieur aux robes de mariée.

WESTERN DISTRIBUTOR

WESTERN DISTRIBUTOR

Les Tidal Cascades (Cascades de la marée), fontaine dessinée par Robert Woodward qui conçut aussi El Alamein Fountain *(p. 116)*, ont une forme qui reflètent les courbes du Convention Centre.

À NE PAS MANQUER

★ **Le National Maritime Museum**

★ **Le Sydney Aquarium**

Le Dragon Boat Festival, régate qui accompagne d'autres manifestations culturelles chinoises, attire chaque année en avril plus de 2 000 concurrents du monde entier.

Le Pyrmont Bridge
était, en 1902 (date de son inauguration), le premier pont basculant électrique du monde. Comme lui, la piste du monorail peut s'ouvrir pour laisser le passage aux bateaux.

CARTE DE SITUATION
Voir l'atlas des rues, plans 3 et 4

Les supports du pont basculant s'enfoncent de 10 m dans le fond du port.

★ **Le National Maritime Museum**
L'exposition retrace l'histoire maritime australienne avant et après la colonisation européenne **⑮**

Le *Vampire*
(1959), un destroyer, est le plus gros des navires à quai près du musée.

Embarcadère des bateaux-promenades

★ **Le Sydney Aquarium**
Des tunnels subaquatiques permettent d'admirer dans de grands bassins la faune de la baie de Sydney, de la haute mer et de la Grande Barrière de corail **⑭**

Le drapeau australien
flotte au sommet du mât dressé en 1988 sur Cockle Bay pour le bicentenaire. Fin juillet, la baie se couvre d'embarcations de toutes sortes pour l'International Boat Show.

0   100 m

LÉGENDE

— — — Itinéraire conseillé

Sydney Aquarium ⑭

Aquarium Pier, Darling Harbour. **Plan** 4 D2. ☎ *(02) 9262 2300.* 🚌 *Sydney Explorer.* ⛴ *Darling Harbour.* 🚆 *Town Hall.* 🅿 *Darling Park.* 🕐 *9 h 30-22 h, t.l.j. (der. entrée 20 h).* ♿ 🚻

L'aquarium de Sydney abrite la plus riche collection de créatures aquatiques du pays. Plus de 5 000 représentants d'environ 600 espèces, de mer et d'eau douce, y vivent dans des environnements reconstitués.

Le clou de la visite consiste à « marcher au fond de l'océan » le long de tunnels transparents d'une longueur totale de 150 m. Ceux-ci permettent d'observer de près des requins (le plus gros pèse 300 kg), des raies pastenagues et des bancs de poissons. Les phoques possèdent un bassin spécial.

L'aquarium permet, entre autres, de découvrir la faune colorée de la Grande Barrière, le plus grand récif de corail du monde *(p. 204-209)*. La Touch Pool contient des invertébrés tels qu'oursins, escargots de mer et bernard-l'ermite que les

Un chirurgien de la Grande Barrière

visiteurs peuvent toucher. La direction de l'établissement, très sensible aux problèmes écologiques et aux risques courus par les fonds marins, assure que ces contacs avec les humains ne causent aucun dommage aux poissons ou crustacés présentés.

National Maritime Museum ⑮

Voir p. 96-97.

Harris Street Motor Museum ⑯

320 Harris St, Pyrmont. **Plan** 3 C3. ☎ *(02) 9552 3375.* 🚆 *Convention Centre.* 🕐 *10 h-17 h, t.l.j.* 🚫 *ven. saint, 25 déc.* 🛍 ♿

Célébrant un siècle d'histoire de l'automobile dans un dépôt de laine de la fin du siècle dernier, ce musée présente plus de 150 voitures, motocyclettes et véhicules commerciaux.

La collection compte parmi ses fleurons une Serpollet à vapeur d'Édouard VII, une Delorean, une Ford T à citerne et la Chevrolet modèle 1959 de l'acteur Anthony Quinn. L'exposition retrace aussi les parcours de grands

Chevrolet d'Anthony Quinn, Harris Street Motor Museum

concepteurs automobiles, évoquant leurs succès mais aussi leurs échecs.

Long de 67 m, un circuit de voitures miniatures électriques comporte deux fois huit voies. Les « pilotes » y courent contre la montre.

Chinese Garden ⑰

Darling Harbour. **Plan** 4 D3. ☎ *(02) 9281 6863.* 🚆 *Haymarket.* 🕐 *9 h 30-17 h 30, lun.-ven. ; 9 h 30-18 h, sam.-dim.* 🛍 ♿

Également appelé le jardin de l'Amitié (Garden of Friendship), ce jardin chinois aménagé en 1987 offre un cadre paisible à une promenade. Il fut offert à Sydney par le Guandong, la province chinoise de Canton jumelée à la Nouvelle-Galles du Sud. Dans la partie la plus basse, lotus et nénuphars recouvrent pendant la majeure partie de l'année le lac de la Clarté, qu'un monstre de pierre protège des esprits

Le Sydney Aquarium et son quai de conception structuraliste

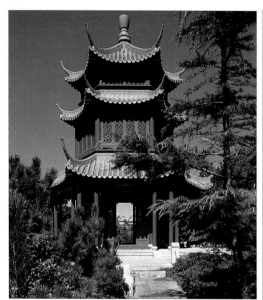

Le Twin Pavilion orné de fleurs sculptées au Chinese Garden

mauvais. Les deux dragons émaillés qui ornent le Dragon Wall proche du lac représentent le Guandong et la Nouvelle-Galles du Sud. Au centre du mur, la perle soulevée par des vagues symbolise la prospérité. De l'autre côté de l'eau s'élève le Twin Pavilion (pavillon jumeau). Son décor sculpté montre des waratahs (symbole floral de la Nouvelle-Galles du Sud) et des abricotiers.

La maison de thé, située au sommet de l'escalier de la Tea House Courtyard, propose du thé chinois et des gâteaux traditionnels, ainsi que des rafraîchissements occidentaux.

Powerhouse Museum ⓲

Voir p. 98-99.

Paddy's Market ⓳

À l'angle de Thomas St et de Hay St, Haymarket. **Plan** 4 D4. 🎧 *(02) 9212 2428.* 🚈 *Haymarket.* ⏰ *9 h-16 h 30, ven.-dim.* 🚫 *25 avr., 25 déc.* ♿ *Voir aussi* **Faire des achats** *p. 128-131.*

Près de Chinatown, le quartier de Haymarket abrite le plus vieux et le plus connu des marchés de Sydney : le Paddy's Market. Bien qu'il ait occupé plusieurs sites depuis 1869, il n'a connu en plus d'un siècle qu'une interruption de cinq ans. L'origine de son nom demeure incertaine. Selon les deux principales explications, il proviendrait soit des Chinois qui assuraient une grande part de son approvisionnement, entre autres en riz non décortiqué, soit des Irlandais (surnommés Paddy en anglais) qui comptaient parmi ses principaux clients.

Un ambitieux programme de réhabilitation est en train de doter le quartier, jadis modeste, d'immeubles élégants, de boutiques de mode et d'un cinéma multisalles. Le marché n'a toutefois rien perdu de son animation avec ses 800 éventaires qui proposent chaque week-end aussi bien des produits frais, des légumes, des fruits et des fleurs que des appareils électriques, des articles ménagers, de la maroquinerie et des

animaux tels que chiots, lapins et même poulets.

Chinatown ⓴

Dixon St Plaza, Sydney. **Plan** 4 D4. 🚈 *Haymarket.*

Serré à l'origine autour de Dixon Street et Hay Street, le quartier chinois de Sydney s'étend maintenant dans Haymarket, allant jusqu'à atteindre Harris Street à l'ouest, Broadway au sud et Castlereagh Street à l'est. Entre le Paddy's Market et le Chinese Garden, le Sydney Entertainment Centre *(p. 135)* accueille les concerts des têtes d'affiche du rock et de la variété, ainsi que de nombreuses rencontres sportives. Pendant longtemps, Chinatown était une zone délabrée en bordure des halles de la ville où beaucoup de Chinois tenaient des commerces. Aujourd'hui, sa principale artère, Dixon Street, aux lampadaires et portails traditionnels est devenue une jolie rue pittoresque, tandis que de nouvelles vagues d'immigrants asiatiques assurent la prospérité de ses restaurants haut de gamme. Chinatown recèle également d'excellents magasins de primeurs, des herboristeries traditionnelles et des boucheries avec des canards qui sèchent en devanture.

Produits alimentaires chinois à Chinatown

Bijouteries, boutiques de vêtements et pâtisseries abondent dans ses galeries marchandes. Deux cinémas projettent des films chinois en version originale.

Portail traditionnel à l'entrée de Chinatown sur Dixon Street

Le National Maritime Museum ⑮

Globe céleste de Willem Blaeu (1602)

L'océan qui entoure l'Australie a joué un grand rôle dans l'histoire de l'île-continent. Le musée évoque les traditions maritimes du pays au moyen d'expositions permanentes ou temporaires. De nombreux sujets sont abordés, rapports des Aborigènes avec la mer, sports et loisirs nautiques, voyages d'exploration des Européens dans le Pacifique ou encore vagues successives d'immigration. Les embarcations historiques amarrées aux quais comprennent une barque de réfugiés vietnamiens, des bateaux de pêche, un patrouilleur et un porte-commandos de la Seconde Guerre mondiale.

Façade du musée
La forme du toit en acier dessiné par Philip Cox évoque à la fois une vague et une voile.

Passagers
La section dédiée aux passagers montre le luxe des paquebots mais aussi les dures conditions de voyage des immigrants et des réfugiés.

Premiers Australiens retrace les traditions maritimes d'Aborigènes et d'insulaires du détroit de Torres.

La Tasman Light brilla dans un phare de Tasmanie.

★ Découvertes, Premiers Australiens
Cette gravure de 1754 offre une image européenne des créatures du « Grand Sud ».

Du *Sirius* coulé en 1790 subsiste l'ancre.

Entrée principale (niveau de la mer)

À NE PAS MANQUER

★ Galerie Découverte, Premiers Australiens

★ Galerie Loisirs

★ Le *Vampire*

LÉGENDE DU PLAN

- ☐ Découverte, Premiers Australiens
- ☐ Passagers
- ☐ Commerce
- ☐ Loisirs
- ☐ Marine
- ☐ Australie-USA
- ☐ Expositions temporaires
- ☐ Circulations et services

Marine s'intéresse à la marine militaire en temps de guerre comme de paix.

Australie-USA rend hommage aux liens qui unissent de longue date l'Australie et les États-Unis grâce à la navigation.

Galerie Commerce
*Cette bannière du
syndicat des peintres
et des dockers, portée
lors des défilés, date
de 1903 et montre le
Niagara entrant en
cale sèche sur l'île de
Cockatoo.*

MODE D'EMPLOI

Darling Harbour. **Plan** 3 C2.
📞 (02) 9552 7777. 🚌 Sydney
Explorer. 🚢 Darling Harbour. 🚆
Town Hall. 🚌 Harbourside.
🕐 9 h 30-18 h, t.l.j.
⬤ 25 déc. ♿ 🚻 ✓ 📷 📹
Films, lectures.

★ Galerie Loisirs
*La galerie des loisirs abrite
le bateau le plus rapide
du monde, le* Spirit of
Australia, *un hydroglisseur
de 1,5 t propulsé par un
moteur d'avion. Il établit le
record en 1978 avec une
vitesse de 511 km/h.*

**Mazda
Gallery**

1er étage

Une réplique de
l'*Endeavour* de
Cook s'amarre ici
quand elle est de
passage à Sydney.

Phare
*Reconstruit avec
sa lampe à kérosène
d'origine, ce phare
de 1874 fonctionna
plus d'un siècle.*

**Flotte
d'embarcations
historiques**

Bateau-phare
Carpentaria

★ Le *Vampire*
*Le plus gros navire du musée
est un destroyer de 1959
surnommé la « chauve-
souris ». Des
bruits de bataille
ponctuent sa visite.*

VAMPIRE
AUDAMUS

SUIVEZ LE GUIDE
*L'accès aux bateaux à quai se fait
sur deux étages, celui de l'entrée
principale (niveau de la mer),
expositions Australie-USA et Loisirs,
et le niveau supérieur, expositions
Premiers Australiens, Passagers et
Commerce.*

Le Powerhouse Museum ⓫

**Fauteuil égyptien
de Thomas Hope**

Ce musée ambitieux a ouvert ses portes en 1988. Il est installé dans une ancienne centrale qui fournissait à partir de 1902 de l'électricité aux tramways de Sydney. Sa collection a pour origine l'exposition internationale consacrée aux inventions et à l'industrie, organisée dans le Garden Palace en 1879 et détruite en grande partie en 1882. Les proportions majestueuses du bâtiment offrent un cadre approprié à des installations souvent interactives qui illustrent des domaines aussi variés que la technologie, les sciences, l'histoire sociale et les arts décoratifs et ménagers. L'exposition met l'accent sur les innovations australiennes et, de l'espace aux bijoux fantaisie, célèbre le progrès humain dans ses manifestations les plus extraordinaires ou les plus quotidiennes.

★ Le Kings Cinema
Le cinéma Art déco projette des bandes d'actualités, des films muets et des vieux classiques du début du parlant.

Réplique d'un satellite soviétique
La reproduction d'un propulseur et d'un module d'habitation offre un aperçu du passé et de l'avenir de l'exploration spatiale.

Niveau 3

VH-USR

Autogire
Ce précurseur de l'hélicoptère date de 1934. C'est le déplacement de l'air, et non un moteur, qui faisait tourner le rotor assurant la sustentation.

SUIVEZ LE GUIDE
L'ancienne centrale électrique et le Neville Wran Building abritent plus de 20 sections sur 4 étages en partant du niveau 5. L'entrée, la boutique et les principales expositions se trouvent au niveau 4, le Kings Cinema et les expositions thématiques au niveau 3 et les expositions sur l'informatique et les transports au niveau 2.

LÉGENDE DU PLAN

☐ Galerie des Arts décoratifs

☐ Arts décoratifs et innovation

☐ Histoire sociale

☐ Sciences et technologie

☐ Circulations et services

Niveau 2

★ **Le moteur de Boulton et Watt**
Le plus vieux moteur rotatif à vapeur existant actionna pendant 102 ans une brasserie londonienne et fonctionne encore.

Niveau 5

MODE D'EMPLOI

500 Harris St, Ultimo. **Plan** 4 D4.
(02) 9217 0111. Sydney Explorer, 501. Darling Harbour. Town Hall, Central. Haymarket. 10 h-17 h, t.l.j. (der. entrée 16 h 30). 25 déc.

Ken Done Restaurant
L'artiste Ken Done (p. 30) peignit les fleurs d'hibiscus et de frangipanier sur les murs du restaurant.

Niveau 4

Le Neville Wran Building bâti dans les années quatre-vingt s'inspire des grands halls d'exposition et des gares du XIXᵉ siècle.

Interaction
Plus de 100 installations invitent le visiteur à s'initier aux sciences en jouant.

Entrée principale

★ **La locomotive n° 1**
Robert Stephenson fabriqua cette locomotive en Angleterre en 1854. Elle tira le premier train de Nouvelle-Galles du Sud en 1855. L'exposition recrée l'ambiance d'un voyage d'une journée au XIXᵉ siècle.

À NE PAS MANQUER

★ **Le moteur de Boulton et Watt**

★ **Le Kings Cinema**

★ **La locomotive N° 1**

LES BOTANIC GARDENS ET THE DOMAIN

Cette partie de Sydney est proche du centre mais paraît très éloignée de son agitation. Elle conserve d'importants souvenirs de l'époque coloniale : l'emplacement de la première ferme créée sur le continent et Macquarie Street. L'hôpital, l'église et l'hôtel de la Monnaie, situés sur l'avenue, font partie des plus vieux édifices d'Australie. Macquarie Street n'a d'ailleurs rien perdu de son rôle politique puisqu'elle abrite le siège du gouvernement de l'État de

Ange, St James' Church

Nouvelle-Galles du Sud. The Domain, espace vert réservé à l'origine à l'usage privé du gouverneur Phillip, accueille aujourd'hui sur ses pelouses de nombreux pique-niqueurs et adeptes du jogging ou des jeux de ballon. Des concerts en plein air s'y déroulent en janvier dans le cadre du festival de Sydney. Les Botanic Gardens, contigus, enserrent l'anse de la Farm Cove et permettent de se promener au sein d'une magnifique collection de plantes d'Australie et du Pacifique.

LES SITES D'UN COUP D'ŒIL

Bâtiments historiques
Conservatorium of Music ❷
Hyde Park Barracks ⓫
Parliament House ❽
State Library of New South
  Wales ❼
Sydney Hospital ❾
Sydney Mint ❿

Galerie
*Art Gallery of New South
  Wales p. 106-107* ❺

Église
St James' Church ⓬

Île
Fort Denison ❹

Monument
Mrs Macquarie's Chair ❸

Parc et jardins
*Royal Botanic Gardens
  p. 102-103* ❶
The Domain ❻

COMMENT Y ALLER
Les gares de St James et Martin Place sont proches de la plupart des sites. Depuis Circular Quay, le bus 311 passe près de l'Art Gallery of NSW. Le Sydney Explorer dessert ce quartier que l'on peut découvrir à pied.

0   500 m

LÉGENDE

  Royal Botanic Gardens
  p. 102-1103

P Parc de stationnement

◁ **Plantes grasses et cactus du Succulent Garden des Royal Botanic Gardens**

Les Royal Botanic Gardens ❶

Statue des Botanic Gardens

Les jardins botaniques de Sydney fondés en 1816 sont la plus ancienne institution scientifique du pays. D'une superficie de 30 ha, ils occupent au cœur de la ville un site privilégié autour de l'anse de la Farm Cove. À l'origine simple réseau de sentiers à travers des broussailles, les jardins abritent aujourd'hui une remarquable collection de plantes indigènes et exotiques. Ils renferment également le site de la première ferme créée par les colons européens. Le National Herbarium, centre de recherche sur les espèces végétales australiennes, propose une exposition de spécimens de plantes réunis en 1770 par Joseph Banks lors de son voyage avec Cook le long de la côte orientale de l'Australie.

CARTE DE SITUATION
Voir l'atlas des rues, plans 1 et 2

Government House (1897)

★ **La palmeraie**
Créée en 1862, l'une des plus belles collections en plein air de palmiers du monde offre en été l'ombre de près de 180 variétés.

Conservatorium of Music (p. 104)

★ **Le jardin d'herbes**
Ce jardin rassemble des herbes de toute la planète utilisées en cuisine et en médecine. Il abrite aussi une fontaine sensorielle et un cadran solaire inspiré de la sphère céleste.

0   200 m

★ **Le Sydney Tropical Centre**
Deux serres reconstituent des écosystèmes tropicaux ; la Pyramid regoupe des plantes australiennes, l'Arc des espèces d'autres pays.

Le Mrs Macquarie's Chair est un siège sculpté dans la roche d'où la femme du gouverneur contemplait le port *(p. 104)*.

Mrs Macquarie's Road

Macquarie Wall
Il ne subsiste qu'un petit pan du mur de 290 m de long entrepris en 1810 pour séparer le domaine des forçats des « habitants respectables » de la ville.

Les Fleet Steps
permettaient de débarquer dans la Farm Cove.

Monument choragique (1870)
Walter McGill sculpta dans du grès cette réplique du monument athénien de Lysicratès.

L'Andrew (Boy) Charlton Pool
est une piscine appréciée des Sydneysiders.

★ **La première ferme**
Des planches du Middle Garden suivent la direction des sillons du premier champ de la colonie.

National Herbarium of New South Wales
Près d'un million de plantes séchées illustrent la diversité des plantes australiennes. L'agrandissement constant de la collection vise à lutter contre la disparition d'espèces.

À NE PAS MANQUER

★ **La première ferme**

★ **Le jardin d'herbes**

★ **La palmeraie**

★ **Le Sydney Tropical Centre**

Conservatorium of Music ❷

Macquarie St. **Plan** 1 C3. ☎ (02) 9230 1222. 🚌 Sydney Explorer, lignes de Circular Quay. ◑ 9 h-17 h, lun-ven ; 9 h-16 h, sam. ◐ jours fériés, sam. de Pâques. ♿

Achevé en 1821, cet édifice colonial est inspiré de l'architecture médiévale européenne avec ses tours et ses murs crénelés. Il devait abriter les écuries et les quartiers des domestiques de la Government House, mais la construction de celle-ci prit près de vingt-cinq ans de retard. La grandeur et le coût du bâtiment destiné à abriter de simples écuries suscitèrent un débat acerbe entre l'architecte Francis Greenway (p. 161) et le gouverneur Macquarie. Un décret trancha la dispute : tout nouveau projet de construction devrait dorénavant avoir l'accord préalable de Londres.

Entre 1908 et 1915, la « folie de Greenway » connut un important remaniement. Couverte d'une toiture en ardoise, la cour intérieure fut transformée en salle de concert et le reste du bâtiment fut adapté aux besoins du conservatoire de musique nouvellement créé.

Quatre-vingts ans plus tard, celui-ci occupe toujours les locaux, mais des travaux en cours vont permettre d'agrandir le vieux monument pittoresque.

Moment de repos sur le Mrs Macquarie's Chair

Mrs Macquarie's Chair ❸

Mrs Macquarie's Rd. **Plan** 2 E2. 🚌 Sydney Explorer, 888. ♿ 📷

Entre Farm Cove et Woolloomooloo Bay, la Mrs Macquarie Road forme une boucle étirée le long d'une grande partie des Royal Botanic Gardens. Elle fut construite par des forçats à l'instigation d'Elizabeth Macquarie, la femme du gouverneur. Celle-ci se fit aussi sculpter un fauteuil dans la roche à l'endroit où elle aimait s'arrêter dans sa promenade pour contempler la vue. Bien que le panorama ait beaucoup changé, le spectacle du port incite toujours à la méditation.

Mrs Macquarie a aussi donné son nom à la pointe de la presqu'île, Mrs Macquarie Point, où les Sydneysiders aiment à venir pique-niquer sur les pelouses, en particulier au coucher du soleil.

Fort Denison ❹

Sydney Harbour. **Plan** 2 E1. ☎ (02) 9247 5033. ⛴ Circular Quay. ◑ en bateau depuis Circular Quay à 12 h et 14 h t.l.j., 10 h les sam. et dim. ◐ 25 déc. 📷 🎫 réserver (02) 9206 1166.

Tout d'abord baptisé Rock Island, cet îlot prit aussi le surnom de « Pinchgut » (« Pince-boyau »), sans doute à cause des maigres rations qu'y recevaient les bagnards envoyés là en punition pendant les premières années de la colonie. L'un d'eux, Francis Morgan, condamné pour assassinat, y fut pendu en 1796.

La seule tour à la Martello d'Australie, une batterie d'artillerie et une caserne se dressent

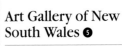

Le Fort Denison en 1907

toujours sur le rocher. Leur construction dura de 1855 à 1857 et la place forte prit le nom du gouverneur de l'époque. Chaque jour à 13 h, un coup de canon continue d'être tiré du Fort Denison. Il permettait jadis aux navigateurs de vérifier l'exactitude de leurs chronomètres, instruments essentiels en mer pour déterminer les latitudes.

L'île offre un bon point de vue des activités du port, notamment lors du feu d'artifice du 31 décembre (p. 37). Des visites guidées permettent de découvrir l'île au départ de Circular Quay, mais mieux vaut réserver sa place à l'avance.

Art Gallery of New South Wales ❺

Voir p. 106-107.

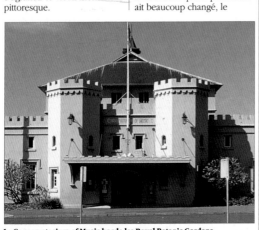

Le Conservatorium of Music borde les Royal Botanic Gardens

The Domain ❻

Art Gallery Rd. **Plan** 1 C4. 🚌 *Sydney Explorer, 888.* ♿

Selon une vieille tradition, le parc du Domain accueille en janvier concerts et autres manifestations à l'occasion du festival de Sydney. Le public apporte couvertures et paniers de pique-nique pour profiter au mieux du spectacle.

En cas de crise, cet ancien jardin privé du gouverneur sert aussi de point de ralliement aux Sydneysiders hostiles à certaines décisions politiques. Ce fut le cas lorsqu'il fut question d'instaurer la conscription en 1916 ou lors de la destitution, en 1975, du Premier ministre par le gouverneur général. Depuis la fin du siècle dernier, The Domain renferme également l'équivalent australien du « coin des orateurs » de Hyde Park à Londres. Chaque dimanche, on peut y entendre des tribuns improvisés grimpés sur des caisses à savon émettre leurs opinions sur toutes sortes de sujets.

Le port vu du Domain

State Library of New South Wales ❼

Macquarie St. **Plan** 4 F1. 📞 *(02) 9230 1414.* 🚌 *Sydney Explorer, lignes d'Elizabeth St.* ⬜ *9 h-21 h, lun-ven ; 11 h-17 h, sam. et dim.* ⬛ *la plupart des jours fériés.* ♿ ✅

La bibliothèque d'État de Nouvelle-Galles du Sud occupe deux bâtiments reliés par une passerelle vitrée. Le plus ancien, la majestueuse Mitchell Library en grès, date de 1906 et fait face aux Royal

Réplique en mosaïque de la carte de Tasman, State Library of NSW

Botanic Gardens *(p. 102-103)*. Dans le vestibule, sous une voûte soutenue par de puissantes colonnes, le pavement du sol reproduit en mosaïque de marbre une carte ancienne détaillant les deux voyages d'exploration effectués dans les années 1640 par le navigateur hollandais Abel Tasman *(p. 45)*. Elle montre les deux navires de la première expédition au large du littoral méridional de l'Australie et les deux de la seconde en face de la côte nord-ouest. La carte originelle fait partie de la collection de peintures, livres et documents historiques de la Mitchell Library. Au-delà se situe la salle de lecture meublée de rayonnages en chêne et éclairée par une verrière.

Agréable construction contemporaine, l'aile la plus récente borde Macquarie St *(p.110-111)*. Elle abrite la General Reference Library ouverte à tous. De l'autre côté de la Mitchell Library, la Dixson Gallery propose des expositions renouvelées régulièrement.

Devant la bibliothèque, du côté de Macquarie St, se dresse la statue de Matthew Flinders, le premier navigateur à avoir effectué le tour de l'Australie *(p. 48)*. L'appui de fenêtre derrière lui porte la sculpture de son compagnon d'aventure, son chat Trim.

Parliament House ❽

Macquarie St. **Plan** 4 F1. 📞 *(02) 9230 2111.* 🚌 *Sydney Explorer, lignes d'Elizabeth St.* ⬜ *hors des sessions : 9 h-16 h 30, lun.-ven. ; en session, 9 h-19 h, lun.-ven.* ⬛ *jours fériés.* ♿ ⬜ *10 h, 11 h, 14 h.*

La partie centrale du parlement de Nouvelle-Galles du Sud occupe une aile de l'ancien Sydney Hospital construit entre 1811 et 1816 *(p. 109)*. Agrandi deux fois au XIXe siècle, puis de nouveau dans les années soixante-dix et quatre-vingt, l'édifice abrite le siège du gouvernement depuis que le Legislative Council y tint sa première réunion vers 1820. Il renferme à l'heure actuelle les deux chambres du Parlement, qui fonctionne sur le modèle de celui de l'État fédéral, ainsi que les bureaux des services parlementaires.

Les souvenirs exposés dans la Jubilee Room illustrent l'histoire législative de la Nouvelle-Galles du Sud et l'évolution du Parliament House. L'aile en tôle ondulée et à la façade en fonte attachée à l'extrémité sud de l'édifice arriva d'Angleterre en pièces détachées. Elle devint

Globe céleste de Malby, Parliament House

en 1856 le siège du nouveau Legislative Council et le bois de ses caisses d'emballage servit à parer la salle de réunion.

L'Art Gallery of New South Wales ❺

Sculpture des Cyclades

Fondée en 1874, la Galerie d'art de Nouvelle-Galles du Sud occupe depuis 1897 l'imposant édifice dessiné par l'architecte W.L. Vernon. Deux statues équestres, *Les Offrandes de la paix* et *Les Offrandes de la guerre,* accueillent les visiteurs à l'entrée. Le musée possède des sections consacrées aux arts australien, européen et asiatique, aux créations contemporaines et à la photographie. Il possède aussi une riche collection de gravures et de dessins. La Yiribana Gallery, ouverte en 1994, est la plus grande galerie au monde exclusivement dédiée à l'art et à la culture des Aborigènes et des insulaires du détroit de Torres.

Sofala *(1947)*
Des villes fantômes dévastées par des forces naturelles hantent l'œuvre de l'Australien Russell Drusdale.

Sunbaker *(1937)*
Cette évocation par Max Dupain de l'hédonisme australien s'appuie sur des lignes pures et géométriques et une lumière violente. Elle tire sa force de sa simplicité.

La Terrasse de sculptures expose des sculptures en plein air.

Niveau 5

Vierge à l'Enfant avec saint Jean-Baptiste
Le maniériste Domenico Beccafumi peignit cette huile sur bois vers 1541.

Des expositions temporaires, souvent de grands artistes australiens, ont lieu ici toute l'année.

Niveau 4

À NE PAS MANQUER

★ **Les poteaux funéraires pukumani**

★ ***The Golden Fleece - Shearing at Newstead* par Tom Roberts**

SUIVEZ LE GUIDE !
La collection occupe cinq niveaux en commençant par le haut. Le niveau 5 abrite les photographies, le 4 la majorité des œuvres européennes et australiennes, le 3 les grandes expositions temporaires, le 2 les gravures européennes du xxᵉ siècle et le 1 la Yiribana Gallery.

★ Les poteaux funéraires pukumani *(1958)*
Sculptés par les Tiwi de Melville Island (p. 266), ces poteaux qui entourent la tombe représentent les qualités du défunt.

Niveau 1

MODE D'EMPLOI

Art Gallery Rd, The Domain.
Plan 2 D4. *(02) 9225 1744.*
Sydney Explorer, 888.
Circular Quay. *St James, Martin Place.* *10 h-17 h, t.l.j. (der. entrée 16 h 30).*
Ven. saint, 25 déc. *Spectacles, conférences, projections.*

Nu dans un rocking-chair *(1956)*
Pablo Picasso avait 75 ans quand il peignit à Cannes ce tableau en prenant pour modèle Jacqueline Roque qui allait bientôt devenir sa deuxième femme. Le tableau décrit le combat entre l'homme et la femme, entre l'artiste et le modèle.

Niveau 2

L'art mélanésien est exposé à l'entrée de la bibliothèque.

Niveau 3

Gardiens, dynastie des Tang
Ces sculptures chinoises du VIIᵉ siècle appartiennent à la collection consacrée à différentes périodes, cultures et traditions des pays d'Asie.

★ The Golden Fleece *(1894)*
Aussi appelée Shearing at Newstead, *cette « Toison d'or » de Tom Roberts marque les débuts de l'impressionnisme australien.*

L'entrée en grès date de 1909.

LÉGENDE DU PLAN

☐ Art australien
☐ Art européen
☐ Terrasse de sculptures
☐ Photographie
☐ Art asiatique
☐ Gravures, dessins et aquarelles
☐ Art contemporain
☐ Yiribana Gallery
☐ Expositions temporaires
☐ Circulations et services

À la découverte de l'Art Gallery

La collection permanente de la galerie incluait des peintures australiennes dès 1875, mais ses responsables commencèrent à acquérir des œuvres d'art non-britanniques seulement à partir des années vingt et des peintures aborigènes à partir des années quarante. Le musée propose aussi de grandes expositions temporaires, notamment celles des prix Archibald, Wynne et Sulman attribués chaque année, et à l'origine de nombreuses controverses.

Study for Self Portrait (1976) par le Britannique Francis Bacon

Interior with Wardrobe Mirror (1955) de Grace Cossington Smith

ART AUSTRALIEN

Parmi les toiles les plus importantes de la période coloniale figurent *Natives on the Ouse River, Van Diemen's Land* (1838), où John Glover a représenté des Aborigènes de Tasmanie quarante ans avant leur totale disparition. L'ancienne aile renferme aussi d'intéressants tableaux de l'école de Heidelberg *(p. 30)* par Charles Conder, Frederick McCubbin et Arthur Streeton. Ils voisinent avec *The Golden Fleece-Shearing at Newstead* (1894) de Tom Roberts.

L'Australie mit du temps à se convertir au modernisme.

Western Australian Gum Blossom de Margaret Preston date de 1928. De *Boy in Township* (1943) à *Burke* (v. 1962), le travail de Sydney Nolan exploite les mythes de l'histoire australienne. À voir également, de belles œuvres de William Dobell, Russell Drysdale, Arthur Boyd, Grace Cossington Smith et Brett Whiteley *(p. 30)*.

La Yiribana Gallery réunit les créations d'Aborigènes et d'insulaires du détroit de Torres. Elles mettent en évidence la capacité des artistes contemporains à associer styles traditionnels et nouveaux supports tout en conservant leur identité.

Les premières acquisitions comprennent des peintures sur écorce utilisant des pigments naturels, représentant souvent des scènes de la vie quotidienne. *Three Mimis Dancing* (1964) de Samuel Wagbara, sur écorce également, s'inspire des mythes de la création. Emily Kame Kngwarreye rend honneur à la terre d'où elle vient avec de riches tableaux pointillistes.

Reclining Figure : Angles (1980) de Henry Moore

ART EUROPÉEN

La collection européenne s'étend du Moyen Âge à l'époque moderne et accorde une large place à des artistes britanniques des XIXᵉ et XXᵉ siècles tels que Francis Bacon.

En art ancien, l'Italie est bien représentée, et l'on peut aussi admirer des œuvres néo-classiques ou préraphaélites comme *Chaucer at the Court of Edward III* (1845-1851) de Ford Madox Brown.

L'exposition inclut également des tableaux de Pissaro, *Nu dans un rocking-chair* (1956), et de Monet. Henry Moore acheva en 1980 la sculpture *Reclining Figure : Angles*.

PHOTOGRAPHIE

La collection offre un panorama très complet de la photographie australienne de 1975 à nos jours. Elle met l'accent depuis peu sur la constitution d'un fond d'œuvres du XIXᵉ siècle et comprend près de 3 000 tirages, entre autres de Charles Kerry, Charles Bayliss et Harold Cazneaux, figure majeure du pictorialisme du début du siècle.

L'exposition présente aussi des photographes étrangers tels que Muybridge, Robert Mapplethorpe et Man Ray.

The Balcony (2) peint par Brett Whiteley en 1975

ART ASIATIQUE

Cette section propose des pièces chinoises datant d'avant la dynastie des Shang (v. 1766-v. 1112 av. J.-C.) jusqu'au XXe siècle, notamment des porcelaines Ming, des poteries funéraires *(mingqui)* et des sculptures.

La collection japonaise comprend notamment des œuvres d'artistes majeurs de la période Edo (1616-1867). Laques, céramiques et sculptures représentent l'Inde et l'Asie du Sud-Est.

GRAVURES ET DESSINS

La tradition européenne est illustrée de la Haute Renaissance aux XIXe et XXe siècles avec des travaux de Rembrandt, Constable, William Blake, Edvard Munch et Egon Schiele. L'intérêt porté aux artistes australiens des cent dernières années a suscité la constitution d'un fond exceptionnel d'œuvres de Thea Proctor, Norman et Lionel Lindsay et Lloyd Rees.

Affiche pour la Sécession de Vienne (1918) par Egon Schiele

ART CONTEMPORAIN

L'exposition s'articule autour des grands thèmes des années soixante-dix. Les œuvres d'Australiens tels que Ian Burn, Ken Unsworth, Imans Tillers et Susan Norrie voisinent avec celles de créateurs étrangers comme Yves Klein, Cindy Sherman, Richard Deacon ou encore Philip Guston.

Il Porcellino, sanglier en bronze installé devant le Sydney Hospital

Sydney Hospital ➒

Macquarie St. **Plan** 1 C4. 📞 *(02) 9382 7111.* 🚌 *Sydney Explorer, lignes d'Elizabeth St.* ⏰ *t.l.j.* ♿ *pour la visite.* ♿ 📷 *sur demande.*

Cet ensemble imposant de bâtiments victoriens en grès occupe l'emplacement de la partie centrale du premier hôpital de Sydney édifié grâce à la main-d'œuvre fournie par les bagnards. Il fut surnommé le Rum Hospital parce que ses constructeurs reçurent en paiement le droit d'importer du rhum destiné à la revente. Les ailes nord et sud, d'origine, abritent respectivement le Parliament House *(p. 105)* et le Sydney Mint. Le corps central fut démoli en 1879 et l'hôpital actuel, toujours opérationnel, achevé en 1894.

De style néo-classique, l'édifice possède un escalier baroque et un hall intérieure, la fontaine Art déco de 1907 paraît quelque peu déplacée avec ses couleurs vives.

Devant l'hôpital se trouve un sanglier en bronze appelé *Il Porcellino*. Il s'agit d'une copie de la statue du XVIIe siècle qui orne une fontaine du Mercato Nuovo de Florence, elle-même réplique d'un marbre romain. Offerte en 1968 par une Italienne qui avaient des parents employés à l'hôpital, la sculpture est un plaisant symbole des relations amicales qui règnent entre l'Italie et l'Australie. Comme celui de son homologue florentin, le groin du sanglier est supposé porter chance à ceux qui le caressent.

Vitrail du Sydney Hospital

Sydney Mint ➓

Macquarie St. **Plan** 1 C5. 📞 *(02) 9217 0311.* 🚌 *Sydney Explorer, lignes d'Elizabeth St.* ⏰ *10 h-17 h, t.l.j.* ⬤ *25 déc.* ♿ *limité.*

Les ruées vers l'or du milieu du XIXe siècle bouleversèrent l'économie de l'Australie coloniale *(p. 50-51)* et imposèrent en 1854 la création à Sydney, dans l'aile sud du Rum Hospital, d'un hôtel de la Monnaie habilité à transformer le métal précieux en pièces et lingots. Cette première succursale de la Royal Mint jamais établie hors de Londres ne put toutefois résister à la concurrence de celles de Melbourne *(p. 379)* et de Perth *(p. 297)* et ferma ses portes en 1927.

C'est le Powerhouse Museum *(p. 98-99)* qui possède désormais les souvenirs et machines de l'ancien hôtel de la Monnaie. Le Sydney Mint abrite le siège du New South Wales Historic Houses Trust, ainsi qu'un agréable café qui domine Macquarie Street *(p. 110-111)*.

Hyde Park Barracks ⑪

Queens Square, Macquarie St.
Plan 1 C5. 📞 *(02) 9223 8922.*
🚇 *St James, Martin Place.*
⏰ *9 h 30-17 h, t.l.j.* ⬤ *ven. saint,*
25 déc. 🈲 ♿ ✔

L'édifice en grès, considéré comme le chef-d'œuvre de Francis Greenway *(p. 161)* pour l'harmonie de ses proportions, fut qualifié de « spacieux » et « aéré » par le gouverneur Macquarie. Sa construction, menée par une main-d'œuvre de *convicts,* s'acheva en 1819. Le bâtiment avait pour fonction d'héberger 600 bagnards, ces derniers étant jusqu'alors obligés de trouver eux-mêmes où dormir après leur journée de travaux

Reconstitution d'un dortoir de forçats aux Hyde Park Barracks

forcés. Il abrita ensuite de jeunes orphelins irlandais, des femmes immigrantes célibataires puis une cour de justice. Remanié en 1990, il a

été transformé en musée consacré à sa propre histoire et à celle de ses occupants.

L'exposition comprend la reconstitution d'un dortoir de forçats, ainsi que divers documents, maquettes et souvenirs. Les rats ont apporté leur contribution à la collection car c'est dans leurs nids que les archéologues ont pu retrouver nombre des objets présentés.

Au premier étage, la Greenway Gallery accueille des expositions variées. Le Barracks Café incorpore l'ancienne geôle et donne vue de la cour où les bagnards recevaient jadis le fouet.

Par intermittence pendant les vacances scolaires, le musée permet de vivre une « nuit de *convict* », couché dans un hamac en dortoir.

MACQUARIE STREET

Décrite dans les années 1860 comme l'une des rues les plus lugubres de Sydney, Macquarie Street, ouverte aux brises marines près du parc du Domain, permet aujourd'hui de découvrir au rythme d'une agréable promenade à pied l'héritage architectural de la ville.

Cette aile de la bibliothèque fut reliée à la Mitchell Library par une passerelle vitrée en 1988.

La Mitchell Library possède un portique (1906) aux colonnes ioniques.

Le Parliament House occupe l'ancienne aile nord du Rum Hospital.

1. STATE LIBRARY OF NSW *(1906-1941)*

2. PARLIAMENT HOUSE *(1811-*

Le Sydney Mint, comme le Parliament House, présente en façade un double étage de galeries.

Le toit du Mint Museum a retrouvé, après restauration, ses bardeaux de casuarina.

Hyde Park Barracks Café

4. SYDNEY MINT *(1816)*

St James' Church ⑫

179 King St. **Plan** 1 B5. 📞 (02) 9232
3022. 🚇 St James, Martin Place.
🕐 9 h-17 h, t.l.j.

Cet harmonieux monument
georgien édifié en 1819
avec des briques fabriquées
par des forçats devait servir
de tribunal. Mais son
architecte, Francis Greenway,
dut le transformer en église
en 1820 après l'abandon d'un
projet de cathédrale dans
George Street.

Greenway conçut un
sanctuaire simple mais
élégant. Consacré en 1824,
c'est le plus ancien de Sydney.
Il a connu de nombreux
remaniements, effectués
notamment par John Verge qui
plaça la chaire devant les
bancs au loyer le plus élevé,
le prêtre tournait ainsi le dos
aux rangs occupés par soldats
et forçats. La Children's
Chapel est un ajout de 1930.

Des plaques de marbre
évoquent la mémoire de
membres éminents de la
paroisse du début du
XIXe siècle. Beaucoup périrent
de mort violente, explorateurs
malchanceux, victimes
d'accidents ou de naufrages.

Détail du décor de la Children's Chapel, crypte de St James' Church

Les lampes à l'entrée du Parliament House sont des reproductions des lampes à gaz du XIXe siècle.

Façade en tôle ondulée et fonte

Le grès de Pyrmont de l'escalier d'entrée, pierre extraite à l'époque coloniale, a donné le ton et la couleur de tous les bâtiments rénovés.

Galeries à arcades et balustrades sculptées

Passerelles en grès

CARTE DE SITUATION

3. SYDNEY HOSPITAL *(1868-1894)*

Le Land Titles Office bâti par W.L. Vernon en 1908 présente une riche ornementation néo-gothique.

Les vitraux de St James' Church, qui datent pour la plupart du XXe siècle, évoquent l'union de l'air, de la terre, du feu et de l'eau.

Flèche en cuivre

Façade georgienne en grès

Statue du prince Albert

HYDE PARK BARRACKS *(1817-1819)*   **6. LAND TITLES OFFICE** *(1908-1913)*   **7. ST JAMES** *(1820)*

Entrée principale d'une maison victorienne de Paddington superbement restaurée

KINGS CROSS, DARLINGHURST ET PADDINGTON D'UN COUP D'ŒIL

**Bâtiments et
rues historiques**
Darlinghurst Court House **7**
Elizabeth Bay House **3**
Five Ways **8**
Juniper Hall **10**
Old Gaol, Darlinghurst **6**
Paddington Street **14**

Paddington Town Hall **11**
Paddington Village **9**
Victoria Barracks **12**
Victoria Street **2**

Parcs
Beare Park **4**
Centennial Park **15**

Musée
Sydney Jewish Museum **5**

Monument
El Alamein Fountain **1**

Marché
Paddington Bazaar **13**

KINGS CROSS, DARLINGHURST ET PADDINGTON

Bien qu'ils soient devenus résidentiels, les faubourgs de Kings Cross et Darlinghurst sont encore souvent associés à la pègre qui y avait élu domicile dans les années vingt. Kings Cross reste d'ailleurs proche du quartier chaud de Sydney et jouit d'une atmosphère animée grâce à ses nombreux cafés. Darlinghurst prend tout son éclat en février lors de l'exubérant Gay and Lesbian Mardi Gras Festival. Réputé pour ses splendides maisons victoriennes aux balcons ornés, Paddington abrite de bons restaurants, des galeries d'art et des boutiques d'antiquités. Le samedi, la foule qui se presse au Paddington Bazaar déborde dans les pubs et les cafés des alentours.

Détail de la façade du Del Rio (p. 115)

COMMENT Y ALLER

Il existe une gare à Kings Cross. Le bus 311 traverse Kings Cross et Darlinghurst, quartiers où les lignes 324 et 325 se révèlent également utiles. Les bus 378, 380 et 382 suivent Oxford St jusque dans Paddington, le 389 passe dans des rues moins fréquentées.

0   100 m

LÉGENDE

Potts Point pas à pas
p. 114-115

Paddington pas à pas
p. 118-119

P   Parc de stationnement

Potts Point pas à pas

Détail d'une fontaine

Les demeures victoriennes qui bordent les rues de ce vieux faubourg offrent un bon exemple des conceptions urbanistiques du XIXe siècle et du désir d'harmonie qui conduisaient les architectes à respecter le paysage urbain. Les formes monumentales, ainsi que les détails des frises, des corniches et des parapets en stuc, et même les tympans aux motifs en arête de poisson, respectaient un cahier des charges qui alla jusqu'à prévoir en 1831 que toutes les maisons devaient coûter au moins mille livres. L'ombre des porches des maisons, qui prolonge celle des arbres de la rue, contribue à faire d'une promenade dans Potts Point un moment de détente, rafraîchissant pendant les jours d'été.

Les McElhone Stairs ont remplacé l'échelle de bois qui reliait Woolloomooloo Hill ou Kings Cross au domaine inférieur.

Horderns Stairs

Ces villas aux jardins verdoyants ont un style inspiré du classicisme.

Gare de Kings Cross

★ Victoria Street
Entre 1972 et 1974, les habitants de cette rue historique durent se battre contre les promoteurs qui voulaient y bâtir tours et immeubles ②

Le Werrington, immeuble d'aspect sévère, a conservé d'exubérants éléments Art déco cachés sous de la peinture brune.

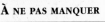

À NE PAS MANQUER

★ L'Elizabeth Bay House

★ Victoria Street

La Tusculum Villa fut une des maisons bâties vers 1830 selon un cahier des charges précis, entre autres être tournée vers la Government House et avoir une valeur élevée.

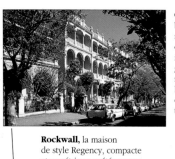

Challis Avenue, belle artère ombragée, renferme ce groupe de *terrace houses* inhabituelles avec leur grande colonnade en rez-de-chaussée et leurs arches fermant de profondes terrasses.

CARTE DE SITUATION
Voir l'atlas des rues, plan 2

Rockwall, la maison de style Regency, compacte et symétrique, a été conçue entre 1830 et 1837 par John Verge.

Le Del Rio, immeuble d'appartements de style Spanish Mission, témoigne des influences venues de Californie pendant le premier quart du XXᵉ siècle.

Landmark Hotel

★ L'Elizabeth Bay House
Un contemporain décrivait ainsi dans les années trente la beauté du jardin : « des arbres de Rio, des Indes, de Chine… les bulbes du Cap sont splendides. » **❸**

The Arthur McElhone Reserve

Birtley Towers Art Deco

Elizabeth Bay faisait partie de la concession accordée à Alexander Macleay. Il y aménagea un paradis de botaniste agrémenté d'étangs, de grottes ornementales et de sentiers sinueux qui conduisent à l'océan.

0   50 m

LÉGENDE

– – – Itinéraire conseillé

L'El Alamein Fountain au cœur de Kings Cross

El Alamein Fountain ❶

Fitzroy Gardens, Macleay St, Potts Point.
Plan 2 E5. 📷 311.

Cette fontaine en forme de fleur de pissenlit, édifiée en 1961, est située au cœur du quartier de Kings Cross. Elle commémore le rôle de l'armée australienne pendant la Seconde Guerre mondiale dans le siège de Tobrouk en Lybie et la bataille d'El Alamein en Égypte. Elle a la réputation de fonctionner de façon si erratique que les passants murmurent souvent : elle m'aime, un peu, beaucoup… L'éclairage lui donne la nuit une grande légèreté.

Victoria Street ❷

Potts Point. **Plan** 5 B2. 📷 311, 324, 325.

Au terme de Potts Point, cette rue où quelques immeubles incongrus s'intercalent entre des maisons du XIXᵉ siècle est considérée selon les normes de Sydney comme un boulevard. Elle fut au début des années soixante-dix l'enjeu d'une âpre bataille menée par ses habitants pour empêcher les promoteurs de remplacer les bâtiments anciens par des buildings.

Il est presque certain que cette lutte coûta la vie à l'un des plus ardents défenseurs du patrimoine historique du quartier. Juanita Nielsen, éditrice d'un journal local dont elle avait hérité, s'opposa avec vigueur aux projets immobiliers et disparut le 4 juillet 1975. L'enquête menée sur les causes de cette disparition est restée sans conclusion.

Si ce combat a permis de préserver la majorité des vieux édifices de la rue, les personnes à petits revenus qui les défendirent à l'époque ne les occupent plus aujourd'hui, ayant été évincées par une population aisée et branchée.

Juanita Nielsen

Elizabeth Bay House ❸

7 Onslow Ave, Elizabeth Bay. **Plan** 2 F5. 📞 (02) 9356 3022. 🚌 Sydney Explorer, 311. 🕙 10 h-16 h 30, mar-dim. 🔴 ven. saint, 25 déc. 📷

Propriété de l'Historic Houses Trust of New South Wales et ouverte au public depuis 1977, cette demeure de style Greek Revival possède le plus bel intérieur datant de la période coloniale. John Verge la dessina pour le secrétaire colonial Alexander Macleay. Les travaux commencèrent en 1835 mais les problèmes financiers du commanditaire imposèrent leur arrêt en 1839 alors que la colonnade et le portique prévus par l'architecte restaient inachevés. L'aspect extérieur de l'édifice en souffre malgré l'ajout d'un portique en 1893. Le salon ovale coiffé d'une coupole et doté d'un escalier en porte-à-faux est toutefois reconnu comme le chef-d'œuvre de Verge. Le mobilier correspond au mobilier d'origine car il fut choisi d'après des inventaires dressés en 1845. Ceux-ci furent établis pour la cession de la maison et de son contenu au fils de Macleay, William Sharp.

Après le lotissement, entre 1880 et 1927, du terrain d'une superficie de 22 ha, la villa elle-même fut divisée en quinze logements au milieu du XXᵉ siècle. L'artiste Donald Friend occupa l'un d'eux. En 1942, il put voir depuis son balcon le ferry *Kuttabul* touché par la torpille d'un sous-marin japonais.

L'escalier en porte-à-faux du salon ovale, Elizabeth Bay House

Beare Park ❹

Ithaca Rd, Elizabeth Bay. **Plan** 2 F5. 📷 311, 350.

Ce jardin public en forme d'amphithéâtre, aujourd'hui encerclé par des immeubles d'appartements, est l'un des rares espaces verts d'un quartier très peuplé. Il faisait jadis partie du domaine d'Alexander Macleay. J.C. Williamson, célèbre producteur de théâtre américain habita un temps une demeure établie sur la pointe orientale des pelouses.

Le Beare Park ménage un magnifique panorama d'Elizabeth Bay.

Étoile de David dans l'entrée du Sydney Jewish Museum

Sydney Jewish Museum ❺

148 Darlinghurst Rd, Darlinghurst.
Plan 5 B2. (02) 9360 7999.
Sydney, Bondi et Bay Explorer, 311, 378. 10 h-16 h, lun.-jeu. ; 10 h-14 h, ven. ; 11 h-17 h, dim. sam., fêtes juives.

Seize forçats juifs se trouvaient sur les bateaux de la Première Flotte, beaucoup d'autres les suivirent avant l'arrêt de la déportation de *convicts* en 1868. Quelques-uns purent profiter des opportunités que leur offrait la jeune colonie et s'établir.

Le Musée juif de Sydney présente au rez-de-chaussée les traditions et la culture de l'actuelle communauté juive d'Australie. En grimpant l'escalier qui dessert les six étages en mezzanine, le visiteur découvre des expositions chronologiques et thématiques qui retracent l'Holocauste. À chaque niveau, des survivants des camps de concentration font office de guides.

Photographies et documents graphiques illustrent l'enchaînement des événements, de la montée en puissance de Hitler jusqu'à la Nuit de cristal, de l'évacuation des ghettos jusqu'à la « solution finale », et, enfin, de la libération des camps de la mort jusqu'au procès de Nuremberg.

Des installations audiovisuelles, des témoignages oraux et des souvenirs, dont certains ont été exhumés de fosses communes, complètent la présentation.

Old Gaol, Darlinghurst ❻

Angle de Burton St et Forbes St, Darlinghurst. **Plan** 5 A2. (02) 9339 8666.
378, 380, 382. 7 h 30-22 h, lun.-ven. jours fériés.

Baptisé Woolloomooloo Stockade (prison de Woolloomooloo) avant de devenir la Darlinghurst Gaol (prison de Darlinghurst), ce corps de bâtiments fait désormais partie du Sydney Institute of Technology. Sa construction, entreprise en 1822, prit vingt ans.

Entourés par des murs de près de 7 m d'épaisseur en pierre extraite et taillée sur place, les quartiers de détention rayonnent autour d'une rotonde centrale.

Entre 1841 et 1908, 67 exécutions capitales eurent lieu. Le bourreau le plus célèbre, Alexander Green « l'Étrangleur », aurait donné son nom au Green Park voisin. Green habitait en effet à proximité avant de devoir se réfugier à l'intérieur de la prison.

Celle-ci devint en 1921 une école d'art où certains des plus grands talents d'Australie étudièrent ou enseignèrent.

L'Old Gaol aujourd'hui intégrée au Sydney Institute of Technology

Darlinghurst Court House ❼

Forbes St, Darlinghurst. **Plan** 5 A2.
(02) 9368 2947. 378, 380, 382. fév.-déc. : 10 h-16 h, t.l.j. sauf sam. janv., jours fériés.

Ce joyau d'architecture Greek Revival, coincé entre Taylors Square, d'un goût douteux et la lugubre Old Gaol à laquelle le relient des passages souterrains, paraît déplacé. L'architecte colonial Mortimer Lewis débuta sa construction en 1835 mais ne réalisa que le corps central du bâtiment principal doté d'un portique soutenu par six colonnes doriques. Les ailes qui l'encadrent furent ajoutées vers 1880. Le tribunal de Darlinghurst, toujours en fonction, juge principalement des procès criminels.

Beare Park, un paisible espace vert ayant vue sur le port

Paddington pas à pas

L'essor de Paddington commença dans les années 1840 après qu'on décida de construire les Victoria Barracks. Il s'agissait alors « d'un endroit à l'aspect des plus sauvages… dunes de sable ponctuées de taches de broussailles, creux et bosses en abondance ». Cependant, le terrain trouva rapidement des acquéreurs qui élevèrent des rangs de *terrace houses* (maisons de même style) parfois très étroites. Menacé de démolition après la Grande Dépression, le quartier fut sauvé par l'arrivée des immigrants de l'après-guerre.

Épi victorien d'Union Street

★ **Five Ways**
Ce pôle commercial sur Glenmore Road se développa à la fin du XIXe siècle ⑧

Sur Duxford Street, l'uniformité des *terrace houses* aux teintes claires répondait à la conception victorienne de l'harmonie urbaine.

Les « maisons en pain d'épice » de Broughton Street et Union Street ont un décor tellement fantaisiste (pignons à forte pente avec bordures ajourées) que leur style prit le nom de « gothique pittoresque ».

La London Tavern ouverte en 1876 est le plus ancien pub de banlieue. Comme beaucoup de commerces du faubourg, elle est située à l'extrémité d'une rangée de *terrace houses*.

À NE PAS MANQUER

★ **Five Ways**

★ **Paddington Street**

LÉGENDE

– – – Itinéraire conseillé

La Sherman Gallery occupe un édifice moderne et expose des sculptures et des peintures contemporaines australiennes et étrangères. Des accès spécialement aménagés permettent l'entrée de grandes œuvres, des tapisseries notamment.

CARTE DE SITUATION
Voir l'atlas des rues, plans 5 et 6

La Sotheby's Gallery, célèbre galerie et salle des ventes, occupe un bâtiment d'angle typique de Paddington avec ses ferronneries.

Warwick, demeure bâtie vers 1860 au bout d'un rang d'humbles maisons, est d'un style parfois qualifié avec poésie d'« arthurien ». Tourelles et créneaux ornent jusqu'au garage situé à l'arrière de la maison.

Windsor Street abrite des maisons, dont certaines font seulement 4,5 m de largeur.

Le percement des rues fut parfois compliqué à Paddington. Il fallut notamment endiguer une chute d'eau pour ouvrir Cascade Street.

★ Paddington Street
Les platanes font de l'ombre à certaines des plus belles demeures victoriennes du faubourg. Entre 1860 et 1890, 3 800 maisons y furent construites **14**

0   50 m

Balcon du Royal Hotel

Five Ways ❽

Angle de Glenmore Rd et Heeley St.
Plan 5 C3. 🚌 389.

Ce pittoresque carrefour où trois rues se croisent sur Glenmore Road regroupa au tournant du siècle de nombreux magasins. Il était situé sur la ligne de tramways qui reliait la ville à Bondi Beach *(p. 122)*. Aux cinq angles de l'intersection se dressent toujours les boutiques de l'époque. L'une d'elles est devenue un restaurant.

Hôtel typique de la période de sa construction (1888) avec ses ferronneries ouvragées et son mélange de styles victorien et néo-classique, le Royal Hotel offre une vue du port depuis son balcon.

Paddington Village ❾

Angle de Gipps St et Shadforth St.
Plan 5 C3. 🚌 378, 380, 382.

Paddington Village possède aujourd'hui une population jeune et aisée. À l'origine, c'était une banlieue ouvrière principalement habitée par les charpentiers, les carriers et les maçons qui encadraient les équipes de bagnards qui construisaient dans les années 1840 les Victoria Barracks.

Ces artisans et leurs familles occupaient des rues étroites bordées de maisons spartiates bâties, comme la caserne et les hôtels et magasins du quartier, en pierre extraite sur place. Quelques-unes de ces demeures subsistent.

Juniper Hall ❿

250 Oxford St. **Plan** 5 C3. ☎ (02) 9258 0123. 🚌 378, 380, 382. ⬜ 2 fois par an (dates variables) ▥

Forçat libéré devenu distillateur de gin, Robert Cooper construisit ce superbe exemple d'architecture georgienne pour sa troisième femme, Sarah, et lui donna le nom du principal ingrédient servant à la fabrication de la liqueur qui avait fait sa fortune : le genièvre.

Achevée en 1824, la demeure est la plus ancienne de Paddington. Elle est aussi probablement la plus vaste du faubourg. En effet, Cooper avait déjà quatorze enfants quand il décida que Sarah aurait la plus belle maison de Sydney. Il en eut encore quatorze autres après son emménagement.

Sauvé de la démolition au milieu des années quatre-vingt et restauré, le Juniper Hall abrite désormais des bureaux sous l'auspice du National Trust.

Paddington Town Hall ⓫

Angle d'Oxford St et Oatley Rd. **Plan** 5 C3. 🚌 378, 380, 382. ⬜ 10 h-16 h, lun.-ven. ⬤ jours fériés.

L'hôtel de ville de Paddington fut achevé en 1891 sur les plans de l'architecte J.E. Kemp dont le projet avait remporté le concours organisé par la municipalité. Il renferme désormais un cinéma, une bibliothèque, une station de radio, des bureaux et une grande salle de bal.

Paddington Town Hall

Victoria Barracks ⓬

Oxford St. **Plan** 5 B3. ☎ (02) 9339 3330. 🚌 378, 380, 382. **Musée** ⬜ 10 h-12 h 30, jeu. ; 10 h-15 h, dim. 🎞 dim. ⬤ vacances d'été. ♿ ▥ **Parade et visite** : 10 h, jeu.

D'une superficie de 12 ha, la caserne Victoria constitue l'ensemble de bâtiments de la fin de l'époque georgienne le plus

Façade georgienne du Juniper Hall superbement restauré

vaste et le mieux conservé d'Australie.

Elle fut construite entre 1841 et 1848, d'après les plans d'un ingénieur colonial, le lieutenant-colonel George Barney avec du grès extrait et taillé sur place. La caserne, conçue pour héberger 800 hommes, n'a jamais cessé d'être occupée. Le bâtiment renferme aujourd'hui des services administratifs militaires.

D'une longueur de 225 m, l'édifice principal possède des ailes symétriques agrémentées de porches en fonte encadrant une arcade centrale. Les murs de l'enceinte ont des fondations profondes de 10 m par endroits. Un ancien centre de détention abrite désormais un musée militaire.

Entrée des Victoria Barracks sur Oxford Street

Paddington Bazaar ⓭

395 Oxford St. **Plan** 6 D4. ((02) 9331 2646. ▦ 378, 380, 382. ◯ 10 h-16 h, sam. ◯ 25 déc. ♿ Voir **Faire des achats** p. 129

Depuis 1973, ce marché a lieu tous les samedis, qu'il neige ou qu'il vente, sur le terrain de la Paddington Village Uniting Church. C'est probablement le plus coloré de Sydney, un endroit branché où l'on se montre et où l'on trouve aussi bien des bananes de culture biologique qu'un salon de massage. Les vendeurs viennent du monde entier et comprennent de jeunes stylistes qui veulent lancer leur carrière. Il existe aussi des étals de vêtements d'occasion et de toutes sortes d'objets artisanaux, bijoux, cuir et poterie notamment.

Le vaste espace vert du Centennial Park

Paddington Street ⓮

Plan 6 D3. ▦ 378, 380, 382.

Avec ses immenses platanes ombrageant la chaussée, ses petites galeries d'art et les belles *terrace houses* qui la bordent des deux côtés, Paddington Street est l'une des plus anciennes et des plus jolies rues du faubourg dont elle porte le nom. Celui-ci connut un essor rapide à la fin du XIXᵉ siècle et nombre de ses rangs de maisons identiques datent de cette période. Destinées à la location, elles arboraient les « dentelles » en fer forgé, les pilastres et les frises, volutes et corniches ouvragées en vogue à l'époque.

Paddington tomba en déclin au début de ce siècle au profit de banlieues plus aérées, mais le charme de ses maisons victoriennes a récemment contribué au retour d'une population aisée près du centre-ville.

Maison de Paddington Street

Centennial Park ⓯

Plan 6 E5. ((02) 9339 6699. ▦ lignes de Clovelly, Coogee, Maroubra, Bronte, Randwick, City, Bondi Beach et Bondi Junction. ◯ mars-avr. : 6 h-18 h, t.l.j. ; mai-août : 6 h 30-17 h 30, t.l.j. ; sept.-oct. : 6 h-18 h, t.l.j. : nov.-fév. : 6 h-20 h, t.l.j. ☑ sur demande.

Le parc du Centenaire fermé par des portails en grès et fer forgé est un espace vert d'une superficie de 220 ha.

À l'origine simple terrain communal, ce parc fut dédié « pour toujours au plaisir du peuple de la Nouvelle-Galles du Sud » le 26 janvier 1888 pour le centenaire de la fondation de la colonie. Le 1er janvier 1901, plus de 100 000 personne s'y réunirent pour assister à la naissance du Commonwealth d'Australie quand le premier Premier ministre fédéral prêta serment devant le premier gouverneur général *(p. 52)*.

Le Centennial Park est un jardin à l'anglaise avec pelouses et roseraies ; il renferme des fontaines ornementales, un terrain de sport et une « avenue de palmiers » de 400 arbres. Le marais qui assurait jadis l'alimentation en eau de la ville sert aujourd'hui de refuge à de nombreuses espèces d'oiseaux aquatiques.

Le parc accueille ceux qui veulent pique-niquer, peindre, courir, faire du cheval, du vélo ou des rollers (chevaux, bicyclettes et rollers peuvent se louer). Un café propose petits déjeuners, déjeuners et snacks.

Hors du centre

L a périphérie du Grand Sydney recèle plusieurs sites dignes d'intérêt. Au nord de la baie se dessinent les paysages du Ku-ring-gai Chase National Park. Manly, banlieue située au nord de Sydney, entre la baie et l'océan, est très appréciée pour ses plages, à l'instar de Bondi, son équivalent méridional. À l'ouest, Paramatta conserve des édifices de la colonisation européenne, tandis que le parc olympique prépare les jeux de l'an 2000.

Gravure rupestre aborigène, Ku-ring-gai Chase National Park

SITES DE LA PÉRIPHÉRIE DE SYDNEY

10 km = 6 miles

LES SITES D'UN COUP D'ŒIL

Bondi Beach ❸
Ku-ring-gai Chase National Park ❶
Manly ❷
Parramatta ❺
Sydney Olympic Park ❹

LÉGENDE

▢	Centre de Sydney
▢	Grand Sydney
③	Ligne du Metroad (urbain)
══	*Highway*
══	Route principale

Ku-ring-gai Chase National Park ❶

Mona Vale Beach, Pittwater Rd.
🏛 *1 Park St, Mona Vale (02) 9979 8717.* ⬜ *10 h-16 h, jeu.-dim.*

À une trentaine de kilomètres au nord du centre de Sydney, ce parc national s'étend sur 15 000 ha au sud de l'embouchure de la Hawkesbury River dans la Broken Bay creusée de criques datant de l'ère glaciaire. Cascades étincelantes et plages de sable doré composent le paysage. Les visiteurs disposent d'aires de pique-nique, de pistes cavalières et de sentiers pédestres. Ils peuvent également pratiquer le surf, la navigation de plaisance et la planche à voile.

La Hawkesbury River forme un méandre autour d'un terrain gréseux riche en art rupestre aborigène. Le Ku-ring-gai Park renferme en effet des centaines de sites ornés de gravures vieilles d'environ 2 000 ans, représentant baleines, requins, wallabies et échidnés ou esprits ancestraux.

Manly ❷

🚢 *Manly.* **Oceanworld** West Esplanade. 📞 *(02) 9949 2644.* ⬜ *10 h-17 h 30, t.l.j.* ⬛ *25 déc.*
🅿 ♿ ✉

L a plupart des Sydneysiders à qui on demande de recommander une excursion hors du centre proposent le trajet en ferry de 11 km entre Circular Quay et Manly, une station balnéaire qui occupe une étroite bande de terre entre le port et l'océan. La ville doit son nom (« Viril ») au

Concert sur le Corso, la rue piétonne de Manly

gouverneur Phillip qui fut fort impressionné par la stature des hommes aborigènes.

À droite du quai rénové de Manly, une fête foraine animée occupe la jetée voisine. À gauche, s'étire la plage paisible de la Manly Cove. Au bout de la plage, l'aquarium **Oceanworld** permet d'observer, grâce à son tunnel sous-marin, raies géantes et autres créatures marines. Les visiteurs les plus courageux peuvent plonger avec des requins.

Le Corso, voie piétonne bordée de boutiques de souvenirs et de fast-food, conduit à la plage de Manly située du côté de l'océan. D'imposants pins de Norfolk bordent sa promenade.

Bondi Beach ❸

🚌 *380, 382, 389, 321.*

C e long croissant de sable doré, la plus belle plage de Sydney, attire depuis des lustres des surfeurs venant parfois de très loin, à la recherche de la vague parfaite *(p. 136-137)*. Sur la promenade, les adeptes des

Bondi Beach, la plus célèbre plage de Sydney, vue du sud

rollers démontrent leur talent. Aujourd'hui conscients des dangers causés par l'exposition au soleil, les Australiens passent moins de temps à la plage. Ils viennent aussi à Bondi pour le charme de ses cafés en front de mer et son ambiance cosmopolite. Son pavillon bâti en 1928 accueille des festivals, des spectacles et des expositions d'artisanat.

Sydney Olympic Park ❹

Homebush Bay. 🚊 Central Station.

Les Jeux olympiques de Sydney se dérouleront en l'an 2000 dans plusieurs sites proches du centre-ville. Le principal, le Sydney Olympic Park aménagé spécialement pour l'occasion, occupe une superficie de 760 ha en bord de mer à Homebush Bay, à 14 km à l'ouest du centre-ville *(p. 139)*. Il accueillera les épreuves de quatorze sports, dont la finale de football, la gymnastique et le pentathlon.

Protégé par un toit translucide, son stade, haut de 52 m, contient 110 000 places assises. Au Sydney International Aquatic Centre, 12 000 spectateurs pourront assister aux épreuves de natation en intérieur. Les finales de volley-ball et de handball auront lieu dans l'Indoor Arena, d'une capacité de 15 000 places.

Parramatta ❺

🚊 Central Station. ⛴ Circular Quay.
ℹ️ Church St et Market St. (02) 9630 3703.

Parramatta fut au début de la colonisation la première localité agricole d'Australie et son sol fertile donna une récolte de blé dès 1789. Aujourd'hui simple banlieue de Sydney, elle mérite une visite pour les vestiges datant de ses origines.

La construction de l'**Elizabeth Farm** remonte à 1793, ce qui en fait la plus ancienne demeure intacte d'Australie. C'est là que John MacArthur introduisit le mouton mérino qui allait jouer un rôle essentiel dans l'économie du pays *(p. 47)*. Transformée en musée, la maison abrite du mobilier

datant de 1820 à 1850.
Dans le Parramatta Park, le plus vieux bâtiment public du continent, l'**Old Government House** érigée en 1799, abrite aussi une collection de meubles du début du XIXe siècle. Son porche dorique ajouté en 1816 est attribué à Francis Greenway *(p. 161)*.

Le **St John's Cemetery** où reposent de nombreux colons de la Première Flotte *(p. 46)* entretient également le souvenir des débuts de Sydney.

🏛 **Elizabeth Farm**
70 Alice St, Rosehill. ☎ (02) 9635 9488. 🕐 mar.-dim. ⚫ ven. saint, 25 déc. ♿ 🖼

🏚 **Old Government House**
Parramatta Park (entrée par Macquarie St). ☎ (02) 9635 8149. 🕐 t.l.j. ⚫ ven. saint, 25 déc. ♿ 🖼

🪦 **St John's Cemetery**
O'Connell St. ☎ (02) 9635 5904. ♿

Salon de l'Old Government House de Parramatta

Circuler à Sydney

Enseigne d'une compagnie de taxis

Bien qu'elle soit très étendue, l'agglomération de Sydney se découvre plus aisément à pied et avec les transports publics qu'en voiture. Partout dans le centre, bus et trains vous conduiront à courte distance de votre destination. Ils desservent aussi les banlieues et leurs périphéries. Les nombreux bacs qui assurent des navettes entre le centre et les faubourgs en bord de mer permettent de découvrir la baie. Il existe de multiples formules d'abonnement. Les plus pratiques permettent d'emprunter librement ces trois modes de transport.

En voiture

La voiture n'est pas le meilleur moyen de se déplacer à Sydney, surtout aux heures de pointe : de 7 h 30 à 9 h 30 et de 17 h à 19 h 30. Le réseau routier est compliqué et engorgé et le stationnement parfois coûteux. Les étrangers peuvent se contenter de leur permis de conduire national s'ils prouvent qu'ils ne sont qu'en visite. Attention ! Les Australiens roulent à gauche.

Une stricte réglementation s'applique au stationnement. Les services de fourrière n'hésitent pas à enlever les véhicules en infraction. Si cela vous arrive, contactez le **Sydney Traffic Control Centre.** Garez-vous aux endroits marqués d'un « P » bleu ou dotés de parcmètres. Le stationnement est gratuit le samedi après-midi, le dimanche et les jours de semaine après 18 h 30.

En taxi

Sydney possède de nombreuses stations de taxis. Le compteur indique le prix de la course et celui des suppléments comme les frais de réservation. L'usage veut que le client arrondisse la somme au dollar supérieur.

On peut réserver des taxis spécialement adaptés aux besoins des handicapés auprès de toutes les grandes compagnies.

À vélo dans le Centennial Park

En bicyclette

Le Centennial Park se prête bien au cyclisme de détente. La prudence conseille de rester sur les pistes cyclables et dans les quartiers à faible circulation. Le port du casque est obligatoire. Pour plus de renseignements, contactez **Bicycle New South Wales.** On peut emporter sa bicyclette dans les trains du CityRail *(p. 126)* pour le prix d'un billet adulte.

En tramway

Après une absence de 36 ans, les trams sont réapparus à Sydney en 1997. Une flotte de sept rames assure un parcours de 3,6 km autour des Rocks, de Central Station *(p. 126)* à Pyrmont, desservant ainsi une grande partie des sites du quartier *(p. 72-73).*

Les tickets peuvent se prendre à Central Station.

Forfaits

Les transports publics de Sydney sont encore plus avantageux si l'on utilise les divers forfaits disponibles dans les gares et les kiosques d'information et de vente de tickets de la **State Transit Authority.** Le TravelTen autorise dix trajets en bus. Le TravelPass permet une circulation illimitée pendant sept jours dans les bus, les trains et les bacs dans une zone déterminée. Le SydneyPass donne le droit de prendre bus et bacs pendant trois, cinq ou sept jours. BusTripper et DayPass sont des forfaits d'une journée. Le premier concerne uniquement les bus, le second les bus et les bacs.

Renseignements

Bicycle New South Wales
209 Castlereagh St. **Plan** 4 E3.
[*(02) 9283 5200.*

Sydney Traffic Control Centre
[*(02) 9211 3000. (24 h/24)*

Kiosques de la State Transit Authority
Aéroport
Dans tous les halls d'arrivée.
[*13 15 00.*
Circular Quay
À l'angle de Loftus St et Alfred St.
Plan 1 B3. [*(02) 9224 3553.*

Public Transport Infoline
[*13 15 00.*

Lanterne   **Numéro de licence**

2082

Nom de la compagnie de taxis   **Photo du chauffeur**

Circuler en bus

Outre une desserte de la ville et de ses banlieues, les autobus de la State Transit Authority assurent deux services de navettes jusqu'à l'aéroport (Airport Express) et proposent deux excellentes lignes touristiques : le Sydney Explorer et le Bondi & Bay Explorer. Des correspondances offrent des liaisons pratiques et ponctuelles avec les trains et les bacs. La **Public Transport Infoline** fournit par téléphone tous types de renseignements. Un plan des transports publics de Sydney figure en dernière couverture intérieure du guide.

Machine à composter servant à valider les forfaits

PRENDRE LE BUS

Tous les bus de la State Transit Authority portent à l'avant, à l'arrière et sur le côté gauche leur numéro de ligne et leur destination. Un « X » en face du numéro de ligne signifie qu'il s'agit d'un bus express. Seuls les tickets simples sont vendus à bord. Ils s'achètent auprès du chauffeur qui n'a pas toujours la monnaie de gros billets ; veillez à avoir des pièces. Les tickets vendus dans le bus ne sont valables que pour un trajet, il faut un autre ticket si l'on change de véhicule.

Si vous utilisez un TravelPass ou un TravelTen, glissez celui-ci dans la machine à composter sous la flèche pointée vers le bas. Le TravelTen peut se partager, il faut alors glisser le ticket dans la machine une fois pour chaque passager.

Les sièges de devant sont réservés aux personnes âgées ou handicapées. Il est interdit de manger, de boire, de fumer et d'écouter de la musique dans les bus. Pour signaler que vous voulez descendre, il faut presser bien avant l'arrêt l'un des boutons rouges installés sur les montants verticaux des sièges. Seul le chauffeur peut ouvrir les portes.

ARRÊTS DE BUS

Des panneaux jaunes et noirs où se détache la silhouette d'un autobus signalent les arrêts. Les chiffres inscrits sous le dessin correspondent aux numéros de toutes les lignes utilisant l'arrêt.

Des horaires sont normalement disponibles. Cependant soyez vigilant, ceux-ci ne sont pas actualisés aussi souvent que ceux que vous pouvez vous procurer auprès des kiosques d'information et de vente de tickets de la State Transit Authority.

Bus express

VISITER EN BUS

Sydney possède deux services de bus touristiques : le Sydney Explorer rouge et le Bondi & Bay Explorer bleu. Ils permettent de découvrir certaines parties de la ville tout en profitant de commentaires.

Le Sydney Explorer dessert vingt-deux sites très populaires le long d'un parcours de 36 km. Le Bondi & Bay Explorer offre un large aperçu de la partie orientale de la baie.

Les véhicules circulent tous les jours et se succèdent à des intervalles de 15 à 25 mn. Ils permettent aux passagers de s'arrêter où ils veulent et aussi longtemps qu'ils le veulent. Pour tirer le meilleur parti d'un trajet, il faut donc choisir ses buts de visite avant le départ et établir son programme en tenant compte des heures d'ouverture des monuments, des musées ou des commerces. En cas de doute, le chauffeur pourra la plupart du temps vous renseigner.

Les arrêts des bus Explorer se reconnaissent facilement à leur couleur (rouge ou bleu). Les titres de transport se prennent à bord ou dans les kiosques de la State Transit Authority.

Bus typique d'une ligne normale

Bus du Bondi & Bay Explorer

Bus du Sydney Explorer

Circuler en train et en monorail

Logo de CityRail

Principale liaison entre le centre et la banlieue, le réseau ferroviaire dessert aussi une grande partie du quartier des affaires. Les trains à deux étages de CityRail suivent sept lignes principales, dont le City Circle, une boucle en majeure partie souterraine et s'arrêtent aux gares Central, Town Hall, Wynyard, Circular Quay, St James et Museum. Central et Town Hall permettent des correspondances entre le City Circle et toutes les lignes de banlieue.

Zone piétonne à la sortie de la Central Railway Station

CITYRAIL

CityRail fait partie du State Rail, les chemins de fer de la Nouvelle-Galles du Sud, et son réseau offre le moyen le plus économique de rejoindre des banlieues comme Parramatta *(p. 123)*. N'hésitez pas à vous renseigner auprès de **CityRail Information.**

Les trains circulent de 4 h 30 à minuit. Soyez prudent si vous voyagez la nuit : restez dans les zones « Nightsafe » et ne montez que dans les voitures proches de la lumière bleue signalant la présence du contrôleur.

LIRE LES PLANS DE CITYRAIL

Vous trouverez des plans du réseau CityRail affichés dans toutes les gares et les voitures. Les cinq lignes possèdent chacune leur code de couleur, ce qui rend aisé de repérer les changements éventuels à faire pour atteindre sa destination. En centre-ville, toutes les lignes passent par Central et Town Hall. Mieux vaut garder à l'esprit que les distances représentées sur les plans de CityRail ne sont pas à l'échelle.

TRAINS INTERURBAINS

Le State Rail qui gère le réseau ferroviaire de la Nouvelle-Galles du Sud propose aussi des liaisons en autocar, renseignez-vous auprès des **Countrylink Travel Centres.** Le NSW Discovery Pass donne droit à une circulation illimitée dans tout l'État pendant un mois.

Les trains interurbains permettent entre autres de rejoindre les Blue Mountains *(p. 162-165)*, Wollongong *(p. 178)* et Newcastle *(p. 161)*.

Monorail quittant le centre-ville où se détache la Sydney Tower

VISITER EN MONORAIL

Plus amusant que réellement pratique, le monorail effectue une boucle à travers le centre de Sydney, Chinatown et Darling Harbour. Il ne couvre qu'une courte distance mais peut se révéler utile pour aller du quartier des affaires jusqu'à Darling Harbour.

Les rames circulent toutes les 5 mn de 7 h à minuit du lundi au samedi et de 8 h à 21 h le dimanche. Le circuit complet dure environ 12 mn. Les distributeurs de tickets des stations acceptent la majorité des billets et pièces australiens et rendent la monnaie. Un forfait d'une journée, le Monorail Day Pass, est disponible dans les kiosques d'information.

ADRESSES UTILES

CityRail Information
Central Railway Station
Plan 4 E5.
📞 *(02) 9379 4054.*
Circular Quay Railway Station
Plan 1 B3. 📞 *9224 3553.*

Countrylink Travel Centres
Central Railway Station
Sydney Terminal. **Plan** 4 E5.
📞 *(02) 9379 1808.*
Circular Quay Railway Station
Plan 1 B3.
📞 *(02) 9241 3887.*
Town Hall Railway Station
Plan 4 E3.
📞 *(02) 9267 1521.*

Sydney Light Rail
📞 *(1 800) 355 545.*

LE SYDNEY LIGHT RAIL

Confortables et non polluants, les trains du SLR, le plus récent des modes de transports publics de Sydney, relient la Central Railway Station au Wentworth Park en passant par Darling Harbour. Ils offrent un moyen silencieux et rapide de se déplacer. Il existe des distributeurs automatiques de tickets à chaque arrêt.

Circuler en bac et en bateau-taxi

L es bacs, ou *ferries,* du port de Sydney offrent depuis plus d'un siècle un moyen pratique, pittoresque et agréable de circuler entre les différents quartiers et faubourgs bordant la baie. Ils sont toujours aussi populaires. Les bateaux-taxis sont un autre moyen de transport pratique et rapide, mais ils coûtent plus cher. Diverses compagnies privées, ainsi que la State Transit Authority *(p. 124),* proposent en outre des promenades touristiques.

Bateau-taxi

BATEAUX-TAXIS

P etits et rapides, les bateaux-taxis sont un moyen très pratique de se déplacer dans le port car ils prennent et débarquent leurs passagers à n'importe quel quai navigable. On peut même les arrêter au passage comme un taxi urbain. C'est près de l'Overseas Passenger Terminal de Circular Quay que vous aurez le plus de chance d'en trouver. Mais ce mode de transport est onéreux, le billet le moins cher coûte environ 35 A$ pour le premier passager et 5 A$ par personne supplémentaire.

Le Circular Quay Ferry Terminal, cœur des dessertes maritimes urbaines

CIRCULER EN BAC

D e 6 h à 22 h tous les jours, les bateaux de la State Transit Authority assurent des navettes entre le centre et la majorité des faubourgs du port et plusieurs débarcadères de la Parramatta River.

Le personnel du **Sydney Ferries Information Office,** ouvert de 7 h à 19 h tous les jours, fournit renseignements et horaires. Toutes les lignes partent du Circular Quay Ferry Terminal. À l'entrée de chaque quai, des panneaux électroniques indiquent pour chaque destination le numéro du quai *(wharf)* et l'heure de départ, ainsi que les arrêts desservis. On peut prendre les tickets à des distributeurs installés sur chaque quai, sur certains bacs ou au Sydney Ferries Information Office qui vend aussi le TravelPass. En plus des bateaux traditionnels, des JetCats plus rapides desservent Manly. Les billets s'achètent aux guichets situés au centre du terminal. Il est interdit de manger ou de boire sur les JetCats mais les navires plus gros et plus lents possèdent des snack-bars.

Il existe aussi des compagnies privées de *ferries.*

VISITER EN BATEAU

L a State Transit Authority propose plusieurs promenades commentées, bon marché par rapport aux offres privées. Elles permettent aux visiteurs de mieux apprécier le Sydney Harbour, ses sites et son histoire. Des départs ont lieu le matin, l'après-midi et le soir. Nourriture et boissons sont disponibles à bord.

L'**Australian Travel Specialist** pourra vous renseigner sur toutes les croisières dans la baie.

Quai de Darling Street

RENSEIGNEMENTS

Australian Travel Specialist
Quai 6,
Circular Quay.
Plan 1 B3.
📞 *(02) 9555 2700.*

Objets trouvés des Sydney Ferries
Quai 5,
Circular Quay.
Plan 1 B3.
📞 *(02) 9207 3166.*

Compagnies de bateaux-taxis
Harbour Taxis
📞 *(02) 9555 1155.*
Taxis Afloat
📞 *(02) 9955 3222.*
Water Taxis
📞 *(02) 9810 5010.*

Panneau électronique indiquant tous les bacs au départ de Circular Quay

FAIRE DES ACHATS À SYDNEY

Le lèche-vitrines à l'étranger est un bon moyen de connaître le pays visité. En périphérie comme dans le centre, Sydney abrite un large éventail de boutiques et possède de nombreux centres commerciaux dont certains occupent des édifices historiques. Qu'ils soient hebdomadaires ou mensuels, les marchés connaissent un grand engouement et proposent des produits très variés, qui vont des fruits de mer aux créations d'artisans locaux.

Logo d'un magasin de prêt-à-porter masculin

Le Tin Shed, une brocante qui est aussi un café

HEURES D'OUVERTURE

La plupart des boutiques ouvrent de 9 h à 17 h 30 en semaine et de 9 h à 16 h le samedi. Beaucoup de magasins du centre-ville sont ouverts en nocturne jusqu'à 21 h le jeudi. Nombre des magasins les plus importants ferment tard tous les soirs et ouvrent même le dimanche.

MODES DE PAIEMENT

La majorité des commerces acceptent les principales cartes bancaires, parfois seulement à partir d'un montant minimum. Il faut présenter une pièce d'identité pour utiliser des chèques de voyage. Les magasins acceptent en général d'échanger ou de rembourser un article défectueux quand on le rapporte avec une preuve d'achat. Il n'existe pas de taxe sur les ventes, le prix affiché est celui qui est payé.

SOLDES

Sydney connaît deux grandes périodes de solde : en juillet après le terme de l'année financière et après Noël. De nombreuses boutiques cependant proposent des soldes toute l'année. Les deux plus grands magasins, David Jones et Grace Bros, liquident leurs stocks deux fois par an.

VENTES DÉTAXÉES

Les boutiques *duty-free* du centre-ville et du Kingsford Smith Airport permettent aux visiteurs étrangers d'économiser environ 30 % sur les parfums, les bijoux, les appareils photos, les caméscopes et les alcools. Certaines enseignes possèdent en banlieue des succursales de prêt-à-porter masculin.

L'acheteur doit présenter au moment de l'acquisition un passeport et un billet de retour et conserver jusqu'à son départ d'Australie la marchandise dans un sachet scellé, sauf s'il s'agit d'un caméscope ou d'un appareil photo. Certaines boutiques du centre effectuent des livraisons à l'aéroport.

La Chifley Tower avec à sa base Chifley Plaza

CENTRES COMMERCIAUX

Le centre commercial le plus majestueux de Sydney, le Queen Victoria Building *(p. 86),* abrite sur quatre niveaux plus de 200 boutiques.

L'élégante Strand Arcade *(p. 86)* inaugurée en 1892 propose, entre autres, bijoux, lingerie, prêt-à-porter de luxe, antiquités et cafés chic.

Le *mall* piétonnier de Pitt Street dessert plusieurs galeries marchandes. **Skygarden** regroupe boutiques de mode, magasins d'articles domestiques et galeries d'art. Ses restaurants et ses stands permettent de se restaurer aussi bien de spécialités italiennes que de plats à emporter thaïlandais. Le **Mid City Centre** renferme le magasin de musique HMV

Magasin de décoration d'intérieur de William Street à Paddington et des boutiques de vêtements, d'accessoires de mode et de cadeaux. À **Centrepoint,** plus de 140 commerces spécialisés offrent maroquinerie et joaillerie d'avant-garde, entre autres.

Le **MLC Centre** et le **Chifley Plaza** voisin s'adressent tous deux à une clientèle aisée avec des enseignes telles que Gucci, Cartier et Tiffany. Le **Harbourside Festival Shopping Centre** est plus touristique.

LES MEILLEURS GRANDS MAGASINS

L es expositions florales célébrant la fête des Mères au **David Jones** dans Elizabeth Street sont entrées dans la légende, à l'instar de son hall de produits de beauté au rez-de-chaussée. L'établissement renferme sur sept étages des articles de qualité, entre autres du prêt-à-porter féminin, de la lingerie, des jouets et de la papeterie. Le magasin Market Street est spécialisé dans la confection pour hommes, le mobilier, les tissus et la porcelaine.

Vous trouverez chez **Grace Bros** cosmétiques, chapeaux, articles de mode australienne, bonneterie et lingerie. Institution australienne sans prétention, le **Gowings** existe depuis 1868. Spécialisé dans le prêt-à-porter masculin, il vend aussi des articles tels que lunettes de soleil, montres, portefeuilles en cuir de kangourou et ceintures en cuir tressé.

Exposition florale au grand magasin David Jones

Dais protégeant le Rocks Market sur le port

MARCHÉS

S ydney compte de nombreux marchés aux puces et leur fréquentation est devenue un des passe-temps favoris de ses habitants.

Le **Balmain Market** a lieu le samedi et comporte des stands vendant des plats japonais, thaïlandais et indiens. Le **Bondi Beach Market** du dimanche est renommé pour ses fripes dans le vent, ses cactus et sa verrerie. Le **Rocks Market** qui se déroule le week-end sous un dais regroupe environ 140 éventaires proposant entre autres, affiches, dentelle, vitraux et articles en cuir. On peut y voir sculpteurs ou portraitistes au travail.

Marché d'artisanat, le **Tarpeian Market** se tient le dimanche dans un cadre spectaculaire près du Sydney Opera House. Le choix y est éclectique, du dé à coudre en porcelaine aux cristaux de guérisseur en passant par les pipes sculptées, les gravures de Sydney et les bijoux. Des artistes s'y produisent, ils se montrent souvent heureux de poser pour des photos.

Aucun endroit n'égale le **Sydney Fish Market** pour acheter du poisson ou des fruits de mer. Le client peut faire son choix entre plus de 100 espèces. Des cafés et des bars à sushi permettent de se restaurer et la Sydney Seafood School donne des leçons de cuisine aux amateurs.

Deux autres marchés très populaires, le **Paddy's Market** et le **Paddington Bazaar,** sont décrits respectivement en pages 95 et 121.

décrits respectivement en pages 95 et 121.

CARNET D'ADRESSES

CENTRES COMMERCIAUX

Centrepoint
Angle de Pitt St, Market St et Castlereagh St. **Plan** 1 B5.
📞 (02) 9229 7444.

Chifley Plaza
2 Chifley Square.
Plan 1 B4.
📞 (02) 9221 4500.

Harbourside Festival Shopping Centre
Darling Harbour.
Plan 3 C2.
📞 (02) 9281 3999.

Mid City Centre
197 Pitt Street Mall.
Plan 1 B5.
📞 (02) 9221 2422.

MLC Centre
19-29 Martin Place.
Plan 1 B5.
📞 (02) 9224 8333.

Skygarden
77 Castlereagh St.
Plan 1 B5.
📞 (02) 9231 1811.

GRANDS MAGASINS

David Jones
Angle d'Elizabeth St et Castlereagh St. **Plan** 1 B5.
📞 (02) 9266 5544.

Gowings
319 George St.
Plan 1 B5.
📞 (02) 9262 1281.

Grace Bros
436 George St. **Plan** 1 B5.
📞 (02) 9238 9111.

MARCHÉS

Balmain Market
Angle de Darling St et Curtis Rd, Balmain. **Plan** 3 A4.

Bondi Beach Market
Bondi Beach Public School, Campbell Parade, Bondi nord.

Sydney Fish Market
Angle de Pyrmont Bridge Rd et Bank St, Blackwattle Bay.
Plan 3 B2.

Tarpeian Market
Western Boardwalk, Sydney Opera House. **Plan** 1 C2.

Rocks Market
George St, The Rocks. **Plan** 1 B5.

Les boutiques spécialisées

Les boutiques de Sydney vendent beaucoup de vêtements *smart casual,* c'est-à-dire élégants et décontractés. Les magasins de prêt-à-porter proposent également des vêtements plus sophistiqués et les meilleures marques australiennes rivalisent en qualité avec leurs concurrents étrangers. Depuis les opales jusqu'à l'art aborigène, l'éventail de souvenirs et de cadeaux typiques est vaste. Pensez aussi aux boutiques des musées qui proposent souvent des objets originaux.

Défilé de mode australienne

SOUVENIRS

Les souvenirs peuvent être de qualité, comme vous le constaterez à **Australian Craftworks** qui vend des articles en bois, en poterie et en cuir. Les tissus de Ken et Judy Done *(p. 30)* connaissent toujours autant de succès à **Done Art and Design. Weiss Art** propose vêtements ou tasses aux motifs minimalistes. **Makers Mark** sert de vitrine à des artisans qui travaillent le bois, le verre et l'argent. Les boutiques d'« Australiana » dominent dans Victoria Walk dans le Queen Victoria Building *(p. 86).*

Vous trouverez à l'Australian Museum *(p. 90-91)* des cadeaux sortant de l'ordinaire.

MODE MASCULINE

Stewart's Gentlemen's Outfitters se spécialise dans les marques haut de gamme telles que Bally, Zegna et Gant. Les vêtements de **Leona Edmiston** ont séduit rock stars et mannequins.

Skin Deep propose du prêt-à-porter rétro : costumes des années quarante et cinquante et vieilles cravates en soie. **Aussie Boys** vend des tenues de sport à la mode et des « tenues de soirée » très actuelles appréciées de la population gay.

MODE FÉMININE

Country Road a des succursales dans tout Sydney et propose une mode simple, tandis que **Carla Zampatti,** styliste australien, se spécialise dans l'élégance chic. Les boutiques de **Sportsgirl** suivent la mode et proposent des accessoires

très gais. **Collette Dinnigan** utilise des dentelles françaises et italiennes pour créer une exquise lingerie. **Lisa Ho** s'adresse elle aussi aux femmes élégantes.

Boutique de Castlereagh Street, la « rue des stylistes » de Sydney

MODE AUSTRALIENNE

Depuis les bottines d'équitation à soufflets élastiques jusqu'au chapeau Akubra en passant par les manteaux en toile huilée, **RM Williams** reste le temple de l'*outback fashion.* On trouve des tenues de plage et de surf à **Hot Tuna** et **Mambo Friendship Store.** La **Great Australian Jumper Company** vend des tricots classiques en laine du pays.

LIVRES ET DISQUES

Les succursales de grandes chaînes comme **Dymocks** abritent un large choix de guides et de plans de Sydney. **Ariel** et **Abbey's Bookshop** sont plus éclectiques, la dernière vend des livres en français. La librairie de la State Library of NSW *(p. 105)* propose une sélection d'ouvrages australiens.

Les disques spécialisés **Red Eye Records** proposent des collectors et de la musique alternative, **Timewarp Records** des vinyles classiques et des rééditions en CD, **Birdland** du blues, du jazz et de la soul, et **Central Station Records and Tapes** les titres les plus demandés.

BIJOUX

Pierre fétiche de l'Australie, l'opale abonde à **Flame Opals,** et à **The Rock Opal Mine,** où trône un ascenseur de puits de mine. La **Gemstone Boutique** abrite aussi un bel éventail de perles, de coraux, de jades et d'or.

Fairfax & Roberts est une joaillerie établie de longue date. À **Paspaley Pearls,** on

Magasin d'articles de surf à Paddington

peut admirer des perles pêchées au large de la côte nord-ouest de l'Australie. **Victoria Spring Designs** propose des bijoux fantaisie, mariant filigrane et perles de verre pour créer des pendentifs, des bagues, des boucles d'oreille et des croix gothiques. Les colliers d'or et d'argent de **Glitz Bijouterie** sont à la fois très actuels et abordables.

ART ABORIGÈNE

On peut acheter peintures, tissus, bijoux, boomerangs, sculptures et cartes traditionnelles à l'**Aboriginal and Tribal Art Centre. New Guinea Primitive Arts** vend des objets d'Australie, de Papouasie-Nouvelle-Guinée et d'Océanie. La **Coo-ee Aboriginal Art**

Boomerangs souvenirs

Gallery abrite une sélection de tissus, de livres, de disques et de gravures en édition limitée. Le **Hogarth Galleries Aboriginal Art Centre** expose les œuvres d'artistes de Papunya Tula et de Balgo, ainsi que de peintres renommés comme Clifford Possum Tjapaltjarri et Emily Kame Kngwarreye *(p. 26-28)*.

CARNET D'ADRESSES

SOUVENIRS

Australian Craftworks
127 George St, The Rocks.
Plan 1 B2.
(02) 9247 7156.
Une autre succursale.

Done Art and Design
123 George St,
The Rocks. **Plan** 1 B2.
(02) 9251 6099.
Plusieurs succursales.

Makers Mark
Chifley Plaza. **Plan** 1 B4.
(02) 9231 6800.

Weiss Art
85 George St,
The Rocks. **Plan** 1 B2.
(02) 9241 3819.
Harbourside Festival
Shopping Centre, Darling
Harbour. **Plan** 3 C2.
(02) 9281 4614.

MODE MASCULINE

Aussie Boys
102 Oxford St,
Darlinghurst.
Plan 5 A2.
(02) 9360 7011.

Leona Edmiston
Strand Arcade. **Plan** 1 B5.
(02) 9221 5616.

Stewart's Gentlemen's Outfitters
Sheraton Wentworth
Hotel, Phillip St.
Plan 1 B4.
(02) 9221 2203.

Skin Deep
141 Elizabeth St.
Plan 1 B5.
(02) 9264 1239.

MODE FÉMININE

Carla Zampatti
143 Elizabeth St.
Plan 1 B5.
(02) 9264 3257.

Collette Dinnigan
39 William St,
Paddington. **Plan** 6 D3.
(02) 9360 6691.

Country Road
142 Pitt St.
Plan 1 B5.
(02) 9394 1818.
Plusieurs succursales.

Lisa Ho
2a-6a Queen St,
Woollahra. **Plan** 6 E4.
(02) 9360 2345.

Sportsgirl
Skygarden. **Plan** 1 B5.
(02) 9223 8255.
Plusieurs succursales.

MODE AUSTRALIENNE

Great Australian Jumper Company
Chifley Plaza. **Plan** 1 B4.
(02) 9231 3511.
Deux autres succursales.

Hot Tuna
180 Oxford St,
Paddington. **Plan** 5 C3.
(02) 9267 3408.
Plusieurs succursales.

Mambo Friendship Store
17 Oxford St,
Paddington. **Plan** 5 B3.
(02) 9331 8034.

RM Williams
389 George St.
Plan 1 B5.
(02) 9262 2228.
Deux autres succursales.

LIVRES ET DISQUES

Abbey's Bookshop
131 York St.
Plan 1 A5.
(02) 9264 3111.

Ariel
42 Oxford St,
Paddington.
Plan 5 B3.
(02) 9332 4581.

Birdland
3 Barrack St
Plan 1 A4.
(02) 9299 8527.

Central Station Records and Tapes
46 Oxford St, Darlinghurst.
Plan 4 F4.
(02) 9361 5222.

Dymocks
424-428 George St.
Plan 1 B5.
(02) 9235 0155.
Nombreuses succursales.

Red Eye Records
Tank Stream Arcade,
angle de King St. et
Pitt St. **Plan** 1 B4.
(02) 9233 8177.

Timewarp Records
289 Clarence St.
Plan 1 A5.
(02) 9283 1555.

BIJOUX

Fairfax & Roberts
44 Martin Place.
Plan 1 B4.
(02) 9232 8511.
Une autre succursale.

Flame Opals
119 George St,
The Rocks.
Plan 1 B2.
(02) 9247 3446.

Gemstone Boutique
388 George St.
Plan 1 B5.
(02) 9223 2140.

Glitz Bijouterie
Imperial Arcade. **Plan** 1 B5.
(02) 9231 1383.

Paspaley Pearls
42 King St. **Plan** 1 A4.
(02) 9232 7633.

Rocks Opal Mine
Clocktower Square,
35 Harrington St,
The Rocks. **Plan** 1 B2.
(02) 9247 4974.

Victoria Spring Designs
33 William St, Paddington.
Plan 6 D3.
(02) 9247 9625.

ART ABORIGÈNE

Aboriginal and Tribal Art Centre
117 George St, The Rocks.
Plan 1 B2.
(02) 9247 9625.
Plusieurs succursales.

Coo-ee Aboriginal Art Gallery
98 Oxford St, Paddington.
Plan 5 B3.
(02) 9332 1544.

Hogarth Galleries Aboriginal Art Centre
7 Walker Lane, par Brown
St, Paddington. **Plan** 5 C3.
(02) 9360 6839.
Une autre succursale.

New Guinea Primitive Arts
8e étage, Dymocks Building,
428 George St. **Plan** 1 B5.
(02) 9232 4737.
Une autre succursale.

SE DISTRAIRE À SYDNEY

Depuis les opéras et les ballets présentés au Sydney Opera House jusqu'aux pièces de Shakespeare jouées au bord de la mer dans l'amphithéâtre de Balmoral Beach, Sydney offre un éventail de spectacles de qualité dignes de son statut de grande cité. Le Capitol, Her Majesty's Theatre et le Theatre Royal accueillent les plus récentes comédies musicales, tandis que beaucoup de salles plus petites pro-

Affiche du Wharf Theatre

posent du théâtre d'avant-garde, de la danse moderne et des concerts variés. Le « rock de pub » prospère aussi bien dans le centre qu'en banlieue et de nombreux lieux programment du jazz et du blues. Les amateurs de cinéma verront les dernières superproductions hollywoodiennes ainsi que des films d'art et d'essai dans des salles confortables. Les nombreux spectacles gratuits donnés en plein air connaissent un grand succès.

Panneau à l'entrée du cinéma Dendy de Martin Place (p. 86)

SOURCES D'INFORMATION

Les quotidiens donnent tous les jours les annonces des cinémas et, souvent, de théâtres et de galeries. Le programme le plus complet figure dans le cahier « Metro » du *Sydney Morning Herald* du vendredi. Le *Daily Telegraph* publie un guide des concerts le jeudi. La principale rubrique culturelle de *The Australian* paraît le vendredi. Tous ces journaux présentent les nouveaux films dans leurs éditions du week-end.

Les kiosques d'information touristique de la **NSW Information Line** et la plupart des grands hôtels diffusent des publications gratuites telles que le trimestriel *What's on Sydney* et l'hebdomadaire *Where Magazine*. Les hebdomadaires *On the Street, Drum Media* et *3D World,* gratuits également, sont spécialisés dans la musique. Ils sont distribués dans des boutiques de disques et de vidéo, des pubs et des clubs. *3D World* décrit entre autres des boîtes de nuit. Toutes les grandes salles de spectacle possèdent des services de renseignement par téléphone.

ACHETER SA PLACE

Il arrive que certains spectacles très prisés affichent complet des mois à l'avance. Dans tous les cas, mieux vaut réserver même si les théâtres gardent souvent quelques billets à vendre le soir de la représentation.

On achète les places aux guichets des salles et par téléphone avec une carte bancaire. Vous recevrez les billets chez vous ou vous les retirerez à la billetterie une demi-heure avant le début de la représentation. Les grandes agences de location *(voir ci-après)* acceptent les réservations depuis l'étranger.

Vous pouvez vous adresser aux portiers d'hôtel, ils ont la réputation de pouvoir se

Artiste de rue à Circular Quay

procurer des places difficiles à obtenir. Enfin, des vendeurs à la sauvette proposent souvent des billets surévalués à l'entrée des grands concerts de rock.

AGENCES DE LOCATION

Il existe deux grandes agences à Sydney. **Ticketek** possède dans le pays des dizaines de succursales ouvertes de 9 h à 17 h en semaine et de midi à 16 h le samedi. Les réservations peuvent se faire par fax depuis l'étranger et par téléphone de 8 h 30 à 21 h du lundi au samedi et de 10 h à 17 h le dimanche. **Ticketmaster** ouvre de 9 h à 18 h du lundi au vendredi. D'autres antennes ouvertes de 10 h à 21 h existent dans tous les cinémas Greater Union, au State Theatre, au Theatre Royal, au Capitol Theatre et au

Exposition canine du Gay and Lesbian Mardi Gras Festival

Footbridge Theatre. Le service d'achat par téléphone de Firstcall fonctionne 24 h sur 24.

Les agences acceptent l'argent liquide, les chèques de voyage et les cartes VISA, MasterCard (Access) et American Express. Certaines refusent la Diners Club. Toutes prélèvent une commission et, éventuellement, des frais d'envoi. Elles n'offrent en général pas de remboursement ou d'échange sauf en cas d'annulation d'un spectacle.

Ne désespérez pas si une agence a vendu toutes les places qui lui étaient allouées, sa concurrente en conserve peut-être.

Théâtre de rue au Sydney Festival avec les Espagnols *Els Comediants*

Kiosque Halftix de Martin Place vendant des billets demi-tarif

TARIFS RÉDUITS

Halftix vend le jour de la représentation des places à demi-tarif (plus une petite commission) pour des concerts, des pièces, des opéras et des ballets. Pour les matinées et les spectacles du dimanche, ces billets peuvent s'acheter la veille. Visites guidées, croisières, entrées d'expositions et places de cinéma y sont également disponibles à moitié prix. Le paiement s'effectue en liquide ou par carte bancaire et le nombre de billets est illimité.

À partir de 11 h, un service téléphonique fournit des informations enregistrées sur les réductions du jour. Le kiosque ouvre de midi à 17 h 30 du lundi au samedi. Il fait aussi office d'agence Ticketek. Mieux vaut arriver tôt pendant le Sydney Festival.

Les cinémas pratiquent des tarifs réduits le mardi et quelques cinémas indépendants offrent des réductions en semaine. En cas de places disponibles le jour

de la représentation, les étudiants munis d'une carte profitent d'un prix « Student Rush » aux concerts du Sydney Symphony Orchestra *(p. 134)*.

CHOISIR SA PLACE

Il existe peu de différence de prix entre l'orchestre *(stalls)* et la corbeille *(dress circle)*. Sur place ou dans une agence, vous pourrez consulter un plan de la salle. Songez que le rang A du State Theatre est celui du fond. Ticketek ne pourra vous donner par téléphone qu'une vague idée de l'endroit où se trouvent vos sièges. L'ordinateur choisira les « meilleures » places disponibles.

VISITEURS HANDICAPÉS

La majorité des lieux de spectacle les plus récents ont été adaptés aux besoins des handicapés, mais mieux vaut téléphoner à l'avance à la billetterie pour formuler des demandes particulières.

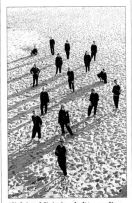

Cliché publicitaire de l'Australian Chamber Orchestra *(p. 134)*

Informez-vous alors de la meilleure entrée. L'accès en fauteuil roulant au Sydney Town Hall se fait ainsi depuis Druitt Street. Au Sydney Opera House, le Concert Hall est équipé d'un système destiné aux malentendants. Vous pouvez également consulter la brochure *Services for the Disabled*.

Les lieux de spectacle

L es amateurs de musique classique ne peuvent manquer d'assister à une représentation au Sydney Opera House. Les théâtres sont réputés pour l'éclectisme de leurs programmations et les cabarets jouissent d'une reconnaissance grandissante. Il n'existe pas à Sydney de quartier où se concentrent les salles de spectacle. Cependant, Darlinghurst et Paddington abritent de nombreux night-clubs.

CINÉMA

G eorge Sreet, la rue des cinémas, se trouve près du Town Hall *(p. 89)*. L'**Hoyts Centre** et le **Greater Union** présentent tous les derniers films à succès, tandis que le **Walker Cinema,** le **Valhalla** et les cinémas **Dendy** proposent une programmation d'art et d'essai. Le **Movie Room** s'est spécialisé dans la science-fiction et les films culte et en 3D. La plupart des salles pratiquent des tarifs réduits le mardi. International, le **Sydney Film Festival** *(p. 39)* diffuse aussi bien documentaires que fictions et rétrospectives.

Affiche du Sydney Film Festival

THÉÂTRE

L e **Theatre Royal,** le State Theatre *(p. 86),* le **Capitol** et **Her Majesty's** accueillent des comédies musicales. Parmi les salles plus petites figurent le **Seymour Theatre Centre,** l'**Ensemble** et le **Footbridge Theatre.** Le **Stables Theatre** se spécialise dans les nouveaux auteurs australiens. La meilleure troupe de la ville, la Sydney Theatre Company (STC), se produit au **Wharf.**

L'été donne lieu à des manifestations en plein air, notamment **Shakespeare by the Sea** à Balmoral Beach et le **Sydney Fringe Festival** qui donne sa chance à de jeunes créateurs.

CABARET

L e haut lieu du cabaret à Sydney est le **Comedy Store** qui programme du mardi au samedi spectacles comiques, sketches et revues.

Le lundi soir, essayez le **Comedy Hotel** et le Fringe Bar de l'**Unicorn Hotel.**

OPÉRA ET MUSIQUE CLASSIQUE

L'Opera House *(p. 80-81)* est le haut lieu de la musique classique à Sydney. C'est dans le Concert Hall que l'Australian Opera (AO) fondé en 1956 se produit pendant deux saisons, de janvier à mars et de juin à octobre, et que le **Sydney Symphony Orchestra** (SSO) donne de grands concerts quand il ne joue pas au Sydney Town Hall *(p. 89)*. L'Opera House accueille aussi les principaux récitals de l'Australian Chamber Orchestra et ceux de la meilleure chorale de la ville : les **Sydney Philharmonia Choirs.**

La ville possède un autre groupe vocal de haut niveau, le **Café at the Gate of Salvation,** qui interprète un répertoire de gospels *a capella.* Les élèves du conservatoire *(p. 104)* proposent des concerts de musique symphonique et de chambre.

Affiche de la Dance Company

DANSE

L'Australian Ballet a un répertoire d'œuvres classiques et modernes. Ses deux saisons à l'Opera House durent de mars à avril et de novembre à décembre.

La principale compagnie moderne de la ville, la **Sydney Dance Company,** possède sa propre salle au Wharf. L'**Aboriginal Islander Dance Theatre** associe démarche contemporaine et tradition, et présente ses spectacles au Seymour Theatre Centre.

ROCK, JAZZ ET BLUES

L es grands concerts de rock ont lieu au **Sydney Entertainment Centre,** au **Sydney Cricket Ground** et à l'**Eastern Creek Raceway.** Des lieux comme le **Sandringham Hotel** et Selina's au **Coogee Bay Hotel** attirent aussi la foule.

Pour le jazz, essayez **The Basement,** et pour le blues, le **Rose, Shamrock & Thistle Hotel** ou le **Cat & Fiddle Hotel.**

BOÎTES DE NUIT

L e **Cauldron,** le **Riva Night Club** et le **Kinselas** sont des boîtes dance. Le **Bentley Bar,** le **Sugareef,** le **Mister Goodbar** et le **Q** programment house music et hip hop. Le **Power Cuts** est le meilleur club de reggae. Parmi les lieux gays figurent le **Beresford Hotel,** l'**Albury Hotel,** l'**Oxford Hotel** et le **Midnight Shift.**

Le Sydney Opera House

CARNET D'ADRESSES

CINÉMA

Dendy Cinema
Martin Place
MLC Centre,
19 Martin Place.
Plan 1 B4.
(*(02) 9233 8166.*
George Street
624 George St.
Plan 4 E3.
(*(02) 9264 1577.*
Newtown
261-263 King St,
Newtown.
(*(02) 9550 5699.*

Greater Union
525 George St.
Plan 4 E3.
(*(02) 9267 8666.*

Hoyts Centre
505 George St.
Plan 4 E3.
(*(02) 9273 7431.*

Movie Room
112 Darlinghurst Rd,
Darlinghurst.
(*(02) 9380 5162.*

**Sydney Film
Festival**
(*(02) 9660 3844.*

Valhalla
166 Glebe Point Rd,
Glebe.
Plan 3 A4.
(*(02) 9660 8050.*
(*0055 20106.*

Walker Cinema
121 Walker St,
North Sydney.
(*(02) 9959 4222.*

THÉÂTRE

Capitol Theatre
13 Campbell St,
Haymarket.
Plan 4 E4.
(*(02) 9320 5000.*

Ensemble Theatre
78 McDougall St,
Kirribilli.
(*(02) 9929 0644.*

Footbridge Theatre
University of Sydney,
Parramatta Rd,
Glebe.
Plan 3 A5.
(*(02) 9692 9955.*

**Her Majesty's
Theatre**
107 Quay St (près de
Railway Square),
Haymarket. **Plan** 4 D5.
(*(02) 9212 3411.*

**Seymour Theatre
Centre**
Angle de Cleveland St
et City Rd,
Chippendale.
(*(02) 9364 9400.*

**Shakespeare by the
Sea**
(*(02) 9557 3065.*

Stables Theatre
10 Nimrod St,
Kings Cross.
Plan 5 B1.
(*(02) 9361 3817.*

**Sydney Fringe
Festival**
(*(02) 9365 0112.*

Theatre Royal
MLC Centre,
King St.
Plan 1 B5.
(*(02) 9320 9191.*

The Wharf
Pier 4, Hickson Rd,
Millers Point.
Plan 1 A1.
(*(02) 9250 1777.*

CABARET

Comedy Hotel
115 Wigram Rd,
Glebe.
(*(02) 9552 1791.*

Comedy Store
450 Parramatta Rd,
Petersham.
(*(02) 9564 3900.*

Unicorn Hotel
106 Oxford St,
Paddington.
Plan 5 B3.
(*(02) 9360 3554.*

OPÉRA ET MUSIQUE
CLASSIQUE

**Café at the Gate
of Salvation**
(*(02) 9660 6850.*

**Sydney
Philharmonia
Choirs**
(*(02) 9251 2024.*

**Sydney Symphony
Orchestra**
(*(02) 9334 4644.*

DANSE

**Aboriginal Islander
Dance Theatre**
(*(02) 9252 0199.*

**Sydney Dance
Company**
(*(02) 9221 4811.*

ROCK, JAZZ
ET BLUES

The Basement
29 Reiby Place.
Plan 1 B3.
(*(02) 9251 2797.*

Cat & Fiddle Hotel
456 Darling St,
Balmain.
(*(02) 9810 7931.*

Coogee Bay Hotel
Angle de Coogee Bay Rd
et Arden St,
Coogee.
(*(02) 9665 0000.*

**Eastern Creek
Raceway**
Brabham Drive,
Eastern Creek.
(*(02) 9672 1000.*

**Rose, Shamrock &
Thistle Hotel**
193 Evans St,
Rozelle.
(*(02) 9810 2244.*

**Sandringham
Hotel**
387 King St,
Newtown.
(*(02) 9557 1254.*

**Sydney Cricket
Ground**
Driver Ave,
Moore Park.
Plan 5 C5.
(*(02) 9360 6601.*

**Sydney
Entertainment
Centre**
Harbour St,
Haymarket.
Plan 4 D4.
(*(02) 9320 4200.*
(*1 900 957 333*

BOÎTES DE NUIT

Albury Hotel
2-8 Oxford St, Paddington.
Plan 5 B3.
(*(02) 9361 6555.*

Bentley Bar
320 Crown St,
Surry Hills.
Plan 5 A2.
(*(02) 9331 1186.*

Beresford Hotel
354 Bourke St,
Darlinghurst.
Plan 5 A3.
(*(02) 9331 1045.*

Cauldron
207 Darlinghurst Rd,
Darlinghurst.
Plan 5 B1.
(*(02) 9331 1523.*

Kinselas
383 Bourke St,
Darlinghurst.
Plan 5 A2.
(*(02) 9331 3299.*

Midnight Shift
85 Oxford St, Darlinghurst.
Plan 5 A2.
(*(02) 9360 4319.*

Mister Goodbar
11a Oxford St,
Paddington.
Plan 5 B3.
(*(02) 9360 6759.*

Oxford Hotel
134 Oxford St,
Darlinghurst. **Plan** 5 A2.
(*(02) 9331 3467.*

Power Cuts
150 Elizabeth St.
Plan 4 F4.
(*(02) 9264 5380.*

Q
Level 2, 44 Oxford St,
Darlinghurst.
Plan 4 F4.
(*(02) 9360 1375.*

Riva Night Club
Sheraton on the Park,
130 Castlereagh St.
Plan 1 B5.
(*(02) 9286 6666.*

Sugareef
20 Bayswater Rd,
Potts Point.
Plan 5 B1.
(*(02) 9360 0763.*

Les plages de Sydney

Dans une ville qui s'est développée en étroite intimité avec sa baie, les activités de loisirs autour de la mer ont la part belle. Il existe de nombreuses plages et la plupart sont accessibles en bus. Certaines sont abritées, d'autres sont ouvertes aux vagues de l'océan. Même si vous n'êtes pas un fanatique de la baignade, vous apprécierez un moment de détente en plein air.

Plongée à Gordons Bay

NATATION

La région de Sydney offre aux baigneurs le choix entre des plages d'anses, ou *harbour beaches,* généralement petites et aux eaux calmes, comme à Camp Cove, Shark Bay et Balmoral Beach, et les plages du Pacifique qui sont battues par les vagues.

Sur ces dernières officient les sauveteurs aux bonnets de bain rouge et jaune. Ils participent pendant l'été à de nombreux *lifesaving carnivals.* **Surf Life Saving NSW** vous en donnera le programme. Parmi les plages les plus sûres pour les baigneurs et les surfers figurent Manly, Coogee et Bondi, l'endroit où « voir et se montrer », à l'instar de sa voisine Tamarama.

SURF

Pour certains Sydneysiders, le surf est plus un mode de vie qu'un simple loisir et il leur arrive de ne pas apprécier de voir des « intrus » sur « leurs » vagues. Les meilleures plages pour pratiquer le surf sont Maroubra et Narrabeen, mais les débutants leur préféreront Bondi, Bronte, Palm Beach ou Collaroy. Vous pourrez louer

une planche auprès de la **Bondi Surf Company.** Certaines boutiques spécialisées proposent des initiations.

Si vous préférez le spectacle à l'action, la promenade entre Bondi *(p. 122)* et Tamarama ménage d'intéressants points de vue.

PLANCHE À VOILE ET VOILE

Les véliplanchistes de tous niveaux trouveront des sites adaptés à leurs niveaux autour de Sydney, entre autres à Palm Beach, Narrabeen Lakes, La Perouse, Brighton-Le-Sands et Kurnell Point (pour les véliplanchistes débutants et moyens) et à Long Reef Beach, Palm Beach et Collaroy (pour les véliplanchistes expérimentés). La **Balmoral Sailboard School** propose leçons et planches en location.

La voile offre un des meilleurs moyens de découvrir la baie. Un voilier avec son barreur peuvent se louer pour l'après-midi auprès de l'**Australian Sailing Academy.** La **Sirsi Newport Marina** organise des initiations de deux jours et loue voiliers et bateaux à moteur aux marins confirmés.

PLONGÉE

Sans égaler la Grande Barrière, la côte recèle d'excellents lieux de plongée, surtout en hiver quand l'eau, fraîche, est claire. Shelly Beach, Gordons Bay et Camp Cove font partie des plus appréciés.

Pro Dive Coogee propose un éventail complet de cours, de plongées accompagnées et d'équipement à louer. Cours et matériel de location sont aussi disponibles auprès de **Dive Centre Manly** qui assure des sorties en bateau tous les jours.

CARNET D'ADRESSES

Australian Sailing Academy
The Spit, Mosman.
☎ (02) 9960 3077.

Balmoral Sailboard School
2 The Esplanade, Balmoral Beach.
☎ (02) 9960 5344.

Beach Watch Info Line
☎ (02) 9901 7996.

Bondi Surf Company
Shop 2, 72-76 Campbell Parade, Bondi Beach.
☎ (02) 9365 0870.

Dive Centre Manly
10 Belgrave St, Manly.
☎ (02) 9977 4355.

Pro Dive Coogee
27 Alfreda St, Coogee.
☎ (02) 9665 6333.

Sirsi Newport Marina
122 Crescent Rd, Newport.
☎ (02) 9979 6213.

Surf Life Saving NSW
☎ (02) 9984 7188.

Le club des sauveteurs de Coogee Beach

LES MEILLEURES PLAGES

Nous avons sélectionné ces 30 plages pour leur sûreté, leur cadre pittoresque, leurs activités et leurs équipements.

	PISCINE	SURF	PLANCHE À VOILE	PÊCHE	PLONGÉE	PIQUE-NIQUE	RESTAURANT/CAFÉ
Avalon	●		●	●		●	
Balmoral	●		●		●	●	●
The Basin	●					●	
Bilgola							
Bondi Beach	●	●		●	●	●	●
Bronte	●	●		●	●	●	●
Camp Cove					●		
Clifton Gardens	●		●	●		●	
Clovelly				●	●	●	
Coogee	●		●	●	●	●	●
Curl Curl	●	●		●			
Dee Why	●	●		●	●	●	●
Fairy Bower					●		
Fishermans Beach		●		●		●	
Freshwater	●	●					
Gordons Bay				●	●		
Long Reef		●	●	●		●	
Manly Beach	●				●	●	●
Maroubra	●	●		●		●	●
Narrabeen	●	●		●		●	
Newport Beach	●	●	●	●		●	
Obelisk Bay							
Palm Beach	●	●	●	●		●	
Parsley Bay						●	
Seven Shillings Beach	●						
Shark Bay	●						●
Shelly Beach					●	●	●
Tamarama		●	●	●	●	●	●
Watsons Bay	●				●		●
Whale Beach	●	●	●	●		●	●

PÊCHER À SYDNEY

Malgré l'importance de l'agglomération de Sydney et l'activité de son port, ses eaux restent poissonneuses. Thons, merlans et blennies abondent au large des plages rocheuses du nord, tandis qu'on pêche des poissons d'estuaire comme le platycéphale et la brème aux Narrabeen Lakes. Le Middle Harbour, port abrité, recèle de nombreux sites où l'on peut taquiner la brème et la sciène.

Blennie à triple nageoire

LÉGENDE

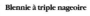

Plage surveillée

Location de planche

0   3 km

LE SPORT À SYDNEY

Le sport joue un grand rôle dans la vie des Australiens. Toute l'année, les Sydneysiders jouent au golf dès l'aube, courent le long des rues pour se maintenir en forme ou s'affrontent dans une rapide partie de tennis après le travail. Les week-ends, que ce soit en été ou en

À cheval à Sydney

hiver, offrent l'occasion d'assister à des rencontres très variées sur les stades comme à la télévision. Les matchs de rugby et de cricket, en particulier, attirent des milliers de personnes au Sydney Football Stadium et au Sydney Cricket Ground, venues pour soutenir leurs équipes.

Wallabies contre All Blacks, SFS

RUGBY LEAGUE ET RUGBY UNION

Les Sydneysiders apprécient tout spécialement le jeu à treize, ou Rugby League. Il existe trois grands niveaux de compétition : local, State of Origine et Tests (international). Le Sydney Football Stadium (SFS) accueille les matchs les plus prestigieux. Les places s'achètent auprès de Ticketek.

Au rugby à quinze, ou Rugby Union, la rencontre la plus suivie oppose au Sydney Football Stadium les Wallabies australiens aux All Blacks néozélandais.

CRICKET

En été, les principales rencontres de one-day cricket et de cricket traditionnel ont lieu au Sydney Cricket Ground (SCG). En semaine, vous trouverez souvent des places à l'entrée, le week-end, réservez auprès de **Ticketek.**

BASKET-BALL

Ce sport a gagné en popularité ces dernières années. Sydney possède des équipes masculines et féminines en compétition dans la National Basketball League. Les matchs se déroulent dans le Sydney Entertainment Centre dans une ambiance très animée et les places s'achètent auprès de Ticketek ou au guichet.

AUSTRALIAN RULES FOOTBALL

L'Aussie Rules, ou footy, se joue au pied et à la main et oppose deux équipes de dix-huit joueurs sur un terrain ovale. L'équipe locale, les

Sydney Swans, reçoit ses adversaires sur le Sydney Cricket Ground.

GOLF, TENNIS ET BICYCLETTE

Il existe dans tout Sydney de nombreux terrains de golf, tels ceux de **Moore Park** et **St Michael's,** qui accueillent les visiteurs toute l'année. Il est souvent préférable de réserver, surtout le week-end.

Le tennis aussi est très en vogue et des courts peuvent se louer partout. Certains sont éclairés pour jouer en nocturne.

Plusieurs sites se prêtent aux promenades à bicyclette en famille, dont le Centennial Park *(p. 121),* l'un des plus fréquentés. Le **Centennial Park Cycles** loue vélos et casques.

CARNET D'ADRESSES

BILLETS

Ticketek.
☎ (02) 9266 4800.

GOLF

Moore Park Golf Club
Angle de Cleveland St et d'Anzac Parade, Moore Park. **Plan** 5 B5.
☎ (02) 9663 3960.

St Michael's Golf Club
Jennifer St, Little Bay.
☎ (02) 9311 0621.

BICYCLETTE

Centennial Park Cycles
50 Clovelly Rd, Randwick.
☎ (02) 9398 5027.

Vue aérienne du Sydney Football Stadium du Moore Park

Sydney 2000

Les célébrations qui marqueront en Australie la fin du IIe millénaire auront pour fleuron les 27e Jeux olympiques organisés à Sydney. Deux sports, sur vingt-huit, y seront représentés pour la première fois : le tae kwon do et le triathlon. Sydney 2000 tiendra compte de l'environnement. La construction des nouveaux équipements dont la conception permet d'économiser eau et énergie a pris en compte la protection d'aires naturelles. Les épreuves se dérouleront principalement au Sydney Olympic Park. Les spectateurs disposeront en ville de quelque 35 000 chambres d'hôtel. Tous les établissements se sont engagés à maintenir des tarifs normaux.

Sydney 2000

Logo des J.O.

Le principal centre de presse pourra recevoir des centaines de journalistes.

Plaza Park

Le Sydney Showgroung de 30 ha abrite un stade de base-ball et deviendra le siège de la Royal Agricultural Society après les jeux.

L'Olympic Stadium d'une capacité de 110 000 places accueillera les grandes rencontres d'athlétisme et les cérémonies d'ouverture et de clôture des jeux.

Gare de l'Olympic Park

La Multi-Use Arena de 20 000 places accueillera des épreuves de gymnastique et de sports d'intérieur comme le volley-ball.

L'Athletic Centre, déjà utilisé par les Sydneysiders, servira aux rencontres préliminaires d'athlétisme et à l'échauffement des concurrents.

Aéroport

L'hôtel de l'Olympic Park est un trois étoiles de 250 chambres.

L'autoroute M4 relie l'Olympic Park au centre-ville. Une nouvelle ligne de métro est en cours de construction.

L'Aquatic Centre ouvert en 1994 accueillera les rencontres de natation, de plongeon et de water-polo.

0   200 m   ↓ Sydney

ATLAS DES RUES DE SYDNEY

Les références cartographiques données dans les pages de ce guide consacrées à Sydney renvoient aux plans de cet atlas, qu'il s'agisse des sites de visite, des commerces *(p. 129 et 131)*, des salles de spectacle *(p. 135)*, des hôtels *(p. 466-468)* et des restaurants *(p. 498-500)*. L'atlas fait apparaître les édifices et les monuments intéressants ainsi que les gares, terminus de bus, embarcadères de bacs, services d'urgence, bureaux de poste et centres d'information touristique.

La légende ci-dessous indique les symboles utilisés et donne l'échelle des plans. À côté, une carte d'ensemble précise la zone couverte par chaque plan de l'atlas et les quartiers qui la composent.

Le Sydney Harbour Bridge *(p. 76-77)* vu de la North Sydney Olympic Pool

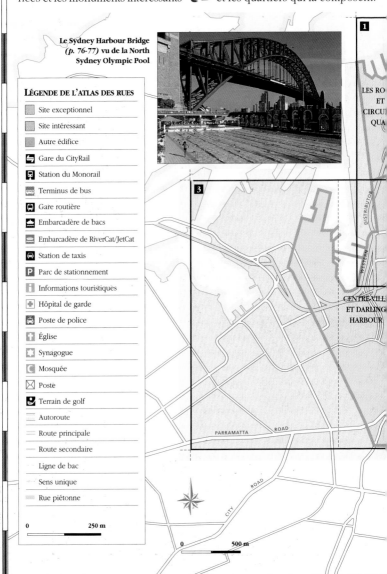

LÉGENDE DE L'ATLAS DES RUES

- Site exceptionnel
- Site intéressant
- Autre édifice
- Gare du CityRail
- Station du Monorail
- Terminus de bus
- Gare routière
- Embarcadère de bacs
- Embarcadère de RiverCat/JetCat
- Station de taxis
- P Parc de stationnement
- Informations touristiques
- Hôpital de garde
- Poste de police
- Église
- Synagogue
- C Mosquée
- Poste
- Terrain de golf
- Autoroute
- Route principale
- Route secondaire
- Ligne de bac
- Sens unique
- Rue piétonne

0   250 m

0   500 m

1

LES RO
ET
CIRCU
QUA

3

CENTRE-VILL
ET DARLING
HARBOUR

DISTRIBUTOR

WESTERN

PARRAMATTA   ROAD

ROAD

CITY

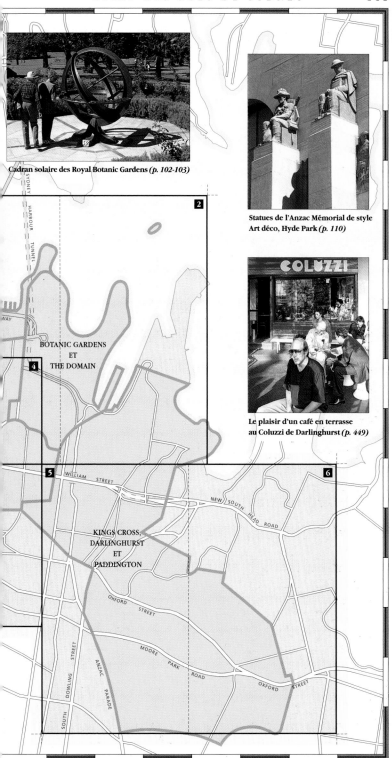

Cadran solaire des Royal Botanic Gardens *(p. 102-103)*

Statues de l'Anzac Mémorial de style Art déco, Hyde Park *(p. 110)*

Le plaisir d'un café en terrasse au Coluzzi de Darlinghurst *(p. 449)*

2

4

BOTANIC GARDENS
ET
THE DOMAIN

SYDNEY HARBOUR TUNNEL

5 WILLIAM STREET **6**

NEW SOUTH HEAD ROAD

KINGS CROSS,
DARLINGHURST
ET
PADDINGTON

OXFORD STREET

MOORE PARK ROAD

OXFORD STREET

SOUTH DOWLING STREET

ANZAC PARADE

Neutral Bay

Mosman

Taronga Zoo

Manly →

Rose Bay →

P o r t

Fort Denison
(Pinchgut)

J a c k s o n

Mrs Macquaries
Point

GARDEN

Mrs Macquaries
Chair

ISLAND

T H E

D O M A I N

Farm Cove

Andrew (Boy)
Charlton Pool

GARDEN ISLAND
NAVAL DOCKYARD

CAPTAIN COOK
GRAVING DOCK

OTANIC

NS

Woolloomooloo Bay

ROADWAY

WHARF STREET

STREET

WYLDE

GRANTHAM STREET

SAINT NEOT AVE

McDONALD ST

McDonald Lane

POTTS

Elizabeth
Bay

POINT

CHALLIS AVENUE

LINCOLN COURT

ROCKWALL LANE

ROCKWALL CREST

Elizabeth
Bay House

Elizabeth
Point

BILLYARD AVENUE

BEARE
PARK

lery of
outh
es

COWPER

BLAND STREET

NICHOLSON STREET

WILSON STREET

NESBITT ST

HARNETT ST

PRING STREET

DOWLING STREET

McELHONE STREET

VICTORIA STREET

TUSCULUM ST

HUGHES ST

MANNING ST

CRICK AVE

ITHACA ROAD

ONSLOW AVE

GRACE

ESPLANADE

ELIZABETH BAY ROAD

PLUNKETT STREET

GRIFFITHS STREET

YOUNG CRESCENT

PALMER STREET

HARMER STREET

CHARLES

JUNCTION LANE STREET

CROSSLEY TERRACE

THEDRAL

NER
NE

CATHEDRAL ST

CROSS LANE

RAL PL

HOURIGAN LANE

BROUGHAM STREET

EARL STREET

HUGHES LANE

HUGHES PL

SPRINGFIELD AVE

ORWELL STREET

W O O L L O O M O O L O O

GREENKNOWE AVENUE

MACLEAY STREET

BARONCA

ELIZABETH BAY

BAYSWATER ROAD

ROSLYN GDNS

HOLDSWORTH AVENUE

ELIZABETH BAY ROAD

El Alamein
Fountain

BIRTLEY PL

La Nouvelle-Galles du Sud et l'Act

Présentation de la Nouvelle-Galles
du Sud et de l'Act 150-155
Des Blue Mountains à Byron bay 156-173
La South Coast et les
Snowy Mountains 174-181
Canberra et l'Act 182-199

La Nouvelle-Galles du Sud et l'ACT d'un coup d'œil

L e sud-est du continent, point de départ de la colonisation européenne au XVIIIe siècle, reste la région d'Australie la plus densément peuplée et la plus variée. Elle renferme sa plus grande ville, Sydney (p. 56-147), sa capitale fédérale, Canberra, ainsi que sa plus haute montagne, le Mount Kosciuszko. À l'est, terres agricoles et vignobles s'étendent de la côte du Pacifique aux Blue Mountains et aux Snowy Mountains où se pratique le ski. À l'ouest règne le désert. Le littoral possède un climat tropical au nord, tandis que le sud jouit de plus de fraîcheur.

CARTE DE SITUATION

Broken Hill est l'une des rares villes minières du XIXe siècle qui continue à vivre de l'exploitation de son sous-sol (p. 173). Elle abrite le siège du Royal Flying Doctor Service dont la visite commentée séduit de nombreux touristes.

DES BLUE
MOUNTAINS À
BYRON BAY
(p. 156-173)

Bourke a pour principal intérêt son isolement. Arrosée par la Darling River que franchit un pont mobile, la ville doit sa prospérité à son agriculture (p. 173).

Le Mount Kosciuszko, le plus haut sommet d'Australie, ménage au sein du Kosciuszko National Park une vue panoramique des Snowy Mountains depuis un belvédère accessible en télésiège ou par un sentier pédestre (p. 152-153).

◁ **Le Breadknife (Couteau à pain), formation rocheuse du Blue Mountains National Park**

L'école d'art de Tenterfield occupe un bâtiment au passé prestigieux car c'est là qu'en 1889 sir Henry Parke prononça le discours qui ouvrit la voie à la création du Commonwealth of Australia (p. 52). Un musée évoque l'événement.

À Tamworth, le visiteur ne risque pas d'oublier qu'il se trouve dans la capitale de la country music australienne (p. 169).

Les Three Sisters constituent le site le plus célèbre du Blue Mountains National Park. Un éclairage les rend encore plus spectaculaires la nuit (p. 162-165).

0   100 km

NBERRA ET
L'ACT
p. 182-199)

Windsor, l'une des villes du XIXe siècle les mieux préservées, abrite le Macquarie Arms Hotel, le plus ancien hôtel en activité d'Australie (p. 160).

LA SOUTH
COAST ET LES
SNOWY
MOUNTAINS
(p. 174-181)

À Canberra, capitale fédérale dessinée en 1912 par l'architecte Walter Burley Griffin, l'Anzac Parade offre une belle perspective du New Parliament House au sommet du Capital Hill (p. 186-187).

Les Snowy Mountains

Les « Montagnes enneigées » s'étirent sur 500 km entre Canberra et Victoria. Vieilles de plus de 250 millions d'années, elles renferment les seuls lacs glaciaires d'Australie et son plus haut sommet : le Mount Kosciuszko. En été, des fleurs sauvages tapissent les prairies. En hiver, les gommiers des neiges se courbent sous le vent. Protégé par le Kosciuszko National Park, le massif abrite deux stations de ski : Thredbo et Perisher. Les barrages construits sur quatre rivières alimentent en électricité une vaste région *(p. 175).*

LÉGENDE

—	Route principale
=	Route secondaire
---	Sentier pédestre
🎿	Piste de ski
🛆	Camping
ℹ	Informations touristiques
🌿	Point de vue

La Snowy River qui coule au pied du Mount Kosciuszko a été détournée et barrée pour fournir de l'électricité à Melbourne et Sydney.

Le Blue Lake est l'un des rares lacs glaciaires du pays. Il occupe un bassin de 28 m de profondeur.

Geeh River

Snowy River

Pensioner Valley

MOUNT TOWNSEND
▲
2,210 m (7,250 ft)

La Seaman's Hut, bâtie après la mort d'un skieur en 1928, a sauvé de nombreuses vies lors de blizzards.

MOUNT KOSCIUSZKO
▲
2,228 m (7,310 ft)

Alpine Way

L'Alpine Way passe par la superbe Thredbo River Valley. Prenez cette route de préférence au printemps ou en été.

Thredbo

PRINCIPAUX SOMMETS DES SNOWY MOUNTAINS

On atteint le Mount Kosciuszko, le plus haut sommet d'Australie, depuis Thredbo ou le Charlotte's Pass par des sentiers aisés traversant des prairies. Souvent pris pour son illustre voisin, le Mount Townsend est un peu moins élevé mais possède des pentes plus prononcées.

Le Dead Horse Gap prit le nom de « col du Cheval mort » après qu'un troupeau de *brumbies* (chevaux sauvages) y périt au XIXᵉ siècle. Il donne accès, à l'ouest, à une superbe région sauvage et, au sud, au Pilot et à Coberras.

Le Charlotte's Pass marque le début du sentier qui conduit au sommet du Mount Kosciuszko. Le col doit son nom à Charlotte Adams, première Européenne à effectuer l'ascension en 1881.

0   5 km

Le ski de piste et de fond ainsi que le snowboard se pratiquent dans les Snowy Mountains entre juin et septembre.

Wilsons Valley

Lake Jindabyne

Jbo River

Jindabyne

Mowamba River

La Thredbo River fut jadis baptisée Crackenback River par des vachers qui estimaient que les montagnes encadrant la vallée étaient assez abruptes pour qu'on s'y brise le dos *(back)*.

Les Yarrangobilly Caves, *réseau de 70 grottes creusées il y a près de 750 000 ans, abritent à environ 130 km au nord de Thredbo de magnifiques concrétions calcaires et de délicats lacs souterrains.*

LA NATURE DANS LES SNOWY MOUNTAINS

Des dizaines d'espèces de fleurs, d'arbres et d'animaux parviennent à survivre malgré la rudesse du climat et la pauvreté des sols. La quasi-totalité d'entre elles n'existe que dans les montagnes australiennes.

La flore

Les celmisia asteliifolia *aux pétales blancs et aux cœurs jaunes forment des tapis spectaculaires.*

Le podocarpus lawrencei *pousse lentement et penché, prenant un aspect de bonsaï. L'opossum nain se nourrit de ses baies.*

Des sphaignes *entourent en altitude les ruisseaux et les marais.*

Le gommier des neiges *résiste à des températures d'altitude que peu d'arbres supportent.*

La faune

La grenouille de corroboree *ne vit que dans les fragiles marais à sphaigne de la région.*

L'opossum nain de montagne *se cache sous la neige près des sommets.*

Truites de rivière et arc-en-ciel *prospèrent dans les torrents de montagne.*

Les vins de la Nouvelle-Galles du Sud et de l'ACT

Les navires de la Première Flotte *(p. 46-47)* qui accostèrent dans la Sydney Cove en janvier 1788 transportaient quelques plants de vigne. Depuis, la production viticole n'a cessé de croître en Nouvelle-Galles du Sud. Aujourd'hui, la plantation de nouveaux vignobles et l'extension des zones de production existantes répondent à une demande en augmentation constante à l'étranger comme à l'intérieur du pays. L'État compte en effet de nombreuses caves dont la réputation a dépassé les frontières australiennes.

CARTE DE SITUATION

☐ *Régions viticoles de la NSW*

Chardonnay, **Hunter Valley**

Le Sand Hills Vineyard de la Forbes Valley produit de superbes shiraz rouges et de délicieux blancs secs comme le chardonnay.

Le Cooraminta Estate bénéficie dans la région des Hilltops d'un riche sol alluvial et de pluies régulières.

De Bortoli, domaine familial du district de la Riverina, propose des vins de caractère, tel le Dry Botrytis Semillon, à des prix raisonnables.

La Charles Sturt University Winery joue un rôle innovant dans les techniques de culture et de vinification et produit des vins traditionnels avec un matériel ultra moderne.

Parkes   Molong

Forbes   Orange

Cov

West Wyalong

Ardelthan

Griffith

Narrandera

Wagga Wagga   Lake Burrinjuck

Gundagai   CANBERRA

Tumut

Albury

Kiandra

Lake Eucumbene

Coo

LÉGENDE

▨	Hastings River	☐	Forbes
☐	Hunter Valley	☐	Riverina
▨	Mudgee	☐	Wagga Wagga
☐	Orange	☐	Thumbarumba
☐	Cowra	▨	Canberra
☐	Hilltops	▨	Shoalhaven

*À **Mudgee,** altitude et qualité des sols donnent des rouges intenses.*

*La **Hunter Valley** fut la première région viticole réputée d'Australie.*

RÉGIONS VITICOLES

Les douze principales régions viticoles de la Nouvelle-Galles du Sud et de l'ACT produisent de bons rouges mais excellent surtout dans les blancs avec de riches chardonnays, des vins de dessert, des sémillons et des clairets qui peuvent se conserver jusqu'à vingt ans.

CE QU'IL FAUT SAVOIR SUR LES VINS

Situation et climat
Le climat, méditerranéen au sud, devient subtropical au nord, mais les différences d'altitude et les topographies locales apportent dans chaque région des variations, en particulier dans les vallées où se concentre l'humidité. L'Hunter Valley, destination de promenade favorite des Sydneysiders, possède de nombreuses caves qui proposent des dégustations.

Cépages
Pinot noir, chambourcine et riesling sont cultivés, mais les plus courants sont le chardonnay et le sémillon pour les blancs, le shiraz et le cabernet sauvignon pour les rouges.

Bons producteurs
Tyrrells ; Lake's Folly ; McWilliams ; Montrose; Rosemount ; Rothbury ; Wyndham ; Brokenwood ; Cassegrain ; Drayton ; De Bortoli ; Sand Hills.

DES BLUE MOUNTAINS
À BYRON BAY

L e nord de la Nouvelle-Galles du Sud frappe par l'intensité de ses couleurs. Les bleus profonds des Blue Mountains, les bleus-verts de l'océan, les verts changeant des forêts pluviales proches du Queensland, l'or des champs de blé, les rouges et les jaunes du désert de l'intérieur composent de superbes tableaux colorés.

La région est marquée par toute l'histoire de l'Australie moderne. C'est ici qu'en 1770 l'explorateur anglais James Cook revendiqua au nom de la couronne britannique la moitié orientale du continent. Il lui donna le nom de Nouvelle-Galles du Sud.

En périphérie de Sydney, à Windsor et Richmond, d'anciennes colonies de bagnards sont devenues de prospères communautés agricoles le long de la Hawkesbury River. Les Blue Mountains furent une barrière infranchissable pour les Européens jusqu'à la découverte en 1813 d'un premier passage. L'élevage put alors se développer dans les riches plaines à l'ouest du massif. Au milieu du XIXᵉ siècle, la ruée vers l'or qui eut lieu aux alentours de Bathurst et de Mudgee et jusque dans les New England Tablelands entraîna l'extension du réseau de routes et de voies ferrées.

Grâce à ses voies de communication très performantes, le nord de la Nouvelle-Galles du Sud possède aujourd'hui les zones rurales et le littoral les plus peuplés du pays.

La région n'a pas perdu pour autant sa beauté naturelle. Elle peut aisément se diviser en trois parties : le littoral et son arrière-pays, y compris la Hunter Valley, célèbre pour ses vignobles ; les collines, les plateaux et les rivières des New England Tablelands et des Western Plains où voisinent parcs nationaux et zones agricoles ; enfin, l'aride Outback à l'ouest du vaste Great Dividing Range.

La Nouvelle-Galles du Sud est une région facile à découvrir, offrant à la fois de vastes espaces préservés (des étendues sauvages des Blue Mountains aux vagues de Biron Bay) et le confort et les distractions de la civilisation urbaine. Elle est devenue une destination de vacances appréciée toute l'année des Australiens comme des touristes étrangers.

Le phare du Cape Byron à la pointe la plus à l'est de l'Australie

◁ Le rocher The Three Sisters (Les Trois Sœurs) du Blue Mountains National Park vu d'Echo Point

Le nord de la Nouvelle-Galles du Sud

L'importance des distances impose de prendre en compte le temps disponible pour toute visite. À proximité de Sydney, on peut découvrir des villes historiques de la ruée vers l'or comme Windsor, les paysages variés des Blue Mountains, les vieilles bourgades minières entre Bathurst et Mudgee et les vignobles de la Hunter Valley. La côte nord et son arrière-pays se visiteront plutôt dans le cadre d'un voyage de Sydney jusqu'à Brisbane, la capitale du Queensland, ou lors d'une brève escapade jusqu'aux plages et zones de pêche proches de Port Macquarie, Taree et Coffs Harbour.

LÉGENDE

    Blue Mountains

    À l'ouest du Divide p. 172-173

Les Trois Sœurs du Blue Mountains National Park

LA RÉGION D'UN COUP D'ŒIL

Armidale **7**
Barrington Tops WHA **6**
Blue Mountains National Park
   p. 162-165 **1**
Gibraltar Range National Park **8**
Gosford **3**
Inverell **10**
Mudgee **12**
Newcastle **4**
Tamworth **11**
Tenterfield **9**
Windsor **2**

Excursion
Hunter Valley **5**

À l'ouest du Divide
Voir p. 172-173
Bourke **15**
Broken Hill **16**
Dubbo **13**
Lightning Ridge **14**
Wagga Wagga **18**
Willandra National Park **17**

YETMA

TAMWORTH

MERRIWA

GULGONG

GOULBURN RIVE NATIONAL PAR

12 *MUDGEE*

W O L L E M I N A T I O N A L P A R K

PARKES

BATHURST

LITHGOW

FORBES

32

WINDSOR

74

Lake Burrgorang

COWRA

Lachlan River

41

1
BLUE MOUNTAINS NATIONAL PARK

Canberra

Byron Bay, à la pointe la plus
orientale du continent

CIRCULER

Les trains et autocars desservant la côte nord et
des villes importantes rendent la région très
accessible, mais une voiture reste le meilleur
moyen de transport pour découvrir les beautés
naturelles du nord de la Nouvelle-Galles du
Sud. Les grands axes *(highways)* sont rarement
à quatre voies en dehors de la Princes Hwy qui
longe le littoral. La New England Hwy rejoint
les plateaux du nord-ouest, la Newell Hwy
conduit à Moree et la Western Hwy traverse
les Blue Mountains vers Bathurst.

VOIR AUSSI

• *Hébergement* p. 468-469

• *Restaurants* p. 501-502

---

0   50 km

LÉGENDE

〰 *Highway*

▬ Route principale

▬ Parcours pittoresque

〜 Cours d'eau

☀ Point de vue

Vignobles de la Hunter Valley

Blue Mountains National Park ❶

Voir p. 162-165.

Windsor ❷

🏠 *1 850.* ❌ 🚉 🚏 🚌 ℹ️ *7*
Thompson Square (02) 4577 2310.

W indsor fut établie en 1794 dans une région fertile où la Hawkesbury River offrait une voie pratique de transport et de communication. C'est l'une des cinq « villes Macquarie », villes fondées par l'entreprenant gouverneur Lachlan Macquarie.

Au centre du bourg s'élève St Matthew's Church, bel exemple d'architecture coloniale georgienne dessiné par Francis Greenway et considéré comme son œuvre la plus réussie. Parmi les autres édifices intéressants figurent le Macquarie Arms, qui prétend être le plus vieil hôtel d'Australie, et le **Hawkesbury Museum** installé dans une ancienne auberge. Son exposition retrace l'histoire de la ville.

🏛 **Hawkesbury Museum**
7 Thompson Square. 📞 *(02) 4577 2310.* ⏰ *t.l.j.* ● *ven. saint, 25 déc.* 📷

St Matthew's Church de Windsor, dessinée par Francis Greenway

AUX ENVIRONS
À 6 km à l'ouest de Windsor, Richmond est une autre « ville Macquarie ». Ce joli bourg fut fondé en 1789, cinq ans avant Windsor. Vous y verrez l'une des plus anciennes demeures à avoir survécu en Australie : la ferme de Mountainview construite en 1804.

Gosford ❸

🏠 *38 000.* 🚉 🚏 🚌 ⛴ ℹ️ *200*
Mann St (1 800) 806 258.

G osford est la principale localité de la région balnéaire connue sous le nom de Central Coast. Les communautés rurales qui jalonnaient jadis le littoral forment aujourd'hui une zone résidentielle continue au bord de l'océan s'étendant au sud jusqu'au Ku-ring-gai Chase National Park *(p. 122).*
Gosford offre une bonne base pour découvrir les alentours. La ville occupe la rive nord des Brisbane Waters, propices à de nombreuses activités de loisirs, notamment la voile. Réputées pour leurs rouleaux, leurs eaux limpides et leur sable fin, les plages sont si nombreuses dans les environs qu'il est encore possible de dénicher un coin désert en toute saison (sauf bien sûr en plein été).

Old Sydney Town, à 12 km à l'ouest de Gosford, présente une image fidèle de la première colonie européenne

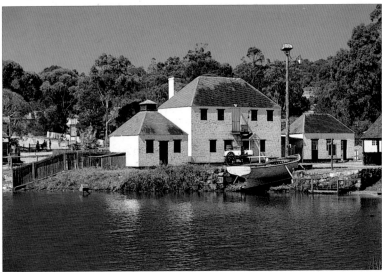
Douane du XVIIIᵉ siècle à l'Old Sydney Town près de Gosford

en Australie *(p. 46-47)*. Vêtus comme au XVIIIᵉ siècle, des figurants y vaquent aux occupations quotidiennes de l'époque. À côté, le **New Australian Reptile Park** présente différentes sortes de reptiles, entre autres des crocodiles, d'imposants varans et des serpents.

🜲 **Old Sydney Town**
Old Pacific Hwy, Somersby. ☎ (02) 4340 1104. ☐ mer.-dim., jours fériés. ⬛ 25 déc. ♿ ⌨
✖ **New Australian Reptile Park**
Old Pacific Hwy, Somersby. ☎ (02) 4340 1022. ☐ t.l.j. ⬛ 25 déc. ♿ ⌨

AUX ENVIRONS
Il existe, à courte distance de Gosford, plusieurs parcs nationaux, en particulier le Brisbane Waters National Park aux agréables sentiers pédestres. Il abrite le Bulgandry Aboriginal Site orné de figures humaines et animales qui auraient été gravées il y a des milliers d'années.

Newcastle ❹

🏙 138 000. ✈ 🚆 🚌 🚢 ℹ 92 Scott St (02) 4929 9299.

Un visiteur de passage à Newcastle à la fin du siècle dernier remarqua : « À mes yeux, toute la ville semblait s'être réveillée sous l'effet de la peur à notre arrivée et ne pas avoir d'idée précise d'un lieu de rendez-vous où se regrouper. » Le chaos architectural et géographique auquel il faisait référence avait en grande partie pour origine la vocation minière et industrielle de la cité. Les périodes de construction n'obéissaient pas à une planification mais dépendaient de la richesse en dents de scie de ses habitants.

Ce désordre fait aujourd'hui partie du charme de Newcastle. La cité, dont les rues principales dessinent des trajets erratiques à travers des collines, s'enroule autour d'un port splendide. L'industrie qui reste sa première activité ne nuit pas à sa curieuse beauté. La grand-rue, Hunter Street,

Poste italianisante de Newcastle

conserve des édifices anciens de styles variés, les constructions victoriennes, Courthouse et Court Chambers, une poste inspirée d'une basilique vénitienne et Christ Church, cathédrale néo-gothique.

La moderne **Newcastle Region Art Gallery** expose des œuvres peintes aux XIXᵉ et XXᵉ siècles par des artistes australiens : William Dobell, Arthur Boyd et Brett Whitely.

Sur le front de mer, le Queens Wharf, quai réhabilité dans les années quatre-vingt, ménage de splendides panoramas depuis ses promenades et ses cafés en plein air *(p. 501-502)*. Au sud du port, un phare, le Nobbys

Lighthouse, se dresse au bout d'une longue jetée. La vue qu'il offre du quartier ancien justifie la courte marche pour l'atteindre.

Plus loin s'élève le **Fort Stratchley** construit à la fin du siècle dernier pour repousser une éventuelle attaque des Russes qui convoitaient le charbon de la région. Ses canons ne servirent que pendant la Seconde Guerre mondiale.

De belles plages s'étendent de part et d'autre du port.

🏛 **Newcastle Region Art Gallery**
Angle de Darby St et Laman St
☎ (02) 4929 3263. ☐ mar.-dim. ⬛ ven. saint., 25 déc. ♿
🜲 **Fort Stratchley**
Nobbys Rd. ☎ (02) 4929 2588.
☐ mar.-dim. **Tunnels militaires** ☐ sam. et dim. ⬛ ven. saint, 25 déc. ♿ ⌨

AUX ENVIRONS
À 20 km au sud de Newcastle, le Lake Macquarie, lac salé d'une superficie quatre fois supérieure à celle du Sydney Harbour *(p. 70-99)*, permet de pratiquer de très nombreux sports nautiques. Sur la rive ouest, Wangi Wangi abrite l'ancienne demeure du peintre William Dobell.

FRANCIS GREENWAY, ARCHITECTE BAGNARD

Jusqu'à récemment, les billets australiens de 10 $ étaient les seules coupures du monde à rendre hommage à un faussaire. En effet, ils étaient revêtus du portrait de Francis Greenway, homme condamné en 1814 à purger une peine de quatorze ans au bagne de Sydney pour avoir contrefait un document financier. Parrainé par le gouverneur Lachlan Macquarie qui le nomma architecte des travaux publics en 1816, Greenway dessina plus de quarante édifices dont onze survivent aujourd'hui. Il obtint le pardon du roi en 1819. Mais il mourut dans la pauvreté en 1837 après être tombé en disgrâce.

**Francis Greenway
(1777-1837)**

Le Blue Mountains National Park ❶

Kookaburra

Les « Montagnes bleues » tiennent leur nom de la brume bleutée dégagée par l'évaporation de l'huile des eucalyptus. Elles ont mis plus de 250 millions d'années à se former, le temps que des sédiments s'accumulent puis que l'érosion taille falaises et ravins. Malgré sa faible altitude (1 100 m), ce massif habité par des Aborigènes pendant environ 14 000 ans opposa aux premiers colons européens une barrière infranchissable *(p. 164)*. Aujourd'hui, c'est une zone de villégiature parcourue d'excellents sentiers.

La Cathedral of Fern (cathédrale de fougère évoque par sa luxurian la forêt tropicale.

Mount Wilson
Une couverture de basalte, vestige d'un volcan éteint, donne un sol fertile aux jardins très fréquentés en été.

Le Zig Zag Railway est un train à vapeur circulant entre Sydney et Lithgow.

FLORE ET FAUNE DES BLUE MOUNTAINS

Opossum

Les sentiers du parc national permettent de découvrir de nombreuses espèces de plantes et d'animaux, tel l'oiseau-lyre dont le cri aigu s'entend de loin dans les forêts. La forêt pluviale tempérée abrite des essences caractéristiques comme le sassafras *(doryphora sassafras)* qui produit de minuscules fleurs blanches. Le timide opossum à queue en brosse reste caché la journée et ne sort que la nuit.

MUDGEE

Bells Line Road

Lithgow

Bell

Blackheath

Jenolan Caves Road

Hampton

J E N O L A N
S T A T E
F O R E S T

Jenolan Caves
Neuf grottes ouvertes au public renferment d'étonnantes et superbes concrétions calcaires.

Katoomba, la plus grosse localité proche du parc, offre aux visiteurs un large choix d'hébergements.

Mount Tomah Botanic Garden
Ce jardin réunit des plantes de climat frais du monde entier, dont des rhododendrons de l'Himalaya.

MODE D'EMPLOI

Great Western Hwy. ▮ *Govetts Leap Rd, Blackheath (02) 4787 8877.* ▯ *depuis Sydney.* ♿ ♿
▯ ▮

Wentworth Falls
Des zones de forêt pluviale s'épanouissent le long de cette chute d'eau.

WINDSOR

UNT TOMAH

0 m (3,280 ft)

Springwood •

32

Lawson • • Woodford • Glenbrook •

0   5 km

SYDNEY

Leura
Ce joli village abrite de vieilles demeures comme la Leura Mansion.

LÉGENDE

▬	Route principale
▬	Route secondaire
🏃	Départ de sentier
▮	Informations touristiques
▪▪	Voie ferrée
▲	Camping
🏓	Aire de pique-nique
☆	Point de vue

Three Sisters
Selon une légende aborigène, ces « trois sœurs » sculptées par l'érosion furent emprisonnées là par leur père afin d'être protégées d'un loup-garou.

À la découverte du Blue Mountains Park

Les Blue Mountains culminent à 1 100 m d'altitude et forment une barrière qui rendit longtemps les premiers colons anglais quasiment prisonniers de la région de la Sydney Cove. Beaucoup pensaient que des plaines propices à l'élevage s'étendaient au-delà, mais toutes les tentatives de traversée du massif échouèrent jusqu'à l'expéditon de 1813. Trois fermiers, Gregory Blaxland, William Lawson et William Charles Wentworth, suivirent la crête séparant la Grose River de la Cox River et purent sortir de l'autre côté des montagnes. La construction de routes et d'une voie ferrée fit plus tard des Blue Mountains un lieu de villégiature apprécié. La région conserve d'ailleurs d'élégantes demeures du début du XXᵉ siècle. La création en 1959 du parc national a permis de préserver de vastes espaces restés sauvages.

🏛 Norman Lindsay Gallery and Museum

14 Norman Lindsay Crescent, Faulconbridge. 📞 *(02) 4751 1067.*
⬜ *mer.-lun.* ⬛ *25 déc.* 🈂 ♿

Norman Lindsay, l'un des créateurs les plus reconnus d'Australie, inspira de son vivant de chaudes controverses par l'audace de ses nus et de ses romans. Né en 1879, il acheta en 1913 cette retraite montagnarde où il produisit une œuvre considérable qui reflète le rejet des tabous moraux et sexuels de son époque.

Superbement préservée, sa demeure abrite une riche collection de ses peintures, dessins, sculptures de jardin aux sujets mythologiques ainsi que des livres pour enfants. Une salle entière, appréciée des adultes comme des plus jeunes, est consacrée à son livre *Magic Pudding*. L'exposition comprend aussi une reconstitution de l'intérieur de son atelier. Un paisible jardin entoure la maison.

Leura

ℹ *Echo Point, Katoomba.* 📞 *(02) 4739 6266.*

Ce village sur la Great Western Highway doit son élégance Art déco aux riches citadins qui venaient pour s'y détendre et échapper à la chaleur estivale de Sydney dans les années vingt. Galeries d'art, cafés et boutiques chics bordent sa grand-rue ombragée.

À 6 km de Leura, l'Everglades House, bâtisse aux murs roses, est une joyeuse fantaisie du début du siècle, entourée d'un somptueux jardin. Ses plantes alpestres, son étang agrémenté d'une grotte artificielle, ses massifs de rhododendrons et ses paons en liberté en font un jardin typique des jardins des années trente. D'autres jardins sont ouverts au public tous les mois d'octobre pour le Leura Garden Festival (*p. 36*).

La Cliff Drive qui rejoint Katoomba permet de jouir de larges panoramas de la région. Le belvédère au terme de Sublime Point Road ménage aussi une magnifique vue de la Jamison Valley.

Le téléphérique du Scenic Skyway part de Katoomba

Katoomba

ℹ *Echo Point, Katoomba.* 📞 *(02) 4739 6266.*

Pôle touristique animé des Blue Mountains, Katoomba offre une bonne base pour partir à la découverte de la région. La ville a en partie conservé l'aspect que lui donnèrent les riches Sydneysiders qui vinrent y chercher la fraîcheur à partir des années 1870. À l'instar des imposantes pensions de famille dominant la Jamison Valley, le Paragon Café aux murs couverts de boiseries et de miroirs entretient le souvenir de cette époque élégante.

Il suffit de quelques minutes en voiture pour atteindre les attractions les plus populaires de la région. Echo Point regroupe un grand centre d'information et un belvédère d'où la vue porte jusqu'au Mount Solitary et aux célèbres Three Sisters (*p. 162-163*). Une courte marche permet de rejoindre cette étonnante formation rocheuse. Le Giant Staircase, « escalier géant » taillé dans la pierre, s'enroule autour de sa partie est.

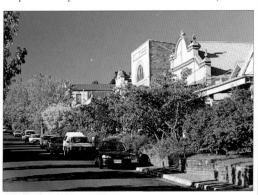

Main Street, la grand-rue de Leura

Au-delà du Giant Staircase s'étend la paisible Leura Forest, riche en espèces végétales et animales de la forêt pluviale tempérée. À l'ouest de la ville, les cabines du Scenic Skyway se succèdent toutes les 10 mn et permettent une promenade en téléphérique à 205 m au-dessus du fond de la vallée. Vous pouvez aussi prendre le Scenic Railway, le train construit vers 1880 pour conduire les mineurs jusqu'aux gisements de la Jamison Valley. Sa voie qui dévale une gorge serait la plus pentue du monde.

Gorge de la Grose Valley près de Blackheath

Blackheath

🛈 *Govetts Leap Rd.* 📞 *(02) 4787 8877.*

Ce petit village offre des conditions de séjour plus calmes que nombre des localités situées plus à l'est. De plus, la qualité de ses restaurants et hôtels incite souvent les visiteurs venus de Sydney à y demeurer une nuit ou deux plutôt que de rentrer en ville le jour même. Le véritable intérêt de cette région demeure néanmoins la possibilité d'explorer les failles et les ravins embrumés de la splendide Grose Valley.

À 3 km de Blackheath sur la Govetts Leap Road, le Heritage Centre constitue le meilleur point de départ. Une exposition illustre l'histoire géologique de la région et celle des Aborigènes et des colons européens. Elle offre aussi un aperçu de la faune et de la flore locales. Des employés du parc vous indiqueront les meilleures marches à faire. Point de départ de plusieurs sentiers, Govetts Leap ménage un large panorama de la Grose Valley.

Un chemin de crête dépasse au sud les Bridal Falls, la plus haute cascade des Blue Mountains, puis traverse des landes. Une excursion de huit heures dans la vallée vous fait découvrir la Blue Gum Forest dominée par les eucalyptus aux troncs bleus et fumants. Le Grand Canyon est une destination réservée aux marcheurs les plus chevronnés. Cette randonnée de cinq heures dans des gorges profondes et des

canyons taillés dans le grès permet d'éclaircir en partie les mystères géologiques des montagnes.

🎋 Jenolan Caves

Jenolan Caves Rd. 📞 *(02) 6359 3311.* ⬜ *t.l.j.* 🔲 🏳️ *une petite partie de l'Orient Cave.*

Les grottes de Jenolan s'ouvrent au sud-ouest du massif montagneux. Après avoir dépassé les vieux hôtels de Mount Victoria, la Great Western Highway bifurque vers le sud à Hartley au cœur de la première région où Blaxland, Lawson et Wentworth développèrent l'élevage à partir de 1815. Puis elle traverse l'escarpement de la Kanimba Valley au sein de splendides paysages.

Concrétions calcaires dans les Jenolan Caves

Découvertes en 1838, les Jenolan Caves sont faciles d'accès. Elles forment un réseau de plus de 300 salles souterraines creusées dans un dépôt sédimentaire vieux de 300 millions d'années. Les neuf grottes ouvertes au public renferment une riche gamme de concrétions calcaires délicatement sculptées ainsi que de nombreux lacs et des cours d'eau, notamment la Styx River.

🌿 Mount Tomah Botanic Gardens

Bells Line of Road. 📞 *(02) 4567 2154.* ⬜ *t.l.j.* 🔲 *25 déc.* 🏳️ 🏳️

On atteint le Mount Tomah par la Bells Line of Road, route moins fréquentée et plus pittoresque que la Great Western Highway.

Le mont tire son nom du mot aborigène signifiant « fougère ». Ses jardins botaniques, qui offrent au nord et au sud des vues à couper le souffle de la Grose Valley, furent créés pour servir d'annexe aux Royal Botanic Gardens de Sydney (*p. 102-103*) et abriter des espèces végétales qui ne peuvent survivre sur la côte. Spécifiques à l'hémisphère Sud, les espèces plus intéressantes évoluèrent dans un monde clos après la séparation de l'Australie du supercontinent du Gondwana (*p. 19*).

Excursion dans la Hunter Valley ❺

L es premiers vignobles destinés à une exploitation commerciale furent plantés sur les rives plates de la Hunter River vers 1830. À l'origine spécialisée dans les vins de liqueur, la région produit aujourd'hui des rouges et des blancs de table de qualité. Elle devient particulièrement animée pendant les vendanges, en février et en mars, mais quelque soixante-dix caves et un bon choix de restaurants et d'hôtels *(p. 469 et 502)* en font une destination touristique populaire toute l'année.

Lakes Folly ③
Max Lake créa ce vignoble dans les années soixante, plantant pour la première fois depuis le début du siècle du cabernet sauvignon.

Rothbury Estate ④
Rêve du chroniqueur œnologique Len Evans, Cask Hall tire aussi sa renommée de ses concerts.

Tyrrell Vineyard ⑤
La famille Tyrrell fabrique du vin depuis 1858. Une aire de dégustation en plein air donne une vue des vignobles.

SINGLETON

MacDonalds Road

⑮

①

②

◄ BROKE

④

Broke Road ②

③

⑤

Pokolbin ⑥

Nukalba •

O'Connors Road

⑦

Mount View Road *Cessno*

⑧

Mountview

Wollombi Road

SYDNEY

Lindemans ⑥
L'une des plus grandes compagnies viticoles d'Australie vinifie dans la Hunter Valley son populaire « Ben Ean ».

McWilliams Mount Pleasant Winery ⑦
Ce domaine dirigé pendant de nombreuses années par un viticulteur légendaire, Phil Ryan, produit le Mount Pleasant Elizabeth Semillon, l'un des meilleurs blancs d'Australie.

Petersons

HUNTER VALLEY

Chardonnay
Vintage 1986

750ML   PRODUCT OF AUSTRALIA   12.5% ALCOVOL

Petersons Winery ⑧
Cette petite cave familiale est connue pour ses expérimentations sur la base de la méthode champenoise.

Rothbury ①
Un petit déjeuner au mousseux et une promenade en montgolfière sont le point de départ luxueux d'une journée de dégustation.

The Hunter Valley Wine Society ②
Ce groupe organise des dégustations dans divers domaines et donne d'excellents conseils aux novices. La région s'illustre surtout dans les crus de shiraz et de sémillon.

0   5 km

Légende

▨ Itinéraire

— Autre route

� Point de vue

Mode d'emploi

Longueur : 60 km. Il est raisonnable de limiter le nombre de visites de caves à trois ou quatre pour discuter avec les viticulteurs. N'oubliez pas les règles strictes du code de la route australien (p. 549).
Point de départ : porte de la Hunter Valley, Cessnock abrite son plus grand centre d'information touristique.
Où faire une pause : en plus des restaurants et aires de pique-nique des domaines viticoles, Pokolbin propose de nombreux cafés, une épicerie et une aire de pique-nique en campagne. Le belvédère du Mount Bright ménage une vue panoramique de la région.

Vue panoramique dans les Barrington Tops

Barrington Tops World Heritage Area ❻

▦ jusqu'à Dungog. ∎ Dungog (02) 4992 2212. ◯ t.l.j.

Au nord de la Hunter Valley s'élève le massif montagneux des Barringtons. À son sommet, le plateau, les « Barrington Tops » qui culmine à 1 550 m d'altitude, est parfois couvert de neige en hiver. Ses pentes boisées, ses gorges, ses falaises et ses cascades en font un paradis pour les randonneurs, les alpinistes, les campeurs et les ornithologues amateurs. Un parc national protège sa forêt d'une superficie de 280 000 ha. Celle-ci est tropicale dans les parties les plus basses mais compte des arbres millénaires en altitude. L'Unesco l'a inscrite au Patrimoine mondial en 1986 (p. 22-23).

Les Sydneysiders viennent passer des week-ends dans les Barrington Tops depuis plus de cent ans, et des sociétés spécialisées proposent des excursions en véhicules tout-terrain, respectueuses de l'environnement. Vous pourrez camper au bord de l'Allyn River, suivre des sentiers de randonnée à Telegherry et Jerusalem Creek et vous baigner dans le bassin creusé dans le rocher de Lady's Well.

Vous atteindrez le plateau le plus facilement par Dungog ou Maitland, *via* Gresford.

Armidale ❼

🏠 22 000. ✈ 🚉 🚌 🚍 ∎ 82 Marsh St (1 800) 627736.

Au cœur des New England Tablelands, Armidale est une ville universitaire culturelle (concerts et pièces de théâtre). La ville est entourée par certains des plus beaux parcs de la région.

Le National Trust a classé à Armidale l'hôtel de ville, le tribunal, la cathédrale anglicane St Peter's et près de trente autres édifices qui témoignent des vagues de colonisation et de construction qui se succédèrent au XIXᵉ siècle. Le Folk Museum évoque aussi cette époque au travers d'objets de la vie quotidienne. Le **New England Regional Art Museum** abrite les collections Howard Hilton et Chandler Coventry qui réunissent de nombreuses œuvres d'artistes australiens tels que Norman Lindsay et Tom Roberts (p. 30).

À l'est d'Armidale, l'**Oxley Wild Rivers National Park,** d'une superficie de 90 ha, renferme la Wollomombi Gorge, l'une des plus longues cascades d'Australie (220 m).

Rouet exposé au Folk Museum d'Armidale

🏛 **New England Regional Art Museum**
Kentucky St 📞 (02) 6772 5255.
◯ t.l.j. ● ven. saint, 25 déc. 🅿 ♿
♣ **Oxley Wild Rivers National Park**
Waterfall Way. 📞 (02) 6773 7211.
◯ t.l.j. ♿ limité.

Torrent dans le Gibraltar Range National Park

Gibraltar Range National Park ❽

Gwydir Hwy. 🔲 *(02) 6732 5133.*
🔲 ♿

Cette réserve naturelle est située à 70 km à l'est de Glen Innes. Elle est réputée pour ses aiguilles rocailleuses s'élevant jusqu'à 1 200 m d'altitude dans un paysage de landes et de marais. C'est en été que le parc est le plus beau quand s'épanouissent des fleurs sauvages comme les waratahs et les clochettes de Noël *(blandfordia grandiflora)*. Le parc renferme de bons sentiers et des sites de camping. Un chemin pédestre de 100 km appartenant au Patrimoine mondial le relie au sauvage Washpool National Park réservé aux marcheurs expérimentés.

Glen Innes et les villages voisins de Glencoe, Ben Lomond et Shannon Vale forment le « Celtic Country » (pays celtique), nommé ainsi car la région fut colonisée en 1852 par des immigrants venus d'Écosse, du pays de Galles, d'Irlande et de Cornwall. Cet héritage est

célébré chaque année par l'Australian Celtic Festival *(p. 38)*. Au-dessus de la ville se dressent des menhirs, les Standing Stones.

L'extraction de gemmes est encore une activité importante dans la région. Les particuliers peuvent aussi tenter leur chance et chercher saphirs, topazes, grenats et béryls près des villages miniers d'Emmaville et Torrington.

Tenterfield ❾

🔲 *33 000.* ✈ 🔲 🚌 🛈 *157 Rouse St (02) 6736 1082.*

Cette ville rurale au nord des New England Tablelands occupe une place particulière dans l'histoire de l'Australie. Elle est souvent décrite comme le « lieu de naissance de notre nation ». C'est en effet à Tenterfield, dans l'édifice abritant l'école d'art, que sir Henry Parkes, grande figure politique du XIXᵉ siècle, prononça le 24 octobre 1889

Plaque célébrant le discours de Parkes

un discours où il décrivait sa vision d'un pays formé par l'union de toutes les colonies du continent. Un mouvement de soutien populaire ouvrit la voie à l'instauration de la fédération australienne le 1ᵉʳ janvier 1901 *(p. 52)*. L'école d'art fut le premier monument acheté par le New South Wales National Trust.

Tenterfield renferme d'autres bâtiments historiques, notamment Stannum House, une sellerie rendue célèbre par la chanson *Tenterfield Saddler*, et le tribunal restauré qu'éclaire une verrière.

Une promenade jusqu'à Bald Rock et Boonoo Boonoo, à environ 40 km au nord de Tenterfield, s'impose également. Plus gros monolithe d'Australie après Uluru *(p. 278-281)*, Bald Rock ménage une belle vue de massifs volcaniques à l'est, du Girraween National Park au nord dans le Queensland et du Mount McKenzie au sud. La cascade des Boonoo Boonoo Falls tombe de 210 m de hauteur dans une gorge où un bassin permet la baignade.

À l'est de Tenterfield dans la Boonoo State Forest, le **Woollool Woolloolni Aboriginal Place,** site sacré du peuple gidabal, est ouvert au public.

🔲 Woollool Woolloolni Aboriginal Place

Par le 157 Rouse St, Tenterfield.
🔲 *(02) 6736 1082.* 🔲 *t.l.j.* ⬛ *ven. saint, 25 déc.* 🔲 *pour la visite guidée.*
♿ *limité.*

École d'art de Tenterfield

Inverell ⑩

🏠 10 000. ✈ 🚌 🚆 ℹ️ *Water Towers Complex, Campbell St (02) 6722 1693.*

La ville, surnommée « Sapphire City » parce que la majorité des saphirs extraits dans le monde sortent des mines alentour, a conservé dans sa rue principale de nombreux édifices de la fin du XIXe siècle. L'**Inverell Pioneer Village** qui réunit des bâtiments de tout le district est une reconstitution.

Juste au sud d'Inverell s'étend le lac artificiel du Copeton Dam. En aval du barrage, la Gwydir River permet de pratiquer le rafting.

🏛 **Inverell Pioneer Village**
Tingha Rd, Inverell. 📞 *(02) 6722 1717.* ⭕ *t.l.j.* ⚫ *ven. saint, 25 déc.*
🅿️ ♿

Tamworth ⑪

🏠 35 000. ✈ 🚌 🚆 🚌 ℹ️ *angle de Murray St et Peel St (02) 67 66 9422.*

Centre agricole prospère au cœur d'une plaine fertile, Tamworth reste surtout connue comme la capitale australienne de la musique country. Elle possède pourtant aussi une histoire vieille de 150 ans, de beaux bâtiments anciens et aurait possédé le premier éclairage de rues électrique.

Chaque année en janvier, des milliers de spectateurs et d'artistes s'y pressent pendant dix jours pour le Country Music Festival qui se conclut par une remise de prix : les Golden Guitar Awards *(p. 37).* Le Tamworth Information Centre est en forme de guitare couchée, la Country Music Gallery of Stars abrite les mannequins en cire des chanteurs de country australienne, le Roll of Renown est dédié aux musiciens ayant apporté une contribution majeure à l'industrie.

Tamworth a pour autre titre de gloire d'être le principal centre d'élevage de chevaux d'Australie. La Quarter Horse Association et l'Appaloosa Association y ont leur siège. Rodéos et concours de saut rythment une saison équestre bien remplie.

Mudgee ⑫

🏠 7 500. 🚌 ℹ️ *84 Market St (02) 6372 5875.*

Superbe ville rurale ancienne, Mudgee abrite de beaux bâtiments et jardins protégés par le National Trust.

Mudgee fut fondée sur les rives de la Cudgedong River par William Lawson qui découvrit ces terres propices à l'élevage en 1821. La ville se développa ensuite selon un plan établi par Robert Hoodle en 1824. Ce plan s'avéra si performant que l'architecte l'appliqua quatorze ans plus tard à la ville de Melbourne *(p. 374-375).* Vous admirerez le Regent Theatre sur Church Street, les églises, banques et édifices publics de Market Street, la gare et le West End Hotel désormais occupé par le Colonial Inn Museum.

Scène pastorale dans la région de Mudgee

La ville doit aussi sa renommée aux domaines viticoles qui l'entourent et au Mudgee Wine Festival organisé en septembre *(p. 36).* La campagne environnante alimente ses restaurants en produits frais de qualité tels qu'écrevisses *(yabbies),* truites, agneaux, pêches et asperges.

AUX ENVIRONS
Pendant les années 1850 et 1860, l'or découvert au sud de Mudgee attira dans la région des milliers de prospecteurs *(p. 50-51).* Les bourgs de Hill End, Hargraves, Windeyer et Sofala ont compté chacun avant de devenir des villes fantômes une fois les filons épuisés. Hill End, le plus célèbre, est devenu un Living Historic Site. Les ruisseaux de Windeyer continuèrent de charrier de l'or alluvial jusque vers 1930. Aujourd'hui, la recherche de pépites est une activité touristique appréciée.

L'un des écrivains les plus réputés d'Australie, William Lawson, passa son enfance à Gulgong, pittoresque village de la ruée vers l'or qui figura sur les premiers billets de 10 $. Le **Henry Lawson Centre** abrite une riche collection de disques, manuscrits et documents appartenant à l'écrivain.

🏛 **Henry Lawson Centre**
147 Mayne St, Gulgong. 📞 *(02) 6374 2049.* ⭕ *t.l.j.* ⚫ *ven. saint, 25 déc.* 🅿️

Immense guitare dorée devant le Tamworth Information Centre

La côte nord de la Nouvelle-Galles du Sud

Le littoral pacifique de la Nouvelle-Galles du Sud, au nord de Sydney, doit sa réputation à sa beauté naturelle, à la douceur de son climat et à la qualité de ses stations balnéaires. L'une des plus agréables, Byron Bay, entourée de superbes plages, se trouve à la pointe la plus à l'est du continent. Dans une région où poussent canne à sucre et bananes, la forêt pluviale, protégée par plusieurs parcs et réserves, vient franger de longues bandes de sable propres et isolées.

Red Cliff Beach ④

C'est l'une des nombreuses plages isolées du littoral. Elle borde le splendide Yuraygir National Park.

Moonee Beach ⑤

À l'embouchure d'un ruisseau sinuant à travers le *bush,* Moonee Beach se prête bien à la baignade, au pique-nique et au camping.

Coffs Harbour est l'une des grandes destinations touristiques de la Nouvelle-Galles du Sud. La ville bénéficie d'un port agréable, de belles plages et d'un large éventail de prestations.

Urunga ⑥

Deux cours d'eau, le Bellingen et le Kalang, arrosent cette pittoresque station balnéaire, dont les eaux sûres sont très appréciées des familles.

Arakoon ⑨

Ce promontoire fait partie d'une aire de loisirs. Non loin se dresse la Trial Bay Gaol, une prison modèle du XIXe siècle où des prisonniers de guerre de diverses nationalités furent détenus pendant la Première Guerre mondiale.

Third Headland Beach ⑦

Comme sa voisine, Hungry Head Beach située 5 km plus au nord, cette plage battue par les vagues séduit les adeptes du surf.

Grafton est une élégante ville rurale du XIXe siècle où les rives de la Clarence permettent de belles promenades. En octobre, un festival (p. 37) célèbre les jacarandas qui poussent en abondance.

★ Crowdy Bay ⑫

Un parc national protège les lagunes, forêts et marais de la baie peuplée par une riche faune indigène. La pêche à la ligne reste cependant autorisée.

•Taree

NEWCAS
SYDNEY

Mount Warning
National Park
BRISBANE
• Murwillumbah

Border
Ranges
National
Park

Lismore
• Ballina

0   20 km

★ Tallows Beach ①

Il existe de
nombreuses plages
près de Byron Bay,
la ville la plus à l'est
d'Australie. La
région jouit d'une
atmosphère détendue
et cosmopolite.

CARTE DE SITUATION

★ Woody Bay Beach ②

Randonneurs et campeurs
affectionnent cette région
proche d'Iluka où s'étend
la plus grande forêt pluviale
de Nouvelle-Galles du Sud.

Maclean

Yuraygir
National Park

★ Yamba ③

Ses belles plages
valent à ce village du
XIXᵉ siècle une
popularité croissante.
La pêche demeure
cependant une activité
importante pour les
professionnels comme
pour les amateurs.

Coffs Harbour

★ Nambucca Heads ⑧

Des kilomètres de plages de
sable frangent cette partie du
littoral. La station balnéaire fait
aussi fonction de ville d'étape
entre Sydney et Brisbane.

Mer de Corail

Macksville

★ Crescent Head ⑩

Proche d'une agréable réserve
naturelle, cette petite station
possède une plage abritée, idéale
pour se baigner et une autre, plus
exposée, pour les adeptes du surf.

Hat Head
National Park

*Le **Mount Warning** est un
volcan éteint. Sa dernière
éruption eut lieu il y a 20 millions
d'années. Depuis le parking, un
sentier abrupt conduit au
sommet, à 1 150 m d'altitude.*

uchope

★ Port Macquarie ⑪

Colonie pénitentiaire fondée
en 1821, Port Macquarie est
devenue depuis les années
soixante-dix une station
balnéaire en vogue.

LÉGENDE

Highway

Route principale

Route secondaire

Cours d'eau

Point de vue

À l'ouest du Divide

L'ouest de la Nouvelle-Galles du Sud, typique de l'Outback australien, offre un contraste frappant avec les paysages verts des Blue Mountains et le bleu de l'océan. Ses terres arides et écrasées de soleil sont ponctuées de quelques localités minières et de centres agricoles comme Dubbo et Wagga Wagga. Seuls les touristes les plus déterminés se risquent « Back o'Bourke » (après Bourke), une expression devenue synonyme pour les Australiens de « loin de tout ». Il n'existe en effet plus de routes goudronnées et il vaut mieux tenter l'aventure en plein été.

CARTE DE SITUATION

▨ *À l'ouest du Divide*

☐ *Blue Mountains*
p. 156-171

LA RÉGION D'UN COUP D'ŒIL

Bourke ⓙ
Broken Hill ⓰
Dubbo ⓭
Lightning Ridge ⓮
Wagga Wagga ⓲
Willandra National Park ⓱

LÉGENDE

▬ Highway

▭ Route principale

〰 Cours d'eau

0   200 km

Dubbo ⓭

🏃 28 000. ✕ 🚉 🚌 ⛴ 🛈 *angle d'Erskine St et Macquarie St (02) 6884 1422.*

La capitale régionale de la Nouvelle-Galles du Sud occidentale occupe le centre géographique de l'État. La région arrosée par la Macquarie River bénéficie d'un potentiel agricole qui fut remarqué dès 1817 par l'explorateur John Oxley. Dubbo est devenue depuis une ville rurale dynamique dont le bassin de culture et d'élevage fournit chaque année une production de 45 millions de dollars.

Dubbo conserve aussi d'intéressants édifices coloniaux, dont le Dubbo Museum (1876) aux plafonds ouvragés, le tribunal (1890) italianisant et les Macquarie Chambers (1884) ornées de colonnes toscanes et de carreaux en terre cuite. Dans l'ancienne prison, la **Dubbo Gaol,** les visiteurs peuvent écouter la tragique histoire de Jacky Underwood, un Aborigène pendu à la suite du massacre des Breelong Blacks qui coûta en 1900 la vie à onze colons blancs. Un magistrat, Rolf Boldrewood, s'inspira de détenus pour créer les personnages d'un roman devenu un classique : *Robbery Under Arms.* À 5 km du centre, le **Western**

Rhinocéros du Western Plains Zoo

Plains Zoo s'efforce de préserver des espèces menacées. Les visiteurs peuvent y voir plus de 800 animaux vivant en liberté.

🎪 **Dubbo Gaol**
Macquarie St 📞 (02) 6882 8122. ◯ t.l.j. ● ven. saint, 25 déc. ▨
🐾 **Western Plains Zoo**
Obley Rd. 📞 (02) 6882 5888.
◯ t.l.j. ▨ ♿

Lightning Ridge ⓮

🏃 1 500. ✕ 🚌 🛈 *Morilla St (02) 6829 1466.*

Le village accueille volontiers les visiteurs, ce qui est inhabituel pour une communauté minière. Il s'est développé au seul endroit d'Australie où se trouve l'opale noire, rare gemme sombre striée de rouge, de bleu et de vert. Des amateurs de pierres précieuses du monde entier viennent tenter leur chance sur les champs opalifères.

Bourke ⑮

🚶 3 400. ✈ 🚌 🚆 ℹ 24 Anson St (02) 6872 2280.

Situé sur la Darling River, élément du plus vaste réseau fluvial d'Australie, ce petit bourg qui fut un des pôles de l'industrie lainière mondiale produit encore 55 000 balles par an.

Des bâtiments coloniaux et les vieux barrage, quai, écluse et pont à bascule rappellent cet âge d'or et l'époque où des vapeurs à aube transportaient les marchandises jusque dans le Victoria *(p. 420)*. Son cimetière abrite, à côté de hors-la-loi et de pionniers, des chameliers afghans. Ces derniers conduisirent des dromadaires jusqu'en Australie au XIXᵉ siècle.

Broken Hill ⑯

🚶 23 500. ✈ 🚌 🚆 ℹ angle de Blende St et Bromide St (08) 8087 6077.

Au bord des déserts de l'Australie intérieure, la capitale officieuse de l'Outback de la Nouvelle-Galles du Sud fut fondée en 1883 après la découverte de vastes dépôts de zinc, de plomb et d'argent qui formaient une « ligne de gisement » longue de 7 km. Ils assurèrent la fortune de la Broken Hill Pty Ltd (BHP), l'une des plus importantes compagnies du pays. Bien que l'activité minière diminue à Broken Hill, elle continue de marquer la ville. Les rues portent des noms de métaux

et Broken Hill compte un nombre impressionnant de pubs par habitant.

Curieusement, Broken Hill renferme également plus de vingt galeries exposant les œuvres d'artistes du désert. Elle est aussi la base du Royal Flying Doctor Service *(p. 249)*.

Au nord-ouest de Broken Hill, la ville fantôme de Silverton, rendue un temps prospère par des mines d'argent, a servi de décor à des films comme *Mad Max* et *Priscilla, reine du désert*.

Willandra National Park ⑰

ℹ Hilston Mossgiel Rd (02) 6967 8159. ⬜ t.l.j. ⬤ par temps humide. 📷 ♿ jusqu'à la demeure.

Il y a un peu moins de 20 000 ans, la Willandra Creek alimentait des marécages d'au moins 1 000 km² avant de se jeter dans la Lachlan River. Aujourd'hui, ce n'est

LES SITES ARCHÉOLOGIQUES DE MUNGO

Inscrit en 1981 au Patrimone mondial *(p. 22-23)*, le Lake Mungo fut pendant 40 000 ans un lac de 15 m de profondeur autour duquel vivaient des Aborigènes. Lorsqu'il s'assécha, le vent créa sur sa rive orientale de hautes dunes appelées Walls of China (murailles de Chine). On y a retrouvé des vestiges dont certains vieux de 45 000 ans, en particulier un squelette connu sous le nom d'homme de Mungo.

Les Walls of China

plus qu'un ruisseau et les Willandra Lakes se sont asséchés. Le Willandra National Park offre un aperçu de son passé. Les marais temporaires créés par les pluies de printemps assurent un sanctuaire à des oiseaux aquatiques et des émeus.

Wagga Wagga ⑱

🚶 58 000. ✈ 🚌 🚆 🚌 ℹ Tarcutta St (02) 6923 5402.

Baptisée par ses premiers habitants, le peuple widadjuri, « endroit aux nombreux corbeaux », Wagga Wagga, fière de ses vins et des jardins qui lui ont valu le titre de « cité-jardin du sud », est devenue le pôle moderne d'une région agricole.

Allez visiter ses vastes Botanic Gardens et le Wagga Historical Museum. Le sentier Wiradjuri permet une agréable promenade sur les rives de la Murrumbidgee River.

AUX ENVIRONS
Immortalisée par une ballade très populaire, *Along the Road to Gundagai,* la paisible petite ville de Gundagai se niche au bord de la Murrumbidgee River au pied du Mount Parnassus. Des circonstances plus tragiques ont fait entrer la ville dans l'histoire de l'Australie : en 1852, une inondation, la plus grave catastrophe naturelle qu'ait connue le pays, causa la mort de 83 personnes.

Pub historique de la ville fantôme de Silverton

LA SOUTH COAST ET LES SNOWY MOUNTAINS

Bien qu'il soit traversé par la route la plus empruntée d'Australie, le sud de la Nouvelle-Galles du Sud reste une des plus jolies régions du pays. Les paysages alpestres des Snowy Mountains, les plages, les villages du Southern Highland et les villes agricoles des plaines de la Murray et de la Murrumbidgee dessinent une région variée.

Depuis que des colons européens réussirent pour la première fois à franchir les Blue Mountains en 1813 *(p. 164)*, les plaines méridionales de la Nouvelle-Galles du Sud, autour de Goulburn, Yass et Albury, ont été cultivées avec succès. À l'est cependant, les Snowy Mountains et l'escarpement abrupt qui court le long des superbes South Coast et Sapphire Coast, de Wollongong à la frontière du Victoria, restent encore partiellement sauvages. De plus, plusieurs parcs nationaux protègent leurs beautés naturelles.

En été, les Snowy Mountains semblent offrir à l'infini prairies tapissées de fleurs sauvages, gorges profondes et torrents dévalant en cascades. En hiver, la neige qui leur a valu leur nom de « Montagnes enneigées » transforme ce paradis de randonneur en terrain de jeu pour skieurs de piste et de fond.

La région conserve aussi des témoignages de tribus aborigènes, chercheurs d'or et éleveurs de bétail. Dans les années cinquante et soixante, des milliers d'immigrants européens vinrent travailler au Snowy Mountains Scheme, le détournement et le barrage de plusieurs cours d'eau pour fournir en électricité tout le sud-est du continent. Ils ouvrirent la voie à l'Australie multiculturelle d'aujourd'hui.

Le sud de la Nouvelle-Galles du Sud n'offre pas aux visiteurs que des paysages, la civilisation ne se trouvant jamais très loin de cette nature généreuse. Il existe d'excellents restaurants et hôtels sur le littoral. La ville industrielle de Wollongong abrite une riche galerie d'art et un grand temple bouddhiste. Les gracieux villages des Southern Highlands ont gardé leur cachet historique.

Paysage d'automne dans les Snowy Mountains

◁ **Rochers rouges et eau bleue de la Sapphire Coast à Merimbula Wharf**

À la découverte de la South Coast et des Snowy Mountains

L e Great Dividing Range qui court des Blue Mountains *(p. 162-165)* aux Snowy Mountains et se poursuit jusque dans le Victoria partage la région en trois. À l'est, sur le littoral, de superbes plages se succèdent sur 500 km, de Wollongong, au nord, à Eden, au sud. À l'ouest de la côte s'élève une ligne de reliefs qui comprend les Southern Highlands, le Mount Kosciuszko et les Snowy Mountains. Au-delà des montagnes s'étendent les plaines agricoles arrosées par la Murrumbidgee River.

Cascade du Morton-Budawang National Park

Anse du Ben Boyd National Park à la pointe méridionale de la Nouvelle-Galles du Sud

CIRCULER

En voiture, la Hume Hwy offre un bon accès aux Southern Highlands et aux villes de l'ouest, tandis que la Princes Hwy relie par la côte Sydney à la frontière du Victoria en passant par Wollongong et les plages du sud. Depuis Canberra, la Monaro Hwy est la meilleure route pour rejoindre les Snowy Mountains. Celles-ci sont traversées par la Snowy Mountain Hwy entre Bega, à l'est, et Gundagai et Tumut, à l'ouest. Certains des trains circulant entre Sydney et Canberra s'arrêtent dans les villes des Southern Highlands et de la Hume Hwy. Des bus desservent les stations côtières depuis Sydney et Melbourne.

VOIR

• *Hébergement* p. 470-471

• *Restaurants* p. 502-503

Dub

Ge

QUEANBEYA

KOSCIUSZKO
NATIONAL
PARK

Tantangara Reservoir

KIANDRA

Lake Eucumbene

Lake Jindabyne

6
COOMA ET LES SNOWY MOUNTAINS

JINDABYNE

THREDBO VILLAGE

Bombala River

Snowy River

BOMBALA

0   25 km

LA RÉGION
D'UN COUP D'ŒIL

Cooma et les Snowy
  Mountains **6**

Goulburn **4**

Morton-Budawang National
  Park **5**

Royal National Park **1**

Southern Highlands **3**

Wollongong **2**

LÉGENDE

▨	*Highway*
▬	Route principale
▧	Route secondaire
▬	Parcours pittoresque
⌇	Cours d'eau
⋇	Point de vue

Après une chute de neige près de Thredbo Village

Édifice du XIXᵉ siècle à Cooma

Royal National Park ❶

🚆 Loftus, puis tram jusqu'à Audley.
🚌 Sutherland. 🚏 Sutherland.
🚢 Bundeena. ℹ️ Farnell Ave, Audley
(02) 9542 0648.

Fondé en 1879, le « Royal » est le plus ancien parc national du monde après Yellowstone aux États-Unis. Il protège 16 000 ha de paysages spectaculaires, cadre idéal pour la randonnée et la baignade.

À l'est, les vagues du Pacifique ont taillé sur le littoral gréseux des falaises ponctuées de torrents, de cascades, de lagunes et de plages de sable. Pyrargues et sternes nichent dans les grottes des Curracurrang Rocks où un bassin permet de nager. Sur le plateau, végétations de lande et de forêt se mêlent sur les pentes les plus hautes, tandis que la forêt pluviale prospère dans les gorges.

Wollongong ❷

🏙️ 184 000. ✈️ 🚆 🚌 🚢
ℹ️ 93 Crown St (02) 4227 5545.

La troisième ville de l'État s'étend sur le littoral au pied du Mount Kembla et du Mount Kiera. Elle s'est développée grâce à la métallurgie et aux mines de charbon de la région. L'usine sidérurgique de BHP, à Port Kembla, reste un important employeur. Wollongong attire de plus en plus de visiteurs qui viennent profiter de ses dix-sept plages de surf, dont Northbeach, la plus célèbre. Avec son phare, son port et ses restaurants de poisson, Flagstaff Point est aussi à la mode.

La cité possède en outre la plus grande galerie d'art régionale d'Australie, riche d'une remarquable collection de peintures et de sculptures du XXᵉ siècle. Édifié pour la communauté chinoise de Sydney, le Nan Tien Temple est le plus grand sanctuaire bouddhiste de l'hémisphère Sud.

Statue du Nan Tien Temple

Les Southern Highlands ❸

🚆 Bowral, Moss Vale, Berrima, Bundanoon. ℹ️ 62-72 Hume Hwy, Mittagong (02) 4871 2888. ⏰ t.l.j.

Villages pittoresques, hôtels de campagne, fermes de pionniers et superbes jardins agrémentent les paysages verdoyants des « hautes terres du sud », une région que les Sydneysiders aisés apprécient l'été depuis plus de cent ans. Des villages comme Bowral, Moss Vale, Berrima et Bundanoon constituent en hiver des refuges paisibles où l'on peut flâner dans les boutiques d'antiquités, se restaurer de solides soupes, bavarder au coin du feu et se promener à pied ou en voiture dans la campagne.

Les jardins de la région se parent de couleurs vives au printemps et à l'automne. À Bowral, le Tulip Festival (p. 36) se tient en octobre aux Corbett Gardens. Le bourg abrite aussi le **Bradman Museum** consacré au héros local : le joueur de cricket sir Donald Bradman. Celui-ci aurait manifesté son talent dès l'enfance en s'entraînant avec un morceau de bois et une balle de golf contre un réservoir d'eau.

Une visite à Berrima donne l'impression de remonter dans le temps. Ce village typique de l'Australie des années 1830 est particulièrement bien conservé, et magasins d'antiquités et d'artisanat y abondent.

Le Mount Gibraltar, les Carrington Falls, la majestueuse Kangaroo Valley et les magnifiques Fitzroy Falls, à la pointe nord du Morton-Budawang National Park, offrent d'agréables promenades à pied. À l'ouest

Bateaux de pêche amarrés au Wollongong Harbour

La montagne du Pigeonnier du Morton-Budawang National Park

de Mittagong, les cinq grottes des Wombeyan Caves forment une impressionnante cathédrale souterraine.

🏛 **Bradman Museum**
St Jude St, Bowral. 📞 *(02) 4862 1247.* 🕙 *10 h-16 h, t.l.j.* 📷 ♿

Maison en grès de Goulburn

Goulburn ❹

👥 *21 500.* 🚉 🚌 🚍 ℹ️ *6 Montague St (02) 4821 5343.*

Au cœur des Southern Tablelands, un immense mouton de béton creux, le Big Merino, témoigne à Goulburn de la vocation pastorale de la région. La production de laine a assuré à la ville et à son district une prospérité que reflètent des édifices du XIXᵉ siècle tels que le tribunal, la poste et la gare.

AUX ENVIRONS
Le village de **Yass** est réputé pour la qualité de sa laine et ses vins de climat frais. On peut y visiter l'historique Cooma Cottage qui servit de résidence à l'explorateur australien Hamilton Hume entre 1839 et 1873. Il appartient aujourd'hui au National Trust.

Morton-Budawang National Park ❺

🚉 *Bundanoon.* 🚌 *Fitzroy Falls.* ℹ️ *Fitzroy Falls (02) 4887 7270.*

Cette réserve naturelle longue de 200 km s'étend parallèlement au littoral de la Bateman's Bay à Nowra. Au nord, on peut admirer la cascade des Fitzroy Falls. À Bundanoon, vous découvrirez une splendide région gréseuse. Au sud, le Little Forest Plateau et la Pigeon House Mountain ménagent de belles vues de la côte et du Budawang Range.

Cooma et les Snowy Mountains ❻

👥 *8 000.* ✈️ 🚌 🚍 ℹ️ *119 Sharp St (02) 6450 1742.*

Aux portes des Snowy Mountains, la petite ville rurale de Cooma connut sa période la plus animée pendant la construction du Snowy Mountains Scheme *(p. 175).* Elle servait alors de lieu de détente aux milliers d'immigrants qui travaillaient dans les montagnes à l'édification des conduites forcées et des barrages. De cette époque survivent des récits de fusillades dans la rue principale et d'histoires d'amour interraciales.

Village moderne bâti au bord du lac artificiel qui engloutit son prédécesseur, Jindabyne abrite le bureau d'information du Kosciuszko National Park et une myriade de magasins de skis. Les visiteurs y apprécient un large choix d'hébergements et d'activités nocturnes. Les deux principales stations de sports d'hiver sont Thredbo Village, sur l'Alpine Way, et Perisher Blue, dont le domaine skiable est relié à ceux de Lake Crackenback et Blue Cow. Depuis Thredbo, un télésiège permet en été d'aller se promener parmi les fleurs sauvages et les gommiers des neiges ou de rejoindre, au prix d'une marche de 7 km, le sommet du Mount Kosciuszko, la plus haute montagne d'Australie *(p. 152).*

Une autre randonnée recommandée conduit du Dead Horse Gap au Blue Lake et aux Cascades. Des pêcheurs à la mouche fréquentent le Lake Eucumbene, la Thredbo River et l'Eucumbene River.

AUX ENVIRONS
Non loin de la station de ski de Mount Selwyn et des belles grottes des Yarrangobilly Caves, le village-fantôme de **Kiandra** permet de plonger dans l'époque de la ruée vers l'or en suivant un itinéraire historique fléché.

Jindabyne est un lieu de villégiature dans les Snowy Mountains

La South Coast

De Nowra jusqu'à la frontière du Victoria, plages de sable blanc, criques rocheuses et aires plantées d'eucalyptus et de mimosas où nichent de nombreux oiseaux se succèdent sur la côte méridionale de la Nouvelle-Galles du Sud. Sites aborigènes et villages de pêcheurs jalonnent également ce littoral dont les 400 km se divisent en trois zones distinctes : la Shoalhaven Coast au nord, l'Eurobodalla (« terre de nombreuses eaux ») Coast au centre et la Sapphire Coast tout au sud.

Harpon du Whale Museum

Ulladulla *est un petit village de pêcheurs au pied de la Pigeon House Mountain du Morton-Budawang National Park. Une promenade dans le* bush *ménage des vues du littoral.à couper le souffle.*

Central Tilba, *charmant village historique, s'accroche au flanc du Mount Dromedary haut de 800 m. Ses bâtiments en planches abritent aujourd'hui certains des meilleurs cafés et galeries d'art et d'artisanat de la région. La fromagerie et les caves viticoles qui ont assis sa réputation sont ouvertes au public.*

★ **Horseshoe Bay Beach, Bermagui** ⑦
🏖 🎣
L'écrivain Zane Grey rendit célèbre ce village de pêcheurs avec ses récits de pêche au marlin.

★ **Merimbula Beach** ⑩
🏖 🎣
Le centre touristique de la Sapphire Coast est réputé pour ses huîtres, la pêche en haute mer et ses plages de sable blanc.

★ **Eden** ⑪
🏖 🎣 🅰
Cette ancienne ville baleinière sur la profonde Twofold Bay est le point de départ, au printemps, de croisières d'observation de baleines. Eden vit aussi de la pêche au thon et de l'exploitation forestière.

Nowra, *pôle urbain de la Shoalhaven Coast, porte un nom qui signifie « cacatoès noir » dans le langage aborigène local. Non loin, les stations balnéaires de Culburra et Shoalhaven Heads bordent le Seven Miles Beach National Park.*

Moruy
Boda
Cen Ti
Bega
9
10
11
12
ORBOST

0   25 km

★ Shoalhaven Heads ①
Cette station balnéaire est située à l'embouchure de la Shoalhaven River sur laquelle les amateurs pratiquent la voile et la planche à voile. Elle se trouve au cœur d'une région de villégiature.

CARTE DE SITUATION

★ Jervis Bay ②
C'est l'un des plus beaux ports naturels d'Australie, connu pour ses bases navales, un parc national, les villages de Husskinson et de Vincentia, son sable blanc et des eaux parmi les plus limpides du monde.

Wreck Bay ③
Cette partie du Jervis National Park est riche en histoire aborigène ; un centre culturel propose des promenades guidées. Non loin, Cave Beach, qui bénéficie d'une situation isolée, est une des plages les plus populaires de la région.

Lake Conjola ④
Le lac Conjola situé à 10 km au nord d'Uladulla fait partie des nombreux lacs de la région qui permettent la pratique du canoë.

Batemans Bay ⑥
L'embouchure de la Clyde River marque ici le début de l'Eurobodalla Coast ponctuée de rivières, de lacs et de plages paisibles appréciées des habitants de Canberra.

Mimosa Rocks ⑧
Ce parc côtier tout proche de la route offre de splendides promenades à pied et des plages de rêve. Familles et pêcheurs apprécient ses sites de camping isolés et dotés d'un équipement minimal.

Tathra Beach ⑨
Ce petit village de pêcheurs possède un musée maritime installé sur un quai dans un bâtiment vieux de 150 ans.

Ben Boyd National Park ⑫
Ce parc renferme campings, sentiers pédestres et belles plages dans une région où la forêt pluviale tempérée commence à prendre le dessùs. Le Mount Imlay ménage de superbes vues.

LÉGENDE

▬▬	*Highway*
▬▬	Route principale
▬▬	Route secondaire
∼	Cours d'eau
☆	Point de vue

★ Pebbly Beach ⑤
Cette plage du Murramang National Park est célèbre pour ses kangourous qui s'aventurent parfois dans l'eau au crépuscule et à l'aube. Certains se laissent même glisser sur les vagues.

CANBERRA ET LE TERRITOIRE DE LA CAPITALE AUSTRALIENNE

*A*u sein d'un territoire administrativement autonome à l'intérieur de la Nouvelle-Galles du Sud, la capitale de la fédération australienne fut fondée en 1908 pour mettre un terme à la rivalité entre Sydney et Melbourne. Elle obéit à un plan d'urbanisme qui l'intègre parfaitement à la campagne environnante.

Le site choisi pour la construction de la capitale de l'Australie devait impérativement se situer à l'intérieur des terres, et non sur le littoral comme les autres grandes cités du continent. La capitale devait également s'établir à peu près à mi-distance entre Sydney et Melbourne. Sur un terrain qui servait de pâturage aux moutons au bord de la Molonglo River, l'architecte américain Walter Burley Griffin, sélectionné après un concours international, planifia une cité-jardin basse et verdoyante dont les principaux édifices s'organisent autour d'un grand lac artificiel.

Canberra, dont le nom s'inspire d'un terme aborigène signifiant « lieu de rencontre », est une ville sans gratte-ciel, dont les bâtiments s'intègrent aux espaces verts. Elle possède ainsi un charme rural étrange pour une capitale et se prête à merveille aux promenades au bord de l'eau, aux excursions dans le *bush* et aux pique-niques.

Centre politique et administratif du pays, Canberra abrite d'importantes institutions comme le Parlement, la High Court of Australia et l'Australian National University, mais compte moins de 500 000 habitants. Outre ses monuments, tels l'Australian War Memorial et la National Gallery, et les trésors qu'ils renferment, elle offre aux visiteurs des plaisirs discrets comme les élégants cafés de Manuka, d'excellents vins locaux et des restaurants sophistiqués. Au printemps, la Floriade couvre la rive nord du lac de couleurs éclatantes. Le mois d'avril donne lieu à un étonnant et spectaculaire rassemblement de montgolfières.

Aux alentours, kangourous, wallabies, émeus, koalas et ornithorynques peuplent la Tidbinbilla Nature Reserve. Vous pourrez voguer sur la Murrumbidgee River en canoë ou camper dans le Namadgi National Park et partir à la découverte des sites aborigènes ou à la pêche à la truite.

Montgolfières au-dessus du Lake Burley Griffin près de la National Library of Australia

◁ **L'imposant Parliament House à Canberra**

À la découverte de Canberra et de l'ACT

L e centre de Canberra s'est établi autour du Lake Burley Griffin qu'encadrent quatre collines : la Black Mountain et le Mount Ainslie au nord, le Capital Hill et le Red Hill au sud. On atteint la plupart des principaux sites à pied depuis le lac mais les banlieues nord abritent d'autres lieux intéressants. Au sud s'étendent les espaces naturels préservés du Namadgi National Park.

Canberra vue du Mount Ainslie

LES SITES D'UN COUP D'ŒIL

Rues et bâtiments historiques
Australian War Memorial
  p. 192-193 ⑧
Civic Square ⑦
Cockington Green ⑭
Government House ③
Mount Stromlo Observatory ⑮
Royal Australian Mint ②
Telstra Tower ⑩
Yarralumla ⑤

Parcs et jardins
Australian National Botanic
  Gardens ⑨
Namadgi National Park p. 199 ⑲
Red Hill ①

Architecture moderne
Parliament House p. 190-191 ④

• Musées et galerie
Australian Institute of Sport ⑬
Canberra Space Centre ⑰
National Gallery of Australia p. 194-195 ⑥
National Museum of Australia ⑪

**Aquarium
et réserve naturelle**
National Aquarium Australian
  Wildlife Sanctuary ⑫
Tidbinbilla Nature Reserve ⑱

Cours d'eau
Murrumbidgee River ⑯

0   1 km

VOIR AUSSI

• *Hébergement* p. 471-472

• *Restaurants* p. 503-505

CIRCULER

Beaucoup de sites entourent le Lake Burley Griffin ; on peut les visiter à pied ou en prenant les bus rouges du Canberra Explorer. La disposition du centre-ville peut rendre la conduite difficile mais une voiture est nécessaire pour découvrir la périphérie. Les lieux à visiter dans la région de l'ACT se trouvent presque tous à moins d'une demi-heure de route de Canberra.

CARTE DE SITUATION

LÉGENDE

Plan pas à pas *p. 186-187*

Gare routière

P Parc de stationnement

Informations touristiques

④ Ligne du Metroad (urbain)

Highway

Route principale

Route secondaire

Frontière du territoire

TERRITOIRE DE LA CAPITALE AUSTRALIENNE

Le Parliamentary Triangle

Les plus importants monuments et édifices nationaux de Canberra se trouvent près du Lake Burley Griffin à l'intérieur du Triangle parlementaire. Ce quartier a pour principal sommet le Parliament House couronnant le Capital Hill. Deux grandes artères, la Commonwealth Avenue et la Kings Avenue, en partent pour former deux côtés du triangle que la Parkes Way ferme de l'autre côté du lac. Perpendiculaire à cette base, l'Anzac Avenue conduit à l'Australian War Memorial et accentue la symétrie du plan général de cette partie de la ville qui fut conçue par Burley Griffin.

★ **Le Parliament House**
Achevé en 1988, c'est l'un des plus ambitieux parlements du monde ❹

Capital Hill

Questacon propose des centaines d'installations interactives initiant à la science et la technologie.

Kings Avenue

★ **La National Gallery of Australia**
Cette vaste galerie d'art possède une remarquable collection d'art australien et aborigène, ainsi que des œuvres européennes ❻

Old Parliament House
Construit en 1927, le premier Parlement de la capitale fédérale resta le centre de la vie politique du pays pendant 60 ans et abrite un musée.

La High Court of Australia défend et interprète la Constitution.

Blundells Cottage
Cette ferme typique des exploitations agricoles isolées de l'époque coloniale date de 1858.

À NE PAS MANQUER

★ **L'Australian War Memorial**

★ **La National Gallery of Australia**

★ **Le Parliament House**

Lake Burley Griffin
La création, en 1963, de ce lac artificiel sur la Molonglo River donna tout son sens au plan de la ville conçu par Walter Burley Griffin.

CARTE DE SITUATION

La National Library (Bibliothèque nationale) possède le journal du capitaine Cook.

Commonwealth Avenue

Le Captain Cook Memorial Jet propulse depuis le milieu du lac une colonne d'eau à 140 m de hauteur.

Le Commonwealth Park accueille en septembre et en octobre les floralies de printemps appelées Floriade *(p. 36)*.

Parkes Way

St John the Baptist Church et son école, édifiées en 1844, sont deux des plus vieux bâtiments de Canberra.

★ **L'Australian War Memorial**
Ce monument aux victimes de guerre australiennes est aussi un remarquable musée ⑧

L'Australian-American Memorial, don des États-Unis, célèbre l'alliance dans le Pacifique pendant la Seconde Guerre mondiale *(p. 53-54)*.

Anzac Parade
Neuf mémoriaux rappellent les efforts de guerre de l'Australie pendant le XXᵉ siècle.

0   500 m

À la découverte du Parliamentary Triangle

Canberra peut à première vue paraître froide avec son lac flanqué de monuments imposants. Mais les édifices éclectiques du Triangle parlementaire sont en fait des créations architecturales très intéressantes. La ville comprend également de nombreuses œuvres d'art et de riches témoignages historiques, propices à des promenades culturelles. Les jardins du bord du Lake Burley Griffin, parcourus de pistes cyclables et agrémentés de sculptures, offrent un cadre plaisant à un pique-nique ou à une balade. L'exploration de la totalité du Parliamentary Triangle remplit un à deux jours et se révèle plus aisée si l'on procède en deux étapes : le nord puis le sud du lac.

⊞ Old Parliament House

King George Terrace, Parkes. ☎ (02) 6270 8222. ◯ t.l.j. ● 25 déc.
♻ ⚹

Le Parlement australien qui siégeait à Melbourne emménagea dans ce vaste bâtiment néo-classique en 1927 et ne le quitta qu'en 1988 après l'achèvement du nouveau Parliament House (p. 190-191).

L'ancien Parlement fut le témoin de nombreux événements historiques : la déclaration de guerre de l'Australie en 1939 ; l'annonce du bombardement par les Japonais de la côte nord en 1942 ; la disparition, probablement pour cause de noyade, du Premier ministre Harold Holt en 1967 et la destitution du gouvernement Whitlam par sir John Kerr en 1975 (p. 55).

La visite permet de découvrir les salles où siégeaient le Sénat et la Chambre des représentants, ainsi que le judas percé dans le mur du bureau du Premier ministre et resté secret jusqu'à des travaux de rénovation en 1990. Un spectacle son et lumière fait revivre les plus grands moments de l'édifice qui abrite aussi la National Portrait Gallery.

Blundell's Cottage

⊞ Blundell's Cottage

Wendouree Drive, Parkes. ☎ (02) 6273 2667. ◯ mar.-dim. ● ven. saint, 25 déc. ♻

Propriétaire d'une grande exploitation agricole à Duntroon Station, la famille Campbell fit bâtir en 1858 pour son premier fermier cette petite maison de grès qui servit plus tard d'habitation au bouvier George Blundell, à sa femme Flora et à leurs huit enfants. Exemple typique de construction rurale de l'époque, la demeure évoque bien l'isolement des premiers pionniers. Elle dominait des enclos à moutons que le Lake Burley Griffin a submergés.

� National Capital Exhibition

Commonwealth Park. ☎ (02) 6257 1068. ◯ t.l.j. ● 25 déc. ⚹

La rotonde qui abrite à Regatta Point, sur la rive nord du Lake Burley Griffin, l'Exposition de la capitale nationale constitue un point de départ recommandé à une première visite de Canberra. Avant de se lancer à l'aventure, les maquettes, documents audiovisuels et vieilles photos qui retracent à l'intérieur l'évolution de la capitale australienne offrent un excellent moyen d'appréhender l'organisation de la ville et ses traits les plus marquants.

Les fenêtres de la rotonde ménagent une belle vue du Parliament Triangle, du Lake Burley Griffin et du Captain Cook Memorial Jet. La colonne d'eau de ce dernier s'élève jusqu'à une hauteur de 140 m tous les jours de 10 h à midi et de 14 h à 16 h, sauf s'il y a trop de vent. À l'instar du globe en bronze, en laiton et en émail qui montre à Regatta

Façade néo-classique de l'Old Parliament House

Point les trois grands voyages du capitaine Cook, cette fontaine pare la cité depuis 1970 et la commémoration du bicentenaire de la prise de possession de la côte orientale de l'Australie par le navigateur anglais *(p. 46)*.

🚽 National Library of Australia

Parkes Place, Parkes. 📞 (02) 6262 1111. ◯ t.l.j. ● ven. saint, 25 déc. ♿

Caractéristique de l'architecture des années soixante, l'élégant immeuble de cinq étages de la Bibliothèque nationale d'Australie abrite plus de cinq millions de livres, ainsi que des exemplaires de tous les quotidiens et magazines publiés dans le pays, des milliers de films, des bandes magnétiques, des documents manuscrits, des cartes et de vieilles photographies. Parmi les souvenirs historiques exposés figure le journal tenu par le capitaine Cook pendant ses voyages d'exploration sur l'*Endeavour*.

Vitrail de Leonard French

Dessiné par un architecte de Sydney, Walter Bunning, et achevé en 1972, le bâtiment est décoré de quelques œuvres d'art dignes d'intérêt. Signalons notamment les vitraux modernes, représentant les planètes, réalisés par l'Australien Leonard French avec du verre importé de Belgique. Les tapisseries illustrant la vie en Australie sont du Français Mathieu Matégot.

🏛 Questacon - The National Science and Technology Centre

Angle de King Edward Terrace et Parkes Place, Parkes. 📞 (02) 6270 2800. ◯ t.l.j. ● 25 déc. 📷 ♿

Il serait dommage de manquer la visite du Centre national de la science et de la technologie de Canberra où 200 installations interactives permettent de s'instruire en s'amusant. Elles occupent six galeries.

Vous pourrez figer votre ombre contre un mur, jouer d'une harpe sans corde, éprouver les sensations que donne un tremblement de terre, vous retrouver au milieu d'un éclair ou découvrir comment une araignée tisse sa toile ou comment s'oriente une chauve-souris. Questacon propose aussi régulièrement des conférences et des démonstrations scientifiques.

🚽 High Court

Parkes Place, Parkes. 📞 (02) 6270 6811. ◯ lun.-ven. ● sam.-dim., jours fériés. ♿

C'est la reine Élisabeth II qui inaugura en 1980 l'imposant monument où siège la Haute Cour de justice australienne. Le bâtiment, très réussi, s'organise autour d'un hall vitré conçu pour inspirer le respect du système judiciaire de la nation. L'artiste Jan Sensberg a évoqué dans deux œuvres murales de six panneaux la Constitution australienne, le rôle de la fédération et l'importance de la Haute Cour qui fonctionne comme la Cour suprême américaine.

À l'entrée, une fontaine sculptée dans du granite borde un côté de l'escalier. Elle symbolise la manière dont les décisions de l'institution judiciaire « s'écoulent » pour influencer la vie de tous les citoyens.

Œuvre murale de Jan Sensberg décorant la High Court

🔒 St John the Baptist Church and Schoolhouse Museum

Constitution Ave, Reid. 📞 (02) 6249 6839. ◯ mer., sam. et dim. ● ven. saint, 25 déc. 📷 ♿

Construites en grès local pour les familles de fermiers installées dans la région, l'église anglicane Saint-Jean-Baptiste et son école datent de 1844 et sont les plus vieux bâtiments de Canberra.

Sur les murs du sanctuaire, des mémoriaux évoquent le souvenir de nombreux pionniers, notamment des hommes d'État, des scientifiques et des érudits. L'école abrite une collection de souvenirs du XIXe siècle.

WALTER BURLEY GRIFFIN

En 1911, le gouvernement australien alors installé à Melbourne prit la décision de construire la capitale nationale au bord de la Molonglo River et il organisa un concours international pour choisir son plan d'urbanisme. C'est un Américain de 35 ans, Walter Burley Griffin, qui remporta la compétition. S'inspirant de Versailles, il proposait une cité-jardin où avenues et terrasses avaient pour pôle le Parliament House couronnant le Capital Hill. La pose de la première pierre eut lieu le 12 mars 1913 mais la Première Guerre mondiale ralentit les travaux. Quand Burley Griffin fut renvoyé de son poste de concepteur en 1921, il n'existait pas grand-chose de la ville. L'architecte quitta l'Australie en 1935 pour l'Inde, où il mourut en 1937. Sa vision continue de sous-tendre le développement de Canberra.

Walter Burley Griffin

Red Hill ❶

Par Mugga Way, Red Hill.

Le sommet du Red Hill, l'une des quatre collines de Canberra, ménage une vue dégagée du Lake Burley Griffin, du Parliament House,

Vue panoramique de Canberra depuis Red Hill

de Manuka et de Yarralumla *(p. 192)*, le quartier des ambassades. Derrière l'éminence s'étendent les banlieues sud de la capitale, les Brindabella Ranges dressant leur silhouette à l'ouest.

Sur la rive nord du lac, derrière l'Australian War Memorial *(p. 192-193)*, une autre colline, le Mount Ainslie, offre de son sommet un panorama de la ville qui permet de mieux saisir son organisation, soigneusement planifiée par Walter Burley Griffin.

Royal Australian Mint ❷

Denison St, Deakin. ☎ (02) 6202 6999. 🚌 230, 231. ⏰ 9 h-16 h, lun.-ven. ; 10 h-15 h sam.-dim., jours fériés. ● ven. saint, 25 déc. ♿ 🅿

La Monnaie royale australienne fabrique 600 millions de pièces par an et en a produit plus de 8 milliards depuis son ouverture en 1965. Un musée retrace l'histoire de la monnaie en Australie et les visiteurs peuvent assister à tout le processus de fabrication, depuis la conception jusqu'au pressage à partir de flans d'or, d'argent et d'alliage. Ils

Le Parliament House ❹

Le Parlement, où se réunissent la Chambre des représentants et le Sénat, est aussi le siège du gouvernement fédéral. Cet immense bâtiment de 4 700 pièces qui s'inscrit dans la colline pour s'harmoniser au paysage a coûté 1,1 million de dollars. Conçu dès l'origine pour être largement ouvert aux citoyens australiens, il abrite de très nombreuses œuvres d'art.

Le mât en acier du drapeau, haut de 81 m, pèse 220 t.

Members' Hall

Chambre des représentants
Les 148 députés du Parlement fédéral australien se réunissent ici en public.

★ **Le Great Hall**
Les cérémonies solennelles s'y déroulent devant une tapisserie d'Arthur Boyd longue de 20 m.

peuvent aussi frapper leur propre pièce d'un dollar.

Des pièces commémoratives sont vendues à la boutique, notamment des pièces de cinq et dix dollars en or et en argent ornées d'oiseaux indigènes du continent.

Government House ❸

Dunrossil Drive, Yarralumla. ☎ *(02) 6283 3533.* ○ *dates changeantes, téléphoner.* 🅿 ♿

Sur un terrain qui appartenait jadis à une immense ferme d'élevage fondée en 1828 et appelée Yarralumla, la Government House sert

L'élégante façade de la Government House

depuis 1927 de résidence officielle au gouverneur général qui représente la reine d'Angleterre.

C'est là que séjournent aujourd'hui les chefs d'État et les membres de la famille royale en visite. Un belvédère sur Lady Denman Drive offre une bonne vue du bâtiment, souvent fermé au public, et de son vaste jardin.

★ **Le hall d'entrée**
48 colonnes en marbre gris-vert évoquent une forêt d'eucalyptus.

Entrée

Les armoiries australiennes, au-dessus de l'entrée, portent un émeu et un kangourou dessinés dans un style inspiré de l'art aborigène.

MODE D'EMPLOI

Capital Hill. ☎ *(02) 6277 7111.* 🚍 *231, 234, 235, 777.* ○ *9 h-17 h, t.l.j.* ● *25 déc.* 📷 ♿ 🚻 🎁 ♨ 🖥

La Great Veranda parée de marbre blanc italien taillé dans une unique falaise sert à la fois d'accès au public et d'entrée lors des cérémonies officielles.

Avant-cour
La mosaïque aborigène, le gravier rouge et le bassin représentent l'Australie et ses premiers habitants.

À NE PAS MANQUER

★ **Le hall d'entrée**

★ **Le Great Hall**

Yarralumla ➎

Yarralumla. **☎** *(1 800) 02 6166.*
🚌 *901, 231.* **🎫** *les journées portes ouvertes.* **♿** *variable.* **📷**

L a banlieue de Yarralumla renferme en bordure du Capital Hill plus de 80 ambassades et résidences diplomatiques. Une promenade en voiture à travers ses rues plantées d'arbres donne l'occasion de découvrir quelques édifices à l'architecture caractéristique.

La vaste ambassade chinoise, au n° 15, Coronation

Toiture de l'ambassade de Chine à Yarralumla

Drive est parée de colonnes rouges, de statues de dragons et d'une toiture de pagode. Sur Moonah Place, le bâtiment blanc de

l'ambassade indienne est couronné d'une spire dorée, agrémenté d'un bassin et d'une douve peu profonde à la manière d'un temple

L'Australian War Memorial ➑

C e monument édifié à la mémoire de tous les Australiens morts au service de leur patrie abrite le tombeau du Soldat inconnu et le Roll of Honour, liste des combattants tombés au champ d'honneur. C'est aussi un musée qui renferme une riche collection de documents, souvenirs et œuvres d'art illustrant les conflits auxquels l'Australie participa.

Façade de l'Australian War Memorial

À NE PAS MANQUER

★ **Le Roll of Honour**

★ **Le tombeau du Soldat inconnu**

Galerie de Gallipoli

Galerie de la Première Guerre mondiale

★ **Le Roll of Honour**
Des panneaux en bronze portent sous la galerie les noms des 102 600 soldats australiens morts au combat.

Le Pool of Reflection (bassin de la réflexion) permet aux familles de pleurer leurs proches. Du romarin symbolise le souvenir.

Flamme éternelle

Entrée

mogol. La Haute Délégation de la Papouasie-Nouvelle-Guinée, sur Forster Crescent, a adopté la forme d'une maison des esprits. La réplique d'un bas-relief aztèque décore l'ambassade mexicaine sur Perth Avenue.

De l'autre côté d'Adelaide Avenue, The Lodge est la résidence officielle du Premier ministre australien.

National Gallery of Australia ❻

Voir p. 194-195.

Civic Square ❼

Civic Centre. 🚌 *nombreuses lignes.*

Sur la rive nord du Lake Burley Griffin, près de la pointe nord-ouest du Parliamentary Triangle *(p. 186-187)*, le Civic Centre constitue le cœur commercial de Canberra. C'est là que se trouvent de nombreux bureaux et services publics, ainsi que la plus forte concentration de sociétés privées et de magasins de la ville.

Au centre du quartier, Civic Square offre, selon le plan originel de Walter Burley Griffin, un lieu où les habitants de la capitale peuvent se retrouver et se détendre. Ethos, une gracieuse statue en bronze du sculpteur australien Tom Bass, domine la place à l'entrée de l'Assemblée législative du Territoire de la capitale australienne (ACT). Sur la Petrie Plaza adjacente tourne un manège de chevaux de bois cher au cœur des habitants de Canberra.

Ethos, Civic Square

Hall of Memory
La mosaïque de la coupole fut en partie dessinée par des veuves de guerre.

Galerie de la Seconde Guerre mondiale

Mode d'emploi

Limestone Ave, au sommet d'Anzac Parade. 📞 (02) 6243 4211. 📠 (02) 6243 4518. 🚌 901, 302. ⏰ 10 h-17 h, t.l.j. ⬤ 25 déc. **Contribution.**
♿ 📷 🏛 🖥

Vitraux
Les personnages de ce vitrail représentent les talents personnels et collectifs des Australiens en temps de guerre.

★ Le tombeau du Soldat inconnu
Le soldat anonyme tombé pendant la Première Guerre mondiale repose sous une plaque de marbre rouge. Il symbolise tous les Australiens morts au service de leur pays.

La National Gallery of Australia ❻

Reflet des diverses racines culturelles du pays, la Galerie nationale d'Australie, ouverte en 1982, possède une collection de 100 000 œuvres. Son noyau est l'art australien depuis les débuts de la colonisation européenne jusqu'à aujourd'hui. On peut ainsi admirer les œuvres de peintres comme Tom Roberts, Arthur Boyd, Sidney Nolan et Margaret Preston *(p. 30),* mais aussi celles de grands artistes occidentaux tels que Picasso ou les Américains Jackson Pollock et Andy Warhol. La riche section aborigène *(p. 26-27)* abrite des objets anciens de diverses tribus, ainsi que des réalisations contemporaines. Le musée continue également d'augmenter ses collections d'art asiatique.

Niveau supérieur

Niveau de l'entrée

★ In a Corner on the MacIntyre *(1895)*
Ce paysage du bush *par Tom Roberts offre un bon exemple du style de l'école impressionniste australienne.*

Native Fuchsia *(1925)*
Surtout connue pour ses fleurs, Margaret Preston utilise une technique très personnelle à base de tampons de bois colorés à la main.

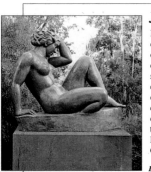

JARDIN DE SCULPTURES

Le jardin en bord de lac de la Galerie nationale d'Australie est le cadre d'une exposition de sculptures allant de statues d'inspiration classique comme *La Montagne* d'Aristide Maillol jusqu'à des œuvres contemporaines telles que *Cones* de Bert Flugelman et *Pears* de George Baldessin.

La Montagne **d'Aristide Maillol**

SUIVEZ LE GUIDE !
On peut faire facilement le tour de la National Gallery en deux heures, et d'excellentes visites guidées d'une heure en présentent les fleurons deux fois par jour. Le niveau de l'entrée abrite la collection aborigène, à voir absolument, et les collections internationales. Ne manquez pas non plus le département d'art australien du niveau supérieur. Une nouvelle aile accueille de prestigieuses expositions temporaires qui font le tour du monde.

Le prince Shotoku priant le Bouddha *(v. 1300)*
Cette statue de la période Kamakura représente le prince Shotoku à deux ans. Le prince devint au VIe siècle, un des fondateurs de l'État japonais.

MODE D'EMPLOI

Parkes Place. ☎ *(02) 6240 6502.*
☏ *(02) 6240 6501.* 🚌 *234, 350, 352, 358.* ⬤ *10 h-17 h, t.l.j.* ⬤ *ven. saint, 25 déc.* 📷
🚫 ♿ 🎁 🛍 🍴 🖥

Blue Poles *(1952)*
L'acquisition en 1973 de cette toile de Jackson Pollock, l'une des plus célèbres de la galerie, coûta 1,2 million de dollars, à la grande colère d'Australiens conservateurs pour qui elle semblait avoir été peinte par un enfant ou un ivrogne.

★ L'Aboriginal Memorial *(1988)*
Ces poteaux du peuple ramingining honorent tous les Aborigènes morts pendant la colonisation.

Niveau inférieur

LÉGENDE DU PLAN

☐ Expositions temporaires
☐ Art international
☐ Art aborigène
☐ Art d'Afrique et des Amériques
☐ Art moderne européen et américain
☐ Art australien
☐ Circulations et services

À NE PAS MANQUER

★ **L'Aboriginal Memorial par des artistes ramingining**

★ ***In a Corner on the MacIntyre* par Tom Roberts**

Entrée principale

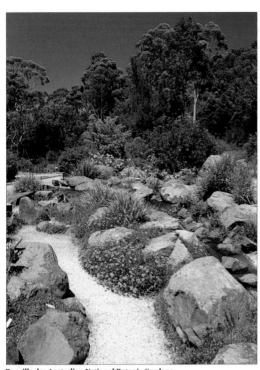

Rocaille des Australian National Botanic Gardens

Australian National Botanic Gardens ❾

Clunies Ross Rd, Acton. 📞 (02) 6250 9540. 🚌 904. ⏰ 9 h-17 h, t.l.j. ⬛ 25 déc. ♿ ✓

Sur les pentes de la Black Mountain, en dessous de la Telstra Tower, les Jardins botaniques nationaux australiens abritent la plus belle collection scientifique de plantes indigènes du pays. Les Jardins regroupent environ 50 000 spécimens de plus de 5 000 variétés. Plusieurs programmes sont consacrés à l'étude de leurs particularités et à la défense des espèces en danger.

Le Rainforest Gully (ravin de la forêt pluviale), qui plaît beaucoup au public, présente des essences tropicales de l'est de l'Australie. Celles-ci ne survivent dans le climat sec de l'ACT que grâce à un système d'arrosage sophistiqué. Sur l'Eucalypt Lawn, pelouse idéale pour un pique-nique, poussent un cinquième des espèces d'eucalyptus du continent. L'Aboriginal Trail permet d'avoir un aperçu de la manière dont les Aborigènes utilisaient les plantes du *bush*.

Telstra Tower ❿

Black Mountain Drive, Acton. 📞 (02) 6248 1911. 🚌 904. ⏰ 9 h-22 h, t.l.j. 🔲 ♿ ✓ par arrangement.

Haute de 195 m, la « seringue géante », selon son surnom local, renferme au sommet de la Black Mountain des émetteurs de télévision et des relais de téléphones cellulaires. La tour comprend également une exposition sur l'histoire des télécommunications en Australie depuis la première ligne de télégraphe ouverte dans le Victoria en 1854 jusqu'aux techniques de l'aube du XXIᵉ siècle. Elle offre l'occasion de voir ou revoir des appareils passés très vite du rang d'innovation à celui d'antiquité.

Trois plates-formes d'observation situées à des étages différents ménagent un panorama de 360°.

Depuis 1989, la Telstra Tower fait partie de la World Federation of Great Towers (Fédération des grandes tours du monde) à laquelle appartiennent aussi l'Empire State Building (443 m) de New York et la Blackpool Tower (158 m) anglaise.

National Museum of Australia ⓫

Yarramundi Reach, Lady Denman Drive. 📞 (02) 6256 1126. 🚌 904. ⏰ 9 h-15 h, lun.-ven. ; 11 h-16 h, sam. et dim. ⬛ 25 déc. **Contribution.** ♿ r.d.c. seul. ✓ par arrangement.

Créé en 1980 par une loi du Parlement, le Musée national d'Australie est installé à titre temporaire dans le Yarramundi Visitors Centre situé sur la rive nord-ouest du Lake Burley Griffin. Il doit occuper un bâtiment en construction sur l'Acton Peninsula.

L'histoire du continent s'organise en trois grands thèmes. Une exposition est consacrée à la culture des Aborigènes et des insulaires du détroit de Torres. Une deuxième, intitulée « Société et histoire australiennes depuis 1788 », détaille, avec entre autres des objets de la période coloniale et du XIXᵉ siècle, l'évolution de la vie en Australie depuis l'installation des premiers pionniers. La dernière exposition étudie les rapports entre les hommes et l'environnement sur le continent. Un sentier de découverte permet aux enfants d'aborder ces trois thèmes au travers d'activités pédagogiques.

Art aborigène au National Museum

Athlètes évaluant leurs performances à l'Australian Institute of Sport

National Aquarium Australian Wildlife Sanctuary ⑫

Lady Denman Drive, Scrivener Dam. ((02) 6287 1211. 🚌 904. ○ 9 h-17 h 30, t.l.j. ● 25 déc. 🚫 🌐 ☕ par arrangement.

La collection de créatures aquatiques de l'Aquarium australien comprend aussi bien des poissons de rivière que des tortues marines, et des espèces des mers froides que des hôtes des eaux tropicales ou des récifs de corail. Une courte promenade dans le tunnel transparent du Riverland, bassin d'une capacité de 15 000 m³, permet l'observation rapprochée d'un grand nombre d'entre eux. L'aquarium organise aussi des plongées accompagnées dans un environnement corallien. Le Flyfishing Centre offre la possibilité de s'initier à la pêche à la mouche.

Quelques minutes de marche conduisent au Scrivener Dam, le barrage construit sur la Molonglo River pour créer le Lake Burley Griffin (p. 186-187). Parc paysager de 7 ha, l'**Australian Wildlife Sanctuary** adjacent renferme de nombreux animaux propres à l'Australie tels que koalas, wombats, dingos, petits manchots bleus (eudyptula minor), diables de Tasmanie, émeus et kangourous. Aires de pique-nique et barbecues.

Tortue du National Aquarium

Australian Institute of Sport ⑬

Leverrier Crescent, Bruce. ((02) 6214 1010. 🚌 431. ○ 11 h 30-14 h 30, lun.-ven. ; 10 h-14 h 30, sam. et dim. ● 25 déc. 🚫 ☕ 🌐

Ce sont souvent des médaillés olympiques qui guident les visiteurs dans l'Institut australien du sport (AIS). L'institut fut créé en 1981 afin d'améliorer le taux de réussite des Australiens dans les rencontres internationales. Vous pourrez découvrir le cadre où nageurs et athlètes dorment, mangent et s'entraînent, regarder quelques grands moments du sport australien enregistrés en vidéo et tester vos aptitudes dans diverses disciplines. Plusieurs expositions illustrent l'évolution du sport de compétition.

Piscines et courts de tennis sont ouverts au public à certaines heures.

Cockington Green ⑭

11 Gold Creek Rd, Nicholls. ((02) 6230 2273. 🚌 511. ○ 9 h 30-16 h 30, t.l.j. ● 25-26 déc. 🚫 🌐 ☕

Les jardins magnifiquement aménagés de Cockington Green abritent les modèles réduits d'édifices traditionnels britanniques minutieusement reconstitués. Les visiteurs se transforment en géants à côté d'un château écossais, d'un séchoir à houblon du Kent, d'un pub anglais ou d'un cottage à toit de chaume du Sussex leur arrivant à la taille. Il y a même Stonehenge et des équipes de figurines en argile s'affrontant au cricket et au football. Des oiseaux et des animaux représentés à la même échelle, ainsi que des arbres et des plantes cultivés en version miniature, ajoutent à la qualité de la reconstitution.

L'Intercity 125, un train express, circule à travers la « campagne » en effectuant divers arrêts. Depuis 1997, une nouvelle section de Cockington Green propose des modèles réduits de bâtiments d'Australie et d'autres pays.

Le jardin renferme aussi un labyrinthe et une longue plate-bande de superbes roses du vieux monde.

Maison Tudor miniature à Cockington Green

À la découverte du Territoire de la capitale australienne

L e *bush* couvre plus de 70 % de l'Australian Capital Territory. Vous pourrez apercevoir des animaux sauvages, vous baigner dans la Murrumbidgee River, visiter une station de communication spatiale ou encore vous détendre dans les jardins d'une demeure historique lors d'une excursion d'une journée sur la Tourist Drive 5.

Coupole argentée du Mount Stromlo Observatory

Mount Stromlo Observatory ⑮

Par Cotter Rd. 📞 *(02) 6249 0276.* 🕐 *9 h 30-16 h 30, t.l.j.* ⬤ *1er janv., 25 déc.* 🈁 ♿ ▣

L e mont Stromlo, couvert de pins, s'élève à quelques kilomètres à l'ouest de Canberra et son sommet ménage une vue dégagée du ciel nocturne. L'observatoire installé sur la colline existe depuis 1942 mais il n'a ouvert ses portes au public qu'en 1997. Des visites guidées permettent de découvrir le puissant télescope, des astronomes parlent de leur travail et des expositions interactives expliquent les formations stellaires de l'hémisphère Sud.

Murrumbidgee River ⑯

ℹ️ *Canberra Visitors' Centre, 330 Northbourne Ave (1 800) 02 6166.*

A u confluent de la Murrumbidgee River et de la Cotter River, Casuarina Sands est un bel endroit pour pêcher et faire du canoë. Non loin, Cotter Dam est idéal pour pique-niquer, se baigner et camper.

Au sud de Canberra au bord de la Murrumbidgee River, un paisible jardin entoure la **Lanyon Homestead,** maison de maître attachée à une ferme d'élevage de moutons, construite vers 1850. Sur le domaine, la Sydney Nolan Gallery abrite la célèbre série de peintures que l'artiste consacra à Ned Kelly *(p. 30).*

🏠 **Lanyon Homestead**
Tharwa Drive, Tharwa. 📞 *(02) 6237 5136.* 🕐 *mar.-dim.* ⬤ *ven. saint, 25 déc.* 🈁 ♿

Canberra Space Centre ⑰

Par Paddys River Rd (Tourist Drive 5). 📞 *(02) 6201 7880.* 🕐 *avr.-sept. : 9 h-17 h, t.l.j. ; oct.-mars : 9 h-20 h, t.l.j.* ♿ ▣ *par arrangement.*

D irigé par la Commonwealth Scientific and Industrial Research Organization (CSIRO) et la NASA américaine, le Canberra

Antenne parabolique du Canberra Space Centre

Space Centre du Canberra Deep Space Communication Complex est relié directement au centre de contrôle de la NASA en Californie. Il possède six antennes paraboliques dont la plus grande mesure 70 m de diamètre et pèse 3 000 tonnes.

Les visiteurs du centre peuvent y étudier un morceau de pierre lunaire, examiner une combinaison spatiale, découvrir le rôle que joua le complexe pendant les alunissages des missions Apollo et regarder des photos récentes transmises de Mars, Vénus et Jupiter.

Émeu, Tidbinbilla Nature Reserve

Tidbinbilla Nature Reserve ⑱

Par Paddys River Rd (Tourist Drive 5). 📞 *(02) 6205 1233.* 🕐 *t.l.j.* ⬤ *25 déc.* ♿ *limité.* ▣

A u terme d'une paisible vallée, forêts, prairies, torrents et collines forment un paradis de 5 450 ha. Des kangourous et leurs petits se chauffent au soleil, des émeus arpentent les étendues herbeuses, des ornithorynques nagent dans les ruisseaux, Vous verrez également des koalas perchés dans des eucalyptus, des oiseaux-lyres et des oiseaux à berceau dans les futaies.

Les visiteurs peuvent gravir le Gibraltar Rock ou effectuer une promenade de nuit avec un ranger pour observer les opossums. Sentier long de 3 km, le Birrigai Time Trail semble traverser l'histoire. Le centre d'accueil abrite des objets aborigènes et des souvenirs de pionniers.

Le Namadgi National Park ⑲

L e Parc national de Namadgi ne se trouve qu'à 35 km au sud de Canberra et couvre près de la moitié de l'Australian Capital Territory. Ses paysages montagneux, avec des sommets dépassant 1 600 m d'altitude, et ses vallées creusées par les cours d'eau invitent à de longues explorations. On peut passer plusieurs journées à explorer le parc, mais même si vous ne lui consacrez qu'une journée il vous offrira de superbes paysages.

MODE D'EMPLOI

ℹ️ *Naas Rd, 3 km au sud de Tharwa (02) 6207 2900).*
🕐 *9 h-16 h, lun.-ven. ; 9 h-16 h 30, sam.-dim.* ♿ 🚻 *dim.*

Le Corin Dam barre la Cotter River qui prend sa source dans la Bimberi Wilderness.

Booromba Rocks

Visitor's Centre
Vous y trouverez cartes et renseignements sur les randonnées guidées.

Nursery Swamp

Orroral Bush Camp Site
Camper ici en pleine nature est une expérience à ne pas manquer.

Mount Clear est l'un des deux seuls sites de camping du parc.

LÉGENDE

━━	Route principale
═══	Route secondaire
- - -	Sentier pédestre
〜	Cours d'eau
ℹ️	Informations touristiques
🚻	Aire de pique-nique
🅰	Camping
☀	Point de vue

Yankee Hat
Cette zone recèle des gravures rupestres aborigènes sans doute vieilles de milliers d'années.

LE QUEENSLAND

PRÉSENTATION DU QUEENSLAND 202-209
BRISBANE 210-225
AU SUD DE TOWNSVILLE 226-239
LE NORD ET L'OUTBACK
DU QUEENSLAND 240-249

Le Queensland d'un coup d'œil

D'une superficie de 1 727 000 km², le deuxième État d'Australie par la taille jouit d'un climat tropical et abrite la région touristique la plus populaire du pays après Sydney. Sa capitale, Brisbane, est une cité moderne dont les gratte-ciel se mirent dans la Brisbane River. La côte sud vit au rythme de ses stations balnéaires, celle du nord, Cairns, donne accès à une merveille de la nature : la Grande Barrière de corail. Le Queensland doit sa prospérité aux centres d'élevage et aux mines de cuivre de l'intérieur des terres. Dans le Far North préservé, faune et flore indigènes prospèrent au sein de la forêt pluviale et de la brousse.

Cairns, cité la plus septentrionale du Queensland et point de départ pour la Grande Barrière, a pour pôle son esplanade bordée de cafés (p. 246).

LE NORD ET L'OUTBACK DU QUEENSLAND *(p. 240-249)*

Mount Isa, la plus grande ville de l'intérieur du continent, vit au rythme de ses mines de cuivre, de zinc et de plomb (p. 249).

0   150 km

Longreach abrite dans l'arrière-pays aride le premier hangar de Qantas mais a pour principal site touristique le Stockman's Hall of Fame dédié à l'histoire de l'Outback australien (p. 249).

◁ **Foisonnement de couleurs de la Grande Barrière de corail**

Ravenswood n'est plus qu'une ville fantôme mais ses bâtiments victoriens restaurés y entretiennent le souvenir de la ruée vers l'or des années 1860 (p. 238).

La Grande Barrière parallèle au littoral est le plus grand récif de corail du monde. Elle compte des centaines d'îles mais seules quelques-unes peuvent accueillir les touristes et les plongeurs (p. 204-209).

Maryborough est réputée pour ses maisons typiques du Queensland dont les vastes porches protègent du soleil des tropiques (p. 233).

Brisbane est une capitale d'État moderne mais décontractée. Ses gratte-ciel y voisinent avec des édifices plus anciens comme le City Hall (p. 210-225).

AU SUD DE
TOWNSVILLE
(p. 226-239)

Surfers Paradise, principal centre urbain de la Gold Coast, affiche sans complexe sa vocation touristique avec ses hôtels de luxe, ses boîtes de nuit et ses boutiques de mode (p. 231).

La Grande Barrière de corail

Les récifs de coraux sont une forme de vie parmi les plus anciennes et les plus primitives de la planète puisqu'ils datent d'au moins 500 millions d'années. La Grande Barrière, le plus important relief marin créé par des coraux, s'étend, sur 2 000 km, de Bundaberg à la pointe du Cape York, sur une superficie d'environ 350 000 km². Entre son bord extérieur et le littoral australien, la Grande Barrière compte plus de 2 000 îles et presque 3 000 récifs de types variés. On aperçoit aisément ses fonds coralliens sur les îles dotées d'un récif frangeant, mais les plus beaux sont situés plus au large à quelque 50 km du rivage.

Chaetodon ephippium

CARTE DE SITUATION

Le lagon entre le récif intérieur et le littoral du Queensland atteint souvent 60 m de profondeur. Il a une largeur qui varie de 30 à 60 km.

Le corail est formé par des colonies de polypes, minuscules animaux marins pourvus d'un squelette extérieur en calcaire.

Des récifs frangeants entourent les îles ou se développent à courte distance de la côte continentale.

ZONE TYPIQUE DE LA BARRIÈRE
Dans la majeure partie de la Grande Barrière, un lagon profond borde le littoral continental. Ce lagon sépare le littoral des hauts fonds d'où émergent des îles de sable, des platures coralliennes et des atolls. Plus au large, le bord du plateau continental porte des récifs en ruban.

Plature corallienne

Les *cayes* sont des îles de sable composées de débris calcaires, coquillages et squelettes de polypes notamment, que les vagues ont réduits en poudre.

Les platures coralliennes se forment en eau peu profonde et croissent en cercle ou en ovale plutôt que verticalement.

La forêt tropicale du Queensland est humide et dense, elle profite d'un sol riche et de fortes précipitations.

LA FORMATION DE LA BARRIÈRE

Le corail ne peut vivre à plus de 30 m sous la surface mais des récifs reposent sur des socles plus profonds car des colonies de polypes vivants continuent de se développer sur les squelettes des individus morts, tandis que le niveau de la mer monte ou que le fond de l'océan s'enfonce. Relativement jeune, la Grande Barrière s'est en majeure partie constituée, sur le bord du plateau continental puis sur des collines que l'océan submergeait, depuis l'élévation du niveau des mers à la fin de la dernière ère glaciaire.

Formations coralliennes sur le plateau continental

Collines boisées

1 Il y a environ 18 000 ans, pendant la dernière ère glaciaire, le bas niveau des eaux laissa émerger une rangée de collines et permit au corail de croître sur le plateau continental.

Les colonies suivent l'élévation de l'eau

Nouvelles formations coralliennes

2 Il y a environ 9 000 ans, après l'ère glaciaire, l'océan a submergé les collines. Des colonies de coraux s'implantèrent dans de nouveaux endroits.

Forêt côtière

Récif extérieur

Récif intérieur

3 Au fil des siècles, des « murs » ont formé sur le plateau continental le récif extérieur. Au-dessus des collines submergées sont apparus platures coralliennes, récifs frangeants et *cayes*.

Les sèches découvertes à marée basse sont faites de corail mort ou en train de mourir ; le corail, en effet, ne supporte pas une longue exposition à l'air.

Le corail du récif extérieur se dresse en « murs » sur un socle calcaire. Le corail ne peut vivre en dessous de 30 m de profondeur et a besoin d'une eau propre et d'une température d'au moins 17,5 °C.

Les récifs en ruban n'existent qu'au nord et au bord du plateau continental. Les biologistes ne savent toujours pas exactement pourquoi ils se forment là.

La faune de la Grande Barrière

Les eaux de la Grande Barrière recèlent plus de 2 000 espèces de poissons et d'innombrables espèces de coraux durs et mous. Quelque 500 variétés d'algues, des éponges, des crustacés, des échinodermes tels qu'oursins et étoiles de mer et des invertébrés comme le gracieux nudibranche composent cette extraordinaire et colorée diversité biologique. Les îles abritent de nombreux oiseaux marins et tropicaux. La Great Barrier Reef Marine Park Authorithy protège depuis 1975 cet environnement unique au monde.

Poisson ange

En plongée au milieu de coraux mous

Les coraux durs, surtout représentés par des acropora, sont formés par des polypes à exosquelette *(p. 204).*

Les coraux mous ressemblent à des frondaisons agitées par les vagues.

Les wobbegongs appartiennent à la famille des requins. Ils dorment pendant la journée, dissimulés parmi les rochers grâce à leurs taches.

Les diables de mer ont jusqu'à 6 m d'envergure mais possèdent une nature pacifique et se laissent volontiers caresser.

Les mérous tachetés se montrent souvent heureux de nager avec les plongeurs.

Les grands requins blancs peuvent fréquenter le récif mais vivent plutôt en pleine mer où ils se déplacent en bancs.

Les bénitiers, grands bivalves appréciés des gourmets, sont désormais protégés en Australie.

Les mérous peuvent atteindre un poids de 15 kg et se reconnaissent à leur peau d'un rouge soutenu.

Le point le plus bas de la Grande Barrière de corail est à 60 m de profondeur.

UN RÉCIF FRAGILE

L'écotourisme est la seule forme de tourisme encouragée sur la Grande Barrière et il faut une autorisation de la Great Barrier Reef Marine Park Authority pour camper sur les îles. Ne toucher qu'avec les yeux, telle est la règle à respecter. Il est strictement interdit d'emporter du corail et mieux vaut éviter de marcher dessus. Les coupures qu'il provoque cicatrisent lentement.

Les chelmons à bec *font partie des plus beaux poissons de la Grande Barrière. Ils nagent souvent par deux dans des eaux peu profondes.*

Les gobies vivent près du rivage de la matière organique qu'ils extraient du sable.

Blennie

Poisson-papillon

LE RÉCIF EN TANT QU'HABITAT MARIN

Les coraux durs donnent son armature au récif et forment avec les coraux mous la « forêt » où prospèrent poissons et autres créatures.

Aiguille de Schultz

Mulet

Les poissons-clowns vivent au milieu des tentacules des anémones de mer sans craindre leurs piqûres.

Les platax *se nourrissent surtout d'algues et de méduses. Chaque banc fréquente un lieu pendant une longue période avant d'en changer.*

Les murènes, longues parfois de 2 m, se laissent nourrir par les plongeurs.

L'acanthaster planci, *une astérie appelée en anglais « étoile de mer couronne d'épines », se nourrit entre autres d'acropora. Sa population gonfla brusquement dans les années soixante et on craignit un temps qu'elle détruisît le récif. Un tel phénomène contribue au contraire à sa régénération en détruisant du corail vieillissant.*

LES OISEAUX DE LA GRANDE BARRIÈRE

Mouettes, fous de Bassan, frégates, puffins et sternes trouvent sur les îles de la Grande Barrière aux eaux poissonneuses un habitat idéal pour nidifier et élever leurs petits relativement à l'abri de prédateurs du continent tels que félins et renards. Sur certaines *cayes* (p. 204) vit parfois un nombre étonnant d'oiseaux de mer et d'échassiers. Ils sont plus de 30 000 dans la minuscule zone de Michaelmas Cay à 42 km au nord-est de Cairns.

Fou à pieds rouges

Activités sur la Grande Barrière

La Grande Barrière compte 2 000 îles mais seulement moins de vingt accueillent des touristes (voir carte et tableau ci-dessous). Le choix d'hébergement va du camping aux luxueux complexes hôteliers. De nombreuses compagnies proposent des promenades en bateau à fond vitré jusqu'au récif extérieur mais la plongée, aux bouteilles ou au tuba, est le meilleur moyen de découvrir la faune et la flore sous-marines. Des excursions d'une journée sont proposées depuis le continent et les îles.

Poisson-papillon

Les promenades sur le récif se font à marée basse sur du corail mort. Il faut de bonnes chaussures et prendre garde de ne pas piétiner sous l'eau du corail vivant.

La plongée au tuba, une des activités les plus populaires, permet de contempler de près de magnifiques poissons exotiques.

PRINCIPALES ÎLES

Seisa

Les poissons tropicaux sont pour la plupart inoffensifs et se laissent aisément approcher.

Lizard Island

Mossman

Green Island

Cairns

Fitzroy Island

Dunk Island

Bedarra Island

Orpheus Island

Magnetic Island

Townsville

Daydream Island

Hayman Island

Hamilton Island

Long Island

Brampton Island

Mackay

Great Keppel Island

Heron Island

Rockhampton

Gladstone

Lady Elliot Island

Bundaberg

PLONGER SUR LA GRANDE BARRIÈRE

On peut apprendre à plonger sur la Grande Barrière à des prix très raisonnables grâce aux écoles qui existent tout le long de la côte, en particulier à Townsville et Cairns. Certaines promenades en bateau comprennent aussi des plongées spéciales pour débutants complets ou encore des plongées de nuit.

LÉGENDE

▬▬ *Highway*

0   150 km

Heron Island, réputée pour ses fonds superbes, est l'une des rares îles de sable aménagées. Elle peut se visiter dans le cadre d'excursions guidées. D'octobre à mars, les tortues de mer viennent pondre leurs œufs sur ses plages. L'observation des oiseaux est très populaire sur l'île car des milliers d'oiseaux vivent dans ses arbres.

Les gorgones, spectaculaires colonies de polypes, présentent une couleur orangée caractéristique.

La plongée aux bouteilles demande un apprentissage.

ATTEINDRE LES ÎLES TOURISTIQUES

Bedarra Island 🚢 depuis Dunk Island. **Brampton Island** ✈️ 🚢 depuis Mackay. **Daydream Island** 🚢 depuis Shute Harbour. **Dunk Island** 🚢 depuis Mission Beach. **Fitzroy Island** 🚢 depuis Cairns. **Great Keppel Island** ✈️ depuis Rockhampton. **Green Island** 🚢 depuis Cairns. **Hamilton Island** ✈️ depuis toutes les capitales d'État et Cairns. 🚢 depuis Shute Harbour. **Hayman Island** ✈️ 🚢 depuis Hamilton Island. **Heron Island** ✈️ depuis Gladstone. **Lady Elliot Island** ✈️ depuis Bundaberg, Gladstone, Hervey Bay. **Lizard Island** ✈️ depuis Cairns. **Long Island** 🚢 depuis Shute Harbour. **Magnetic Island** ✈️ 🚢 depuis Townsville. **Orpheus Island** ✈️ depuis Cairns et Townsville.

Hamilton Island propose un large choix d'activités, entre autres le golf, le tennis, des jeux pour enfants, le parachutisme et le parachute ascensionnel.

Les Low Isles, à 25 km au large de Port Douglas, sont une destination typique des promenades d'une journée. Ce bateau à fond vitré sert un déjeuner et permet d'observer le récif, de bronzer et de pratiquer la plongée au tuba.

ACTIVITÉS SUR LES ÎLES
Aisément accessibles, ces îles proposent un large choix.

	PLONGÉE	PLONGÉE AU TUBA	PÊCHE	VOYAGE D'1 JOURNÉE	RANDONNÉE	SPORTS NAUTIQUES	CAMPING
Bedarra Island					●		
Brampton Island		■		■	●	■	
Daydream Island		■		■	●	■	
Dunk Island *(p. 247)*					●		
Fitzroy Island	●			■	●	■	
Gt Keppel Island		■	●	■	●	■	
Green Island *(p. 245)*		●					
Hamilton Island	●	■	●	■	●	■	
Hayman Island	●	■		●	■		
Heron Island		●					
Lady Elliot Island					■		
Lizard Island	●	■	●		●		
Long Island				■	●	■	
Magnetic Island *(p. 239)*		●					
Orpheus Island	●	■					●

BRISBANE

A vec une population de 1,5 million d'habitants, la capitale du Queensland est la troisième ville d'Australie après Sydney et Melbourne. Arrosée par la Brisbane River et entourée de collines, elle est réputée pour la beauté de son cadre, la douceur de son climat, son atmosphère accueillante et sa végétation tropicale dont les fleurons sont les bougainvillées et le ficus macrophylla.

En 1823, le gouverneur de la Nouvelle-Galles du Sud, sir Thomas Brisbane, décida d'isoler dans une colonie pénale spéciale les bagnards les plus durs de Sydney. Il envoya l'explorateur John Oxley tenter une implantation à Moreton Bay que le capitaine Cook avait remarquée cinquante ans plus tôt lors de son voyage le long de la côte orientale du continent. Oxley crut tout d'abord que la baie était une sorte de paradis tropical. Il mit peu de temps à déchanter : l'eau potable était rare, les Aborigènes devinrent hostiles quand ils comprirent qu'on leur volait leur terre et les forçats se révélèrent une main-d'œuvre peu docile. La colonie se déplaça vers l'intérieur des terres sur le cours de la Brisbane River.

Brisbane commença à attirer des colons libres dès 1837, mais ceux-ci n'eurent pas le droit de s'installer à moins de 80 km du centre pénitentiaire, jusqu'à sa fermeture en 1839. L'agglomération, qui comprend plusieurs faubourgs distincts en plus du quartier central, est encore aujourd'hui très éclatée. La ville devint la capitale du Queensland quand celui-ci se sépara de la Nouvelle-Galles du Sud en 1859.

L'État dispose d'importantes ressources naturelles, en particulier du charbon, de l'argent, du plomb et du zinc. Leur exploitation et la proximité de la Gold Coast ont entretenu la prospérité de Brisbane. Jusqu'à l'organisation des Jeux du Commonwealth en 1982 puis de l'Exposition universelle de 1988, la cité souffrait d'une image un peu vieillote mais cette réputation n'a plus lieu d'être. La capitale du Queensland présente aujourd'hui un visage cosmopolite et possède d'excellents restaurants et une vie artistique animée. Le rythme urbain y reste toutefois décontracté et des maisons en bois traditionnelles subsistent parmi les gratte-ciel.

Moutons du parc animalier de l'Australian Woolshed

◁ Bateau à aubes au pied d'un gratte-ciel, une bonne image de Brisbane

À la découverte du centre de Brisbane

Le cœur de Brisbane s'inscrit dans un méandre de la Brisbane River et les bacs qui assurent des navettes régulières offrent un excellent moyen de découvrir le centre-ville que l'on peut explorer à pied. Les rues forment un quadrillage et portent les noms de reines et de princesses britanniques quand elles vont du nord au sud, et ceux de rois et de princes d'est en ouest. À l'est du centre s'étend le faubourg chic de Kangaroo Point. À l'ouest, Paddington regorge de cafés. Au nord-ouest, Fortitude Valley abrite d'excellents restaurants.

Cénotaphe d'Anzac Square

Jardin botanique du Mount Coot-tha

LÉGENDE

▨	Plan pas à pas *p. 214-215*
🚌	Gare routière
P	Parc de stationnement
i	Informations touristiques
ⓘ	Ligne du Metroad (urbain)
▬	*Highway*
▬	Route principale
—	Route secondaire

GRAND BRISBANE

Brendale
Sandgate
Nudgee Beach
Moreton Bay
Stafford
Pinkenba
21
The Gap
20
Enoggera Reservoir
19
Brisbane
17
Wynnum
16
Murarrie
St Lucia
Cleveland
18
Mansfield
Tingalpa Reservoir
Brisbane River

0   5 km

COLLEGE ROAD
BOUNDARY STREET
BRADLEY ST
NORTH STREET
ALLENBY ST
FORTESCUE ST
LITTLE EDWARD ST
WICKHAM
ALBERT PARK
LEICHHARDT
TWINE ST
TERRACE
LILLEY ST
BIRLEY ST
STREET
SEDGEBROOK ST
BERRY STREET
UPPER
COUNTESS STREET
WICKHAM
ALBERT
WICKHAM PARK
10
ROMA STREET
PAUL STREET
MAY STREET
MAKERSTON ST
HERSCHEL STREET
GEORGE
TURBOT STREET
ROMA STREET
NORTH TANK STREET
William Jolly Bridge
QUAY
ANN STREET
i
STANLEY STREET
GREY STREET
13
Victoria Bridge
Brisbane
SOUTHBANK PARKLANDS

0   500 m

VOIR AUSSI

• *Hébergement* p. 472-474

• *Restaurants* p. 505-506

CARTE DE SITUATION

BRISBANE D'UN COUP D'ŒIL

Rues et bâtiments historiques

Anzac Square ⑨
Fortitude Valley et
 Chinatown ⑫
City Hall ⑦
Commissariat Stores ③
Customs House ⑧
Earlystreet Historical
 Village ⑰
General Post Office ①
Newstead House ⑯
Old Government House ⑥
Old Windmill ⑩
Parliament House ④

Cathédrales

St John's Anglican
 Cathedral ⑪
St Stephen's Catholic
 Cathedral ②

Parcs et jardins

Botanic Gardens ⑤
Brisbane Botanic Gardens ⑲
Brisbane Forest Park ⑳
Lone Pine Koala Sanctuary ⑱
Parcs de South Bank ⑭

Musées

Australian Woolshed ㉑
*Queensland Cultural Centre
 p. 220-221* ⑬
Queensland Maritime
 Museum ⑮

CIRCULER

Brisbane possède un système
de transports publics efficace
et bon marché. Dans le centre,
des codes de couleur aident
à identifier les lignes aux arrêts
de bus. La ligne n° 333, ou City
Circle, fait une boucle.
Riverside Centre est
l'embarcadère de bacs le
plus pratique.

Le centre de Brisbane pas à pas

Dans le centre de la capitale du Queensland, d'étincelants gratte-ciel voisinent avec de gracieux édifices du XIXᵉ siècle. Ces derniers échappèrent à la frénésie de démolition qui s'empara de toute l'Australie dans les années soixante-dix. Aménagée en *mall* piétonnier, Queen Street est le pôle de la vie sociale. Les bâtiments historiques se dressent en majorité à proximité du fleuve. Près du premier jardin botanique de la ville, qui borde Alice Street, de nombreux vieux pubs, rénovés, accueillent une clientèle qui vient surtout pour des repas d'affaires.

Immeubles modernes du centre-ville se découpant au-dessus de la Brisbane River

St Stephen's Cathedral
Aisément reconnaissable avec ses deux flèches blanches néo-gothiques, la cathédrale catholique de Brisbane date de 1874 ❷

L'Elizabeth Arcade abrite certaines des boutiques les plus élégantes de Brisbane.

Sciencentre
Ce musée des sciences occupe une ancienne imprimerie et propose des installations interactives.

★ Les Commissariat Stores
Ces greniers à blé du XIXᵉ siècle ont conservé leur façade d'origine mais renferment désormais un musée consacré à l'histoire du Queensland ❸

L'ancien Coal Board
érigé dans les années 1880
offre un bon exemple des
entrepôts qui dominaient
jadis le centre-ville.

Smellie & Co, une
entreprise de
quincaillerie, occupait
jadis ce bâtiment
harmonieux qui
possède à l'est un
portail baroque.

Queensland Club
*Un charmant immeuble abrite
depuis 1884 ce club
exclusivement masculin où
colonnes et boiseries créent un
décor très anglais.*

Carte de situation

Légende

Itinéraire conseillé

À ne pas manquer

★ **Les Commissariat
Stores**

★ **Le Parliament House**

The Mansions
*Ce rang de maisons victoriennes en brique rouge
agrémentées d'arcs en grès date des années 1890.
Des chats en pierre montent la garde aux angles
de la terrasse supérieure.*

S T R E E T

A L I C E   S T R E E T

0   100 m

★ **Le Parliament House**
*Contrairement à beaucoup
de parlements anciens
australiens, celui de Brisbane
est resté en fonction. Il date de
la fin du XIXᵉ siècle et garde
des éléments décoratifs surannés
comme ce vitrail de la
reine Victoria* ❹

Façade sud des Commissariat Stores restaurés

General Post Office ❶

261 Queen St. ☎ (07) 3405 1419. ☒ Brisbane Central. ☒ 1, 333. ⛴ Eagle St Pier. ◷ 7 h-18 h, lun.-ven. ♿ ☑

Cet édifice néo-classique bâti entre 1871 et 1879 remplaça les baraquements pour femmes forçats qui occupaient jusqu'alors le site. Premier bureau de poste de Brisbane, il reste aujourd'hui le principal bureau de poste du centre-ville.

En face, Post Office Square offre un cadre agréable où l'on peut se détendre tout en contemplant les fontaines et les parterres d'Anzac Square.

St Stephen's Catholic Cathedral ❷

249 Elizabeth St. ☎ (07) 3224 3111. ☒ Brisbane Central. ☒ 37, 44, 55, 56, 117. ⛴ Eagle St Pier. ◷ 8 h-18 h, t.l.j. ♿ ☑ sur demande.

Les premiers colons de la région de Brisbane fournirent les fonds nécessaires à la construction de cette jolie cathédrale catholique de style néo-gothique anglais dessinée par l'architecte colonial Benjamin Blackhouse et achevée en 1874.

À côté se dresse St Stephen Church (1850), la plus ancienne église de la ville. L'architecte britannique qui la dessina, A.W. Pugin, travailla aussi aux plans du palais de Westminster de Londres après l'incendie qui le ravagea en 1834.

Commissariat Stores ❸

115 William St. ☎ (07) 3221 4198. ☒ Brisbane Central. ☒ 333. ⛴ North Quay. ◷ 11 h-14 h, mar.-ven. ● jours fériés. **Contribution.** ♿

Cet immeuble édifié en 1829 par des bagnards est le seul bâtiment datant de la colonie pénale qui soit ouvert au public à Brisbane. Il abrita les entrepôts du gouvernement jusqu'en 1962 puis les archives de l'État du Queensland. Il sert désormais de siège à la Royal Historical Society of Queensland.

Parliament House ❹

George St. ☎ (07) 3406 7637. ☒ Brisbane Central. ☒ 1a, 1b, 5, 5b, 5c, 7, 7a, 333. ⛴ Gardens Point. ◷ 10 h 30-16 h 15, lun.-ven. ● jours fériés. ♿ ☑ obligatoire.

L'architecte Charles Tiffin remporta le concours organisé pour l'édification du Parlement du Queensland et il donna au monument, entrepris en 1865 et achevé en 1868, un style inspiré de la Renaissance française avec un toit en cuivre de Mount Isa *(p. 249)*. Tiffin intégra aussi des éléments adaptés au climat tropical de la région tels que volets et arcades protégeant du soleil. Remarquez également l'escalier en cèdre et les ornements à la feuille d'or du plafond de la Council Chamber.

L'édifice fut le premier bâtiment législatif de l'Empire britannique éclairé à l'électricité. Il ne peut se visiter qu'en dehors des sessions du Parlement du Queensland qui s'y tiennent toujours. Ce Parlement ne comprend qu'un seul corps législatif, contrairement à ceux des autres États australiens divisés en chambre haute et chambre basse.

Intérieur de l'Assembly Chamber du Parliament House

Botanic Gardens ❺

Alice St. ☎ (07) 3403 7911. ☒ Brisbane Central. ☒ 1a, 1b, 5, 5b, 5c, 7, 7a, 9, 333. ⛴ Edward St. ◷ t.l.j. ♿ ☑

Les plus anciens jardins botaniques de Brisbane sont aussi les deuxièmes jardins créés en Australie. Leur situation au bord du fleuve en

Passerelle au milieu des palétuviers des Botanic Gardens

Arcades de la façade nord de l'Old Government House

fait un havre de paix qui permet d'échapper à l'animation de la ville.

L'emplacement servit tout d'abord de potager aux forçats. C'est leur premier directeur, le botaniste Walter Hill, qui donna en 1855 leur disposition actuelle aux jardins. Une rangée de bunyas, un résineux australien, date de cette époque. Hill implanta aussi des variétés florales comme le jacaranda et le poinciana.

Les lacs qui agrémentent le parc de 18 ha attirent des centaines d'oiseaux tels que hérons et pluviers. On peut admirer les palétuviers de la Brisbane River, essence protégée, depuis une passerelle en bois construite spécialement à cet effet.

Old Government House ❻

Campus de la Queensland University of Technology, Gardens Point, George St. 📞 (07) 3229 1788. 🚆 Brisbane Central. 🚌 1a, 1b, 5, 5b, 5c, 7, 7a, 333. 🚢 Gardens Point. ⏰ 9 h-17 h, lun.-ven. ⬤ jours fériés. ♿ r.d.c. seul. 📷

Depuis 1973, le siège du National Trust of Queensland occupe cet élégant bâtiment. Dessiné par l'architecte colonial Charles Tiffin et achevé en 1862, l'édifice est animé par des galeries d'arcades de style normand en rez-de-chaussée. L'Old Government House abrita jusqu'en 1910 la résidence du gouverneur de l'État et la direction de son administration avant d'accueillir l'Université du Queensland (maintenant installée dans le faubourg de St Lucia) alors tout juste fondée.

City Hall ❼

King George Square. 📞 (07) 3403 4048. 🚆 Brisbane Central. 🚌 2, 333, lignes d'Adelaide St. 🚢 Eagle St Pier. ⏰ 9 h-17 h, lun.-ven. ⬤ jours fériés. ♿ 📷 **Tour de l'horloge** ⏰ 8 h 30-15 h, lun.-ven. ; 10 h 30-13 h 30, sam. **Gallery** ⏰ 10 h-17 h, t.l.j.

L'hôtel de ville néo-classique de Brisbane abrite depuis 1930 les réunions du conseil municipal.

Au-dessus de l'entrée principale, un splendide tympan sculpté représente la colonie à l'origine de la ville. Le hall d'entrée, côté King George Square, abrite pavement de mosaïque, plafonds ouvragés et boiseries sculptées.

Inspirée de la Renaissance italienne, la tour de l'horloge du City Hall mesure 92 m de hauteur et ménage une vue panoramique de la ville. Une galerie d'art propose une exposition où voisinent œuvres d'art et céramiques contemporaines et aborigènes.

La place qui s'étend devant le City Hall, King George Square, résiste à la multiplication des gratte-ciel de bureaux. Elle renferme plusieurs statues intéressantes dont *Form del Mito* (Forme du mythe) de l'Italien Arnaldo Pomodoro. Les surfaces polies de cette œuvre géométrique reflètent les visages changeants de la cité entre l'aube et le crépuscule. Le bronze *Petrie Tableau* du sculpteur tasmanien Stephen Walker fut commandé pour le bicentenaire de l'Australie en 1988. Il rend hommage aux familles de pionniers qui s'installèrent à Brisbane et montre l'un des premiers explorateurs du Queensland, Andrew Petrie, quittant les siens pour partir en expédition à l'intérieur des terres.

Une tour de l'horloge italianisante domine la façade du City Hall

Customs House ❽

399 Queen St. 📞 *(07) 3365 8999.*
🚆 *Brisbane Central.* 🚌 *6, 165,169,*
175, 185, 189, 195, 333. ⚓ *River-*
side. 🕙 *10 h-16 h, t.l.j.* ● *jours*
fériés. ♿ ☑ 🚻

Restaurée par l'Université
du Queensland en 1994,
l'ancienne douane est
désormais ouverte au public.
Commandée en 1886,
Customs House fait partie,
avec sa coupole en cuivre et
ses colonnes corinthiennes,
des plus vieux édifices
publics de Brisbane. Le hall et
l'escalier, que des
remaniements avaient fait
disparaître, ont retrouvé leur
aspect premier grâce à une
reconstruction minutieuse
effectuée d'après les plans
d'origine. Le bâtiment
accueille aujourd'hui de
nombreuses manifestations
publiques et renferme une
galerie d'art et un restaurant.

Anzac Square ❾

Ann St et Adelaide St. 🚆 *Brisbane*
Central. 🚌 *19, 333.* ⚓ *Waterfront*
Place, Eagle St Pier.

Anzac Square, agréable
espace vert planté de
baobabs, entre autres arbres,
commémore les soldats
australiens tombés au combat.
La flamme éternelle y brûle
dans un cénotaphe de style
Greek Revival édifié à l'entrée
du parc sur Ann Street. Sous
le monument, dans le Shrine
of Memories, des plaques
murales entretiennent le
souvenir des Australiens qui
sacrifièrent leur vie pour
sauver la patrie.

L'Old Windmill

Old Windmill ❿

Wickham Terrace. 🚆 *Brisbane*
Central. 🚌 *5.* ● *au public.*

Érigé en 1828, le Vieux
moulin à vent est le seul
bâtiment datant de la colonie
pénale à avoir survécu à
Brisbane en dehors des
Commissariat Stores *(p. 216)*.
Première construction
industrielle de la colonie, il
fut tout d'abord inutilisable
par manque de personnel
compétent et dut être équipé
de roues actionnées par les
forçats punis. Il servit ensuite
à signaler l'heure exacte par
un coup de canon et le lâcher
d'une balle à 13 h *(p. 78)*.
L'Old Windmill ne se visite
pas mais fait un bon sujet pour
une photographie. Il apparut
d'ailleurs dans les années vingt
sur la première image de la
télévision australienne.

St John's Anglican Cathedral ⓫

373 Ann St. 📞 *(07) 3835 2231.*
🚆 *Brisbane Central.* 🚌 *18.*
⚓ *Riverside Centre.* 🕙 *7 h-17 h,*
t.l.j. (accès limité le sam.). ♿ ☑

Inspirée du gothique
français, la cathédrale
anglicane de Brisbane est
considérée comme l'une des
plus belles églises de
l'hémisphère Sud avec son
intérieur paré de grès de
Helidon. Entreprise en 1901,
elle n'est toujours pas finie au
bout d'un siècle et des artisans
continuent d'y travailler.
C'est dans la cathédrale
Saint-Jean que fut proclamée
en 1859 l'autonomie de la
colonie du Queensland
jusqu'alors intégrée à la
Nouvelle-Galles du Sud.
Offerts par les paroisses de
l'État, les coussins de prière
ont des motifs liés à la culture
et l'histoire locales.

Nef et autel, St John's Anglican
Cathedral

Fortitude Valley et Chinatown ⓬

Brunswick St et Ann St, Fortitude
Valley. 🚆 *Brunswick St.* 🚌 *17,*
165,169, 175, 185, 189, 195.

Le navire *Fortitude* venu
d'Angleterre remonta la
Brisbane River en 1859 avec
250 colons à son bord. La
vallée où ils débarquèrent a
gardé son nom. Elle joua à la
fin du siècle dernier le rôle de
pôle commercial de la cité,
mais les quelques édifices

Cénotaphe de style Greek Revival d'Anzac Square

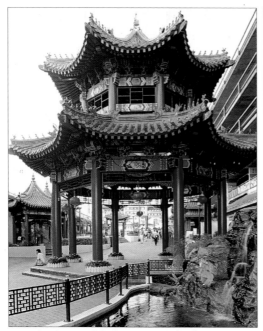

Entrée du Pedestrian Hall de Chinatown, Fortitude Valley

imposants construits à cette époque ne l'empêchèrent pas de devenir plus tard un des quartiers les plus mal famés de Brisbane.

Depuis que le conseil municipal a décidé sa réhabilitation dans les années quatre-vingt, Fortitude Valley dégage une atmosphère bohème et possède certains des meilleurs restaurants de la ville *(p. 505-506)*. Le McWhirter's Emporium de style Art déco abrite un marché aux vêtements, tandis qu'un marché en plein air se tient le samedi matin sur Brunswick Street.

La vallée renferme le Chinatown de Brisbane, où se serrent restaurants, supermarchés, et cinémas asiatiques. Un expert du *feng shui* retourna les lions qui en gardent l'entrée car leur position initiale nuisait aux affaires.

Queensland Cultural Centre ⑬

Voir p. 220-221.

Parcs de South Bank ⑭

Rive de la Brisbane River, South Bank. 🚆 *Vulture St.* 🚌 *12, lignes d'Adelaide St et George St.* 🚢 South Bank 1, 2, 3. ♿ **Centre d'accueil** 📞 *(07) 3867 2051.* ⏰ *8 h-18 h, dim.-jeu. ; 8 h-20 h, ven. et sam.* **Gondwana Wildlife Sanctuary** ⏰ *8 h-17 h, t.l.j.* **Butterfly and Insect House** ⏰ *8 h 30-17 h, t.l.j.*

L a rive sud de la Brisbane River où se déroula l'Exposition universelle de 1988 a été aménagée en un espace vert de 16 ha renfermant une forêt tropicale reconstituée et une serre de papillons. Il y a même une plage. Des cafés et, le week-end, des vendeurs et des artistes de rue

Papillon des parcs de South Bank

abondent dans ce quartier dédié aux loisirs. Des concerts de musique classique et de rock y ont également lieu.

Le **Gondwana Wildlife Sanctuary** abrite de nombreuses espèces de plantes et d'animaux

australiens et les visiteurs peuvent espérer y caresser un koala. La serre de la **Butterfly and Insect House** entretient le climat tropical nécessaire à la survie de centaines de papillons et d'insectes, notamment des araignées.

Un bateau, le *South Ship*, permet de découvrir le parc depuis le fleuve.

Queensland Maritime Museum ⑮

Angle de Sidon St et Stanley St. 📞 *(07) 3844 5361.* 🚆 *Vulture St.* 🚌 *14, lignes d'Adelaide St.* 🚢 *River Plaza, South Bank 3.* ⏰ *9 h30-17 h, t.l.j.* 🚫 *ven. saint, matin du 25 avr., 25 déc.* ♿ 📷

L e bâtiment du musée maritime du Queensland abrite des maquettes de constructeurs navals, les reconstitutions de cabines de vapeurs et les vestiges de diverses épaves. Une frégate de la Seconde Guerre mondiale, le *Diamantina*, est en cale sèche.

Un remorqueur fonctionnant au charbon, le *Forceful*, emmène des passagers jusqu'à Moreton Bay lors de deux saisons annuelles. L'exposition comprend également un lougre qui servait à la pêche aux perles, le *Penguin*, et un *yakatabume*, bateau de plaisance japonais offert à Brisbane par le Japon après l'Exposition universelle de 1988.

Le *Diamantina* au Queensland Maritime Museum

Le Queensland Cultural Centre ⓬

Pôle de la vie artistique et intellectuelle de Brisbane, le Centre culturel du Queensland comprend une galerie d'art, un musée d'histoire naturelle, des salles de spectacle et la bibliothèque d'État. La Queensland Art Gallery fondée en 1895 possède une collection d'œuvres aborigènes et australiennes, notamment des peintures de Sidney Nolan et Margaret Preston. La collection internationale comprend des pièces remontant au XVe siècle pour l'Europe et au XIIe siècle pour l'Asie. Une section d'art contemporain asiatique a été créée en 1993.

Epiphany (1962)
La galerie soutient depuis les années soixante des artistes australiens tels que Ian Fairweather.

★ **Bushfire** (1944)
Russel Drysdale a bâti sa réputation sur ses descriptions de la vie dans l'Outback, ici les ravages causés par un feu de brousse.

Niveau 4

Niveau 3

★ **La Belle Hollandaise** (1905)
Picasso peignit cette toile de transition entre ses périodes bleue et rose lors d'un séjour aux Pays-Bas. Le prix payé par la galerie en 1959 établit un record mondial pour une œuvre d'artiste vivant.

Bathers (1906)
Sa peinture de la vie à l'époque victorienne valut à Rupert Bunny une renommée internationale. Le sens de la composition de l'artiste rend cette scène de bain très vivante.

Niveau 2

À NE PAS MANQUER

★ **Bushfire**

★ ***La Belle Hollandaise***

LÉGENDE

■ Arts contemporain, indigène et asiatique

☐ Art australien avant 1970

☐ Art européen

☐ Arts décoratifs

☐ Œuvres sur papier

☐ Circulations et services

■ Allée aquatique

☐ Cour des sculptures

MODE D'EMPLOI

Angle de Melbourne St et Grey St, South Bank. 🚉 *South Brisbane*. 🚌 *165, 169, 175, 185, 189.* 🚢 *South Bank.*

Queensland Art Gallery
📞 *(07) 3840 7303.* ⏰ *10 h-17 h, t.l.j.* ⬤ *ven. saint, Anzac Day (jusqu'à midi), 25 déc.* ♿ 🅿 🛈 *11 h, 13 h et 14 h, lun.-ven. ; 14 h, 15 h, sam.-dim.* 🛈

🏛 Queensland Museum
📞 *(07) 3840 7555.* ⏰ *t.l.j.* ⬤ *jours fériés.*
La reconstitution de l'unique dinosaure du Queensland, le *muttaburrasaurus*, accueille le visiteur dans l'entrée de ce musée d'histoire naturelle. Les salles exposent des modèles grandeur nature de spécimens de la préhistoire comme de l'époque actuelle. Une exposition est consacrée aux Aborigènes de la forêt pluviale.

Danseurs de la compagnie réputée du Queensland Ballet

🎭 Queensland Performing Arts Centre
📞 *(1 800) 777 699.* ⏰ *pour les spectacles seul.*
Une salle de concert principale et deux théâtres accueillent dans ce centre pièces de théâtre, représentations d'art lyrique et concerts allant de petites productions d'avant-garde jusqu'à de grandes comédies musicales. La compagnie de danse du Queensland Ballet a aussi son siège ici.

🏛 State Library
📞 *(07) 3840 7666.* ⏰ *t.l.j.* 📷
La bibliothèque d'État permet de consulter films et partitions musicales. Elle abrite une riche collection de documents de l'histoire du Queensland, des livres rares, des photographies et des journaux remontant aux premiers jours de la colonisation européenne. La salle de lecture offre une vue panoramique de la ville.

SUIVEZ LE GUIDE
La collection occupe cinq étages. Les arts contemporain, indigène et asiatique se trouvent aux niveaux 2 et 4, les arts décoratifs au niveau 2 ainsi que l'exposition européenne qui se poursuit au niveau 3. Celui-ci abrite aussi l'art australien après 1970.

La cour des sculptures entourée de fontaines offre un cadre paisible à un pique-nique.

Lac intérieur

Restaurant

Bibliothèque d'art

Entrée principale

Niveau 1

William and Shirley, Flora and Fauna *(1985)*
Ce paysage du Queensland a été peint par l'artiste contemporain William Robinson.

Newstead House 🔞

Newstead Park, Breakfast Creek Rd, Newstead. 📞 (07) 3216 1846. 🚌 Bowen Hills. 🚍 117, 160, 190. 🕐 10 h-16 h, lun.-ven. ; 14 h-17 h, dim. 🔒 sam., ven. saint, 25 avr., 25-26 déc. ♿ limité. 📷

Construite en 1846 pour Patrick Leslie, l'un des premiers colons européens de la région des Darling Downs, cette charmante maison dominant le fleuve est la plus ancienne demeure de Brisbane. Le représentant du gouvernement de la Nouvelle-Galles du Sud, le capitaine John Wickham, l'acheta en 1847. Elle devint le centre officiel du pouvoir politique jusqu'à l'achèvement de la Government House en 1862 *(p. 217)*. Un énorme figuier sous lequel s'arrêtaient jadis d'élégantes calèches ombrage toujours l'allée qui y mène.

Restaurée par le Newstead House Trust à partir de 1976, la Newstead House est meublée d'antiquités victoriennes.

Boîte à musique, Newstead House

Earlystreet Historical Village 🔞

75 McIlwraith Ave, Norman Park. 📞 (07) 3398 6866. 🚌 Norman Park. 🚍 145, 155. 🕐 10 h-16 h 30, lun.-sam. ; 11 h-16 h, dim. 🔒 jours fériés. 📷

À quinze minutes en voiture du centre de Brisbane, Earlystreet regroupe au sein d'un beau jardin des bâtiments coloniaux d'origines diverses. Ils comprennent en particulier une cabane en bois, deux

Ancienne épicerie à l'Earlystreet Historical Village

fermes et un pub, ainsi que des reconstructions de Stromness, l'une des premières maisons de Kangaroo Point, et des salles de bal et de billard de l'Auchenflower House. Le cadre se prête à merveille à la dégustation d'un *cream tea* (thé et petits gâteaux).

Lone Pine Koala Sanctuary 🔞

Jesmond Rd, Fig Tree Pocket. 📞 (07) 3378 1366. 🚍 581. ⚓ North Quay. 🕐 7 h 30-16 h 45, t.l.j. 🔒 matin du 25 avr. 📷 ♿

Créée en 1927, la plus ancienne réserve de koalas d'Australie est devenue une attraction touristique très populaire.

Lone Pine, qui poursuit un programme de reproduction réputé, abrite plus de cent koalas. Les visiteurs peuvent se faire prendre en photo en tenant dans les bras un de ces pacifiques marsupiaux. Des

kangourous, des émeus, des opossums, des dingos, des wombats, des reptiles et de nombreux oiseaux australiens, notamment plusieurs espèces de perroquets, vivent également dans le parc.

On peut rejoindre le parc en bateau depuis Victoria Bridge (départs quotidiens à 11 h).

Brisbane Botanic Gardens 🔞

📞 (07) 3403 2533. 🚌 City Hall, 37, 37a, 598, 599. 🕐 sept.-mars : 8 h-17 h 30, t.l.j. ; avr.-août : 8 h-17 h, t.l.j.

Fondés en 1976 sur les contreforts du Mount Coot-tha, ces jardins botaniques renferment plus de 20 000 spécimens d'herbes, de buissons et d'arbres exotiques regroupés par thèmes. On peut, entre autres, y découvrir des bosquets d'eucalyptus, un jardin japonais, une lagune, une forêt de bambous, une riche collection d'espèces végétales indigènes et, sous le Tropical Display Dome, des plantes telles que lotus et vanillier. Le Sir Thomas Brisbane Planetarium est le plus grand planétarium d'Australie.

Doté d'agréables aires de pique-nique, le Mount Coot-tha Forest Park offre des panoramas spectaculaires. Le nom du mont signifie en aborigène « montagne du miel sombre », en référence aux petites abeilles vivant dans la région. Par temps clair, la vue porte depuis son sommet jusqu'à Brisbane, les îles de

Koala du Lone Pine Koala Sanctuary

Les Brisbane Botanic Gardens dominés par l'un des gratte-ciel de la cité

Moreton et Stradbroke, les Glasshouse Mountains (ainsi baptisées par le capitaine Cook parce qu'elles lui rappelaient les fours de verrerie de son Yorkshire natal) et le Lamington Plateau dominant la Gold Coast (*p. 230-231*). Le parc renferme des sentiers praticables par tous. Certains expliquent comment les Aborigènes utilisaient les plantes.

Brisbane Forest Park ⑳

🚋 *506.* ℹ️ *The Gap (07) 3300 4855.* ⏱️ *8 h 30-16 h 30, lun.-ven. ; 10 h-17 h, sam. et dim. ; 9 h-17 h, jours fériés.* ⬤ *25 déc.*

Au sein du D'Aguilar Mountain Range, cette réserve naturelle s'étend sur plus de 50 km au nord-ouest du centre de Brisbane et protège plus de 28 500 ha de brousse et de forêt d'eucalyptus. Plusieurs routes panoramiques offrent des vues à couper le souffle. La plus pittoresque, la Mount Nebo Road, serpente à travers de verdoyants paysages. Une autre route part de Samford, grimpe jusqu'au charmant village de Mount Glorious puis redescend sur l'autre versant. Arrêtez-vous pour entendre les appels caractéristiques des oiseaux-

cloches et des psophodes. Un belvédère, le Wivenhoe Outlook, 6 km après Mount Glorious, domine le Lake Wivenhoe, lac artificiel créé pour réguler le cours de la Brisbane River. À 1 km au nord de Mount Glorious, vous trouverez l'entrée de la Maiala Recreation Area qui renferme des aires de pique-nique et plusieurs sentiers à travers la forêt pluviale.

Au centre d'accueil du Brisbane Forest Park, le **Walkabout Creek Wildlife Centre** reconstitue un habitat aquatique d'eau douce où prospèrent tortues, dragons et rats d'eau, pythons, poissons-chats et minuscules poissons arc-en-ciel. Les visiteurs peuvent aussi y voir des dipneustes, poissons possédant à la fois des branchies et des poumons. Un restaurant permet de déjeuner tout en contemplant un superbe paysage sauvage. Les rangers proposent des randonnées guidées.

À environ 4 km du centre d'accueil du parc, Bellbird Grove abrite un musée aborigène en plein air composé de huttes en écorce.

🏹 Walkabout Creek Wildlife Centre

60 Mt Nebo Rd, The Gap. 📞 *(07) 3300 4855.* ⏱️ *9 h-16 h 30, lun.-ven. ; 10 h-16 h30, sam et dim.* ⬤ *25 déc.*

Australian Woolshed ㉑

148 Samford Rd, Ferny Hills. 📞 *(07) 3351 5366.* 🚉 *Ferny Grove.* 🚌 *172.* ⏱️ *9 h 30-17 h, t.l.j.* ⬤ *25 déc.* 🎫 *spectacle.* ♿ 🍴

Ce parc où kangourous, koalas et autres animaux australiens se promènent en liberté parmi les aires de pique-nique propose chaque jour des *ram shows* comprenant des démonstrations de tonte de mouton, d'utilisation de chiens de berger et de filage de laine.

Le Woolshed Restaurant est un bon endroit pour s'arrêter déjeuner. Le vendredi et le samedi soir, le restaurant propose des dîners dansants.

Démonstration de tonte de mouton à l'Australian Woolshed

BRISBANE :
RENSEIGNEMENTS PRATIQUES

Brisbane est une ville propre, sûre et accueillante. Bien que sa vocation touristique soit récente, elle possède des structures d'accueil de qualité, dans le centre comme en périphérie. Vous aurez le choix entre de grands hôtels coûteux ou des hébergements économiques ou de milieu de gamme (p. 472-474). Les produits tropicaux de la région et les poissons et fruits de mer

Enseigne du Myer Centre

pêchés localement (p. 505-506) figurent sur toutes les cartes des restaurants et des cafés. Vous n'aurez pas besoin de votre voiture grâce à un réseau dense de transports publics, très économiques. Les visiteurs disposent aussi à Brisbane de nombreuses pistes cyclables. Des bureaux d'information touristique identifiés par le symbole international « I » se trouvent partout en ville.

FAIRE DES ACHATS

Le quartier des affaires de Brisbane (Central Business District) a pour pôle commerçant le Queen Street Mall piétonnier (p. 214-215) où le vaste **Myer Centre** réunit un grand magasin et plus de 200 boutiques. Il abrite aussi des restaurants et des fast-food où les employés de bureau se pressent à midi. Au quatrième étage, les montagnes russes à l'intérieur du centre commercial distraient adultes et enfants. Les autres galeries marchandes du Queen Street Mall comprennent **Broadway on the Mall**, la Brisbane Arcade et la Rose Arcade. Le Wintergarden a pour spécialités la mode et les bijoux.

Intérieur restauré de la Brisbane Arcade du XIXe siècle

Roue de loterie au Conrad International Treasury Casino

Si vous préférez un shopping plus intime, des faubourgs comme Paddington et Milton recèlent petites boutiques, galeries d'artisanat et librairies.

Les visiteurs étrangers peuvent acheter hors taxe les opales australiennes, y compris celles trouvées dans le Queensland, auprès de spécialistes comme **Quilpie Opals. Aboriginal Creations** propose un choix intéressant d'objets et d'art aborigènes. Le marché qui se tient le week-end sur Eagle Street est l'endroit où l'on trouve de l'artisanat aux meilleurs prix.

Les magasins ouvrent à Brisbane de 9 h à 17 h 30 du lundi au jeudi et jusqu'à 21 h le vendredi. Le week-end, de nombreux commerces ouvrent de 9 h à 17 h le samedi et de 10 h 30 à 16 h le dimanche.

SE DISTRAIRE

Le quartier de South Bank (rive sud) est le plus animé de Brisbane. Le **Queensland Performing Arts Centre** programme concerts, pièces de théâtre et danse (p. 221), et les South Bank Parklands accueillent de nombreux artistes de rues et des spectacles en plein air. Différents clubs proposent du jazz et vous trouverez des discothèques dans le quartier de Riverside et sur Caxton Street. Si vous préférez les jeux d'argent, courez au **Conrad International Treasury Casino,** près de la Brisbane River sur le Queen Street Mall.

Il existe plusieurs magazines de programme gratuits, dont *This Week in Brisbane, Hello Brisbane et Time Off*. Les billets de la

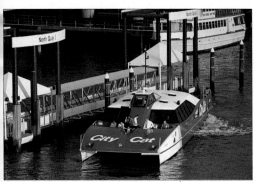

Catamaran de CityCat sur la Brisbane River

majorité des spectacles peuvent se prendre auprès de **Ticketek.**

CIRCULER

Brisbane possède un centre compact aisé à découvrir à pied. De plus, la plupart des hôtels et des centres d'information fournissent des plans. Des deux côtés du fleuve, il existe d'excellents itinéraires fléchés.

Le réseau de transports publics associe autobus, trains de banlieue et bateaux. Les catamarans de CityCat desservent des sites très fréquentés comme South Bank, Eagle Street, Riverside, Dockside, New Farm et Kangaroo Point. Les deux principaux embarcadères se trouvent sur

Panneau de CityCat

Logo de City Sights

Eagle Street, mais plusieurs arrêts jalonnent le fleuve. Les bateaux-promenades proposent des visites commentées et des déjeuners- ou dîners-croisières. Un forfait économique, le Rover, disponible auprès de l'**Administration Centre,** donne droit à des trajets en nombre illimité sur tous les transports urbains pendant un jour, une semaine ou un mois.

Le **City Sights Tram-Bus Tour** est aussi un bon moyen de découvrir la ville sans se ruiner. Ce bus ouvert circule entre les principales attractions de Brisbane. Votre ticket vous permet de monter et de descendre aussi souvent que vous le voulez. Clairement indiqués, les arrêts City Sights sont aisés à reconnaître.

Les bus de Citybus desservent le centre-ville et ceux de Cityxpress relient le centre aux banlieues. Tous s'arrêtent à la gare routière de Queen Street près du Myer Centre.

Des compagnies privées organisent également des visites en autocar des principaux sites de la ville. Elles proposent aussi des déplacements à l'extérieur vers des destinations telles que Stradbroke Island, Moreton Bay, Surfers Paradise (p. 230-231) et l'arrière-pays montagneux (p. 232-233).

Le City Sights Tram-Bus dessert les principaux sites du centre

---

CARNET D'ADRESSES

FAIRE DES ACHATS

Aboriginal Creations
199 Elizabeth St.
[(07) 3224 5730.

Broadway on the Mall
Queen Street Mall.
[(07) 3229 5233.

Myer Centre
Queen Street Mall.
[(07) 3232 0121.

Quilpie Opals
68 Queen Street.
[(07) 3221 7369.

SE DISTRAIRE

Queensland Performing Arts Centre
Angle de Grey St et Melbourne St, South Bank. [(1 800) 777 699.

Conrad International Treasury Casino
William St et George St.
[(07) 3306 8888.

Ticketek
[(07) 3223 0444.

TRANSPORTS PUBLICS

Administration Centre
69 Ann St.
[(07) 3403 0144.

City Sights Tram-Bus Tour
69 Ann St. [13 12 30.

Transinfo
(renseignements sur les transports) [13 12 30.

BUREAUX D'INFORMATION TOURISTIQUE

City Hall,
King George Square.
[(07) 3221 8411.

Queen Street Mall
[(07) 3229 5918.

Tous les transports publics fonctionnent jusqu'à minuit et de nombreux taxis circulent la nuit dans le centre. Se déplacer en voiture ne pose pas de problème particulier mais il s'avère parfois difficile de se garer. Les cyclistes apprécieront le réseau bien entretenu de pistes cyclables.

AU SUD DE TOWNSVILLE

L
e sud du Queensland possède deux atouts majeurs : ses belles
plages propices au surf et des terres agricoles parmi les plus
fertiles d'Australie. La région est ainsi le grand centre bovin et
sucrier du pays, tandis que le delta de la Burdekin River est réputé
pour ses productions maraîchères. Les mines de l'intérieur des terres
assurent l'activité de ports tels que Mackay et Gladstone.

Conscients des possibilités qu'offrait le sud du Queensland, des éleveurs suivirent de près les explorateurs qui ouvrirent la région vers 1840. La culture de la canne à sucre commença dès 1869 autour de Bundaberg. Les hommes à l'origine de l'essor agricole du Queensland écrivirent une des pages noires de l'histoire de l'Australie. En effet, ils utilisèrent au début des insulaires du Pacifique Sud, ou Canaques, arrachés de force à leurs îles natales par des marchands d'esclaves (une pratique appelée *blackbirding*) pour travailler sur les plantations dans des conditions éprouvantes. Cette forme d'immigration contrainte ne cessa qu'après l'instauration de la fédération en 1901. Quelque 60 000 Canaques avaient alors été emmenés au Queensland où leurs descendants vivent toujours. Les richesses de son sous-sol accélérèrent le développement de la région pendant la deuxième moitié du XIXe siècle. La découverte d'or fit naître des villes comme Charters Towers et Ravenswood où subsistent de nombreux bâtiments construits avant l'épuisement des filons. S'il ne reste plus beaucoup d'or dans le sud du Queensland, on y trouve les plus vastes gisements de saphir de la planète. Plusieurs parcs nationaux protègent en outre une végétation très variée et de superbes paysages.

Le littoral affirme depuis longtemps déjà sa vocation touristique. Des surfeurs du monde entier se retrouvent à la station balnéaire Surfers Paradise, tandis que les plages de sable blanc de la Gold Coast attirent tout l'été des dizaines de milliers de vacanciers. Au nord commence la Grande Barrière dont Townsville est une des principales voies d'accès. Magnetic Island est séparée de Townsville par un simple détroit. L'île possède également de beaux fonds sous-marins.

Pêche matinale à Surfers Paradise

◁ **Le Sandstone Bluff près de l'entrée de la Violet Gorge dans le Carnarvon National Park**

À la découverte du sud de Townsville

Aisément accessible depuis Brisbane *(p. 210-225)*, le littoral du sud du Queensland est devenu une des destinations de vacances les plus populaires d'Australie grâce à son climat ensoleillé, ses plages de sable et ses rouleaux propices au surf. Derrière les fertiles plaines côtières subsistent plusieurs villes nées lors de la ruée vers l'or des années 1850. À l'ouest de Rockhampton, le Capricorn Hinterland abrite les dépôts de gemme d'Emerald et deux parcs nationaux : Carnarvon et Blackdown Tableland. Au nord de la région, le port animé de Townsville est une des principales portes vers les îles de la Grande Barrière de corail *(p. 204-209)*.

Le **Railway Hotel** de Ravenswood date du xixe siècle

LA RÉGION D'UN COUP D'ŒIL

Ayr **13**
Blackdown Tableland
  National Park **10**
Carnarvon National
  Park p. 237 **11**
Charters Towers **15**
Darling Downs **2**
Eungella National Park **12**
Fraser Island p. 234 **6**
Gladstone **8**
Hervey Bay **5**
Lamington National Park **1**
Maryborough **4**
Mon Repos Environmental
  Park **7**
Ravenswood **14**
Rockhampton **9**
Arrière-pays de la Sunshine Coast **3**
Townsville et Magnetic
  Island **16**

VOIR AUSSI

- **Hébergement** p. 474-475
- **Restaurants** p. 507

LÉGENDE

▬▬	*Highway*
▬▬	Route principale
▬▬	Parcours pittoresque
〜	Cours d'eau
᭳	Point de vue

TOWNSVILLE ET MAGNETIC ISLAND **16**
AYR **13**
RAVENSWOOD **14**
CHARTERS TOWERS **15**
Burdekin River
Mount Isa
Cape River
COLLINSVILLE
EUNGELLA NATIONAL PARK
CLERMONT
EMERALD
Longreach
CARNARVON NATIONAL PARK **11**

0   100 km

Épave du *Maheno* sur une plage de Fraser Island

CIRCULER

L'avion dessert plusieurs villes, et notamment les principales cités de la région : Townsville, Rockhampton et Gladstone. Il existe de fréquentes liaisons par autocar le long de la Bruce Hwy et des grandes routes de l'intérieur. La voie ferrée reliant Brisbane et Cairns longe la Bruce Hwy et des trains s'arrêtent dans toutes les localités importantes (le trajet de Brisbane à Townsville dure environ 25 h). Mais la voiture reste le meilleur moyen d'explorer la région.

La côte du sud du Queensland

Entrée de Movie World sur la Gold Coast

Deux des régions balnéaires les plus populaires d'Australie entourent Brisbane. Au sud de la ville, la célèbre Gold Coast aligne sur 75 km des immeubles d'appartements, des hôtels de luxe, des centres commerciaux, des boîtes de nuit, un casino et, surtout, 42 km de plages de sable. Au nord, la Sunshine Coast, plus élégante, a moins succombé à l'attrait des gratte-ciel et des néons. À l'intérieur des terres, le Great Dividing Range sillonné de superbes sentiers de randonnée abrite de florissantes communautés d'artisans et permet de découvrir de merveilleux panoramas.

Le Burleigh Heads National Park est une petite réserve naturelle protégeant une dense forêt d'eucalyptus. Celle-ci couvrait jadis toute la région, qui doit son fertile sol volcanique au Mount Warning situé à 30 km au sud-ouest du parc.

*À **Coomera**, Sea World présente des dauphins et des otaries dressés et Movie World propose des numéros de cascades dans des répliques de studios de la Warner Bros. À Dreamworld voisinent des attractions familiales et une réserve animalière.*

*La **Sunshine Plantation** est une plantation d'ananas comme l'indique l'immense fruit en fibre de verre à son entrée. Elle se visite et un train parcourt des champs de canne à sucre.*

Tewantin ②
Cette ville au cœur de la Sunshine Coast offre couchers de soleil spectaculaires et superbes plages. Elle est aussi le point de départ des bateaux pour le Cooloola National Park.

MARYBOROUG

Maroochydore Beach ⑤
Apprécié pour sa plage sur l'océan et la Maroochy River, le principal centre commerçant de la Sunshine Coast possède de bons hôtels et restaurants très appréciés des touristes.

Mooloolaba Wharf ⑥
Le complexe touristique du quai de Mooloolaba comprend des boutiques, des restaurants et l'Underwater World, grand aquarium qui renferme crocodiles et barramundi.

Bulcock Beach, Caloundra ⑦
La plage de sable fin qui bénéficie d'une position centrale est souvent surpeuplée. Deux belles plages proches, Golden Beach et Shelly Beach, sont plus calmes.

Moreton Bay ⑧
Voici le point d'accès à 370 îles, dont les populaires Moreton, Bribie et South Stradbroke. Principales activités : pêche, observation des oiseaux et nautisme.

Coolangatta ⑫
À la frontière entre le Queensland et la Nouvelle-Galles du Sud, Coolangatta est l'un des meilleurs sites de surf de la région. Cours d'initiation et planches de location sont proposés.

★ **Cooloola National Park** ①

Lacs et bois de sclérophylles abondent dans la région. La piste de 60 km qui conduit à Rainbow Beach passe par les Teewah Coloured Sands, des sables aux teintes naturelles.

CARTE DE SITUATION

★ **Noosa Heads, Main Beach** ③

La beauté naturelle du site, une plage orientée au nord et un important réseau fluvial ont fait de Noosa une station balnéaire en vogue.

★ **Noosa National Park** ④

D'une superficie de 380 ha, cette réserve naturelle où vivent des koalas protège un cap et son littoral creusé de criques.

★ **Sanctuary Cove** ⑨

Cette station huppée située sur Hope Island renferme deux terrains de golf de luxe et est appréciée des golfeurs.

★ **South Stradbroke Island Beach** ⑩

Sur cette île de sable préservée où l'on vient pêcher des crabes et observer les oiseaux, les hébergements restent relativement basiques.

Sunshine Plantation

• Caloundra

• Caboolture

Moreton Island

BRISBANE

North Stradbroke Island

Redcliffe

Coomera

Burleigh Heads National Park •

BYRON BAY

0   20 km

★ **Surfers Paradise Beach** ⑪

Le cœur de la Gold Coast au front de mer bordé de gratte-ciel, de boîtes de nuit et de restaurants propose un très vaste choix de distractions.

LÉGENDE

	Highway
	Route principale
	Route secondaire
	Cours d'eau
	Point de vue

Lamington National Park ❶

🚗 Canungra.   🛈 Park Ranger Office (07) 5544 0634.   🕐 lun.-ven.

Fondée en 1915, cette réserve naturelle de 200 km² dans le McPherson Mountain Range propose plus de 160 km de sentiers pédestres à l'ombre d'essences subtropicales, de pins et de cèdres rouges. Ces derniers ont pu échapper aux forestiers de la fin du siècle dernier parce qu'ils étaient difficiles d'accès. Les crêtes les plus hautes (900 m) abritent les pins de l'Antarctique les plus septentrionaux d'Australie. Plus de 150 espèces d'oiseaux, oiseaux-lyres et oiseaux à berceau, entre autres, font du parc un lieu apprécié des ornithologues amateurs.

Non loin, le Macrozamia National Park doit son nom à ses macrozamias, l'une des formes végétales les plus archaïques de la planète.

Darling Downs ❷

🚗 Toowoomba.   🚌 Toowoomba.   🛈 Toowoomba (07) 4639 3797.

À deux heures de voiture de Brisbane, à l'ouest du Great Dividing Range, les plaines des Darling Downs très tôt colonisées et riches en souvenirs historiques renferment certaines des terres les plus fertiles d'Australie.

La région a pour principal centre Toowoomba qui, avec ses 90 000 habitants est une des grandes villes du Queensland. À l'emplacement d'un ancien marécage amendé par les premiers pionniers, cette « cité-jardin » est aujourd'hui réputée pour ses jacarandas et son Carnival of Flower (p. 37).

À environ 45 km au nord-ouest de Toowoomba par la Warrego Hwy, la **Jondaryan**

Woolshed est une lainerie construite en 1849 pour assurer la tonte de 200 000 moutons par saison. Après avoir été restaurée, elle a été transformée en complexe touristique où tondeurs et forgerons font des démonstrations de leur savoir-faire.

Warwick, la plus ancienne ville du Queensland après Brisbane, est située au sud de Toowoomba. Elle est renommée pour ses fromages, ses roses et ses édifices en grès du XIXᵉ siècle. Elle organise aussi depuis 1857 l'un des plus vieux rodéos d'Australie. Celui-ci se tient en octobre (p. 37) et conclut le Rose and Rodeo Festival. Le vainqueur se voit offrir un prix d'un montant de 70 000 dollars australiens (p. 36). À 60 km au sud de Warwick et à 915 m

Fromage de Warwick

d'altitude, Stanthorpe est au cœur d'une des rares régions viticoles du Queensland, la Granite Belt. La ville célèbre en juillet la fraîcheur de son climat par le Brass Monkey Festival (p. 39).

D'une superficie de 78 ha, le Queen Mary Falls National Park abrite des aires de pique-nique au sein de la forêt pluviale.

Arrière-pays de la Sunshine Coast ❸

🚗 Nambour.   🚗 Maroochydore.   🚌 Maroochydore.   🛈 Maroochydore (07) 5479 1566.

Le Blackall Mountain Range, à l'ouest de la Sunshine Coast, est jalonné de jolies communautés d'artistes et d'artisans où de nombreuses pensions et quelques bons restaurants permettent de faire étape. Depuis Maleny, village agréable, la route pittoresque qui rejoint Mapleton offre un

Cascade du Queen Mary Falls National Park, Darling Downs

Les Glasshouse Mountains volcaniques de l'arrière-pays de la Sunshine Coast

panorama de Moreton Island et des plantations d'ananas et de canne à sucre.

Formées de dix cônes volcaniques vieux de 20 millions d'années, les Glass House Mountains doivent leur nom au capitaine Cook qui les découvrit en 1770. La forme des montagnes rappelaient à l'explorateur les fours de verrerie de son Yorkshire natal.

Maryborough ❹

🏠 *25 000*. ✈ 🚌 🚃 🚤 ℹ *30 Ferry St (07) 4121 4111.*

Fondée en 1843 sur la Mary River, Maryborough joua un rôle actif dans l'histoire du Queensland et servit de centre d'hébergement aux Canaques importés pour travailler sur les plantations *(p. 227)*. La ville fut également pendant un temps le seul port en dehors de Sydney où les colons libres avaient le droit de débarquer. Cette situation privilégiée lui procura une prospérité dont témoignent les édifices publics historiques. Cette prospérité valut d'ailleurs à la ville de Maryborough le titre de « Heritage City ».

Maryborough conserve aussi de nombreuses demeures du XIXᵉ siècle, depuis de simples cottages ouvriers jusqu'à de superbes « Queenslanders ». Ces maisons au niveau principal surélevé du sol et aux vérandas qui font le tour du bâtiment sont typiques de l'État du Queensland.

Hervey Bay ❺

🏠 *42 000*. ✈ 🚌 🚤 ℹ *Bay Central Shopping Centre, Boat Harbour Drive, Pialba (07) 4124 6671.*

Si dans les années soixante-dix Hervey Bay n'abritait encore que cinq villages de pêcheurs, c'est aujourd'hui une agglomération de 30 000 âmes. La douceur de son climat et des plages sûres attirent de plus en plus d'Australiens pour les vacances. La baie sert aussi d'étape aux baleines à bosse qui parcourent chaque année plus de 11 000 km entre l'Antarctique et les eaux de l'Australie du Nord pour mettre au monde leurs petits. À leur retour, entre août et octobre, elles s'y arrêtent le temps que les baleineaux sécrètent la couche de graisse qui les protégera du froid. Dans les années soixante, elles n'étaient plus que 300,

mais l'interdiction de la chasse fit remonter leur nombre à environ 1 200.

AUX ENVIRONS

À 62 km au nord de Hervey Bay, la ville sucrière de Bundaberg, où subsistent de nombreux bâtiments du XIXᵉ siècle, doit sa renommée au Bundaberg Rum (« Bundy »), l'alcool le plus vendu en Australie. La distillerie se visite. Le fils le plus célèbre de Bundaberg, Bert Hinkler (1892-1933), effectua en 1928 le premier vol en solitaire de l'Angleterre à l'Australie. Le **Bundaberg and District Historical Museum** expose son aéroplane : l'*Ibis*.

Rhum de Bundaberg

🏛 **Bundaberg and District Historical Museum**
Young St, Botanic Gardens. 📞 *(07) 4152 0101.* ⭕ *t.l.j.* ⛔ *ven. saint, 25 avr., 25 déc.* ♿ 📷

Maison typique du Queensland à Maryborough

Fraser Island ❻

Située au large de la côte du Queensland près de Maryborough (*p. 233*), Fraser Island, longue de 140 km et large de 25 km, est la plus grande île de sable du monde. Ses paysages vallonnés sont ponctués de lacs limpides. Des *ferries* assurent des navettes entre River Heads, sur le continent, et Inskip Point. Les modes d'hébergement vont du camping au complexe hôtelier de luxe.

MODE D'EMPLOI

ℹ️ *Eurong Information Centre, Eurong, Fraser Island (07) 4127 9128.* 🚢 *depuis Hervey Bay ou River Heads.* ♿ 🏨 🚐 🍴 🅿️

Indian Head fut ainsi baptisée par le capitaine Cook (*p. 46-47*) à cause des indigènes rassemblés qu'il y vit à son arrivée.

Le phare de Sandy Cape a éloigné de nombreux navires d'eaux dangereuses.

Watumba

HERVEY BAY

Le Lake Bowrrady peuplé de tortues est, à 120 m d'altitude, entouré de mélaleucas et d'essences tropicales.

Les Cathedrals
Ces spectaculaires dunes de sable rouge bordent la côte est sur 25 km.

OCÉAN PACIFIQUE

Lake McKenzie
Sable blanc et végétation serrée entoure une eau d'une parfaite limpidité.

Kingfisher Bay

La Seventy-Five Mile Beach est la plage sur laquelle repose l'épave du *Maheno*.

Central Station, un ancien centre forestier, est le point de départ de superbes promenades.

Eli Creek est le principal cours d'eau du littoral oriental.

Lake Biraben *Eurong*
Lake Boomanjin

```
0        5 km
```

LÉGENDE

▬▬	Route principale
▬▬	Piste pour 4 × 4
– –	Sentier pédestre
ℹ️	Informations touristiques
🏕	Aire de pique-nique
⛺	Camping
📷	Point de vue
⚓	Embarcadère

JAMES ET ELIZABETH FRASER

En 1836, les survivants du naufrage du *Stirling Castle,* dont le capitaine James Fraser et son épouse Elizabeth, atteignirent Fraser Island où ils tombèrent aux mains des Aborigènes. Le capitaine succomba mais sa femme, secourue, put rentrer en Angleterre. L'histoire a inspiré un roman à Patrick White : *Une ceinture de feuilles (p. 31).*

Elizabeth Fraser

Hook Point

Caouane sur le sable de Mon Repos Beach

Mon Repos Environmental Park ❼

🚌 depuis Bundaberg. 📞 (07) 4159 1652. ⏰ t.l.j. 🈳 ♿ 📷 obligatoire, nov.-mars.

Mon Repos Beach, à 15 km de Bundaberg (p. 233), est une aire de reproduction de tortues de mer parmi les plus importantes et les plus accessibles du continent australien. Des caouanes, entre autres, viennent y pondre entre novembre et février et les premiers petits sortent de leurs coquilles en janvier. À peine éclos, ils se dirigent d'instinct vers l'océan.

Un centre pédagogique permet d'approfondir ses connaissances sur ces fascinants reptiles. Pendant la période critique, on ne peut atteindre les sites de ponte que dans le cadre de visites guidées. Juste derrière la plage se dresse un mur de pierres érigé par des Canaques. Il sert aujourd'hui de monument à la mémoire de ces habitants des îles du Pacifique déportés (p. 227).

Gladstone ❽

🏘 27 000. ✈ 🚆 🚌 🚢
ℹ Gladstone Marina, Bryan Jordan Drive (07) 4972 4000.

Difficile de ne pas se rendre compte de la vocation industrielle de Gladstone, même si sa baie tente vaillamment de conserver sa beauté naturelle au milieu des silos à grain, des réservoirs de carburant et des montagnes de charbon. La plus grande raffinerie d'aluminium du monde transforme ici la bauxite extraite à Weipa sur la rive ouest de la Cape York Peninsula. Les entreprises de Gladstone génèrent 5 % de la richesse du pays et 20 % de celle du Queensland. Le port, avec un trafic annuel de 35 millions de tonnes de fret, est l'un des plus actifs d'Australie.

La grand-rue de Gladstone est bordée d'immeubles de styles éclectiques dont le Grand Hotel, qui fut inauguré en 1897 et reconstruit à l'identique après un incendie en 1993. Créé en 1988 à l'occasion du bicentenaire, le jardin botanique n'abrite que des plantes australiennes.

Au sud de Gladstone, les petits villages côtiers d'Agnes Waters et de Seventeen Seventy, ainsi nommé en honneur du capitaine Cook qui débarqua brièvement ici cette année-là (1770), offrent des lieux de villégiature particulièrement paisibles. À 20 km de la ville, Boyne Island est plus fréquentée.

Gladstone est une porte d'accès à Heron Island, l'une des îles les plus agréables de la Grande Barrière, dotée de superbes fonds sous-marins. Bateaux et hélicoptères permettent également de rejoindre d'autres îles de la moitié sud de la Grande Barrière (p. 208-209).

Le joli village côtier d'Agnes Waters au sud de Gladstone

Rockhampton ❾

🚶 66 000. 🚉 🚌 ℹ️ *Quay St (07) 4922 5339.*

Rockhampton, la « capitale du bœuf », est située à 40 km à l'intérieur des terres sur la Fitzroy River. La ville est le pôle administratif et commercial du centre du Queensland. Une flèche signale que le tropique du Capricorne traverse Rockhampton.

Fondée en 1854, Rockhampton conserve de nombreux bâtiments du XIXᵉ siècle restaurés, et le National Trust a entièrement classé Quay Street qui longe la rivière bordée d'arbres. La rue mène en particulier à l'imposante Customs House précédée d'un portique de plan semi-circulaire et couronnée d'une coupole en cuivre.

Créés en 1869, les **Botanic Gardens** abritent une belle collection de plantes du monde entier.

Construit sur un ancien lieu de rencontre tribal, l'**Aboriginal Dreamtime Cultural Centre,** qui appartient et est géré par une communauté d'Aborigènes, propose des expositions sur leur vie et leur culture.

♣ **Botanic Gardens**
Spencer St. 📞 *(07) 4931 1254.*
🕐 *t.l.j.* ♿
🏛 **Aboriginal Dreamtime Cultural Centre**
Bruce Hwy. 📞 *(07) 4936 1655.*
🕐 *t.l.j.* ● *jours fériés.* 📷 ✆

Plaque de la flèche du tropique du Capricorne

AUX ENVIRONS

À 32 km au sud-ouest de Rockhampton, la ville ancienne de Mount Morgan se développa grâce à une mine à ciel ouvert de 2 km² dont la production d'or puis de cuivre joua pendant cent ans, jusqu'à l'épuisement des gisements en 1981, un grand rôle dans l'économie du Queensland.

À environ 25 km au nord de Rockhampton, le Mount Etna National Park renferme d'impressionnantes grottes calcaires découvertes vers 1880. Le public peut y accéder par les Olsen's Capricorn Caverns et les Camoo Caves. On y remarquera notamment le « corail de grotte », des racines incrustées de pierre qui se sont frayé un passage dans le rocher. Le réseau souterrain abrite aussi les seules chauves-souris carnivores d'Australie, espèce menacée. À 40 km au nord-est de la ville s'étendent les magnifiques plages de sable de Yeppoon et de l'Emu Park.

Falaises de grès du Blackdown Tableland National Park

Blackdown Tableland National Park ❿

Capricorn Hwy. **Park Ranger**
📞 *(07) 4986 1964.*

Le parc national est situé entre Rockhampton et Emerald, le long d'une route non revêtue formant une boucle de 20 km à partir de la Capricorn Highway. Il a pour but de protéger l'imposant Blackdown Tableland, un plateau de grès qui s'élève de 600 m au-dessus des plaines de la région. Escarpements, forêts et cascades composent des paysages saisissants. La faune comprend, entre autres, pétaures volants, opossums, wallabies et dingos.

Centre minier situé à 75 km à l'ouest de la réserve naturelle, **Emerald** sert de tête de ligne ferroviaire aux zones rurales qui l'entourent. Sa gare de 1890 est l'un des rares bâtiments anciens du bourg à avoir survécu à une série d'incendies entre 1936 et 1969. Près du Lake Maraboon, une stèle marque l'emplacement de la fosse commune où reposent dix-neuf colons européens tués en 1861 par des Aborigènes. Au confluent de la Nagoa River et de la Cornet River, un arbre porte les initiales de l'explorateur Ludwig Leichhardt gravées en 1844.

Emerald est aussi la porte des plus vastes gisements de saphir du monde. Le mode de vie des prospecteurs ne manque pas de pittoresque ; beaucoup habitent de simples cabanes et utilisent du matériel d'extraction bricolé à partir de pièces détachées de voiture.

Façade la Customs House sur Quay Street, Rockhampton

Le Carnarvon National Park ⓫

L'entrée principale de cette réserve naturelle de 298 000 ha se trouve à 250 km au sud d'Emerald. Le parc comporte plusieurs parties, la plus accessible étant la splendide Carnarvon Gorge où l'eau de la Carnarvon Creek a sculpté falaises et aiguilles de rocher blanc et assure la survie d'une flore et d'une faune préservées. Les Aborigènes installés dans la région pendant des milliers d'années y ont exécuté des peintures rupestres et trois sites sont ouverts au public. De confortables bungalows, ainsi que plusieurs campings, permettent de loger sur place. Il faut cependant demander au préalable une autorisation de camper *(p. 465)*. Réserver est une précaution utile.

MODE D'EMPLOI

ℹ *Visitors' Centre, Carnarvon Gorge, par Rolleston (07) 4984 4505.* ♿ 🚻

LÉGENDE

═══	Route principale
– – –	Sentier pédestre
══	Cours d'eau
ℹ	Informations touristiques
🔼	Camping
✲	Point de vue

Les Upper Aljon Falls, cascades dans une grotte, voient peu le soleil.

L'Amphitheatre a été taillé dans le rocher par l'eau.

Carnarvon Gorge
Ruisseaux et forêts d'eucalyptus font de ce canyon une véritable oasis.

Le Boolimba Bluff offre une superbe vue au lever du soleil.

Kooraminya Creek

• Big Bend

Parrabooya

Kongaboola Creek

Kamoloo Creek

Kamoodangie Creek

Wagoonoo Creek

CASAUARINA GROVE

Carnarvon Creek

HELLHOLE GORGE

Koolaroo Creek

VIOLET GORGE

WARRUMBAH BLUFF

Warrumbah Creek

Mickey Creek

0   1 km

La Cathedral Cave, caverne de plus de 30 m de haut, est un des sites majeurs d'art aborigène.

Art Gallery
Cet important site d'art aborigène renferme des mains, des boomerangs, des haches et des pendentifs détourés avec un mélange d'eau et d'ocre.

Moss Garden
L'eau suintant des parois rocheuses permet ici à des fougères, des lianes, des hydres cornues et des hépatiques de prospérer.

Arrosage d'un champ de canne à sucre à Mackay

Eungella National Park ⑫

🚏 *Mackay.* 🚌 *Mackay.* ℹ️ *Mackay (07) 4952 2677.* **Park Ranger** ☎️ *(07) 4958 4552.*

La plus vaste réserve naturelle de la partie centrale de la côte du Queensland possède une superficie de 50 000 ha dans les Clarke Ranges. Ces reliefs volcaniques couverts de forêt pluviale et de plantes subtropicales sont coupés de profonds défilés avec cascades et bassins limpides.

Principale destination des visiteurs, la Finch Hatton Gorge abrite une faune indigène, pétaures volants, opossums, bandicoots et thylogales (une sorte de wallaby). La Broken River est l'un des rares cours d'eau du continent, où si vous êtes patient et discret, vous aurez peut-être la chance d'apercevoir des ornithorynques au crépuscule.

La ville importante la plus proche du parc, **Mackay,** fournit à l'Australie un tiers de sa production de sucre. Elle jouit d'un climat doux même en hiver grâce aux hauteurs qui l'entourent et qui retiennent l'air marin. Elle reste cependant peu touristique malgré trente belles plages de sable blanc bordées de casuarinas.

La Commonwealth Bank et la Customs House, dans le centre de Mackay, sont classées par le National Trust.

Le deuxième chargeur de charbon du monde par la taille est situé à Hay Point. Des trains de plus de 2 km de long l'alimentent en combustible extrait des mines de l'ouest. Le charbon est ensuite destiné à l'exportation.

Ayr ⑬

🚶 *8 600.* 🚏 🚌 ℹ️ *Plantation Park, Bruce Hwy (07) 4783 9800.*

Ce bourg animé occupe le cœur du delta de la Burdekin River, l'une des grandes régions australiennes de culture de la canne à sucre.

En ville, le moderne Burdekin Cultural Complex renferme un théâtre de 530 places, une bibliothèque et une galerie d'art. Parmi les œuvres exposées figure le groupe sculpté *Living Lagoon* de l'artiste australien contemporain Stephen Walker. L'Ayr Nature Display consiste en un mur composé de 2 600 morceaux de roc du Queensland du Nord, une exposition consacrée aux insectes et aux papillons et une collection d'objets aborigènes et de reptiles, de coquillages et de fossiles australiens.

Au Mount Kelly Orchid Gardens, les visiteurs peuvent assister dans un laboratoire moderne au clonage et au bouturage d'orchidées.

AUX ENVIRONS
À environ 55 km au nord d'Ayr, Alligator Creek donne accès au Bowling Green Bay National Park peuplé de geckos et de cigales. Des piscines naturelles sont alimentées par des cascades.

Cuisinière victorienne, Courthouse Museum de Ravenswood

Ravenswood ⑭

🚶 *300.* ℹ️ *Courthouse Museum, McCrossin St (07) 4770 2047.*

Ce village connut une période brillante pendant la ruée vers l'or dans les années 1860 *(p. 50-51)* puis tomba à l'abandon après l'épuisement des filons. Il a recommencé à reprendre un semblant de vie après l'ouverture d'une nouvelle mine en 1994 (visite sur rendez-vous).

Ravenswood conserve certains de ses bâtiments d'origine, souvent décrépis. Quatre promenades historiques permettent de découvrir des édifices tels que St Patrick's Church, une maison de mineur et la poste qui fait aussi office d'épicerie. Dans l'ancien tribunal, le Courthouse Museum retrace l'histoire de la région.

Living Lagoon du Burdekin Complex d'Ayr

Façade du City Hall, édifice du XIXᵉ siècle de Charters Towers

Charters Towers ⓯

🏚 9 600. 🚉 🚌 🚍 ℹ️ 74
Mosman St (07) 4752 0314.

Après qu'un jeune Aborigène de dix ans y eut découvert de l'or en 1871, Charters Towers devint un temps le deuxième pôle urbain du Queensland avec 30 000 habitants avant de décliner dans les années vingt. Aujourd'hui, on continue à y extraire de l'or, ainsi que du cuivre, du plomb et du zinc. Cependant, l'économie de Charters Towers repose sur l'industrie du bœuf et sur son statut de centre éducatif de l'Outback du Queensland et de la Papouasie-Nouvelle-Guinée : un cinquième de sa population va à l'école. Dans le centre subsistent de majestueux édifices anciens, dont la Charters Towers Stock Exchange, la seule Bourse jamais créée en Australie hors d'une capitale.

Townsville et Magnetic Island ⓰

🏚 170 000. ✈️ 🚉 🚌 🚍 🚢
ℹ️ *Flinders Mall (07) 4721 3660.*

Robert Towns, le capitaine à l'origine du trafic de main-d'œuvre appelé *blackbirding* et basé sur l'enlèvement de Canaques dans les îles du Pacifique *(p. 277),* fonda en 1864 la ville qui porte toujours son nom. Elle est devenue la deuxième cité du Queensland et un grand port de transit pour le bœuf, le sucre et le minerai du nord de l'État. Jouissant d'une moyenne d'ensoleillement de 300 jours par an, elle a entrepris de développer le tourisme.

Townsville est l'un des principaux point d'accès à la Grande Barrière et un grand centre de plongée, l'épave du *Yongala* coulé en 1911 faisant un excellent but d'excursion. Au **Great Barrier Reef Wonderland,** un immense aquarium abrite un récif de corail vivant que l'on découvre depuis un tunnel transparent.

À 8 km au large, Magnetic Island est, avec ses 2 500 habitants, la seule île du Reef à posséder une population permanente relativement importante. Les reliefs qui s'élèvent jusqu'à près de 500 m d'altitude ont donné son nom à l'île. En effet, le capitaine Cook crut que des champs magnétiques générés par ces rochers de granite détraquaient son compas. Un parc national protège près de la moitié de ses 5 000 ha couverts d'une végétation variée. La plongée au tuba est une activité très prisée.

🐾 Great Barrier Reef Wonderland
Flinders St East. 📞 *(07) 4750 0755.*
⭕ *t.l.j.* ⬤ *25 déc.* 📷 ♿

La paisible Rocky Bay sur Magnetic Island

LE NORD ET L'OUTBACK DU QUEENSLAND

Les explorateurs européens se lancèrent au XIXe siècle à la découverte du nord et de l'intérieur du territoire du Queensland. Ils découvrirent des régions au riche potentiel minier et agricole, ainsi que des sites d'une extraordinaire beauté naturelle. Des parcs nationaux protègent désormais la plupart de ces derniers.

Le capitaine Cook fit dès 1770 un séjour de plus de deux mois dans le nord du Queensland, le temps de réparer son navire, l'*Endeavour,* qui s'était échoué. Cependant, la région resta méconnue pendant près d'un siècle encore. Ses premiers explorateurs durent affronter des conditions difficiles et une population indigène hostile. En 1844, les Aborigènes décimèrent l'expédition de Ludwig Leichardt qui atteignit le site de Port Essington au départ de Brisbane. En 1848, un groupe dirigé par Edmund Kennedy rejoignit la pointe du Cape York depuis Cairns mais, à l'exception de deux hommes, tous ses membres périrent, y compris Edmund Kennedy qui succomba à un coup de lance.

La colonisation commença néanmoins et le nord du Queensland connut une soudaine prospérité à la fin du XIXe siècle après la découverte d'or. Les villes qui naquirent près des mines entrèrent cependant très vite en déclin avec l'épuisement des gisements au début du XXe siècle. De ces villes ne subsistent aujourd'hui que des villages limités à une grand-rue bordée d'immeubles anciens. C'est le tourisme qui fait désormais vivre la région. Sur le littoral, stations balnéaires et complexes hôteliers de luxe accueillent les visiteurs venus profiter des splendeurs naturelles de la Grande Barrière de corail.

Avec ses ranchs couvrant des milliers d'hectares, l'Outback est un de ces grands territoires d'élevage qui ont marqué l'esprit du pays. À Barcaldine, un « arbre de la connaissance » ombrage l'endroit où se réunissaient les membres du premier parti travailliste australien fondé pendant la grève des tondeurs en 1891. C'est à Winton que « Banjo » Patterson écrivit en 1895 l'hymne national : *Waltzing Matilda*.

Rodéo au Lakefield National Park près de Laura dans le nord du Queensland

◁ Green Island, îlot corallien de la Grande Barrière

À la découverte du nord du Queensland

Les plantations de canne à sucre se succèdent au pied du Great Dividing Range entre Townsville et Cairns. Le nord du Queensland ne possède qu'une faible population avec une unique véritable ville, Cairns ; Port Douglas et Mossman ne sont que des bourgs. La région compte deux autres villages dignes d'intérêt : Daintree et Cook Town. D'une superficie de 200 000 km², soit à peu de chose près celle de la Grande-Bretagne, la Cape York Peninsula est une des dernières grandes zones sauvages de la planète. Les paysages y changent selon la période de l'année. Le vert règne en saison humide (de novembre à mars), tandis que pendant la saison sèche les lits des cours d'eau se vident et les terrains se dénudent.

Dense forêt pluviale dans le Daintree National Park près de Cairns

Pier Marketplace et Marlin Marina à Cairns

CIRCULER

Cairns possède un aéroport international et jouit d'une bonne desserte par avion, par train et par autocar depuis l'ensemble du pays. Il faut un véhicule, ou participer à un voyage organisé, pour se rendre au nord de Port Douglas ou dans l'Outback. À partir de Cape Tribulation, la route côtière, longue de 326 km entre Cairns et Cooktown, n'est plus praticable qu'en voiture tout-terrain, souvent imposée par les loueurs de voiture pour tout le trajet. La péninsule est généralement inaccessible en saison humide.

(Carte :) **TORRES STRAIT ISLANDS** — **SEISIA** — **JARDINE RIVER NATIONAL PARK** — **MAPOON** — *Dulhunty River* — **WEIPA** — *CAPE YORK PENINSULA* — **ARCHER BEND NATIONAL PARK** — *Edward River* — *Coleman River* — *Crosbie Cy* — **MITCHELL & ALICE RIVER NATIONAL PARK** — *Palmer* — **DUNBAR** — **STAATEN RIVER NATIONAL PARK** — *Golfe de Carpentarie* — *Mount Isa*

Dunk Island vue de la côte du Queensland

Légende

■ *Nord du Queensland*

□ *Outback du Queensland*
p. 248-249

La région
d'un coup d'œil

Atherton Tableland **8**
Babinda et les Boulders **10**
Bellenden Ker National Park **9**
Cairns p. 246 **7**
Cooktown **3**
Daintree National Park **4**
Dunk Island **11**
Green Island **6**
Hinchinbrook Island **12**
Lakefield National Park **1**
Port Douglas **5**
Torres Strait Islands **2**

T STEWART

KEFIELD
TIONAL
RK

3
COOKTOWN

Normanby River

M e r d e
C o r a i l

4 **DAINTREE**
NATIONAL PARK

5 **PORT DOUGLAS**

6
GREEN
ISLAND

MOSSMAN

7 *CAIRNS*

9

ATHERTON
TABLELAND
8

BELLENDEN KER
NATIONAL PARK

BABINDA
ET LES
10 **BOULDERS**

RAVENSHOE

11 *DUNK*
ISLAND

12

HINCHINBROOK
ISLAND

INGHAM

ll River

Burdekin River

Charters
Towers

Townsville

Voir aussi

• *Hébergement* p. 475-476

• *Restaurants* p. 507-509

Légende

〰 Highway

▬ Route principale

▭ Route secondaire

▬ Parcours pittoresque

〜 Cours d'eau

🔆 Point de vue

0   100 km

Lakefield National Park ❶

🏠 Cooktown. ℹ️ Cooktown (07) 4069 5446. **Bureau du parc** Lakefield (07) 4060 3271. ⏰ lun.-ven.

D'une superficie d'environ 540 000 ha, le deuxième parc national du Queensland par la taille protège des paysages variés sillonnés de rivières et souvent marécageux. Dans sa partie centrale vivent de nombreux oiseaux tels que grues d'Australie et aigrettes. Le seul hébergement possible est le camping pour lequel il faut obtenir une autorisation. Pendant la saison humide, de décembre à avril, les cours d'eau en crue rendent la majorité de la réserve naturelle inaccessible.

À la base de la Cape York Peninsula, **Laura** offre un exemple typique de village de l'Outback australien avec sa grand-rue revêtue depuis peu, bordée par un pub, un magasin d'alimentation et quelques maisons. Pourtant, à la fin du siècle dernier, 20 000 personnes y passaient car Laura était la tête de ligne ferroviaire des champs aurifères du Palmer River. Tombée dans l'oubli, la région connaît un regain d'intérêt depuis la découverte en 1959 de sites d'art rupestre aborigène très anciens. Les premiers explorateurs européens auraient inspiré l'un des plus remarquable : la « giant horse gallery » (galerie des chevaux géants).

Forêt inondée dans le Lakefield National Park

Thursday Island dans le détroit de Torres

Torres Strait Islands ❷

✈️ depuis Cairns. ⛴️ depuis Cairns. ℹ️ Cairns (07) 4051 3588.

Le détroit de Torres qui sépare la pointe nord de l'Australie de la Papouasie-Nouvelle-Guinée compte de nombreuses îles, dont dix-sept sont habitées. Elles sont gouvernées par le Queensland depuis 1879.

La plus visitée, Thursday Island, fut jadis la capitale de l'industrie perlière locale et son cimetière renferme les tombes de nombreux pêcheurs japonais. Murray Island est l'île natale d'Eddie Mabo, l'homme qui bouleversa les rapports juridiques entre Aborigènes et Australiens d'origine européenne. Il obtint en effet de la Haute Cour de justice la reconnaissance pour son peuple d'un droit à la propriété de sa terre.

Cooktown ❸

🏯 1 350. ✈️ 🚗 🚌 ℹ️ Charlotte St (07) 4069 6100.

Après qu'un récif de corail eut endommagé l'*Endeavour* en 1770, le capitaine Cook et son équipage passèrent six semaines ici à réparer le navire (*p. 46-47*). Cooktown aurait été ainsi la première colonie européenne d'Australie.

La ville se développa grâce aux champs aurifères, et sa population actuelle est bien inférieure aux 30 000 personnes qui fréquentèrent un temps sa centaine de pubs et ses nombreuses maisons closes. La Westpac Bank a un porche en fer forgé soutenu par des colonnes en pierre. Le **James Cook Memorial Museum**, qui possède une ancre de l'*Endeavour,* occupe un couvent édifié vers 1880. Dans le cimetière, un mémorial, deux crématoriums et des pierres tombales rappellent que de nombreux

Tombe chinoise à Cooktown

Chinois participèrent aux ruées vers l'or (*p. 51*). Depuis le jardin botanique fondé en 1886 et remanié en 1984, des sentiers rejoignent deux baies de la mer de Corail.

Entre Cooktown et Bloomfield, le Black Mountain National Park doit son nom de « parc national de la Montagne noire » à d'énormes blocs de granite qui se formèrent en sous-sol il y a environ 260 millions d'années et que l'érosion de roches plus friables a fini par révéler.

🏛️ James Cook Memorial Museum

À l'angle de Helen St. et de Furneaux St. ☎ (07) 4069 5386. ⏰ mai-oct. : t.l.j. ; nov.-avr. : variable. 🗓️ ♿

Daintree National Park ❹

📷 *depuis Mossman.* 🏛 *Port Douglas (07) 4099 5599.* **Bureau du parc** *Mossman (07) 4098 2188.* ☐ *lun.-ven.*

Le Daintree National Park protège un territoire de plus de 76 000 ha, dont la magnifique région du Cape Tribulation, l'un des rares endroits où la forêt pluviale s'étend jusqu'au bord de l'océan. C'est le capitaine Cook qui donna son nom au cap alors que les récifs de la Grande Barrière lui posaient des problèmes de navigation. Le site est apprécié des routards et commence à devenir une destination de visites organisées.

Montagneuse, la majeure partie de la réserve naturelle, à l'ouest du Cape Tribulation, reste inaccessible en dehors de la Mossman Gorge, à 5 km de Mossman, où un sentier aisé de 2,7 km court à travers la forêt.

Port Douglas ❺

🚶 *2 800.* 🚌 🚐 🏛 *23 Macrossan St (07) 4099 5599.*

Centre touristique depuis la construction, au début des années quatre-vingt, du luxueux Sheraton Mirage Resort, Port Douglas, à 75 km de Cairns, a en partie gardé son charme de village de pêcheurs, et les voyageurs à petits budgets y trouvent

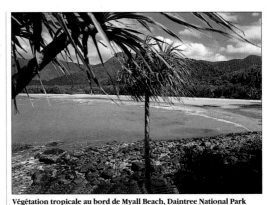

Végétation tropicale au bord de Myall Beach, Daintree National Park

hébergement et restaurants à prix raisonnables *(p. 476)*.

Macrossan Street possède la largeur caractéristique des grands-rues australiennes en zone rurale, un trait datant de l'époque où les chars à bœuf devaient pouvoir y manœuvrer. De nombreux édifices du XIXe siècle, tel le Courthouse Hotel, la bordent toujours, et leur style a défini l'architecture des centres commerciaux modernes.

Une marina a remplacé le port d'origine. Aménagé pendant la ruée vers l'or vers 1850, il n'avait pas résisté à la concurrence de Cairns, surtout après qu'un cyclone eut fait tomber en 1911 la population du bourg à moins de 500 habitants.

Quicksilver, une importante agence d'excursions pour la Grande Barrière *(p. 208-209),* l'utilise comme principal point de départ.

Green Island ❻

✈ *Cairns.* 🚢 *Cairns.* ⛴ *depuis Cairns.* 🏛 *(07) 4051 3588.*

Située à 27 km de Cairns et aisément accessible depuis cette ville, y compris en hydravion, Green Island est l'une des rares îles coralliennes aménagées de la Grande Barrière. Très populaire malgré sa petite taille (on en fait le tour à pied, en 15 mn), elle abrite depuis 1994 un complexe hôtelier cinq étoiles.

La plongée est l'activité principale ; pourtant la pollution causée par la proximité de zones touristiques ont appauvri le récif et sa faune, et les fonds situés plus au large sont plus spectaculaires. Marineland Melanesia renferme des aquariums marins et des enclos de crocodiles.

Green Island, îlot corallien de la Grande Barrière

Cairns **❼**

Boomerang du marché de Kuranda

L a principale localité du nord du Queensland n'a pas de plages. Cairns conserve une atmosphère urbaine malgré le développement touristique de son front de mer. Les visiteurs y viennent principalement pour partir à la découverte de la Grande Barrière *(p. 204-209)*, de la forêt pluviale du parc de Daintree *(p. 245)* et de l'Atherton Tableland.

MODE D'EMPLOI

🏠 130 000. ✈ 6 km au N. de la ville. 🚉 gare de Cairns, Bunda St. 🚌 Lake St Terminus, Lake St. (liaisons entre États) ; Trinity Wharf, Wharf St. ⛴ Marlin Marina, Pier Point Rd. ℹ angles d'Esplanade Rd et Ring Rd (07) 4051 3588. 🎭 Reef Festival (oct.) ; Cairns Show (juil.).

🚢 Trinity Wharf
Wharf St.

Ce quai sert de principal point de départ pour la Grande Barrière. Non loin subsistent quelques façades du début du siècle. D'août à décembre, les bateaux de pêche au gros qui rentrent au port avec leurs prises attirent de nombreux badauds sur la Marlin Jetty.

Pôle touristique de la ville, la Pier Marketplace adjacente accueille le dimanche un marché de produits alimentaires et d'artisanat.

🌿 Flecker Botanic Gardens
Collins Ave, Edge Hill. 📞 (07) 4050 2454. ⏰ t.l.j. ♿
Fondés en 1886, ces jardins botaniques doivent leur réputation à une collection de plus de cent

Orchidée tropicale, Flecker Botanic Gardens

espèces de palmiers, mais ils abritent également beaucoup d'autres plantes tropicales. Ils comprennent notamment une parcelle de forêt pluviale du Queensland peuplée d'oiseaux indigènes. La création des Centenary Lakes date de 1976, centième anniversaire de Cairns.

🏛 Cairns Museum
City Place, angle de Lake St et Shield St.
📞 (07) 4051 5582. ⏰ lun.-sam. ⏰ ven. saint, 25 déc. 🎫
Installé dans la School of Arts bâtie en 1907, ce musée présente, entre autres, le contenu d'un ancien temple chinois et des œuvres modernes d'artistes locaux.

AUX ENVIRONS
Dans un superbe cadre naturel sur le bord oriental du plateau d'Atherton, le petit village de **Kuranda** apprécié des hippies dans les années soixante propose chaque semaine quatre marchés d'artisanat devenus très touristiques. Il abrite le Tjapukai Cultural Centre, siège du Tjakupai Dance Theatre, compagnie aborigène réputée.

LÉGENDE

🚉 Gare

🚌 Gare routière

🚏 Arrêt de bus

ℹ Informations touristiques

CAIRNS : LE CENTRE-VILLE

Cairns Museum ②
Flecker Botanic Gardens ①
Trinity Wharf ③

0   500 m

Le cratère du Mount Hypipamee sur l'Atherton Tableland

Atherton Tableland ❽

🚉 *Atherton.* ℹ *Atherton (07) 4091 3225.* ⏱ *10 h-16 h, t.l.j.* ● *1er janv, ven. saint, 25 déc.*

À l'ouest de Cairns, le plateau d'Atherton domine les plaines côtières, culminant à 900 m d'altitude. Un climat plus frais, des pluies abondantes et un riche sol volcanique en font une des plus fertiles régions agricoles du Queensland. Longtemps spécialisée dans le tabac, la province produit aussi arachides, noix de macadamia et avocats.

Le National Trust a classé le village de **Yungaburra** pour ses nombreux bâtiments historiques. À 3 km en direction de Malanda, le *curtain fig*, un ficus épiphyte, a étouffé l'arbre sur lequel il a grandi et forme un rideau de racines aériennes haut de 15 m. Près de Yungaburra également, un lac aux eaux vertes occupe le cratère de 60 m de diamètre creusé dans le Mount Hypipamee. Son mode de formation reste inexpliqué, même si ses parois de granite éliminent l'hypothèse d'une origine volcanique.

Les plus spectaculaires chutes d'eau de la région coulent à Millaa Millaa. Un circuit en voiture permet de rejoindre d'autres cascades, les Zillie Falls et les Ellinjaa Falls, puis, après être passé par la Palmerston Highway, les pittoresques Mungalli Falls.

Principal bourg de la région, **Atherton** porte le nom de John et Kate Atherton qui fondèrent ici un ranch au milieu du siècle dernier. Mareeba, réputée pour son rodéo, occupe l'emplacement de leur demeure.

Bellenden Ker National Park ❾

🚉 *Innisfail.* 🚌 *Innisfail.* ℹ *Mourilyan (07) 4063 2000.*

Cette réserve naturelle que sillonnent quelques sentiers renferme les deux plus hauts sommets du Queensland : le Bartle Frere (1 611 m) et le Bellender Ker (1 591 m). Des casoars, grands oiseaux coureurs menacés d'extinction, peuplent ces montagnes souvent drapées de brume.

Au sud du parc, à environ 8 km de la Bruce Highway, le pied de la cascade des Josephine Falls se prête à la baignade et aux pique-niques.

Babinda et les Boulders ❿

🚶 *1 300.* 🚉 🚌 ℹ *Bruce Hwy, Babinda (07) 4067 1008.*

Le village de Babinda témoigne d'un temps révolu avec ses maisons à porches de bois et son vieux pub.

À 7 km à l'intérieur des terres, l'eau a donné aux rochers des Babinda Boulders des formes qui inspirent de nombreuses photographies.

Dunk Island ⓫

🚉 *Tully.* 🚌 *Mission Beach.* ⛴ *Mission Beach.* ℹ *Mission Beach (07) 4068 7099.*

Cette île de la Grande Barrière *(p. 208-209)* abrite, à courte distance du continent, une forêt tropicale parcourue de sentiers et emplie d'oiseaux. Des excursions organisées d'une journée permettent d'y aller pratiquer la plongée ou la planche à voile. Pour profiter de ses superbes plages, on peut aussi camper (avec une autorisation), et il existe un complexe hôtelier.

De nombreux artistes se sont établis sur l'île et vendent leurs œuvres.

Hinchinbrook Island ⓬

🚉 *Ingham.* 🚌 *Cardwell.* ⛴ *Lucinda, Cardwell.* ℹ *Ingham (07) 4776 5211.*

Le plus vaste parc national insulaire de l'Australie protège l'île de Hinchinbrook, (635 km²), que seul un étroit chenal bordé de mangroves sépare du village de Cardwell. Son point culminant, le Mount Bowen, atteint 1 142 m d'altitude. De denses forêts pluviales en grande partie inexplorées attirent des randonneurs avertis. Un sentier de 32 km jalonné de sites de camping (mieux vaut réserver) longe la côte orientale et permet de découvrir wallabies et papillons bleus ulysse.

Rochers sculptés par l'eau près du village de Babinda

L'Outback du Queensland

L e Queensland offre un contraste saisissant entre la luxuriance des forêts pluviales de l'est et l'aridité du nord-ouest dévolu à l'exploitation minière et à l'élevage extensif. La rigueur du climat et la longueur des distances sont un frein pour de nombreux visiteurs. Pourtant, ceux qui s'y risquent découvrent une faune unique et ont un aperçu du dur mode de vie dans l'Outback australien.

CARTE DE SITUATION

■	*Outback du Queensland*
▨	*Nord du Queensland* p. 240-247

L'OUTBACK D'UN COUP D'ŒIL

Burketown **14**
Longreach **16**
Mount Isa **15**
Normanton et
    le golfe de Savannah **13**

LÉGENDE

▭▭	*Highway*
▬	Route principale
▭	Route secondaire
≈≈	Cours d'eau

(Carte : Gilbert River, Normanton et le Golfe de Savannah, Burketown, Cloncurry, Mount Isa, Longreach, Diamantina River ; échelle 0 — 150 km)

Normanton et le golfe de Savannah **13**

🚂 *Normanton.* ℹ️ *Normanton (07) 4745 1166.*

N ormanton est le principal bourg du golfe de Savannah, région d'environ 350 000 km² couverte de savanes et de marécages. La ville borde la Norman River à 50 km à l'intérieur des terres. Son port, qui assura le transport du cuivre de Cloncurry puis de l'or de Croydon, sert aujourd'hui de point de départ à des expéditions de pêche au barramundi. Un train célèbre, le *Gulflander,* effectue toujours une navette hebdomadaire entre Normanton et Croydon, village qui conserve quelques bâtiments de l'époque de la ruée vers l'or.

Entre Normanton et le golfe de Carpentarie, la savane laisse place à d'étincelantes et stériles nappes de sel. Les pluies de novembre transforment toutefois le paysage en un marécage où viennent se reproduire des millions d'oiseaux tels que jabirus, grues et hérons, au milieu des crevettes et des crocodiles.

À l'embouchure de la Norman River, Karumba est au centre d'une industrie de la pêche, entre autres à la crevette, dont le chiffre d'affaires annuel s'élève à des millions de dollars. Elle garde quelque chose de l'atmosphère des villes du Far West, en particulier quand les chalutiers rentrent au port après des mois en mer.

La principale activité dans le golfe de Savannah est l'élevage. Les exploitations *(cattle stations)* pouvant dépasser 1 000 km², les cow-boys se déplacent plus volontiers en avion qu'à cheval.

Gommiers et termitières dans le golfe de Savannah

Mount Isa au pied de la plus grande mine d'Australie

Burketown ⓮

🏃 150. ✈ 🛈 *Musgrave St (07) 4745 5100.*

Situé à 30 km du golfe de Carpentarie sur l'Albert River, ce village connut à la fin des années cinquante une brève renommée car il fut le décor du roman de Nevil Shute, *Le Testament,* dans lequel il évoque la vie dans l'Outback. Un vieux quai rappelle que le port connut jadis un trafic plus important. Aujourd'hui Burketown n'est plus qu'un avant-poste oublié au sein d'une région d'élevage. Les habitants ont conscience de ce déclin et ont demandé une aide au développement auprès du ministère des Affaires étrangères australien.

À environ 150 km à l'ouest de Burketown, le lieu-dit Hell's Gate (Porte de l'enfer) prit ce nom au début du XXᵉ siècle car il marque le point au-delà duquel la police de l'État n'assurait plus de protection.

Mount Isa ⓯

🏃 25 000. ✈ 🚆 🚌 🛈 *Marian St (07) 4749 1555.*

Seule ville de quelque importance dans l'Outback occidental du Queensland, Mount Isa ne vit que pour, et par, la plus riche mine de plomb et d'argent du monde. La mine, qui se visite, domine la ville, aussi bien physiquement que psychologiquement. La découverte du premier gisement par un prospecteur appelé John Miles remonte à 1923, mais l'exploitation ne commença que dans les années trente. Protégée par le National Trust, la Tent House offre un exemple des abris rudimentaires qu'occupaient les premiers mineurs. Le **Riversleigh Interpretive Centre** présente une collection de fossiles issus de dépôts parmi les plus importants de la planète *(p. 22).*

Chaque année en août se déroule à Mount Isa le plus grand rodéo d'Australie *(p. 39).* Des prix atteignant un total de plus de 100 000 A$ attirent des cavaliers du monde entier.

AUX ENVIRONS
Le premier vol du Queensland and Northern Territory Aerial Service (Qantas), la plus ancienne compagnie aérienne du monde anglophone, eut lieu en 1921 au départ de **Cloncurry**, à 120 km à l'est de Mount Isa. Qantas est devenue la compagnie aérienne nationale australienne.

Longreach ⓰

🏃 4 500. ✈ 🚆 🚌 🛈 *Qantas Park, Eagle St (07) 4658 3555.*

Situé au centre du Queensland, Longreach abrita le siège de Qantas de 1922 à 1934 et le hangar d'origine reste toujours utilisé à l'aéroport. En face, le **Stockman's Hall of Fame** ouvert en 1988 présente une intéressante exposition à la gloire des pionniers et des cow-boys *(stockmen)* de l'Outback. L'exposition comprend des objets aborigènes, ainsi que des documents sur les explorateurs qui ouvrirent l'intérieur du continent.

Des vols quotidiens relient Brisbane et Longreach. Le trajet en autocar prend dix-sept heures. Il existe aussi des liaisons depuis Rockhampton et Townsville.

🏛 **Stockman's Hall of Fame**
Landsborough Hwy. 📞 *(07) 4658 2166.* ⬤ *t.l.j.* ⬤ *25 déc.* 📷 ♿

LE ROYAL FLYING DOCTOR SERVICE

Envoyé dans l'Outback en 1912 et épouvanté par les morts de fidèles, faute de soins médicaux de base, le jeune missionnaire presbytérien John Flynn fonda avec Hudson Fysh (le père de Qantas), le millionnaire Hugh Victor McKay, Alfred Traeger (l'inventeur du télégraphe à pédale) et le docteur Kenyon St Vincent Welch, l'une des plus prestigieuses institutions

Avion du Royal Flying Doctor Service au-dessus de l'Outback

australiennes : le Royal Flying Doctor Service. Ses médecins volants soignent 130 000 patients par an, y compris des Aborigènes. Ils traitent les cas les plus simples par radio mais la majorité des communautés et des propriétés de l'Outback possèdent une piste où ils peuvent se poser. Une intervention en urgence demande rarement plus de deux heures.

LE TERRITOIRE DU NORD

PRÉSENTATION DU
TERRITOIRE DU NORD 252-257
DARWIN ET LE TOP END 258-269
LE RED CENTRE 270-281

Le Territoire du Nord d'un coup d'œil

L e Northern Territory a une superficie plus de deux fois supérieure à celle de la France, pour une population inférieure à 180 000 habitants. Ses paysages sont souvent exceptionnels, désertiques tel le célèbre monolithe Uluru (Ayers Rock), mais aussi luxuriants comme dans le Kakadu National Park. Ses deux villes principales, Darwin sur le littoral verdoyant de la côte nord et Alice Springs au cœur de l'aride Red Centre, sont séparées par plus de 1 000 km. S'il possède son propre gouvernement depuis 1978, le « Territory », du fait de sa faible population, ne jouit pas du statut d'État.

Les îles Melville et Bathurst (p. 276), *à 80 km au large de la côte nord, sont habitées par des Aborigènes tiwi dont la culture a des traits particuliers, notamment l'érection de poteaux funéraires caractéristiques.*

```
0          150 km
```

Darwin (p. 262-265) *est la capitale du Territoire du Nord. La ville, très moderne, a conservé peu d'édifices du XIXᵉ siècle en dehors de la Government House. Plus de cinquante nationalités s'y côtoient* (p. 256-257).

LE RED CENTRE *(p. 270-281)*

Dans le Kakadu National Park (p. 268-269), *falaises de grès et flore tropicale composent des paysages hors du commun. La réserve naturelle la plus vaste d'Australie (1,7 million d'ha) renferme également d'impressionnantes cascades, telles les Jim Jim Falls, et de magnifiques peintures rupestres aborigènes.*

L'Uluru-Kata Tjuta National Park (p. 278-281) *offre un spectacle grandiose avec l'Ayers Rock émergeant d'un désert plat. Non loin s'élèvent d'autres étranges blocs de grès : les Olgas.*

◁ **Desert-oaks** *(allocasuarina)* **au cœur du Territoire du Nord**

**DARWIN ET LE
TOP END**
(p. 258-269)

L'Elsey Homestead, *à 110 km au sud-est de
Katherine* (p. 266-267), *servit de décor à un
roman de Jeannie Gunn sur la vie dans
l'Outback au XIXᵉ siècle : We of the Never Never.*

Les Devil's Marbles
(p. 277), *ou Billes du
diable, doivent leurs
formes arrondies à des
millions d'années
d'érosion. Au cœur du
désert, ces gros blocs de
granite fournissent de
l'ombre à de nombreux
végétaux et oiseaux.*

Alice Springs
*(p. 274-275),
en plein centre de
l'Australie, a conservé
l'ancien relais de
télégraphe (1871)
autour duquel la ville
s'est développée.*

La Chambers Pillar Historical Reserve
(p. 276) *protège une étrange colonne de grès
haute de 50 m que les premiers explorateurs de
la région utilisèrent comme point de repère.*

Les terres aborigènes

Panneau d'une terre aborigène

En un peu plus de deux siècles, la colonisation européenne a détruit dans presque toute l'Australie les cultures aborigènes vieilles de dizaines de milliers d'années. Elles ont toutefois été plus nombreuses à survivre dans le Territoire du Nord, notamment parce que les communautés ont farouchement défendu leur identité. Les Aborigènes représentent aujourd'hui près d'un tiers de la population du Territory et ils ont pu reprendre possession d'environ la moitié de sa superficie. Les visites organisées offrent le meilleur moyen de découvrir ces terres ancestrales et leurs habitants. Sinon, il faut demander un permis aux conseils locaux (six à huit semaines de délai).

Cette image de Namarrgon, un esprit du Temps du Rêve (p. 26), maintes fois repeinte jusque vers 1900, orne le Nourlangie depuis des siècles.

Le Nourlangie Rock du Kakadu National Park est pour les Aborigènes le site du rêve de la foudre (p. 268-269).

LÉGENDE

▢	Terre aborigène
▢	Parc national
▭	Highway
▬	Route principale
═	Piste

0　　　200 km

DARWIN

KAKADU NATIONAL PARK

ARNHEM LAND

Katherine

GREGORY NATIONAL PARK

Daly Waters

TANAMI DESERT

Tennant Creek

ALICE SPRINGS

ACCÈS ET PERMIS

Northern Land Council
📞 (08) 8920 5100.
Pour accéder à toutes les terres aborigènes du Top End, y compris l'Arnhem Land.

Northern Territory Parks and Wildlife Commission
📞 (08) 8979 0244.
Pour les permis d'accès au Gurig National Park.

Tiwi Land Council
📞 (08) 8981 1633.
Pour rejoindre les îles Melville et Bathurst.

Central Land Council
📞 (08) 8951 6320.
Accès aux terres aborigènes du centre de l'Australie.

TOURISME ABORIGÈNE

Pour les nombreux visiteurs, désireux de mieux connaître les cultures ancestrales du Territoire du Nord, il existe désormais des agences tenues par des Aborigènes qui proposent des excursions organisées dans des lieux inaccessibles aux touristes seuls. Elles permettent de mieux saisir le rapport de ces peuples à la terre. On peut ainsi, par exemple, circuler en bateau dans le Kakadu National Park *(p. 268-269)* avec un guide guluyambi, camper dans le *bush* avec la communauté manyallaluk près de Katherine ou découvrir des peintures rupestres en Terre d'Arnhem avec Umorrduk Safaris. Les centres culturels et d'information des parcs nationaux, tels ceux de Kakadu et d'Uluru-Kata-Tjuta, permettent de connaître des histoires du DreamTime.

*L'**Ubirr Rock** du Kakadu National Park, l'un des plus beaux sites d'art aborigène du Territoire du Nord, porte de nombreuses représentations d'animaux peints « aux rayons X » (p. 28-29), ici un barramundi. Elles datent de 20 000 ans à nos jours.*

Visiteurs grimpant au belvédère de l'Ubirr Rock

Autour d'Uluru
(p. 278-281),
beaucoup de sites sacrés pour les Anangu sont interdits au public mais les visiteurs peuvent connaître les histoires qui leur sont associées.

Bush Tucker Dreaming, *peint en 1991 par Gladys Napanangka de la communauté papunya du Central Western Desert, relate une histoire de la création transmise à l'artiste au fil de centaines de générations (p. 26-27).*

CULTURE ET LOIS ABORIGÈNES

Les histoires du Temps du Rêve *(p. 26-27)* relatent comment les esprits et les premiers ancêtres façonnèrent la terre et créèrent les créatures qu'elle porte. Mais elles transmettent aussi un système de règles et de rites qui ont franchi les siècles de génération en génération et dirigent tous les aspects de la vie des tribus. Ainsi, un Aborigène ne naît pas uniquement dans son clan familial mais appartient aussi à un groupe totémique déterminé par le lieu et le moment de sa naissance. Cette appartenance décide de sa place dans la communauté et des mythes de la création dont il hérite.

Aborigènes au corps peint pour une danse rituelle

Le Territoire du Nord multiculturel

Plat thaï

Harry Chan, *élu en 1966, fut le premier maire de Darwin d'origine chinoise.*

Proche de l'Indonésie et des îles du Pacifique, le Territoire du Nord fait depuis longtemps office de « porte d'entrée » des immigrants asiatiques en Australie. Des marchands de l'archipel indonésien fréquentaient déjà le littoral septentrional du continent au XVIIIe siècle et des prospecteurs chinois attirés par la découverte d'or arrivèrent à Darwin à partir de 1874. Les habitants de Darwin ont aujourd'hui pleinement conscience qu'ils sont plus proches de Jakarta que de Melbourne ou de Sydney. De nombreux groupes ethniques se côtoient à Darwin : Aborigènes et Anglo-saxons bien entendu, mais aussi Grecs et Italiens qui arrivèrent au début des années vingt, Chinois, Indonésiens, Thaïlandais, Philippins et réfugiés du Timor oriental.

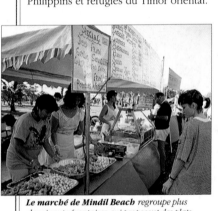

Le marché de Mindil Beach *regroupe plus de soixante éventaires qui proposent des plats thaïlandais, indonésiens, indiens, chinois, sri-lankais, malais et grecs (p. 264).*

Tous les enfants de Darwin apprennent le bahasa, une langue très parlée en Indonésie, pays proche de la ville.

LES CHINOIS DU TOP END

La découverte, en 1879, d'une figurine sculptée de la dynastie Ming (1368-1644) dans les racines d'un arbre de la plage de Darwin suscita maintes spéculations sur la possible venue d'une flotte chinoise au XVe siècle. Elle aurait marqué le début d'une relation entre l'empire du Milieu et la région qui dure toujours. Les premiers Chinois arrivèrent en 1874 en quête d'or, ils étaient 3 500 en 1885. Quarante ans plus tard, les jardins potagers et les magasins

Chinois et son attelage de buffles à Darwin au début du XIXe siècle

d'alimentation de Darwin étaient tenus par des familles chinoises. Aujourd'hui, dans cette ville où beaucoup d'habitants ne font que passer, la cinquième génération joue un grand rôle dans le domaine des affaires et nombre des familles influentes sont d'origine chinoise.

*Les **Aborigènes** seraient arrivés d'Asie dans le Territoire du Nord il y a entre 20000 et 50000 ans, quand les mers avaient un niveau beaucoup plus bas. Ici, de jeunes initiés d'une tribu de l'Arnhem Land s'apprêtent à participer à une cérémonie de passage à l'âge adulte.*

Un quart de la population de Darwin est née outremer, un autre quart est aborigène ; la ville est cosmopolite comme le montrent ces visages d'enfants.

LES ENFANTS DE DARWIN

Beaucoup pensent que la diversité que présentent les enfants de Darwin deviendra la norme dans toute l'Australie d'ici cinquante ans. L'ambiance cosmopolite de la ville et la tolérance raciale qui y règne sont toutefois des exceptions dans le pays.

Les enfants de Darwin, quelle que soit leur origine, partagent le même mode d'habillement et la décontraction australienne.

La communauté philippine préserve ses traditions comme le montrent ces jeunes filles en costume traditionnel au Festival of Darwin.

Paspaley Pearls, spécialisée dans l'élevage de perles et fondée par des colons grecs, est la plus riche société locale de Darwin.

Les immigrants du Timor oriental exécutent une danse traditionnelle lors d'un festival. La grande majorité d'entre eux est arrivée après l'invasion du Timor oriental par l'Indonésie en 1975.

DARWIN ET LE TOP END

Les Aborigènes qui peuplent la pointe tropicale du Territoire du Nord depuis des milliers d'années l'ont parée de la plus riche collection d'art rupestre de la planète. Très isolée, la capitale régionale, Darwin, est restée une petite ville. Inscrit au Patrimoine mondial, le Kakadu National Park possède une beauté âpre et sauvage renforcée par les mythes du Temps du Rêve.

Lorsqu'il pénétra en 1839 dans une anse d'un bleu azur bordée de palmiers, de plages de sable et de mangroves, John Lort Stokes, commandant britannique du *Beagle,* lui donna le nom de son ami Charles Darwin, le biologiste qui dévoilerait vingt ans plus tard sa théorie de l'évolution dans *L'Origine des espèces*. Le nom convient d'ailleurs à merveille à cette région tropicale où abondent les oiseaux, les plantes, les reptiles et les mammifères appartenant à des genres archaïques. Les Aborigènes installés eux aussi depuis des milliers d'années dans le Top End appartiendraient, selon les anthropologues, à l'une des plus anciennes races humaines.

La colonie fondée en 1864 à Port Darwin eut à se battre pour survivre. Isolée, dépourvue d'un véritable arrière-pays, elle dut attendre la Seconde Guerre mondiale pour qu'une route revêtue la relie au reste de l'Australie, mais elle subit alors les bombardements japonais *(p. 262)*. En 1974, le cyclone Tracy la dévasta *(p. 264)*. Malgré ces destructions et le handicap d'un climat très humide, Darwin est devenue une ville moderne et cosmopolite, de plus en plus marquée par la proximité de l'Asie.

Elle offre aux visiteurs une base agréable qui permet de partir à la découverte des extraordinaires paysages et des peintures rupestres du Kakadu National Park, des forêts tropicales, des cascades et des termitières géantes du Litchfield National Park et de la profonde faille taillée dans la roche rouge du Nitmiluk (Katherine Gorge) National Park. Des agences spécialisées organisent des excursions dans les communautés aborigènes de l'Arnhem Land et des îles Melville et Bathurst.

Jeune Aborigène ramassant des nénuphars dans le Top End

◁ La Katherine Gorge du Nitmiluk National Park

À la découverte de Darwin et du Top End

Avec sa végétation tropicale, le Top End dote d'une pointe verdoyante l'aride Territoire du Nord. Sur le littoral, des palmiers bordent des eaux turquoise. À l'intérieur des terres, on découvre des cours d'eau paresseux, des marécages, des gorges et des escarpements rocheux. Ville animée et métissée, Darwin est une halte qui permet d'explorer des sites comme Berry Springs et les îles Melville et Bathurst. La chaleur règne toute l'année mais le taux d'humidité baisse pendant la saison sèche (le *dry*). C'est la meilleure saison pour faire du tourisme même si la saison humide, le *wet,* rend les cascades plus spectaculaires et la végétation encore plus luxuriante.

Mer d'Arafura

ÎLES MELVILLE ET BATHURST ②

COBOURG PENINSULA ③

Mer de Timor

DARWIN ①

LITCHFIELD NATIONAL PARK ⑤

KAKADU NATIONAL PARK ④

East Alligator

PINE CREEK

KATHERINE ⑥

Victoria River

TIMBER CREEK

KEEP RIVER NATIONAL PARK ⑧

GREGORY NATIONAL PARK ⑦

DALY WATERS

Bateau de pêche aux perles dans le Darwin Harbour

CIRCULER

Le Top End n'est plus aussi isolé que jadis. De grandes routes relient désormais Darwin à Alice Springs, Adélaïde et Melbourne au sud et à Mount Isa, Cairns et Brisbane à l'est. Le centre de la ville peut se visiter à pied ou avec le Tour Tub, un bus ouvert qui dessert les principaux sites le long d'un circuit d'une heure. On atteint les attractions les plus visitées du Top End, tels le Kakadu National Park et la Katherine Gorge par des routes goudronnées. Des bus desservent les villes mais une voiture demeure nécessaire pour vraiment profiter de la région. Les distances restent relativement courtes pour l'Australie : 210 km et 300 km séparent Darwin de Kakadu et Katherine.

Jim Jim Falls du Kakadu National Park

Formations rocheuses de la Lost City, Litchfield National Park

VOIR AUSSI

• *Hébergement* p. 476-477

• *Restaurants* p. 509-510

LE TOP END
D'UN COUP D'ŒIL

Cobourg Peninsula ❸

Darwin p. 262-265 ❶

Gregory National Park ❼

*Kakadu National Park
p. 268-269* ❹

Katherine ❻

Keep River National Park ❽

Litchfield National Park ❺

Îles Melville et Bathurst ❷

LÉGENDE

▰▰	*Highway*
▬▬	Route principale
▭▭	Route secondaire
▬▬	Parcours pittoresque
~~	Cours d'eau
⋇	Point de vue

0   100 km

Map labels: Goyder River, Rose River, GROOTE EYLANDT, Golfe de Carpentarie, 20, McArthur River, 1, 11, 16, Tarrabool Lake, Lake Sylvester, Lake de Burgh, Alice Springs, 66

Darwin ●

L a capitale du Territoire du Nord, fondée en 1864, resta un petit avant-poste de l'Empire britannique pendant le premier siècle de son existence malgré une brève ruée vers l'or et la création de vastes fermes d'élevage. Devenue une importante base militaire, la ville subit les bombardements japonais pendant la Seconde Guerre mondiale puis, en 1974, les ravages causés par le cyclone Tracy (p. 264). Reconstruite, la ville moderne abrite plus de 50 groupes ethniques, Asiatiques d'immigration récente, Aborigènes et Australiens d'origine européenne ou de souche chinoise ancienne.

Vieux casque de pêcheur de perles

Palmiers du Bicentennial Park vus de l'Esplanade

🚏 Old Darwin Town Hall

Smith St. ♿

Les ruines en pierre de taille de l'ancien hôtel de ville se trouvent au bas de Smith Street. Construit en 1883 mais endommagé par un cyclone en 1897, l'édifice devint une banque puis un musée avant que le cyclone Tracy n'en laisse que les murs en 1974. Les courbes dessinées par le pavement en brique symbolisent la fureur des tempêtes tropicales.

🚏 Brown's Mart

Smith St. 【 (08) 8981 5522. ♿

En face des vestiges de l'Old Town Hall se dresse l'ancienne Bourse minière bâtie en 1885 pendant la ruée vers l'or. Elle sert désormais de siège à la Darwin Theatre Company.

🚏 Old Police Station and Courthouse

Angle de Smith St et de the Esplanade. 【 (08) 8999 7103. ♿

Endommagé par Tracy, et restauré, le bâtiment de 1884 abrita le poste de police et le tribunal. Il est désormais occupé par des services administratifs.
De l'autre côté de la rue, le Survivors Lookout domine le

port. Photos et témoignages écrits évoquent les épreuves de Darwin pendant la Seconde Guerre mondiale. Les Japonais bombardèrent 65 fois le Top End où stationnaient des milliers de soldats américains et australiens (p. 53).

🚏 Lyons Cottage

74 The Esplanade. 【 (08) 8981 1750. ◯ t.l.j. 📷

Cet édifice en pierre de 1920, aussi appelé British-Australian Telegraph Residence, renferme une exposition de photos illustrant la vie dans le Top End au début du siècle.

🏬 Smith Street Mall

Bennett St et Knuckey St. ♿

Cette galerie marchande est le cœur du quartier commerçant de Darwin, et touristes et habitants de la ville se pressent en permanence sur ses *plazas* vitrées et climatisées où de nombreuses agences proposent des excursions organisées. Parmi les bâtiments dignes d'intérêt figure le Victoria Hotel (1890), l'une des rares constructions anciennes, avec la Commercial Bank (1884), à avoir résisté à Tracy.

♣ Bicentennial Park

The Esplanade. ♿

Ce parc verdoyant aux allées ombragées ménage de beaux points et renferme plusieurs mémoriaux de la Seconde Guerre mondiale. L'un d'eux commémore le bombardement japonais du 19 février 1942 qui coula 21 des 49 navires américains et australiens mouillés dans le port et tua 243 personnes. Malgré son style colonial, l'Hotel Darwin date des années quarante.

Entrée principale du Parliament House

🚏 Parliament House

State Square. 【 (08) 8946 1425. ◯ lun.-sam. ◯ jours fériés. ♿

Bâti au bord de la falaise, le nouveau Parlement inauguré en 1994 possède une architecture qui semble emprunter à la fois au Moyen-Orient et à la Russie. Cet imposant monument abrite les réunions des 33 élus du Territoire du Nord qui administrent moins de 180 000 personnes. Des œuvres aborigènes ornent l'intérieur paré de granite. Les visiteurs peuvent jeter un coup d'œil dans les chambres des représentants et consulter les ouvrages de la bibliothèque la plus riche du Territoire.

Old Police Station and Courthouse

🛕 Government House

The Esplanade. ⌀ (08) 8999 7103. ♿

Élevé en 1879 sur un petit plateau au-dessus du port, le plus vieil édifice de Darwin a connu différents ajouts, pignons en bois notamment. Il sert de résidence à l'administrateur du Territoire qui représente la reine et le Commonwealth d'Australie.

🛕 Admiralty House

Angle de Knuckey St et de the Esplanade.

En face du Lyons Cottage se dresse un autre édifice épargné par le cyclone Tracy : l'ancienne Amirauté qui abrita jadis le quartier général de la flotte australienne. Dessinée dans les années trente par l'architecte le plus marquant du Territoire, Beni Carr Glynn Burnett, elle possède un élégant style tropical avec ses jalousies, ses avant-toits et ses murs ouverts facilitant l'aération.

🛕 Stokes Hill Wharf

McMinn St. ⌀ (08) 8981 4268. ♿

Cette longue jetée en bois qui s'enfonce dans le port ne sert plus au déchargement des marchandises mais porte désormais des boutiques, des bars et des restaurants. Des bateaux et des hydravions de promenade en partent.
À l'entrée du quai, l'excellent Indo-Pacific Marine présente des écosystèmes coralliens reconstitués en aquariums. Dans le même bâtiment,

MODE D'EMPLOI

🚶 78 000. ✈ Darwin Airport, 15 km au S.-E. de la ville. 🚌 Harry Chan Ave, centres commerciaux de Casuarina et Palmerston. ⚓ Cullen Bay Marina. ℹ 38 Mitchell St (08) 8981 4300. 🎏 Festival of Darwin (août).

l'Australian Pearling Exhibition illustre l'histoire et les techniques de la culture des perles dans la région.

Restaurant à la pointe du Stokes Hill Wharf

DARWIN :
LE CENTRE-VILLE

Admiralty House ③
Bicentennial Park ①
Brown's Mart ⑦
Government House ⑨
Lyons Cottage ②
Old Darwin Town Hall ⑥
Old Police Station and Courthouse ⑧
Parliament House ⑤
Smith Street Mall ④
Stokes Hill Wharf ⑩

Légende

🚌 Gare routière

P Parc de stationnement

ℹ Informations touristiques

Le Grand Darwin

Œuf d'émeu décoré

La plupart des sites sont situés à une courte distance du centre en voiture. Le Tour Tub, un bus ouvert qui passe par les principaux hôtels, en fait le tour lors d'un circuit d'une heure. Un forfait permet de l'utiliser en toute liberté. Hors de l'agglomération, à côté des vergers de manguiers et des *cattle stations* (fermes d'élevage), *bush* et marais protégés par des réserves naturelles se prêtent à la promenade, à la pêche et à la baignade.

Poisson venant se faire nourrir à Aquascene

➳ Aquascene
Doctor's Gully, angle de Daly St et de the Esplanade. 🕿 *(08) 8981 7837.* 🔴 *25 déc.* ♿

Depuis les années cinquante, des poissons viennent par centaines à marée haute (horaire variable d'un jour à l'autre) se repaître du pain sec jeté au Doctor's Gully. Les visiteurs d'Aquascene peuvent ainsi jouer avec mulets et *milkfish.*

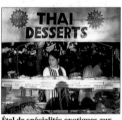

Étal de spécialités exotiques aux Mindil Beach Sunset Markets

🏮 Mindil Beach Sunset Markets
Mindil Beach. 🕿 *(08) 8981 3454.* 🔴 *fév.-oct. : jeu. ; juin-sept. : dim.* ♿

Les soirs de marché à Mindil Beach, les habitants de Darwin viennent déguster des spécialités culinaires, proposées par plus de soixante éventaires, en regardant le coucher du soleil sur le port.

🍃 Botanic Gardens
Geranium St, Stuart Park. 🕿 *(08) 8981 1958.* 🔴 *t.l.j.* ♿ *limité.*

À la sortie nord de la ville, ces jardins de 42 ha renferment plus de 1 500 espèces végétales tropicales, des palétuviers et une collection de 400 variétés de palmiers, entre autres.

🏛 East Point Reserve and Fannie Bay Gaol
East Point Rd, East Point. 🕿 *(08) 8981 9702.* 🔴 *t.l.j.* 🔴 *ven. saint, 25 déc.* ♿

Des wallabies broutent au crépuscule dans l'agréable East Point Reserve qui abrite un lac artificiel idéal pour la baignade, ainsi qu'un musée militaire. La prison de Fannie Bay, en service de 1883 à 1979, fut transformée en musée.

🏛 Australian Aviation Heritage Centre
557 Stuart Hwy, Winnellie. 🕿 *(08) 8947 2145.* 🔴 *t.l.j.* 🈶 ♿

Ce musée de l'aviation occupe un vaste hangar à Winnellie, à 6 km du centre de Darwin sur la Stuart Highway. L'un des deux seuls bombardiers B-52 exposés hors des États-Unis domine divers avions historiques et de guerre.

🦘 Territory Wildlife Park et Berry Springs Nature Reserve
Cox Peninsula Rd, Berry Springs. 🕿 *(08) 8988 7200.* 🔴 *t.l.j.* 🔴 *25 déc.* 🈶 ♿

À seulement 70 km de Darwin, près de la ville de Berry Springs, le Territory Wildlife Park présente des centaines d'animaux australiens dans un cadre naturel. Non loin, dans la Berry Springs Nature Reserve, de profonds bassins bordés d'arbres se prêtent à la baignade.

🏊 Howard Springs Nature Park
Howard Springs Rd. 🕿 *(08) 8983 1001.* 🔴 *t.l.j.* ♿ *limité.*

Des bassins alimentés par des sources et peuplés de barramundi et de tortues permettent de se baigner en toute sécurité dans ce parc naturel situé à 25 km de Darwin. C'est un lieu enchanteur pour se rafraîchir et pique-niquer après une longue et chaude journée.

LE CYCLONE TRACY

Le soir de la veille de Noël 1974, un bulletin météo avertit que le cyclone baptisé Tracy se dirigeait vers Darwin. Des pluies torrentielles s'abattirent et l'anémomètre de l'aéroport ne put résister aux rafales de vent qui atteignirent une vitesse record de 280 km/h. Au matin, on dénombra 66 morts et des milliers de blessés. 95 % des édifices étaient détruits en un soir. Un pont aérien transporta plus de 30 000 personnes dans le sud, la plus grosse évacuation de l'histoire de l'Australie. Depuis la ville s'est relevée de ses ruines.

Après le passage de Tracy

Le Museum and Art Gallery of the Northern Territory

Ce musée présente dans un bâtiment lumineux une collection d'art aborigène considérée comme la plus belle du monde. Elle comprend en particulier de superbes sculptures et peintures sur écorce. La section consacrée à l'histoire maritime possède des cartes dressées au XVIe siècle par les explorateurs portugais qui longèrent la côte du Top End. La galerie d'histoire naturelle permet de suivre l'évolution de certaines des espèces animales propres à la région. Les visiteurs peuvent également admirer des œuvres d'artistes australiens tels que Sidney Nolan et Arthur Boyd *(p. 30)*.

MODE D'EMPLOI

Conacher St. 📞 *(08) 8999 8201.*
🚌 *4, 5.* ⏰ *9 h-17 h, lun-ven. ;*
10 h-17 h, sam. et dim.
⚫ *25 déc.* ✗ ♿ 🔲 🍴 🔲

LÉGENDE

🔲 Art aborigène
🔲 Sciences naturelles
🔲 Cyclone Tracy
🔲 Arts plastiques
🔲 Artisanat
🔲 Histoire maritime
🔲 Expositions temporaires
🔲 Circulations et services

★ L'Aboriginal Art Gallery
Des notices explicatives décrivent les modes de vie et les récits de la création des tribus aborigènes locales et aident à replacer les objets exposés, plus de 2 000, dans leur contexte culturel.

Niveau supérieur

Rez-de-chaussée

rée

Poteaux funéraires
Ces sculptures de cérémonies funéraires exposées dans le jardin du musée sont typiques de la culture tiwi des îles Melville et Bathurst (p. 266).

Façade du Museum and Art Gallery
Situé à 4 km au nord du centre de Darwin, l'élégant bâtiment qui abrite le musée domine Fannie Bay.

À NE PAS MANQUER

★ L'Aboriginal Art Gallery

**Artisan tiwi au travail sur
Bathurst Island**

Îles Melville et Bathurst ❷

🛪 ℹ️ *Tiwi Tours (08) 8981 1633.*

À 80 km au nord de Darwin,
Melville Island, la plus
grande île australienne après
la Tasmanie, est avec
Bathurst, sa voisine plus
petite, la terre ancestrale des
Aborigènes tiwi. Jusqu'au
XXᵉ siècle, ceux-ci entretinrent
peu de contacts avec les
habitants du continent et
développèrent une culture
originale.

Des forêts luxuriantes, des
plages de sable et des eaux
limpides font de ces îles un
paradis tropical, mais
l'obligation, pour les touristes,
d'obtenir un permis d'accès
(p. 254) rend quasiment
obligatoire de passer par une
agence de voyages organisés
si on veut les découvrir. De
mai à octobre, des excursions
d'une journée permettent de
visiter des centres artisanaux,
des ateliers de batik et un site
funéraire *pukamani* planté de
poteaux peints.

Cobourg Peninsula ❸

ℹ️ *Darwin (08) 8981 4300.*

La péninsule de Cobourg,
l'une des régions les plus
isolées d'Australie, n'est
accessible par voie de terre
que pendant la saison sèche,
avec un véhicule tout-terrain

et à condition d'avoir obtenu
l'autorisation (à demander très
longtemps à l'avance) de
traverser l'Arnhem Land
aborigène *(p. 254)* pour
rejoindre le Gurig National
Park. Cette vaste réserve
naturelle entoure la profonde
baie de Port Essington où
deux tentatives d'implantations
britanniques échouèrent au
début du XIXᵉ siècle à cause de
la malaria et de l'hostilité des
tribus locales. On peut rallier
les ruines de la colonie de
Victoria en bateau depuis
Smith Point, qui comprend
une piste d'atterrissage, un
camping et des bungalows.
Inaccessible par voie de
terre, le Seven Spirit Bay
Wilderness Lodge *(p. 476)*,
que l'on peut rejoindre en
avion depuis Darwin, offre un
hébergement de grand luxe.

Kakadu National Park ❹

Voir p. 268-269.

Litchfield National Park ❺

🚗 *Batchelor.* ℹ️ *Rum Jungle Motor
Inn (08) 8976 0123.* ⏰ *7 h-22 h, t.l.j.*
🌙 *ven. saint.*

Ce vaste parc national est
très apprécié des
habitants de Darwin car il ne
se trouve qu'à 140 km au sud
de leur ville. Il renferme des
denses forêts pluviales, des
cascades, des gorges et, aux
Florence Falls, Wangi Falls et

**Termitière « magnétique » du
Litchfield National Park**

Buley Rockhole, des bassins
profonds où l'absence de
crocodiles permet de se
baigner en sécurité. On y
voit également des
termitières géantes dites
« magnétiques » car elles
tournent une pointe vers le
nord pour limiter leur
exposition au soleil. Plus au
sud, les blocs de grès de la
Lost City (Cité perdue)
ressemblent à des ruines.

Katherine ❻

🚶 *7 000.* 🛪 🚉 🚌 ℹ️ *Angle
de Stuart Hwy et Lindsay St (08) 8972
2650.*

Le bourg de Katherine, sur la
rivière du même nom à 300
km au sud de Darwin, est à la
fois un pôle régional animé et
une importante destination
touristique du Top End. La
colonisation européenne de la
région, terre ancestrale des
Aborigènes jawoyn, ne
commença qu'à partir de 1878
et l'achèvement de l'Overland
Telegraph. Le premier éleveur
qui s'installa, Alfred Giles, bâtit
sa demeure, Springvale, au
bord de la Katherine River à 8
km au sud-ouest de la ville
actuelle. Aujourd'hui dotée
d'un camping, ce serait la plus
ancienne *cattle station* du
Territoire du Nord.

À 30 km à l'est de Katherine
commence le célèbre
**Nitmiluk (Katherine Gorge)
National Park.** Treize gorges
taillées en enfilade dans un
plateau de grès rouge vieux
de 1 650 millions d'années y
forment un impressionnant
ravin sur le cours de la
Katherine River. Canoë et
bateau offrent les meilleurs
moyens de découvrir ces
défilés ornés de peintures
rupestres. Neuf d'entre eux
sont navigables en canoë et il
est possible de camper.
Propriétaires du parc qu'ils
gèrent avec la Parks and
Wildlife Commission du
Territoire du Nord, les Jawoyn
proposent des promenades en
bateau. Baignades et courtes
marches agrémentent les
escales.

Le parc recèle aussi 100 km
de sentiers balisés, depuis une
promenade spectaculaire mais

Chute d'eau supérieure des Edith Falls dans le Nitmiluk (Katherine Gorge) National Park près de Katherine

aisée menant à un belvédère jusqu'à une randonnée de cinq jours et 72 km conduisant aux charmantes Edith Falls, chutes d'eau que l'on peut aussi atteindre en voiture depuis la Stuart Highway.

AUX ENVIRONS

À 25 km au sud de Katherine, les grottes calcaires de Cutta Cutta creusées il y a cinq millions d'années à 15 m sous la surface servent de refuge au rhinolophe orange, une chauve-souris menacée de disparition, et à un serpent, le *cerverus rhynchops*.

Plus loin sur la Stuart Highway, à 110 km de Katherine, le village de Mataranka se trouve au cœur d'une région que célébra la pionnière Jeannie Gunn dans son roman paru en 1908 : *We of the Never Never*. Elle y décrit la vie au tournant du siècle dans l'Elsey Station voisine. Son titre, « Nous, du Jamais-Jamais », fait référence à l'amour que portaient ses

habitants à une terre qu'ils ne pensaient jamais, jamais, pouvoir quitter.

À environ 8 km à l'est de Mataranka, les visiteurs de l'Elsey National Park peuvent se baigner en pleine forêt pluviale dans les eaux chaudes de la Mataranka Thermal Pool issues des Rainbow Springs. La **Mataranka Homestead** voisine est une réplique de l'Elsey Station de Jeannie Gunn construite en 1981 pour l'adaptation de son livre au cinéma.

🏠 **Mataranka Homestead**
📞 *(08) 8975 4544.* ⬜ *mars-sept. : t.l.j.*

Gregory National Park �７

🚻 *Timber Creek.* 🏨 *Timber Creek (08) 8975 0888.* ⬜ *avr.-sept. : t.l.j. ; oct.-mars : lun.-ven.*

Une terre aborigène la divise en deux parties. La partie la plus à l'est renferme 50 km des gorges de la Victoria River.

La partie occidentale du parc, la plus importante, permet d'effectuer d'excitantes promenades en bateau à la

Limestone Gorge, Gregory National Park

recherche de crocodiles. Au sud, de hautes falaises dominent la magnifique Limestone Gorge appréciée des pêcheurs.

Sentier de randonnée longeant un escarpement du Keep River Park

Keep River National Park �８

ℹ️ *Victoria Hwy (08) 9167 8827.* ⬜ *avr.-sept. ; t.l.j. ; oct.-mars : lun.-ven.*

Situé à seulement 3 km de la frontière de l'Australie-Occidentale, le parc national qui protège les gorges de la Keep River renferme des sites d'art rupestre parmi les plus anciens du continent (ils dateraient de plus de 120 000 ans). De superbes sentiers de randonnée sillonnent ses formations granitiques et gréseuses.

Le Kakadu National Park ❹

**Calendrier aborigène
au Bowali Visitor's Centre**

Le plus vaste parc national d'Australie, d'une superficie de près de 20 000 km² est situé sur des terres qui appartiennent aux Aborigènes même s'ils en laissent la gestion au gouvernement. Le parc national protège tant de richesses naturelles et culturelles (milliers de peintures rupestres) qu'il a été inscrit au Patrimoine mondial de l'Unesco *(p. 22-23)*. Escarpements de grès rouges, cascades, forêt tropicale, mangrove, bras morts de rivière *(billabongs)*, plaines inondables, ces paysages d'une rare variété abritent des milliers d'animaux aisés à observer en saison sèche *(dry)*. En revanche, la saison humide, le *wet*, rend inaccessibles certaines parties du parc.

Yellow Water
Une promenade en bateau dans le marais de Yellow Water, qui regorge de nénuphars, crocodiles, martins-pêcheurs et échassiers, montre Kakadu dans toute sa splendeur.

FLORE ET FAUNE DU KAKADU NATIONAL PARK

Plus d'un tiers des espèces d'oiseaux recensées en Australie vivent à Kakadu, à l'instar de plus de 60 espèces de mammifères, 75 espèces de reptiles, 1 200 espèces de végétaux et au moins 10 000 espèces d'insectes. Environ 10 % des espèces d'oiseaux n'ont pas de représentants connus hors du parc. Les oies-pies *(anseranus semipalmata)* sont particulièrement nombreuses.

Le jabiru vit près des points d'eau en saison sèche

Gunlom Waterhole
Moins visitée et plus sèche, la partie sud du parc n'en recèle pas moins des lieux magiques, tel ce bassin, demeure du serpent arc-en-ciel dans les légendes aborigènes.

Les Guluyambi Cultural Cruises emmènent les visiteurs sur l'East Alligator River accompagnés de guides aborigènes.

Ubirr Rock
Ce rocher porte de nombreuses peintures aborigènes, certaines sont vieilles de plus de 20 000 ans.

Oenpelli, petite communauté aborigène hors du parc, peut se visiter dans le cadre de promenades organisées.

Le village de Jabiru possède des hôtels et un camping.

Ranger Uranium Mine
Cette mine a été ouverte dans une région que les Aborigènes appelaient « pays de la maladie » à cause des radiations.

Bowali Visitors'Centre
Ce centre d'accueil propose d'excellentes expositions sur la géologie, la faune et la culture aborigène de Kakadu.

Nourlangie Rock
Les peintures de ce riche site comprennent des images de Namarrgon, l'homme-foudre (p. 254).

LÉGENDE

═══	*Highway*
━━━	Route principale
▪ ▪	Tout-terrain seulement
──	Limite du parc
🚗	Station-service
🛈	Poste de rangers
Ⓐ	Camping
ℹ	Informations touristiques
☀	Point de vue

Twin Falls
Cette cascade qui dévale d'un plateau jusque dans de profonds bassins prend toute sa force après les pluies d'été.

0   20 km

LE RED CENTRE

Le « Centre rouge » s'étend approximativement de Tennant Creek à la frontière de l'Australie-Méridionale. Il se compose principalement d'immenses déserts et mérite bien son nom, partout le rouge domine : sable, sols, rochers et montagnes rouges se détachent contre un ciel d'un bleu électrique. Sa ville principale, Alice Springs, occupe le centre géographique du continent.

Certains des plus beaux décors naturels du monde commencèrent à se former il y a 800 millions d'années alors qu'une mer intérieure couvrait le centre de l'Australie. L'érosion des sédiments a permis l'apparition des reliefs les plus célèbres de la région tels le monolithe Uluru (Ayers Rock), les formations rocheuses de Kata Tjuta (ou Olgas), les Devil's Marbles (Billes du diable) et les MacDonnell Ranges creusés de ravins. Entre ces sites s'ouvrent de vastes plaines arides où de rares pluies peuvent brièvement faire s'épanouir une végétation foisonnante à côté de squelettes blanchis.

Les Aborigènes peuplent la région depuis plus de 30 000 ans et entretiennent de nombreuses traditions ancestrales, peinture rupestre, entre autres. En comparaison, la présence européenne est très récente. Les premiers explorateurs arrivèrent dans les années 1860. Fondée en 1888, Alice Springs est devenue une ville moderne, animée et touristique. Pourtant la cité resta un modeste avant-poste jusqu'à la construction, pendant la Seconde Guerre mondiale, d'une route revêtue : la Stuart Highway. Elle relie Darwin à la côte sud et passe par la seule autre bourgade de quelque importance du Red Centre, Tennant Creek.

Les Aborigènes ont récupéré la propriété d'une grande partie du Territoire du Nord et il faut un permis pour pénétrer sur leurs terres. Nombre d'entre eux se sont toutefois investis dans le tourisme, permettant aux nombreux visiteurs d'approcher et de mieux connaître leur culture.

Promenade à dos de dromadaire près d'Alice Springs

◁ Le monolithe Uluru, site sacré pour les Aborigènes

À la découverte du Red Centre

La meilleure saison pour découvrir le Red Centre
dure d'avril à octobre, car en été la température
peut atteindre 45 °C. Attention cependant à la
fraîcheur des nuits dans le désert. En dehors de
la ville d'Alice Springs, il n'existe que deux villages,
Yulara (près d'Uluru) et
Tennant Creek. Alice
Springs se niche dans un
creux des MacDonnell
Ranges, longue arête
rocheuse courant d'est en
ouest et culminant à
1 511 m d'altitude.
D'immenses plaines arides
occupent presque tout le
reste du terrain. Les rivières
ne coulent pour la plupart
qu'une fois ou deux par an.

●**KALKARINGI**

96

9

TANAMI DESERT

Lander River

5

L'Olga Gorge dans l'Uluru-Kata
Tjuta National Park

Lake
Macdonald

5

VOIR AUSSI

• *Hébergement* p. 478-479

• *Restaurants* p. 510-511

LÉGENDE

Highway

Route principale

Route secondaire

Parcours pittoresque

Cours d'eau

Point de vue

*MACDONNELL
RANGES* 4

7 **KINGS
CANYON**

Lake Neale

*HENBURY METEOR
CONSERVATION RES*

*ULURU-KATA TJUTA
NATIONAL PARK*

Lake
Amadeus

8

4

ERLDU

LE RED CENTRE
D'UN COUP D'ŒIL

Alice Springs p. 274-275 **①**

Chambers Pillar Historical
Reserve **②**

Devil's Marbles
Conservation Park **⑤**

Henbury Meteorites
Conservation Reserve **③**

Kings Canyon **⑦**

MacDonnell Ranges **④**

Tennant Creek **⑥**

*Uluru-Kata Tjuta National
Park p. 278-281* **⑧**

Décor mural d'un centre commercial d'Alice Springs

0   100 km

CIRCULER

Des lignes aériennes intérieures desservent Alice Springs et
Yulara et des autocars relient la région à toutes les capitales
d'État. Un train historique, le Ghan *(p. 275),* circule entre Alice
Springs et Adélaïde. Le meilleur moyen de découvrir le Red
Centre reste néanmoins la voiture et il existe de nombreuses
agences de location. Si un véhicule normal permet de
rejoindre la majorité des sites, un tout-terrain offrira plus de
liberté. Un large choix d'excursions guidées est également
disponible. Principale voie de communication, la Stuart
Highway court du nord au sud de Darwin à Port
Augusta. Alice Springs possède bus, taxis et
loueurs de bicyclettes, mais les courtes
distances qui séparent ses monuments
intéressants permettent également de
parcourir la ville à pied.

↟ *Darwin*

⑥ *TENNANT CREEK*

⑤
*DEVIL'S
MARBLES
CONSERVATION
PARK*

Bundey River

Marshall River

① *ALICE SPRINGS*

*HAMBERS PILLAR
'ISTORICAL RESERVE*

**Fleurs du désert dans le Simpsons
Gap, près d'Alice Springs**

Alice Springs ❶

D'abord baptisée Stuart, l'unique véritable ville du Red Centre se développa à partir de 1888 près d'un relais de l'Overland Telegraph bâti quelques années plus tôt à côté d'un trou d'eau permanent. Celui-ci devint la « source d'Alice » en l'honneur de l'épouse du responsable de la construction de la ligne, Charles Todd. Isolée au cœur du désert, la ville ne grandit que lentement jusqu'au boom touristique des années soixante-dix. Alice Springs accueille désormais chaque année près de 400 000 visiteurs qui viennent découvrir les merveilles naturelles qui l'entourent.

À la découverte d'Alice Springs

Le centre d'Alice Springs ne compte que quelques pâtés de maisons entre Wills Terrace au nord et Stuart Terrace au sud, mais il renferme la plupart des hôtels et des restaurants de la ville, ainsi que le centre commercial piétonnier du Todd Mall. À l'est, le lit de la Todd River, asséché la

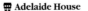
Fragment de météorite au Museum of Central Australia

majeure partie de l'année, accueille en septembre la célèbre Henley-on-Todd Regatta (p. 36).

🏔 Anzac Hill
West Terrace. ♿
Cette colline qui s'élève au nord de Wills Terrace porte un monument aux morts datant de 1934 et offre un point de vue d'Alice Springs qui permet de se familiariser avec la disposition de la ville. La lumière au coucher et au lever du soleil rend le panorama des MacDonnell Ranges (p. 276) et du désert particulièrement beau.

🏛 Museum of Central Australia
Alice Plaza Building, Todd St. 📞 (08) 8951 5335. ⏰ t.l.j. ⛔ ven. saint, 25 déc. ♿
Installé dans l'Alice Plaza et réputé pour ses fossiles et ses météorites, ce musée qui possède une collection d'objets aborigènes est surtout consacré à la géologie, la faune et la flore de la région.

⛪ Adelaide House
Todd Mall. 📞 (08) 8952 1856. ⏰ lun.-sam. ⛔ jours fériés. ♿
Dessiné par le révérend John Flynn qui fonda le Royal Flying Doctor Service (p. 249), le premier hôpital ouvrit en 1926. C'est désormais un musée dédié à la mémoire du pasteur.

⛪ Old Courthouse
Angle de Parsons St et de Hartley St. 📞 (08) 8952 9006. ⏰ t.l.j. ⛔ jours fériés. **Contribution.** ♿
Bâti en 1928 par Emil Martin, l'architecte qui construisit aussi la Residency, l'ancien tribunal resta en fonction jusqu'en

1980. Récemment restauré, l'édifice abrite une exposition consacrée aux accomplissements des pionnières australiennes, le Pioneer Women's Hall of Fame.

Stuart Town Gaol

⛪ Stuart Town Gaol
Parsons St. 📞 (08) 8952 4516. ⏰ lun.-sam. ⛔ 1er janv., ven. saint, 25 déc. ♿
Ouvert au public, le plus vieux bâtiment du centre d'Alice Springs est une prison. Elle fonctionna de 1909 jusqu'à l'ouverture d'un nouveau centre de détention sur Stuart Terrace en 1938.

⛪ The Residency
29 Parsons St. 📞 (08) 8951 5335. ⏰ t.l.j. ⛔ ven. saint, 25 déc. **Contribution.** ♿
Le plus haut fonctionnaire d'Alice Springs, l'administrateur régional de l'Australie centrale, habita la résidence de 1927 à 1973. La maison restaurée abrite depuis 1996 une exposition consacrée à l'histoire locale.

🏛 Panorama Guth
65 Hartley St. 📞 (08) 8952 2013. ⏰ mars-nov. : t.l.j. ; déc.-fév. : lun.-sam. ⛔ 25 déc. ♿
Ce panneau peint par Hendrik Guth, artiste né aux Pays-Bas qui vécut trente ans dans la ville, forme un cylindre de 18 m de diamètre et montre les principales attractions du Red Centre. Des objets aborigènes le complètent.

⛪ Alice Springs Telegraph Station Historical Reserve
Stuart Hwy. 📞 (08) 8952 1013. ⏰ t.l.j. ⛔ ven. saint, 25 déc. ♿
Sur le site de la première implantation blanche d'Alice Springs subsistent les

Le centre d'Alice Springs vu du sommet de l'Anzac Hill

bâtiments et l'équipement du relais de télégraphe bâti en 1871. Un petit musée en décrit l'aménagement. De juin à août, un diaporama est diffusé le soir au coin du feu.

❌ Alice Springs Desert Park

Larapinta Drive. **📞** *(08) 8951 8788.* **🕐** *t.l.j.* **🔴** *25 déc.* 🈂️ 🅿️
Ce parc zoologique installé à la sortie ouest de la ville permet d'observer de près nombre des oiseaux et animaux de l'Australie centrale dans trois habitats reconstitués : rivière du désert, dunes de sable et bois.

🏛 Old Ghan Train Museum

MacDonnell Siding. **📞** *(08) 8955 5047.* **🕐** *t.l.j.* **🔴** *ven. saint, 25 déc.* 🈂️ 🅿️
Au sud du centre-ville, une riche collection de souvenirs évoque les grandes heures du premier Ghan, le train qui relia Adélaïde à Alice Springs à partir de 1929. Il doit son nom aux Afghans dont les dromadaires permettaient de finir le voyage avant l'achèvement de la ligne.

Façade moderne du Strehlow Research Centre

🏛 Strehlow Research Centre

Angle de Larapinta Drive et de Memorial Ave. **📞** *(08) 8951 8000.* **🕐** *t.l.j.* **🔴** *1er janv., ven. saint, 25-26 déc.* 🈂️ 🅿️
Dédié à l'anthropologue Ted Strehlow (1908-1978), ce centre possède le plus bel ensemble d'objets aborigènes rares d'Australie. Diplômé de l'université d'Adélaïde en 1931, Strehlow revint étudier la tribu aranda dont les terres entouraient à l'ouest d'Alice Springs Hermannsburg Mission où il était né. Sensibles à la menace qui

pesait sur leur mode de vie, des anciens lui demandèrent d'enregistrer des rituels secrets et de garder des objets sacrés. Des tabous interdisent d'exposer beaucoup de ces derniers et ils sont conservés dans une crypte.

🍷 Château Hornsby Winery

Petricks Rd. **📞** *(08) 8955 5133.* **🕐** *t.l.j.* **🔴** *25 déc.* 🈂️ *pour déguster.* 🅿️
L'unique domaine viticole de l'Australie centrale a ouvert à 15 km au sud d'Alice Springs en 1974. L'irrigation permet d'y cultiver cinq cépages différents. Populaire, la cave comprend un restaurant et accueille des musiciens de jazz le dimanche après-midi.

ALICE SPRINGS : LE CENTRE-VILLE

Adelaide House ⑦
Anzac Hill ②
Museum of Central Australia ⑥
Old Courthouse ⑤
Panorama Guth ⑧
The Residency ④
Strehlow Research Centre ①
Stuart Town Gaol ③

LÉGENDE

🚉 Gare
🚌 Gare routière
🅿 Parc de stationnement
🛈 Informations touristiques

0 ___ 500 m

Chambers Pillar Historical Reserve ❷

☎ *(08) 8951 8211.* ☐ *Alice Springs.* ☐ *Alice Springs.* ◪

Dans un site accessible uniquement en 4 × 4 à 160 km au sud d'Alice Springs, l'érosion a dégagé cet obélisque, site sacré pour les Aborigènes, formé de grès rouge et jaune qui se déposa il y a plus de 350 millions d'années *(p. 253).*

Haut de 50 m, il servit de point de repère aux premiers explorateurs de la région et nombre d'entre eux, tel John Ross en 1870, gravèrent à sa base leur nom et la date de leur passage.

Henbury Meteorites Conservation Reserve ❸

☎ *(08) 8951 8211.* ☐ *Alice Springs.* ☐ *Alice Springs.* ◪

C'est la chute d'une météorite qui, il y a des milliers d'années, creusa ce groupe de douze cratères à 147 km au sud-ouest d'Alice Springs. Des Aborigènes assistèrent sans doute à l'événement car l'un des noms qu'ils donnent au site suggère la chute d'un rocher ardent. Sur le sentier qui fait le tour des cratères (le plus grand mesure 180 m de diamètre et 6 m de profondeur), des panneaux signalent tous les points intéressants. Fouiller est interdit. Il ne reste de toute façon plus de fragments de météorite.

La Palm Valley, poche de verdure dans les MacDonnell Ranges

MacDonnell Ranges ❹

☐ *Alice Springs.* ☐ *Alice Springs.* ℹ *Alice Springs (08) 8952 5800.* **Simpsons Gap** ☐ *t.l.j.* ♿ **Standley Chasm** ☐ *t.l.j.* ▣ ♿

Les MacDonnell Ranges s'étendent d'ouest en est de part et d'autre d'Alice Springs et culminent à 1 511 m d'altitude. Ce sont les seules montagnes qui subsistent d'une chaîne jadis aussi imposante que l'Himalaya. Le massif garde dans ses plis les traces de mouvements géologiques qui eurent lieu il y a 300 millions d'années, et défilés, trous d'eau et sentiers de randonnée permettent d'agréables promenades d'une journée.

Dans les West MacDonnells, à 7 km d'Alice Springs, le John Flynn's Memorial Grave rend hommage au pasteur presbytérien qui fonda le corps des médecins volants *(p. 249).* Le **Simpsons Gap,** 10 km plus loin, est la première d'une série de jolies gorges entaillant le massif. Elle abrite des plantes rares. Non loin, l'étroit **Stanley Chasm** présente un aspect plus spectaculaire avec ses parois abruptes d'un rouge ardent sous le soleil de midi.

Profond de 18 m, le trou d'eau permanent de l'Ellery Creek Big Hole permet des baignades rafraîchissantes. La Serpentine Gorge, 20 km plus à l'ouest, doit elle aussi sa formation à une rivière asséchée. Un sentier conduit à un belvédère qui ménage une belle vue de son parcours sinueux. Dominant l'Ormiston Creek, les parois hautes de 300 m de l'Ormiston Gorge offrent un spectacle saisissant. C'est une double couche de quartzite littéralement repliée sur elle-même qui leur donne cette hauteur.

Larapinta Drive conduit à la petite communauté aborigène de Hermannsburg, presque entièrement contenue dans le **Hermansburg Historic Precinct** qui protège l'ancienne mission luthérienne fondée sur ce site au XIXe siècle. C'est là que commença à travailler Albert Namatjira (1902-1959), le premier artiste aborigène reconnu. À 20 km au sud, le **Finke Gorge National Park** renferme une étrange oasis au cœur de terres arides, la Palm Valley où pousse une espèce végétale très ancienne appelée palmier-chou par les Australiens. De

Le site sacré du Corroboree Rock dans les East MacDonnell Ranges près d'Alice Springs

l'autre côté d'Alice Springs, les East MacDonnells recèlent quelques superbes sites accessibles par la Ross Highway. Un défilé proche de la ville, l'Emily Gap, joue un rôle important dans les mythes des Aborigènes aranda qui ont orné sa face orientale de peintures. Plus à l'est, le Corroboree Rock est fendu d'une crevasse qui aurait servi à conserver des objets sacrés. D'agréables sentiers traversent la Trephina Gorge, le plus beau site de cette partie du massif avec ses falaises de quartzite et ses gommiers rouges.

⏗ Hermannsburg Historic Precinct

Larapinta Drive. 【 (08) 8956 7411. ◯ t.l.j. ● 25 déc. ⚠ &
❧ **Finke Gorge National Park**
🚌 Alice Springs. 🚍 Alice Springs. ℹ Alice Springs (08) 8952 5800.

Rochers sphériques des Devil's Marbles

Devil's Marbles Conservation Park ❺

【 (08) 8962 4599. 🚍 Tennant Creek. 🚌 depuis le bureau d'information touristique de Tennant Creek. & ☑

À environ 100 km au sud de Tennant Creek, le Devil's Marbles Conservation Park protège les « Billes du diable », de gros rochers sphériques en granite rouge éparpillés dans une vallée des Davenport Ranges. La science attribue leur origine à la compression, il y a 1 700 millions d'années, de lave fluide à l'intérieur de l'écorce terrestre. Pour les Aborigènes, c'est le serpent arc-en-ciel qui les a déposés là. Ils offrent un superbe spectacle au coucher du soleil.

Bâtiment de mine à Battery Hill, Tennant Creek

Tennant Creek ❻

🏚 3 500. ✈ 🚍 ℹ Battery Hill Regional Centre, Peko Rd (08) 8962 3388.

Fondée dans les années 1870 lors de la construction d'un relais de l'Overland Telegraph Line, Tennant Creek ne prit un réel essor qu'après la découverte d'or dans la région en 1932. La **Tennant Creek Stamp Battery** est devenue un musée, mais ses machines, qui servaient à broyer le minerai pour en extraire le précieux métal, fonctionnent toujours.

Malgré sa faible population, Tennant Creek est la deuxième ville du Red Centre. À près de 500 km au nord d'Alice Springs, c'est une étape sur la Stuart Highway reliant Darwin à l'Australie-Méridionale. À 5 km, le lac artificiel du Mary Ann Dam permet de se baigner. À 12 km au nord du bourg, la **Telegraph Station** construite en 1874 se visite.

⏗ Tennant Creek Stamp Battery

Battery Hill Regional Centre, Peko Rd.
【 (08) 8962 3388. ◯ lun.-sam.
● ven. saint, 25 déc. ⚠ &
⏗ Telegraph Station
ℹ Battery Hill Regional Centre, Peko Rd (08) 8962 3388. &

Kings Canyon ❼

🚍 Alice Springs. 🚍 Alice Springs, Yulara. ℹ Alice Springs (08) 8952 5800.

Le Watarrka National Park est riche en trous d'eau et en poches de végétation qui permettent la survie de plus de 600 espèces de plantes, 100 espèces d'oiseaux et 60 espèces de reptiles. L'impressionnant défilé du Kings Canyon creusé par des millions d'années d'érosion a des parois de 100 m de haut. Elles conservent les traces fossilisées de créatures marines disparues depuis longtemps et celles des ondulations d'une ancienne mer.

Plusieurs sentiers pédestres permettent de faire le tour des gorges et de rejoindre sur la crête des points de vue offrant des panoramas à couper le souffle.

Couvert végétal au fond du Kings Canyon

L'Uluru-Kata Tjuta National Park ❽

Moloch épineux

D evenu un emblème de l'Australie, Ayers Rock, le célèbre monolithe rouge qui domine de 348 m une plaine désertique à 460 km au sud-ouest d'Alice Springs, est une merveille de la nature. Ayers Rock est protégé depuis 1958 par un parc national inscrit au Patrimoine mondial de l'Unesco en 1987 *(p. 22-23)*. En 1985, le gouvernement en céda sa propriété aux Aborigènes, pour qui toute la région reste sacrée, et le rocher retrouva son nom ancestral d'Uluru. Loué par les Aborigènes à l'Australian Nature Conservation Agency, l'Uluru-Kata Tjuta National Park, comme son nom l'indique, renferme également Kata Tjuta : les 36 dômes de grès jadis appelés les Olgas. Un excellent centre culturel présente des expositions et des documents audiovisuels sur le parc et sur les mythes et les coutumes des Aborigènes. À 12 km d'Uluru, le village touristique de Yulara *(p. 241)* ménage un large choix d'hébergements.

Maruku Gallery
Cette galerie aborigène vend de l'artisanat traditionnel et moderne.

Kata Tjuta se trouve à 42 km d'Uluru.

Kata Tjuta
Les Olgas sont vus ici de l'aire qui a été aménagée pour admirer le coucher du soleil. On y trouve aussi de l'eau potable et des panneaux sur la flore et la faune.

ULURU-KATA TJUTA NATIONAL PARK

Des promenades guidées autour des formations rocheuses instruisent les visiteurs sur la flore et la faune locales et sur la signification culturelle de ces sites hors du commun *(p. 280)*.

LÉGENDE
━━ Route principale
═══ Route secondaire
═ ═ Sentier pédestre

Vue du coucher de soleil — Kata Tjuta — AÉROPORT — Yulara Resort — Vue du coucher de soleil — Kantju Gorge — Uluru — Cultural Centre

0   5 km

Olga Gorge
Dans ce joli défilé entre deux des rochers de Kata Tjuta, un sentier conduit au pied d'une falaise à une piscine naturelle et une source.

MODE D'EMPLOI

Hwy 4. ☒ Connellan Airport, 5 km au N. de Yulara/Ayers Rock Resort. ℹ Cultural Centre, Yulara Drive (08) 8956 3138. ◐ 5 h-21 h 30, t.l.j. 🖾 ∅ dans le Cultural Centre. ♿ 🖾 🖵 🖵 🖵

Uluru est célèbre pour ses changements de couleur, du rouge le matin jusqu'au noir après la pluie.

Wallaby lièvre
Ce petit animal est très important pour les Anangu. Plusieurs sites de la face nord d'Uluru sont pour les Anangu liés à l'une de leurs tribus ancestrales, les Mala ou hommes-wallabies lièvres.

DÉSHYDRATATION DANS LE DÉSERT

L'Uluru-Kata Tjuta National Park se trouve au cœur du vaste désert australien où la température peut dépasser 45 °C en été. Il est recommandé aux visiteurs de se protéger du soleil en portant des chapeaux et des chemises à manches longues et en usant de filtres solaires. Il faut aussi éviter toute activité fatigante entre 10 h et 16 h. Plus important encore, chacun devrait boire un litre d'eau par heure lors d'une marche par grosse chaleur.

La végétation profite dans ce désert des renfoncements abrités où converge l'eau de pluie.

Kantju Gorge
La Mala Walk, une des promenades guidées autour d'Uluru, conduit à cette gorge et son trou d'eau. Les visiteurs doivent marcher en silence dans ces lieux d'une grande importance spirituelle pour les Anangu.

À la découverte de l'Uluru-Kata Tjuta National Park

Promenade sur la Mala Walk
au pied d'Uluru

L'arrivée à l'Uluru-Kata Tjuta National Park est un moment impressionnant. On ne peut qu'être émerveillé par le spectacle qu'offre le plus grand monolithe du monde émergeant de la plaine désertique. Non loin, les collines de grès de Kata Tjuta sont tout aussi magiques. Tous ces rochers changent de couleur, de l'orange au violet, selon le moment de la journée. La région mérite qu'on lui consacre deux ou trois jours, le temps de visiter le parc et de mieux connaître sa géologie, sa flore, sa faune et les légendes et traditions qui lient depuis des millénaires les Aborigènes anangu à ces paysages.

Panneau à l'entrée de
l'Uluru-Kata Tjuta Park

Welcome to
Aboriginal Land

Pukul
ngalyayanama   Pukulpa pitjama
Ananguku   Ananguku
ngurakutu   ngurakutu

Scinque à langue bleue prenant le soleil

🐾 Uluru (Ayers Rock)

Long de 3,6 km et large de 2,4 km, Uluru s'élève de 348 m au-dessus du sol plat du désert mais n'est que le sommet d'un gigantesque bloc de grès enfoncé dans le sol. Cette merveille de la nature offre par ses changements de couleur un spectacle extraordinaire au lever et au coucher du soleil. Des promenades commentées autour de sa base expliquent sa valeur aux yeux des Aborigènes.

Le parcours, long de 9,5 km, qui fait le tour complet d'Uluru dure trois heures. Des barrières (à ne pas franchir) protègent en route des sites sacrés.

La Mala Walk (promenade du wallaby lièvre) passe par plusieurs grottes, dont certaines sont ornées de peintures rupestres. Pendant la Liru (serpent) Walk, qui part du centre culturel, les guides aborigènes expliquent l'usage qu'ils font des végétaux dans leur vie quotidienne. La Kuniya (python) Walk conduit au trou d'eau de Mutijulu sur le flanc sud d'Uluru. On peut trouver le détail de toutes ces marches à l'Uluru-Kata Tjuta Cultural Centre.

🐾 Kata Tjuta (The Olgas)

Ce groupe de gros rochers arrondis dont le nom aborigène signifie « beaucoup de têtes » se trouve à 42 km à l'ouest d'Uluru. Le Mount Olga, le plus haut, mesure 546 m. Les monolithes de grès rouge, les défilés et les vallées qui les séparent composent un décor fascinant et incitent à la méditation. Les Anangu lui accordent la même importance spirituelle qu'ils donnent à Uluru même s'ils racontent moins de mythes à son sujet car ceux-ci sont réservés aux initiés.

Il faut environ trois heures pour suivre le sentier de la Valley of the Winds (vallée des vents) qui emprunte plusieurs défilés. Si la température dépasse 36 °C, le sentier est en partie fermé.

Un autre itinéraire remonte la jolie Olga Gorge (Walpa Gorge) jusqu'à la paroi rocheuse qui la ferme au-dessus d'un point d'eau, un site où l'on peut guetter

L'ASCENSION D'ULURU

Malgré les chaînes posées au cours des années soixante dans le passage le plus abrupt, le nombre de personnes grimpant sur Uluru diminue chaque année alors que le nombre des visiteurs augmente. Ceux qui s'abstiennent, respectent le souhait des Anangu pour qui l'itinéraire suivi est sacré car leurs ancêtres Mala (hommes-wallabies lièvres) l'empruntaient pour d'importantes cérémonies. Il faut savoir que l'aller-retour prend environ deux heures et qu'il demande une forme physique normale, malgré le panneau avertissant des risques de l'ascension. Commencez votre ascension à l'aube car elle est interdite dès que la température atteint 36 °C.

Panneau avertissant
des dangers de l'ascension

LES ANANGU D'ULURU

Les éléments archéologiques disponibles suggèrent que des Aborigènes peuplaient la région il y au moins 22 000 ans et qu'Uluru et Kata Tjuta jouent depuis longtemps un grand rôle dans les cérémonies et les croyances de plusieurs tribus.

Les deux sites ont pour propriétaires traditionnels les Anangu. Ceux-ci pensent que les rochers doivent leur formation, au temps de la création, aux esprits ancestraux qui leur ont aussi donné les lois, les rites et les coutumes qui règlent toujours leur vie aujourd'hui. En tant que descendants directs de ces esprits, les Anangu se tiennent pour responsables des terres qu'ils ont modelées.

Danse traditionnelle anangu

étrange moloch épineux. À l'ouest de Kata Tjuta s'étend un immense désert. Il faut un permis du Central Land Council *(p. 254)* et un véhicule tout-terrain équipé pour s'y risquer.

⬛ Uluru-Kata Tjuta Cultural Centre

Yulara Drive. 📞 *(08) 8956 3138.* ⬛ *t.l.j.* 📷 ♿

Le centre culturel proche de la base d'Uluru est une excellente introduction au parc. Il mérite amplement une visite avant de partir à la découverte du monolithe et de ses environs. La présentation appelée Nintiringkupai a pour sujet l'histoire et le fonctionnement de l'Uluru-Kata Tjuta National Park et comprend des brochures constamment remises à jour sur les sentiers de randonnée, les sites et les visites guidées. Tjukurpa associe art, son et vidéo pour initier au système complexe de croyances et de règles des Anangu. À la boutique Maruku Arts & Crafts attachée au centre culturel, des artisans travaillent devant les visiteurs et des danseurs et des

musiciens viennent se produire. Les peintures traditionnelles, sur écorce et sur toile, racontent des légendes de l'Uluru Tjukurpa.

Yulara Resort

Yulara Drive. ℹ️ *(03) 8957 7377.*
Le village touristique moderne de Yulara, conçu pour respecter l'environnement, s'étend en plein désert à 20 km au nord d'Uluru, juste à

l'extérieur du parc national, et est relativement bien intégré au paysage. Le seul endroit de la région où l'on peut résider *(p. 478-479),* de l'hôtel cinq étoiles jusqu'au camping et au lit en dortoir en passant par des appartements, accueille chaque année 500 000 personnes.

Le village renferme de nombreux restaurants et fast-food proposant des cuisines variées *(p. 510-511).* Le centre commercial rassemble un supermarché, une poste, une banque et un marchand de journaux. Une garderie accueille tous les jours les enfants âgés de trois mois à huit ans.

Le bureau d'information abrite une intéressante exposition sur la réserve naturelle et sa géologie, sa flore et sa faune. Vous y trouverez des souvenirs, le permis d'entrée dans le parc et pourrez vous inscrire à des promenades guidées. L'une d'elles, gratuite, sillonne tous les matins à 7 h 30 le superbe jardin de plantes indigènes du Sails in the Desert Hotel *(p. 479).* L'Amphitheatre présente chaque soir un concert d'une heure de musique aborigène, l'occasion d'entendre des instruments comme le didjeridu. Les mythes stellaires des Anangu, et ceux des Grecs de l'Antiquité, ont inspiré un Night Sky Show. Un cinéma projette des films récents.

Vue aérienne de Yulara Resort et d'Uluru dans le lointain

L'AUSTRALIE-
OCCIDENTALE

PRÉSENTATION DE
L'AUSTRALIE-OCCIDENTALE 284-289
PERTH ET LE SOUTHWEST 290-311
LE NORD DE PERTH ET LE KIMBERLEY 312-323

L'Australie-Occidentale d'un coup d'œil

L'Australie-Occidentale (Western Australia) est un immense État qui couvre une superficie de 2 500 000 km², soit près de cinq fois celle de la France. Sa population compte cependant moins de deux millions d'habitants dont les quatre cinquièmes vivent dans la capitale : Perth. L'essor du tourisme est récent mais de plus en plus de visiteurs viennent admirer une nature d'une grande beauté : forêts d'eucalyptus géants, montagnes imposantes, tapis de fleurs sauvages et vastes espaces arides aux profonds défilés et formations rocheuses. Sur le littoral, les plages propices au surf abondent, à l'est s'étend un immense désert. Au sud-ouest, les villes qui naquirent sur les champs aurifères, comme Kalgoorlie et Coolgardie, ont conservé de nombreux édifices anciens.

Le Shark Bay World Heritage and Marine Park, au point le plus à l'ouest d'Australie, doit sa popularité aux dauphins qui viennent nager près de la côte (p. 318-319).

Perth est la capitale d'État la plus isolée et la plus moderne du pays. Située au bord de l'océan, elle possède une atmosphère décontractée (p. 294-299).

Fremantle est aujourd'hui réputée pour ses marchés d'artisanat. Son port connut un âge d'or à la fin du XIXe siècle et reste riche en bâtiments historiques (p. 302-303).

◁ **Vue de Perth la nuit**

Le Karijini National Park *protège dans la région de Pilbara de magnifiques paysages ponctués de ravins et de cascades. La région est très populaire auprès des randonneurs aguerris. Il existe aussi des excursions guidées* (p. 321).

Le Purnululu (Bungle Bungle) National Park *abrite un des sites les plus connus d'Australie pour ses rochers polychromes. Des vols en hélicoptère permettent de découvrir les zones difficiles d'accès* (p. 323).

LE NORD DE
PERTH ET LE
KIMBERLEY
(voir p. 312-323)

Le Wave Rock, *haut de 15 m et long de 110 m, doit son nom de « rocher-vague » à sa forme de déferlante, une illusion que renforcent les traces laissées par le ruissellement d'eau* (p. 310).

PERTH ET LE
SOUTHWEST
(voir p. 290-311)

Kalgoorlie, *ville minière née dans les années 1890 grâce à la découverte d'or, a gardé une partie de son architecture du XIXe siècle* (p. 310).

0   100 km

Les fleurs sauvages de l'Australie-Occidentale

Au printemps, d'août à novembre, plus de 11 000 variétés de fleurs sauvages s'épanouissent en Australie-Occidentale, créant dans les déserts, les plaines, les champs cultivés et les forêts des tapis multicolores où éclatent rouges, jaunes, roses et bleus.

75 % de ces espèces ne poussent que dans l'État, lui donnant une des plus riches flores du monde avec des plantes aussi remarquables que la patte de kangourou, le *cephalotus* carnivore et des eucalyptus géants comme le jarrah et le karri.

L'élégante patte de kangourou (anigosanthus manglesii) *à la forme évocatrice est devenue l'emblème floral de l'État*

QUANT ET OÙ VOIR LES FLEURS SAUVAGES

Ne manquez pas une promenade, à pied ou en voiture, parmi les tapis de fleurs sauvages de l'Australie-Occidentale. La floraison se fait au printemps mais pas partout au même moment dans ce vaste État. La saison commence ainsi en juillet dans le nord du Pilbara et atteint son point culminant à partir de fin octobre autour des Stirling Ranges et de la côte sud.

*Le **cephalotus** (Albany pitcher plant), l'une des plus grosses plantes carnivores du monde, pousse près des estuaires du sud-ouest où elle piège des insectes dans ses urnes.*

*La magnifique **bakea royale** s'épanouit sur la côte près d'Esperance et dans le Fitzgerald River National Park.*

*Des **gommiers** des Stirling Ranges se couvrent en novembre de fleurs rouges que butinent les abeilles.*

*La **caladenia flava** (cowslip orchid), orchidée aux pétales polychromes, fleurit généralement en octobre dans la spectaculaire région des Stirling Ranges.*

L'Australie-Occidentale compte d'immenses zones arides uniquement couvertes de buissons et de fleurs qui s'épanouissent après la pluie.

De nombreuses fleurs sauvages résistent à un climat très sec.

*La **leschenaultia biloba** d'un bleu profond pousse dans les forêts de jarrahs et dans des terrains plus secs où elle forme des tapis.*

Le baobab, ou boab, est apparenté au baobab africain. Il pousse dans les plaines rocheuses du Kimberley (p. 322-323). Son tronc, qui peut dépasser 20 m de circonférence, est une réserve d'humidité.

Les fleurs prennent toute une gamme de beiges, de roses, de jaunes, d'oranges et de rouges.

LES GÉANTS DES FORÊTS DE L'OUEST

L'Australie-Occidentale possède aussi des arbres qui lui sont propres comme le jarrah et le karri, deux immenses eucalyptus qui poussent dans le sud de l'État. Ils continuent de faire vivre une importante industrie forestière dans le sud-ouest près de Manjimup et Pemberton *(p. 307)*, bien que de grandes zones boisées soient devenues des parcs nationaux comme celui de Shannon. Au Walpole-Nornalup National Park, les visiteurs peuvent emprunter une passerelle dans le feuillage.

Les karris atteignent 85 m de haut. Ils vivent parfois 300 ans et atteignent leur taille maximale au bout d'un siècle.

IMMORTELLES

Fleurs endémiques, elle forment de vastes tapis dans le sud-est de l'Australie-Occidentale, mais on peut aussi voir dans le nord de la région des immortelles s'étendre à perte de vue depuis la route.

Les immortelles portent ce nom car, même fanées, les fleurs gardent leurs pétales.

La banksie écarlate (p. 422) fait partie des 41 variétés de banksie de l'Australie-Occidentale, plante répertoriée par le botaniste sir Joseph Banks en 1770.

Le pois du désert de Sturt (clianthus formosus) *est l'emblème de l'Australie-Méridionale mais prolifère aussi après la pluie dans les zones arides de l'intérieur de l'Australie-Occidentale.*

Le Kimberley

Peinture rupestre

Le Kimberley est resté l'une des régions les plus inaccessibles d'Australie. Il couvre au nord-ouest du continent une superficie de 421 000 km² (les 4/5 de la France) mais possède une population de moins de 25 000 habitants, composée d'une majorité d'Aborigènes. Ses rochers, formés il y a deux milliards d'années, font partie des plus vieux de la planète. Le tourisme commence à s'y développer depuis quelques années.

LÉGENDE

━━ *Highway*

━━ Route principale

═══ Piste

─── Limite du parc national

LES BUNGLE BUNGLES

Curiosités géologiques désormais protégées par le Purnululu National Park *(p. 323)*, les étonnants rochers striés du massif de Bungle Bungle attirent les touristes depuis les années quatre-vingt. Des promenades en avion ou en hélicoptère au départ de Kununurra ou Halls Creek permettent de les découvrir. Un véhicule tout-terrain est indispensable pour atteindre le parc et admirer les superbes gorges, les bassins limpides et la riche végétation.

Les calottes érodées et striées de noir et d'orange des Bungle Bungles

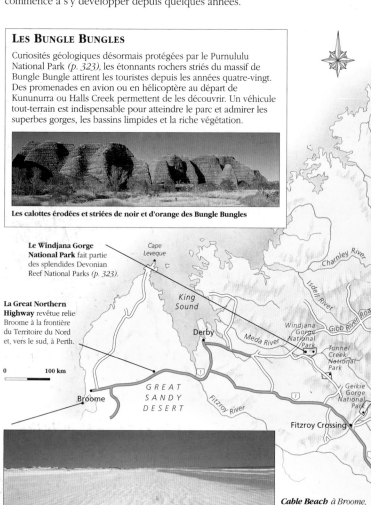

Le Windjana Gorge National Park fait partie des splendides Devonian Reef National Parks *(p. 323)*.

La Great Northern Highway revêtue relie Broome à la frontière du Territoire du Nord et, vers le sud, à Perth.

0   100 km

Cape Leveque

Charnley River

Isdell River

Gibb River Road

King Sound

Derby

Meda River

Windjana Gorge National Park

Tunnel Creek National Park

Geikie Gorge National Park

Broome

GREAT SANDY DESERT

Fitzroy River

Fitzroy Crossing

Cable Beach à Broome, ville au climat tropical qui reçoit 50 000 visiteurs par an, invite à la détente avec son sable blanc et ses vagues douces.

Les Cockburn Ranges *dressent leurs falaises de grès au-dessus de la Pentecost River infestée de crocodiles sur la Gibb River Road. Creusé de profondes grottes, le massif possède, comme beaucoup d'autres sites de la région, une grande importance pour les Aborigènes.*

LES ABORIGÈNES DU KIMBERLEY

Selon des légendes, les premiers Aborigènes qui gagnèrent l'Australie arrivèrent près de Broome il y a 200 000 ans. Bien que la science ne confirme pas encore cette hypothèse, le fait que de nombreuses « lignes de chants » *(p. 27)* jalonnées de sites cérémoniels commencent ou finissent près du Kimberley suggère que la région joua un rôle central dans la colonisation du territoire australien.

La population de la région reste aux deux tiers aborigène. Les communautés conservent une des cultures les plus traditionnelles du continent et s'efforcent de transmettre une forte identité à leurs enfants qui doivent vivre dans une société mixte.

L'art aborigène du Kimberley est particulier. L'usage des points n'y est pas aussi répandu et les images de Wandjina, des esprits ancestraux, sont spécifiques à la région.

Les mystérieux dessins Wandjina *apparaissent partout dans le Kimberley.*

L'art rupestre aborigène *du Kimberley aurait, selon de nouvelles estimations, non pas 45 000 ans mais 125 000 ans.*

La Gibb River Road, *impraticable pendant le* wet, *est goudronnée sur peu de parties.*

L'Emma Gorge, *formée près d'El Questro Station par des cascades dévalant jadis du plateau, abrite l'un des bassins d'eau fraîche éparpillés par centaines dans le Kimberley.*

Perth et le Southwest

La jolie capitale de l'Australie-Occidentale, au sud-ouest du continent, est la métropole la plus isolée de la planète puisqu'elle est située à des milliers de kilomètres de la grande ville la plus proche. La région qui l'entoure recèle de superbes forêts et de beaux paysages côtiers. À l'est, dans l'immense Nullarbor Plain, des champs de blé cèdent la place au désert de l'intérieur et aux champs aurifères.

Des Aborigènes ont vécu dans le sud de l'Australie-Occidentale pendant au moins 30 000 ans mais seulement 20 ans après la fondation de la première colonie européenne de l'État en 1829, la plupart des tribus étaient détruites à la suite de déportations, incarcérations et maladies. Les Blancs commencèrent à explorer la région dès le XVIIᵉ siècle mais la couronne britannique n'en revendiqua la propriété qu'en 1826 en y envoyant le capitaine James Stirling. Perth, la capitale actuelle, a pour origine la colonie qu'il établit en 1829 sur la Swan River. Entre 1850 et 1868, 10 000 forçats travaillèrent à la construction de ses édifices publics et de ses infrastructures. Cependant, les colons n'arrivèrent en masse qu'après la découverte des champs aurifères sur lesquels allaient pousser des villes telles que Coolgardie et Kalgoorlie, aujourd'hui réputées pour leurs bâtiments victoriens.

Le début du XXᵉ siècle apporta d'importants changements : une ligne de télégraphe relia Perth à l'Afrique du Sud et à Londres, tandis qu'en 1917 le train atteignait Kalgoorlie depuis les États de l'est. Des immigrants et d'anciens combattants de la Première Guerre mondiale arrivèrent ensuite dans les années vingt pour mettre en valeur les terres de la région dans le cadre du Group Settlement Scheme.

Aujourd'hui, Perth et ses environs attirent de plus en plus de touristes du monde entier qui viennent profiter de plages somptueuses et d'un climat de rêve ou grimper au sommet du plus haut poste de surveillance d'incendie du pays, observer les baleines, déguster les crus de Margaret River ou encore admirer des tapis de fleurs sauvages au printemps.

Les Stirling Ranges dominent les plaines du sud-ouest de l'État

◁ Gratte-ciel illuminés de Perth, la capitale de l'Australie-Occidentale

À la découverte de Perth et du Southwest

L a capitale de l'Australie-Occidentale borde la Swan River à 10 km de son débouché dans l'océan Indien. Elle s'étend dans une plaine côtière dominée au nord et à l'ouest par le Darling Range. La chaîne de montagne sépare la capitale des champs de blé de la région. Au sud, on peut découvrir certains des plus hauts arbres du monde, des montagnes qui changent de couleur au fil des heures et un littoral spectaculaire. À l'est, les champs aurifères qui donnèrent son premier élan à la colonie à la fin du siècle dernier précèdent la Nullarbor Plain.

Plage du Leeuwin Naturalist National Park près de l'embouchure de la Margaret River

CIRCULER

Perth possède des transports publics rapides, fiables et gratuits dans le centre-ville. Trains, cars et avions desservent de nombreuses villes de la région. Les distances restent suffisamment courtes pour découvrir en voiture depuis Perth beaucoup de parcs nationaux. Cependant, quelques parcs n'ont pas de routes revêtues et un véhicule tout-terrain est nécessaire pour atteindre certains parcs. D'énormes *road trains*, puissants tracteurs tirant plusieurs remorques, empruntent souvent les grands axes.

LE SOUTHWEST D'UN COUP D'ŒIL

Albany **⑪**
Bridgetown **⑦**
Bunbury **④**
Busselton **⑤**
Denmark **⑩**
Fremantle *p. 302-303* **③**
Manjimup **⑧**
Margaret River **⑥**
Northam **⑭**
Pemberton **⑨**
Perth *p. 294-299* **①**

Rottnest Island *p. 300-301* **②**
Stirling Range National Park **⑫**
York **⑬**

Les champs aurifères et la Nullarbor Plain *voir p. 310-311*
Esperance **⑱**
Kalgoorlie-Boulder **⑯**
Norseman **⑰**
Nullarbor Plain **⑲**
Wave Rock **⑮**

VOIR AUSSI

• *Hébergement* p. 479-480

• *Restaurants* p. 511-514

Geraldton

Avon Ri

①
PERTH

②
ROTTNEST ISLAND

③ **FREMANT**

Murra

BUNBURY
④
COI

BUSSELTON
⑤

LEEUWIN NATURALISTE NATIONAL PARK

MARGARET RIVER
⑥

BRIDGETOW

MANJIMUP

⑨
PEMBE

D'ENTRECASTEAUX NATIONAL PARK

ORTHAM

94

KELLERBERRIN

13 **YORK**

40

BROOKTON

olham River

iams River

ams River

NARROGIN

120

WAGIN

Lake Grace

30

KATANNING

Pallinup River

Tone River

Gordon River

Adelaide

1

ANNON ATIONAL ARK

30

12 **STIRLING-RANGE NATIONAL PARK**

102

1

DENMARK

10 11 **ALBANY**

0 50 km

CARTE DE SITUATION

Perth et le Southwest

Les champs aurifères et la Nullarbor Plain p. 310-311

London Court, galerie marchande de style Tudor à Perth

LÉGENDE

Highway

Route principale

Route secondaire

Parcours pittoresque

Cours d'eau

Point de vue

Perth pas à pas ❶

Badge de pompier

L'histoire de Perth est une suite de reconstructions. Les abris improvisés des premiers colons ont cédé la place pendant la deuxième moitié du XIXᵉ siècle à des bâtiments plus solides, parfois édifiés par des forçats. Ces bâtiments ont eux-mêmes été remplacés pendant les booms miniers des années 1890 et 1960 par des édifices plus prestigieux, symbolisant la prospérité de l'État et de ses habitants. Aussi la ville ne conserve-t-elle de ses origines que quelques traces éparpillées parmi les gratte-ciel ou cachées dans les parcs.

Supreme Court Gardens

★ St George's Anglican Cathedral
Cette cathédrale victorienne de style néo-gothique possède une belle rosace (p. 296).

Government House
Arbres et murs cachent l'ancienne résidence du gouverneur bâtie par des bagnards entre 1859 et 1864. Son parement de briques est typique de l'époque.

À NE PAS MANQUER

★ Le Perth Mint

★ St George's Anglican Cathedral

Deanery
La demeure du doyen de St George édifiée en 1859 abrite désormais les services administratifs de la cathédrale.

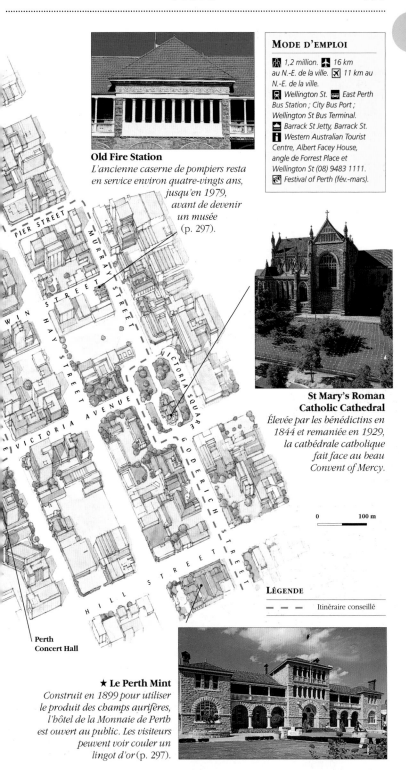

Old Fire Station

*L'ancienne caserne de pompiers resta
en service environ quatre-vingts ans,
jusqu'en 1979,
avant de devenir
un musée
(p. 297).*

MODE D'EMPLOI

👥 *1,2 million.* ✈ *16 km
au N.-E. de la ville.* ✈ *11 km au
N.-E. de la ville.* 🚉 *Wellington St.* 🚌 *East Perth
Bus Station ; City Bus Port ;
Wellington St Bus Terminal.*
⛴ *Barrack St Jetty, Barrack St.*
ℹ *Western Australian Tourist
Centre, Albert Facey House,
angle de Forrest Place et
Wellington St (08) 9483 1111.*
🎭 *Festival of Perth (fév.-mars).*

**St Mary's Roman
Catholic Cathedral**

*Élevée par les bénédictins en
1844 et remaniée en 1929,
la cathédrale catholique
fait face au beau
Convent of Mercy.*

0   100 m

LÉGENDE

– – – – –   Itinéraire conseillé

**Perth
Concert Hall**

★ **Le Perth Mint**

*Construit en 1899 pour utiliser
le produit des champs aurifères,
l'hôtel de la Monnaie de Perth
est ouvert au public. Les visiteurs
peuvent voir couler un
lingot d'or (p. 297).*

Le centre de Perth

**Plaque en bronze,
St George's
Cathedral**

Perth est une capitale d'État relativement petite et paisible et l'on peut aisément visiter ses principaux quartiers marchands à pied. Malgré l'activité de ses habitants, la circulation reste fluide. Les remaniements urbanistiques des années soixante-dix ont doté la cité de nouveaux gratte-ciel et artères, mais ont aussi créé de l'espace pour des parcs et des places bordées de cafés et d'arbres. Un méandre de la Swan River appelé Perth Water enserre le centre-ville à l'est et au sud. Au nord s'étend Northbridge, le quartier des restaurants.

Le Brass Monkey Hotel victorien sur William Street

À la découverte du centre de Perth

À l'extrémité ouest de St George's Terrace, axe du quartier des affaires, se dresse le Parliament House qui fait face à la Barracks Archway. Plus à l'est, les Cloisters, une ancienne école construite en 1850, possèdent un beau parement en brique. Non loin, le petit bâtiment de l'Old Perth Boys School abrita la première école de garçons de la ville.

Dédale d'arcades, de *plazas* et de passerelles, le centre commerçant de Perth s'étend entre William Street et Barrack Street. Il a pour pôles le Hay Street Mall et le Murray Street Mall. À l'angle de William Street et de St George's Terrace s'élève le Town Hall (1870).

Il faut franchir la voie ferrée pour rejoindre Northbridge qui concentre une grande partie de la vie nocturne de Perth. Cafés et restaurants bordent James Street où le Brass Monkey Hotel date de la période de la ruée vers l'or.

⚑ Barracks Archway

Angle de St George's Terrace et d'Elder St.
Ce portail est tout ce qui reste de la caserne bâtie en 1863 pour héberger les soldats qui étaient chargés de maintenir l'ordre parmi les forçats.

🏛 Perth Cultural Centre

James St. 📞 (08) 9492 6600.
◯ t.l.j. ● jours fériés. ♿
Au nord du centre-ville, ce « centre culturel » est en fait un espace piétonnier très

Esplanade du Perth Cultural Centre

réussi. Agrémenté de jardins, d'une fontaine et de sculptures, il est étagé sur plusieurs niveaux et renferme le Perth Institute of Contemporary Art (PICA) et l'Art Gallery of Western Australia qui présente une riche collection d'art moderne australien et aborigène, quelques pièces européennes et asiatiques et de grandes expositions temporaires.

🏛 Western Australian Museum

Francis St. 📞 (08) 9427 2700.
◯ t.l.j. ● ven. saint, 25 et 26 déc.
♿ bâtiment principal et rez-de-chaussée du vieil édifice.
À côté du Perth Cultural Centre, le Western Australian Museum comprend parmi ses bâtiments l'Old Perth Gaol (1856), l'ancienne prison de Perth qui abrite désormais une exposition sur la vie de la colonie fondée en 1829 sur la Swan River, et le Roe Street Cottage, une habitation de 1863 qui fut reconstruite ici en 1991. Le musée a pour joyau une exposition intitulée « Patterns of Life in a Vast Land » (modes de vie dans un vaste pays) consacrée à l'histoire, les coutumes et la culture des Aborigènes de l'Australie-Occidentale, ainsi qu'au travail des archéologues dans l'État.

⛪ St George's Anglican Cathedral

Angle de Pier St et St George's Terrace.
📞 (08) 9325 5766. ◯ t.l.j. ♿
Consacrée en 1888, la cathédrale Saint-Georges remplaça la première église anglicane de Perth, un édifice néo-classique érigé sur le même site entre 1841 et 1845. Construit en brique rouge et en calcaire de la région, le nouveau sanctuaire, de style néo-gothique, a conservé une partie du mobilier de son prédécesseur, entre autres des bancs de prière en bois de jarrah et le lutrin orné d'un aigle sculpté.

Percé à l'ouest d'une rosace, le bâtiment

**Façade ouest percée d'une rosace
de St George's Cathedral**

abrite, parmi ses œuvres d'art
les plus intéressantes, un
retable anglais en albâtre
installé à la base de la fenêtre
est, des médaillons
modernistes coulés pour le
chemin de croix et quelques
icônes russes du XIXe siècle.

Perth Mint
310 Hay St. (08) 9421 7277.
t.l.j. 1er janv., ven. saint,
25 avr., 25 déc.
L'hôtel de la Monnaie de Perth
ouvrit en 1899, sous contrôle
britannique, pour raffiner l'or
extrait à cette époque des
champs aurifères de
Coolgardie et Kalgoorlie et le
transformer en pièces d'un
souverain et d'un demi-
souverain. Bien qu'il ne
frappe plus de pièces devant
entrer en circulation, et ne
pratique plus de
raffinage, l'hôtel de la
Monnaie continue de
produire des
épreuves et des
pièces de collection
en métal précieux, ce
qui en fait la plus
vieille Monnaie
d'Australie encore en
fonction.
   Son gracieux bâtiment abrite
un musée. À chaque heure
dans la fonderie en service

**Ancienne alarme de
la Perth Fire Station**

depuis un siècle, les visiteurs
peuvent assister à un « Gold
Pour » : le coulage d'un lingot
d'or pur. Une boutique vend
des bijoux d'or et d'argent et
d'autres souvenirs.

Old Fire Station
Angle de Murray St et Irwin St.
(08) 9323 9468. lun.-ven. jours
fériés.
Les pompiers de la City Fire
Brigade ont quitté en 1979 la
première caserne de Perth
pour s'installer dans des
locaux plus vastes à
l'extrémité est de
Hay Street. Le Fire
Safety Education
Centre & Museum
installé aujourd'hui
dans l'Old Fire
Station comprend
un centre
d'éducation à la
prévention des incendies et
un musée qui retrace l'histoire
des pompiers à Perth et en
Australie-Occidentale.

**PERTH :
LE CENTRE-VILLE**

Barracks Archway ①
Old Fire Station ④
Perth Cultural Centre ②
Perth Mint ⑤
St George's Anglican
   Cathedral ⑥
Western Australian
   Museum ③

LÉGENDE

Perth pas à pas,
p. 294-295

Gare

Gare routière

Parc de stationnement

Informations touristiques

Embarcadère

0   500 m

À la découverte du Grand Perth

Mémorial du Kings Park

L'agglomération de Perth s'étend de l'océan Indien, à l'ouest, jusqu'au Darling Range, au nord et à l'est. Elle comprend plusieurs grands parcs dont le Kings Park qui domine la rivière. Des plages de sable bordent le littoral depuis Hillary's Boat Harbour, au nord, jusqu'à Fremantle (*p. 302-303*) au sud. On peut gagner facilement les sites de visite de la périphérie en train, en autobus ou en voiture.

PERTH D'UN COUP D'ŒIL

Hills Forest ❸
Kings Park ❶
Museum of Childhood ❼
Perth Zoo ❺
Sunset Coast ❷
Underwater World ❻
Whiteman Park ❹

LÉGENDE

	Centre de Perth
	Grand Perth
▬▬	*Highway*
▬▬	Route principale
▭▭	Route secondaire

Dauphin dressé de l'Underwater World au nord de Perth

⚓ Underwater World

Hillary's Complex, Southside Drive, Sorrento. 📞 (08) 9447 7500. ⬤ t.l.j. ⬤ 25 déc. 🎫 ♿

A Hillary's Boat Harbour, au nord de la Sunset Coast, le superbe complexe de l'Underwater World permet d'observer des centaines de créatures marines depuis un tunnel transparent. Dans un bassin appelé Touch Pool, les visiteurs caressent raies, tortues et requins.

L'aquarium possède aussi quatre tursiops qui participent à des démonstrations pédagogiques illustrant leur comportement naturel.

🏛 Museum of Childhood

Edith Cowan University, Claremont Campus, Claremont. 📞 (08) 9442 1373. ⬤ mar.-ven., dim. ⬤ jours fériés. 🎫 ♿

Dans la banlieue de Claremont, ce musée consacré à l'histoire des enfants en Australie-Occidentale présente des jouets et des jeux anciens et évoque l'école et la vie familiale.

🏖 Sunset Coast

Par la West Coast Hwy.

Au nord de l'embouchure de la Swan River, des plages de sable blanc, qui sont pour la plupart peu fréquentées en semaine, forment la « côte du soleil couchant » longue de 30 km. Par leur variété, elles peuvent satisfaire toutes les attentes. Bordée d'étendues herbeuses et d'arbres, Cottesloe Beach, au sud, doit à des eaux sûres et des

🌳 Kings Park

Fraser Ave, West Perth. 📞 (08) 9480 3600. ⬤ t.l.j. ♿

Fondé à la fin du XIXᵉ siècle, ce parc de 400 ha ménage depuis le Mount Eliza de beaux panoramas de la Swan River et de la ville. On peut avoir une vision d'ensemble du parc de son point le plus haut, la DNA Lookout Tower. Kings Park se compose en majeure partie de *bush* sillonné de sentiers et équipé d'aires de pique-nique avec barbecues.

À l'est, une partie paysagée renferme un jardin botanique et une série de cascades et de bassins artificiels. Sur l'Anzac Bluff, le War Memorial est dédié aux Australiens de l'Ouest morts pendant les deux guerres mondiales. Le

Minmara Gun Gun et le Pioneer Women's Memorial rendent hommage aux femmes qui participèrent à l'édification de l'État.

Statue en bronze ornant les jardins botaniques du Kings Park

services de qualité sa popularité auprès des familles de la région. Sorrento Beach, au nord, est également très populaire. Appréciée des surfeurs, Scarborough Beach est réservée aux nageurs expérimentés car de forts courants la rendent dangereuse en cas de vent. Juste au-dessus de Scarborough, Trigg Island Beach se prête également bien au surf. Au nord de Cottesloe, Swanbourne Beach est une plage naturiste.

Aucune de ces plages est ombragée, n'oubliez pas d'emporter crème solaire, chapeau et parasol.

Étudiants admirant un tigre au zoo de Perth

Surfeur à Cottesloe Beach

🐾 Perth Zoo
20 Labouchere Rd. ☎ (08) 9367 7988. ◯ t.l.j. 🈳 ♿
Accessible en bateau depuis le centre-ville, le zoo de Perth occupe de jolis jardins à South Perth et met l'accent sur la défense des espèces menacées. Il comprend une réserve naturelle, une ménagerie d'animaux nocturnes, une ferme et une zone dédiée à la savane africaine.

🍃 Hills Forest
Par la Great Western Hwy.
À seulement une demi-heure du centre de Perth dans le Darling Range, Hills Forest offre un large choix d'activités liées au *bush*. La forêt, zone de captage du Mundaring Reservoir, alimenté en eau au XIXᵉ siècle les champs aurifères du sud *(p. 51)*. Protégée depuis 1919, elle est devenue une aire de loisirs bien dotée en barbecues, en aires de pique-nique et en campings. Il existe des jardins paysagés à Mundaring Weir.

Au nord de Hills Forest s'étend le John Forrest National Park, le premier parc national créé en Australie-Occidentale. Sous d'épaisses frondaisons ou à travers des landes, des sentiers mènent à des piscines naturelles et des cascades, dont les charmantes Hovea Falls.

🍃 Whiteman Park
Lord St, Whiteman. ☎ (08) 9249 2446. ◯ t.l.j. 🈳 ♿
Le parc est situé au nord-est du centre-ville. On peut le découvrir à pied mais aussi à dos de dromadaire, dans un tram des années vingt, en train et en chariot. Il renferme un village d'artisans et un musée exposant des ustensiles agricoles et accueille des démonstrations de tonte de mouton et des spectacles aborigènes.

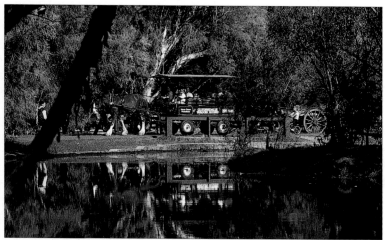

Promenade en chariot dans le Whiteman Park

Rottnest Island ❷

À moins de 20 km à l'ouest de Fremantle, cette île sablonneuse colonisée en 1831 et protégée depuis 1917 est devenue une destination touristique très populaire après savoir servi de bagne pour des Aborigènes entre 1838 et 1902. Son plus vieux site d'habitation, la colonie de Thomson Bay, fut fondé dans les années 1840. Les deux autres, Kingstown et le *settlement* des baies de Longreach et de Geordie, datent du xxᵉ siècle. Sur le littoral, plages de sable, criques rocheuses et lacs salés se prêtent à de nombreuses activités nautiques et aquatiques. On peut voir récifs coralliens et épaves depuis des bateaux à fond transparent ou en plongée. L'île est interdite aux voitures privées.

Vue aérienne de Rottnest
Des règles strictes protègent l'environnement sur cette île de 12 km de long sur 4,5 km de large.

City of York Bay porte le nom du navire qui y fit naufrage en 1899 après que son capitaine eut confondu un rayon émis par le phare avec un signal de pilote.

Rottnest Lighthouse
Le phare de Rottnest se dresse depuis 1895 sur le Wadjemup Hill, colline qui porte le nom aborigène de l'île.

Rocky Bay
Bordée par la Lady Edeline Beach, cette baie pittoresque abrite l'épave du trois-mâts Mira Flores *qui sombra en 1886.*

Strickland Bay,
propice au surf, doit son nom à sir Gerald Strickland, gouverneur de Rottnest de 1909 à 1912.

0   1 km

Cape Vlamingh Lookout
Baptisé d'après l'explorateur hollandais Willem de Vlamingh, ce point de vue situé à l'extrémité occidentale de Rottnest Island, à 10,5 km de Thomson Bay, ménage un panorama spectaculaire.

LÉGENDE

═══	Route secondaire
- - -	Sentier
△	Camping
⊼	Aire de pique-nique
✕	Aérodrome
⛴	Embarcadère
ℹ	Informations touristiques
☀	Point de vue

Rottnest Hotel
L'ancienne résidence crénelée du gouverneur d'État, construite en 1864, est aussi appelée le Quokka Arms. Elle a été transformée en hôtel.

Le Basin est la plage la plus fréquentée de l'île, en particulier par des familles campant avec leurs enfants, car on l'atteint aisément à pied depuis Thomson Bay.

Little Parakeet Bay, fréquentée par les perroquets qui lui valurent son nom, possède de beaux fonds visibles au tuba.

Le Rottnest Museum présente dans un grenier à blé de 1857 une exposition consacrée à la géologie de l'île, à ses nombreuses épaves, à sa flore et sa faune et à ses bagnards et ses colons.

Thomson Bay Settlement

Geordie/ Longreach Settlement

Lake Bagdad

Herschel Lake

PERTH

Serpentine Lake

Government House Lake

Kingstown

Les Henrietta Rocks ont causé le naufrage de trois navires.

Mabel Cove

Oliver Hill
Un train récemment restauré par des bénévoles conduit au sommet de cette colline où subsistent deux canons qui surveillèrent la baie de 1937 à la fin de la Seconde Guerre mondiale.

LE QUOKKA

Lors de sa première visite en 1696, le Hollandais Vlamingh remarqua des mammifères à fourrure sombre un peu plus gros que des chats. Pensant qu'il s'agissait d'une espèce de rat, il donna à l'île le nom de « nid à rats » qui lui est resté.

Ces marsupiaux appelés quokkas par les Aborigènes appartiennent en fait à la famille des wallabies. Les quokkas sont peu nombreux sur le continent et Rottnest Island reste le meilleur endroit pour en voir. Ce sont des animaux sauvages et ils ne devraient pas être nourris.

Fremantle ❸

Éventaire de fruits et légumes des
Fremantle Markets

Fondée en 1829 à l'embouchure de la Swan River, Fremantle a conservé de nombreux bâtiments du XIXᵉ siècle, de la ruée vers l'or. La ville constitue en quelque sorte le quartier ancien de Perth, bien que 20 km la séparent du centre. Fremantle devait servir de port à Perth mais ne put jouer pleinement ce rôle qu'après le creusement d'un bassin artificiel en 1890. La ville connut une importante réhabilitation pour accueillir en 1987 l'America's Cup, événement qui suscita l'ouverture de nombreux cafés et restaurants.

**Ancre au
Maritime
Museum**

La Round House dodécagonale

🏠 The Round House
10 Arthur Head Rd. ◯ *t.l.j.* &
Le plus ancien édifice de la ville est la première prison (1830), dans laquelle eut lieu la première pendaison de la colonie en 1844. Malgré son nom de Maison ronde, elle obéit à un plan polygonal. Les cellules donnent sur une petite cour intérieure.

Le tunnel creusé en 1837 sous l'édifice permettait aux baleiniers de porter leur marchandise jusqu'à High Street. À côté de la Round House, le site où se dressait jadis le premier tribunal de la ville donne vue de Bather's Bay et de Rottnest Island *(p. 300-301)*.

⛪ St John the Evangelist Anglican Church
26 Queen St. 📞 *(08) 9335 2213.*
◯ *t.l.j.* & *par arrangement.*
Achevée en 1882, cette charmante église aux autels taillés dans le bois de jarrah abrite un vitrail, la Pioneer Window, qui retrace l'histoire d'une famille d'agriculteurs d'Australie-Occidentale sur sept générations depuis son départ d'Angleterre au XVIIIᵉ siècle. Le vitrail voisin provient de l'église qui occupait auparavant le site.

🏛 Fremantle Markets
Angle de South Terrace et Henderson St. 📞 *(08) 9335 2515.* ◯ *ven.-dim., jours fériés.* ● *ven. saint, 25 déc.* &
Un concours architectural organisé en 1890 décida de l'aspect de la halle de Fremantle achevée en 1892. Restauré en 1975, l'édifice abrite toujours le week-end un grand marché où plus de 150 éventaires proposent un choix allant des légumes frais aux opales en passant par l'artisanat et la brocante.

🏛 Western Australian Maritime Museum
Angle de Cliff St et Marine Terrace. 📞 *(08) 9431 8444.* ◯ *t.l.j.* ● *ven. saint, 25 déc.* **Contribution.** &
Le bien le plus précieux du Musée maritime d'Australie-Occidentale est une reconstruction d'une partie de la coque d'un navire de la Compagnie hollandaise des Indes orientales, le *Batavia*. Elle a été réalisée à partir de vestiges retrouvés sur le site où il fit naufrage en 1628 au large des Abrolhos Islands *(p. 317)*. L'exposition offre un aperçu de la vie à bord et évoque la mutinerie de son équipage. Le musée a aussi reconstitué une arche de pierre formée de blocs retrouvés près de l'épave et taillés en Hollande afin d'être dressés, semble-t-il, à Jakarta, en Indonésie.

La collection comprend de nombreux autres objets tirés des bateaux qui coulèrent dans cette partie de l'océan Indien. Des documents retracent l'histoire du *Success* sur lequel le capitaine James Stirling arriva dans la région.

L'AMERICA'S CUP

La prestigieuse régate de l'America's Cup a lieu tous les quatre ans depuis 1851. Les États-Unis l'avaient toujours remportée jusqu'à la victoire, en 1983, de l'*Australia II*, un bateau financé par le milliardaire de Perth Alan Bond. En 1987, la rencontre eut donc lieu au large de Fremantle. Le barreur Dennis Conner récupéra le trophée pour les Américains mais l'événement provoqua une rénovation de la ville, la réhabilitation des docks et l'ouverture de nombreux cafés, restaurants et hôtels.

Le vainqueur de 1983 : *Australia II*

⛪ Fremantle Museum and Arts Centre

Angle d'Ord St et Finnerty St. ☎ *(08) 9430 7966.* ◯ *t.l.j.* ● *ven. saint, 25 et 26 déc.* **Contribution.** ♿ *limité.*

Cette belle demeure néo-gothique au jardin ombragé fut construite à l'origine pour servir d'asile d'aliénés. L'aile principale, entreprise en 1861 et terminée en 1865, abrite le Fremantle Museum. Le Fremantle Arts Centre occupe une extension édifiée entre 1880 et 1902.

Le bâtiment a aussi accueilli le siège des forces américaines pendant la Seconde Guerre mondiale puis, temporairement, le Western Australian Maritime Museum.

Consacrée à la vie quotidienne des colons qui vinrent au XIXᵉ siècle en Australie-Occidentale, l'exposition du Fremantle Museum évoque les obstacles qu'ils surmontèrent et tout ce qu'ils laissèrent derrière eux. Elle illustre également l'histoire de la pêche à la baleine dans la région.

Le Fremantle Arts Centre a la volonté d'être la vitrine des créateurs contemporains locaux et nombre des œuvres présentées sont à vendre. Il organise des concerts et parraine des manifestations artistiques ou artisanales.

Façade de la Fremantle Prison

⛓️ Fremantle Prison

Hampton Rd. ☎ *(08) 9430 7177.* ◯ *t.l.j.* ● *ven. saint, 25 déc.* 📷 ♿ *limité.*

L'arrivée, en 1850, d'un premier groupe de forçats à la Swan River Colony imposa la construction d'une grande prison que les bagnards édifièrent eux-mêmes. Achevée en 1855, l'austère Fremantle Prison resta un lieu de détention jusqu'en 1991.

Elle est aujourd'hui ouverte au public et les visiteurs peuvent découvrir les cellules (certaines sont ornées de décors muraux réalisés par les détenus), la chapelle, les cachots et la potence qui servit pour la dernière fois en 1964.

FREMANTLE : LE CENTRE-VILLE

Fremantle Markets ③
Fremantle Museum and Arts Centre ⑤
Fremantle Prison ⑥
The Round House ①
St John the Evangelist Anglican Church ④
Western Australian Maritime Museum ②

LÉGENDE

🚉 Gare
🚌 Staton d'autobus
🅿️ Parc de stationnement
ℹ️ Informations touristiques

0   500 m

La côte sud

Deux océans, l'Indien et l'Austral, se rencontrent à la pointe sud-ouest de l'Australie influant sur le climat de façon sensible. La côte sud se révèle souvent plus venteuse et plus fraîche que le littoral occidental et la mer s'y montre plus brutale. Plusieurs parcs nationaux protègent des paysages sauvages qu'animent formations granitiques et calcaires, dunes de sable et rochers. La région recèle d'excellents sites pour la pratique du surf.

★ Flinders Bay, Augusta ⑤
Fondée en 1830 à 5 km du Cape Leeuwin, la pointe sud-ouest du continent, Augusta est devenue une station balnéaire appréciée, en particulier des véliplanchistes qui viennent profiter des vents soufflant dans la superbe Flinders Bay.

0   20 km

★ Hamelin Bay ④
Avec ses eaux calmes propices à la baignade et à la pêche, cette plage animée du Cape Leeuwin attire de nombreuses familles.

Bunker Bay, Dunsborough ①
Cette plage de la station de Dunsborough donne vue du Cape Naturaliste et permet d'observer des dauphins et, en saison, des baleines.

Smith's Beach, Yallingup ②
Jeunes mariés en voyage de noces (Yallingup signifie « endroit des amoureux ») et surfeurs se côtoient près d'une grotte spectaculaire.

Boodjidup Beach, Margaret River ③
La côte de Margaret River offre des longues plages, des baies abritées et des falaises battues par les vagues.

Peaceful Bay ⑦
Populaire lieu de pique-nique fréquenté par des pêcheurs et des plaisanciers, cette anse mérite son nom de « Paisible ». Non loin commence le Walpole-Nornalup National Park planté d'eucalyptus et d'impressionnants karris.

Middleton Beach, Albany ⑩
Véliplanchistes et adeptes du boogie board se retrouvent régulièrement sur les eaux de Middleton Beach. À quelques kilomètres de l'autre côté de la pointe, le Torndirrup National Park abrite d'intéressantes formations rocheuses et, en saison, quelques excellents sites d'observation des baleines.

La Lake Cave, près de Margaret River, est l'une des quelque 200 grottes du Leeuwin-Naturaliste Ridge, crête qui court de Busselton à Augusta. Ses concrétions calcaires composent un décor féerique qui se reflète dans de sombres eaux souterraines.

CARTE DE SITUATION

Le Leeuwin-Naturaliste National Park *protège dans une région creusée de grottes 15 500 ha de landes et de bois. Les longues plages et les anses abritées qui jalonnent un littoral rocheux en font depuis longtemps un lieu de vacances apprécié sur l'océan Indien. On vient s'y baigner, faire du surf et pêcher.*

Le D'Entrecasteaux National Park, *à 40 km au sud-ouest de Pemberton, renferme d'abruptes falaises, des plages et d'excellents sites de pêche. Une grande partie de la réserve, y compris des campings en bord de mer, n'est accessible qu'en tout-terrain. À l'intérieur des terres s'étendent des landes peuplées d'animaux sauvages.*

★ **Ocean Beach, Denmark** ⑧
Des surfeurs de nombreux pays se retrouvent à Denmark, ils viennent s'entraîner à Ocean Beach où se déroulent par ailleurs des compétitions internationales *(p. 34-35).*

★ **Wilson Inlet** ⑨
Depuis la grand-rue de Denmark, une marche relativement courte à travers des bois bien entretenus conduit à cette crique ménageant une belle vue.

↑ ESPERANCE

Walpole

Walpole Nornalup National Park ⑦

William Bay National Park ⑧

West Cape Howe National Park

Océan Austral

Albany ⑩

Torndirrup National Park

★ **Conspicuous Beach** ⑥
De hautes falaises dominent cette superbe plage qui sert de point d'accès à la Valley of the Giants et ses futaies de *red tingles (eucalyptus jacksonii).*

LÉGENDE

▬	Highway
▬	Route principale
▬	Route secondaire
⌒	Cours d'eau
✲	Point de vue

Le Rose Hotel victorien de Bunbury

Bunbury ❹

🏠 26 000. 🚉 🚌 🚏 ℹ️ *Old Railway Station, Carmody Place (08) 9721 7922.*

À 180 km au sud de Perth sur l'océan Indien, ce port industriel fondé au XIXᵉ siècle est devenu la deuxième ville d'Australie-Occidentale et le chef-lieu du Southwest. La région est réputée pour ses terres agricoles, ses vignobles et ses forêts de karris et de jarrahs. Bunbury est aussi une station balnéaire.

Sur Victoria St, le Rose Hotel *(p. 479)* qui date de 1865 dispose d'un balcon au premier étage orné de ferronneries ouvragées. La cathédrale catholique, St Patrick, renferme le Pat Usher Memorial Window, un beau vitrail à la mémoire du maire qui géra Bunbury de 1972 à 1983. De jolis vitraux ornent également l'église anglicane, St Boniface Cathedral. Non loin, l'ancien couvent des sœurs de la Miséricorde construit dans les années 1880 abrite les Bunbury Art Galleries.

Sur le front de mer, le **Bunbury Dolphin Centre** propose une exposition et des films sur les dauphins. Les visiteurs peuvent aller nager avec ceux qui fréquentent cet endroit de la côte.

Le **King Cottage Museum** dirigé par la Bunbury Historical Society retrace l'histoire de la région au travers de photographies et d'objets datant des années 1880 à 1920.

🐬 **Bunbury Dolphin Centre**
Koombana Drive. 📞 *(08) 9791 3088.*
⭕ *t.l.j.* 🅿️ ♿

🏛 **King Cottage Museum**
77 Forrest Ave. 📞 *(08) 9721 7546.*
⭕ *t.l.j.* ● *ven. saint, 25 déc.* 🅿️ ♿

Busselton ❺

🏠 11 000. ✈️ 🚌 ℹ️ *Southern Drive (08) 9752 1288.*

À Geographe Bay, la station balnéaire de Busselton possède plus de 30 km de plages et offre un vaste choix d'activités aquatiques, dont la plongée sous-marine, la pêche et l'observation de baleines. La Busselton Jetty, ponton en bois de 2 km, fut jadis la plus longue jetée d'Australie. Elle servait à l'embarquement du bois d'œuvre dont la ville tira ses premières ressources. L'Old Courthouse bâti en 1856

Entrée du premier tribunal de Busselton

est devenu un centre culturel. Des ateliers d'artistes occupent plusieurs bâtiments de l'ancien tribunal et l'on vend désormais de l'artisanat dans les cellules de la prison. Le Victoria Park renferme *Ballarat* (1871), la première locomotive à vapeur mise en service en Australie-Occidentale.

AUX ENVIRONS
À une dizaine de kilomètres au nord de Busselton, la **Wonnerup House** élevée en 1859 par George Layman appartient au National Trust qui l'a restaurée et meublée. Trois autres bâtiments se partagent le site. La première maison que Layman bâtit sur le site dans les années 1830 regroupe, comme la Wonnerup House, des souvenirs ayant appartenu à la famille du pionnier. Une école que le fils de Layman construisit en 1874 et l'habitation de l'instituteur datant de 1885 abritent elles aussi des antiquités du siècle dernier.

Le Ludlow Tuart Forest National Park, 10 km plus au nord, protège sans doute la plus vaste forêt de tuarts *(eucalyptus gomphocephala)* qui reste au monde.

🏚 **Wonnerup House**
Layman Rd. 📞 *(08) 9752 2039.*
⭕ *t.l.j.* ● *ven. saint, 25 déc.* 🅿️ ♿

Margaret River ❻

🏠 1 800. ✈️ 🚌 🚏 ℹ️ *Bussell Hwy (08) 9757 2911.*

Fondé au milieu du XIXᵉ siècle, ce joli bourg proche de l'océan Indien vécut tout d'abord de l'agriculture et de l'exploitation forestière. Il est surtout connu aujourd'hui pour ses plages de surf et pour les nombreux domaines viticoles créés ces dernières années dans la région *(p. 32-33)*.

Dans le centre, un musée en plein air privé, l'**Old Settlement**, évoque la vie des hommes employés par le Group Settlement Scheme des années vingt *(p. 291)*. Les bâtiments comprennent un logement collectif, une forge et une école. En périphérie, l'**Eagles Heritage Raptor Wildlife Center** présente des rapaces sur 12 ha.

🏛 Old Settlement
Bussell Hwy. 📞 (08) 9757 9335.
☐ t.l.j. ⬤ 1ᵉʳ janv., 24 et 25 déc. 📷
✠ Eagles Heritage Raptor Wildlife Centre
Boodjidup Rd. 📞 (08) 9757 2960.
☐ t.l.j. ⬤ 25 déc. 📷 ♿

AUX ENVIRONS
À 8 km au nord de Margaret River, la première ferme de la région, Ellensbrook, est ouverte au public le week-end. Un sentier forestier proche du cottage bâti par Alfred Bussell conduit aux jolies Meekadarribee Falls.

La majorité des domaines viticoles de la région, depuis Vasse-Felix, le plus ancien, jusqu'au grand Leeuwin Estates Winery, proposent des visites des caves et des dégustations de leurs crus.

L'Ellensbrook Pioneer Homestead près de Margaret River

Bridgetown ❼

👥 2 200. 🚉 🛈 154 Hampton St (08) 9761 1740.

Nichée parmi les collines sur la Blackwood River, Bridgetown a pour origine une maison d'une pièce bâtie au milieu du XIXᵉ siècle par le pionnier John Blechynden. Elle existe toujours près de sa deuxième demeure, la Bridgedale House. Toutes deux appartiennent au National Trust.

L'office de tourisme abrite le musée municipal d'histoire et la Brierly Jigsaw Gallery qui présente des centaines de puzzles du monde entier. Près

Vue plongeante du pittoresque bourg de Bridgetown

de Philips Street, un point de vue, le Sutton's Lookout, ménage un large panorama du village et de la campagne environnante où des forêts de jarrahs et de karris offrent de belles promenades. La Blackwood River se prête au canoë et à la pêche.

Manjimup ❽

👥 4 600. 🚉 🛈 angle de Rose St et Edwards St (08) 9771 1831.

En venant de Perth, Manjimup marque le début des grandes forêts de karris du sud-ouest. Depuis sa fondation au milieu du siècle dernier, la ville est liée à l'industrie forestière et son office de tourisme se trouve dans le **Manjimup Timber Park** qui renferme aussi plusieurs musées, dont un hameau historique. À l'entrée du parc, une sculpture rend hommage aux bûcherons qui colonisèrent la région.

🏛 Manjimup Timber Park
Angle de Rose St et Edwards St.
📞 (08) 9771 1831. ☐ t.l.j.
📷 ♿

AUX ENVIRONS
À environ 25 km à l'ouest de Manjimup sur la Graphite Road, une jolie piscine naturelle, le Glenoran Pool, permet de se baigner dans la Donelly River. À côté subsistent les vestiges du One-Tree Bridge, pont

jeté sur la rivière et formé par un unique mais énorme karri. Non loin se dressent les Four Aces (Quatre as), quatre immenses karris qui seraient âgés de 300 ans.

Pemberton ❾

🏠 1 200. 🚉 🛈 Brockman St (08) 9776 1133.

Au cœur des forêts de karris, Pemberton garde l'aspect et l'atmosphère d'un village forestier. Le Pemberton Tramway qui apportait jadis les arbres aux scieries promène désormais les visiteurs dans des futaies. Le **Karri Forest Discovery Center** permet de prolonger la visite.

🏛 Karri Forest Discovery Center
Brockman St. 📞 (08) 9776 1133.
☐ t.l.j. ⬤ 25 déc. 📷 ♿

AUX ENVIRONS
Des parcs nationaux entourent Pemberton. Au sud-est, le Gloucester National Park abrite le célèbre Gloucester Tree, un karri de 61 m de haut portant un poste de surveillance des incendies. La vue vous récompensera des efforts exigés par l'ascension. Au sud-ouest, le Warren National Park recèle cascades et bassins propices à la baignade.

Statue de bûcheron au Manjimup Timber Park

Vitrail d'Andy Ducker, artisan de Denmark

Denmark ⑩

🏠 1 600. 🚉 🛈 Strickland St (08)
9848 2055.

D enmark, situé sur la côte
sud de l'Australie-
Occidentale, a pour origine
un campement forestier créé
en 1895. Il se transforma en
véritable village au début de
ce siècle. C'est un explorateur
qui donna son nom au site, et
si l'église St Leonard's
Anglican Church bâtie en
1899 par des bénévoles
évoque la Scandinavie avec
son toit pointu et ses
ornements intérieurs, elle le
doit à des bûcherons
norvégiens employés dans
la région à l'époque.

Denmark
possède une forte
communauté
d'artisans et
d'artistes qui lui
donne une
atmosphère bohème.
Près de l'église, Andy
Ducker réalise au
Mandala Studio ses vitraux
colorés devant les visiteurs.
Le bourg attire aussi de
nombreux
vacanciers pour ses
plages de surf.

Des concerts en
plein air ont lieu l'été au
Berridge Park bordant la
Denmark River.

**Gouvernail au
Jaycee's Whaleworld**

AUX ENVIRONS
Cette partie de la côte
possède plusieurs belles
plages, dont Ocean Beach,
très populaire auprès des
surfeurs. Plus abrités, Cosy
Corner et Peaceful Bay se
prêtent mieux à la baignade.

Albany ⑪

🏠 19 000. ✈ 🚉 🚌 🛈 Old
Railway Station, Proudlove Parade (08)
9841 1088.

S on port reste le pôle
commercial de la plus
ancienne implantation
européenne de l'Australie-
Occidentale, fondée en 1826
(trois ans avant Perth) dans
une baie explorée en 1791
par le capitaine Vancouver.
Il fut le plus important de la
jeune colonie jusqu'à la
construction de celui de
Fremantle (p. 302-303) et
était un grand centre baleinier
jusqu'à l'arrêt complet de la
chasse en 1979.

Albany a conservé
de nombreux
édifices anciens,
en particulier
près de
l'extrémité
occidentale de
Stirling Terrace.
Installé dans une annexe
d'un bureau d'embauche
de forçats datant des
années 1850, le Residency
Museum retrace l'histoire
de la ville et de sa
région. Le bureau
lui-même et l'Old
Gaol (ancienne
prison) abrite la collection de
l'Albany Historical Society. Sur
Duke St se dresse le plus
vieux bâtiment d'Albany, le
Patrick Taylor Cottage
construit en clayonnage
enduit de torchis avant 1836.

**St John the Evangelist
Anglican Church**, érigée en
1848, fut le premier sanctuaire
anglican consacré en
Australie-Occidentale, la Lady

Chapel incorpore un fragment
d'une arche de la cathédrale
Saint-Paul de Londres. Le
sanctuaire offre un exemple-
type des charmantes églises
de campagne anglaises. Ses
vitraux arrivèrent pour la
plupart de Grande-Bretagne
au début du XIXᵉ siècle.

Une réplique de l'*Amity*, le
brick qui amena de Sydney
les premiers colons en 1826,
décore le front de mer.

**⛪ St John the Evangelist
Anglican Church**
York St. ☎ (08) 9841 5015.
🕐 t.l.j. ♿

AUX ENVIRONS
Au Jaycee's Whaleword, des
visites guidées permettent de
découvrir la station
d'équarrissage de baleines,
désaffectée en 1978, de
Cheyne Beach. De
nombreuses baleines, se livrant
parfois à des exhibitions de
sauts, passent près de la côte
entre juillet et octobre.

Réplique de l'*Amity*

Stirling Range
National Park ⑫

🚉 Albany. 🛈 Albany (08) 9841
1088. **Park Ranger & information**
☎ (08) 9827 9230.

L a ligne de crête du Stirling
Range se dessine contre le
ciel au-dessus des plaines
agricoles qui s'étendent au
nord d'Albany. Réputé pour
les teintes changeantes, du
bleu au rouge, que prennent
ses flancs, le massif, long de
65 km, culmine à 1 073 m
d'altitude au Bluff Knoll. Un
climat très instable lui vaut
d'abriter une flore spécifique.
Sur le millier d'espèces de

Le Stirling Range vu de la Chester Pass Road

fleurs sauvages qui s'épanouissent d'octobre à décembre dans la réserve naturelle, une centaine ne pousse nulle part ailleurs.

Le parc national qui protège le Stirling Range et son écosystème renferme des sentiers fléchés, tous abrupts, et plusieurs aires de pique-nique et de barbecue installées dans des sites pittoresques.

En revenant vers Albany, les domaines viticoles de Mount Baker permettent une halte agréable.

York ⓭

🏠 1 600. 🚊 🚍 🛈 105 Avon Terrace (08) 9641 1301.

La jeune colonie à l'origine de l'Australie-Occidentale s'employa très tôt à profiter du potentiel agricole de la fertile Avon Valley. York fur fondé en 1831. Classé par le National Trust, le village conserve de nombreux édifices du XIXᵉ siècle qui, pour la plupart, bordent sa grand-rue : Avon Terrace.

Ouvertes au public, les cellules de l'Old Gaol, prison qui resta en fonction de 1865 à 1981, offrent un aperçu des conditions de détention au siècle dernier. Demeure des années 1860, la Settler's House abrite désormais un hôtel-restaurant (p. 513). Le Castle Hotel construit par

étapes entre 1850 et 1932 possède des porches en bois inhabituels.

Non loin, le **York Motor Museum** propose la plus belle collection de véhicules anciens d'Australie. Elle comprend parmi ses fleurons une Benz de 1886 qui serait la première automobile du monde, un prototype Holden Sedan de 1946 et l'extraordinaire voiture de course Bisiluro II Italcorsa.

Le Residency Museum, également digne d'une visite, occupe l'ancien domicile de Walkinshaw Cowan, magistrat à York et beau-père d'Edith Cowan, la première femme de l'État élue au Parlement.

Un moulin bâti en 1892 sert de centre d'exposition et de vente d'artisanat. On peut aussi y voir des artisans au travail.

🏛 York Motor Museum
166 Avon Terrace. 📞 (08) 9641 1288. 🕐 t.l.j. ⬤ 25 déc. 🚫 ♿

Northam ⓮

🏠 7 000. 🚊 🚍 🛈 2 Grey St (08) 9622 2100.

Au cœur de l'Avon Valley et de la *wheat belt,* le grenier à blé de l'Australie-Occidentale, Northam est le plus gros bourg de l'ouest du continent situé à l'intérieur des terres. Ce centre agricole devint à la fin du siècle dernier la porte des champs aurifères de Kalgoorlie-Boulder (p. 310). Il a gardé plusieurs édifices historiques, St John's Church bâtie en 1890 et l'Old Girls'School (1877), une ancienne école de filles occupée par l'Art Centre. Le Morby Cottage de 1836 est typique de l'architecture du début de la colonisation.

Le plus long pont suspendu piétonnier du pays franchit l'Avon River où nagent les descendants de cygnes blancs importés d'Angleterre au début du siècle.

Rolls Royce de 1925 au York Motor Museum

Les champs aurifères et la Nullarbor Plain

Plat et extrêmement aride, le sud-est de l'Australie-Occidentale n'abrite que quelques petites communautés aborigènes et des centres miniers. La région de Kalgoorlie connut pourtant une importante ruée vers l'or à la fin du siècle dernier, mais les cités qui fleurirent dans le désert sont pour la plupart devenues des villes-fantômes. Vers l'est s'étend la Nullarbor Plain au littoral battu par les vents. L'Eyre Highway la traverse jusqu'en Australie-Méridionale sur une distance de 730 km entre Norseman et la frontière.

LÉGENDE

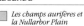

☐ Les champs aurifères et la Nullarbor Plain

☐ Perth et le Southwest p. 290-309

LA RÉGION D'UN COUP D'ŒIL

Esperance **18**
Kalgoorlie-Boulder **16**
Norseman **17**
Nullarbor Plain **19**
Wave Rock **15**

GREAT VICTORIA DESERT

16 KALGOORLIE-BOULDER

NULLARBOR PLAIN **19**

94 **NORSEMAN 17**

15 WAVE ROCK

120

18 ESPERANCE

0 ——— 200 km

LÉGENDE

〰 Highway

▬ Route principale

▭ Route secondaire

〰 Cours d'eau

Le Wave Rock, vague de granite qui semble prête à déferler

Wave Rock **15**

🏠 Hyden. **Visitors' Centre** ☎ (08) 9880 5182. ◷ 9 h-18 h, t.l.j. 🏷 ♿ 📷 par arrangement.

Dans la *wheat belt,* la région céréalière de l'Australie-Occidentale, à 5 km du petit village de Hyden, des milliers d'années d'érosion chimique ont sculpté une étrange et spectaculaire vague de granite que les traces grises laissées par le ruissellement de l'eau de pluie rendent encore plus impressionnante. Les Breakers (Brisants) et le Hippo's Yawn (Bâillement de l'hippopotame) sont aussi des formations rocheuses spectaculaires. Lace Place abrite la plus riche collection de dentelles de l'hémisphère Sud.

À environ 20 km au nord-est de Hyden, des peintures rupestres aborigènes ornent la Mulka's Cave.

Kalgoorlie-Boulder **16**

👥 26 500. ✈ 🚉 🚌 **i** 250 Hannan St (08) 9021 1966.

Kalgoorlie et la ville voisine de Boulder, réunies depuis 1989, évoquent avec force l'époque fiévreuse de la ruée vers l'or. Elles reçoivent 150 000 visiteurs par an. C'est un Irlandais, Paddy Hannan, qui trouva de l'or dans cette région désertique en 1893. Quelques semaines après sa découverte, l'endroit grouillait de prospecteurs. D'autres champs aurifères s'épuisèrent vite mais celui de Kalgoorlie, qu'exploite la plus grande mine à ciel ouvert du monde, continue de faire vivre la ville.

L'office de tourisme vous donnera le détail des divers circuits historiques et promenades guidées disponibles. Le **Museum of the Gold Fields** présente une séduisante collection de pépites et de bijoux, ainsi qu'une exposition consacrée à l'histoire naturelle de la région et à la ruée vers l'or. La Hannan's North Tourist Mine permet de descendre dans un puits de mine et d'assister à des démonstrations d'orpaillage.

Hannan Street conserve le plus de bâtiments anciens, notamment le York Hotel, l'Exchange Hotel et le Town Hall. Aux alentours de Kalgoorlie subsistent de nombreuses villes-fantômes désertées au début du siècle comme Ora Banda et Broad Arrow.

🏛 **Museum of the Gold Fields**
Hannan St. 📞 (08) 9021 8533.
◯ t.l.j. ⬤ ven. saint, 25 déc.
Contribution. ♿

Baxters Cliff, à l'est d'Esperance sur la côte de l'océan Austral

Norseman ⓱

🏘 1 800. 🚉 ℹ️ 68 Roberts St (08) 9039 1071.

Norseman est la porte de la Nullarbor Plain au point de départ de l'Eyre Highway qui rejoint Adélaïde près de 2 000 km plus à l'est. Comme Kalgoorlie-Boulder, la ville doit son existence à un champ aurifère. Par gratitude, les prospecteurs donnèrent à la ville le nom du cheval (Viking) qui mit au jour le précieux métal en piaffant.

Installé dans l'ancienne école des mines, le **Norseman Historical and Geological Museum** propose une exposition consacrée à l'extraction d'or dans la région. Non loin, le Beacon Hill offre une vue de Norseman et des alentours.

Statue en bronze de Paddy Hannan

🏛 **Norseman Historical and Geological Museum**
Battery Rd. 📞 (08) 9039 1593.
◯ lun.-mer., ven. et sam. ⬤ ven. saint, 25 déc. ♿

Esperance ⓲

🏘 10 000. ✈️ 🚉 ℹ️ Museum Village, Demster St (08) 9071 2330.

Certaines des plus belles plages du pays bordent cette partie du littoral austral. Des Européens l'explorèrent dès 1627 mais les premiers colons ne s'y établirent qu'en 1863. Le port d'Esperance connut ensuite un premier essor au moment de la ruée vers l'or. En ville, le Museum Village réunit une galerie d'art et plusieurs édifices historiques. L'Esperance Municipal Museum contient une intéressante collection d'objets liés à l'histoire locale.

Au large, le Recherche Archipelago comprend une centaine d'îlots, dont Woody Island que l'on peut visiter.

Nullarbor Plain ⓳

🚉 Kalgoorlie. 🚌 Norseman.
ℹ️ Norseman (08) 9039 1071.

L'immense plaine aride qui s'étend à l'est de Norseman jusqu'en Australie-Méridionale *(p. 361)* tire son nom d'une expression latine signifiant « pas d'arbre ». En effet, les arbres ne poussent pas ici, sauf dans la partie la plus au sud et la moins aride, celle que traverse l'Eyre Highway.

Les quelques relais routiers qui jalonnent la route sont les seuls sites habités de la Nullarbor Plain. Cocklebiddy, à 438 km de Norseman, abrite une des plus longues grottes du monde (non aménagée). L'Eucla National Park, à côté d'Eucla, ménage de belles vues des falaises de la côte.

York Hotel de Hannan Street, Kalgoorlie *(p. 479)*

LE NORD DE PERTH
ET LE KIMBERLEY

Les visiteurs qui se risquent au nord de Perth peuvent mieux percevoir l'immensité de l'Australie-Occidentale qui couvre un tiers de la superficie du continent. La région recèle de somptueux trésors naturels, tels les fonds coralliens du Ningaloo Reef, l'étrange Pinnacle Desert, les défilés du Kimberley et les étonnants Bungle Bungles.

Les premiers hommes qui s'implantèrent en Australie arrivèrent il y a probablement 60 000 ans dans le Kimberley. La région, bordée par la mer de Timor, est riche en pétroglyphes aborigènes dont certains pourraient avoir plus de vingt milliers d'années. Le premier Européen, un Hollandais, débarqua aussi au nord de Perth, sur la côte la plus occidentale du continent, en 1616 *(p. 45)*. En 1688, l'explorateur anglais William Dampier dressa la carte de la péninsule qui porte son nom. Lors d'un second voyage, il reconnut Shark Bay et les alentours de Broome.

En 1846, des bénédictins établirent une mission à New Norcia et, vingt ans plus tard, les implantations s'étaient multipliées le long de la côte. La plus importante, Cossack, séduit des immigrants japonais, chinois et indonésiens tentés par la pêche aux perles. Les années 1880 virent la création de stations d'élevage entre Derby et Windham. Enfin, la découverte d'or, en 1885, à Halls Creek, fit apparaître le nord de l'Australie-Occidentale sur les cartes. La ruée vers l'or ne dura pas mais l'exploitation minière connut un nouvel élan dans les années soixante grâce aux gisements de fer et de gaz naturel du Pilbara.

Si Perth bénéficie d'un climat proche de celui de la Méditerranée, la région au nord de Perth a un climat tropical. La contrée attire chaque année plus de touristes, y compris dans des zones isolées comme le Kimberley. Des complexes hôteliers commencent à équiper des localités côtières comme Coral Bay et Broome.

Rencontre avec les dauphins de Monkey Mia au Shark Bay World Heritage and Marine Park

◁ **Silice et lichen dessinent les stries des Bungle Bungles du Purnululu National Park**

À la découverte du nord de Perth

Les paysages spectaculaires abondent dans le nord de l'Australie-Occidentale. À 200 km de Perth, le Nambung National Park renferme le curieux Pinnacles Desert. Plus haut sur la côte, le Kalbarri National Park protège de superbes gorges sur la Murchinson River. Le littoral de l'océan Indien offre ensuite îles inhabitées, récifs de corail, falaises vertigineuses, plages de sable et le magique Shark Bay World Heritage and Marine Park. Le Pilbara qui forme la pointe de la région possède deux beaux parcs nationaux : Karijini et Millstream-Chichester.

St Francis Xavier Cathedral, Geraldton

Coucher de soleil au Pinnacles Desert, Nambung National Park

LE NORD DE PERTH D'UN COUP D'ŒIL

Carnarvon ⑦
Cossack Historical Town ⑫
Dampier ⑩
Exmouth ⑨
Geraldton ③
Houtman Abrolhos Islands ④
Kalbarri National Park ⑤
Karijini National Park ⑭
Nambung National Park ②
New Norcia ①
Ningaloo Reef Marine Park ⑧
Point Samson ⑬

Roebourne ⑪
Shark Bay World Heritage et Marine Park p. 318-319 ⑥

Le Kimberley et les déserts *voir p. 322-323*
Broome ⑮
Derby ⑯
Halls Creek ⑰
Purnululu National Park ⑱
Wyndham ⑲

NINGALOO REEF MARINE PARK ⑨ **EXMOUTH**
⑧

Lake MacLeod

Gascoyne River

CARNARVON ⑦

⑥
SHARK BAY WORLD HERITAGE AND MARINE PARK

KALBARRI NATIONAL PARK ⑤

HOUTMAN ABROLHOS ISLANDS
④

GERALDTON ③

NAMBU NATIO PAR ②

0   100 km

LÉGENDE

Le nord de Perth

Le Kimberley et les déserts
voir p. 322-323

VOIR AUSSI

• **Hébergement** p. 480-481

• **Restaurants** p. 513-514

LÉGENDE

Highway

Route principale

Route secondaire

Parcours pittoresque

Cours d'eau

Point de vue

Mulla mullas *(ptilotus exaltatus)*, au Karijini National Park

CIRCULER

Skywest et Ansett assurent des dessertes aériennes de Perth *(p. 544-545)* et des autocars Greyhound circulent entre les principales villes. Une voiture tout-terrain se révèle utile pour rejoindre les parcs nationaux et indispensable en saison humide. Les distances sont grandes. La North West Coastal Hwy rejoint à Port Hedland la Great Northern Hwy intérieure. La Gunbarrel Hwy et la Canning Stock Route, qui traversent le Gibson Desert, exigent une sérieuse préparation.

New Norcia ❶

🏛 70. 🏠 🛈 *New Norcia Museum and Art Gallery (08) 9654 8056.*

L a mission créée en 1846 par des bénédictins espagnols à 130 km au nord-est de Perth a peu changé depuis sa construction. Elle abrite toujours une petite communauté monastique propriétaire de ses bâtiments historiques. Les moines proposent des visites guidées quotidiennes du monastère et tiennent une hôtellerie.

Réputée pour son architecture coloniale espagnole, New Norcia s'organise autour d'une jolie cathédrale bâtie en 1860. Deux élégants collèges datent du début du siècle : la St Gertrude's Residence for Girls et la St Ildephonsus'Residence for Boys. Objets d'art et souvenirs retracent l'histoire de la localité au **New Norcia Museum and Art Gallery.**

🏛 New Norcia Museum and Art Gallery

Great Northern Hwy. 📞 (08) 9654 8056. ⬤ t.l.j. ⬤ 25 déc. 🏷 🚫 rez-de-chaussée seulement.

Façade de la St Ildephonsus' Residence for Boys de New Norcia

Nambung National Park ❷

🛈 CALM office at Cervantes (08) 9652 7043. ⬤ lun.-ven.

L e printemps, d'août à octobre, quand s'épanouissent les fleurs sauvages et que la chaleur n'est pas trop éprouvante, constitue la meilleure saison pour visiter le parc national de Nambung. Le Pinnacles Desert, une vaste étendue de

Dans le Pinnacles Desert du Nambung National Park

sable hérissée d'aiguilles de calcaire dont la plus haute atteint 4 m. Les visiteurs peuvent emprunter une piste pour voitures ou un sentier pédestre qui conduit à des points de vue des Pinnacles et de la côte.

La faune du parc est principalement nocturne mais kangourous, émeus ou reptiles se montrent parfois à l'aube ou au crépuscule.

Geraldton ❸

🏛 23,000. ✈ 🚍 🚌 🛈 *angle de Chapman Rd et Bayly St (08) 9921 3999.*

S ituée à 425 km au nord de Perth sur Champion Bay, Geraldton doit son surnom de « Sun City » à une moyenne de huit heures par jour d'ensoleillement. Des vacanciers de toute l'Australie viennent se baigner ou pratiquer le surf sur ses plages. Mahomets Beach est notamment un des grands pôles mondiaux de la planche à voile.

L'histoire de la présence européenne dans la région remonte à la mutinerie de l'équipage du navire hollandais *Batavia* échoué sur les Abrolhos Islands en 1628. Un autre bâtiment hollandais, le *Zuytdorp*, fit naufrage en 1712 près de Kalbarri, les survivants ont peut-être été recueillis par

des Aborigènes. On dressa la première carte de Champion Bay en 1849 et une mine de plomb ouvrit peu après. Créé pour assurer l'expédition de sa production, le port de Geraldton abrite aujourd'hui une flotte de langoustiers.

La ville conserve nombre de ses premiers édifices. Le charmant **Geraldton Museum** comprend deux bâtiments : le Maritime Museum qui abrite des vestiges des épaves hollandaises et l'Old Railway Building occupé par une exposition consacrée à la géologie, la flore, la faune et l'histoire locales. La plus vieille cathédrale de Geraldton, St Francis Xavier Cathedral élevée entre 1916 et 1938, s'inspire librement du style byzantin. Le phare de Point Moore importé de Grande-Bretagne n'a pas cessé de fonctionner depuis 1878. Datant de 1870, le **Lighthouse Keeper's Cottage**, le premier phare de la ville, sert désormais de siège à la Geraldton's Historical Society. La **Geraldton Art Gallery**, une des meilleures galeries de l'État, expose les œuvres d'artistes locaux et des pièces provenant de collections privées et publiques.

Deux points de vue, le Separation Point Lookout et le Mount Tarcoola Lookout, offrent de superbes panoramas de la ville et de l'océan.

Phare de Point Moore

🏛 **Geraldton Museum**
244 Marine Terrace. 📞 *(08) 9921 5080.* ⬜ *t.l.j.* ⚫ *ven. saint, 25 et 26 déc.* **Contribution.** ♿

♨ **Lighthouse Keeper's Cottage**
355 Chapman Rd. 📞 *(08) 9921 8505.* ⬜ *jeu.* ⚫ *25 déc.*

🏛 **Geraldton Art Gallery**
24 Chapman Rd. 📞 *(08) 9921 6811.* ⬜ *t.l.j.* ⚫ *25 déc.-1ᵉʳ janv.* ♿

Houtman Abrolhos Islands ❹

🚌 *Geraldton.* 🚢 *depuis Geraldton.*
ℹ *Geraldton (08) 9921 3999.*

À environ 60 km au large de la côte de Geraldton, plus de cent îlots coralliens forment l'archipel des Houtman Abrolhos Islands. Ses récifs ont causé maints naufrages mais ils offrent de magnifiques fonds sous-marins à découvrir en plongée ou lors de promenades en avion. Il est interdit de résider sur les îles.

Kalbarri National Park ❺

🚌 *Kalbarri.* ℹ *Kalbarri (08) 9937 1104.* ⬜ *9 h- 17 h, t.l.j.* ⚫ *25 déc.*

Cette vaste réserve naturelle protège une splendide portion du littoral et plusieurs gorges sur le cours de la Murchison River. À l'embouchure du cours d'eau, le bourg de Kalbarri constitue une bonne base pour partir explorer le parc. Attention, les pistes peuvent être empruntées par la majorité des véhicules mais non par des caravanes ou des camping-cars. Plusieurs sentiers ménagent un choix de promenades allant d'une marche de deux heures à une randonnée de quatre jours. Un temps sec et des températures clémentes font de l'hiver, à partir de juillet, la saison la plus agréable pour une visite. Des tapis de fleurs rendent toutefois le printemps plus spectaculaire.

Ne manquez pas l'aire de pique-nique de Hawks Head qui domine un défilé, la Nature Windows, et le Ross Graham Lookout où des piscines naturelles permettent de se baigner. Près de l'océan, Pot Alley offre une vue époustouflante des falaises de la côte. La Rainbow Valley doit son nom de « vallée arc-en-ciel » à des strates de roches polychromes.

Shark Bay World Heritage and Marine Park ❻

Voir p. 318-319.

Centre artisanal de Carnarvon

Carnarvon ❼

🏘 *7 000.* ✈ 🚌 🚍 ℹ *11 Robinson St (08) 9941 1146.*

Chef-lieu commercial et administratif local, Carnarvon se trouve à l'embouchure de la Gascoyne River qui marque le début du nord de l'Australie-Occidentale. Des plantations de fruits tropicaux, bananes et mangues entre autres, bordent le cours du fleuve sur 16 km. Certaines peuvent se visiter et vendent directement leurs produits. La pêche et l'élevage de crevettes et de coquilles Saint-Jacques sont aussi pratiqués.

En ville, le One Mile Jetty sur Babbage Island est un quai apprécié des pêcheurs. Le Jubilee Hall, construit en 1887, abrite un centre artisanal.

AUX ENVIRONS
À 70 km au nord de Carnarvon, des jets d'eau atteignant 20 m de hauteur fusent de trous de rochers où s'engouffrent les vagues, les

Gorges de la Murchinson River vues du Hawks Head Lookout dans le Kalbarri National Park

Le Shark Bay World Heritage and Marine Park ❻

**Panneau
du quai de
Monkey Mia**

Shark Bay (baie des Requins) est l'endroit où débarqua le premier Européen qui posa pied sur le continent. L'Unesco a inscrit le site en 1991 au Patrimoine mondial *(p. 22-23)*. En effet, pendant des milliers d'années, des processus naturels rares ont créé des paysages côtiers hors du commun. Shark Bay sert aussi de refuge à diverses espèces végétales et animales menacées. La voiture est le seul moyen de parcourir le parc et certaines parties ne sont accessibles qu'aux véhicules tout-terrain.

*BERNIER
ISLAND*

*DORRE
ISLAND*

**François Peron
National Park**
*La pointe de la
Peron Peninsula
resta une ferme
d'élevage de
mouton jusqu'en
1990.*

Cape Inscription
est l'endroit où
le premier
Européen, le
Hollandais
Dirk Hartog,
débarqua en
Australie *(p. 45)*.

*D I R K
H A R T O G
I S L A N D*

*Denham
Sound*

*FRANÇOIS PERO
NATIONAL PA*

Peron Homestead
*L'ancienne habitation de la
ferme d'élevage offre un
aperçu des conditions de vie
des gardiens de moutons.
Deux puits artésiens
alimentent en eau chaude
(44 °C) des bacs où les
visiteurs peuvent se baigner.*

Denham, un ancien
village perlier, vit
désormais
principalement de la
pêche et du tourisme.

*Useless
Loop*

Le Steep Point,
pointe la plus
occidentale du
continent australien,
donne vue des falaises
appelées Zuytdorp
Cliffs.

Useless Loop Road

Eagle Bluff
*Du sommet de la falaise de l'Aigle, on peut
tenter d'apercevoir au large les oiseaux qui
nichent sur les îles et les hôtes marins des
eaux limpides de la baie.*

Les Zuytdorp Cliffs
portent le nom du navire
hollandais qui fit naufrage ici
en 1712.

Monkey Mia

Sur cette petite plage très visitée, des dauphins sauvages viennent se faire nourrir presque tous les matins. On peut aussi partir en bateau à la rencontre de dugongs et de tortues.

Shell Beach

De minuscules coquillages empilés sur une épaisseur de 10 m forment cette plage de 60 km de long.

Stromatolithes du Hamelin Pool

Les cyanobactéries dont les colonies ont créé ces rochers vivants sont une des formes de vie les plus anciennes.

LÉGENDE

===	*Highway*
===	Route principale
—	Route secondaire
···	Piste
- - -	4 × 4 uniquement
▢	Parc marin
—	Limite du parc national
🅐	Camping
i	Informations touristiques
�	Point de vue

0   20 km

Ningaloo Reef Marine Park ❽

🅿 *Exmouth.* ℹ *Milyering Visitors' Centre, Yardie Creek Rd, Cape Range National Park (08) 9949 2808.* ◑ *t.l.j.* ● *ven. saint, 25 déc.*

Cette réserve marine borde sur 260 km la côte océane de l'Exmouth Peninsula et le côté occidental de l'entrée de l'Exmouth Gulf. Elle protège le Ningaloo Reef, long récif frangeant qui ressemble, en version réduite, à la Grande Barrière de corail *(p. 204-209)* parallèle au littoral oriental du Queensland. Le Ningaloo Reef est beaucoup plus proche du rivage continental et les plongeurs au tuba peuvent découvrir les très beaux fonds de Turquoise Bay et Coral Bay.

Plusieurs compagnies proposent des excursions permettant de plonger aux bouteilles ou d'observer l'inoffensif requin-baleine qui vient se nourrir de plancton de la fin du mois de mars jusqu'en mai. C'est le plus gros poisson de la planète, sa taille peut atteindre 18 m. Des dugongs fréquentent aussi les eaux du parc, ainsi que des tortues de mer qui viennent s'accoupler et enfouir leurs œufs sur les plages de la pointe de la péninsule.

Le Department of Conservation and Land Management (CALM) gère plusieurs sites de camping le long de la côte. La pêche, très populaire, est autorisée mais strictement réglementée.

Yardie Creek Gorge du Cape Range National Park près d'Exmouth

Exmouth ❾

🚶 *3 100.* ✈ 🅿 ℹ *angle de Payne St et Maidstone Crescent (08) 9949 1176.*

Fondée en 1967 en appui d'une station de communication de la Flotte américaine, cette petite ville de la côte orientale de l'Exmouth Gulf reste marquée par sa vocation militaire. Mais aujourd'hui elle vit surtout du tourisme, servant de point de départ vers le Ningaloo Reef Marine Park et le Cape Range National Park. On aperçoit fréquemment tortues géantes et requins-baleines au large.

Un peu hors de la ville, au Vlaming Head, l'épave du *Mildura* reste visible depuis le littoral. Non loin se dresse le Vlaming Lighthouse, phare planté au sommet d'une falaise qui offre une vue panoramique de la péninsule.

AUX ENVIRONS

Le Cape Range National Park protège un massif peu élevé où l'érosion a taillé de spectaculaires défilés et affleurements rocheux. L'océan submergeait jadis la région et le calcaire garde des empreintes fossilisées de corail. La faune comprend kangourous, émeus et gros lézards. Il existe deux principaux sentiers de randonnée, mais mieux vaut ne pas s'y risquer en été car la température peut atteindre 50 °C.

Le canyon de la Yardie Creek se trouve à l'ouest du parc à 1 km du rivage. Un court sentier le long de falaises permet d'y pénétrer mais on peut aussi le découvrir lors d'une promenade en bateau.

Dampier ❿

🚶 *1 100.* ✈ 🅿 ℹ *4548 Karratha Rd, Karratha (08) 9144 4600.*

Dampier est situé sur King Bay dans la Burrup Peninsula, en face de l'archipel de Dampier. Il doit sa création aux mines du Pilbara qui avaient besoin d'un port pour expédier leur production. C'est aussi là qu'est traité le gaz naturel du Northwest Shell Project pour le marché domestique comme pour l'exportation. Dampier possède en outre la plus grande usine de dessalement d'Australie, que l'on peut contempler du Dampier Solar Evaporated Salt Mine Lookout. Le **Pilbara Railways Historical Museum,** également digne d'intérêt, propose une exposition consacrée aux chemins de fer. Elle comprend le *Pendennis Castle* présenté comme le moteur à vapeur le plus rapide jamais construit.

Les Aborigènes yapurrara ont orné la Burrup Peninsula de milliers de gravures rupestres.

🏛 **Pilbara Railways Historical Museum**
Par la Dampier Hwy. ☎ *(08) 9144 4600.* ◑ *mai-sept. : lun.-ven., dim. ; oct.-avr. : dim.* 📷 ♿

Sable blanc de Turquoise Bay dans le Ningaloo Reef Marine Park

Honeymoon Cove, l'une des plages les plus appréciées de Point Samson

AUX ENVIRONS
Le Dampier Archipelago, au large de Dampier, porte le nom de l'explorateur anglais qui débarqua dans la région au XVIIe siècle *(p. 45)*. Réputé pour la pêche au gros et l'observation de baleines, il compte 41 îles, dont près de la moitié est protégée par des réserves naturelles.

Façade rustique de la Holy Trinity Church de Roebourne

Roebourne ⓫

🏠 1 200. 🚉 🛈 *Queen St (08) 9182 1060.*

À environ 14 km à l'intérieur des terres, la plus ancienne localité du Pilbara, fondée en 1866, conserve plusieurs édifices en pierre de la fin du XIXe siècle, dont la Holy Trinity Church bâtie en 1894 et l'Old Gaol qui abrite l'office de tourisme et une galerie d'art aborigène. Roebourne est le point de départ de l'Emma Withnell Heritage Trail, parcours historique de 52 km qui suit un itinéraire pittoresque par Cossack et Point Samson.

AUX ENVIRONS
À 150 km au sud, le **Millstream-Chichester National Park** protège 200 000 ha où de rares points d'eau forment de vertes oasis.

Cossack Historical Town ⓬

🚉 🛈 *Queen St, Roebourne (08) 9182 1060.*

Le port de Tien Tsin Harbour établi en 1863 devint bientôt le centre animé d'une industrie perlière qui attira des pêcheurs venus du Japon et de Chine. Le bourg prit le nom de Cossack en 1872 après la visite du gouverneur Weld à bord d'un navire ainsi baptisé. Cet hommage ne l'empêcha toutefois pas de tomber en déclin. L'activité perlière se déplaça à Broome *(p. 322)* et, en 1910, le port s'était envasé. Les bâtiments anciens survécurent à son abandon. Leur restauration commença à la fin des années soixante-dix et le site historique aujourd'hui géré par le comté de Roebourne attire de nombreux visiteurs.

Old Courthouse, Cossack Historical Town

Point Samson ⓭

🏠 200. 🛈 *Queen St, Roebourne (08) 9182 1060.*

Ce petit village portuaire créé en 1910 pour remplacer Cossack vit aujourd'hui de ses deux ports et d'un peu de pêche. Les deux plus belles plages se trouvent dans la Honeymoon Cove et au Samson Reef où l'on peut contempler des fonds coralliens au tuba et ramasser des coquillages à marée basse.

Karijini National Park ⓮

🛈 *Tom Price (08) 9188 1112.* 🔵 *juin-oct. : t.l.j.* 🔵 *nov.-mai : dim.*

Au cœur du Pilbara dans le Hamersley Range culminant à 1 250 m d'altitude, le Karijini National Park est, avec une superficie de 600 000 ha, le parc national le plus vaste d'Australie-Occidentale après celui de Purnululu *(p. 323)*.
Il protège trois types de paysages : des collines et des crêtes couvertes de forêts d'eucalyptus ; une zone aride de broussailles basses et, dans le nord, de magnifiques gorges. Les deux saisons les plus favorables pour le visiter sont l'hiver et le printemps.

Le Kimberley et les déserts

Casque de pêcheur de perles

L'immense région montagneuse du Kimberley est le dernier territoire à conquérir en Australie. L'aménagement touristique y est encore balbutiant. De profondes gorges creusent ses rochers rouges et son littoral connaît les plus grands écarts de marées de l'hémisphère Sud. La violence d'un climat où alternent saison sèche torride et *wet* aux pluies torrentielles contribue à rendre la région difficile d'accès. La meilleure saison pour découvrir ses atouts naturels, tels que le Wolfe Creek Meteorite Crater et les Bungle Bungles, dure d'avril à septembre. Au sud s'étendent les inhospitaliers Great Sandy Desert et Gibson Desert.

CARTE DE SITUATION

■ *Le Kimberley et les déserts*

▢ *Le nord de Perth* p. 312-321

WYNDHAM ⑲

PURNULULU (BUNGLE BUNGLE) NATIONAL PARK ⑱

DERBY ⑯

BROOME ⑮

HALLS CREEK ⑰

G R E A T
S A N D Y
D E S E R T

Lake Mackay

G I B S O N
D E S E R T

Lake Carnegie

WARBURTON ROAD

G R E A T
V I C T O R I A
D E S E R T

0   200 km

Broome ⑮

🏠 9 000. ✈ 🚌 🚍 ℹ *Angle de Bagot St et Great Northern Hwy (08) 9192 2222.*

Dans une région où les Européens s'installèrent au cours des années 1860, Broome prit son essor dans les années 1880 avec le développement de l'industrie perlière. Même si elle vit surtout du tourisme aujourd'hui, la ville a gardé un parfum cosmopolite de l'époque où affluèrent des plongeurs asiatiques, comme en témoignent ses cimetières chinois et japonais.

À quelques kilomètres du centre commence une plage magnifique, Cable Beach. Le **Broome Crocodile Park** possède plus d'un millier de pensionnaires.

❌ Broome Crocodile Park
Cable Beach Rd. 📞 *(08) 9193 7824.* 🕐 *t.l.j.* ⬤ *sam., oct.-avr. ; 25 déc.* ♻ ♿

Promenade à dos de dromadaire sur Cable Beach près de Broome

SITES D'UN COUP D'ŒIL

Broome ⑮
Derby ⑯
Halls Creek ⑰
Purnululu (Bungle Bungle) National Park ⑱
Wyndham ⑲

LÉGENDE

〰 Highway

▨ Route principale

▨ Route secondaire

〜 Cours d'eau

Crocodile d'eau douce dans la Windjana Gorge près de Derby

Derby ⑯

🏠 5 000. ✈ 🚌 ℹ️ *1 Clarendon St (08) 9191 1426.*

Porte d'une région riche en gorges splendides, Derby abrite des sites intéressants : le musée et la galerie d'art installés dans la Wharfingers House, l'Old Derby Gaol et les Botanical Gardens.

À 7 km au sud du centre, le Prison Boab, baobab millénaire de 14 m de circonférence, possède un tronc creux qui, à la fin du XIXe siècle, servait à garder des détenus pendant une nuit sur la route jusqu'à la prison.

AUX ENVIRONS
À l'est de Derby, la Gibb River Road conduit aux trois parcs nationaux, Windjana Gorge, Tunnel Creek et Geikie Gorge, connus sous le nom collectif de **Devonian Reef National Parks.** Ils protègent de superbes canyons.

♣ Devonian Reef National Parks
🚌 *jusqu'à Derby.* ℹ️ *Derby (08) 9191 1426.* ◯ *lun.-sam.* ● *jours fériés.*

Halls Creek ⑰

🏠 1 400. 🚌 ℹ️ *Memorial Park, Great Northern Hwy (08) 9168 6262.*

Le site originel de Halls Creek, Old Town, marque l'endroit où eut lieu la première ruée vers l'or de l'État près d'une paroi de quartz surnommée la muraille de Chine (China Wall). À 130 km au sud,

la **Wolfe Creek Meteorite Crater Reserve** abrite le deuxième cratère de météorite du monde par la taille.

♣ Wolfe Creek Meteorite Crater Reserve
🚌 *Halls Creek.* ℹ️ *Halls Creek (08) 9168 6262.* ◯ *avr.-sept. : lun.-sam.* ● *jours fériés.*

Purnululu (Bungle Bungle) National Park ⑱

🚌 *Kununurra, Halls Creek.* ◯ *t.l.j.* ℹ️ *Kununurra (08) 9166 0200.* ◯ *lun.-ven.* 📷 🚻

Fondé en 1987 dans une des régions les plus inaccessibles d'Australie-Occidentale, le Purnululu National Park couvre une superficie de 320 000 ha au

Rochers striés des Bungle Bungles, Purnululu National Park

sein du territoire traditionnel des Aborigènes kija et jaru qui coopèrent avec les autorités pour développer un tourisme culturel. Il a pour principale attraction le massif du Bungle Bungles aux rochers striés d'orange et de noir par des bandes de silice et de lichen.

Wyndham ⑲

🏠 900. ✈ 🚌 ℹ️ *626 Great Northern Hwy (08) 9161 1281.*

Au terme de la Great Northern Highway sur le Cambridge Gulf, le port de Wyndham fondé en 1888 servait à l'expédition de l'or de Halls Creek et des produits des centres d'élevage locaux. On déchargeait également sur son quai, à l'emplacement de l'actuel Anthon's Landing, des provisions essentielles à la survie des fermes créées par des pionniers dans le nord du Kimberley. La fin du trajet s'effectuait en caravanes de dromadaires menées par des Afghans, et nombre de ces chameliers reposent dans le cimetière du village.

Dans le centre ancien, appelé Old Wyndham Port, subsistent des bâtiments du XIXe siècle, notamment une poste et un tribunal. Le Port Museum propose une exposition photographique sur l'histoire du port.

Dans la région vivent de nombreux crocodiles d'eau douce (« freshies ») et de mer (« salties »). Contrairement aux premiers, plus pacifiques, les seconds n'hésitent pas à s'attaquer à l'homme même si celui-ci ne les provoque pas. S'ils apprécient l'eau salée, comme leur nom l'indique, ils fréquentent aussi les rivières. On peut voir des représentants des deux espèces à la **Wyndham Crocodile Farm.**

À environ 20 km de la ville, il existe des pétroglyphes aborigènes près du site de pique-nique du barrage de Moochalabra.

🐊 Wyndham Crocodile Farm
Barytes Rd. ☎ *(08) 9161 1124.* ◯ *t.l.j.* ● *25 déc.* 📷 ♿

L'AUSTRALIE-
MÉRIDIONALE

PRÉSENTATION DE L'AUSTRALIE-MÉRIDIONALE 326-331

ADÉLAÏDE ET LE SOUTHEAST 332-349

LES PÉNINSULES D'YORKE ET D'EYRE
ET LE FAR NORTH 350-361

L'Australie-Méridionale d'un coup d'œil

La South Australia possède un littoral varié qui alterne plages de sables, falaises et lagunes. Il est bordé d'une frange de vallées et de plaines fertiles propices à la culture de la vigne et des céréales. L'aridité rend l'intérieur des terres moins souriant mais le vaste Far North recèle des sites superbes tels les Flinders Ranges et Coober Pedy, la ville troglodytique des prospecteurs d'opales. La majeure partie de la population de l'État vit dans la capitale, Adélaïde, et les villages viticoles de la Clare Valley et de la Barossa Valley.

LES PÉNINSULES D'YORKE ET D'EYRE ET LE FAR NORTH
(voir p. 350-361)

Coober Pedy *est une étrange ville minière de l'Outback où des maisons enterrées aident à supporter un climat torride. Le terrain de golf est un des rares équipements collectifs au-dessus du sol (p. 360).*

Port Augusta, *porte du Far North et grand nœud ferroviaire et routier, conserve des demeures historiques au milieu de ses immeubles modernes (p. 357).*

Kangaroo Island *abrite une faune abondante dans un cadre préservé. Le vent et l'eau ont sculpté au sud-ouest les Remarkables Rocks du Kirkpatrick Point (p. 346).*

0   100 km

◁ **Riche sol rouge d'un domaine viticole du Coonawarra près de Penola**

Quorn garde au pied des Flinders Ranges (p. 361) de nombreux souvenirs de l'époque des pionniers ; un train touristique tiré par une locomotive à vapeur, le Pichi Pichi Railway, rappelle l'époque où il était un important relais ferroviaire.

Les Flinders Ranges s'enfoncent profondément dans l'Outback depuis le nord du Gulf St Vincent et offrent de superbes itinéraires de randonnée.

La région viticole de la Barossa comprend la Barossa Valley et l'Eden Valley, où des douzaines de caves datant du XIXᵉ siècle se nichent dans des paysages vallonnés (p. 348-349).

Adélaïde, élégante capitale d'État où subsistent de nombreux édifices coloniaux, possède une atmosphère cosmopolite et une vie culturelle et nocturne animée (p. 336-341).

ADÉLAÏDE
ET LE
SOUTHEAST
(voir p. 332-349)

Mount Gambier s'étage sur les pentes d'un volcan éteint où d'anciens cratères renferment des lacs aux eaux limpides d'un bleu profond comme le Blue Lake (p. 346).

Les oiseaux d'Australie-Méridionale

Environ 380 espèces d'oiseaux profitent en Australie-Méridionale d'habitats variés et souvent protégés par des parcs nationaux. Mouettes, pyrargues et manchots pêchent sur le littoral, tandis qu'échassiers, canards et cormorans fréquentent les marais de l'intérieur des terres. On voit couramment perruches et perroquets dans les espaces verts d'Adélaïde. Le mégapode d'Australie et de nombreux melliphages cohabitent dans la forme de savane appelée *mallee* qui couvrait jadis une grande partie de l'État. Les Flinders Ranges et le Far North sont le royaume des rapaces, faucon pèlerin et aigle audacieux.

Perruche ondulée

Les petits manchots bleus *(eudyptula minor), seuls manchots à se reproduire sur le continent, se nourrissent de poissons et de poulpes.*

FLINDERS RANGES ET OUTBACK

De tous les oiseaux, nombreux, qui peuplent les crêtes et les ravins du massif des Flinders Ranges, les plus spectaculaires sont sans conteste les rapaces tel l'aigle audacieux qui installe son nid sur de grands gommiers ou des corniches rocheuses. Dans l'aride Outback, il est courant de voir des aigles en train de dévorer des proies mortes.

MALLEE

Le défrichement a beaucoup fait reculer cette forme de végétation clairsemée, mais les espaces qui subsistent, comme dans le Billiat National Park proche de Loxton, offrent un habitat adapté à des melliphages comme l'*anthochaera caruncula* et le *lichenostomus leucholis* et à des oiseaux siffleurs tels que le *pachycephala pectoralis*.

Les aigles audacieux, *dont l'envergure peut dépasser 2 m, apprécient poteaux et arbres morts pour se poser.*

Le mégapode d'Australie, *haut de 60 cm, pond ses œufs dans un creux du sol garni de végétaux en décomposition. Il se déplace sans bruit.*

Les faucons pèlerins, *magnifiques quand ils plongent les ailes repliées, ne construisent pas de nids mais pondent sur des corniches rocheuses ou dans des arbres creux.*

Les psophodes nigrogularis, *rares et timides, poussent un cri grinçant. Ils courent et volent bruyamment.*

Une petite tête sur un grand corps

L'ÉMEU

Le plus grand oiseau coureur après l'autruche est spécifique à l'Australie. Il possède une taille de 1,5 à 1,9 m et peut atteindre la vitesse de 50 km/h. La femelle émet un son particulier évoquant un bruit sourd de tambour et pond ses œufs par terre. Le mâle les couve pendant sept semaines puis veille sur les petits parfois jusqu'à ce qu'ils atteignent dix-huit mois. Les émeus habitent seuls ou en troupeaux dans toute l'Australie des espaces principalement plats et dégagés. Très mobiles, ils subsistent sur de vastes territoires.

L'émeu a un plumage gris sombre

MARAIS ET LAGUNES

Les zones inondées, comme dans le Coorong National Park *(p. 343)*, permettent à de nombreux oiseaux aquatiques de se nourrir et de se reproduire et offrent en cas de sécheresse un refuge à de nombreuses espèces menacées. Elles constituent aussi d'importantes étapes pour des migrateurs comme le bécasseau à queue pointue de Sibérie.

Les grues d'Australie, hautes de 1,3 m et d'une envergure de 2,3 m, sont réputées pour leurs parades nuptiales.

Le canard tacheté (stictonetta naevosa), l'un des canards les plus rares de la planète, garde des caractéristiques très archaïques.

FORÊTS

Malgré les humains qui s'y installent de plus en plus, les forêts abondent généralement en sources de nourriture et abritent de nombreux oiseaux tels que melliphages, perruches et martins-pêcheurs. Des régions comme la zone protégée par le Belair National Park près d'Adélaïde conservent ainsi une riche avifaune. C'est au lever et au coucher du jour qu'elle s'observe le mieux.

La perruche d'Adélaïde au plumage éclatant vit dans les Mount Lofty Ranges et les espaces verts de la capitale de l'État.

Le kookaburra rieur, le plus grand martin-pêcheur du monde, doit son nom à son cri. Il est d'abord poussé par un oiseau puis repris par d'autres.

Les vins d'Australie-Méridionale

Plus de la moitié de la production vinicole australienne provient d'Australie-Méridionale. Les innombrables domaines de la région proposent un très large choix, des vins de liqueur aux crus les plus célèbres : le Penfolds Grange et le Jacob's Creek. Ce dernier fut la première appellation du continent reconnue mondialement. Pratiquement toutes les caves accueillent des visiteurs pour des dégustations.

La Seven Hills Winery se trouve au cœur de la grande région viticole de la Clare Valley.

Tim Knappstein, viticulteur primé de la Clare Valley, produit un riesling de style européen.

La Bridgewater Mill possède un excellent restaurant et propose des dégustations à la porte de la cave.

Kadina •   Clare •

• B

• Gawl

ADELAIDE

Cape Jervis •

Alex

RÉGIONS VITICOLES

En comptant le McLaren Vale, la Murray Valley et les Adelaide Hills, l'Australie-Méridionale possède huit principales régions viticoles, dont la plus célèbre, la Barossa Valley *(p. 348-349)*, existe depuis plus de 150 ans. Riesling, cabernet sauvignon et shiraz ont assis la renommée de la Clare Valley, tandis que les meilleurs rouges d'Australie proviennent du Coonawarra au sous-sol calcaire. Les régions de Mount Benson et de Padthaway n'ont pas encore atteint leur pleine maturité.

Le cabernet sauvignon, cépage bordelais, donne de bons résultats dans l'État.

Les Adelaide Hills sont réputés pour le pinot noir, le chardonnay et le riesling.

LÉGENDE

⬜ Clare Valley		⬜ McLaren Vale et Langhorne Creek	
⬛ Padthaway		⬜ Adelaide Hills	
⬛ Mount Benson		⬜ Barossa Valley	
⬜ Coonawarra et le Southeast			
⬛ Murray Valley			

Wolf Blass a remporté plus de 2 000 médailles internationales pour des crus comme le Barossa Black Label au bouquet enrichi par un vieillissement en fût de chêne.

CE QU'IL FAUT SAVOIR

Situation et climat
De type méditerranéen dans la Murray Valley, le climat des régions viticoles se rafraîchit en descendant vers les Adelaide Hills et le sud-est. Les vendanges commencent en plein été et se font souvent la nuit, à l'instar du foulage, pour préserver au maximum la saveur des grains.

Cépages
Les rouges ont pour base le shiraz, le cabernet sauvignon, le grenache, le merlot et le pinot noir, les blancs le chardonnay, le riesling, le sémillon, le sauvignon blanc et le frontignac.

Bons producteurs
Penfolds, Bethany, Grant Burge, St Hallett, Henschke, Seppelt Mountadam, Hardy, Seaview Orlando, Wolf Blass, Yalumba, Grosset, Jim Barry, Pauletts, Taylors, Wynns, Mildara, Chapel Hill, d'Arenberg, Kingston Estate, Renmano, Tim Knappstein, Bridgewater Mill, Seven Hills. (Cette liste n'offre qu'un échantillon des meilleurs producteurs de l'État.)

Berri Renmano utilise dans la Murray Valley des techniques traditionnelles comme le vieillissement en fût pour obtenir des crus de qualité.

RHINE RIESLING
BEERENAUSLESE

Thomas Hardy & Sons, établi depuis 1853 dans la région du McLaren Vale et de la Langhorne Creek, a pour meilleur vin le Rhine Riesling Beerenauslese.

La Wynns Winery du Coonawarra produit des rouges réputés, des cabernets sauvignon notamment. Sa façade caractéristique orne les étiquettes.

Le Yalumba Vineyard, fondé en 1849, est l'un des plus vieux domaines viticoles du Coonawarra. Cette région au climat comparable à celui de Bordeaux donne ses meilleurs rouges à l'Australie.

Olary Creek

Murray River

Waikerie   Renmark

em Bend

•Keith

Kingston

Reedy Creek

Mount Gambier

0   50 km

ADÉLAÏDE ET LE SOUTHEAST

*L*e sud-est est la région la plus fertile de l'Australie-Méridionale et forêts et vignobles croissent sur les collines qui entourent Adélaïde. La capitale de l'État jouit d'un patrimoine historique préservé. À l'est, le plus grand fleuve du continent, la Murray River, serpente de la frontière avec le Victoria jusqu'à l'océan Austral. Au large de la Fleurieu Peninsula, Kangaroo Island abrite une faune rare.

La colonisation européenne de cette région peuplée par les Aborigènes pendant plus de 10 000 ans commença en 1836 quand le gouverneur John Hindmarsh la revendiqua pour la couronne britannique et que l'arpenteur général William Light choisit le site de sa capitale, Adélaïde.

Cette nouvelle implantation put s'établir sans utiliser de forçats grâce aux fonds obtenus par la vente des terres de la colonie. Les pionniers qui les acquièrent appartenaient souvent à des minorités religieuses et aspiraient à vivre dans une société plus tolérante. Ils comprenaient notamment des luthériens allemands qui s'installèrent à Hahndorf et dans la Barossa Valley et développèrent la viticulture.

William Light donna à Adélaïde un plan parfaitement géométrique, quadrillé, inscrit dans une ceinture d'espaces verts. Les profits tirés de l'élevage et de l'extraction minière financèrent des édifices victoriens. Adélaïde se tourne aujourd'hui vers les hautes technologies après avoir développé un important secteur industriel, en particulier dans l'automobile et l'électroménager.

Irrigué par la Murray River et jouissant de pluies abondantes, le fertile Southeast possède un littoral verdoyant, notamment sur la Fleurieu Peninsula et au bord des lagunes du Coorong National Park. Kangaroo Island offre des paysages variés et une faune riche et protégée.

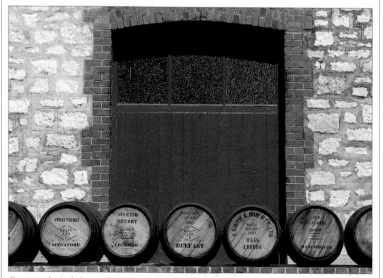

Tonneaux de vin de liqueur dans une cave de la Barossa Valley

◁ Hautes flèches néo-gothiques, St Peter's Cathedral, Adélaïde

À la découverte d'Adélaïde et du Southeast

Capitale de l'État, Adélaïde constitue la meilleure base pour partir à la découverte de la région. La ville s'étend à l'est du Cape Jervis et au pied des collines des Mount Lofty Ranges sur une plaine côtière frangée par les plages de sable blanc du Gulf St Vincent. Aérée et élégante, elle renferme de nombreux sites historiques. Au nord-est, au-delà des Adelaide Hills, de pittoresques villages du xixe siècle et les domaines viticoles de la Barossa Valley offrent d'agréables buts d'excursion. Au sud et à l'est coule la Murray River, le plus grand fleuve du continent. Il se jette dans l'océan Austral près de la Fleurieu Peninsula aux collines verdoyantes et alimente les lagunes du Coorong National Park qui bordent une riche plaine agricole. Au large, Kangaroo Island, vaste île, recèle des paysages préservés, une faune variée et d'étranges formations rocheuses.

0 ——————— 50 km

Voir aussi

- **Hébergement** p. 481-482
- **Restaurants** p. 514-515

Marais du Bool Lagoon, paradis des échassiers dans le Naracoorte Caves Conservation Park

St Peter's Anglican Cathedral vue depuis un parc d'Adélaïde

Les sites d'un coup d'œil

Adélaïde p. 336-341 ❶
Belair National Park ❷
Birdwood ❼
Hahndorf ❹
Kangaroo Island ❽
Mount Gambier ❾
Mount Lofty ❻
Murray River ⓬
Naracoorte Caves Conservation Park ⓫
Penola ❿
Strathalbyn ❺
Warrawong Sanctuary ❸

Excursion

Barossa Valley ⓭

Vue de la Murray River entre Swan Reach et Walker Flat

CIRCULER

Rien ne vaut la marche à pied pour découvrir le centre compact et plat d'Adélaïde. Trains, cars et bus desservent l'ensemble de l'agglomération mais circulent moins le week-end. Au-delà des banlieues, les transports publics sont des plus limités et la voiture reste le meilleur moyen d'explorer la région, d'autant que la circulation perd rarement sa fluidité à Adélaïde. Il existe des liaisons aériennes entre la capitale et Mount Gambier et Kangaroo Island. On peut aussi rejoindre cette île en bateau depuis Adélaïde, Glenelg et Cape Jervis. Des agences spécialisées proposent un large choix de visites guidées. La région renferme peu de reliefs, ce qui la rend propice au vélo et à la randonnée.

LÉGENDE

≈≈	*Highway*
▬▬	Route principale
▬▬	Route secondaire
▬▬	Parcours pittoresque
∼	Cours d'eau
☼	Point de vue

Adélaïde pas à pas ❶

Adélaïde a pour pôle culturel le quartier situé entre la River Torrens et North Terrace. Cette large avenue arborée est bordée par deux campus universitaires et de majestueux édifices publics du XIXe siècle, dont le Parlement, la bibliothèque, le musée et la galerie d'art d'Australie-Méridionale. Des jardins botaniques et zoologiques s'étendent à l'est le long du fleuve. À l'ouest, le Festival Centre, où se déroule tous les deux ans l'Adelaide Festival *(p. 37)*, possède plusieurs salles de spectacle et un amphithéâtre en plein air.

Statuette du musée

River Torrens
Louer un pédalo permet de découvrir la ville depuis ce paisible cours d'eau.

Le Migration and Settlement Museum évoque les milliers de personnes de plus de cent nations qui laissèrent tout derrière elles pour émigrer en Australie-Méridionale.

Festival Centre
Ce complexe culturel achevé en 1977 occupe au bord de l'eau un cadre apprécié pour les pique-niques. Des marchés ont lieu sur son esplanade le dimanche.

Parliament House
Dix colonnes corinthiennes en marbre rythment la façade du Parlement. Sa construction, qui se termina en 1939, dura plus de cinquante ans.

★ **Les Botanic Gardens**
Entrepris en 1855, ces paisibles jardins de 20 ha renferment des lacs artificiels et la gracieuse serre du Bicentennial Conservatory où a été recréé un environnement tropical.

MODE D'EMPLOI

🚶 1,7 million. ✈ West Beach, 10 km à l'O. de la ville. 🚆 North Terrace (liaisons entre États) ; Richmond Rd, Keswick. 🚌 Central Bus Station, Franklin St. 🚊 Glenelg Jetty, Glenelg Beach. ℹ 1 King William St (08) 8212 1505. 🎭 Adelaide Festival of Arts ; Womadelaide (en fév., en alternance un an sur deux).

Art Gallery of South Australia
Des œuvres contemporaines comme Drinking Fountains *de Christopher Healey voisinent avec des peintures et des sculptures d'époques diverses.*

0   100 m

LÉGENDE

– – –   Itinéraire conseillé

À NE PAS MANQUER

★ **Les Botanic Gardens**

★ **Le South Australian Museum**

Le South Australian Police Museum, consacré à l'histoire du maintien de l'ordre dans l'État, occupe l'ancienne caserne de la police montée (1851).

★ **Le South Australian Museum**
Assembling the Totem, *peinture sur écorce d'un artiste de Melville Island (p. 266), fait partie de la belle collection d'art aborigène de ce musée principalement dédié à l'histoire naturelle.*

À la découverte d'Adélaïde

Boomerangs du South Australian Museum

Adélaïde est une cité pleine de charme au rythme nonchalant que l'on découvre aisément à pied. Entouré de larges avenues et d'espaces verts, le centre suit un plan régulier et abrite d'élégants immeubles de pierre et plusieurs places agrémentées de jardins. Profitant de la douceur du climat, de nombreux cafés et restaurants ont installé des tables à l'extérieur. Fière de son patrimoine préservé, Adélaïde fut la première capitale d'État d'Australie à se doter d'une grande manifestation culturelle avec l'Adelaide Festival *(p. 37)*.

Détail de la façade de l'Edmund Wright House

🏛 Victoria Square

Flinders St et Angus St.
Cœur géographique de la cité, la verdoyante Victoria Square est ornée en son centre d'une fontaine exécutée en 1968 par le sculpteur John Dowie. Le monument a pour thème les trois rivières dont Adélaïde tire son eau : la Torrens, la Murray et l'Onkaparinga. Autour de la place, plusieurs édifices publics construits à l'époque coloniale entretiennent le souvenir d'une période révolue.

Au nord, sa tour de l'Horloge domine le General Post Office. Décrit par le romancier anglais Anthony Trollope comme « l'édifice le plus majestueux de la ville », cet imposant bureau de poste à la salle principale très ouvragée ouvrit en 1872.

St Francis Xavier Catholic Cathedral s'élève à l'angle de Wakefield Street, à l'est de Victoria Square. Une cathédrale plus simple, consacrée en 1858, occupa tout d'abord le site. L'Australie-Méridionale ne comptant que peu de

catholiques fortunés, les projets d'agrandissement mirent du temps à se concrétiser ; le sanctuaire actuel fut achevé en 1996 avec l'érection de la flèche.

Au sud de la place, la Magistrates Court date de 1850 et la Supreme Court à la façade palladienne de 1869.

🏛 Adelaide Town Hall

128 King William St. 📞 *(08) 8203 7777.* ○ *lun.-ven.* ● *jours fériés.* ♿
À son achèvement en 1866, l'hôtel de ville d'Adélaïde dessiné par Edmund Wright était le bâtiment le plus important de King William Street. De style italianisant, le Town Hall possède un somptueux escalier d'apparat et un plafond très ornementé. Il continue d'accueillir concerts et réceptions.

🏛 Edmund Wright House

59 King William St. 📞 *(08) 8226 8555.* ○ *lun.-ven.* ● *jours fériés.* ♿
Bâti à l'origine pour la Bank of South Australia, cet édifice de 1878 devait être démoli en 1971 mais ce projet souleva tant de protestations que l'État

l'acheta et le restaura. Le State History Centre l'occupe désormais. Portant le nom de son principal architecte, Edmund Wright, il abrite derrière une façade aux proportions harmonieuses et à l'ornementation délicatement ouvragée un intérieur lui aussi décoré avec art.

Plus loin sur King William Street, l'une des plus belles statues d'Adélaïde, le South African War Memorial, se dresse à l'angle de North Terrace. Elle représente « un cheval fougueux et son vaillant cavalier » et rend hommage aux soldats tués pendant la guerre des Boers.

Éventaire de pommes au Central Market, une institution centenaire

🏛 Central Market

Gouger St. 📞 *(08) 8203 7494.* ○ *mar., jeu.-sam.* ● *jours fériés.* ♿
À l'ouest de Victoria Square, entre Gouger Street et Grote Street, ce marché vieux de plus de 125 ans reflète l'évolution de la population d'Adélaïde par la diversité des aliments et des saveurs proposés. Des boutiques asiatiques ont ouvert à côté de bouchers et de traiteurs à l'européenne, et une partie du quartier est devenue le petit Chinatown de la capitale de l'Australie-Méridionale. On peut déguster des cuisines d'origines très variées dans les douzaines de cafés et de restaurants des environs.

Victoria Square, cœur géographique d'Adélaïde

🏛 Tandanya

253 Grenfell St. 🔲 (08) 8223 2467.
⬜ t.l.j. ⬛ 1er janv., ven. saint, 25 déc. 🈳 ♿

Ce remarquable centre culturel aborigène comprend des galeries d'art, des ateliers, des lieux de spectacle, un café et une boutique vendant des cadeaux d'artisanat aborigène. Il porte le nom de la région, Tandanya.

Goanna Dreaming '96, de Michael Tommy Jabanardi, Tandanya

🏛 Migration and Settlement Museum

82 Kintore Ave. 🔲 (08) 8207 7580.
⬜ t.l.j. ⬛ ven. saint, 25 déc.
Contribution. ♿

Le seul musée d'Australie consacré à l'immigration occupe sous la State Library les locaux de l'ancien asile de pauvres. Il évoque les parcours des personnes issues de plus de cent nations qui vinrent ici commencer une nouvelle vie. L'exposition, où figurent les reconstitutions de maisons de colons, explique les raisons pour lesquelles les immigrants quittaient leur terre natale, les espoirs qu'ils nourrissaient en partant, leurs difficiles voyages et ce qu'ils trouvèrent en arrivant dans la jeune colonie.

🏛 South Australian Museum

North Terrace. 🔲 (08) 8207 7500.
⬜ t.l.j. ⬛ ven. saint, 25 déc. ♿

Deux immenses squelettes de baleine encadrent l'entrée de ce musée consacré pour une grande part à l'histoire naturelle. Le musée comprend également une salle égyptienne et présente pour principal intérêt une remarquable collection d'art aborigène. Elle compte plus de 37 000 objets et 50 000 photographies complétés par de nombreux enregistrements sonores et audiovisuels.

Artiste de rue au Rundle Mall, l'artère commerçante d'Adélaïde

🚻 Rundle Mall

Adelaide Arcade. 🔲 (08) 8223 5522.
⬜ t.l.j. ⬛ jours fériés.

Le principal quartier commerçant d'Adélaïde a pour cœur le Rundle Mall piétonnier où voisinent grands magasins et petites boutiques. Plusieurs galeries marchandes en partent, dont l'Adelaide Arcade construite vers 1880. Elle comporte une coupole centrale et des élévations italianisantes à ses deux extrémités.

**ADÉLAÏDE :
CENTRE-VILLE**

Adelaide Town Hall ③
Central Market ①
Edmund Wright House ④
Migration and Settlement Museum ⑤
Rundle Mall ⑦
South Australian Museum ⑥
Victoria Square ②

0   200 m

LÉGENDE

Adélaïde pas à pas, *voir p. 336-337*

🚉 Gare

🚋 Station de tramways

🅿 Parc de stationnement

ℹ Informations touristiques

Ayers House

A yers House est un des plus beaux exemples d'architecture coloniale de style Regency visibles en Australie. Elle fut habitée par sir Henry Ayers, un homme d'affaires d'origine anglaise qui fut Premier ministre de l'État, de 1855 jusqu'à sa mort en 1897. Ce denier agrandit une demeure au départ fort simple au fur et à mesure qu'augmentait sa fortune. L'élégant résultat doit beaucoup à l'architecte, sir George Strickland Kingston. Restaurée

Ayers House vue de North Terrace

et gérée par le National Trust, la maison abrite deux restaurants. Une belle collection de meubles, d'œuvres d'art et de souvenirs victoriens décore la partie la plus ancienne qui est ouverte au public.

★ La chambre
La chambre principale et son mobilier d'époque témoignent de la prospérité entraînée par les découvertes minières des années 1870.

À NE PAS MANQUER

★ La chambre

★ La salle à manger

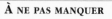

La bibliothèque
meublée en salle à manger peut se louer.

Salle de bal
Charles Gow peignit sans doute cette corniche aux motifs rafinés datant des années 1870. Cet employé de la société écossaise Lyon and Cutter aurait en effet effectué beaucoup de travaux dans la maison.

★ **La salle à manger d'apparat**
Sir Henry donnait souvent de grands dîners dans cette pièce ornée de boiseries et d'un plafond peint à la main. Les suspensions à gaz sont d'origine.

MODE D'EMPLOI

288 North Terrace, Adélaïde.
📞 *(08) 8223 1234.* 🚌 *99c, 140.* ⏰ *10 h-16 h, mar.-ven.; 13 h-16 h, sam. et dim.* ⊘ *lun., ven. saint, 25 déc.* ♿ *rez-de-chaussée seul.* 📷 📖

Du grès local servit à construire la maison dont la façade nord donne sur North Terrace, l'une des grandes artères du centre *(p. 336-339).*

Entrée du principal restaurant

Le jardin d'hiver, très lumineux, a remplacé l'écurie et la remise aux équipages d'origine. Il abrite un restaurant, éclairé par une verrière.

Entrée principale

Pavement d'origine du porche

Le salon privé et la salle à manger adjacente sont en travaux, le temps de mettre au jour la décoration originelle recouverte.

SIR HENRY AYERS

Fils de docker né à Hampshire en Angleterre, Henry Ayers (1821-1897) se maria en 1840 et émigra un mois plus tard avec son épouse en Australie-Méridionale. Après avoir travaillé brièvement dans un bureau, il fit fortune dans l'exploitation des premières mines de cuivre et entra en politique en 1857. Nommé sept fois Premier ministre de l'État entre 1863 et 1873, il fut aussi président du Conseil législatif de

Henry Ayers, politicien et homme d'affaires

1881 à 1893. Il soutint, entre autres causes, l'exploration de l'intérieur du continent, donnant son nom au célèbre monolithe aujourd'hui rebaptisé Uluru *(p. 278-279).*

La côte du Southeast

Riche et varié, le littoral au sud d'Adélaïde possède de magnifiques plages et une abondante faune ailée. Sur la côte sud de la Fleurieu Peninsula, très exposée aux vagues de l'océan Austral, d'austères falaises creusées d'anses abritées séparent de longues étendues de sable appréciées des surfeurs. La côte occidentale de la péninsule est plus protégée. La rareté des implantations touristiques sur tout le littoral permet de trouver facilement des sites paisibles où l'on peut se baigner, pêcher ou se promener. À quelques kilomètres au large, Kangaroo Island est réputée pour la faune qui peuple ses réserves naturelles. Elle offre aussi aux visiteurs des plages aux eaux limpides et des falaises battues par les vents.

★ Cape Jervis ②

Apprécié pour le canotage, la pêche et le deltaplane, le hameau de Cape Jervis donne vue de Kangaroo Island *(p. 346)*, à 16 km au large de l'autre côté du Backstairs Passage.

Normanville

Flinders Chase National Park

Kangaroo Island

★ Kingscote, Kangaroo Island ③

Le chef-lieu de l'île, possède une petite plage de sable. De nombreux oiseaux vivent dans les marais au sud de la ville.

★ Port Noarlunga ①

Port Noarlunga offre une superbe plage et un récif protégé où les plongeurs, au tuba ou aux bouteilles, peuvent suivre un sentier fléché sous-marin de 800 m.

Le Flinders Chase National Park protège à l'extrémité ouest de Kangaroo Island des forêts d'eucalyptus et des plages fréquentées par des phoques.

Waitpinga Beach ④

Sur la côte sud de la Fleurieu Peninsula, cette longue bande de sable blanc est un superbe site de promenade. Les rouleaux de l'océan Austral la rendent populaire auprès des surfeurs chevronnés, mais dangereuse pour la baignade à cause de courants imprévisibles.

Victor Harbor ⑤

Victor Harbor, où l'on bâtit des résidences de vacances dès le XIXᵉ siècle, devint un temps une station baleinière. Aujourd'hui, les baleines franches australes peuvent venir s'ébattre au large sans risque de juin à octobre.

Port Elliot ⑥

A l'instar du village voisin de Victor Harbor, ce port fondé en 1845 au débouché de la Murray River est depuis longtemps une station de villégiature d'été. Il offre une plage sûre et une belle promenade sur des falaises.

Hindmarsh Island ⑦

Depuis le bourg de Goolwa, des navettes en bateau gratuites permettent d'atteindre 24 h sur 24 cette île paisible où plusieurs points de vue ménagent de superbes panoramas sur l'embouchure de la Murray River.

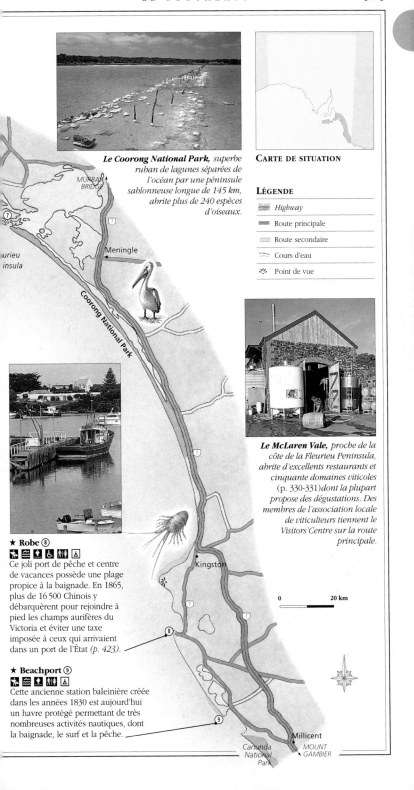

Le Coorong National Park, superbe ruban de lagunes séparées de l'océan par une péninsule sablonneuse longue de 145 km, abrite plus de 240 espèces d'oiseaux.

CARTE DE SITUATION

LÉGENDE

≈≈	*Highway*
▬▬	Route principale
▬▬	Route secondaire
⌁	Cours d'eau
☀	Point de vue

Le McLaren Vale, proche de la côte de la Fleurieu Peninsula, abrite d'excellents restaurants et cinquante domaines viticoles (p. 330-331)*dont la plupart propose des dégustations. Des membres de l'association locale de viticulteurs tiennent le Visitors'Centre sur la route principale.*

MURRAY BRIDGE

Meningle

Coorong National Park

urieu insula

★ **Robe** ⑧

Ce joli port de pêche et centre de vacances possède une plage propice à la baignade. En 1865, plus de 16 500 Chinois y débarquèrent pour rejoindre à pied les champs aurifères du Victoria et éviter une taxe imposée à ceux qui arrivaient dans un port de l'État *(p. 423).*

★ **Beachport** ⑨

Cette ancienne station baleinière créée dans les années 1830 est aujourd'hui un havre protégé permettant de très nombreuses activités nautiques, dont la baignade, le surf et la pêche.

Kingston

0   20 km

Millicent

Canunda National Park

MOUNT GAMBIER

Old Government House du Belair National Park

Belair National Park ❷

📞 *(08) 8278 5477.* 🚆 *depuis Adélaïde.* ◔ *8 h-coucher du soleil.* ● *25 déc.* 🅿️ *pour les voitures seul.* ♿ *limité.*

Huitième parc national du monde à sa fondation en 1891, cette réserve naturelle située à 9 km d'Adélaïde renferme des courts de tennis et des pavillons à louer, ainsi que de nombreuses aires de pique-nique. Les visiteurs peuvent s'y promener dans de fraîches vallées et des forêts d'eucalyptus et voir notamment des kangourous, des émeus et des échidnés.

De nombreuses fleurs sauvages s'épanouissent au printemps. Le parc ferme parfois en été en cas de graves risques d'incendie.

L'**Old Government House,** résidence d'été du gouverneur construite en 1859, offre un aperçu de la vie de la haute société coloniale.

🏛 **Old Government House** Belair National Park. 📞 *(08) 8278 5477.* ◔ *dim., jours fériés.* ● *ven. saint, 25 déc.* 🅿️

Warrawong Sanctuary ❸

📞 *(08) 8370 9422.* 🚌 *Aldgate.* ◔ *6 h 30-22 h, t.l.j.* ● *25 déc.* 🅿️ ♿ *limité.* 📷 *obligatoire.*

Réserve naturelle privée de 32 ha située à seulement 20 km d'Adélaïde *via* Stirling, le Warrawong Sanctuary tente de s'opposer à la désastreuse évolution qui a entraîné l'extinction de 32 espèces de mammifères en Australie-Méridionale au cours de ces dernières années.

Dans un habitat de *bush* entouré d'une clôture à l'épreuve des animaux nuisibles, ses propriétaires ont introduit une quinzaine d'espèces de marsupiaux tels que bettongs, potoroos et quolls *(p. 443)*. Le parc poursuit aussi le seul programme de reproduction d'ornithorynques à avoir réussi en Australie.

Il est possible de loger et manger sur place *(p. 483)*. Les promenades guidées de l'aube et du crépuscule coûtent plus cher que celles qui ont lieu pendant la journée.

Hahndorf ❹

🏚 *1 750.* 🚌 *depuis Adelaide.* ℹ️ *41 Main St (08) 8388 1185.*

La plus ancienne implantation allemande d'Australie doit son nom de « village de Hahn » au capitaine Dirk Hahn, commandant du *Zebra* à bord duquel arrivèrent en 1838 les immigrants qui fondèrent Hahndorf dans les Adelaide Hills. Ces luthériens avaient quitté la Prusse à la suite de persécutions religieuses. La grand-rue plantée d'arbres conserve de pittoresques maisons à colombage. Une visite en calèche permet de mieux

Kangourou en liberté dans le Warrawong Sanctuary des Adelaide Hills

Moulin du XIXᵉ siècle du bourg historique de Hahndorf

s'imprégner de l'atmosphère historique des lieux.

Baptisée **The Cedars,** l'ancienne demeure du célèbre paysagiste australien, sir Hans Heysen *(p. 30),* se dresse à la sortie du village. L'habitation et l'atelier de l'artiste sont ouverts au public. Au sud de Hahndorf subsiste un imposant moulin en pierre édifié en 1842 : le Nixon's Mill.

The Cedars
Heysen Rd. [(08) 8388 7277.
○ dim.-ven. ● 25 déc.

Strathalbyn ❺

🚶 2 700. 🚉 🚌 ℹ️ *Railway Station, South Terrace (08) 8536 3212.*

Classé par le National Trust, le bourg historique de Strathalbyn doit sa fondation en 1839 au bord de l'Angas River à des immigrants écossais. Cette origine a marqué son architecture, qui évoque celle des villages des Highlands.

Le robuste clocher de St Andrew's Church domine la localité qui a conservé nombre de ses bâtiments anciens. Deux d'entre eux, le poste de police édifié en 1858 et le tribunal datant de 1865, abritent ensemble le musée du National Trust. Épicerie-bazar ouverte en 1867, la London House à étage est devenue une boutique d'artisanat, à l'instar d'un certain nombre d'immeubles de High Street ou de ses environs immédiats. Comme souvent dans les zones rurales australiennes, les pubs et les banques entretiennent le souvenir du passé.

À environ 16 km au sud-ouest de Strathalbyn, l'une des plus anciennes régions viticoles du continent, la Langhorne Creek, s'étend sur les rives de la Bremer River.

St Andrew's Church, Strathalbyn

Mount Lofty ❻

🚌 *Crafers.* ℹ️ *Mount Lofty Summit Information Centre (08) 8370 1054.*

Point culminant du massif contre lequel se détache Adélaïde, le Mount Lofty offre un beau panorama de la ville depuis le belvédère moderne installé à son sommet à 727 m d'altitude. Le belvédère abrite aussi un centre d'information. Les riches villas éparpillées dans les collines sont celles de notables d'Adélaïde à la recherche de la fraîcheur pendant l'été.

En dessous du sommet, le **Cleland Wildlife Park** permet de se promener au milieu de kangourous et d'émeus, de se faire prendre en photo avec un koala ou de traverser la volière pour observer de près les oiseaux australiens.

À environ 1,5 km au sud, les Mount Lofty Botanic Gardens abritent des plantes de climat tempéré telles que rhododendrons et magnolias.

Cleland Wildlife Park
Summit Rd. [(08) 8339 2444.
○ t.l.j. ● 25 déc.

Birdwood ❼

🚶 600. 🚌 *depuis Adélaïde (en sem. seul.).* ℹ️ *National Motor Museum, Shannon St (08) 8568 5006.*

Niché dans les Adelaide Hills, le paisible village de Birdwood doit sa notoriété au **National Motor Museum.** Installé dans un ancien moulin du XIXᵉ siècle, ce musée présente plus de 300 voitures, véhicules utilitaires et motocyclettes. Cette collection est considérée comme la plus riche d'Australie et l'une des meilleures du monde dans ce domaine.

National Motor Museum
Shannon St. [(08) 8568 5006.
○ t.l.j. ● 25 déc.

Animaux peu farouches dans le Cleland Wildlife Park du Mount Lofty

Kangaroo Island ❽

🚢 *Kangaroo Island Sealink et
Kangaroo Island Ferry Connection
depuis Cape Jervis ; Kangaroo Island Fast
Ferry depuis Adélaïde.* ℹ️ *The Gateway
Information Centre, Howard Drive,
Penneshaw (08) 8553 1185.* ♿ 🚻

S ituée à 16 km au large de
la Fleurieu Peninsula, la
troisième île australienne par
la taille (150 km de long sur
30 km de large) n'a qu'une
faible population. Pourtant,
elle fut le site de la première
implantation coloniale
officielle d'Australie-
Méridionale. Fondée en 1836
à Reeves Point, celle-ci, trop
isolée, tomba quasiment à
l'abandon en l'espace de
quatre ans.

Il n'existe pas de transports
publics sur l'île et les visiteurs
ne peuvent s'y déplacer qu'en
excursion organisée ou en
véhicule de location. Les
nombreuses routes non
revêtues imposent de
conduire avec prudence.
L'isolement de l'île a empêché
la proliération de prédateurs,

Remarkable Rocks du Kirkpatrick Point, Kangaroo Island

renards et rats, aussi l'île
offre-t-elle un refuge à de
nombreux animaux et oiseaux
australiens que protègent dix-
neuf réserves naturelles.

Des manchots se montrent
souvent le soir à Kingscote et
Penneshaw, et Seal Bay, sur la
côte sud, abrite une
importante colonie d'otaries.
Dans le Flinders Chase
National Park, des
kangourous peu farouches
n'hésitent pas à mendier de la

nourriture mais il est
déconseillé de leur en donner.

Malgré son aridité,
l'intérieur de l'île supporte par
endroits des eucalyptus et une
forme de maquis bas appelé
mallee. La côte nord recèle
des plages abritées propices à
la baignade. Au sud, plus de
quarante épaves de bateaux
rappellent les dangers posés
par un rivage exposé aux
vagues et aux vents de l'océan
Austral. Au Kirkpatrick Point,
l'érosion a sculpté les formes
étranges des Remarkables
Rocks.

Mount Gambier ❾

🏙️ *23 000.* ✈️ 🚉 🚌 ℹ️ *Jubilee
Hwy East (08) 8724 9750.*

C arrefour commercial à mi-
chemin entre Adélaïde et
Melbourne et au cœur d'une
région de plantations de pins
et d'exploitations agricoles,
Mount Gambier, fondée en
1854, porte le nom du volcan
éteint sur le flanc duquel elle
s'étage. Ses quatre lacs de
cratère forment le cœur d'une
zone de loisirs dotée de
sentiers fléchés, d'aires de
pique-nique et d'un parc
naturel. Profond de 85 m, le
Blue Lake est particulièrement
populaire quand de gris terne
pendant l'année il devient
d'un bleu intense entre
novembre et mars.

La ville compte plusieurs
grottes dont l'Engelbrecht
Cave appréciée des
spéléologues et l'Umpherston
Sinkhole aux beaux jardins en
terrasses.

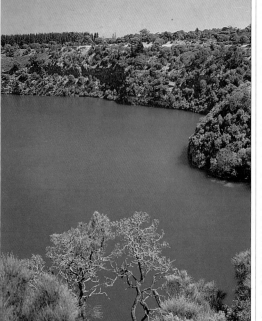

Le Blue Lake de Mount Gambier à la belle saison

Le Sharam's Cottage, première maison de Penola

Penola ⑩

🏛 3 400. 🚉 ⓘ 27 Arthur St
(08) 8737 2855.

L'une des plus anciennes villes du Southeast est devenue le pôle commercial du Coonawarra, région qui abrite une vingtaine de domaines viticoles dont le plus vieux date de 1893. La plupart proposent des dégustations *(p. 330-331)*.

Bourg paisible, Penola tire une grande fierté de son patrimoine historique et un sentier balisé passe par la majorité de ses édifices anciens, dont sa première habitation, le Sharam's Cottage bâti en 1850.

AUX ENVIRONS
À 27 km au nord de Penola, le marais de la Bool Lagoon offre un refuge à une faune variée dont plus de 150 espèces d'oiseaux sédentaires ou migrateurs. Un parc national protège cette zone inondée où passerelles, affûts et promenades guidées permettent d'observer de près les oiseaux, entre autres de nombreux échassiers *(p. 329)*.

Naracoorte Caves Conservation Park ⑪

Ⓒ (08) 8762 2340. 🚉 depuis Adélaïde. ◯ 9 h-17 h, t.l.j. (der. visite 15 h 30). ⬤ 25 déc. ▨ ▧

Situé à 12 km au sud de Naracoorte, ce parc de 600 ha renferme soixante grottes connues, dont la Victoria Cave inscrite au Patrimoine mondial de l'Unesco *(p. 22-23)* pour ses remarquables fossiles. On peut y pénétrer, ainsi que dans trois autres galeries, dans le cadre de visites guidées.

De novembre à février, des milliers de chauves-souris viennent mettre bas dans la Maternity Cave d'où elles s'envolent en nuées à la tombée de la nuit pour partir en quête de nourriture. L'accès de la caverne est interdit mais des caméras à infrarouges en montrent l'intérieur.

Stalactites dans l'une des grottes du parc de Naracoorte

Murray River ⑫

🚉 depuis Adélaïde. ⓘ Renmark (08) 8586 6704.

Le plus grand fleuve du continent est une précieuse source de richesse pour l'État le plus sec d'Australie. Son eau ne sert pas seulement à alimenter des villes comme Adélaïde, mais a aussi donné naissance à une dynamique région agricole, le Riverland, qui produit notamment 40 % du vin australien *(p. 330-331)*.

Près de la frontière avec le Victoria, Renmark se trouve au cœur de cette zone irriguée. Restauré, le bateau à aubes *Industry* amarré à son quai fait aujourd'hui office de musée et rappelle l'époque où la Murray River était une importante voie de transport.

Juste au sud de Renmark, le bourg commerçant de Berri abrite le plus important producteur de vin et d'alcool de l'hémisphère Sud. Le fleuve traverse ensuite Loxton, où le Murray River National Park se prête bien aux expéditions en canoë, puis serpente jusqu'à Waikerie qu'entourent 5 000 ha de vergers réputés pour leurs agrumes. Ce village est aussi un grand centre de vol à voile, sport dont il a accueilli le championnat du monde.

À 40 km en aval, le cours de la Murray River change brutalement de direction à Morgan pour descendre vers le sud et l'océan. Installé dans l'ancienne gare, le **Port of Morgan Historical Museum** retrace l'histoire de ce qui fut jadis un des ports les plus actifs d'Australie. Le *Mayflower* amarré près du musée est le plus vieux bateau à aubes de l'État.

🏛 **Port of Morgan Historical Museum**
Morgan Railway Station. Ⓒ (08) 8540 2085. ◯ mar., sam.-dim. ⬤ 25 déc. ▨

Bateau à aubes navigant sur la Murray River

Excursion dans la Barossa Valley ⓭

Grappe de riesling

La région de la Barossa, qui comprend aussi l'Eden Valley, est devenue l'une des plus célèbres régions viticoles d'Australie grâce aux immigrants allemands de confession luthérienne qui, à partir de 1842, se sont installés à Bethany, Langmeil (actuelle Tanunda), Lyndoch et Light's Pass, fondant des communautés centrées sur leurs églises. Cet héritage germanique marque les édifices anciens, les spécialités culinaires et les fêtes de la Barossa Valley. Elle compte aujourd'hui plus de cinquante caves qui en font une destination de promenade appréciée.

Seppeltsfield ⑤
Entre Tanunda et Greenoch, ce domaine fondé en 1851 par la famille allemande des Seppelt a conservé de splendides bâtiments anciens en pierre au terme d'une allée de palmiers plantée dans les années vingt.

Marananga

Seppeltsfield Rd

Gomersal Road

Barossa Valley Way

ADELAIDE

Rowland Flat

Château Yaldara ①
Des visites quotidiennes permettent de découvrir la collection d'art et d'antiquités de ce château entouré de vignobles près de Lyndoch. Herman Thumm l'édifia peu après son arrivée d'Europe en 1947.

Peter Lehmann ④
Personnages bien connus de la vallée, Peter Lehmann et son fils Doug élaborent des vins de qualité. Les visiteurs qui viennent les goûter à la cave disposent d'une aire de pique-nique.

Orlando ②
En activité depuis 1847, ce producteur s'est imposé comme l'un des plus gros d'Australie. Premier à l'exportation, il détient aussi 20 % du marché intérieur.

0   2 km

Légende

▬▬ Itinéraire

═══ Autres routes

Grant Burge ③
Après d'importantes restaurations, la cave historique de Tanunda achetée par Grant et Helen Burge en 1988 est redevenue une exploitation viticole en pleine activité. Des lustres fabriqués sur commande éclairent une magnifique salle de dégustation.

MILDURA

Stockwell

Stockwell Road

Murray Street

Angaston

Angaston Road

BAROSSA RANGE

Golden Gate Mines Road

Craneford Road

Eden Valley

Springton

BIRDWOOD

Penfolds ⑥
Ce grand domaine fut fondé en 1844 mais occupe son site actuel, à la périphérie de Nuriootpa, depuis 1974 seulement. Penfolds fait vieillir ses rouges, ses blancs et ses vins de liqueur dans des tonneaux assemblés sur place. Dégustation et vente à l'entrée de la cave.

Wolf Blass ⑦
Cette exploitation créée en 1973 produit des rouges et des blancs de table, ainsi que des mousseux et des vins de liqueur. Elle abrite un musée consacré à l'histoire du vin et de confortables salles de dégustation.

Saltram ⑧
À la sortie d'Angaston, de beaux jardins entourent à flanc de coteau cette cave historique appréciée des amateurs de rouges et de vins de liqueur. Un excellent bistro permet de se restaurer à midi.

PINNACLE SELECTION
1983
CABERNET MALBEC

Collingrove Homestead, Angaston ⑨
Propriété du National Trust, cette demeure fut bâtie en 1856 pour un membre de l'influente famille Angas. La maison abrite du mobilier d'époque au sein d'un jardin à l'anglaise. On peut y loger.

Herbig Family Tree ⑩
Ce gommier creux témoigne des difficiles conditions de vie des pionniers. Il servit en effet d'habitation à un colon allemand, Friedrich Herbig, à sa femme et à leur premier enfant. La famille augmentant, jusqu'à compter seize rejetons, Herbig construisit un cottage en bois puis une maison en pierre.

MODE D'EMPLOI

Bien qu'une visite de la Barossa Valley puisse s'effectuer en une journée depuis Adélaïde, il serait dommage de ne pas profiter de ses agréables restaurants et hôtels. Elle possède de bonnes routes mais la prudence s'impose sur celles qui ne sont pas revêtues. En s'inscrivant à une des nombreuses visites organisées ou en louant un véhicule avec chauffeur, on peut déguster en toute liberté sans avoir à prendre le volant.

Les péninsules d'Yorke et d'Eyre et le Far North

Au nord et à l'ouest d'Adélaïde s'étend un immense territoire aux contrastes marquants, de la fertile Clare Valley jusqu'aux dunes du Simpson Desert et aux maigres buissons de la Nullarbor Plain. Du surf à l'escalade en passant par la randonnée, les activités disponibles tirent parti d'une nature à l'âpre beauté.

La colonie européenne fondée en Australie-Méridionale en 1836 connut à ses débuts des problèmes financiers dont la solution vint principalement de la découverte de cuivre à Kapunda, au nord d'Adélaïde, en 1842, et à Burra, près de Clare, en 1845. Quand ces gisements s'épuisèrent, de nouveaux filons entrèrent en exploitation, à Wallaroo en 1859 et à Moonta en 1861, dans une région du nord de la Yorke Peninsula qui prit le nom de Petites-Cornouailles. Quelques années plus tard, l'Australie-Méridionale était devenue le premier producteur de cuivre de l'Empire britannique. Ce métal, avec l'argent et l'uranium, continue de jouer un rôle primordial dans son économie.

Importantes zones agricoles, les péninsules d'Yorke et d'Eyre fournissent à l'Australie plus de 10 % de son blé. Elles abritent aussi de grands ports de pêche, en particulier Port Lincoln, la capitale australienne du thon. Toutes deux offrent en bord de mer des paysages saisissants et la Yorke Peninsula, à seulement deux heures de route d'Adélaïde, attire de nombreux vacanciers. Beaucoup viennent pêcher ou pratiquer le surf ou la plongée sous-marine. La péninsule d'Eyre possède de superbes plages et des eaux poissonneuses. Le *bush* et des réserves naturelles couvrent encore la moitié de sa superficie malgré le développement de l'agriculture.

À l'ouest, la vaste Nullarbor Plain, bordée au nord par le Great Victoria Desert, se prolonge jusqu'en Australie-Occidentale *(p. 311)*. Des terres aborigènes et la zone militaire de Woomera en occupent une grande part.

Au nord de la Yorke Peninsula, de magnifiques itinéraires de randonnée permettent d'apprécier la faune et la flore du massif des Flinders Ranges. Encore plus au nord, dans l'Outback désertique, d'immenses horizons à la beauté austère s'ouvrent devant les visiteurs les plus aventureux.

Parcs à huîtres à Coffin Bay, à la pointe sud de la péninsule d'Eyre

◁ Escalade à Moonarie dans le splendide Flinders Ranges National Park

À la découverte des péninsules d'Yorke et d'Eyre

Au nord d'Adélaïde *(p. 336-341)*, des collines verdoyantes entourent la Clare Valley. Moins arrosé, l'intérieur des terres présente un visage plus sévère, notamment dans le massif des Flinders Ranges creusé de défilés. Au fond du Spencer Gulf, Port Pirie, Port Augusta et Whyalla forment un triangle industriel. Le golfe sépare deux péninsules. À l'est, la péninsule d'Yorke est la première région productrice d'orge d'Australie. À l'ouest de la péninsule d'Eyre, commence la Nullarbor Plain désertique qui borde la Grande Baie australienne jusqu'en Australie-Occidentale.

Bateaux de pêche à quai à Port Lincoln

NULLARBOR PLAIN

13

Norseman

Grande Baie australienne

NUNDROO

CEDUNA

12

Ever

STREAKY BAY

COFFIN NATIONAL

CIRCULER

La région possède un dense réseau routier pour sa faible population. Depuis Adélaïde, la Stuart Hwy rejoint Coober Pedy puis le Territoire du Nord, tandis que l'Eyre Hwy longe le sommet des péninsules d'Yorke et d'Eyre puis traverse la Nullarbor Plain jusqu'en Australie-Occidentale. Les trains circulant entre Sydney et Perth et entre Adélaïde et Alice Springs s'arrêtent dans les principales villes de la région. Il existe aussi de nombreuses dessertes en bus, ainsi que des liaisons aériennes locales entre Adélaïde et Port Lincoln, Ceduna, Coober Pedy, Whyalla, Port Augusta et Renmark.

Falaises de la Grande Baie australienne

LA RÉGION D'UN COUP D'ŒIL

Ceduna **12**

Clare Valley **6**

Coffin Bay National Park **11**

Little Cornwall **5**

Maitland **4**

Minlaton **2**

Nullarbor Plain **13**

Port Augusta **8**

Port Lincoln **10**

Port Pirie **7**

Port Victoria **3**

Whyalla **9**

Yorketown **1**

Far North

Voir p. 360-361

Coober Pedy **14**

Flinders Ranges **18**

Lake Eyre National Park **17**

Simpson Desert National
Park **16**

Witjira National Park **15**

CARTE DE SITUATION

Les péninsules d'Yorke et d'Eyre

Le Far North p. 360-361

LÉGENDE

Highway

Route principale

Route secondaire

Parcours pittoresque

Cours d'eau

Point de vue

VOIR AUSSI

- **Hébergement** p. 480-481
- **Restaurants** p. 513-514

Paysage de savane dans la péninsule d'Eyre

Yorketown ❶

🏠 750. 🚌 🚆 ℹ️ *Moonta Railway Station, Blanche Terrace (08) 8825 1891.*

Le pôle commercial de la première région colonisée par les Européens dans le sud de la Yorke Peninsula est resté un village. Les alentours renferment plus de 300 lacs salés dont beaucoup virent au rose à différents moments de l'année en fonction des conditions climatiques. L'exploitation du sel fut une activité importante de la fin du siècle dernier jusqu'aux années trente.

À environ 70 km au sud-ouest de Yorketown, le spectaculaire Innes National Park protège la pointe de la péninsule où plages de sable et falaises alternent au bord de l'océan, tandis qu'à l'intérieur des terres les broussailles du *mallee* entourent des lacs salés. Des kangourous et des émeus habitués aux humains se montrent facilement, à la différence du timide mégapode d'Australie *(p. 328)*.

Les plages de Browns Beach, Pondalowie Bay, Chinamans Creek et Salmon Hole se prêtent au surf, et à la plongée parmi des récifs de corail et à la pêche. La baignade est dangereuse sur les autres plages. Dominée par des falaises de calcaire, Ethel Beach doit son nom à l'*Ethel* qui s'y échoua en 1904 et dont la carcasse rouillée émerge du sable.

« **Diable rouge** » à Minlaton

Minlaton ❷

🏠 800. 🚌 🚆 ℹ️ *Moonta Railway Station, Blanche Terrace (08) 8825 1891.*

Au centre d'une région agricole, ce village servit de destination au premier vol postal au-dessus de la mer de l'hémisphère Sud. Un vétéran de la Première Guerre mondiale, le capitaine Harry Butler, effectua cette liaison au départ d'Adélaïde en août 1919. Le Butler Memorial abrite son avion, un chasseur Bristol de 1916. Ce serait le dernier « Diable rouge » du monde. L'exposition comprend aussi des documents sur Butler.

Port Victoria ❸

🏠 350. ℹ️ *Moonta Railway Station, Blanche Terrace (08) 8825 1891.*

Sur la côte ouest de la Yorke Peninsula, Port Victoria présente aujourd'hui l'aspect assoupi d'une petite station de villégiature appréciée pour la pêche, la baignade et la plongée sous-marine. Pourtant, au début du XXᵉ siècle, c'était un port animé où de grands voiliers venaient charger des céréales destinées à l'hémisphère Nord. En 1949, le dernier navire gréé en carré utilisa le port. Situé dans un hangar adjacent au quai, le **Maritime Museum** illustre l'histoire de ces bateaux et de leurs longs voyages.

À environ 10 km au large, Wardang Island est entourée de huit épaves coulées en 1871. Le Wardang Island Heritage Trail destiné aux plongeurs sous-marins passe de l'une à l'autre. Toutes portent une plaque les identifiant. Pour accoster sur l'île, il faut obtenir une autorisation du Community Council de Point Pearce, la communauté aborigène qui l'administre.

🏛️ **Maritime Museum**
Main Rd. 📞 (08) 8834 2057.
🕐 dim. 🧺 ♿

Maitland ❹

🏠 1 100. 🚌 🚆 ℹ️ *Moonta Railway Station, Blanche Terrace (08) 8825 1891.*

Entourée de certaines des terres arables les plus productives d'Australie, Maitland, fondée en 1872, se perche au centre de la

Lac salé de la région de Yorketown

Yorke Peninsula sur une crête qui domine la Yorke Valley et le Spencer Gulf.

Ce joli village aux rues disposées en quadrillage conserve de beaux bâtiments coloniaux, entre autres le Maitland Hotel (1874) et la St Bartholomew's Catholic Church (1875).

Consacré à l'histoire et au développement de la région, le **Maitland Museum** occupe trois bâtiments où il présente une collection d'objets agricoles et populaires.

Ancien hangar occupé par le Maritime Museum de Port Victoria

🏛 Maitland Museum
Angle de Gardiner et Kilkerran terraces. 📞 *(08) 8832 2220.* ⭘ *dim., vac. scolaires.* ⬤ *ven. saint, 25 déc.* 🏷 ♿

Cottages des Little Cornwall

Little Cornwall ❺

🚃 *Kadina.* 🚌 *Kadina.* 🛈 *Moonta Railway Station, Blanche Terrace (08) 8825 1891.*

Fondées après la découverte de cuivre dans la Yorke Peninsula en 1859 et 1861, les trois villes de Moonta, Kadina et Wallaroo forment le « Triangle du cuivre », aussi appelé « Petites-Cornouailles » à cause des nombreux mineurs cornouaillais qui vinrent ici chercher fortune à la fin du XIXe siècle. Une fête bisannuelle, le Kernewek Lowender *(p. 38),* célèbre cet héritage celte.

Wallaroo, site de la première mine exploitée, possède un port. Depuis l'arrêt de l'extraction dans les années vingt, il sert à l'expédition des produits agricoles de la région. L'ancienne poste abrite le **Heritage and Nautical Museum.**

La plus riche mine de cuivre d'Australie attira à Moonta une population beaucoup plus importante à la fin du siècle dernier qu'aujourd'hui, comme en témoigne l'école victorienne occupée par un musée historique au sein de la **Moonta Mines State Heritage Area** qui comprend aussi des bâtiments comme le Miner's Cottage, habitation en clayonnage enduit de torchis datant de 1870. À Kadina, plus grosse ville de la péninsule d'Yorke, le **Kadina Heritage Museum** propose une exposition sur l'histoire de la région.

🏛 Heritage and Nautical Museum
Jetty Rd, Wallaroo. 📞 *(08) 8823 2366.* ⭘ *mer., sam.-dim., vac. scolaires.* ⬤ *25 déc.* 🏷 ♿

⛏ Moonta Mines State Heritage Area
Moonta Rd. 📞 *(08) 8825 1988.* ⭘ *mer., sam.-dim., vac. scolaires.* ⬤ *ven. saint, 25 déc.* 🏷 ♿

🏛 Kadina Heritage Museum
Matta Rd. 📞 *(08) 8821 1564.* ⭘ *mer., sam.-dim., vac. scolaires.* ⬤ *25 déc.* 🏷 ♿

PÊCHE ET PLONGÉE SOUS-MARINE DANS LA YORKE PENINSULA

La majorité des villes côtières de la péninsule possèdent une jetée où les pêcheurs viennent tenter leur chance. Autour d'Edithburgh, ils attrapent des aiguilles et des brochets de mer, ainsi que des « harengs australiens » (*australian herrings* ou *tommy ruff*), proches du saumon. On peut affréter des bateaux pour jeter sa ligne au large.

Les plongeurs découvriront sur la côte sud de superbes fonds coralliens. Près d'Edithburg, l'épave du *Clan Ranald* est un but d'excursion populaire, à l'instar des huit navires naufragés près de Wardang Island.

Rencontre avec un mérou dans les eaux de la Yorke Peninsula

Bâtiments industriels restaurés de la Burra Mine près de la Clare Valley

Clare Valley ❻

🏠 *Clare.* ℹ️ *Clare (08) 8842 2131.*

Encadrée par les collines du nord des Mount Lofty Ranges, la riante vallée de Clare, baptisée d'après un comté irlandais, est réputée pour sa production vinicole.

À l'entrée, la jolie ville de Clare conserve de nombreux bâtiments historiques, dont l'ancien poste de police, aujourd'hui occupé par le National Trust Museum, et Wolta Wolta, une maison d'éleveur bâtie en 1864.

Fondé par des jésuites autrichiens en 1851, et toujours tenu par des jésuites, le plus vieux domaine viticole de la vallée, les **Sevenhill Cellars,** continue de produire du vin de messe à côté de bons crus de table.

À l'est des Sevenhill, le village historique de Mintaro doit beaucoup de son cachet à l'ardoise extraite dans la région depuis plus de 150 ans. Juste au sud-est de Mintaro sur Manoora Road, le **Martindale Hall,** élégante demeure de 1879, mérite également une visite.

À 12 km au nord de Clare, la **Bungaree Station,** ferme d'élevage de moutons mérinos créée en 1841 et toujours en activité, propose des expositions consacrées à la production lainière.
À environ 35 km au nord-est de Clare, la petite ville de Burra devint, cinq ans après la découverte de cuivre en 1845, le site de la plus grande mine d'Australie. Ses revenus sauvèrent de la banqueroute la jeune colonie d'Australie-Méridionale. Composée à l'origine de cinq implantations séparées, Burra a obtenu le statut de State Heritage Area pour la richesse de son patrimoine.

Les ruines et les constructions restaurées entourant la vaste fosse de la **Burra Mine** forment un des plus excitants sites d'archéologie industrielle du continent. À la Bon Accord Mine, le centre d'information permet d'accéder au puits d'origine. Les abris troglodytiques creusés dans les rives de la Burra Creek hébergèrent un temps plus de 1 500 mineurs, principalement cornouaillais. Bâtis entre 1849 et 1852, les Paxton Square Cottages offrirent le premier exemple de logements décents fournis en Australie à des mineurs et à leurs familles.

De nombreux autres édifices anciens ont été restaurés. Ils comprennent les cellules et les écuries du poste de police, une prison, la Redruth Gaol, et les Unicorn Brewery Cellars (caves de la Brasserie de la Licorne), ainsi que plusieurs magasins et habitations du xixᵉ siècle. Sur la place du marché (Market Square), un musée retrace l'histoire de la région.

🍷 **Sevenhill Cellars**
College Rd, Sevenhill. 📞 *(08) 8843 4222.* ⏰ *lun.-sam.* ♿

🏛 **Martindale Hall**
Manoora Rd, Mintaro. 📞 *(08) 8843 9088.* ⏰ *t.l.j.* 📷

🏛 **Bungaree Station**
Port Augusta Rd, Clare. 📞 *(08) 8842 2677.* ⏰ *t.l.j.* 📷 ♿

🏛 **Burra Mine**
Market St, Burra. 📞 *(08) 8892 2154.* ⏰ *t.l.j.* 📷 *limité.*

Port Pirie ❼

👥 *15 000.* 🚉 🚌 ℹ️ *Mary Elie St (08) 8633 0439.*

Site de la plus grande fonderie de plomb de l'hémisphère Sud, la ville industrielle de Port Pirie s'étend sur la rive orientale du Spencer Gulf. Dans le centre, le **National Trust Museum** regroupe trois édifices bien conservés : une gare victorienne de 1902, l'ancienne douane (Customs House) et l'ancien poste de police (Old Police Building). Une autre gare désaffectée, datant de 1967, abrite le Regional Tourism and Arts Centre où des panneaux en plomb, en zinc et en cuivre illustrent l'histoire de la ville.

Chaque année en octobre, Port Pirie accueille un festival de country music.

🏛 **National Trust Museum**
Ellen St. 📞 *(08) 8632 2272.* ⏰ *t.l.j.* ⬤ *25 déc.* ♿ *limité.*

Ancienne gare victorienne de Port Pirie

Vue du port de Port Augusta et des Flinders Ranges en arrière-plan

Port Augusta ⑧

🏚 14 000. ✈ 🚆 🚌 ➡ 🚻 *41 Flinders Terrace (08) 8641 0793.*

À la pointe du Spencer Gulf, Port Augusta est le grand carrefour de l'Australie car c'est là que se croisent les axes routiers Sydney-Perth et Adélaïde-Darwin, ainsi que les voies ferrées reliant Sydney à Perth et Adélaïde à Alice Springs. 40 % de l'électricité consommée dans l'État provient de ses centrales, dont la Northern Power Station qui fonctionne au charbon et propose des visites guidées gratuites.

Port Augusta marque aussi le début de l'Outback de l'Australie-Méridionale. L'école de l'air (School of the Air) et les médecins volants (Royal Flying Doctor Service) *[p. 249]* y ont des bureaux ouverts au public. Le **Wadlata Outback Centre** retrace avec imagination l'histoire du Far North depuis l'époque où il était couvert par la forêt pluviale, il y a 15 millions d'années. L'exposition évoque la présence aborigène, celle des Européens et même l'avenir. D'une superficie de 200 ha, le premier jardin botanique australien consacré au désert, l'**Arid Lands Botanic Garden** ouvert en 1996, comprend une aire de loisirs et des équipements de recherche et d'éducation. Il

ménage aussi une vue panoramique des collines des Flinders Ranges qui se découpent à l'est *(p. 322)*.

🏛 **Wadlata Outback Centre**
Flinders Terrace. ☎ *(08) 8641 0793.*
🕐 *t.l.j.* ● *25 déc.* 📷 &
🌱 **Arid Lands Botanic Garden**
Stuart Hwy. ☎ *(08) 8641 1049.*
🕐 *t.l.j.* ● *25 déc.* & *limité.*

Whyalla ⑨

🏚 26 000. ✈ 🚆 ➡ 🚻 *Lincoln Hwy (1 800) 08 8589.*

Porte de la péninsule d'Eyre, la plus grosse ville de l'État après Adélaïde doit son essor aux mines de fer voisines, dont Iron Knob. Après l'installation d'un haut fourneau en 1939, la vocation

industrielle de Whyalla finit de s'affirmer avec le creusement d'un port en eaux profondes et la création d'un chantier naval. Ce dernier a fermé en 1978 mais le premier bateau qu'il construisit, le HMAS *Whyalla* (1941), appartient au **Whyalla Maritime Museum.**

Whyalla possède aussi de belles plages et permet de bonnes parties de pêche. Le **Whyalla Wildlife and Reptile Sanctuary** abrite une collection éclectique d'animaux.

🏛 **Whyalla Maritime Museum**
Lincoln Hwy. ☎ *(1 800) 08 8589.*
🕐 *t.l.j.* ● *ven. saint, 25 déc.* 📷 &
musée seul.
🐾 **Whyalla Wildlife and Reptile Sanctuary**
Lincoln Hwy. ☎ *(08) 8645 7044.*
🕐 *t.l.j.* ● *25 déc.* 📷 &

Le HMAS *Whyalla* du Whyalla Maritime Museum

Côte rocheuse de Whalers Way à la pointe sud de l'Eyre Peninsula près de Port Lincoln

Port Lincoln ⑩

🏚 13 000. ✈ 🚌 🚆 ℹ 66
Tasman Terrace (1 800) 62 9911.

Près de la pointe sud de la péninsule d'Eyre au bord de Boston Bay, Port Lincoln est la capitale du thon. Des fermes d'aquaculture élèvent ce poisson dans la baie et la ville abrite la plus grande flotte de thoniers d'Australie. Le début de la saison de pêche donne lieu en janvier au Tunarama Festival (p. 37), célébration marquée par des défilés, des concerts et des concours de lancer de thon.

La pêche et la navigation sont aussi pratiquées en amateur. Les visiteurs aventureux peuvent même participer à une excursion jusqu'au Dangerous Reef pour y contempler de grands requins blancs depuis la relative sécurité du bateau ou d'une cage immergée. au milieu de la baie. Sur Boston Island, au milieu de la baie, on élève des moutons. L'île abrite une habitation de 1842.

Port Lincoln possède plusieurs édifices du XIXᵉ siècle dignes d'intérêt, dont le **Mill Cottage Museum.** Cette maison de 1866 abrite du mobilier victorien.

À 40 km au nord dans les Koppio Hills, le **Koppio Smithy Museum** consacré à l'agriculture comprend une cabane en rondins de 1890 et une forge de 1903.

À 20 km au sud de Port Lincoln, le Lincoln National Park renferme criques abritées, plages de sable et hautes falaises. Émeus et perroquets y sont fréquents et des rapaces comme le balbuzard pêcheur et le pyrargue hantent la côte. Il faut acheter un permis d'accès à l'office de tourisme pour jouir des splendides paysages de la Whalers Way, une propriété privée.

🏛 **Mill Cottage Museum**
20 Flinders Hwy. 📞 (08) 8682 4650.
🕐 mar.-dim. ⬤ 1ᵉʳ janv., ven. saint, 25 déc. 🈺
🏛 **Koppio Smithy Museum**
Par White Flat Rd. 📞 (08) 8684 4243.
🕐 mar.-dim. ⬤ 25 déc. 🈺 ♿

Une grande plage de surf : Almonta Beach, Coffin Bay National Park

Coffin Bay National Park ⑪

🚌 Port Lincoln. ℹ Port Lincoln (1 800) 62 9911. 🕐 9 h-17 h, t.l.j.
⬤ 25 déc.

À l'ouest de la pointe sud de la péninsule d'Eyre, ce parc national protège la péninsule de Coffin Bay, région riche en oiseaux. Falaises et plages de

---

LA FAUNE DE LA PÉNINSULE D'EYRE

Une faune d'une incroyable variété peuple la péninsule d'Eyre. Kangourous et émeus y sont courants et le wombat au nez poilu abonde sur la côte ouest. L'aigle audacieux plane au-dessus des Gawler Ranges et pyrargues, balbuzards pêcheurs, albatros et pétrels fréquentent le littoral. Des eaux poissonneuses abritent dauphins, otaries et, à l'occasion, grands requins blancs. Enfin, les baleines franches australes viennent mettre bas entre juin et octobre au fond de la Grande Baie australienne. On peut les apercevoir depuis le Head of Bight situé juste à l'est du Nullarbor National Park.

Aigle audacieux

sable abritées jalonnent un littoral réputé pour ses eaux poissonneuses. Au printemps s'épanouissent de nombreuses fleurs sauvages.

Apprécié de longue date des véliplanchistes, des pêcheurs et des adeptes de la voile, le petit village balnéaire de Coffin Bay produit aussi des huîtres *(oysters)* de qualité. Un agréable sentier pédestre courant dans la nature le long du rivage porte le nom d'Oyster Walk.

Il faut un véhicule tout-terrain pour emprunter certaines pistes du parc mais, depuis Coffin Bay, une voiture normale est suffisante pour rejoindre par le Yangie Trail Yangie Bay et Avoid Bay. À l'est d'Avoid Point s'étend une des meilleures plages de surf d'Australie : Almonta Beach.

Ceduna

🏚 *3 600.* ✈ 🚌 🛈 *58 Poynton St (08) 8625 2780.*

À l'ouest de l'Eyre Peninsula, Ceduna est le dernier bourg de quelque importance avant l'immense et désertique Nullarbor Plain. Le nom dérive du mot aborigène *chedoona* qui signifie « lieu de repos ».

En ville, l'**Old Schoolhouse National Trust Museum** présente du matériel agricole restauré datant de l'époque des pionniers, une intéressante exposition consacrée aux essais nucléaires effectués à Maralinga par les Britanniques

Le Trans-Australian Railway traverse l'immense Nullarbor Plain

dans les années cinquante et une petite collection d'objets aborigènes.

Ceduna fut fondé en 1896 mais une station baleinière exista dès 1850 sur St Peter Island, l'île qui lui fait face. Les baleines franches australes fréquentent toujours la région et, de juin à octobre, on peut les apercevoir à proximité du rivage depuis le Head of Bight situé à 300 km à l'ouest de Ceduna. Des jumelles permettent de mieux profiter du spectacle.

De part et d'autre de Ceduna, l'ostréiculture s'est développée à Denial Bay et à Smoky Bay. Entre la ville et Penong, minuscule hameau situé 73 km plus à l'ouest sur la Nullarbor Plain, des voies de traverses conduisent à des plages de surf, dont la légendaire Cactus Beach où des surfeurs expérimentés viennent toute l'année dompter certaines des plus belles vagues d'Australie.

🏛 **Old Schoolhouse National Trust Museum**
Park Terrace. 📞 *(08) 8625 2780.* 🕐 *lun.-sam.* ⬤ *25 déc.* 📷 ♿

Nullarbor Plain 🌑

🚉 *Port Augusta.* 🚌 *Ceduna.* 🛈 *Ceduna (08) 8625 2780.* 🕐 *9 h-17 h 30, lun.-ven., 9 h-11 h 30, sam.* ⬤ *jours fériés.*

Depuis Nundroo, à environ 150 km à l'ouest de Ceduna, l'immense désert de la « plaine sans arbres » s'étend sur plus de 300 km jusqu'à la frontière puis se poursuit en Australie-Occidentale *(p. 311)*. On peut le traverser en train avec le Trans-Australian Railway, mais celui-ci passe à l'intérieur de terres d'une désespérante platitude, tandis que la route, l'Eyre Highway, plus proche de la côte, permet de découvrir quelques sites intéressants. Norseman est situé à 1 200 km de Ceduna.

Au sud du village de Nundroo, Fowlers Bay attire des pêcheurs épris de solitude. En continuant vers l'ouest, la route traverse les terres aborigènes de Yalata où il est possible d'acheter des souvenirs au bord de la chaussée. Après Yalata commence le Nullarbor National Park qui s'étend du hameau de Nullarbor Roadhouse, à 130 km de Nundroo, jusqu'à la frontière avec l'Australie-Occidentale 200 km plus loin. L'Eyre Highway le traverse en longeant le littoral dont les falaises ménagent de beaux panoramas de la Grande Baie australienne.

Le plus long réseau de galeries naturelles du monde court sous la Nullarbor Plain et de nombreuses grottes s'ouvrent dans la région de la frontière. Elles ne sont pas aménagées et sont réservées aux spéléologues avertis.

Observation de baleines à Head Bight près de Ceduna

Le Far North

Démesuré et presque entièrement désertique, l'Outback de l'Australie-Méridionale recèle des paysages exceptionnels, immenses lacs salés ou défilés creusant d'austères montagnes érodées. Faune et flore ont su s'adapter à l'aridité et à la chaleur qui y règnent la majeure partie de l'année ; une vie intense et des centaines d'espèces de fleurs sauvages profitent ainsi de la moindre pluie d'hiver. Le long de pistes mythiques, les visiteurs aventureux peuvent faire escale dans d'anciennes villes minières et ferroviaires. Il faut un permis pour pénétrer dans les territoires aborigènes de l'ouest de l'État et l'accès de la zone militaire de Woomera est interdit.

LÉGENDE

    Le Far North

    Les péninsules d'Yorke et d'Eyre voir p. 350-359

LE FAR NORTH D'UN COUP D'ŒIL

Coober Pedy **14**
Flinders Ranges **18**
Lake Eyre National Park **17**
Simpson Desert Conservation Park **16**
Witjira National Park **15**

LÉGENDE

    Highway

    Route principale

    Route secondaire

0   100 km

Coober Pedy **14**

🚶 3 500. ✈ 🚌 ℹ *773 Hutchinson St (08) 8672 5298.*

Au sein d'un paysage poussiéreux et hostile à 850 km au nord-ouest d'Adélaïde, la ville de Coober Pedy présente un visage particulièrement désolé qu'utilisa George Miller pour le tournage de *Mad Max 3*.

Elle doit son existence aux seules opales, découvertes en 1915, dont elle fournit 70 % de la production mondiale. Les zones d'extraction, limitées à une par personne, ne peuvent mesurer plus de 50 m sur 100 m et la prospection est confiée à des individus et non à de grandes compagnies. Hors des parcelles délimitées par des piquets, tout le monde peut pratiquer le *noodling* (recherche à mains nues). Le nom de Coober Pedy

Habitation troglodytique, ou *dugout,* à Coober Pedy

dérive de l'aborigène *kupa pitti,* le « terrier de l'homme blanc ». Maisons, magasins, hôtels et même église y sont en effet aménagés sous terre pour échapper à des températures oscillant entre 50 °C dans la journée et 0 °C les nuits les plus fraîches. On peut visiter plusieurs habitations troglodytiques.

L'**Umoona Opal Mine and Museum** retrace l'histoire de la ville et de sa population où sont représentées plus de quarante nationalités.

🏛 **Umoona Opal Mine and Museum**

Hutchinson St. 📞 (08) 8672 5288.

🕐 *t.l.j.* 🎥 *pour les visites guidées.* ♿

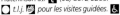

Witjira National Park ⓯

ℹ️ *Pink Roadhouse, Oodnadatta (08) 8670 7822.* ◯ *t.l.j.* ⬤ *25 déc.*
Bureau du parc : *Port Augusta (08) 8648 5300.* ◯ *lun.-ven.*

À environ 200 km au nord de Coober Pedy, le petit village d'Oodnadatta permet aux conducteurs de s'informer de l'état des routes et des prévisions météorologiques avant de poursuivre jusqu'au Witjira National Park.

Le parc est plus connu pour ses sources chaudes artésiennes que pour ses dunes ou ses lacs salés. À Dalhousie Springs, le Great Artesian Basin alimente plus de soixante sources. Aborigènes et éleveurs partagent cette eau qui permet aussi la survie des escargots aquatiques.

Simpson Desert Conservation Park ⓰

ℹ️ *Pink Roadhouse, Oodnadatta (08) 8670 7822.* ◯ *t.l.j.* ⬤ *25 déc.* **Park Office :** *Port Augusta (08) 8648 5300.* ◯ *lun.-ven.*

Au sommet de l'Australie-Méridionale, bordant le Queensland et le Territoire du Nord, le désert de Simpson évoque une mer de sable où s'accrocheraient herbes spinifex et *gidgees*. Il abrite néanmoins quelque 180 espèces indigènes d'oiseaux, 92 espèces de reptiles et 44 espèces de mammifères. Certaines ont pris des habitudes nocturnes pour résister à la chaleur.

Paysage typique du Simpson Desert Conservation Park

Lake Eyre National Park ⓱

ℹ️ *Coober Pedy (08) 8672 5298.* ◯ *lun.-ven.* ⬤ *jours fériés.* **Bureau du parc :** *Port Augusta (08) 8648 5300.* ◯ *lun.-ven.*

Cette réserve naturelle renferme tout le Lake Eyre North et s'étend vers l'est dans le Tirari Desert.

Le lac Eyre, dont le point le plus bas se trouve à 15 m sous le niveau de la mer, est le plus grand lac salé d'Australie, le poids de sa couche de sel est estimé à 400 millions de tonnes. Une maigre végétation pousse dans la région mais le paysage change brutalement les rares années où le lac se remplit : fleurs sauvages et oiseaux aquatiques apparaissent alors.

Flinders Ranges ⓲

🚉 *Hawker, Wilpena.* ℹ️ *Wilpena (08) 8648 0004.* ◯ *t.l.j.* **Park Office :** *(08) 8648 0048.*

Depuis Crystal Brook, au-dessus de la Clare Valley, le massif des Flinders Ranges s'enfonce de 400 km vers le nord dans l'Outback.

Plusieurs parcs nationaux y protègent une riche faune et de somptueux paysages.

Dans la partie la plus au sud, le Mount Remarkable National Park est réputé pour ses fleurs sauvages et ses excellents sentiers de randonnée. Environ 50 km plus au nord, un train à vapeur restauré, le Pichi Richi Railway, part du village de Quorn pour une promenade touristique. Au nord de Quorn s'ouvrent les gorges de Warren, du Yarrah Vale et de Buckaringa.

La majeure partie du centre du massif forme le Flinders Ranges National Park. Sa plus célèbre attraction est le Wilpena Pound, un bassin naturel surélevé d'une superficie de 90 km² au pied d'une falaise de 500 m de hauteur.

Au nord, le Gammon Ranges National Park recèle également de magnifiques sentiers pédestres. Le village touristique d'**Arkaroola,** réserve naturelle privée, propose des excursions guidées.

🏇 **Arkaroola**
Par Wilpena ou Leigh Creek.
📞 *(1 800) 676 042.* ◯ *t.l.j.*
🎟️ *pour les excursions.*

Le Lake Eyre, le plus vaste lac salé d'Australie

LE VICTORIA

PRÉSENTATION DU VICTORIA 364-371
MELBOURNE 372-411
LE VICTORIA OCCIDENTAL 412-427
LE VICTORIA ORIENTAL 428-439

Le Victoria d'un coup d'œil

L'État du Victoria peut aisément se diviser en deux entités géographiques distinctes situées à l'est et à l'ouest de sa capitale, Melbourne. La deuxième ville de la fédération australienne compte plus de trois millions d'habitants. Réputé pour ses reliefs, les Grampians notamment, le Victoria occidental possède pour autres attractions touristiques sa route côtière, la Great Ocean Road, et les villes nées lors de la plus grande ruée vers l'or d'Australie *(p. 50-51)*. Le climat plus frais du Victoria oriental permet à ses vignobles de produire des vins de réputation internationale, tandis que les Victorian Alps renferment le meilleur domaine skiable du continent.

VICTORIA OCCIDENTAL
(voir p. 412-427)

Le Grampians National Park *n'abrite qu'une seule localité, Halls Gap, au sein d'une région appréciée des randonneurs pour la variété de ses paysages, sa faune et ses fleurs sauvages endémiques* (p. 417).

Ballarat *reste marquée par l'époque de la ruée vers l'or. À l'entrée ouest de la ville, sur l'Avenue of Honour, l'Arch of Victory rend hommage aux soldats de la Première Guerre mondiale* (p. 424-425).

Les Twelve Apostles *(Douze Apôtres), aiguilles de calcaire du Port Campbell National Park, offrent depuis la Great Ocean Road* (p. 418-419) *un spectacle superbe, qui devient encore plus beau au coucher du soleil.*

◁ **La Cathédrale dans le Mount Buffalo National Park**

Le Château Tahbilk
*est l'un des plus connus des
domaines viticoles du nord-
est du Victoria, autant pour
l'architecture de sa cave
que pour la qualité de ses
vins* (p. 438-439). *Le climat
frais du Victoria oriental a
favorisé l'émergence de
vignobles renommés.*

Les Victorian Alps
*donnent à l'Australie
sa meilleure région
de ski* (p. 436).

VICTORIA ORIENTAL
(voir p. 428-439)

MELBOURNE
(voir encadré)

0　　　　　　100 km

MELBOURNE
(voir p. 372-411)

Le Parlement
*entrepris en 1856
est un des plus beaux
édifices anciens de
Melbourne*
(p. 384-385).

La gare centrale *occupe
sur Flinders Street un
bâtiment de 1910* (p. 395).

Rippon Lea, *vaste demeure
du XIXᵉ siècle, possède un
beau jardin ornemental*
(p. 396-397).

0　　　2 km

Les plus beaux parcs et jardins de Melbourne

Créés pour la plupart au XIXᵉ siècle, les espaces verts qui aèrent et embellissent Melbourne légitiment par leur nombre et leur charme le surnom d'« État-jardin » que s'est donné le Victoria. Des jardins publics entourent le centre-ville, dont les magnifiques Royal Botanic Gardens agrémentés de lacs artificiels et fréquentés par plus d'un million de personnes chaque année. Moins élaborés, plusieurs parcs plantés d'essences indigènes et peuplés de nombreux animaux permettent de pratiquer diverses activités sportives et de loisir. À partir de septembre, l'Open Garden Scheme *(p. 36)* ouvre au public certains des plus beaux jardins privés du Victoria et de sa capitale.

Statue de la reine Victoria
des Queen Victoria Gardens

JARDINS PAYSAGERS

Melbourne abonde en jardins classiques dessinés par d'éminents paysagistes du XIXᵉ siècle.

Entrepris en 1857 par Edward La Trobe Bateman, les **Carlton Gardens** possèdent des allées bordées d'arbres du monde entier. Leur tracé, comme celui des parterres, a pour but de concentrer l'attention sur l'Exhibition Building *(p. 387),* palais des expositions construit en 1880. Devant l'édifice, la Hochgurtel Fountain se dresse au terme de l'allée venant de l'entrée principale sur Victoria Street. Les sculptures d'oiseaux et de fleurs du Victoria ornent son dernier étage.

Bateman donna aussi en 1848 leur premier visage aux **Fitzroy Gardens,** mais l'Écossais John Sinclair modifia ses plans pour mieux adapter le jardin à un sol inégal. Ombragées par des ormes, les allées qui rayonnent du centre reproduisent le dessin de l'Union Jack, le drapeau du Royaume-Uni *(p. 384-385).* Les Fitzroy Gardens abritent un cottage, importé d'Angleterre, où auraient vécu les parents du capitaine Cook. Les serres du Conservatory proposent chaque année cinq expositions de plantes. À la pointe du Kings Domain, les harmonieux **Queen Victoria Gardens** furent créés pour servir d'écrin à une statue de la reine Victoria érigée quatre ans après sa mort en 1905. Des roses entourent la sculpture. Des horlogers suisses offrirent en 1966 l'horloge proche de St Kilda Road. Quelque 7 000 plantes à fleurs la décorent.

C'est un botaniste allemand, le baron Ferdinand von Mueller, qui dressa en 1854 les plans du **Kings Domain** *(p. 391).* Le parc renferme l'imposant Shrine of Remembrance. Ce monument aux morts s'inspire du Mausolée d'Halicarnasse, tombeau édifié pour Mausole au IVᵉ siècle av. J.-C. et considéré comme l'une des sept merveilles du monde antique.

Statue de Simpson et de
son âne au Kings Domain

JARDINS BOTANIQUES

Fondés en 1846 en bordure de la Yarra River, les magnifiques **Royal Botanic Gardens** *(p. 390-391)* couvrent une superficie de 36 ha. Ils eurent pour directeur le baron von Mueller à compter de 1857. C'est lui qui jeta les bases de l'exceptionnelle collection qui en fait aujourd'hui un lieu magique : plus de 10 000 espèces végétales du monde entier.

Serre de fleurs aux Fitzroy Gardens

Lac ornemental des Royal Botanic Gardens

OÙ TROUVER LES PARCS ET JARDINS

Alexandra Gardens **Plan** 3 A2.
Carlton Gardens **Plan** 2 D1.
Fawkner Park **Plan** 3 C5.
Fitzroy Gardens *p. 384-385.*
Flagstaff Gardens **Plan** 1 A2.
Kings Domain *p. 391.*
Princes Park, Royal Parade, North Melbourne *p. 367.*
Queen Victoria Gardens **Plan** 2 D4.
Royal Botanic Gardens *p. 390.*
Treasury Gardens *p. 385.*
Yarra Park **Plan** 2 F3.

Son successeur, William Guilfoyle ajouta sa touche personnelle en donnant à l'espace vert son organisation actuelle ; larges allées et superbe lac ornemental.

PARCS OFFRANT DES ACTIVITÉS DE LOISIRS

Les habitants de Melbourne apprécient les activités physiques et les rencontres sportives et ils disposent d'équipements adaptés dans le cadre aéré d'harmonieux espaces verts.

Les **Flagstaff Gardens** (jardins du Mât de drapeau) doivent leur nom au poste de vigie qui servit à partir de 1840 à guetter, et annoncer, l'arrivée des bateaux voguant vers le port de Melbourne. Les progrès des moyens de communication lui firent perdre sa fonction dans les années 1860 et le site fut aménagé en un lieu de détente. Il abrite des courts de tennis, un terrain de jeu pour enfants et une aire de pique-nique.

Conçus à l'origine, en 1904, comme une promenade le long de la Yarra River, les **Alexandra Gardens** renferment, outre la grande artère, Alexandra Avenue, une piste cavalière, une piste cyclable, des abris à bateaux et des barbecues.

De majestueux *ficus macrophylla* apportent une ombre bienvenue en été dans les **Treasury Gardens** fondés en 1867. Ils accueillent aussi une exposition d'art en plein air et diverses manifestations, concerts et autres.

Le **Yarra Park** ouvert en 1856 abrite aujourd'hui les deux plus célèbres terrains de sport de la ville : le Melbourne Park (ou National Tennis Centre) et le Melbourne Cricket Ground *(p. 389).* Certains arbres portent encore les traces laissées par les Aborigènes qui utilisaient jadis le bois et l'écorce d'une variété d'eucalyptus endémique pour fabriquer canoës et boucliers.

D'une superficie de 40 ha, le **Fawkner Park** créé en 1862 et baptisé du nom de l'un des deux fondateurs de Melbourne, John Fawkner, fut consacré au sport. Des joueurs de cricket, de hockey et de divers jeux de ballon s'y affrontent encore.

Les habitants de Melbourne possèdent un autre grand centre sportif avec le **Princes Park** doté en 1938 de deux salles de sport et de deux terrains de jeu. Le parc abrite aujourd'hui un stade ovale permettant de jouer au Aussie Rules, le football australien, et un parcours de santé long de 3 km et baptisé « Fun and Fitness Centre » (centre d'amusement et de forme). Une piste de course construite en 1991 le complète.

Match de cricket au Fawkner Park

Les plus beaux bâtiments de Melbourne

En 1835, Melbourne n'était qu'un village de tentes et d'abris temporaires mais la ruée vers l'or des années 1850 et l'essor économique des années 1880 lui permirent de se parer rapidement d'élégants édifices. La capitale du Victoria fait aujourd'hui preuve d'un grand éclectisme architectural avec des bâtiments allant de respectueuses restaurations victoriennes jusqu'à d'audacieuses créations contemporaines, telles les Rialto Towers, son plus haut gratte-ciel *(p. 379)*.

Cooks Cottage

DÉBUT DE LA COLONIE

Manquant tout d'abord d'artisans expérimentés, la colonie importa d'Angleterre de petites constructions préfabriquées en bois, comme le La Trobe's Cottage, ou en tôle ondulée, matériau léger.

Paroi en planche   Volet en bois   Cheminée

La Trobe's Cottage, *maison en bois préfabriquée, date de 1839.*

ÉPOQUE VICTORIENNE

Pendant le XIXᵉ siècle, Melbourne édifia plusieurs grands bâtiments publics aussi ambitieux que ceux des États-Unis ou d'Europe, voire trop ambitieux. Le State Parliament House entrepris en 1856 devait, selon les plans d'origine, posséder une coupole centrale. Des problèmes de financement empêchèrent finalement sa construction.

Détail du Parliament House

Colonne dorique   Balustrade   Fenêtre cintrée

Le State Parliament House *est précédé d'un escalier surmonté de hautes colonnes doriques.*

Dentelle de fonte de la Tasma Terrace

TERRACE HOUSES

Ces rangs de maisons similaires connurent une grande vogue pendant l'époque victorienne. Beaucoup ne possédaient qu'un étage, contrairement à la Tasma Terrace (1868-1886) dessinée par Charles Webb.

Ornements de balcon en fonte   Fenêtre cintrée

La Tasma Terrace *abrite le National Trust.*

MODERNISME ET POSTMODERNISME

Si le Shrine of Remembrance *(p. 390-391)* élevé en 1934 témoigne d'un goût marqué pour le passé, la deuxième moitié du xxe siècle a vu l'édification à Melbourne de plusieurs bâtiments postmodernes, dont l'élégante National Gallery of Victoria *(p. 394)* dessinée par sir Roy Grounds et achevée en 1968. Derrière l'austère façade en grès local, un plafond en vitrail de Leonard French éclaire le Great Hall.

Mur en grès local de la National Gallery of Victoria

Toit plat   Entrée cintrée

Façade en grès

La National Gallery of Victoria possède une façade dépourvue d'ornementations qui impressionne par la pureté de ses lignes et l'harmonie des proportions.

Façade multicolore   Renforts en acier   Éclairage

Le Building 8 du Royal Melbourne Institute of Technology présente une façade animée par ses couleurs et reliefs.

ARCHITECTURE CONTEMPORAINE

Aucune cité autralienne ne se montre aussi novatrice en architecture que Melbourne. La ville abrite nombre des bâtiments les plus audacieux construits ces dernières années sur le continent. En 1994, Peter Corrigan donna au Building 8 du Royal Melbourne Institute of Technology une façade et un intérieur où le mélange hardi de couleurs primaires évoque Gaudí. Le résultat suscite des réactions très variées.

ÉQUIPEMENTS SPORTIFS

Le soin apporté aux équipements sportifs de la ville apparaît clairement au Melbourne Park. Bâti en 1988, il possède un toit ouvrant qui protège ses courts de tennis à la demande, une première mondiale.

Vue aérienne du toit et des courts du Melbourne Park

Toit ouvrant   Extérieur vitré

Le Melbourne Park dessiné par Phillip Cox accueille chaque année les matchs de tennis de l'Open d'Australie.

OÙ TROUVER LES ÉDIFICES

La Trobe Cottage
p. 390.
National Gallery of Victoria
p. 394.
Melbourne Park
Plan 2 F4.
Building 8 du Royal Melbourne
Institute of Technology
Swanston Street.
Plan 1 C2.
Shrine of Remembrance
p. 391.
State Parliament House
p. 384.
Tasma Terrace,
Parliament Place.
Plan 2 D2.

Les vins du Victoria

Le Victoria abrite environ 230 domaines viticoles dispersés dans tout l'État, dont certains sont à moins d'une heure de voiture de sa capitale, Melbourne. Le nord-est a fondé sa réputation sur ses vins doux, muscats et tokays, souvent décrits comme du « caramel liquide », tandis que le sud, plus frais, produit de souples chardonnays et de subtils pinots noirs. Les nombreux restaurants et bistros de la cosmopolite Melbourne *(p. 517-519)* offrent le cadre idéal pour déguster ces différents vins.

Le cabernet merlot donne les crus les plus populaires de Church Hill.

Wentworth

MILDURA •

Ouyen •

• Sea Lak

Dans une cave de Seppelt's Great Western

Horsham •

Le Heathcote Winery produit d'excellents blancs, dont un bon chardonnay, dans une région surtout connue pour ses rouges. Son shiraz est aussi de qualité.

Glenelg River

BA

Hamilton •

La Coran

CE QU'IL FAUT SAVOIR SUR LES VINS DU VICTORIA

Situation et climat
Chaud au nord, frais au sud, l'État possède un large spectre de climats, et donc de vins. Ses petits viticulteurs ont veillé dans les années soixante-dix à l'amélioration constante de la qualité des vins australiens.

Cépages
Le Victoria se prête à la culture de nombreuses variétés, notamment, pour les

rouges, le shiraz, le merlot, le cabernet sauvignon et le pinot noir et, pour les blancs, le sémillon, le gewurztraminer, le riesling, le chardonnay, le marsanne, le frontignac, le pinot gris et des mousseux fabriqués selon la méthode champenoise.

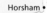

Bons producteurs
Mildara, Mitchelton, Morris, Yarra Burn, Brown Bros, Château Rémy, Water Wheel, Seppelt's Great Western, Trentham Estate, Bailey's.

Le Blue Pyrenees Estate produit à Château Rémy a pour base un cépage cabernet.

**Mick Morris goûtant
ses muscats réputés**

MODE DE FABRICATION DES CÉLÈBRES MUSCATS ET TOKAYS DU VICTORIA

Deux cépages, le muscat et la muscadelle, ramassés en vendanges tardives pour augmenter encore leur richesse en sucre, donnent respectivement les vins doux appelés muscats et tokays en Australie. Après le broyage, la fermentation a souvent lieu dans des bassins ouverts en béton. Le système des soleras assure une qualité constante en mélangeant les millésimes. Dans ces tonneaux empilés et reliés entre eux, le vin jeune (porté à 18,5° par l'ajout d'eau-de-vie de raisin) est versé en haut et le vin de tirage pris d'un fût du bas. Certains viticulteurs comme Mick Morris bonifient leur production avec des crus âgés parfois de plus d'un siècle. Le contenu de son plus vieux tonneau possède une saveur si intense qu'une cuillère à café améliore une barrique de 200 l.

Chez Morris Wines, l'un des plus anciens domaines de Rutherglen, des murs vitrés permettent de voir depuis la cave la salle des fûts vieille de plus d'un siècle.

Brown Brothers' produit un riche vin de dessert, le Very Old Tokay, et fut l'un des premiers domaines australiens à exporter.

Shepparton

Albury

Kiewa River

BENDIGO

Benalla

Omeo

Mitchell River

Healesville

Goulburn River

Bairnsdale

MELBOURNE

Geelong

Sale

Korumburra

0   50 km

La Mitchelton Winery de la Goulburn Valley propose, entre autres bons vins, un riesling vif et sec.

LÉGENDE

☐ Victoria Central	☐ Murray River Valley
☐ Mornington Peninsula	☐ Geelong et Otways
☐ Nord-est	☐ Yarra Valley
☐ Victoria occidental	☐ Gippsland
☐ Sud-ouest	

MELBOURNE

C'est le fils d'un forçat, John Batman, qui, avec un autre colon de Tasmanie, John Pascoe Fawkner, fonda en 1835 le campement de tentes qui allait devenir à Port Phillip Bay la cité de Melbourne. La découverte d'or permit à la ville de prendre son essor en moins de vingt ans et de se parer d'ambitieux monuments victoriens. Melbourne est aujourd'hui la deuxième ville d'Australie.

La ruée vers l'or que connut le Victoria à partir de 1851 causa un tel afflux d'immigrants qu'en dix ans Melbourne prit le pas sur Sydney avec plus de 500 000 habitants. La prospérité apportée par les champs aurifères finança la construction d'ambitieux édifices publics, programme qui se poursuivit dans les années 1880 grâce à un marché foncier en pleine euphorie. La ville s'attribua le surnom de « Melbourne la merveilleuse ». Capitale industrielle et financière de l'Australie au tournant du siècle, c'est elle qui abrita le Parlement fédéral de 1901 jusqu'à son installation en 1927 à Canberra *(p. 183)*.

Épargnée par la Seconde Guerre mondiale, Melbourne organisa les Jeux olympiques d'été de 1956. Cette manifestation modifia la vision très britannique qu'avait la cité de sa place dans le monde. La période d'après-guerre vit également l'afflux de nombreux immigrants issus de cultures non anglo-saxonnes. Cette transformation des traditions anglaises de la ville se poursuit aujourd'hui avec l'arrivée d'Asiatiques de divers horizons.

Pour les visiteurs prêts à prendre le temps de se laisser séduire par une capitale d'un abord plus austère que Sydney, Melbourne réserve d'agréables surprises. Elle possède à la fois l'architecture victorienne la plus cohérente et les bâtiments contemporains les plus novateurs d'Australie. Ses habitants cultivent un certain art de vivre : de bons vins et des cuisines variées et raffinées ont établi la réputation de ses restaurants, tandis que la culture et le sport provoquent tous deux un engouement général lors d'événements comme la Melbourne Cup et le Melbourne Festival *(p. 37)*.

Moment de détente à la terrasse d'un café de Brunswick Street

◁ **La Flinders Street Station et St Paul's Cathedral vues du Queens Bridge**

À la découverte de Melbourne

Collins Street, qui abrite les boutiques les plus chics de la ville, conduit à l'est au quartier parlementaire après avoir coupé Swanston Street où subsistent de beaux édifices victoriens. Sur la rive sud de la Yarra River se trouve le Victoria Arts Centre. Sujet de maintes plaisanteries, le climat imprévisible de Melbourne reste assez doux.

Shrine of Remembrance près des Royal Botanic Gardens

GRAND MELBOURNE

CIRCULER

Malgré un dense réseau de trams, de bus et de trains, de nombreux habitants de Melbourne utilisent leur voiture pour se rendre au travail *(p. 402-403)*, empruntant les grands axes qui rayonnent depuis le centre dans toutes les directions pour desservir faubourgs et banlieues. Un périphérique, la Western Ring Road, relie la Hume Hwy au nord et la Princes Hwy au sud-ouest. L'absence de relief rend la ville agréable à parcourir en bicyclette.

CARTE DE SITUATION

MELBOURNE D'UN COUP D'ŒIL

Rues et bâtiments historiques

Brunswick Street et Fitzroy ㉓
Chapel Street ㉞
Chinatown ⑯
Como House ㊱
Fitzroy et Acland Streets ㉝
Flinders Street Station ㉚
General Post Office ⑧
Lygon Street ⑳
Melbourne Town Hall ⑪
N° 120 Collins Street ⑮
N° 333 Collins Street ⑦
Old Magistrate's Court ⑱
Old Melbourne Gaol ⑲
Regent Theatre ⑬
Rippon Lea p. 396-397 ㉟
Royal Exhibition Building ㉑
Royal Mint ④
Supreme Court ③

Église et cathédrales

St Francis' Church ②
St James' Old Cathedral ⑤
St Paul's Cathedral ⑫
Scots' Church ⑭

Boutiques et marché

Block Arcade ⑩
Queen Victoria Market ①
Royal Arcade ⑨

Musées et galeries

Australian Gallery of Sport and Olympic Museum ㉕
Australian Toy Museum ㉔
Fire Services Museum of Victoria ㉒
Museum of Chinese Australian History ⑰
National Gallery of Victoria ㉙
Polly Woodside Maritime Museum ㉛

Parcs et jardins

Albert Park ㉜
Melbourne Park ㉗
Royal Botanic Gardens et Kings Domain p. 390-391 ㉘

Architecture moderne

Rialto Towers ⑥

Terrain de sport

Melbourne Cricket Ground ㉖

VOIR AUSSI

• *Atlas des rues* p. 404-411

• *Hébergement* p. 484-486

• *Restaurants* p. 517-519

LÉGENDE

Quartier de Swanston Street
voir p. 376-377

Plan pas à pas
voir p. 384-385

Yarra River
voir p. 392-393

Station d'autobus

Gare routière

P Parc de stationnement

Aéroport

Map labels: WELLINGTON, GIPPS STREET, HODDLE, LANGRIDGE STREET, STREET, PARADE, PARADE, STREET, CLARENDON STREET, POWLETT, SIMPSON, STREET, WELLINGTON PARADE, YARRA PARK, PUNT, CLIFTON AVENUE, SWAN STREET, GOSCH'S PADDOCK, BRUNTON AVE, River Yarra, ORA AVENUE, ANDERSON STREET, PUNT, ROAD, DOMAIN STREET, PARK STREET, PUNT, ROAD, TOORAK ROAD WEST, Ballarat, Shepparton, MELBOURNE

Tourelles néo-gothiques de l'Old Magistrate Court

Le quartier de Swanston Street

Sculpture de Swanston Street

Au centre historique de la ville, le quartier d'avenues, de rues et de passages couverts obéissant à un strict quadrillage entre Flinders Street et Franklin Street est devenu piétonnier en 1992 et seuls les tramways et les véhicules prioritaires peuvent y pénétrer. Il a pour cœur Swanston Street que bordent d'importants édifices publics tels que l'hôtel de ville. De nombreux autres immeubles de l'époque victorienne et du début de ce siècle y voisinent avec d'audacieuses réalisations contemporaines.

Le classique Storey Hall contraste avec le bâtiment du RMIT voisin

Les City Baths (bains publics) occupent un superbe édifice de 1903 orné de coupoles. Une soigneuse restauration lui a rendu son aspect d'origine.

① **City Baths**

② **RMIT Building**

St Paul's Cathedral
L'architecte William Butterfield lui donna un style néo-gothique dans les années 1880 **12**

Melbourne Town Hall
Les profits de la ruée vers l'or (p. 50-51) *financèrent la construction de l'hôtel de ville en 1867* **11**

Colonnes néo-classiques

Façade en grès

④ **Melbourne Town Hall**

⑤ **St Paul's Cathedral**

Le Building 8 du RMIT (Royal Melbourne Institute of Technology) et sa façade très animée ont suscité à leur achèvement de nombreux commentaires.

La Bibliothèque d'État, dessinée par Joseph Reed en 1854, abrite une belle salle de lecture octogonale sous un dôme central ajouté en 1913.

Des colonnes corinthiennes néo-classiques rythment la façade.

③ **STATE LIBRARY ET MUSEUM OF VICTORIA**

Flinders Street Station
La gare la plus fréquentée de Melbourne domine le croisement de Swanston St et de Flinders St ③⓪

Horloge de la gare

Le Young and Jackson's, pub du XIXe siècle décoré d'un nu célèbre, a été classé par le National Trust.

Melbourne Central est l'une des galeries marchandes les plus populaires du centre (p. 398-399).

Verrière

⑥ **FLINDERS STREET STATION**

⑦ **YOUNG AND JACKSON'S**

⑧ **MELBOURNE CENTRAL**

Éventaire du Queen Victoria Market

Queen Victoria Market ❶

Elizabeth St, Therry St, Peel St et Victoria St. **Plan** 1 B2. **(** (03) 9320 5822. 🚊 *Flagstaff et Museum (sortie d'Elizabeth St).* 🚋 *1, 3, 5, 6, 8, 15, 16, 22, 57, 59, 64, 67, 72.* 🚌 *220, 232.* 🕐 *6 h-14 h, mar. et jeu. ; 6 h-18 h, ven. ; 6 h-15 h, sam. ; 9 h-16 h, dim.* 🚫 *mer., ven. saint, 25 déc.* ♿ ✍

L e principal marché de détail de la capitale du Victoria occupe le site du premier Melbourne General Cemetery ouvert en 1837. Quand on envisagea en 1877 de gagner sur le cimetière la place nécessaire à un marché aux fruits et légumes, il ne s'agissait que de déplacer trois tombes. La décision suscita néanmoins une polémique renforcée par le succès du marché qui obligea à acquérir de nouvelles portions du cimetière. Le Parlement vota sa fermeture complète et l'enlèvement de 10 000 dépouilles en 1917. Les exhumations durèrent jusqu'en 1922.

La construction du Queen Victoria Market, qui occupe aujourd'hui une superficie de 7 ha, commença par celle du Wholesale Meat Market (marché de viande en gros) dont la façade, comme celle du magasin d'Elizabeth Street, date de 1884. Les ajouts se poursuivirent jusqu'en 1936.

Chaque semaine, 130 000 personnes viennent faire leurs courses sous les hauts plafonds aux voûtes décorées du Queen Victoria Market, où un millier

d'éventaires proposent un choix de produits frais tels que fruits, légumes, viande, fromage et nourriture biologique.

St Francis' Church ❷

326 Lonsdale St. **Plan** 1 C3. **(** (03) 9663 2495. 🚊 *Museum.* 🚋 *lignes de Swanston ST, Bourke St et La Trobe St.* 🚌 *Lonsdale St.* 🕐 *7 h-18 h 30, t.l.j.* ♿ ✍

D ix mille personnes se rendent chaque semaine à l'église Saint-François, le sanctuaire catholique le plus fréquenté d'Australie. Construit entre 1841 et 1845, c'est aussi le plus vieux lieu de culte de Melbourne.

Renommé pour sa beauté, l'édifice a connu de nombreux remaniements à partir d'une structure néo-gothique. Il fait l'objet d'une importante restauration et des travaux de rénovation

effectués au début des années quatre-vingt-dix ont permis de découvrir au plafond des trésors des années 1860, notamment une peinture où figurent des anges et des armoiries. Des statues abîmées par des vandales sont remplacées par des copies.

St Francis Church possède l'une des chorales les plus appréciées d'Australie.

Détail du toit de St Francis' Church

Supreme Court ❸

210 William St. **Plan** 1 B3. **(** (03) 9603 6111. 🚊 *Flagstaff.* 🚋 *lignes de William St, La Trobe St et Bourke St.* 🚌 *lignes de Lonsdale St et Queen St.* 🕐 *9 h-17 h, lun.-ven.* ♿

A u tout début de la colonie de Port Phillip, dont le territoire appartenait à la Nouvelle-Galles du Sud, les procès les plus importants avaient lieu à Sydney et le premier juge permanent de Melbourne n'arriva qu'en 1841

Sous la coupole de la bibliothèque de la Supreme Court

pour installer une cour souveraine. Après que le Victoria eut pris son autonomie en 1850, La ville établit sa propre cour en 1852. Celle-ci emménagea en 1884 dans l'édifice actuel.

Monument classé par le National Trust, le bâtiment s'inspire des Four Courts de la ville irlandaise de Dublin et possède trois façades sur Lonsdale Street, William Street et Little Bourke Street. De style néo-classique, il présente à l'extérieur un portique en saillie et une double arcade soutenue par des colonnes doriques et ioniques. L'intérieur obéit à un plan labyrinthique autour d'une superbe bibliothèque à coupole. Défiant la tradition, la grande statue en bronze représentant la Justice n'a pas les yeux bandés.

Royal Mint ❹

280 William St. **Plan** 1 B3. ☎ *(03) 9670 1219.* ☒ *Flagstaff.* ☷ *23, 24, 30, 34.* ▦ *lignes de Lonsdale St et Queen St.* ☐ *11 h, mar. et jeu.* ● *déc., jours fériés.* ⬛ ◱ *obligatoire.*

Construit entre 1871 et 1872, l'ancien hôtel de la Monnaie de Melbourne abrite désormais la Royal Historical Society of Victoria. Il est aussi le principal lieu de célébration de mariages civils de la ville. La Royal Mint renferme en outre deux salles d'audience qui permettaient de soulager la Supreme Court.

Le bâtiment occupe l'emplacement du premier Exhibition Building de Melbourne, érigé en 1854 et détruit par un incendie. La Monnaie, à son ouverture en 1872, traitait la production des champs aurifères de l'État et dépendait de la Royal Mint de Londres. À son emplacement s'étend désormais un parc de stationnement. L'instauration du Commonwealth of Australia en 1901 *(p. 52)* entraîna la création de nouvelles pièces en argent que l'hôtel de la Monnaie de

Écu de la Royal Mint

Melbourne fabriqua à partir de 1916. Il cessa toute production en 1967 au profit de la Royal Australian Mint de Canberra, la capitale fédérale *(p. 190).*

Clocher de St James'Old Cathedral

St James' Old Cathedral ❺

8 Batman St. **Plan** 1 A2. ☎ *(03) 9329 6133.* ☒ *Flagstaff.* ☷ *23, 24, 30, 34, 48, 75.* ▦ *220, 232.* ☐ *10 h-16 h, lun.-ven.* ● *jours fériés.* ◱ ◱ *sur rendez-vous.*

Première cathédrale anglicane de la ville, jusqu'à la consécration de St Paul's en 1891 *(p. 381),* l'ancienne cathédrale Saint-Jacques se dressait à l'origine à l'angle de Little Collins Street et de William Street sur le site d'une structure en bois connue sous le nom d'« église des pionniers ». Son démontage et sa reconstruction, en 1913 et 1914, s'accompagnèrent de quelques remaniements : abaissement du plafond, raccourcissement de la nef et modification de la forme du clocher.

Bâti en grès local, le sanctuaire de style georgien ouvrit au culte le 2 octobre 1842 mais ne fut consacré qu'en 1853, cinq ans après avoir servi de cadre à l'intronisation du premier évêque de la capitale du Victoria ; Charles Perry. Il continue d'accueillir des

services religieux. Un petit musée, ouvert aux visiteurs sur demande, abrite une collection de photographies, de documents historiques et de souvenirs.

Rialto Towers ❻

525 Collins St. **Plan** 1 B4. ☎ *(03) 9629 8222.* ☒ *Spencer St.* ☷ *11, 12, 42, 109.* ▦ *lignes de Queen St et Flinders St.* ☐ *10 h-22 h, t.l.j.* ⬛ ◱

Ce gratte-ciel vitré est le plus haut immeuble de bureaux de l'hémisphère Sud avec 58 étages (et une hauteur de 253 m) au-dessus du niveau de la rue et 8 en dessous.

Sa construction par Bruno Grollo, le promoteur australien qui a aussi réalisé le nouveau casino sur la Yarra River *(p. 393),* remonte à 1986. La vue offerte par la plate-forme d'observation ouverte en 1994 au 55e étage attire chaque jour 1 500 visiteurs. Une liaison vidéo avec la Telstra Tower de Canberra haute de 165 m *(p. 196)* permet aussi de contempler en direct des panoramas de la capitale fédérale australienne.

L'ascenseur qui conduit à la plate-forme ne met que 38 secondes pour atteindre le 55e étage.

Les Rialto Towers, hautes de 253 m

N° 333 Collins Street ❼

333 Collins St. **Plan** 1 C3. ☎ (03) 9204 3333. ▤ Flinders St. ▦ lignes de Collins St et Elizabeth St. ▭ Queen St. ◯ 7 h 30-18 h 30, lun.-ven. ♿ ▨ par arrangement.

L'immeuble de bureaux achevé en 1991 qui occupe le N° 333 Collins Street est intéressant surtout pour le bâtiment plus ancien qu'il incorpore.

Celui-ci fut édifié à la fin du siècle dernier pour accueillir le siège de la Commercial Bank of Australia (CBA) fondée en 1866. À la fin des travaux, en 1893, la banque traversait une grave crise provoquée par l'effondrement de la bourse et de l'immobilier. Elle se vit obligée d'annuler ses plus gros découverts, aggravant encore ainsi le ralentissement de l'économie. Elle mit trente ans à apurer ses dettes malgré le plan de restructuration accepté par ses actionnaires. En 1981, la CBA s'est associée à la Bank of New South Wales pour devenir Westpac, l'une des principales institutions financières d'Australie.

L'édifice d'origine dessiné par les architectes Lloyd-Taylor et Alfred Dunn a conservé l'ancienne salle des guichets et son vestibule coiffés de coupoles. Restaurés, ils servent d'entrée au bâtiment moderne qui appartient à une société de Honk Kong appelée Wing On.

Tour du General Post Office

General Post Office ❽

Angle de Bourke St Mall et Elizabeth St. **Plan** 1 C3. ☎ (03) 9203 3044. ▤ Flinders St et Museum. ▦ 15, 57, 59, 86, 96. ▭ lignes de Lonsdale St et Queen St. ◯ 8 h 15-17 h 30, lun.-ven., 10 h-13 h, sam. ● dim., jours fériés. ♿ par Little Bourke St.

L e service postal de Melbourne commença par avoir son siège près de l'angle de Kings Street et de Flinder Lane, à un endroit si mal protégé des crues qu'il dut rapidement déménager en 1841 à son emplacement actuel.

Entrepris en 1859, l'édifice qui abrite aujourd'hui le General Post Office ne fut terminé qu'en 1907. Sa construction se fit par étapes : le rez-de-chaussée et le premier étage entre 1859 et

1867 ; le deuxième étage et la tour de l'horloge entre 1885 et 1890. Les colonnes qui animent l'extérieur ont des chapiteaux doriques au rez-de-chaussée, ioniques au premier étage et corinthiens au second.

Le General Post Office a connu divers remaniements intérieurs pour s'adapter à l'évolution des techniques et des besoins. Après la Première Guerre mondiale, en particulier, l'architecte de Canberra, Walter Burley Griffin (p. 189), dirigea la modification de sa salle principale. De nouveaux travaux devraient permettre au bâtiment d'accueillir aussi d'autres activités.

Entrée de la Royal Arcade

Royal Arcade ❾

Elizabeth St, Bourke St et Little Collins St. **Plan** 1 C3. ☎ (03) 9629 8888. ▤ Flinders St. ▦ lignes de Bourke St, Elizabeth St et Collins St. ▭ lignes de Queen St et Lonsdale St. ◯ 9 h-18 h, lun.-jeu., 9 h-21 h, ven., 9 h-17 h, sam., 11 h-17 h, dim.

L a plus ancienne galerie marchande de Melbourne fait partie d'un réseau de passages couverts dessiné en 1837 par l'arpenteur du gouvernement Robert Hoddle pour diviser en sections plus petites les grands pâtés de maisons du quadrillage initial.

Construite en 1869 par l'architecte Charles Webb, la Royal Arcade originale reliait Bourke Street Mall à Little Collins Street. Une statue du Temps ornait la façade sur Bourke Street. Elle se trouve

Coupole peinte du N° 333 Collins Street

aujourd'hui à l'extrémité nord de la galerie. L'ajout d'une annexe possédant une entrée sur Elizabeth Street remonte à 1908.

Les deux personnages les plus célèbres de la Royal Arcade, des statues de Gog et Magog copiées sur les géants du Guildhall de Londres, encadrent la Gaunt's Clock, horloge fabriquée par un des premiers occupants de la galerie : Thomas Gaunt.

Block Arcade ❿

282 Collins St. **Plan** 1 C3. ☎ (03) 9654 5244. ☒ Flinders St. 🚋 11, 12, 15, 42, 57, 59, 109. 🚌 Queen, lignes de Lonsdale St et Flinders St. ○ 10 h-17 h 30, lun.-jeu. ; 10 h-17 h, ven. ; 10 h-19 h, sam. ; 12 h-17 h, dim. ● ven. saint, 25 déc. ♿ ✦

Des traits caractéristiques comme un sol en mosaïque et une coupole centrale donnent son cachet à la plus chic des galeries marchandes de Melbourne. Construite entre 1891 et 1893, elle doit son nom à la promenade favorite de la bonne société du siècle dernier. Celle-ci consistait en effet à « faire le pâté de maisons » *(do the block)* sur Collins Street entre Elizabeth Street et Swanston Street.

Restaurée en 1988, la Block Arcade, qui comprend le salon de thé Hopetoun (1893), peut aussi être découverte avec une visite guidée.

Boutique de la Block Arcade

Chapelle de l'Ascension de St Paul's Cathedral

Melbourne Town Hall ⓫

Swanston St. **Map** 1 C3. ☎ (03) 9658 9800. ☒ Flinders St. 🚋 lignes de Swanston St et Collin St. 🚌 lignes de Lonsdale St et Flinders St. ○ 7 h-18 h, lun.-ven. (entrée du r.d.c. seul.). ● jours fériés. ♿ ✦ obligatoire sauf dans l'entrée du r.d.c.

Achevé en 1870 sur des plans de Reed & Barnes, le cabinet de Joseph Reed, l'hôtel de ville de Melbourne reçut son portique en 1887. Il offre une belle perspective de Swanston Street (p. 376-377) et du Shrine of Remembrance des Botanic Gardens (p. 390). L'aile administrative et la deuxième chambre du conseil datent de 1908. Malgré son inspiration Renaissance, le décor de cette chambre comporte des motifs spécifiquement australiens.

Vitrail du Melbourne Town Hall

Un incendie ravagea en 1925 une grande partie de l'hôtel de ville, dont le hall principal. À l'entrée, les quatre symboles des armoiries de la cité – une baleine, un bateau, un taureau et un mouton – rappellent les principales richesses de la région pendant la période coloniale. En 1942, le College of Arms ordonna d'en changer la disposition pour respecter les conventions héraldiques, ce qui explique les différences entre des écus d'époques différentes.

St Paul's Cathedral ⓬

Angle de Swanston et Flinders sts. **Plan** 1 C3. ☎ (03) 9650 3791. ☒ Flinders St. 🚋 lignes de Swanston St, Flinders St et Collins St. ○ 7 h-18 h, t.l.j. ♿ ✦

L'édification de la cathédrale Saint-Paul, décidée en 1866 pour doter Melbourne d'une cathédrale anglicane plus vaste que St James' *(p. 379)*, connut des débuts difficiles causés par des désaccords entre l'architecte anglais William Butterfield et le Cathedral Erection Board. Butterfield désapprouvait certains choix de ce conseil chargé de superviser les travaux, notamment l'utilisation de matériaux comme le grès de Barrabool et de Hawkesbury et le désir d'orienter le sanctuaire vers le Princes Bridge. La construction commença en 1880 et Butterfield démissionna en 1884. C'est Joseph Reed qui dirigea l'achèvement du monument, finalement consacré en 1891.

Les visiteurs peuvent découvrir à l'intérieur un retable fabriqué en Italie en marbre et en albâtre incrustés de mosaïque en pâte de verre. L'orgue est l'œuvre la mieux préservée du grand facteur londonien T.C. Lewis & Co. La cathédrale possède aussi un carillon de treize cloches.

Regent Theatre 🄳

191 Collins St. **Plan** 2 D3. 🄲 *(03) 9299 9850.* 🚆 *Flinders St.* 🚊 *lignes de Swanston St et Collins St.* 🚍 *235, 236, 250, 251, 350.* 🚻 *hors des représentations.*

L e théâtre, surnommé le « Palais des rêves de Melbourne », jouissait d'une telle popularité au milieu de ce siècle que lorsqu'un incendie ravagea sa grande salle en avril 1945 le maire de la ville promit de la reconstruire malgré la pénurie de matériaux causée par la Seconde Guerre mondiale.

C'est la Hoyts Theatre Company qui entreprit la construction du Regent Theatre et lui donna son exubérante ornementation intérieure influencée à la fois par l'esthétique hollywoodienne de l'époque et celle du Capitol Theater de New York. À son inauguration en 1929, l'édifice abritait deux salles principales. Celle à l'étage, appelée Regent Theatre, accueillait des concerts et des spectacles vivants. Le Plaza Theater du rez-de-chaussée, à l'origine une salle de bal, fut transformé ensuite en cinéma. Par chance, l'incendie de 1945 n'endommagea pas son superbe décor.

Salle de réunion contiguë à Scots'Church

Restauré, le Regent Theatre rouvrit une première fois en 1947 mais ne put résister ensuite à la concurrence de la télévision. Resté fermé près de trente ans, il a rouvert en 1996 après une deuxième restauration.

Scots' Church 🄴

99 Russell St (angle de Collins St). **Plan** 2 D3. 🄲 *(03) 9650 9903.* 🚆 *Flinders St et Parliament.* 🚊 *lignes de Swanston St et Collins St* 🚍 *235, 236, 250, 251, 350.* 🕐 *11 h-14 h 30, lun.- ven.* ✝ *11 h et 17 h 30, dim.* 🚻 *sur demande.*

L'église des Écossais achevée en 1874 devait être le « plus beau bâtiment d'Australie ». Son architecte, Joseph Reed, lui donna un style « anglais ancien » et utilisa du grès de Barrabool pour ses structures apparentes. La salle de réunion adjacente au sanctuaire date de 1913.

N° 120 Collins Street 🄵

120 Collins St. **Plan** 2 D3. 🄲 *(03) 9654 4944.* 🚆 *Flinders St et Parliament.* 🚊 *11, 12, 42, 109.* 🚍 *235, 236, 250, 251, 350.* 🕐 *7 h-19 h, lun.-ven.* 🚻

Œ uvre de Daryl Jackson et Group Hassell, l'immeuble de bureaux construit en 1991 au N° 120 Collins Street est devenu un point de repère pour les

Hall d'entrée du Regent Theatre

habitants de Melbourne avec sa tour de communication qui, haute de 262 m, donne à la ville son point culminant.

Le gratte-ciel a pour principal occupant la compagnie australienne BHP Petroleum. Il incorpore des bâtiments de style Federation édifiés en 1908 à l'emplacement de St Michael Uniting Church (1867).

Au N° 120 Collins Street

Chinatown ⑯

Little Bourke St. **Plan** 2 D2.
🚇 Museum et Parliament. 🚋 lignes de Swanston St et Bourke St. 🚍 lignes de Russell St et Lonsdale St.

Des Chinois commencèrent à immigrer en Australie dès 1818 mais ils ne s'établirent en nombre qu'à la fin des années 1840, offrant une main-d'œuvre bon marché de remplacement alors que les contingents de forçats envoyés de Grande-Bretagne dans les nouvelles colonies diminuaient. La cohabitation avec les Européens resta harmonieuse jusqu'à l'arrivée de compatriotes venus concurrencer les Blancs sur les champs aurifères. Des tensions raciales apparurent, surtout quand les filons commencèrent à s'épuiser, et des émeutiers prirent violemment à parti des prospecteurs chinois.

Cette xénophobie marqua aussi la politique du gouvernement. Les Chinois se virent imposer dans la plupart des États une taxe d'entrée de dix livres, une somme d'autant plus énorme que beaucoup n'étaient que des paysans. Une mesure plus efficace encore restreignit le nombre de passagers que pouvaient accepter les propriétaires de bateau afin de réduire la rentabilité du transport d'immigrants pauvres en Australie.

La taxe provoqua ce qu'on appela les « marathons chinois » car les nouveaux arrivants débarquèrent en Australie-Méridionale, un État « gratuit », rejoignant ensuite à pied à travers des déserts des champs aurifères situés parfois à 800 km de distance.

À Melbourne, où ils s'installèrent au milieu du siècle dernier dans un quartier bon marché du centre, les Chinois durent au début faire face à une hostilité ouverte et s'organisèrent en une société repliée sur elle-même. Ils subvenaient souvent à leurs besoins grâce à des activités traditionnelles : maraîchage, blanchisserie, commerce de produits alimentaires et fabrique de meubles (leurs réalisations devaient porter la mention « fabriqué avec de la main-d'œuvre chinoise »). Long de quelques pâtés de maisons, le Chinatown de Melbourne est aujourd'hui réputé pour ses restaurants

Portail traditionnel du Chinatown de Littke Bourke Street

asiatiques et ses magasins d'alimentation. Parmi les fêtes qui rythment la vie de la communauté, devenue l'une des plus anciennes d'Australie, c'est le nouvel an chinois qui donne lieu en février aux célébrations les plus animées *(p. 37)*.

Museum of Chinese Australian History ⑰

22 Cohen Place (par Little Bourke St). **Plan** 2 D2. 📞 (03) 9662 2888. 🚇 Parliament. 🚋 lignes de Swanston St, Bourke St et La Trobe St. 🚍 lignes de Russell St et Lonsdale St. 🕐 10 h-16 h 30, t.l.j. 🏛 ♿ 🛍

Ouvert en 1985 pour préserver l'héritage culturel de la communauté d'origine chinoise de Melbourne, ce musée abrite au cœur de Chinatown un superbe dragon. Éclectiques, ses expositions couvrent un éventail de sujets qui va des chercheurs d'or des années 1850 jusqu'à l'art contemporain. Au rez-de-chaussée, un document audiovisuel retrace l'histoire des Chinois au Victoria. Le premier étage accueille régulièrement des expositions

Lion de pierre au Museum of Chinese Australian History

itinérantes venues de Chine et des présentations d'œuvres d'art chinoises. Au deuxième étage, une exposition permanente illustre de nombreux aspects du parcours des Australiens de souche chinoise.

Au sous-sol, une autre exposition permanente fait revivre la vie des chercheurs d'or chinois. Les visiteurs pénètrent dans une cabine qui craque et bouge comme une cale de bateau de l'époque, puis ils découvrent des dioramas montrant l'existence des chercheurs sur les champs aurifères, ainsi qu'un temple chinois et un des théâtres de toile où venaient se distraire les mineurs. On peut également suivre un parcours historique dans Chinatown.

Le quartier du Parlement pas à pas

Icone, St Patrick's Cathedral

Les fondateurs de Melbourne, conscients de la situation privilégiée de la colline qu'ils appelèrent Eastern Hill, la réservèrent à des bâtiments officiels et ecclésiastiques. Les revenus de la ruée vers l'or *(p. 50-51)* permirent à partir des années 1850 la construction de nombreux édifices victoriens, dont le Parlement du Victoria où siégèrent aussi de 1901 à 1927 les députés de la jeune fédération australienne. Aménagés au milieu du XIXᵉ siècle, les Fitzroy Gardens *(p. 360)* offrent au pied de la colline un espace boisé et calme où l'on se promène le long de larges allées bordées d'ormes.

Le Windsor Hotel édifié en 1884 est le plus majestueux des hôtels de cette période à avoir survécu en Australie *(p. 486)*.

Stanford Fountain
C'est un prisonnier, William Stanford, qui sculpta la fontaine qui orne l'élégante Gordon Reserve.

★ Le Treasury Building
Œuvre du dessinateur industriel John James Clark, cet édifice néo-Renaissance, bâti en 1857 pour abriter des bureaux et les chambres fortes du Trésor, est désormais occupé par le Museum of Melbourne.

Cook's Cottage
Expédiée en 1933 en pièces détachées, la maison des parents du capitaine James Cook (p. 46) sert d'écrin à une exposition sur l'explorateur et la vie au XVIIIᵉ siècle.

★ Le Parliament House

Construit dans les années 1850, peu après l'autonomie du Victoria, le Parlement s'inspire de la Chambre des lords britannique.

CARTE DE SITUATION
Voir l'atlas des rues de Melbourne, plan 2

La Tasma Terrace, superbe rangée de maisons victoriennes ornées de ferronneries ouvragées *(p. 368)*, abrite le siège du National Trust.

CATHEDRAL PLACE

ALBERT STREET

St Patrick's Cathedral
La cathédrale érigée entre 1858 et 1879 est l'un des plus beaux monuments néo-gothiques du monde. Elle ne reçut ses flèches qu'en 1937.

★ Les Fitzroy Gardens

Le paysagiste James Sinclair donna à ces jardins beaucoup de charme en les dotant de parterres de fleurs, d'un ravin de fougères et d'allées ombragées par des eucalyptus, des platanes et des ormes.

À NE PAS MANQUER

★ **Les Fitzroy Gardens**

★ **Le Parliament House**

★ **Le Treasury Building**

LÉGENDE

0   100 m   - - - Itinéraire conseillé

Old Magistrate's Court ⑱

Angle de La Trobe St et Russell St.
Plan 1 C2. 📷 *Museum.* 🚋 *lignes de La Trobe St et Swanston St.* 🚌 *200, 201, 207, 235, 236, 250, 251, 350.* ⬤ *au public.*

Dans un quartier surnommé le *police precinct*, le tribunal de première instance de Melbourne, également appelé City Court, occupa ce bâtiment jusqu'en 1995. L'Old Magistrate's Court jouxte l'Old Melbourne Gaol et fait face à l'ancien commissariat central, un gratte-ciel Art déco du début des années quarante.

Construit en 1911 dans un style mêlant références gothiques et romanes, le bâtiment présente des façades en grès de Moorabool qu'animent pignons, tourelles et arcs en plein cintre. Il renfermait à l'origine trois salles d'audience et des bureaux qui s'organisaient autour d'un grand hall central octogonal.

Fenêtres d'inspiration romane de l'Old Magistrate Court

Old Melbourne Gaol ⑲

Russell St. **Plan** 1 C2. 📞 *(03) 9663 7228.* 🚉 *Melbourne Central.* 🚋 *lignes de La Trobe St et Swanston St.* 🚌 *200, 201, 207, 236, 250, 251.* ⬤ *t.l.j.* ⬤ *25 déc.* 📷 ♿ 🎫

La visite de l'ancienne prison de Melbourne, le premier grand centre de détention du Victoria, offre un

Passerelles desservant les cellules de l'Old Melbourne Gaol

rappel salutaire de la dureté de la vie de prisonnier.

Le musée pénal du National Trust occupe un bloc de cellules, le Second Cell Block. Derrière s'étendait le quartier des femmes aujourd'hui démoli. La chapelle de la prison a été conservée mais ne fait pas partie du musée.

On parle souvent d'apparition de fantômes dans l'Old Melbourne Gaol, sans doute parce que 135 exécutions capitales y eurent lieu entre 1845 et 1929. Les conditions de détention, très sévères, s'inspiraient de celles de la Pentonville Model Prison de Londres. Les nouveaux arrivants se retrouvaient ainsi au secret, ne pouvant se mêler aux autres prisonniers qu'après une période d'isolement dont la longueur dépendait de leur peine. L'exposition comprend

des chaînes qui servaient à entraver des détenus et un cadre utilisé pour les attacher lorsqu'ils recevaient le fouet. Elle évoque aussi ceux qui périrent pendus dans la prison, dont le célèbre Ned Kelly, et présente leurs masques mortuaires.

La justice se montrait parfois expéditive. Condamné à la peine capitale en 1876 sur des preuves indirectes, Basilio Bondietto, un immigrant italien, ne parlait pas anglais, n'avait pas d'interprète à son procès et ne comprit probablement pas qu'il allait mourir que quelques heures avant son exécution. Le cas de Frances Knorr, pendue en 1894 pour le meurtre de trois bébés à sa charge, souleva plus de controverses. Elle s'était retrouvée sans le sou, et enceinte, quand on avait incarcéré son mari pour avoir

NED KELLY

L'exécution du plus célèbre condamné de l'Old Melbourne Gaol eut lieu le 11 novembre 1880. Né en juin 1855, Edward « Ned » Kelly, fils de l'ancien forçat « Red » Kelly et sa femme Ellen, devint le *bushranger* (bandit de grand chemin) le plus populaire du pays en brûlant lors d'une attaque de banque les archives des prêts en suspens afin d'éviter aux débiteurs de les rembourser. Le jour

Masque mortuaire de Ned Kelly

de sa pendaison, 4 000 personnes s'assemblèrent devant la prison. La plupart manifestaient leur soutien à un homme qui, selon elles, était entré à juste titre en rébellion contre des lois et des forces de l'ordre au service des puissants. Ellen Kelly put rendre visite à son fils, capturé à Glenrowan le 28 juin 1880 *(p. 439)*. Elle se trouvait dans le quartier des femmes de la prison de Melbourne après avoir frappé à la tête un policier entré dans sa maison.

vendu du mobilier acheté à tempérament. Le premier bourreau pressenti se suicida plutôt que d'exécuter la sentence. Sa femme avait menacé de le quitter s'il remplissait sa fonction.

Restaurant italien de Lygon Street

Lygon Street ⑳

Lygon St, Carlton. **Plan** 1 C1.
🚉 *Museum*. 🚋 *122*. 🚌 *200, 201, 207*.

Dans le centre-ville, de l'autre côté de Victoria Street, Carlton qui abrite de nombreuses demeures historiques est un des plus beaux quartiers résidentiels de Melbourne. Il a pour pôle Lygon Street, où abondent cafés, restaurants et pizzérias *(p. 517-519)*, et abrite une importante communauté italienne.

Celle-ci s'installa lors de la grande vague d'immigration de l'après-guerre à un moment où les citadins aisés quittaient la ville pour s'installer en banlieue. Les nouveaux arrivants purent acquérir logements et boutiques à bas prix dans un quartier passé de mode malgré l'élégance de ses immeubles victoriens et édouardiens. Ils sauvèrent d'ailleurs ces édifices historiques qu'un projet du gouvernement envisageait de remplacer par des habitations à loyer modéré.

Dans les années soixante, Carlton devint populaire auprès des étudiants avec ses pittoresques magasins à étage. Ceux-ci y restèrent après leurs études, formant ainsi la base de la population actuelle, prospère et éduquée, du quartier. Lygon Street ne se trouve qu'à un pâté de maisons du principal campus universitaire de Melbourne et on peut l'atteindre depuis le centre à pied, en bus ou en tram. Sa large chaussée s'emplit en octobre de fêtards pour la Lygon Street Festa *(p. 36)*.

Royal Exhibition Building ㉑

Nicholson St, Carlton. **Plan** 2 D1.
📞 *(03) 9270 5000*. 🚋 *86, 96*. 🚌 *235, 236, 250, 251, 402, 479, 684*. ⏰ *lors de manifestations publiques et d'expositions.*
🎫 *lors de manifestations publiques et d'expositions.* ♿

Le Palais royal des Expositions construit pour l'Exposition internationale de Melbourne de 1880 est l'un des rares bâtiments du XIXe siècle de ce genre à avoir survécu en Australie. Il est aussi le seul qui resta en fonction jusqu'en 1996, année de l'ouverture du Melbourne Exhibition Centre.

Œuvre de Joseph Reed, l'architecte de nombreux édifices publics de Melbourne, il accueillit, entre autres manifestations, la cérémonie d'ouverture du Parlement du Commonwealth of Australia en 1901.

Après la restauration, entre 1985 et 1996, de sa grande salle et de sa coupole, le Royal Exhibition Building devrait faire partie du nouveau Museum of Victoria en cours de construction *(p. 377)*.

Moulin exposé dans un café de Lygon Street

Fire Services Museum of Victoria ㉒

39 Gisborne St, East Melbourne.
Plan 2 D2. 📞 *(03) 9662 2907*.
🚉 *Parliament*. 🚋 *11,38612, 42, 109*.
🚌 *312, 316*. ⏰ *9 h-15 h, ven. ; 10 h-16 h, dim.* ● *lun.-jeu., sam.* 🎫 ♿ ▣

Le musée des Services de lutte contre l'incendie du Victoria ne présente que des véhicules et des ustensiles en parfait état. Le progrès technique et l'évolution des besoins les ont relégués au rang d'objets inutiles. Le musée abrite ainsi de vieux casques de pompiers inspirés d'un modèle français. Ces casques en laiton, ornés d'un plumet et d'un dragon, étaient à la fois superbes et légers mais demandaient trop d'entretien.

Parmi ses pièces les plus intéressantes, l'exposition comprend une Pierce Arrow de 1911, qui appartint à la cantatrice Nellie Melba. La voiture participa à la Première Guerre mondiale du côté français avant d'être offerte à la brigade de pompiers de Melbourne, la Metropolitan Fire Brigade (MFB).

Celle-ci utilisa des chevaux jusqu'en 1918. L'un d'eux, Titan, est entré dans la petite histoire. Entraîné comme les autres à venir rapidement se poster devant la voiture quand retentissait la sirène, il retournait bouder à l'écurie s'il n'arrivait pas le premier.

Le musée retrace aussi l'histoire de la lutte contre le feu en zones rurales.

L'élégant Royal Exhibition Building du quartier de Carlton

À la terrasse d'un café de Brunswick Street

Brunswick Street et Fitzroy ㉓

Brunswick St. **Plan** 2 E1. 🚋 11.
🚌 200, 201, 207.

Fitzroy, plus encore que le quartier universitaire de Carlton, a attiré dans les années soixante une population d'étudiants et d'artistes. Malgré un début d'embourgeoisement, le quartier conserve une atmosphère bohème et cafés, restaurants, librairies, magasins de disques et boutiques de mode donnent un aspect coloré à sa rue principale : Brunswick Street. Chaque année en septembre, un défilé y marque le début du Fringe Festival, manifestation parallèle au Melbourne Festival (*p. 36*). Il existe à proximité une autre rue très animée, en particulier le samedi soir : Johnston Street, cœur du quartier espagnol.

Australian Toy Museum ㉔

174-180 Smith St, Collingwood. **Plan** 2 F1. 📞 (03) 9419 4138. 🚋 86.
🚌 200, 201, 207. ⏰ 10 h-18 h, t.l.j.
⬤ ven. saint, 25 déc. 🏷 🌀 sur demande.

Des visiteurs de tous âges apprécient le musée australien du Jouet né du rêve d'un restaurateur de Melbourne d'origine suisse, Jean-Jacques Lale-Demoz et collectionneur passionné dans les années soixante-dix.

L'Australian Toy Museum est particulièrement riche en voitures, trains et personnages en fer-blanc. Divisées par thèmes, les vitrines sont toutes à hauteur des enfants. Parmi les pièces les plus anciennes figurent trois jouets mécaniques allemands soudés à la main dans les années 1880, une magnifique Arche de Noé du début du XIXe siècle et un diorama réalisé en 1882 pour la première foire internationale du jouet de Nuremberg, une manifestation qui est devenue dans sa spécialité le plus grand salon professionnel du monde.

La salle consacrée à l'espace renferme certains des premiers jouets de science-fiction, tels des pistolets de Buck Rogers datant des années trente. Il y a également Robbie the Robot qui marqua les années cinquante aux États-Unis. Les jouets des années soixante en revanche furent nettement marqués par la course pour la conquête spatiale.

L'exposition met en relief les différences entre jouets européens et jouets australiens. Ceux-ci étaient destinés à une population réduite et dont le mode de vie en plein air imposait des articles plus robustes.

Le musée possède un café et un jardin où circule un train miniature.

Jouet mécanique

Australian Gallery of Sport and Olympic Museum ㉕

Melbourne Cricket Ground, Yarra Park, Jolimont. **Plan** 2 F3. 📞 (03) 9657 8879. 🚋 Jolimont. 🚌 48, 75. 🚌 246. ⏰ 10 h-16 h, t.l.j.
⬤ ven. saint, 25 déc. 🏷 🌀 🌀

Installé au Melbourne Cricket Ground (MCG), ce musée peut aussi se parcourir dans le cadre d'une visite guidée d'une heure du prestigieux terrain de cricket.

Ouverte en 1986, la galerie est consacrée à vingt disciplines, dont le cyclisme, la boxe et des jeux de ballon, notamment l'« Australian Rules » qui n'existe qu'en Australie. Les matchs opposent deux équipes de dix-huit joueurs qui se disputent un ballon ovale sur un terrain ovale. Les fautes ne donnant pas lieu à des expulsions immédiates, ils dégénèrent parfois en véritables pugilats.

Ajouté à la fin des années quatre-vingt, l'Olympic Museum retrace l'histoire des Jeux olympiques d'été. Depuis les premiers jeux modernes, organisés à Athènes en 1896, trois pays ont participé à tous : l'Australie, la Grèce et le Royaume-Uni.

Depuis 1996, l'Australian Cricket Hall of Fame rend hommage et retrace la carrière de grandes figures du cricket australien, tel sir Donald Bradman (*p. 178*).

Flambeau historique exposé à l'Olympic Museum

Jour de match au Melbourne Cricket Ground

Melbourne Cricket Ground 26

Yarra Park, Jolimont. **Plan** 2 F3.
📞 (03) 9657 8879. 🚉 Jolimont.
🚋 48, 75 (des trams spéciaux circulent les jours de match). 🚌 246.
🅿 pour la visite guidée ou les matchs seul. 📷 ♿ 📷 obligatoire.

Le terrain de cricket de Melbourne, le plus vaste du monde et l'un des plus prestigieux terrains de sport d'Australie, occupe à l'ouest du centre-ville un espace concédé en 1853 au Melbourne Cricket Club fondé en 1838.

Les novices désireux de s'initier au rituel complexe du cricket préféreront le *one-day cricket,* dont les matchs ne durent qu'une journée, à une rencontre traditionnelle s'étalant sur cinq jours. Le Melbourne Cricket Ground (MCG) accueille aussi les matchs d'« Australian Rules ». La finale du championnat national se déroule le dernier samedi de septembre *(p. 36).*

En plus d'un siècle d'existence, le stade a possédé diverses tribunes. L'installation la plus récente, la Great Southern Stand achevée en 1992, permet de recevoir plus de 100 000 spectateurs.

Le Melbourne Cricket Ground sert aussi à l'organisation de manifestations telles que de grands concerts de rock. Des visites guidées le parcourent les jours où il est libre. Elles partent de l'Australian Gallery of Sport and Olympic Museum et passent, entre autres, par le musée et la bibliothèque du Melbourne Cricket Club.

Melbourne Park 27

Batman Ave. **Plan** 2 F4. 📞 (03) 9286 1234. 🚉 Flinders St et Richmond. 🚋 70. 🚌 605. 🕐 9 h-17 h, lun.-ven., ou lors des manifestations. ♿

Connu également sous le nom de National Tennis Centre *(p. 369),* le Melbourne Park sert de cadre, sur la rive nord de la Yarra River, à de grandes rencontres internationales de tennis comme l'Open d'Australie *(p. 37),* l'une des quatre compétitions du Grand Chelem. Elles se déroulent sur le court central, le premier au monde à posséder un toit ouvrant *(p. 369),* mais le complexe sportif comprend en outre vingt-huit courts, dont cinq couverts, accessibles au public. De grands concerts de rock profitent de ses installations.

En face du parc se trouve le Sports and Entertainment Centre, lieu de spectacle et siège de l'équipe de basket-ball des North Melbourne Giants. Le centre était à l'origine une piscine construite pour les Jeux olympiques de 1956. L'Olympic Park voisin accueille des rencontres d'athlétisme nationales et internationales et des matchs de football et de rugby.

Rencontre de l'Open d'Australie au Melbourne Park

Les Royal Botanic Gardens et le Kings Domain ❷❽

Plaque de la crypte du Shrine of Remembrance

Ces jardins contigus créés en 1852 à l'emplacement d'un marais forment un vaste espace vert au cœur de la capitale du Victoria. Les Botanics Gardens abritent une collection d'espèces végétales de renom international. Les talents de paysagiste de William Guilfoyle, responsable des jardins de 1873 à 1909, en firent une espèce de paradis fleuri fréquenté par une étonnante variété d'animaux et d'oiseaux. Sa position privilégiée vaut au superbe parc du Kings Domain de jouer un rôle important dans la vie de la cité. Il abrite en particulier la résidence du gouverneur du Victoria, des lieux de spectacle et des mémoriaux.

Le Sidney Myer Music Bowl peut accueillir jusqu'à 15 000 spectateurs pour des concerts ou des ballets en plein air. En hiver, la scène devient une patinoire.

Pioneer Women's Garden
Un bassin orné par une statue de femme occupe le centre de ce jardin à la française qui fut créé en 1934 en hommage aux pionnières du Victoria.

★ Le Shrine of Remembrance
Le Temple du Souvenir à la mémoire des soldats australiens tombés au combat s'inspire d'une description du Mausolée d'Halicarnasse élevé en Asie Mineure au IVe siècle av. J.-C.

0   200 m

★ La Government House
Des visites guidées permettent de découvrir les pièces d'apparat de ce majestueux édifice italianisant.

MODE D'EMPLOI

St Kilda Rd. **Plan** 2 F5. 🛈 *angle de Dallas Brooks Drive et Birdwood Ave (03) 9252 2300.* 🚋 *3, 5, 6, 8, 15, 16, 64, 67, 67, 72.* ♿ 📷 *11 h-14 h, mar.-ven., 11 h, dim.* 🅿️ 🍴 🖥️

Le Temple of the Winds (temple des Vents) à la coupole supportée par dix colonnes est de style Greek Revival. Il entretient le souvenir de Charles La Trobe.

« Chêne algérien »
L'Oak Lawn renferme de superbes quercus canariensis, *variété de chêne qui fleurit à Melbourne en septembre.*

★ L'Ornamental Lake
Fidèle à la mode anglaise du XVIIIe siècle, William Guilfoyle organisa les jardins autour d'un plan d'eau dont le contour imite la nature.

Arid Garden
Les plantes de régions désertiques d'Australie et d'autres pays jouissent d'un habitat adapté dans ce jardin où un ruisseau alimente une oasis.

À NE PAS MANQUER

★ Government House

★ Ornamental Lake

★ Shrine of Remembrance

Le La Trobe's Cottage, demeure de Charles La Trobe, le premier gouverneur du Victoria, arriva d'Angleterre en 1839. La maison a été classée par le National Trust.

Au fil de la Yarra River

L a Yarra River serpente pendant 240 km entre sa source dans le Baw Baw National Park et Port Philip Bay. À l'origine porte sur le reste du monde, le fleuve a toujours joué un rôle essentiel dans la vie de Melbourne. Il marque aujourd'hui symboliquement la frontière entre le nord et le sud de la cité et nombre de ses habitants résident leur vie entière sur une seule rive. En face du quartier des affaires, la rive sud affirme depuis une récente réhabilitation sa vocation culturelle. La Yarra séduit aussi les sportifs, qu'ils s'entraînent à l'aviron sur son cours ou empruntent les pistes cyclables qui la longent.

CARTE DE SITUATION
*Voir l'atlas des rues
de Melbourne, plans 1 et 2*

★ **La National Gallery of Victoria**
La Galerie nationale du Victoria propose la plus belle collection d'art australien du pays, des traditions aborigènes à la création moderne ㉙

Le Victorian Arts Centre est le siège de l'Australian Ballet et de la Melbourne Theatre Company. Sa flèche de 115 m fait partie du paysage de Melbourne.

Victoria
College
of the Arts

Flinders Street Station
La plus grande gare de Melbourne tourne le dos à la Yarra River. Une passerelle piétonnière relie les deux rives ㉚

**Concert
Hall**

**Passerelle
de Southgate**

Le Melbourne Exhibition Centre abrite des expositions sur des sujets aussi variés que l'automobile, le bricolage ou les médecines douces.

★ Le Polly Woodside Maritime Museum
Ce trois-mâts restauré de 1885 a donné son nom au musée maritime de Melbourne ❸❶

Le Melbourne Convention Centre est le plus grand centre de conférences de l'hémisphère Sud.

CLARENDON STREET

KINGS WAY

FLINDERS STREET

SPENSBRIDGE STREET

0   100 m

Le Crown Entertainment Centre, qui a coûté un milliard de dollars australiens, comprend le plus grand casino d'Australie et un hôtel de luxe *(p. 486)*

LÉGENDE

– – –   Itinéraire conseillé

À NE PAS MANQUER

★ **La National Gallery of Victoria**

★ **Le Polly Woodside Maritime Museum**

Aviron
Des équipes de professionnels et d'amateurs d'aviron viennent s'entraîner sur la Yarra River où ont régulièrement lieu des régates. Il existe plusieurs loueurs de bateaux à rames sur ses rives.

National Gallery of Victoria ㉙

180 St Kilda Rd. **Plan** 2 D4. ☎ *(03) 9208 0222.* ◯ *10 h-17 h, t.l.j.* ● *ven. saint, 25 avr., 25 déc.* ♿

Première galerie d'art publique d'Australie, la National Gallery of Victoria ouvrit en 1861 et abrita le State Museum d'origine *(p. 377).* Elle occupe depuis 1968 un bâtiment dépouillé dessiné par sir Roy Grounds *(p. 369)* et possède la collection d'œuvres et d'objets d'art la plus riche et la plus éclectique du pays grâce, notamment, à des legs. Le plus important de ces dons fut celui de l'homme d'affaires Alfred Felton, mort en 1904. La création en 1984 du Victorian Arts Centre voisin *(p. 392)* a fini d'établir la vocation culturelle de la rive sud.

La collection permanente comprend les œuvres de peintres australiens reconnus comme sir Sydney Nolan et William Dobell *(p. 30),* ainsi que de grands maîtres européens anciens tels Tiepolo, Rubens, Gainsborough et Goya, ou modernes comme Manet, Cézanne et Picasso.

La galerie nationale consacre plusieurs salles aux cultures aborigènes et accueille toute l'année de grandes expositions temporaires d'art contemporain sous un superbe vitrail de Leonard French. Les objets d'art présentés sur ses trois niveaux comprennent aussi bien des porcelaines chinoises que des antiquités méditerranéennes.

Flinders Street Station ㉚

Angle de Flinders St et Swanston St. **Plan** 1 C4. ☎ *(03) 9610 7482.* 🚋 48, 75. 🚌 235, 236, 250, 251, 350. ♿

Le principal terminus de trains de banlieue de Melbourne est aussi un des grands points de rendez-vous de la ville ; des milliers de couples se sont retrouvés « sous l'horloge ».

Le premier train à vapeur d'Australie partit de la gare de Flinders Street sous les acclamations de milliers de personnes. La ligne n'allait pas plus loin que Sandridge, faubourg aujourd'hui appelé Port Melbourne.

Le cabinet Fawcett & Ashworth remporta le concours architectural organisé pour la construction de l'édifice actuel achevé en 1910. Son projet ne gagna cependant pas tous les suffrages puisque sir Thomas Bent, Premier ministre du Victoria jusqu'en 1909, s'attendait à ce qu'il donne naissance à « une abomination ». Le bâtiment en brique jaune surmonté de coupoles en bronze ne manque pourtant pas d'élégance.

Entièrement restaurée en 1981, la gare a perdu une partie de son trafic avec l'ouverture des stations du City Loop, mais ses quatorze quais accueillent encore chaque jour 1 100 trains de banlieue entre 4 h 30 et minuit *(p. 402-403).*

Le *Polly Woodside*, trois-mâts amarré sur la Yarra River

Polly Woodside Maritime Museum ㉛

Lorimer St East, Southbank. **Plan** 1 A5. ☎ *(03) 9699 9760.* 🚆 *Spencer St.* 🚋 *96, 109.* 🚌 *232, 235, 236, 237.* ⛴ *Grimes Street Bridge.* ◯ *10 h-16 h, t.l.j.* ● *ven. saint, 25 déc.* 📷 ♿ *sauf le bateau.* 🎫

Quand le *Polly Woodside* cessa tout service dans les années soixante, c'était le dernier voilier commercial de haute mer encore à flot en Australie. Ce type de trois-mâts était déjà rare lors de sa construction à Belfast en 1885 puisqu'un bateau sur quatre seulement sortait alors des chantiers navals avec des voiles.

Tête de proue, Maritime Museum

En 1897, le *Polly Woodside* avait franchi seize fois le cap Horn, transportant du charbon jusqu'au Chili et revenant en Grande-Bretagne chargé d'engrais. Vendu en 1904 aux Néo-Zélandais, après deux voyages de deux ans, il naviga en mer de Tasmanie jusqu'en 1924 puis resta quarante ans à Port Melbourne où il servait de dépôt de charbon pour les vapeurs.

Offert au National Trust en 1968 et restauré par des bénévoles, il permet aujourd'hui aux visiteurs d'avoir un aperçu des conditions de vie de son équipage et de vieilles techniques de construction navale. Le musée propose aussi une exposition de maquettes et de souvenirs.

Façade illuminée de la Flinders Street Station

Rameurs à l'entraînement sur l'Albert Park Lake

Albert Park ❷

Canterbury Rd, Albert St et Lakeside Drive. **Plan** 5 B3. 🚊 *lignes de Bourke St et Spencer St.*

Vestige d'un ancien marais, l'Albert Park Lake forme le cœur d'un espace vert de 225 ha qui renferme des terrains de sport, un golf public et de nombreux autres équipements de loisirs. Il doit toutefois sa renommée au Grand Prix de Formule 1 d'Australie qui se déroule autour du lac sur un circuit long de 5 260 m. L'Albert Park retentissait déjà du bruit de courses automobiles dans les années cinquante. Mais les aménagements imposés par l'organisation du Grand Prix, confiée à Melbourne en 1996 après qu'Adélaïde eut accueilli la compétition pendant dix ans, soulevèrent de vives protestations de la part des riverains.

Le parc permet de nombreuses activités, notamment dans sa salle de sport et son centre nautique. Des zones marécageuses y ont été recréées afin de fournir un habitat approprié à des animaux aussi variés que des cygnes noirs, des opossums, des tortues et des perches argentées et dorées. On peut d'ailleurs désormais y pêcher et faire du bateau, qu'il soit à rames, à voile ou miniature.

Au centre du parc subsiste un vieil eucalyptus autour duquel auraient jadis eu lieu des *corroborees* aborigènes (cérémonies totémiques rythmées par des chants et des danses).

Fitzroy et Acland Streets ❸

St Kilda. **Plan** 5 B5. 🚊 *96.* 🚌 *246, 600, 623, 606.* 🚢 *St Kilda Pier.* **Scienceworks Museum** *2 Booker St, Spotswood.* 📞 *(03) 9392 4800.* 🕐 *10 h-16 h 30, t.l.j.* ⬤ *ven. saint, 25 déc.* 🎫 ♿

St Kilda, à 6 km au sud du centre-ville, fut lancée pendant la période d'euphorie économique des années 1880. Des familles aisées s'y installèrent un temps puis, suivant une nouvelle mode, quittèrent la ville pour Toorak ou les péninsules. C'est la banlieue de Melbourne qui ressemble le plus à une station balnéaire et sa jetée construite en 1857 attire toujours les promeneurs.

La ville conserve de nombreux immeubles d'appartements Art déco et abrite une dense population très mélangée. Ses deux rues principales, Fitzroy Street et Acland Street, sont très animées, en particulier le week-end. Bondée le dimanche, Acland Street est

Tramway typique de Melbourne sur Fitzroy Street

réputée pour ses traiteurs et ses pâtissiers juifs. Jadis mal famée, Fitzroy Street abrite désormais des restaurants et des boutiques haut de gamme. Réhabilitée dans les années quatre-vingt, l'esplanade en front de mer accueille chaque dimanche un marché d'artisanat. À l'est du port, un jardin botanique borde Blessington Street.

Traverser la baie en bateau permet de découvrir le World Trade Center sur la Yarra River et les bâtiments du XIXe siècle du village de Williamstown. Dans la banlieue voisine de Spotswood, le **Scienceworks Museum** initie les enfants aux sciences grâce à des installations interactives.

Éventaire du Prahran Market proche de Chapel Street

Chapel Street ❹

South Yarra, Prahran et Windsor. **Plan** 6 E3.

Les prix pratiqués par les magasins de mode de Chapel Street sont à la hauteur de la réputation de la rue la plus branchée de Melbourne où, les week-ends, les cafés s'emplissent d'une foule jeune et « branchée ».

Près de la Yarra River, Chapel Street coupe Toorak Road dont le « village » est fréquenté par les plus riches habitants de la ville. Plus au sud sur Commercial Road, le Prahran Market propose les meilleurs produits frais. Greville Street possède une atmosphère qui évoque la bohème de Brunswick Street *(p. 388)* avec ses bars et ses boutiques de fripes. Une fête culinaire et vestimentaire a lieu sur Chapel Street chaque dimanche précédant la Melbourne Cup *(p. 36)*.

Rippon Lea ⑤

Propriété du National Trust, l'élégante Rippon Lea dessinée par Joseph Reed et construite en 1868 est sans doute la plus belle demeure victorienne de Melbourne. Le superbe jardin à l'anglaise qui l'entoure ajoute beaucoup à son charme. Les premiers occupants de la maison, les Sargood, étaient réputés pour leurs somptueuses réceptions. Le Premier ministre, sir Thomas Bent, leur succéda et commença à morceler le domaine. Benjamin Nathan acheta Rippon Lea en 1910 pour y vivre avec sa famille. Sa fille, Louisa Jones, dota la résidence d'une piscine et d'une salle de bal dans les années trente et quarante.

Façade du corps d'habitation

Un arc en plein cintre polychrome en brique apporte un élément décoratif aux ouvertures.

Salle de bains victorienne
La salle de bains a retrouvé l'aspect victorien qu'elle avait du temps des Sargood. Un système ingénieux permettait de tirer un engrais liquide du contenu de la fosse d'aisance.

La serre abrite des fougères et des orchidées, plantes appréciées par Frederick Sargood et Benjamin Nathan. Des experts en horticulture étaient régulièrement invités à Rippon Lea.

Entrée principale

À NE PAS MANQUER
★ **La salle à manger**
★ **Le salon**

L'escalier principal est en chêne et acajou comme beaucoup de boiseries de la maison. Au pied des marches, Louisa Jones fit installer des miroirs, autre élément récurrent de la décoration, inscrits dans un arc.

★ La salle à manger
Le mobilier de Louisa Jones marie noyer américain et style inspiré de la Renaissance italienne.

Façade de la Como House

La tour était un élément inhabituel pour une résidence privée. Elle correspondait peut-être à un désir de Sargood qui voulait une maison aussi élaborée qu'une église.

Le parement de brique polychrome fut inspiré à Joseph Reed par un voyage en Lombardie.

Piscine et salle de bal

★ Le salon
Les luxueuses demeures des stars hollywoodiennes des années trente influencèrent Louisa Jones quand elle aménagea l'intérieur de Rippon Lea.

Como House ㊱

C ommencée en 1847 par Edward Eyre Williams, la Como House domine le Como Park et la Yarra River.

Une seule famille, les Armytage, occupa la maison pendant près d'un siècle, de 1865 à 1959. L'intérieur renferme une riche collection de meubles et d'antiquités d'origine, notamment des statues de marbre et de bronze acquises par Caroline Armytage lors du voyage qu'elle effectua en Europe avec ses neuf enfants après la mort de son mari, Charles Henry. Ce voyage avait un but pédagogique et la famille, qui tenait à se montrer éduquée, organisa à son retour des réceptions sophistiquées.

Charles Henry avait laissé à ses fils et à ses filles des parts égales de son héritage, ce qui rendit les femmes financièrement indépendantes, chose rare à l'époque. Ainsi furent les filles de Charles Henry qui se chargèrent de l'entretien de la maison de 1876 à 1959, date à laquelle elle fut léguée au National Trust.

Celui-ci entreprit d'importants travaux de restauration achevés en 1996. Le joli jardin à l'anglaise entourant la demeure n'a plus la superficie qu'il possédait à l'origine, mais il conserve la terrasse agrémentée d'une fontaine et la pelouse de croquet dont le dota le paysagiste William Sangster qui travailla aussi beaucoup à Rippon Lea.

FAIRE DES ACHATS À MELBOURNE

Melbourne est une ville où il est aisé de mêler flânerie et lèche-vitrines. Le centre-ville concentre dans un espace relativement restreint plusieurs grands magasins et des dizaines de boutiques souvent installées dans des galeries marchandes et des ruelles. Les commerces abondent aussi dans les quartiers périphériques où certaines rues ont leur spécialité. High Street, qui traverse Armadale et Malvern,

La mode selon Chapel Street

est ainsi la rue des antiquaires, Toorak Road celle des enseignes de luxe et Chapel Street celle de la mode branchée *(p. 395)*. Victoria Street, à Richmond, regroupe des commerces vietnamiens, Sydney Road, à Brunswick, est réputée pour les produits du Moyen-Orient et Carlisle Street, à St Kilda, abrite plusieurs traiteurs juifs. Dans les banlieues, d'immenses centres commerciaux rassemblent plusieurs centaines de magasins de tous genres.

Façade du grand magasin Myer Melbourne

HEURES D'OUVERTURE

Les commerces du Victoria ouvrent pour la plupart sept jours par semaine, essayant de survivre face à la concurrence des grands magasins, et des supermarchés (dont certains restent ouverts 24 h sur 24). Les horaires d'ouverture normaux vont de 9 h à 17 h 30. Beaucoup d'enseignes restent ouvertes plus tard, en particulier les jeudis et vendredis. Les horaires varient également le week-end. Le vendredi saint et le 25 décembre sont les seuls jours de l'année où presque tout le monde ferme.

GRANDS MAGASINS

Le centre-ville abrite les trois principaux grands magasins de Melbourne, **Myer**, **David Jones** et **Daimaru**, qui ouvrent sept jours sur sept.

Myer Melbourne, le plus important des grands magasins australiens, occupe deux pâtés de maison, l'un de sept niveaux sur Lonsdale Street, l'autre de six sur le Bourke Street Mall où s'ouvre son entrée principale.

David Jones, souvent appelé DJs et réputé pour ses articles de qualité, possède trois immeubles. Son entrée principale côtoie celle de Myer sur le Bourke Street Mall. Le département de prêt-à-porter masculin lui fait face. Le troisième bâtiment jouxte encore Myer, on l'atteint par Little Bourke Street.

Daimaru, le plus récent des grands magasins de la cité, offre un très vaste choix sur six niveaux. L'influence de ses propriétaires japonais associée à une ambiance typiquement australienne lui donne une atmosphère distinguée.

GALERIES MARCHANDES ET CENTRES COMMERCIAUX

Melbourne a pour principal pôle commercial le Bourke Street Mall, rue piétonnière que bordent les grands magasins Myer et David Jones. Le centre-ville abrite aussi plusieurs galeries marchandes regroupant des dizaines de magasins spécialisés.

Les boutiques de la **Galleria Shopping Plaza**, à l'angle de Bourke Street et d'Elizabeth Street, privilégient les articles australiens. ABC Shop vend les produits des réseaux nationaux de télévision et de radio tels que livres et cassettes vidéo. Australian Geographic est un excellent endroit pour se renseigner sur la géologie du continent et ses paysages.

Sur Collins Street, **Australia on Collins**, la Block Arcade *(p. 381)* et le **Sportsgirl Centre** ont bâti leur réputation sur des magasins haut de gamme, de vêtements et d'accessoires de mode notamment. Prêt-à-porter et articles domestiques dominent les soixante vitrines, réparties sur cinq niveaux, d'Australia on Collins. Plus spécialisé dans la mode jeune, le

L'élégant intérieur de la Block Arcade ouverte au XIXᵉ siècle

Produits locaux en vente au Queen Victoria Market

Sportsgirl Centre comprend trois niveaux. La Block Arcade propose des vêtements plus classiques dans un superbe cadre du siècle dernier. Elle a aussi une entrée sur Elizabeth Street où s'ouvre une autre galerie historique : la Royal Arcade qui contient trente boutiques *(p. 480)*. Entre le Bourke Street Mall et Little Collins Street s'étend **The Walk Arcade** aux enseignes chics et chères.

Plus haut sur Collins Street, après Russell Street, d'autres magasins se trouvent sur **Collins Place** (au pied du Sofitel, l'ancien Regent) et dans le hall du Hyatt *(p. 485)*.

Autre grand centre commercial du Bourke Street Mall, le **Centrepoint Shopping Centre** renferme sur quatre niveaux 47 boutiques, dont des succursales des marques de prêt-à-porter Country Road et Sportsgirl. Le Centrepoint n'égale toutefois pas le **Melbourne Central,** dédale entre Swanston Street et Elizabeth Street, qui offre sur six niveaux quelque 180 commerces dont le grand magasin Daimaru.

Bien qu'il ne se trouve pas dans le centre mais sur la rive sud de la Yarra River, le **Southgate Complex** mérite aussi une visite avec ses 40 boutiques vendant sur trois niveaux du prêt-à-porter et des chaussures haut de gamme, des disques, des bijoux, des meubles et de l'artisanat ethnique. Toujours au bord de la Yarra River, le nouveau casino abrite également des commerces *(p. 392-393)*.

MARCHÉS

Le Queen Victoria Market, se tient tous les jours sauf le mercredi à l'angle de Victoria Street et de Peel Street *(p. 378)*. Le dimanche, un marché d'objets d'occasion se tient dans la banlieue sud-est de Camberwell et des marchés d'artisanat s'installent sur Collins Place, au Victorian Arts Center et sur l'Upper Esplanade de St Kilda.

Marché artisanal du dimanche sur l'Upper Esplanade de St Kilda

HORS DU CENTRE

Les quartiers commerçants abondent dans des faubourgs de Melbourne tels que Toorak, Malvern et Canterbury.

À South Yarra, les **Como Gaslight Gardens** regroupent des magasins de prêt-à-porter, d'art ménager et de meubles. En banlieue, les centres commerciaux deviennent immenses à l'instar du **Chadstone,** qui abrite plus de 330 enseignes, du **Brunswick City Centre** et de la **Dandenong Plaza.**

CARNET D'ADRESSES

GRANDS MAGASINS

Daimaru
211 La Trobe St. **Plan** 1 C2.
(*(03) 9660 6666.*

David Jones
310 Bourke St Mall. **Plan** 1 C3.
(*(03) 9669 8200.*

Myer Melbourne
314 Bourke St Mall. **Plan** 1 C3.
(*(03) 9661 1111.*

GALERIES MARCHANDES ET CENTRES COMMERCIAUX

Australia on Collins
260 Collins St. **Plan** 1 C3.
(*(03) 9650 4355.*

Centrepoint Shopping Centre
293-297 Bourke St Mall.
Plan 1 C3. (*(03) 9654 1722.*

Collins Place
45 Collins St. **Plan** 1 D3.
(*(03) 9655 3600.*

Galleria Shopping Plaza
Angle de Bourke St et Elizabeth St.
Plan 1 C3. (*(03) 9675 6416.*

Melbourne Central
300 Lonsdale St. **Plan** 1 C3.
(*(03) 9665 0000.*

Southgate Complex
3 Southgate Ave, Southbank.
Plan 2 D4.
(*(03) 9686 1000.*

Sportsgirl Centre
234 Collins St. **Plan** 1 C3.
(*(03) 9650 4373.*

The Walk Arcade
309-325 Bourke St Mall. **Plan** 1 C3. (*(03) 9654 6744.*

HORS DU CENTRE

Brunswick City Centre
90-106 Sydney Rd, Brunswick.
(*(03) 9387 8411.*

Chadstone
1341 Dandenong Rd, Chadstone.
(*(03) 9563 3355.*

Como Gaslight Gardens
650 Chapel St, South Yarra.
Plan 4 E5.
(*(03) 9824 0977.*

Dandenong Plaza
Angle de McCrae St et Foster St, Dandenong.
(*(03) 9792 0130.*

SE DISTRAIRE À MELBOURNE

La capitale australienne des arts propose toute l'année un riche calendrier de manifestations culturelles rythmé par de grands festivals comme le Melbourne Festival et le Moomba Festival *(p. 37 et 39).* Le Victoria Art Centre, qui inclut le Melbourne Concert Hall *(p. 392),* est le siège des compagnies de ballet et de théâtre du Victoria et accueille des

Enseigne
de cinéma
Art déco

troupes internationales. Les grands concerts de variété ou de rock ont lieu à l'Entertainment Centre du Melbourne Park et au Melbourne Cricket Ground *(p. 389).* De nombreux pubs accueillent des groupes de rock ou de jazz le soir, et la programmation des cinémas permet de choisir entre superproductions hollywoodiennes et films d'art et d'essai.

Concert nocturne au Sidney Myer Music Bowl *(p. 390)*

SOURCES D'INFORMATION

Le meilleur guide de programme de Melbourne paraît chaque vendredi sous forme d'encart du magazine *Age.* Outre les horaires des spectacles en cours, il fournit des informations sur les manifestations à venir. Le *Herald Tribune* et les éditions du dimanche des deux quotidiens locaux offrent aussi de bonnes sources de renseignement, à l'instar du grand journal national *The Australian.*

Plusieurs publications gratuites consacrées aux arts, aux spectacles et à la vie nocturne sont distribuées dans certains magasins et cafés de

quartiers comme Fitzroy et St Kilda. Vous trouverez au **Victoria Visitor Information Centre** de nombreux prospectus annonçant des manifestations ponctuelles et deux brochures gratuites : *Events,* un programme des manifestations à venir, et *Arts Museums Heritage,* un guide régulièrement actualisé des richesses culturelles de la cité et de l'État du Victoria.

Le **Victorian Arts Centre** *(p. 392)* édite un agenda bimensuel qu'il expédie gratuitement dans le monde entier. La plupart des agences de location dispensent des informations sur les spectacles en cours.

AGENCES DE LOCATION

Bien que quelques salles de spectacle gèrent elles-même leurs billetteries, les agences de location offrent dans la majorité des cas le moyen le plus aisé de se procurer des places.

Le Victoria compte deux grandes agences de location : **Ticketmaster BASS** (plus de cinquante bureaux) et **Ticketek** (plus de trente

Foyer du Regent Theatre au luxe typique des années trente *(p. 382)*

bureaux). Une autre agence de location, **Save Time Services,** perçoit une commission légèrement plus élevée mais permet de réserver des places avant l'émission officielle des tickets et se voit toujours attribuer les meilleurs sièges disponibles.

L'achat des billets peut se faire directement auprès des différents bureaux ou, pour les détenteurs d'une carte bancaire, par téléphone, fax ou courrier. Les clients ont alors le choix entre recevoir leurs places par la poste au prix d'un léger supplément ou les retirer à la caisse du lieu de spectacle une demi-heure avant la représentation.

Les heures d'ouverture des bureaux varient selon l'endroit où ils se trouvent, mais ils ouvrent pour la plupart au moins du lundi au samedi.

Ni Ticketmaster BASS, ni Ticketek n'acceptent de rembourser ou d'échanger des billets, sauf en cas d'annulation du spectacle.

Façade du Princess Theatre près du quartier du Parlement *(p. 384)*

Des artistes de rue se produisent partout dans Melbourne

RÉDUCTIONS

Certaines grandes compagnies, en particulier celles qui se produisent au Victorian Art Centre, offrent des réductions de « dernière minute » sur des billets achetés sur place à partir de 18 h.

Sur le Bourke Street Mall *(p. 376-377)*, le kiosque Half Tix vend des billets demi-tarif pour un grand nombre de manifestations organisées en ville. Ces places doivent être achetées en personne et payées en argent liquide. Hormis pour les matinées, elles ne sont généralement disponibles que le jour de la représentation. Une liste régulièrement renouvelée indique les spectacles ainsi proposés à tarif réduit.

Enseigne du kiosque Half Tix sur le Bourke Street Mall

CHOISIR SA PLACE

Si vous achetez vous-même votre billet, vous pourrez consulter un plan de la salle indiquant la position des sièges disponibles. Par téléphone, Ticketmaster BASS et Ticketek proposent les meilleures places disponibles en premier. Vous pouvez réclamer des sièges particuliers, l'agence se renseignera pour savoir s'ils sont libres.

Les salles conservent souvent des places à vendre le soir de la représentation. Elles permettent parfois d'obtenir un fauteuil bien situé à la dernière minute.

VISITEURS HANDICAPÉS

La quasi-totalité des lieux de spectacle dispose d'accès spéciaux et d'équipements destinés aux handicapés et les agences de location tiennent compte, dans la mesure du possible, des requêtes particulières. Vous pouvez aussi vous renseigner auprès des salles sur le matériel qu'elles possèdent.

SPECTACLES EN PLEIN AIR

Malgré un climat changeant, les habitants de Melbourne apprécient les manifestations en plein air et, en été, de nombreux concerts et pièces de théâtre sont proposés aux adultes et aux enfants dans la plupart des grands parcs et jardins de la ville. Beaucoup de ces spectacles ont lieu au coucher du soleil.

Des artistes de rue, dont certains suivent un circuit international, participent à des festivals et se produisent dans des faubourgs comme Fitzroy et St Kilda *(p. 395)*. Dans le centre, ils ont pour scène de prédilection la partie du Bourke Street Mall située devant Myer et David Jones *(p. 398)*. Des spectacles de rue gratuits ont régulièrement lieu le week-end à Southgate au Victorian Arts Centre.

CARNET D'ADRESSES

CENTRE D'INFORMATION

Victoria Visitor Information Centre
Angle de Swanston St et Little Collins St. **Plan** 1 C3.
 (03) 9658 9955.

PRINCIPALES SALLES

Athenaeum Theatre
188 Collins St.
Plan 2 D3.
 (03) 9650 3504.

Comedy Theatre
240 Exhibition St. **Plan** 2 D2.
 (03) 9209 9000.

CUB Malthouse
113 Sturt St. **Plan** 2 D3.
 (03) 9685 5111.

Forum Theatre
154 Flinders St.
Plan 2 D3.
 (03) 9299 9700.

Her Majesty's
219 Exhibition St.
Plan 2 D2.
 (03) 9663 3211.

Melbourne Town Hall
Swanston St.
Plan 1 C3.
 (03) 9658 9800.

Palais Theatre
Lower Esplanade, St Kilda.
Plan 5 B5.
 (03) 9534 0651.

Princess Theatre
163 Spring St.
Plan 2 D2.
 (03) 9299 9850.

Regent Theatre
Collins St.
Plan 2 D3.
 (03) 9299 9500.

Victorian Arts Centre
St Kilda Rd.
Plan 2 D4.
 (03) 9281 8000.

AGENCES DE LOCATION

Save Time Services
 (03) 9654 7555.

Ticketek
 13 28 49.

Ticketmaster BASS
 11500.

MELBOURNE : RENSEIGNEMENTS PRATIQUES

L e centre-ville et la majeure partie des faubourgs obéissent à un plan régulier, ce qui rend aisé de se repérer dans Melbourne. Outre un dense réseau de transports en commun, la cité possède de nombreux taxis. Des bureaux de change et des distributeurs automatiques

Panneau routier

de billets existent partout et le gouvernement de l'État s'est employé ces dernières années à améliorer les services publics. Melbourne pose peu de problèmes de sécurité par rapport à d'autres grandes villes, et il suffit d'un peu de bon sens pour y éviter les problèmes.

CIRCULER EN VOITURE ET À BICYCLETTE

L a circulation est fluide à Melbourne sauf pendant les heures de pointe : de 7 h 30 à 9 h 30 et de 16 h 30 à 18 h 30. Évitez toutefois de stationner dans un endroit interdit, les services de la fourrière emporteraient votre véhicule. À certaines intersections, des panneaux marqués « SAFETY ZONE » indiquent qu'il faut se déporter à gauche pour

tourner à droite à cause des tramways.

Un terrain plat et de nombreuses pistes cyclables rendent le vélo très agréable. Pour tous renseignements, contactez **Bicycle Victoria.**

CIRCULER EN TRANSPORTS PUBLICS

M elbourne possède un dense réseau de trains, de trams et de bus connu sous le nom de Met. Il permet

également de voyager hors de la ville et jusque dans les autres États par l'intermédiaire de **V/Line.**

La Flinders Street Station *(p. 394)* est le grand terminus des trains de banlieue, les autres utilisant plutôt la Spencer Street Station.

Le City Circle Tram, gratuit, fait le tour de la ville et deux bus touristiques, le City Explorer et le City Wanderer, circulent cinq fois par jour. Les renseignements sont

LIGNES DE TRAM

Sur un réseau de 240 km desservant la banlieue comme le centre-ville, les tramways électriques de Melbourne circulent de 5 h à minuit du lundi au samedi et de 8 h à 23 h le dimanche. Ils roulent au milieu des rues et s'arrêtent à des îlots installés au centre de la chaussée. Mieux vaut se montrer prudent en descendant pour ne pas risquer d'être renversé. Les tickets s'achètent auprès du contrôleur ou au distributeur de l'entrée de devant.

La Flinders Street Station, principale gare de trains de banlieue

disponibles, pour le premier dans les gares, et pour les seconds au **Victoria Visitor Information Centre.**

Bateaux-taxis et bateaux-promenades permettent de se déplacer sur la Yarra River.

TICKETS

Très économiques en tarif de groupe, les tickets du réseau métropolitain s'achètent dans les gares. Des forfaits de deux heures à un mois donnent accès à tous les modes de transport.

Centre de Melbourne

LÉGENDE

■	Swanston Street
▢	Elizabeth Street
■	William Street
■	Latrobe Street
■	Bourke Street
■	Collins Street
■	Flinders Street
■	Batman Street
■	City Circle
▨	Trams de banlieue

INFORMATIONS TOURISTIQUES

Les plans et guides sont disponibles dans les bureaux d'information touristique, tel l'*Official Visitor's Map and Guide to Local Attractions and Events* (plan et guide touristique officiel des attractions et manifestations locales). Le plus important, le Victoria Visitor Information Centre, peut également assurer des réservations d'hôtel. À côté, le **City Experience Centre** fournit des renseignements en six langues.

VOYAGEURS HANDICAPÉS

Les personnes handicapées disposent à Melbourne et en banlieue de places de stationnement réservées et d'entrées et de toilettes adaptées dans la majorité des lieux publics. Elles peuvent se procurer des permis de conduire pour handicapés au Town Hall *(p. 381)*. Un plan, le *CBD Mobility Map* fourni par le Victoria Visitor Information Centre, situe les équipements offerts en ville.

Le City Wanderer Bus dessert les attractions touristiques

ATLAS DES RUES DE MELBOURNE

L es références cartographiques
données dans les pages de ce
guide consacrées à Melbourne,
pour les sites de visite comme pour
les commerces *(p. 399),* les salles
de spectacle *(p. 401),* les hôtels
(p. 484-486) et les restaurants
(p. 517-519), renvoient aux plans
de cet atlas où apparaissent
tous les édifices et monuments

**Statue de
Boorke Street**

intéressants et des adresses utiles telles
que gares, terminus de bus, embarcadères de bateaux-promenades, services d'urgence, bureaux de poste et
centres d'informations touristiques.
La légende ci-dessous indique les
symboles utilisés et donne l'échelle des
plans. À côté, une carte d'ensemble
précise la zone couverte par chaque plan de l'atlas.

LÉGENDE

	Site exceptionnel
	Site intéressant
	Autre édifice
🚉	Gare
	Terminus de bus
🚌	Gare routière
⛴	Embarcadère
🚖	Station de taxis
P	Parc de stationnement
i	Informations touristiques
✚	Hôpital de garde
👮	Poste de police
✝	Église
✡	Synagogue
C	Mosquée
⊠	Poste
⛳	Terrain de golf
	Autoroute
	Route
	Sens unique
	Rue piétonnière

**Sculpture de Dennis Halpern au
Southgate** *(p. 392-393)*

0 _____ 1 km

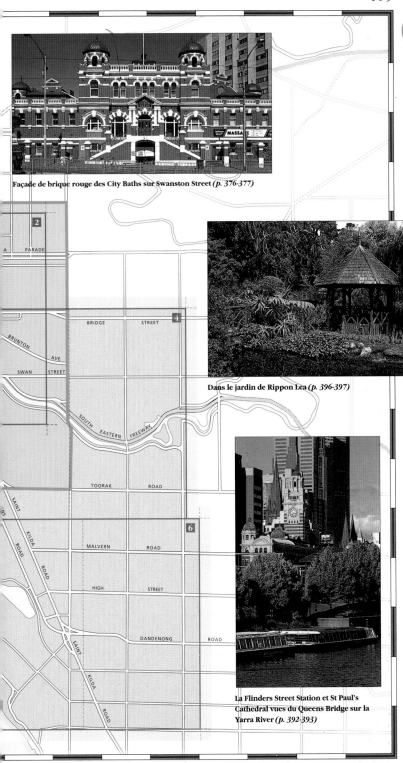

Façade de brique rouge des City Baths sur Swanston Street *(p. 376-377)*

Dans le jardin de Rippon Lea *(p. 396-397)*

La Flinders Street Station et St Paul's Cathedral vues du Queens Bridge sur la Yarra River *(p. 392-393)*

LE VICTORIA OCCIDENTAL

L'ouest du Victoria a pour première qualité sa variété. Les amoureux de la nature apprécieront au nord la beauté austère du désert de broussailles appelé mallee *et, au sud, les collines boisées qui descendent jusqu'au littoral. Au centre, de courtes distances séparent les buts de visite, qu'il s'agisse de villes minières datant de la ruée vers l'or ou de charmantes stations thermales.*

Dans une région aux immenses richesses naturelles, les paysages du Victoria occidental ont façonné les modes de vie des premiers colons européens comme ils avaient marqué pendant des milliers d'années les cultures des tribus aborigènes.

Aucun événement n'eut plus d'importance dans l'histoire économique de l'État que la découverte d'or, car elle attira des immigrants du monde entier et assura les fondations financières de la jeune colonie. Plusieurs villes du centre conservent de cette période des édifices évoquant aussi bien le Far West américain que l'Angleterre victorienne. La région possède une autre richesse minérale : les eaux aux vertus curatives de ses stations thermales.

Au nord-ouest, dans la principale zone agricole du Victoria, vignobles et vergers profitent d'un climat méditerranéen et de gros bourgs ruraux bordent la Murray River. Au sud s'élève le superbe massif des Grampians. Il jouait un rôle primordial dans les mythes aborigènes, mais ses parois abruptes et ses pentes densément boisées offrirent peu de débouchés aux premiers colons européens. Ses collines restent en majeure partie sauvages. Dans le nord du Victoria occidental, quelques éleveurs de moutons et cultivateurs de blé réussirent à s'implanter dans la région du *mallee*, mais son aridité en découragea bien d'autres et d'immenses territoires couverts d'un fourré abritant une faune frugale sont encore préservés.

Les ports du littoral servirent tout d'abord à l'expédition des produits de leurs arrière-pays agricoles puis ils se développèrent en tant que stations baleinières. Le tourisme a pris le relais sur une côte réputée pour sa splendeur avec d'immenses plages, des monolithes de calcaire, d'épaisses forêts et d'abruptes falaises.

Swan Hill Pioneer Settlement, reconstitution d'un bourg du XIXᵉ siècle sur la Murray River

◁ **Les Douze Apôtres, fleuron du Port Campbell National Park**

À la découverte du Victoria occidental

La région offre de nombreuses possibilités de détente et de découverte. Près de Melbourne, la station thermale de Hepburn Springs et les Macedon Ranges se prêtent à un week-end reposant au sein de paysages ruraux. Les champs aurifères abritent des villes historiques riches en édifices majestueux ou pittoresques. Des sentiers pédestres très variés par leur longueur et les décors qu'ils traversent sillonnent le Grampians National Park. Dans l'aride région du *mallee,* des dunes de sable ondoient à l'infini. Des villes actives et bien dotées en hôtels et restaurants jalonnent la Murray River qu'empruntent toujours des bateaux à aubes. Le littoral mérite qu'on lui consacre plusieurs jours le long de la Great Ocean Road.

Demeure de Rupertswood, Macedon Ranges

CIRCULER

En voiture depuis Melbourne, la Western Highway conduit à Ballarat, aux Grampians et au *mallee,* tandis que la Calder Highway traverse les Macedon Ranges puis rejoint Bendigo où elle coupe les routes menant à Mildura, Swan Hill et Echuca. La Princes Highway permet d'atteindre Geelong et la Great Ocean Road. Le train ou des liaisons train-autocar desservent aussi tous ces lieux. Accéder aux régions plus isolées en transports publics peut se révéler problématique, mais les compagnies d'autocars privées de Melbourne *(p. 403)* proposent un vaste choix d'excursions organisées.

Murray River

WENTWORTH

Adelaide

7 MILDU.

MURRAY-SUNSET COUNTRY NATIONAL PARK

HATTAH-KULK NATIONAL PA

6

WYPERFELD NATIONAL PARK

5
BIG DESERT WILDERNESS PARK ET SUNSET COUNTRY

Lake Albacuya

Lake Hindmarsh

WARRACKNABEAL

DIMBOOLA

LITTLE DESERT NATIONAL PARK

HORSHAM

EDENHOPE

Glenelg River

4
GRAMPIANS NATIONAL PARK

COLERAINE

Adelaide

HAMILTON

LOWER GLENELG NATIONAL PARK

PORTLAND

PORT FAIRY

WARRNAMB

LÉGENDE

- Highway
- Route principale
- Parcours pittoresque
- Cours d'eau
- Point de vue

Arche naturelle de la Loch Ard Gorge sur la Great Ocean Road

LA RÉGION
D'UN COUP D'ŒIL

Ballarat p. 424-425 ⑬
Bellarine Peninsula ②
Bendigo ⑩
Big Desert Wilderness Park et
    Murray-Sunset Country ⑤
Castlemaine ⑫
Echuca ⑨
Geelong ③
Grampians National Park ④
Hattah-Kulkyne National
    Park ⑥
Maldon ⑪
Mildura ⑦
Sovereign Hill ⑭
Swan Hill ⑧
Werribee Park ①

Excursion
Macedon Ranges ⑮

Paroi érodée dans le Grampians
National Park

0   50 km

VOIR AUSSI

- *Hébergement* p. 486-488
- *Restaurants* p. 519-521

Façade italianisante de la Werribee Park Mansion

Werribee Park ❶

Werribee. 📞 (03) 9741 2444.
🚆 Werribee. ⏰ t.l.j. ⏰ 25 déc. 🏷
♿ rez-de-chaussée seul. 🅿

De 1860 à 1890, la laine fit gagner des millions à des producteurs australiens. Les Chirnside, installés à Werribee puis dans le Western District, étaient l'une des plus riches et des plus puissantes familles d'éleveurs du Victoria. Bâtie entre 1873 et 1878, leur ancienne demeure italianisante, où la cantatrice Nellie Melba fut reçue, offre un aperçu de leur aisance. La maison restaurée a été ouverte au public, ses soixante pièces meublées de superbes antiquités recréent un décor proche de celui que lui donnèrent ses premiers occupants.

De beaux jardins classiques dotés d'aires de pique-nique entourent la Werribee Park Mansion. À côté, la Victoria State Rose Garden (Roseraie du Victoria) obéit à un plan inspiré de la rose héraldique des Tudor. Elle contient plus de 4 500 rosiers dont les fleurs, de variétés et de couleurs différentes, s'épanouissent de novembre à avril.

Le domaine comprend aussi le **Victoria's Open Range Zoo,** où des

Chaise longue, Werribee Park

animaux exotiques tels que girafes et hippopotames vivent en liberté, et le State Equestrian Centre où se déroulent certains des plus prestigieux concours équestres et matchs de polo d'Australie.

Les amoureux des oiseaux apprécieront la station d'épuration voisine et le Point Cook Coastal Park où des affûts permettent d'observer des espèces rares. Des migrateurs comme le courlis de Sibérie et le bécasseau à col roux viennent ici passer l'hiver.

🦒 Victoria's Open Range Zoo

Werribee Park Mansion. 📞 (03) 9731 1311. ⏰ t.l.j. 🏷 ♿
🅿 conseillée.

Bellarine Peninsula ❷

🚆 Geelong. 🚆 Geelong.
🚌 Ocean Grove, Point Lonsdale, Portarlington, Queenscliff.
⛴ Queenscliff. 🛈 Wallington (03) 5250 2669.

Fermant à l'ouest Port Phillip Bay, la péninsule de Bellarine est l'une des nombreuses régions balnéaires des environs de Melbourne. Les plages de sable blanc de Barwon Heads, Point Lonsdale et Ocean Grove marquent le point de départ de la Great Ocean Road qui longe une portion de littoral riche en plages propices au surf (p. 418-419).

Une passe de 3 km seulement sépare le petit village de **Point Lonsdale** de son vis-à-vis en Victoria

oriental, Point Neapan sur la Mornington Peninsula (p. 432), mais tourbillons et rochers immergés en font la plus dangereuse entrée de baie du monde. Elle a d'ailleurs pris le surnom de Rip, qui signifie « déchirure ».

Tournée vers Port Phillip Bay, la gracieuse ville ancienne de **Queenscliff** possède des plages aux eaux paisibles. Construit en 1882 pour prévenir une invasion russe, son fort fut un temps le plus important de l'Empire britannique dans l'hémisphère Sud. Queenscliff conserve aussi des hôtels victoriens comme la Vue Grand (p. 488).

Station balnéaire proche, à l'instar de St Leonards, Portarlington abrite un moulin à vapeur de 1857 en état de marche.

Gracieuses ferronneries d'une façade de Queenscliff

Geelong ❸

🏙 145 000. ✈ 🚆 🚌 🚢 🛈 26-32 Moorabool St (03) 5222 2900.

Cet ancien centre d'élevage est devenu la ville industrielle la plus peuplée de l'État après Melbourne. La cité borde Corio Bay et commence à rendre à son front de mer la dimension récréative qu'il avait au début du siècle. L'établissement de bains d'Eastern Beach, qui date des années trente, a ainsi retrouvé en 1994 sa splendeur Art déco. Steampacket Place et son quai sont au cœur d'un projet de réhabilitation qui comprend la rénovation graduelle d'anciens entrepôts pour créer un quartier de restaurants, de cafés, de boutiques et d'hôtels.

En face de Steampacket Place se dressent les halles où la laine était vendue aux enchères puis stockée avant son expédition. Cette activité assura la prospérité de Geelong des années 1880 jusque dans les années soixante-dix. Dans le plus vaste de ces édifices en cours de réaménagement, le **National Wool Museum** retrace l'histoire de la production lainière en Australie et illustre le trajet suivi par la fibre, des ciseaux du tondeur au défilé de mode.

À 30 km au nord de Geelong, le Brisbane Ranges National Park offre de superbes promenades, rendues encore plus belles, entre août et novembre, par la floraison de plantes telles que grevilleas, acacias et orchidées. Non loin, il ne reste que quelques bâtiments de Steiglitz, une ville-fantôme née lors de la ruée vers l'or des années 1850. Son élégant tribunal date des années 1870.

🏛 **National Wool Museum**
26-32 Moorabool St. 📞 *(03) 5227 0701.* ⏰ *t.l.j.* ⬤ *ven. saint, 25 déc.*
📷 ♿

Grampians National Park ❹

🚂 *Stawell.* 🚌 *Halls Gap.*
ℹ *Stawell (03) 5358 2314 ; Halls Gap (03) 5356 4381.*

Créées il y a 400 millions d'année par un soulèvement de l'écorce terrestre, les collines et parois

---

FLORE ET FAUNE DES GRAMPIANS

Le parc national des Grampians abrite près d'un tiers des espèces végétales du Victoria, dont beaucoup, telles l'hibbertia et la boronia des Grampians, ne poussent que parmi ces rochers. Des koalas grognent la nuit autour de Halls Gap et les kangourous de Zumsteins se montrent généralement amicaux. De superbes oiseaux peuplent les airs, les arbres et les buissons, entre autres les troglodytes bleus *(malurus cyaneus),* des loriquets arc-en-ciel, des cacatoès à tête rouge, des merles écarlates *(petrioca multicolor)* et des émeus. Au printemps, d'innombrables fleurs sauvages, des orchidées notamment, tapissent le sol des vallées, tandis que les cours d'eau s'emplissent de grenouilles d'arbre brunes. Juste au sud des Grampians, on a récemment découvert sur la décharge de la ville de Hamilton un représentant d'une espèce de bandicoot rayé que l'on croyait éteinte. Il participe désormais à un programme de reproduction.

Loriquet arc-en-ciel

---

abruptes des Grampians sont les reliefs les plus occidentaux du Great Dividing Range. Elles s'élèvent comme des vagues au-dessus des plaines cultivées. Le parc national, le troisième par la taille, du Victoria, protège de superbes sites naturels et faune et une flore très riches.

Les Aborigènes de la région appelaient le massif Gariwerd et le considéraient comme sacré. Il recèle plusieurs lieux d'initiation et des peintures rupestres. Près de Halls Gap, plusieurs communautés gèrent le Brambuk Living Culture Centre où une exposition retrace leur histoire, et on peut y acheter de l'artisanat et

des plats cuisinés typiques.

Les promeneurs jouissent d'un vaste choix dans les Grampians. Des excursions d'une journée conduisent à la spectaculaire cascade des MacKenzie Falls et à la formation rocheuse des Balconies. De plus longs séjours permettent de camper dans le *bush,* d'étudier les fleurs sauvages ou de rejoindre la Victoria Valley en franchissant les montagnes depuis Halls Gap. Guides et plans sont disponibles au bureau d'information.

Les difficiles parois du Mount Arapiles voisin attirent des grimpeurs aguerris du monde entier.

Panorama vu d'un sommet des Grampians

La côte de la Great Ocean Road

À l'ouest de Geelong, la Great Ocean Road (Highway 1) longe une des plus belles côtes du monde. Près de Melbourne, elle offre des vues de choix à chaque virage. Elle s'enfonce ensuite à l'intérieur des terres pour franchir les reliefs boisés des Otways puis traverse un paysage de falaises découpées battues par les vagues. Au Port Campbell National Park, d'étranges monolithes appelés les Douze Apôtres les prolongent dans la mer. En continuant vers l'ouest, la route dessert Warrnambool d'où l'on peut observer des baleines australes et des ports pittoresques aujourd'hui reconvertis dans le tourisme.

Portland possède un port en eau profonde sur le site de la première implantation européenne du Victoria, en 1834. Près de la ville, des falaises rongées par l'océan donnent un aspect austère au Cape Bridgewater.

CAMPERDOW

MOUNT GAMBIER → • Portland

Tower Hill Game Reserve

Lady Julia Percy Island

Détroit de Bass

★ Port Fairy ①

Les petits cottages de Port Fairy rappellent l'époque, dans les années 1830 et 1840, où la chasse à la baleine assurait sa prospérité. Le village vit désormais de la pêche, aux langoustes et aux mollusques notamment, et du tourisme.

★ Warrnambool ②

Surtout connue pour les baleines franches australes visibles au large de Logans Beach entre mai et octobre, cette ville côtière de 25 000 habitants possède de belles plages, des musées et de vieilles églises.

0 —— 25 km

LÉGENDE

≈≈ Highway
▬ Route principale
⋯ Route secondaire
⌐ Cours d'eau
※ Point de vue

La Tower Hill Game Reserve, à 13 km à l'ouest de Warrnambool, occupe le cratère d'un volcan éteint. Le crépuscule est le meilleur moment pour apercevoir émeus, koalas et kangourous.

L'Otway National Park permet de se familiariser avec certaines essences de la forêt pluviale australe. Il abrite en particulier un eucalyptus géant vieux de 400 ans.

CARTE DE SITUATION

★ Loch Ard Gorge ⑤

Cette gorge doit son nom au clipper qui y coula en 1878. Les promenades dans la région ont pour thèmes le naufrage, la géologie et les Aborigènes.

★ Johanna Beach ⑦

Isolée au pied de vertes collines mais appréciée des campeurs en été, cette plage de surf est l'une des plages les plus réputées du Victoria.

★ Lorne ⑨

La foule se presse en été dans cette charmante station dotée d'excellents cafés, restaurants et hôtels. Les forêts voisines sont un paradis pour les marcheurs.

GEELONG

• Colac

Anglesea

⑫

Port Campbell National Park

④

⑤

Otway National Park

⑥ ⑦ ⑧ ⑨

⑪

★ Apollo Bay ⑧

⑩ Bons restaurants et atmosphère détendue ajoutent à l'intérêt de ce village où les amateurs de pêche au large peuvent participer à des expéditions.

Peterborough ③

Cette partie de la côte est le pôle de production laitière du Victoria. Le Grotto est un bassin naturel au pied de la falaise.

Port Campbell ④

La localité offre depuis une colline un beau panorama de l'océan. Dans une baie abritée, sa plage se prête à la baignade.

Moonlight Head ⑥

Au cœur de l'Otway National Park, les rochers qui succèdent aux falaises gardent enchâssées des ancres évoquant les nombreux navires naufragés le long de cette côte.

Aireys Inlet ⑩

Un phare caractéristique avec sa coupole rouge domine cet agréable petit village et ses belles plages.

Point Addis ⑪

Ce cap où passe la Great Ocean Road ménage depuis le parc de stationnement une vue impressionnante des vagues qui s'écrasent sur les rochers. Des marches permettent de descendre au pied de la falaise pour les voir de plus près.

Bells Beach ⑫

Une plate-forme rocheuse submergée contribue à rendre les rouleaux particulièrement propices au surf et, chaque année à Pâques, une compétition internationale attire des milliers de touristes dans la région *(p. 38).*

Piste du Big Desert Wilderness Park

Big Desert Wilderness Park et Murray-Sunset Country ❺

🚂 *Hopetoun.* 🚌 *Hopetoun.* ℹ️ *Big Desert & Wyperfeld (03) 5395 7221 ; Murray-Sunset (03) 5022 3000.*

Plages, collines, rivières et montagnes du Victoria font oublier que le désert et le *mallee,* une forme de fourré tropical, occupent une grande partie de l'ouest de l'État. Ces lieux où des nuits glacées succèdent à des journées torrides ne recèlent que dunes de sable, casuarinas nains, lézards, serpents et lits de rivières asséchées. Ils possèdent pourtant une beauté austère et strictement préservée : il faut un véhicule tout-terrain pour emprunter la quasi-totalité des rares routes qui traversent le Big Desert Wilderness Park et le Murray-Sunset Country.

Au sud, des lacs donnent une flore et une faune plus variées aux parcs nationaux de Wyperfeld et Little Desert.

Hattah-Kulkyne National Park ❻

🚂 *Mildura.* 🚗 *Mildura.* 🚌 *Mildura.* ℹ️ *Mildura (03) 5021 4424.*

Au cœur du pays du *mallee* couvert de buissons et d'arbustes, le Hattah-Kulkyne National Park abrite un réseau de lacs que la Murray River

alimente, lorsqu'elle entre en crue, par un système complexe de déversoirs naturels. Entourés de puissants gommiers rouges, les plans d'eau les plus larges, dont les lacs Hattah, Mournpoul et Lockie, grouillent de poissons qui fournissent leur nourriture à des oiseaux tels qu'ibis, pélicans et cygnes noirs. Sur les rives vivent émeus, varans et kangourous.

Les lacs se prêtent à merveille à la pratique du canoë, tandis que bras morts et trous d'eau offrent de beaux sites de pêche, de pique-nique, de camping et d'observation des oiseaux le long de la Murray et dans le Murray-Kulkyne National Park. La plus grosse fleur du Victoria, le lis du Murray, pousse aussi dans la région.

Mildura ❼

🏙️ *25 000.* ✈️ 🚗 🚌 ℹ️ *180-190 Deakin Ave (03) 5021 4424.*

En 1887, Mildura n'était guère plus qu'un village perdu au milieu d'un désert de sable rouge au bord de la Murray River quand deux Canadiens, les frères William et George Chaffey, entreprirent le premier grand programme d'irrigation en Australie. Ils avaient déjà mené avec succès un projet similaire en Californie. Depuis, l'eau de la Murray River et de la Darling River a donné naissance à une plaine agricole d'une longueur de près de 100 km.

Au cœur de cette oasis, Mildura est devenue une ville moderne et touristique. Décorée avec son mobilier d'origine, **Rio Vista,** l'ancienne demeure de William Chaffey construite en 1890, mérite une visite. La région produit olives, avocats et agrumes et développe ses

---

LES BATEAUX À AUBES DE LA MURRAY RIVER

Bateau à aubes sur la Murray River

Des années 1860 aux années 1880, l'économie de l'Australie « avança à dos de mouton » : de l'ouest du Victoria aux Diamentina Plains du centre du Queensland, la laine régnait en maître. Mais sur un continent où n'existaient en guise de routes que quelques pistes de terre, seuls les cours d'eau permettaient de transporter la laine des fermes d'élevage isolées jusqu'aux ports côtiers d'où elle partait vers l'Angleterre. Les bateaux à aubes circulant sur la Murray River et ses affluents, la Darling River et la Murrumbidgee River, atteignaient Echuca après des jours de navigation depuis l'intérieur du pays. Une fois déchargés, ils embarquaient les vivres et les fournitures qui assuraient la survie des pionniers puis repartaient à contre-courant. Ils ne purent toutefois résister à l'extension du réseau ferroviaire entreprise à la fin du siècle. Plusieurs de ses navires servent désormais aux promenades, tels l'*Emmylou,* le *Pride of Murray* et le *Pevensey.*

Rio Vista, élégante demeure bâtie à Mildura par l'expert en irrigation William Chaffey

vignobles *(p. 370-371).*

À 100 km à l'est, en Nouvelle-Galles du Sud, le Mungo National Park présente un visage désertique.

🏛 Rio Vista

199 Cureton Ave. 📞 *(03) 5023 3733.* 🕐 *t.l.j.* ● *ven. saint, 25 déc.* 🅰 ♿ *rez-de-chaussée seul.*

Swan Hill ❽

👥 *10 000.* 🚉 🚌 🚏 🛈 *306 Campbell St (03) 5032 3033.*

Les cygnes noirs sont des oiseaux bruyants comme le découvrit le major Thomas Mitchell quand leurs cris matinaux troublèrent son sommeil lors d'une mission d'exploration en 1836. C'est ainsi que Swan Hill, petite ville animée au bord de la Murray River, prit le nom de « Colline des cygnes ».

Elle possède pour principale attraction le **Swan Hill Pioneer Settlement,** parc à thème de 3 ha qui donne une image de la localité au tournant du siècle. Vêtus en costume de l'époque, ses « habitants » fabriquent pour les touristes des objets d'époque. Les odeurs et les bruits émanant d'une boulangerie, d'une vieille imprimerie ou d'un atelier de forgeron emplissent le village reconstitué. Le pin

du Murray, un bois résistant aux termites, servit à la construction de plusieurs des cabanes en rondins. À la tombée de la nuit commence un spectacle son et lumière.

Un grand bateau à aubes, le *Pyap,* part deux fois par jour du Pioneer Settlement pour une promenade d'une heure sur le fleuve. Il passe devant l'endroit où le major Mitchell dormait.

🏛 Swan Hill Pioneer Settlement

Horseshoe Bend, Swan Hill. 📞 *(03) 5032 1093.* 🕐 *t.l.j.* ● *25 déc.* 🅰 ♿

Echuca ❾

👥 *10 000.* 🚉 🚌 🚏 🛈 *2 Heygarth St (03) 5480 7555.*

À sa libération en 1853, l'ancien forçat Henry Hopwood partit explorer la région de la Murray River. Le service de bacs qu'il créa à l'endroit où la Gouldburn se jetait dans le fleuve donna naissance à Echuca. Le bourg ne prit toutefois réellement son essor qu'à l'achèvement, en 1864, de la voie ferrée qui le reliait à Melbourne. Correspondance avec les bateaux à aubes qui circulaient sur la Murray River, Echuca devint le plus grand port fluvial d'Australie.

Son quai de gommier rouge, qui a été restauré, reste en service dans un quartier historique que l'on peut découvrir en voiture à cheval. Une vieille scierie continue de fonctionner avec ses appareils d'origine. Il existe des visites guidées du port et de son quai et plusieurs bateaux à aubes proposent des promenades. Le Star Hotel abrite une exposition consacrée à ces bateaux.

La plus vaste forêt d'eucalyptus de rivière du monde, la Barmah Forest, se trouve à environ 30 km en amont de la ville. Outre des arbres vieux de trois siècles, elle recèle d'importants sites aborigènes.

Eucalyptus sur la route de la Barmah Forest près d'Echuca

Bendigo ⓾

🏠 85 000. ✈ 🚃 🚌 🚍
ℹ️ 51-67 Pall Mall (03) 5447 7788.

C'est à Bendigo que la ruée vers l'or prit son ampleur la plus flamboyante. En effet, c'est ici que l'on fit des découvertes dignes d'entrer dans la légende. En 1851, première année de prospection, un seul seau de boue fournit 23 kg d'or. Quand le précieux métal commença à disparaître en surface, une veine de quartz aurifère relança l'extraction dans les années 1870.

Les bâtiments historiques de la ville reflètent la richesse de l'époque. Ils combinent souvent plusieurs styles architecturaux. Œuvres de l'architecte gouvernemental G.W. Watson, le tribunal et la poste offrent, respectivement, des visions victoriennes de la Renaissance française et de la Renaissance italienne. Sur Pall Mall, l'artère principale, l'imposant Shamrock Hotel inauguré en 1897 accueille toujours des clients *(p. 487)*. Des brochures fournies par le centre d'information touristique guident les promeneurs parmi le patrimoine historique de la ville. On peut aussi visiter la ville depuis le Vintage Talking Tram, un tramway d'époque.

La ruée vers l'or attira à Bendigo une importante population chinoise. Temple bâti à son intention dans les années 1860, le **Joss House** reste un lieu de culte ouvert

Entrée de la Joss House, temple chinois à Bendigo

aux fidèles. L'exposition du **Golden Dragon Museum** (musée du Dragon d'or) illustre l'histoire de la communauté chinoise de Bendigo. Un portail de cérémonie le relie au **Garden of Joy** (jardin de la Joie) aménagé en 1996. Conforme à la tradition, il reproduit en miniature un paysage chinois avec ses vallées, ses montagnes, ses arbres et ses cours d'eau.

La **Bendigo Art Gallery** possède une superbe collection de peintures australiennes dont certaines montrent la vie sur les champs aurifères. Des boutiques vendent à proximité la production de la plus ancienne poterie d'Australie, en activité depuis 1858.

Poterie de Bendigo

La **Central Deborah Goldmine** propose une exposition sur les techniques minières. Les visiteurs peuvent descendre dans un puits jusqu'à 410 m de profondeur.

🏯 **Joss House**
Finn St, North Bendigo. 📞 (03) 5442 1685. ⏰ t.l.j. ⛔ 25 déc. 🏷️

🏛️ **Golden Dragon Museum et Garden of Joy**
5-15 Bridge St. 📞 (03) 5441 5044. ⏰ t.l.j. ⛔ 25 déc. 🏷️ ♿

🏛️ **Bendigo Art Gallery**
42 View St. 📞 (03) 5443 4991. ⏰ t.l.j. ⛔ 25 déc. 🏷️ ♿ par arrangement.

🏯 **Central Deborah Goldmine**
76 Violet St. 📞 (03) 5443 8070. ⏰ t.l.j. ⛔ 25 déc. 🏷️ ♿

Hôtel datant de la ruée vers l'or à Maldon

Maldon ⓫

🏠 1 600. 🚃 🚍 ℹ️ High St (03) 5475 2569.

M aldon offre un exemple superbement préservé de ville née de la ruée vers l'or et le National Trust l'a classée « First Notable Town » en 1966. Elle s'inscrit dans un des plus beaux paysages de la région et collines, forêts et arbres exotiques mettent en valeur ses rues étroites et ses bâtiments du XIXᵉ siècle, en particulier des maisons et des hôtels agrémentés de vastes porches. Très touristique, Maldon renferme de nombreux cafés, restaurants et boutiques.

Plusieurs mines abandonnées rappellent aux alentours la brève poussée de fièvre qui provoqua sa fondation. L'Easter Fair de Pâques donne lieu à diverses réjouissances *(p. 38)*, alors que l'automne teinte d'or les feuilles des platanes, des chênes et des ormes.

Castlemaine ⓬

🏠 7 000. 🚃 🚌 🚍 ℹ️ Duke St (03) 5470 6200.

L 'élégance de cette petite ville donne une idée de la richesse que lui valurent brièvement des filons aurifères de surface. Son charme a séduit de nombreux écrivains et artistes de

Melbourne et elle possède une galerie d'art et un musée. Sa plus belle attraction, le Market Hall dessiné par William Benyon Downe, date de 1862 et s'inspire, avec son portique et sa grande arche d'entrée, de l'œuvre du maître de la Renaissance Andrea Palladio. L'édifice abrite désormais le bureau d'information touristique.

Bâtie en 1857 pour servir de résidence à un colonel britannique à la retraite, la **Buda House** possède un jardin de la fin du XIXᵉ siècle considéré comme le plus complet de cette période. Chaque printemps, la ville organise en alternance un festival culturel (années paires) et une fête des jardins.

🏛 **Buda House**
42 Hunter St. 📞 *(03) 5472 1032.* ⭕
t.l.j. ● *ven. saint, 25 déc.* ♿ ♿
salon de thé en haut du jardin.

Ballarat ⑬

Voir p. 424-425.

Sovereign Hill ⑭

Bradshaw St, Ballarat. 📞 *(03) 5331 1944.* ⭕ *t.l.j.* ● *25 déc.* ♿ ♿

Situé dans la périphérie de Ballarat *(p. 424-425)*, ce musée vivant permet aux visiteurs de remonter dans le passé des champs aurifères jusqu'à une période clé de l'histoire de l'Australie. Maréchal-ferrant, boulanger, hôtelier et épicier en costume d'époque y vaquent à leurs tâches quotidiennes parmi les tentes et les abris de fortune des prospecteurs.

On estime à 640 tonnes la quantité d'or extraite des gisements de la ville jusqu'à leur épuisement dans les années vingt. Sovereign Hill conserve du matériel et des installations d'origine. La recherche se fit tout d'abord dans le cours des rivières, puis il fallut se mettre à creuser des tunnels et, enfin, s'enfoncer jusqu'à de grandes profondeurs pour atteindre de riches veines de quartz aurifère.

Le Gold Museum propose des expositions régulièrement renouvelées sur l'usage de l'or au cours de l'histoire.

LES CHINOIS DES CHAMPS AURIFÈRES

Des chercheurs d'or chinois arrivèrent à Melbourne à partir de 1853, ils étaient environ 40 000 en 1859. Ils travaillaient dur et en groupe, aussi leur présence sur les champs aurifères suscita-t-elle très vite l'hostilité des prospecteurs européens. Plusieurs assassinats racistes eurent lieu en 1857.

D'autre part, le gouvernement du Victoria tenta de freiner l'immigration des Chinois en leur imposant une lourde taxe de débarquement. Ils accostèrent alors dans des États voisins, terminant le voyage à pied *(p. 343* et *383)*. À la fin de la ruée vers l'or, beaucoup s'installèrent comme jardiniers, cuisiniers ou ouvriers, fondant une communauté toujours présente.

Longue file de prospecteurs chinois

Figurants en costume sur la grand-rue de Sovereign Hill

Ballarat ⑬

Pépite de Ballarat

Dans une région d'élevage colonisée quelques années plus tôt, la découverte d'or en 1851 provoqua le déferlement d'une marée humaine qui couvrit rapidement les collines de tentes. En 1853, Ballarat, surgie du néant, comptait déjà 40 000 habitants. Si la période de folle opulence qui para la ville de majestueux édifices victoriens ne dura que deux décennies, l'exploitation de filons de quartz aurifère lui permit d'asseoir sa prospérité et de devenir la plus grande ville du Victoria située à l'intérieur des terres. Un monument y célèbre l'Eureka Stockade, jalon essentiel de l'histoire sociale du pays.

Façade du Her's Majesty Theatre sur Lydiard Street

🏛 Lydiard Street

Les champs aurifères et l'espoir de faire fortune facilement n'attirèrent pas que de pauvres hères mais aussi des gens instruits qui avaient voyagé. Leur influence est manifeste dans l'harmonie qui régit la rue historique de Lydiard Street.

À son extrémité nord, des pilastres toscans animent les murs de la gare construite en 1862. C'est un architecte de premier plan, Leonard Terry, qui dessina le rang de quatre banques. Leurs élégantes façades témoignent de son souci de créer un paysage urbain équilibré. Her Majesty's Theatre est la plus ancienne salle de théâtre à avoir survécu en Australie.

En face se dresse le Craig's Royal Hotel entrepris en 1852. Pour la venue en 1867 du prince Alfred, duc d'Édimbourg, il connut un important remaniement, dont la construction d'une Prince's Room et de 22 autres chambres.

Une autre visite, celle du duc de Clarence et du duc d'York (le futur roi George V), entraîna l'installation de lanternes en 1881. Toujours en activité, l'hôtel pratique des tarifs abordables *(p. 487).*

🏛 Ballarat Fine Art Galley

40 Lydiard St North. **(** *(03) 5331 5622.* ⬜ *t.l.j.* ⬤ *ven. saint, 25 déc.* 🖼 ♿

Les prospecteurs qui firent fortune à Ballarat se montrèrent souvent généreux avec les institutions de la ville. La Fine Art Gallery a beaucoup profité de ces libéralités, ce qui lui a permis de devenir l'une des plus intéressantes galeries d'art provinciales du pays.

Sa collection australienne compte plus de 6 000 œuvres de l'époque coloniale à aujourd'hui. Un tableau comme *Old Ballarat as it was in the summer of 1853-1854* d'Eugene von Guerard offre une image saisissante, ici pendant l'été 1853-1854, des campements à l'origine des villes de l'or.

La galerie possède aussi l'Eureka Flag, le drapeau des mineurs révoltés de la barricade d'Eureka considéré comme un symbole des idéaux démocratiques qui fondent l'Australie moderne.

🏛 Montrose Cottage

111 Eureka St. **(** *(03) 5332 2554.* ⬜ *t.l.j.* ⬤ *25 déc.* 🖼 ♿

Construite vers 1856 par un ancien prospecteur reconverti dans la maçonnerie, John Alexander, cette toute petite maison est le dernier cottage de mineur d'origine à avoir survécu à Ballarat. Meublé d'objets d'époque, dont une machine à coudre et un

---

L'EUREKA STOCKADE

En 1854, des mineurs mécontents du prix des licences de concessions et des brutalités exercées lors de leur contrôle se rebellèrent quand un propriétaire d'hôtel, Peter Bentley, fut acquitté du meurtre du jeune prospecteur James Scobie. Conduits par le charismatique Peter Lalor, ces révoltés, qui n'avaient aucun droit civique, brûlèrent leurs licences, construisirent une barricade *(stockade)* sur le lieu-dit Eureka et dressèrent le drapeau bleu de la Croix du Sud aujourd'hui connu sous le nom d'Eureka Flag. Le dimanche 3 décembre 1854, 282 soldats et policiers attaquaient la barricade et tuaient 30 mineurs. L'événement souleva de telles protestations dans la population que le gouvernement abolit les licences, accorda le droit de vote à ces déracinés et relâcha les meneurs accusés de haute trahison.

Peter Lalor

Étang des Botanical Gardens de Ballarat

MODE D'EMPLOI

83 000. ✈ 12 km du centre-ville.

🚉 Lydiard St et Sturt St.

🚌 Ballarat Coachlines, 202 Lydiard St North. ℹ 3 Camp St (03) 5332 2694. 🎭 Begonia Festival (mars) ; Eureka Jazz Festival (mars).

berceau, il donne un aperçu du mode de vie d'une famille de la classe moyenne sur les champs aurifères.

Sur le même site, l'Eureka Museum propose une exposition sur les femmes de la ruée vers l'or, un sujet généralement négligé, illustré ici avec sensibilité par des photographies, des récits écrits et des équipements domestiques.

♣ **Botanical Gardens**

Wendouree Drive. 📞 (03) 5334 3131. 🕐 t.l.j. ● ven. saint, 25 déc. ♿

Au nord-ouest de la ville, le long du vaste Lake Wendouree, le jardin botanique témoigne du désir d'embourgeoisement des nouveaux riches de Ballarat. Ceux-ci venaient oublier l'ambiance fruste des champs de prospection au milieu de statues, de vertes pelouses et

de plantes exotiques. Malgré son nom, il a toujours eu une vocation récréative plutôt que scientifique.

La Robert Clark Conservatory propose néanmoins six expositions par an. La plus réputée, l'exposition des bégonias, a lieu en mars dans le cadre des manifestations du Begonia Festival (p. 38). Le Statuary Pavilion abrite des statues de personnages féminins de la Bible figés dans des poses provocatrices. Il a pour splendide pièce centrale une *Fuite de Pompéi*. Les bustes de tous les Premiers ministres australiens ornent l'Avenue of Prime Ministers.

LÉGENDE

🚉 Gare

🚌 Arrêt de bus

🅿 Parc de stationnement

ℹ Informations touristiques

0   750 m

BALLARAT : LE CENTRE-VILLE

Ballarat Fine Art Gallery ③
Botanical Gardens ①
Lydiard Street ②
Montrose Cottage ④

Excursion dans les Macedon Ranges ⑮

Les collines des Macedon Ranges s'élèvent au nord-ouest de Melbourne après les Keilor Plains. Domaines viticoles, villages, marchés d'artisanat et *bed-and-breakfasts (p. 487-488)* en font un cadre de promenade très agréable. L'itinéraire de cette excursion suit, le long de la Calder Highway, le trajet des prospecteurs pour rejoindre les champs aurifères de Castlemaine et Bendigo *(p. 422-423)*. Dépôts de laine ou riches demeures, les édifices anciens en pierre de la région sont d'une simplicité qui s'accorde aux paysages.

Malmsbury ⑧
Ce paisible hameau servait d'étape aux mineurs pendant la ruée vers l'or.

Hepburn Springs ⑨
Avec sa voisine Daylesport, cette station thermale est réputée depuis la fin du XIXᵉ siècle. La Mineral Reserve abrite des pompes anciennes.

BENDIGO
Malmsbury Reservoir
Lauriston Reservoir
Upper Coliban Reservoir
Daylesford
WOMBAT STATE FOREST
Jerderderg River
BALLARAT

Trentham Falls ⑩
Depuis la Falls Road, il faut quelques minutes à pied pour rejoindre cette cascade de 33 m.

RUPERTSWOOD ET LES ASHES

En 1882, à Noël, sir William John Clarke reçut à Rupertswood huit membres d'une équipe anglaise de cricket qui gagnèrent un match amical contre leurs hôtes. Lady Clarke brûla alors un bâtonnet de cricket et en plaça les cendres *(ashes)* dans une urne qu'elle remit au capitaine des joueurs victorieux, Ivo Bligh. Cette urne, que la veuve d'Ivo Bligh offrit au Marylebone Cricket Club, est à l'origine du trophée, les Ashes, que se disputent l'Angleterre et l'Australie.

Urne originelle des Ashes

0   5 km

LÉGENDE

Itinéraire

Autres routes

Point de vue

Kyneton ⑦

Ce village caché de la route par des arbres était un centre d'approvisionnement pour les chercheurs d'or. Il garde une partie de ses édifices du xixᵉ siècle.

Woodend ⑥

Woodend, qui doit son nom (« bout du bois ») à sa situation à l'orée de la Black Forest, possède de nombreux restaurants et hôtels.

Hanging Rock ⑤

Ce bloc de lave vieux de six millions d'années est couvert de fissures creusées par l'érosion où l'on peut se promener et que l'on peut escalader. Il est très apprécié pour les pique-niques. Le rocher joua un grand rôle dans l'histoire aborigène.

Mount Macedon ④

À courte distance du parking, la croix érigée au sommet de ce volcan, à 1 013 m d'altitude, ménage une vue portant jusqu'à Melbourne, Port Philip Bay, les You Yangs et les Dandenong Ranges *(p. 433)*.

Rupertswood ③

Ce domaine aujourd'hui utilisé par une école de garçons renferme une demeure italianisante de 1874 et le terrain de cricket à l'origine du trophée des Ashes.

Goona Warra ②

Ce domaine viticole date de 1863 mais ses vignes ont été replantées dans les années quatre-vingt. Elles donnent des vins de climat frais réputés que l'on peut déguster et acheter à l'entrée de la cave *(p. 370-371)*.

Gisborne

'ERDERDERG STATE PARK

Deep Creek

Sunbury

Melton

MELBOURNE

MODE D'EMPLOI

Longueur : 215 km.
Où faire une pause : il existe de nombreux endroits pour s'arrêter ou manger le long de la route, en particulier à Woodend et dans la station thermale de Daylesford, près de Hepburn. Celle-ci offre un cadre idéal à un dîner romantique (p. 520).

Organ Pipes ①

Visibles depuis un point de vue proche du parking ou en prenant un sentier dans le lit du ruisseau, ces « tuyaux d'orgue » en basalte hauts de 20 m ont un million d'années.

LE VICTORIA ORIENTAL

Avec ses montagnes enneigées, ses forêts d'eucalyptus, ses vallées fertiles, ses espaces restés sauvages et ses longues plages de sable, l'est du Victoria est une région riche en beautés naturelles. D'excellents vignobles entourent des villes historiques construites en grès doré. Des torrents se prêtent à la pratique du raft et les Victorian Alps renferment des stations de ski évoquant la Suisse.

Sillonnées par quatre rivières, la Goulburn, l'Ovens, la King et la Murray, les plaines du nord-est séduiront les gourmands avec des vins de liqueur, les rouges de Rutherglen, la moutarde de Milawa et les pêches, poires et abricots de Shepparton. Les villes historiques de Beechworth et Chiltern ont gardé l'aspect que leur donna la ruée vers l'or. Glenrowan n'oublie pas qu'elle fut le site de la capture du plus célèbre *bushranger* d'Australie : Ned Kelly. Un vieux bateau à aubes continue de circuler sur la Murray River près de Wodonga.

En se dirigeant vers les Victorian Alps et les bourgs de Bright et Mansfield, le paysage change et une nature sauvage reprend ses droits. Des stations comme Mount Buller et Falls Creek permettent aux skieurs de dévaler en hiver des pentes plantées d'eucalyptus. L'été offre la possibilité de se promener parmi les fleurs sauvages de l'Alpine National Park, de marcher jusqu'au sommet du Mount Feathertop ou de descendre les rapides de rivières comme la Snowy.

À l'est de Melbourne s'étendent les magnifiques plages du Gippsland. Les visiteurs apprécieront particulièrement Phillip Island et ses petits manchots bleus, et le Wilsons Promontory National Park où des criques taillées dans le granite abritent une eau limpide. Près des centres urbains régionaux de Sale et Bairnsdale, les Gippsland Lakes, paradis des pêcheurs, forment le plus grand plan d'eau intérieur d'Australie. Ils sont séparés de la frontière de Nouvelle-Galles du Sud par 200 km de côte déserte en partie protégée par le Croajingolong National Park.

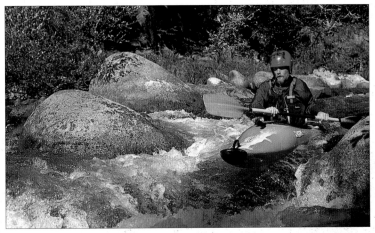

Descente en kayak de la Kiewa River près de Beechworth

◁ Mount Buller Alpine Village, station de ski des Victorian Alps

À la découverte du Victoria oriental

D'excellentes routes desservent les attractions touristiques et les villes les plus populaires du Victoria oriental. On peut partir à la découverte des Dandenong Ranges, de la Yarra Valley et de Phillip Island dans le cadre d'excursions d'une journée depuis Melbourne. Le reste du littoral, en particulier le Wilsons Promontory, les Gippsland Lakes et le Croajingalong National Park, demande plus de temps. Le nord-est de l'État offre l'accès le plus aisé aux montagnes, aux stations de ski et aux vallées agricoles de l'intérieur. Un véhicule tout-terrain est nécessaire pour explorer les Victorian Alps et les forêts de l'East Gippsland.

0   25 km

Poste du XIXᵉ siècle de Beechworth

Narrandera

Murray River

NATHALIA

Godlburn River

Broken Creek

RUTHERGL

CHILL

VIGNOBLES DU NORD-EST ⑭

⑬

BEECHWO

SHEPPARTON ⑰

Bendigo

Waranga Resertoir

WANGARATTA

Lake Mokoan

⑮ GLENROWA

M
BUF
NATI

BENALLA ⑯

King River

SEYMOUR

Bendigo

⑨ MANSFIELD

LAKE EILDON

⑧

YEA

MARYSVILLE

⑥

La Trobe River

LIC

HEALESVILLE

⑤

YARRA VALLEY

Melbourne

④

DANDENONG RANGES

Port Phillip Bay

③ CRANBOURNE

MOE

② MORNINGTON PENINSULA

LEONGATHA

① PHILLIP ISLAND

YARRA

LÉGENDE

▬	*Highway*
▬	Route principale
▬	Route secondaire
▬	Parcours pittoresque
～	Cours d'eau
☼	Point de vue

VOIR AUSSI

• *Hébergement* p. 488-490

• *Restaurants* p. 521-522

WILSONS PROMONTORY NATIONAL PARK

Détroit de Bass

LE VICTORIA ORIENTAL D'UN COUP D'ŒIL

Beechworth **12**

Benalla **16**

Bright **11**

Chiltern **13**

Dandenong Ranges **4**

Glenrowan **15**

Lake Eildon **8**

Licola **7**

Mansfield **9**

Marysville **6**

Mornington Peninsula **2**

Mount Beauty **10**

Royal Botanic Gardens, Cranbourne **3**

Vignobles du nord-est **14**

Phillip Island **1**

Shepparton **17**

Yarra Valley **5**

L'Upper Murray Valley dans le nord-est du Victoria

CIRCULER

Le train passe par les Dandenongs et les Gippsland Lakes et des bus réguliers desservent les stations de ski en hiver. Il existe des visites organisées de Phillip Island et de la Yarra Valley. La voiture reste néanmoins le meilleur moyen de circuler. La Hume Hwy permet d'atteindre le nord-est, la Princes Hwy les Gippsland Lakes et la South Gippsland Hwy Phillip Island et le Wilsons Promontory.

Le Lake Eildon à l'entrée des Victorian Alps

Phillip Island ❶

🏠 Cowes. 🚌 Cowes. 🛈 Newhaven (03) 5956 7447. ⏰ 9 h-17 h, dim.-jeu. ; 9 h-18 h, ven. et sam.

La parade des petits manchots bleus de l'île Phillip est devenue un véritable spectacle, l'un des plus populaires du Victoria. En effet, chaque soir de l'année, des centaines de ces oiseaux appartenant à la plus petite espèce de manchots du monde (40 cm pour 1 kg) sortent de l'eau au coucher du soleil. Ils traversent Summerland Beach afin de rejoindre leurs nids dans les touffes d'herbes spinifex. La présence de la foule de spectateurs qui les observent depuis des passerelles surélevées ne paraît en rien les troubler, même en été quand ils élèvent leurs petits.

Les manchots ne sont pas les seuls occupants de Phillip Island. Riche de quelque 7 000 membres, la plus importante colonie d'otaries à fourrure d'Australie a pour quartier général les rochers appelés Seal Rocks au large de la pointe occidentale de l'île. Les touristes peuvent la contempler depuis la falaise ou s'approcher dans le cadre de promenades organisées. De nombreux koalas habitent aussi sur l'île. Le Cape Woolamai aux rochers rouges abrite de bons sentiers pédestres et permet de pratiquer le surf. Cowes, principale localité de l'île, offre un cadre paisible où l'on peut se baigner et déguster des produits de la mer (p. 522).

Petits manchots bleus regagnant leurs nids sur les dunes de sable de Phillip Island

Piscine naturelle à Sorrento sur la Mornington Peninsula

Mornington Peninsula ❷

🏠 Frankston. 🚢 Stony Point, Sorrento. 🛈 Dromana (03) 5987 3078 ; Sorrento (03) 5984 5678.

À seulement une heure de voiture de Melbourne, la péninsule de Mornington est un site de villégiature d'été et de week-end fort apprécié des habitants de la ville. De Frankston à Portsea, des plages de sable abritées permettent de se baigner et de pratiquer des activités comme la planche à voile, la navigation de plaisance et le canoë. Le littoral qui borde le détroit de Bass Strait est moins hospitalier mais recèle des plages de surf et des piscines naturelles dans les rochers.

Accessible en télésiège, le point de vue d'Arthur's Seat (Siège d'Arthur), une colline couverte de *bush*, ménage un beau panorama de la péninsule. Aux environs, les caves de Red Hill produisent de bons chardonnays et pinots noirs. Vous pourrez en siroter un verre dans le village historique de Sorrento en attendant de prendre le bac qui franchit les eaux agitées du Rip afin de rejoindre Queenscliff (p. 416). Parcouru d'agréables sentiers, le Mornington Peninsula National Park court tout le long de la péninsule. Il renferme à Point Nepean une ancienne base militaire et de quarantaine. Le Premier ministre Harold Holt disparut en 1967 en faisant du surf sur la plage de Cheviot Beach.

Aux environs

Flinders est une station balnéaire paisible et chic et Portsea abrite les résidences secondaires des habitants de Melbourne les plus aisés. French Island, à courte distance en bateau de Crib Point, ne possède ni électricité ni téléphone et regorge de marsupiaux.

Royal Botanic Gardens, Cranbourne ❸

Par la South Gippsland Hwy, 1000 Ballarto Rd. 🏠 Cranbourne. 🚌 Cranbourne. ⏰ 9 h-17 h, t.l.j. 🚫 ven. saint, 25 déc. ♿

Contrairement aux Royal Botanic Gardens de Melbourne (p. 390-391) qui mélangent plantes d'Australie et du reste du monde, les jardins botaniques de Cranbourne ne renferment, sur une superficie de plus de 30 ha, que des espèces végétales indigènes. Entre lacs, collines et dunes, les sentiers serpentent au milieu de banksies, de grevilleas, de casuarinas, d'acacias et d'eucalyptus où nichent cacatoès, troglodytes et perroquets.

Dandenong Ranges ❹

🚉 *Upper Ferntree Gully & Belgrave.*
🛈 *Upper Ferntree Gully (03) 9758 7522.* 🕐 *9 h-17 h, t.l.j.*

À l'est de Melbourne, le massif des Dandenong Ranges culmine à un peu plus de 600 m d'altitude. La fraîcheur offerte par ses forêts de frênes, ses ruisseaux et ses ravins emplis de fougères en fait depuis le milieu du XIXᵉ siècle un lieu de villégiature apprécié des citadins. Salons de thé et *bed-and-breakfasts* y abondent et des routes sinueuses ménagent de splendides panoramas de la capitale du Victoria et de sa baie.

De vastes jardins, qui faisaient partie jadis des demeures de riches familles, se prêtent à la promenade et aux pique-niques. L'Alfred Nicholas Memorial Garden de Sherbrooke est apprécié pour son lac entouré de chênes, d'ormes, de bouleaux blancs et d'érables du Japon. On peut y canoter. Comme leurs noms l'indiquent, les National Rhododendron Gardens d'Olinda et la Tesselaar's Tulip Farm de Silvan ont de superbes fleurs. Un train à vapeur, Puffing Billy (Billy le fumeur), part plusieurs fois par jour de Belgrave, traverse ravins et forêts jusqu'à l'Emerald Lake et poursuit jusqu'à Gembrook.

Vignes du Domaine Chandon dans la Yarra Valley

La Sherbrooke Forest est réputée pour ses oiseaux-lyres et l'Eastern Sherbrooke Lyrebird Circuit Walk, sentier de 7 km à travers les sorbiers sauvages, offre une chance d'apercevoir ces oiseaux craintifs. Une autre promenade (11 km) relie Sassafras à Emerald.

Le **Healesville Sanctuary** est un parc zoologique de 30 ha ; c'est presque le seul endroit où l'on peut voir des ornithorynques, des marsupiaux et des oiseaux de proie. De nombreux parents y amènent les enfants curieux de voir ces animaux typiquement australiens.

Mousseux de la Yarra Valley

🍴 **Healesville Sanctuary**
Badger Creek Rd, Healesville. 📞 *(03) 5962 4022.* 🕐 *9 h-17 h, t.l.j.*
♿ &

Yarra Valley ❺

🚉 *Lilydale.* 🚌 *Healesville.*
🚌 *Healesville service.* 🛈 *Healesville (03) 5962 2600.*

Au pied des Dandenong Ranges, la superbe vallée de la Yarra abrite certains des meilleurs vignobles de climat frais d'Australie *(p. 370-371)*. Renommées pour leurs mousseux « méthode champenoise », leurs chardonnays et leurs pinots noirs, la plupart des caves proposent des dégustations ; certaines possèdent des restaurants. Juste à la sortie du village de Yarra Glen que domine le vieux Yarra Glen Grand Hotel *(p. 490)*, le National Trust illustre à la Gulf Station le mode de vie et de travail des habitants d'une ferme d'élevage à la fin du XIXᵉ siècle.

Le célèbre Puffing Billy traversant les Dandenong Ranges

La côte du Victoria oriental

Le Gippsland possède un littoral magnifique protégé pour une grande part par des parcs nationaux. Plages désertes, lagunes et criques se succèdent sur environ 400 km. Les Gippsland Lakes forment le plus long réseau de voies navigables du continent. L'immense ruban de dunes, la 90 Mile Beach, qui les sépare de l'océan constitue une rare curiosité naturelle, à l'instar des bancs de sable de la Mitchell River. Oiseaux, poissons, phoques et manchots y abondent. Peu développée, la côte attire surtout pêcheurs, plaisanciers et plongeurs.

★ Lakes Entrance ⑨

Sur le seul débouché dans l'océan des Gippsland Lakes, cet important port de pêche a aussi une vocation touristique et possède motels, musées et parcs à thème pour enfants.

Port Albert, le plus vieux port du Gippsland, servit dans les années 1850 de point de débarquement à des milliers de prospecteurs en route vers Omeo et Walhalla. Il abrite le plus ancien pub du Victoria.

★ Letts Beach (90 Mile Beach) ⑤

La sterne naine, espèce menacée, pousse sur cette plage de sable dans le Lakes National Park, bordée d'un côté par l'océan et de l'autre par les Gippsland Lakes.

Corner Inlet ②

Cette petite anse abrite l'une des mangroves les plus australes du monde et des oiseaux rares comme le bécasseau à col roux.

★ Golden Beach (90 Mile Beach) ④

Les eaux calmes de cette partie de la côte océane lui valent les faveurs des amateurs d'activités nautiques. La pêche et la navigation de plaisance sont les deux principales activités.

★ Squeaky Beach, Wilsons Promontory National Park ①

Couverte de landes à la flore et à la faune protégées, la péninsule rocheuse du Wilsons Promontory possède une plage de sable blanc entourée de blocs de granite.

Bairnsdale

Paynesville

Lakes National Park

Sale

Détroit de Bass

Seaspray

Yarram

MELBOURNE

Port Albert

Wilsons Promontory National Park

Bairnsdale est, à l'instar de sa voisine Sale, une des principales localités de la région. St Mary's Church abrite des murs et des plafonds peints dans un style italianisant. D'élégantes sculptures décorent ses murs extérieurs.

★ Gipsy Point, Mallacoota Inlet ⑫
Cet endroit charmant dans une agréable région de vacances se prête aux pique-niques, à des promenades dans le *bush* et à l'observation des oiseaux.

CARTE DE SITUATION

Croajingolong National Park

BEGA

Orbost

Woodside Beach ③
Familles, amateurs de bains de mer et surfeurs apprécient cette plage de sable blanc aisément accessible. La région est parcourue de sentiers balisés idéaux pour la randonnée.

Gippsland Lakes ⑥
Lacs et lagunes forment ici le plus long réseau de voies navigable du continent. Les villages abritent de grandes flottes de voiliers de plaisance et de bateaux de pêche.

Eagle Point ⑦
Depuis Eagle Point, les bancs de sable de la Mitchell River s'enfoncent de 8 km dans le Lake King. Seuls ceux du Mississippi sont plus longs.

Metung ⑧
Cette jolie région de vacances et de plaisance propice au camping possède des bassins d'eau minérale chaude.

Marlo ⑩
Populaire station de vacances à l'embouchure de la Snowy River, Marlo attire de nombreux pêcheurs. Non loin, la ville d'Orbost est le centre local de l'industrie forestière, une activité importante de l'East Gippsland.

Mallacoota ⑪
Touristes étrangers et habitants du Victoria viennent pêcher et pratiquer la voile et le canoë dans ce village de pêcheurs isolé sur un estuaire du détroit de Bass.

Le Croajingalong National Park protège une bande côtière sauvage, réserve de la biosphère par l'Unesco. C'est à Point Hicks que le capitaine Cook aperçut l'Australie pour la première fois en 1770.

0   25 km

LÉGENDE
≋	Autoroute
▬	Route principale
▭	Route secondaire
⌒	Cours d'eau
᠅	Point de vue

Forêt de hêtres dans les Yarra Ranges près de Marysville

Marysville ❻

🏃 670. �- 🛈 *Mystic Mountains Visitors' Information Centre, Murchison St (03) 5963 4567.*

Ce gracieux village de villégiature du XIXᵉ siècle aux jolies pensions anciennes est à moins de deux heures de Melbourne, dans le masssif des Upper Yarra Ranges. C'est aussi une étape pittoresque sur la Lady Talbot Drive qui suit le torrent de montagne, la Taggerty River. Les forêts pluviales tempérées des environs, peuplées d'espèces rares, sont prétexte à de belles promenades à pied.

À la sortie de Marysville, la cascade des Steavenson Falls est illluminée la nuit. Dans les Cathedral Ranges proches, 42 km de piste de ski de fond sillonnent les champs de neige de Lake Mountain.

Licola ❼

🏃 12. 🔲 🛈 *Licola General Store, Jamieson Rd (03) 5148 8786 ; Timberline General Store, Heyfield (03) 5148 2356.*

Si l'on suit au nord de Heyfield et de Glenmaggie la Macalister River Valley, on arrive à ce petit hameau de montagne au-delà duquel s'ouvrent de vastes espaces vierges. Le trajet de 150 km qui sépare Licola de Jamieson permet d'admirer les plus hauts sommets du Victoria. Une randonnée très populaire commence à 20 km de Licola sur les pentes du Mount

STATIONS DE SKI DU VICTORIA

Les stations de ski du Victoria fonctionnent de juin à septembre. L'Alpine National Park abrite les trois plus importantes : Mount Buller, Falls Creek et Mount Hotham. La première est à la fois la plus proche de Melbourne et la plus chic. Falls Creek et Mount Hotham se révèlent plus agréables lors d'un long séjour. Dinner Plain et Mount Stirling sont des régions de ski de fond. Les pistes ne sont pas très longues mais ménagent de superbes vues des High Plains. Des montagnes restées sauvages et un climat imprévisible rendent le ski hors piste déconseillé.

Sur les pistes de Mount Buller

Tamboritha. Elle mène au Lake Tarli Karng dans l'Alpine National Park.

Lake Eildon ❽

🚂 *Bonnie Doon.* 🛈 *Mansfield Visitors' Information Centre, Historic Mansfield Railway, Mansfield (03) 5775 1464.*

Entouré par le Great Dividing Range et les parcs nationaux de Fraser et d'Eildon et alimenté par cinq grandes rivières, le lac d'Eildon constitue une vaste réserve d'eau d'irrigation. Les vacanciers qui viennent séjourner dans des maisons flottantes, pêcher et faire du ski nautique, du cheval ou de la randonnée transforment en été le lac en base de loisirs. Kangourous, koalas et perruches abondent sur les rives, et truites et « morues »

de Murray prospèrent dans l'Upper Goulburn River.

Les hébergements disponibles vont des bungalows rustiques et des campings du Fraser National Park jusqu'à de luxueuses pensions et *lodges* cinq étoiles (*p. 489*).

Mansfield ❾

🏃 2 450. 🚐 🛈 *Visitors' Information Centre, Historic Mansfield Railway (03) 5775 1464.*

Ce bourg rural entouré de montagnes est une porte d'entrée dans les Alpes victoriennes au sud-ouest du massif. Dans la rue principale, près du cinéma datant des années vingt, un mémorial rend hommage aux trois membres de la police montée que le célèbre Ned Kelly abattit en 1878 près de la

Le Lake Eildon au pied des Howqua Mountain Ranges

Architecture classique du XIXᵉ siècle dans le bourg rural de Mansfield

Stringybark Creek, crime qui lui valut d'être pendu en 1880 à Melbourne *(p. 386)*.

Les paysages des environs de Mansfield servirent de décor à *L'Homme de la rivière d'argent* (1981), film inspiré d'une ballade du poète « Banjo » Patterson *(p. 31)*. De nombreux cavaliers de la région participèrent au tournage. Ils s'affrontent toujours en novembre lors de la Great Mountain Race, course dont le parcours à travers bois franchit des rivières et dévale des pentes abruptes, exigeant une grande d'adresse.

AUX ENVIRONS

Mount Buller, l'une des deux plus grandes stations de ski du Victoria, se trouve à moins d'une heure de voiture de Mansfield. La Mount Stirling Alpine Resort propose des activités toute l'année *(p. 529)*.

Mount Beauty ⑩

🏃 1 850. 🚍 Tawonga South.
ℹ️ Kiewa Valley Hwy (03) 5754 3172.

Fondé dans les années quarante pour les ouvriers qui travaillaient à la construction des équipements hydroélectriques de la Kiewa, Mount Beauty offre une bonne base pour explorer la Kiewa Valley, paisible vallée d'élevage laitier parcourue de torrents.

Le Mount Bogong, le plus haut sommet du Victoria (1 986 m), domine le bourg. Les Bogong High Plains renferment de magnifiques sentiers de promenade parmi les fleurs sauvages et les gommiers des neiges. En été, on peut y pratiquer le vélocross, l'équitation et le deltaplane.

La route revêtue qui conduit à Falls Creek est en hiver une des principales voies d'accès aux stations de ski du Victoria. Aux beaux jours, le lac du Rocky Valley Dam, près de Falls Creek, sert de base à un camp d'entraînement à l'aviron et à l'athlétisme en haute altitude.

Bright ⑪

🏃 2 500. 🚍 🚌 ℹ️ 119 Gavan St (03) 5755 2275.

Cette pittoresque petite ville de montagne située près de la tête de l'Ovens River Valley s'étend au pied du Mount Feathertop (au sud), deuxième plus haut sommet du Victoria, et des falaises du Mount Buffalo (à l'ouest). Pour son Autumn Festival, en avril et en mai *(p. 38)*, les arbres de sa rue principale prennent des teintes flamboyantes : rouge, or, cuivre et brun. En hiver, Bright devient une voie d'accès aux champs de neige des stations proches de Mount Hotham et Falls Creek.

Le magnifique **Mount Buffalo National Park** attire des visiteurs toute l'année. Ils y viennent camper parmi les gommiers des neiges entourant le Lake Catani, pêcher la truite, s'élancer en deltaplane au-dessus de l'Ovens Valley ou escalader de vertigineuses parois granitiques. Plus de 140 km de sentiers sillonnent le parc. L'élégant Mount Buffalo Chalet construit par le gouvernement d'État en 1910 conserve un charme désuet et accueille en été des manifestations musicales telles qu'Opera in the Alps *(p. 37)*. En hiver, sa grande salle à manger et la chaleur diffusée par des feux de cheminée le rendent populaire auprès de skieurs désireux d'échapper à l'ambiance plus mondaine d'autres stations *(p. 489)*.

🌸 **Mount Buffalo National Park**
Mount Buffalo Rd. 📞 (03) 5755 1466. 🦽 ♿

La Buffalo River au sein du Mount Buffalo National Park

Édifice en granite du XIXᵉ siècle
typique de Beechworth

Beechworth ⑫

🏛 3 150. 🚉 ℹ️ *Shire Hall, Ford St*
(03) 5728 3233.

Occupant un site superbe
au pied des Victorian Alps,
Beechworth fut le principal
centre urbain des champs
aurifères de l'Ovens River dans
les années 1850 et 1860 *(p. 50-
51)*. La ville compta alors
jusqu'à 42 000 habitants et
soixante et un hôtels.

Bien moins peuplée
aujourd'hui, elle conserve
plus de trente édifices du
XIXᵉ siècle classés par
le National Trust, dont le
tribunal où fut décidé
le transfert à Melbourne du
bushranger Ned Kelly
(p. 386). Une promenade
dans sa rue principale donne
l'impression de remonter dans
le temps. Beaucoup d'hôtels
victoriens aux vastes porches
caractéristiques restent en
activité et nombre des
bâtiments historiques abritent
des personnes privées ou des
restaurants et *bed-and-
breakfasts*. La meilleure table
de la ville, The Bank *(p. 521)*,
est ainsi installée dans
l'ancienne Bank of Australia.

L'époque de la fièvre de l'or
est présente dans plusieurs
musées ou dans la ville elle-
même avec un canal ouvert à
travers le granite qui laissait
passer l'eau nécessaire aux
orpailleurs ou encore les
tombes chinoises du cimetière.
Ces dernières entretiennent le
souvenir de ceux qui
franchirent des milliers de
kilomètres pour venir travailler
et mourir sur les champs
aurifères du Victoria.

Chiltern ⑬

🏛 1 160. 🚉 🚌 ℹ️ *angle de
Main St et Conness St (03) 5726 1395.*

Après avoir connu son
apogée pendant la ruée
vers l'or, Chiltern offre
aujourd'hui une version plus
modeste et moins touristique
de Beechworth, à mi-chemin
entre Wangaratta et Wodonga
et à 1 km de la Hume
Highway. Le bourg ne
possède pas de majestueux
édifices publics anciens mais
son architecture coloniale et
son atmosphère paisible
méritent un détour. Ethel
Lindesay, écrivain renommé
sous le nom de plume de
Henry Handel Richardson
(p. 31), grandit dans la
Lakeview House dont le
mobilier d'époque recrée le
cadre de vie d'une riche
famille australienne au
tournant du siècle. Chiltern
abrite une autre curiosité : la
**Famous Grapevine
Attraction,** musée consacré à
la plus vieille et plus grande
vigne de l'hémisphère Sud.
Elle s'étendait jadis au-dessus
des deux rues principales.

🏠 **Lakeview House**
Lake Alexander. 📞 *(03) 5726 1317.*
🕐 *t.l.j.* 🖼 ♿
🏛 **Famous Grapevine
Attraction**
Angle de Main St et Conness St. 📞
(03) 5726 1395. 🕐 *10 h-17 h, ven.-
mer.* ● *ven. saint, 25 déc.* 🖼 ♿

Lakeview House de Chiltern

Vignobles du
nord-est ⑭

🚉 *Wangaratta et Rutherglen.*
🚌 *Wangaratta et Rutherglen.*
ℹ️ *Rutherglen (02) 6032 9166 ; Wangaratta (03) 5721 5711.* **Campbells
Winery** 📞 *(02) 6032 9458.*
🕐 *9 h-17 h, t. l. j.* ● *ven. saint.*
Chambers Winery 📞 *(02) 6032
8641.* 🕐 *9 h-17 h, lun.-sam. ; 10 h-
17 h, dim. et jours fériés.* **Brown Bros**
📞 *(03) 5720 5500.* 🕐 *9 h-17 h, t.l.j.*

Les vins du nord-est du
Victoria ont acquis une
réputation internationale
(p. 370-371). Dans une région
de production qui s'étend
actuellement vers le sud pour
intégrer les vallées de la King
et de l'Ovens autour de
Glenrowan, de Milawa,
d'Everton, de Rutherglen et de
Whitfield, les crus présentent
des styles très variés selon
l'altitude et le microclimat de
chaque vignoble.

Malgré la popularité des
« Rutherglen Reds », ces
rouges corsés qui ressemblent
aux cabernets sauvignons de
domaines centenaires comme
Campbells et Chambers,

Dans l'un des nombreux vignobles du Victoria

L'élégante Benalla Art Gallery sur les rives du Lake Benalla

Rutherglen, à l'instar de Glenrowan, est surtout connue pour ses vins liquoreux, muscats et tokays en particulier. Parmi les meilleurs producteurs figurent Bullers, Morris et Bailey's. La ville abonde en boutiques d'antiquités, hôtels *(p. 489)* et restaurants *(p. 522)*.

Le raisin cultivé dans la région plus fraîche de Whitfield et de Milawa donne des blancs secs et des rouges plus légers. Milawa abrite une des caves les plus célèbres du nord-est du Victoria : Brown Brothers. Elle propose tous les jours dégustation et vente directe, et son excellent restaurant permet de savourer des produits locaux tels que truite, fromage, miel et agneau. Les visites de la fromagerie locale, la Milawa Cheese Factory, et de la fabrique de moutarde (Milawa Mustard) sont également recommandées.

Statue de Ned Kelly

Glenrowan **⑮**

🏠 *1 000.* 🚌 ℹ *Wangaratta Region Visitors' Information Centre, angle de Tone Rd et Handley St, Wangaratta (03) 5721 5711.*

C'est à Glenrowan, en 1880, que la police cerna le plus célèbre des bandits de grand chemin *(bushrangers)* australiens, Ned Kelly *(p. 386)*, et sa bande. Sa capture, après un siège sanglant qui valut son nom à Siege Street, près de la gare, mit un terme à deux ans de coups d'éclat, de cambriolages de banques et de cavale. Ces actions lui avaient quasiment valu un statut de héros auprès des pauvres du *bush* du Victoria. Les nombreuses familles de fermiers irlandais catholiques, en particulier, le considéraient comme une sorte de Robin des Bois.

Kelly connaissait bien les alentours de Glenrowan, et utilisait le Mount Glenrowan, à l'ouest du village, comme poste de guet. Il finit au bout d'une corde dans la Melbourne Gaol. Glenrowan exploite sa légende à des fins touristiques. Une statue géante en acier du hors-la-loi accueille les visiteurs et diverses attractions et expositions évoquent son histoire et sa défaite finale.

Benalla **⑯**

🏠 *8 500.* 🚉 🚌 ℹ *The Creative Gallery, 14 Mair St (03) 5762 1749.*

Cette ville rurale où grandit Ned Kelly, et où il comparut pour la première fois devant un tribunal à l'âge de quinze ans, possède au bord du Lake Benalla une ambitieuse galerie d'art qui présente une intéressante collection d'œuvres australiennes contemporaines. Sa superbe roseraie accueille le Rose Festival en novembre *(p. 36)*.

De forts courants ascendants font aussi de Benalla la « capitale » australienne du vol à voile.

Shepparton **⑰**

🏠 *30 000.* 🚉 🚌 ℹ *534 Wyndham St (03) 5831 4400.*

La ville moderne de Shepparton, au cœur de la Goulburn River Valley, est souvent appelée la « coupe de fruits de l'Australie » car la vaste plaine irriguée qui l'entoure abrite les vergers de poiriers, de pêchers, de pruniers, d'abricotiers, de pommiers, de cerisiers et de kiwis les plus productifs du Victoria. On peut visiter la plus grosse conserverie, SPC.

Le climat ensoleillé de la région convient aussi à la vigne. À 50 km au sud de la ville, deux domaines renommés, Mitchellton et Château Tahbik, proposent des visites guidées et des dégustations *(p. 370-371)*.

Cueillette dans un verger de Shepparton

La Tasmanie

Présentation de la Tasmanie 442-443

La Tasmanie 444-459

La faune et la flore de Tasmanie

Russell Falls, Mount Field National Park

Gommier bleu de Tasmanie

Malgré une faible superficie, la Tasmanie possède des visages très variés. L'est de l'île est souvent comparé à la verte Angleterre, tandis que l'ouest, montagneux et arrosé, reste sauvage. Au centre, de hauts plateaux parcourus de torrents abritent une flore et une faune endémiques. Plus d'un cinquième de la Tasmanie fait partie du Patrimoine mondial de l'Unesco *(p. 22-23)*.

MONTAGNES

D'imposants reliefs sculptés jadis par des glaciers dominent le sud-ouest de l'île, dont la Cradle Mountain (montagne du Berceau) devenue un symbole de l'État. À l'est s'élèvent les cinq sommets isolés du Walls of Jerusalem National Park. Au sud, le Mount Field National Park protège une superbe région de lacs glaciaires et de forêts d'eucalyptus. On y pratique le ski en hiver.

Le hêtre austral à feuilles caduques (nothofagus gunnii) *pare à l'automne les montagnes de couleurs spectaculaires.*

La Cradle Mountain dominant un lac glaciaire

Le wallaby de Bennet (macropus rufogriseus) *endémique des régions montagneuses de Tasmanie ne se montre guère qu'à l'aube et au crépuscule.*

LITTORAL

Jalonnée de baies abritées et de plages agréables, la côte orientale jouit d'un climat souvent doux et la pêche y est une activité importante. À l'ouest, en revanche, les vents de tempête qui parcourent sans obstacle depuis l'Amérique du Sud la partie de l'océan Austral proche de 40° de latitude sud (surnommée les 40e rugissants) viennent cingler un littoral rocheux et désert où de nombreux navires firent naufrage.

Le diable de Tasmanie (sarcophilus harrisii) *fait partie des trois seules espèces de marsupiaux carnivores qui habitent l'île.*

Les banksies comptent de nombreuses variétés, dont la banksia serrata *et la* banksia marginata. *Elles se distinguent par leurs cosses de graines.*

Côte découpée de la Tasman Peninsula

◁ Couleurs d'automne dans la Pine Valley, Cradle Mountain Lake St Clair National Park

La Franklin Lower Gordon Wild River

COURS D'EAU

Le sud-ouest de la Tasmanie renferme des rivières très appréciées des adeptes du rafting. Inscrite au Patrimoine mondial de l'Unesco et protégée par le Franklin-Gordon Wild Rivers National Park, la Franklin River est la dernière rivière d'Australie sans barrage. Longue de 120 km, elle connaît des moments d'apaisement mais prend souvent des allures torrentielles en traversant gorges, landes et forêts pluviales.

Les pins de Huon (lagarostrobus franklinii) *qui poussent dans le sud-ouest et sur la côte ouest sont très recherchés pour leur résistance au pourrissement. Certains ont plus de 2 000 ans.*

La truite de rivière (salmo trutta), *appréciée des pêcheurs, abonde dans les cours de Tasmanie.*

Le quoll (dasyurus viverrinus) *prospère dans les vastes forêts de Tasmanie où il n'a pas à craindre les renards.*

DÉFENSE DE L'ENVIRONNEMENT DE TASMANIE

Un climat inhospitalier, un terrain accidenté et des sous-bois impénétrables ont contribué à garder sauvage une grande partie de la Tasmanie. Bien que la région, aujourd'hui inscrite au Patrimoine mondial, ait connu une longue présence humaine puisqu'elle renferme des sites aborigènes vieux de 30 000 ans, elle a abrité de faibles populations. La première véritable menace n'est apparue qu'à la fin des années soixante quand le programme de développement hydroélectrique du gouvernement de l'État a entraîné la submersion du Lake Pedder. Vingt ans plus tard, il fallut une intervention du gouvernement fédéral pour empêcher le barrage de la Franklin River. Le tourisme aussi met en danger la nature, ainsi est-il déconseillé d'accéder à certains sites trop fragiles pour résister au passage de visiteurs.

Badges écologiques

La lutte contre le barrage *de la Franklin River, qui donna lieu à des manifestations au début des années quatre-vingt, devint un enjeu national. Elle entraîna également l'entrée des Verts au Parlement d'État.*

LA TASMANIE

*D*es terres émergées reliaient la Tasmanie au continent quand les Aborigènes l'atteignirent il y a 30 000 ans, mais l'élévation des eaux créa le détroit de Bass à la fin de l'ère glaciaire. D'abord baptisée Terre de Van Diemen d'après un gouverneur des Indes orientales hollandaises, l'île prit en 1856 le nom du premier explorateur européen à y avoir débarqué : Abel Tasman.

La Tasmanie abrite sur une superficie de 67 800 km² aussi bien des montagnes creusées de centaines de lacs d'origine glaciaire que des pâturages évoquant la campagne anglaise. Elle renferme l'une des trois dernières grandes forêts tempérées qui subsistent dans l'hémisphère Sud et des espèces végétales et animales inconnues ailleurs, dont le féroce diable de Tasmanie, un marsupial carnivore. Un tiers de son territoire est inscrit au Patrimoine mondial de l'Unesco *(p. 22-23)* et ses électeurs ont fait entrer au Parlement le premier parti écologiste du monde, les « Tasmanian Greens ».

Les colons européens exterminèrent entièrement la population aborigène de Tasmanie dont le dernier représentant de sang pur mourut en 1876. Les Aborigènes ont toutefois laissé de nombreuses peintures rupestres, et si certains sites restent sacrés et fermés aux visiteurs, d'autres, telles les fa-laises autour de Woolnorth, permettent à tous d'admirer cet art empreint de spiritualité.

Beaucoup d'immeubles du XIXᵉ siècle encore intacts témoignent de l'histoire des premiers Européens sur l'île. La fondation de Hobart, la capitale d'État, remonte à 1804, ce qui en fait le deuxième pôle urbain créé en Australie. Son développement reposa beaucoup sur la force de travail des bagnards envoyés sur l'île par dizaines de milliers jusqu'en 1853.

Avec une population d'un peu moins de 500 000 habitants, la Tasmanie se présente aujourd'hui comme un paradis pour les amoureux de la nature, les randonneurs et les skieurs. Nombre de ses villes, telles Richmond et Launceston, offrent des bases confortables qui permettent de partir à la découverte de paysages naturels préservés. Elles sont également dignes d'intérêt pour les édifices historiques qu'elles conservent.

Battery Point, quartier historique du port de Hobart

◁ **Lac de montagne dans le Walls of Jerusalem National Park**

À la découverte de la Tasmanie

Si la Tasmanie est indéniablement australienne, elle possède un climat et des paysages différents de ceux du continent. En effet, les 300 km du détroit de Bass mettent l'île à une latitude où elle reçoit d'importantes précipitations et qui, en l'isolant, ont permis l'apparition d'espèces végétales et animales spécifiques. 40 % des Tasmaniens habitent la capitale d'État, Hobart, et l'agriculture occupe un peu plus du quart du territoire. D'immenses espaces restent vierges ou peu peuplés et la Tasmanie, dans son ensemble, se prête parfaitement à un séjour reposant dans un cadre rural ou naturel.

Chutes des Nelson Falls, Franklin-Gordon Wild Rivers National Park

Voiliers au Constitution Dock, Hobart

STANLEY
WOOLNORTH ⑰ ⑮
MARRAWAH SMITHTON
A2 A2 BURNIE ⑭
Arthur River DEVONPO

WARATAH

ROSEBERY ●

ZEEHAN

Océan Austral

⑱
CRADLE MOUNTAIN
LAKE ST CLAIR
NATIONAL PARK
A10

QUEENSTOWN

STRAHAN
⑲
MACQUARIE
HARBOUR

SOUTHWEST MOUNT FIE
NATIONAL NATIONAL PA
PARK
La
Gor

FRANKLIN-GORDON
WILD RIVERS
NATIONAL PARK
⑳
La
Pedo

KING ISLAND

0 ——— 15 km

⑯
KING
ISLAND
B25

KING ISLAND

TASMANIA

0 ——— 25 km

VOIR AUSSI

• *Hébergement* p. 490-491

• *Restaurants* p. 522-523

CIRCULER

Il n'existe plus de trains de passagers en Tasmanie et les liaisons en bus y sont irrégulières. Une voiture se révèle donc indispensable pour circuler en toute liberté. De bonnes routes relient les principales villes et les chemins de traverse qui serpentent sur le littoral ou desservent des régions isolées offrent souvent de splendides panoramas. Aucune route ne sillonne le sud-ouest et une grande partie du nord-ouest.

SITES D'UN COUP D'ŒIL

Ben Lomond National Park ❾

Bicheno ❼

Bothwell ❹

Bruny Island ㉒

Burnie ⓮

Cradle Mountain Lake St Clair National Park ⓲

Devonport ⓭

Flinders Island ⓫

Franklin-Gordon Wild Rivers National Park ⓴

Freycinet National Park ❻

Hadspen ⓬

Hobart p. 448-449 ❶

King Island ⓰

Launceston ❿

Macquarie Harbour ⓳

Mount Field National Park ㉑

New Norfolk ❸

Oatlands ❺

Port Arthur p. 458-459 ㉓

Richmond ❷

Ross ❽

Stanley ⓯

Woolnorth ⓱

LÉGENDE

▬	*Highway*
▬	Route principale
▬	Route secondaire
▬	Parcours pittoresque
⌇	Cours d'eau
☀	Point de vue

FLINDERS ISLAND ⓫

Détroit de Bass

GEORGE TOWN

SCOTTSDALE

MOUNT WILLIAM NATIONAL PARK

LORAINE

LAUNCESTON ❿

NGFORD HADSPEN ⓬

Great Lake

BEN LOMOND NATIONAL PARK ❾

ST MARYS

DOUGLAS APSLEY NATIONAL PARK

Arthurs Lake

CAMPBELL TOWN

BICHENO ❼

Macquarie River

ROSS ❽

SWANSEA

FREYCINET NATIONAL PARK ❻

OATLANDS ❺

BOTHWELL ❹

MARIA ISLAND NATIONAL PARK

Mer de Tasman

NEW NORFOLK ❸

RICHMOND ❷

SORELL

HOBART ❶

HUONVILLE

PORT ARTHUR ㉓

BRUNY ISLAND ㉒

SOUTHPORT

Wineglass Bay dans le Freycinet National Park

Hobart ❶

La capitale de la Tasmanie s'étage sur sept collines entre l'embouchure de la Derwent River et le sommet du Mount Wellington (1 271 m). Deuxième ville fondée en Australie, elle a conservé un riche patrimoine architectural. Comme Sydney, Hobart occupe une baie superbe et reste tournée vers l'océan :

Cabine téléphonique

les quais qui bordent la Sullivan's Cove jusqu'au pittoresque village colonial de Battery Point demeurent au cœur de la vie sociale de la cité. Ils sont situés à quelques pas du quartier des affaires et de ses édifices anciens.

Vue générale de Hobart et de ses quais sur la Derwent River

🚻 Constitution Dock
Davey St.
Principal lieu d'amarrage des bateaux de pêche et de plaisance de Hobart, le quai de la Constitution sert aussi de ligne d'arrivée à la célèbre régate Sydney-Hobart. Partis le 26 décembre, la plupart des participants l'atteignent à temps pour fêter le jour de l'an (p. 37).

En bordure du centre-ville, le quai jouxte Wapping, quartier tombé dans la décrépitude et qui a été réhabilité, à l'instar des vieux entrepôts réaménagés pour abriter des cafés et des restaurants. Citons notamment The Drunken Admiral (l'Amiral ivre), décoré d'une collection hétéroclite d'objets liés à la navigation.

🚻 Parliament House
Salamanca Place. 📞 (03) 6233 2200.
🕐 lun.-ven., les jours sans session.
⬤ jours fériés. ♿ 🎫 obligatoire.
Occupé à l'origine par les services douaniers, le Parlement construit entre 1835 et 1841 par des forçats sur des plans de l'architecte colonial John Lee Archer est un des plus

vieux édifices publics de Hobart. Des visites guidées permettent de découvrir la salle de l'Assemblée et les caves.

🏛 Tasmanian Museum and Art Gallery
40 Macquarie St. 📞 (03) 6235 0777.
🕐 t.l.j. ⬤ ven. saint, 25 avr., 25 déc. ♿
Ce bâtiment de 1863 dessiné par Henry Hunter, artiste colonial renommé, abrite une intéressante collection de vieilles gravures et peintures représentant la Tasmanie, ainsi que des objets aborigènes et des plantes indigènes.

🚻 Theatre Royal
29 Campbell St. 📞 (03) 6233 2299. 🕐 t.l.j. ⬤ pendant les répétitions, jours fériés. 🎫 pour les spectacles seul. ♿
Édifié en 1837, le plus vieux théâtre d'Australie est aussi, de l'avis d'éminents acteurs, l'un des plus charmants du monde avec son décor soigneusement restauré après un incendie survenu dans les années soixante.

🚻 Criminal Courts et Penitentiary Chapel
6 Brisbane St. 📞 (03) 6231 0911.
🕐 lun.-ven. ⬤ jours fériés. 🎫
La proximité de l'ancienne cour d'assises et de la chapelle du pénitencier rappelle le lien étroit qui unissait justice et services de détention à l'époque coloniale. Le complexe comporte aussi des passages souterrains et des cachots.

🚻 Salamanca Place
Construits dans la première moitié du XIXᵉ siècle, ces entrepôts en grès bordant une place ombragée par des platanes abritèrent les premières industries de la jeune colonie : moulin à farine, fonderie et même fabrique de confiture.

Ils ont été restaurés et accueillent aujourd'hui des boutiques d'artisanat, des antiquaires et des bouquinistes. Le Salamanca Arts Centre comprend des ateliers d'artistes, un théâtre et des galeries d'exposition. Le quartier renferme aussi certains des meilleurs pubs, cafés et restaurants de Hobart (p. 522-523). Il devient

Marché du samedi sur Salamanca Place

particulièrement animé le samedi matin pour le marché qui se tient sur la place.

♞ Battery Point
(*(03) 6223 7570 pour les visites du National Trust.*

Ce promontoire au sud des docks occupe une position stratégique à l'embouchure de la Derwent River. Il reçut d'ailleurs en 1818 une batterie de canons destinée à repousser d'éventuels envahisseurs. L'ancien corps de garde se trouve désormais dans un parc verdoyant à quelques minutes à pied de Hampden Road, rue bordée de magasins d'antiquités, de galeries d'art, de salons de thé et de restaurants.

Cloche, Maritime Museum

Le quartier, où s'installèrent des notables, au début de la colonie, puis des marins, des marchands et des artisans, conserve le charme d'un village et présente, avec ses cottages, ses pubs et ses demeures victoriennes, un aspect qui a peu changé depuis le XIXe siècle. Le National Trust et l'historien John Roberts proposent des visites guidées.

🏛 Maritime Museum
Secheron Rd, Battery Point. **(** *(03) 6223 5082.* ◯ *t.l.j.* ● *ven. saint, 25 déc.* 🈂 ⚿

Installé dans une des plus vieilles maisons de l'une des plus vieilles rues de Battery Point, le Musée maritime possède une intéressante collection de souvenirs, de maquettes, de manuscrits et de récits de voyage. De riches archives photographiques sur l'histoire maritime de la Tasmanie la complètent.

♞ Castray Esplanade
Promenade aménagée au XIXe siècle le long de l'estuaire de la Derwent River, Castray Esplanade reste l'un des sites de balade les plus agréables de la ville. Depuis une

MODE D'EMPLOI

Hobart. 🏙 *193 000.* ✈ *20 km au N.-E. de la ville.* 🚌 *Tasmanian Red Line Coaches, Transit Centre, 199 Collins St.* ℹ *angle de Davey St et Elizabeth St (03) 6230 8233.* 🎏 *Régate Sydney-Hobart (26-29 déc.).*

rénovation réussie, les Commissariat Stores abritent des cabinets d'architecture et des galeries d'art telles que la cosmopolite Sidewalk Gallery.

♞ Anglesea Barracks et Military Museum
Davey St. **(** *(03) 6237 7100.* ◯ *t.l.j.* **Musée** ◯ *mar. (vis. guidées seul.), sam.* ● *manifestations spéciales.* 🈂 *au musée.* ⚿

Craignant une attaque venue de la mer, les premiers colons de Hobart s'empressèrent de constituer une force de défense qu'ils logèrent aux Anglesea Barracks, caserne bâtie en 1811 et devenue le plus ancien établissement militaire d'Australie toujours occupé par l'armée.

**HOBART :
LE CENTRE-VILLE**

Anglesea Barracks et
  Military Museum ⑤
Battery Point ②
Castray Esplanade ③
Constitution Dock ⑦
Criminal Courts et
  Penitentiary Chapel ⑩
Maritime Museum ①
Parliament House ⑥
Salamanca Place ④
Tasmanian Museum and
  Art Gallery ⑧
Theatre Royal ⑨

0   500 m

LÉGENDE

🚌 Gare routière

🚌 Arrêt de bus

⚓ Embarcadère

ℹ Informations touristiques

Houblonnière de New Norfolk sur la Derwent River

Richmond ❷

🏛 800. 🚍 ℹ️ angle de Davey St et Elizabeth St, Hobart (03) 6230 8233.

En pleine campagne à 26 km de Hobart, ce village pittoresque occupe le centre de la première région agricole concédée à des colons libres d'Angleterre. Richmond abrite certains des plus anciens édifices d'Australie. Beaucoup furent construits par des bagnards, notamment le pont de grès (1823), la prison (1825) et la Roman Catholic Church (1834), la première église catholique édifiée dans le pays.

Devenu une destination touristique, le village abrite de nombreuses boutiques d'artisanat, installées souvent dans les maisons historiques bordant la grand-rue entre la poste élevée en 1826 et le vieux bazar.

New Norfolk ❸

🏛 5 900. 🚍 dim., en été seul. 🚍 ℹ️ Oast House, Lyell Hwy, par New Norfolk (03) 6261 1030.

En amont de Hobart, la Derwent River se dirige vers le nord puis vire à l'ouest dans une vallée où, le long de ses rives plantées de peupliers, des houblonnières et des séchoirs à houblon témoignent d'une longue tradition de brasserie.

Au centre de la vallée, à 38 km de Hobart, le bourg de New Norfolk doit son nom aux colons venus de l'île de Norfolk, dans le Pacifique, qui s'y installèrent en 1808.

Ses bâtiments anciens lui ont valu de devenir une des localités classées par le National Trust. Ils comprennent la Bush Inn ouverte en 1815, l'un des tous premiers pubs d'Australie à avoir obtenu une licence.

Maison du xixe siècle typique de Bothwell

Bothwell ❹

🏛 400. 🚍 ℹ️ Australasian Golf Museum, Market Place (03) 6259 4033.

Dans la Clyde River Valley, les larges rues de Bothwell suivent le cours de la rivière. La région a gardé les noms de lieux attribués par les premiers colons, des Écossais qui arrivèrent de Hobart Town en 1817 dans des chars à bœufs où ils avaient chargé leurs familles et des barils de rhum de 18 l.

Le village conserve une cinquantaine d'édifices classés. Les plus anciens datent des années 1820, tels le Castle

Le Richmond Bridge construit en grès local

Hotel, le Masonic Hall transformé en galerie d'art, la Bothwell Grange Guest House qui abrite une pension et un salon de thé et l'ancienne école occupée par l'Australasian Golf Museum. Les têtes sculptées au-dessus de la Presbyterian St Luke's Church représentent un dieu et une déesse celtes. Même le terrain de golf est historique puisque, datant des années 1820, c'est le plus vieux d'Australie.

Le village occupe le centre d'une région d'élevage de mouton qui s'étend, le long de la Lakes Highway, du sud des Midlands aux Great Lakes réputés pour la pêche à la truite. Il donne aussi accès à la Central Plateau Conservation Area, réserve protégeant la rude beauté d'un plateau qui s'élève abruptement au-dessus d'une région plate jusqu'à une altitude de 600 m.

Oatlands ❺

🏛 550. 🚉 ℹ 77 High St (03) 6254 1212.

Le gouverneur Lachlan Macquarie ordonna en 1811 le percement de la Midlands Highway destinée à relier Hobart Town (*p. 448-449*) et la colonie de Launceston (*p. 452*) en traversant du sud au nord une région qui évoquait par sa géographie et sa situation les Midlands britanniques. Des chaînes de forçats bâtirent la route, jalonnée, à partir de 1813, de postes militaires que le gouverneur baptisa de noms inspirés par son Écosse natale. L'un d'eux a donné naissance à Oatlands qui devint bientôt un important relais de diligences et possède aujourd'hui 87 édifices classés. La plupart sont construits en grès local et beaucoup datent de l'époque georgienne et du début de l'ère victorienne, notamment le tribunal érigé en 1829 et St Peter's Church édifiée en 1838. Le bâtiment le plus marquant est le Callington Mill, moulin qui resta en service jusqu'en 1890 et a été restauré pour le bicentenaire de 1988.

Coles Bay au pied des Hazards Mountains de la Freycinet Peninsula

La richesse historique de la région a valu à la Midlands Highway de recevoir récemment le surnom de Heritage Highway.

Le Callington Mill d'Oatlands, moulin désaffecté en 1890

Freycinet National Park ❻

🚌 depuis Bicheno. **Parks and wildlife station** ☎ (03) 6257 0107. 🕐 9 h-17 h, t.l.j.

Sur la côte est de Tasmanie, la longue et étroite péninsule de Freycinet porte le nom d'un explorateur français qui sillonna le Pacifique Sud à partir de 1800, notamment avec Nicolas Gaudin. Les reliefs granitiques du Hazards Mountains Range y dominent, à l'est, des plages océanes et, à l'ouest, des anses abritées. La plus grande accueille le village de pêcheurs de Coles Bay.

À la pointe de la péninsule, le Freycinet National Park renferme de nombreux sentiers qui longent le littoral et franchissent collines et lagunes. La promenade la plus populaire conduit à Wineglass Bay après une courte mais abrupte montée. La baie doit à sa forme, un croissant doré enserrant une eau bleue, son nom qui signifie « verre à vin ».

Entre Hobart et Coles Bay, la route qui longe le littoral oriental ménage de superbes paysages : falaises, criques sablonneuses et marais peuplés de cygnes noirs. Des villages comme Swansea et Orford permettent de faire étape.

Bicheno ❼

🏛 750. 🚉 ℹ Tasman Hwy (03) 6375 1333.

Bicheno forme avec Coles Bay le pôle balnéaire de la côte est de la Tasmanie et sa baie s'emplit en été de pêcheurs, de plongeurs, de plaisanciers et de véliplanchistes. La station tire sa popularité d'une situation abritée qui lui procure des températures moyennes supérieures de quelques degrés aux températures du reste de l'État.

Au nord, le plus récent et le plus petit parc national de l'île, le Douglas Apsley National Park fondé en 1990, couvre une superficie de 16 080 ha et protège la plus vaste forêt sèche sclérophylle de Tasmanie, des taches de forêt pluviale, des gorges, des cascades et de spectaculaires panoramas de la côte. Une randonnée de deux jours, du nord au sud, permet d'en apprécier la diversité.

Man O'Ross Hotel au carrefour des Four Corners of Ross

Ross ❽

🏛 *300.* 🚌 ⓘ *Tasmanian Wool Centre, Church St (03) 6381 5466.*

Au bord de la Macquarie River, Ross, comme Oatlands *(p. 451),* était à l'origine un poste de garnison et un relais de diligence sur la Midlands Highway. Le village se trouve au cœur de la plus riche région d'élevage de mouton de Tasmanie ; la laine de ses mérinos a acquis une réputation internationale. Nombre des grandes exploitations restent aux mains des familles qui les ont créées dans les années 1820.

Principale attraction locale, le Ross Bridge, pont bâti par des bagnards en 1836, présente 186 sculptures de Daniel Herbert qui obtint le pardon de la reine pour son travail. Le bourg a pour centre le carrefour historique des Four Corners of Ross (Quatre Angles de Ross)

Enseigne du Man O'Ross

où le Man-O-Ross Hotel, l'ancienne prison, l'église et la mairie symbolisent respectivement la Tentation, la Damnation, le Salut et le Divertissement.

Ben Lomond National Park ❾

🚌 *juin-sept. seul.* ⓘ *Gateway Tasmania Travel Centre, angle de St John St et Paterson St, Launceston (03) 6336 3133.*

Au sud-est de Launceston, entre les Midlands et la côte orientale, il faut prendre l'Esk Main Road depuis le Conara Junction sur la Heritage Highway pour atteindre le parc national du Ben Lomond. D'une superficie de 160 000 ha, il renferme l'un des deux principaux domaines skiables de l'État et le Legges Tor (1 573 m), point culminant du nord-est de la Tasmanie et deuxième

sommet de l'île. L'austère plateau qui s'étend autour offre de vastes panoramas. Peuplée de wallabies, de wombats et d'opossums, la réserve naturelle est réputée pour ses fleurs sauvages. La flore comprend aussi des plantes carnivores.

Des dizaines d'années d'exploitation forestière et minière ont dévasté les contreforts des zones montagneuses et nombre des implantations humaines, telles Rossarden et Avoca, sont tombées en déclin. Dans la South Esk Valley, la route qui longe la rivière revient sur ses pas pour atteindre le village de Fingal d'où l'on peut continuer jusqu'au hameau de St Mary's et rejoindre la Tasman Highway qui suit le littoral oriental.

Launceston ❿

🏛 *67 000.* ✈ 🚌 🚌 ⛴
ⓘ *Gateway Tasmania Travel Centre, angle de St John St et Paterson St (03) 6336 3133.*

Deux cents kilomètres de route plate séparent Hobart de Launceston, un trajet qui durait une longue journée de diligence à l'époque coloniale. Troisième ville fondée en Australie, Launceston possède une ambiance pleine de charme grâce à ses bâtiments anciens, ses espaces verts, ses galeries d'artisanat et ses rues pentues bordées de maisons en bois. Entourée des terres agricoles

Plateau entourant la Ben Lomond Mountain dans le Ben Lomond National Park

Penny Royal World de Launceston

de la Tamar River Valley, elle conserve l'atmosphère d'un bourg rural.

Sur Paterson Street, un parc à thème, le **Penny Royal World**, réunit des moulins, ateliers et poudrière déplacés pierre par pierre de leurs sites originels. Quatorze barques emmènent les visiteurs en sous-sol pour assister à une reconstitution du processus de fabrication de la poudre au XIXe siècle. Un tram restauré relie les édifices à des musées, restaurants et hôtels. Un bateau à aubes, le *Lady Stelfox,* propose des promenades jusqu'au port.

À deux minutes à pied du centre dans le Royal Park, le Queen Victoria Museum and Art Gallery présente des collections de spécimens géologiques, botaniques et zoologiques, de verrerie et de porcelaine anciennes et d'art colonial et moderne. La Tamar River actionnait jadis le moulin qu'occupent le Ritchies Mill Art Centre, excellent magasin d'artisanat du nord de la Tasmanie, et le Ripples Café qui sert des produits locaux d'une grande fraîcheur. Ne manquez pas non plus la Cataract Gorge à l'ouest du Penny Royal World.

⊞ Penny Royal World
147 Paterson St, Launceston. **[** *(03) 6331 6699.* **◯** *9 h-16 h 30, t.l.j.* **●** *2 sem. en juil.-août (dates variables) 25 déc.* **▨** **[** *limité.*

AUX ENVIRONS
Dans les années 1830, la riche région agricole des Norfolk Plains appartenait pour une grande part à de puissants colons qui avaient bénéficié de concessions. La petite ville de **Longford** abrite, outre de pittoresques auberges et églises historiques, la plus grande concentration de demeures coloniales de l'État. Des visites guidées en parcourent certaines, dont Woolmers et Brickendon.

Oies du Patriarch Sanctuary sur Cape Barren Island

Flinders Island ⓫

⌧ ⛴ *depuis Hobart, Launceston, Devonport.* **🛈** *Gateway Tasmania Travel Centre, angles de St John St et Paterson St, Launceston (03) 6336 3133.*

Prolongeant la pointe nord-est de la Tasmanie dans le détroit de Bass, Flinders Island, nommée d'après l'explorateur anglais Matthew Flinders, est la plus importante des 52 îles de l'archipel de Fuveaux, le dernier vestige de la langue de terre qui reliait la Tasmanie au continent australien pendant l'ère glaciaire.

Entre 1829 et 1834, le révérend George Augustus Robinson obtint de l'administration britannique le droit d'y déporter les 135 derniers Aborigènes de Tasmanie afin de les « sauver » en les convertissant au christianisme et aux vertus de la civilisation européenne. Mais maladies et désespoir les décimèrent jusqu'en 1847 où, devant l'échec manifeste du projet, les 47 survivants furent transférés à Oyster Cove, un site sacré aborigène au sud de Hobart.

L'île compte aujourd'hui un millier d'habitants et de nombreux visiteurs viennent y pratiquer la randonnée dans des espaces protégés, notamment le Strzelecki National Park. La plongée est pratiquée sur les côtes nord et ouest. Au large du littoral méridional, Cape Barren Island abrite le Patriarch Sanctuary, une réserve naturelle d'oies sauvages.

Avions et bateaux desservent Flinders Island depuis Devonport *(p. 454),* Hobart et Launceston. Vous pouvez également prendre le *Matthew Flinders* depuis le petit port de Bridport sur la côte nord-est.

L'Entally House à Hadspen

Hadspen ⑫

🏠 1 350. 🚌 ℹ️ *Gateway Tasmania Travel Centre, angle de St John et Paterson St, Launceston (03) 6336 3133.*

Entre Longford et Deloraine à l'ouest de Launceston, la Bass Highway traverse une région rurale riche en localités historiques au pied des Great Western Tiers Mountains. Rang pittoresque de cottages et d'édifices de style georgien, dont un relais de poste de 1845, Hadspen est particulièrement réputé pour l'**Entally House.**

Cette splendide demeure construite en 1820 à l'ouest du village, au bord de la South Esk River, possède sa propre chapelle et son écurie et renferme des voitures à cheval et un somptueux mobilier du XIXᵉ siècle.

Mobilier d'époque de l'Entally House

🏚️ Entally House

Old Bass Hwy, par Hadspen. 📞 (03) 6393 6201. 🕐 t.l.j. ● ven. saint, 25 déc. ♿ &

Devonport ⑬

🏠 23 000. ✈️ 🚌 🚃 🚢 ℹ️ *Devonport Showcase, 5 Best St (03) 6424 4466.*

Nommée d'après le comté anglais du Devon, la troisième ville de Tasmanie occupe sur le détroit de Bass une position stratégique à l'embouchure de la Mersey River. Un kilomètre d'espaces verts sépare le centre de

l'imposant promontoire du Mersey Bluff où se dresse un phare érigé en 1889. Sur la route qui y conduit, des peintures rupestres marquent l'entrée du Centre culturel et artistique aborigène de Tasmanie. Également appelé **Tiagarra** (« garder »), il conserve une collection de plus de 2 000 objets anciens.

Quatre fois par semaine, le *ferry Spirit of Tasmania* relie Devonport à Melbourne en une nuit. Dotée en outre d'un aéroport, Devonport offre une bonne base pour explorer le nord de l'île. La vieille route qui longe la côte au nord-ouest ménage des panoramas de l'océan.

🏛️ Tiagarra

Mersey Bluff, Devonport. 📞 (03) 6424 8250. 🕐 9 h-17 h 30, t.l.j. ● ven. saint, 25 déc. ♿ &

Burnie ⑭

🏠 21 000. ✈️ 🚌 🚃 ℹ️ *Civic Square Precinct (03) 6434 6111.*

À quelque 50 km à l'ouest de Devonport sur la côte nord, la quatrième ville de Tasmanie, fondée en 1829, conserve le long de ses rues principales d'élégants édifices du XIXᵉ siècle ornés de ferronneries. Bénéficiant d'un port en eau profonde, elle a une vocation industrielle depuis l'établissement, en 1938, de l'Associated Pulp and Paper Mills spécialisée dans la pâte à papier, l'une des plus importantes entreprises de

l'État. Plusieurs unités de production chimique et alimentaire s'y sont également installées. La fromagerie Lactos, maintes fois primée pour ses fromages de style suisses et français, organise des visites guidées et des dégustations.

La région, au bord d'Emu Bay, recèle de nombreuses forêts, falaises riches en fossiles, cascades et gorges. Des ornithorynques se montrent souvent au Fern Glade, jardin situé à 3 km du centre de Burnie. Le Round Hill offre une belle vue.

Télésiège de Stanley

Stanley ⑮

🏠 580. 🚌 ℹ️ *The Nut Chairlift, Browns Rd (03) 6458 1286.*

Au pied du promontoire volcanique baptisé Circular Head (Tête circulaire) et surnommé la Noix (The Nut) par la population locale, le village de pêcheurs de Stanley abrite d'excellents *bed-and-breakfasts* et restaurants (p. 523). Un télésiège conduit au sommet de la spectaculaire formation rocheuse haute de 152 m.

Bordée de cottages et d'édifices en pierre datant des années 1840, la rue principale rejoint le quai. Non loin, la **Highfield House** abritait le siège de la Van Diemen's Land Company fondée en 1825, une société anglaise qui obtint une vaste concession agricole dans la région. On peut visiter la demeure du contremaître et son jardin.

⚑ Highfield House
Greenhills Rd, par Stanley. 📞 *(03) 6458 1100.* ☐ *sept.-mai : 9 h-17 h, t.l.j. ; juin-août : 9 h-13 h.* ♿

King Island ⓰

✗ 🛈 *angle de Davey St et Elizabeth St, Hobart (03) 6230 8233.*

Au large de la côte nord-ouest de Tasmanie dans le détroit de Bass, King Island, peuplée, entre autres, de puffins et d'éléphants de mer, séduit de nombreux amoureux de la nature. De magnifiques plages attirent baigneurs et surfeurs et les plongeurs apprécient ses eaux où reposent maintes épaves.

Le plus haut phare de l'hémisphère Sud se dresse sur le Cape Wigkham.

Woolnorth ⓱

Par Smithton. 🛈 *(03) 6452 1252.* ☑ *obligatoire.*

La Van Diemen's Land Company n'a conservé de sa concession octroyée au début du XIXᵉ siècle que l'immense domaine d'élevage qui s'étend en bordure de Woolnorth dans la région où les quatre derniers tigres de Tasmanie se firent prendre en

Gravures rupestres aborigènes à Woolnorth

1908. Ils sont maintenant gardés en captivité.

Face au détroit de Bass, des falaises portent des gravures rupestres aborigènes vieilles de milliers d'années.

Cradle Mountain Lake St Clair National Park ⓲

🏠 *Cradle Mountain, Lake St Clair.* 🛈 *Cradle Mountain (03) 6492 1133 ; Lake St Clair (03) 6289 1172.*

La silhouette caractéristique de la Cradle Mountain (montagne du Berceau) est devenue un symbole de la Tasmanie. Le parc national qui renferme ce sommet, le troisième de l'île avec une altitude de 1 560 m, possède une superficie de 161 000 ha et s'étend jusqu'au Lake St Clair, le lac le plus profond d'Australie, 80 km plus au sud.

Inscrite au Patrimoine mondial de l'Unesco, la réserve naturelle protège aussi la plus haute cime de Tasmanie : le Mount Ossa (1 617 m). Elle doit sa fondation, en 1922, au diplomate autrichien Gustav Weindorfer qui tomba amoureux de la région et finit par s'y installer. Sa demeure, le Waldheim Chalet, abrite un centre d'histoire naturelle.

Elle sert aussi de bureau d'inscription aux randonneurs décidés à prendre l'Overland Track. Ce sentier pédestre renommé traverse de somptueux paysages : forêt pluviale, landes, prairies et gorges ponctuées de cascades. Il faut compter environ cinq jours et prévoir une tente au cas où les refuges, publics et privés, seraient complets.

Les fleurs sauvages, en été, et les hêtres australs à feuilles caduques *(p. 442)*, en automne, parent la montagne de riches couleurs.

La Cradle Mountain se découpant derrière le Lake St Clair

Temps calme au Macquarie Harbour

Macquarie Harbour ⑲

🏠 *Strahan.* 🚌 *Strahan.* ℹ️ *Strahan (03) 6471 7622.*

Une immensité liquide vide de toute terre jusqu'à la pointe sud de l'Argentine s'étend à l'ouest de la Tasmanie. Le littoral occidental de l'île reçoit de plein fouet les vents violents qui parcourent sans obstacle l'océan Austral à cette latitude ; ils ont valu à cette partie de l'hémisphère le surnom de « Quarantièmes rugissants ». Pendant des milliers d'années, seuls quelques Aborigènes réussirent à survivre dans cet environnement hostile, mais la découverte de la profonde baie de Macquarie permit en 1821 la création d'une colonie pénitentiaire sur Sarah Island qui occupe le centre du Macquarie Harbour.

Le nom donné à la sortie du port naturel, les Portes de l'enfer, évoque bien la violence des éléments que devaient affronter les marins et les forçats. Naufrages, noyades, suicides et meurtres jalonnèrent la courte histoire du centre de détention, abandonné en 1833 au profit de Port Arthur *(p. 458-459)*. Une promenade guidée depuis Strahan permet d'en découvrir les ruines.

Port situé à quelques kilomètres de Queenstown, **Strahan** servit à l'origine à l'expédition du pin de Huon qu'abattaient les bagnards sur les cours inférieurs de la Gordon et de la Franklin.

Au début des années quatre-vingt, le village devint un centre de ralliement pour les opposants au projet de submersion de la Franklin River. La victoire des défenseurs de l'environnement marqua une étape dans l'évolution politique de la Tasmanie, et les « Greens » siègent désormais au Parlement *(p. 443)*.

À 6 km du centre commence Ocean Beach, plage longue de plus de 30 km.

Franklin-Gordon Wild Rivers National Park ⑳

🏠 *Strahan.* 🚌 *Strahan.* ℹ️ *Strahan (03) 6471 7122.*

D'une superficie de 442 000 ha, ce parc national inscrit au Patrimoine mondial de l'Unesco *(p. 22-23)* s'étend autour du Macquarie Harbour. Il protège les bassins de la Franklin et de la Gordon, régions de montagnes creusées de profondes gorges qui drainent les fortes précipitations apportées par les vents de l'océan Austral. Les rivières y restent indomptées grâce à l'arrêt, obtenu en 1983 sous la pression des écologistes, d'un projet d'aménagement hydroélectrique de la région.

La réserve naturelle, où des cimes en quartzite s'élèvent au-dessus de vastes forêts pluviales tempérées, abrite une flore unique dominée par des arbres à bois d'œuvre comme le pin King William et le pin de Huon.

Seule route à traverser le parc, la Lyell Highway relie au nord Hobart à Queenstown. Des sentiers pédestres relativement courts en partent à travers une jungle au sous-bois impénétrable. Les parcours de randonnée plus longs, tel celui qui mène au Frenchmans Cap en cinq jours, demandent une bonne condition physique et un

Le Frenchman's Cap couronné de quartzite au-dessus des forêts du Franklin-Gordon Wild Rivers National Park

Paysage de rêve sur Bruny Island

équipement approprié.

La principale attraction du Franklin-Gordon Wild Rivers National Park demeure la descente en rafting de la Franklin River. À moins de posséder une grande expérience, mieux vaut s'adresser à une des agences spécialisées qui proposent des excursions d'une ou deux semaines. Les vestiges archéologiques de la Kutikina Cave datent de l'ère glaciaire.

Russell Falls du Mount Field National Park

Mount Field National Park ㉑

📷 ℹ️ *(03) 6288 1149.*

Par la Maydena Road, à peine plus de 70 km séparent Hobart du Mount Field National Park fondé en 1916, ce qui permet de partir pour des excursions d'une journée le long de chemins bien entretenus traversant diverses flores tasmaniennes.

Le sentier le plus court est aussi celui qui connaît le plus de succès. Il commence juste après l'entrée du parc et conduit au sein de la forêt pluviale jusqu'à la cascade des Russell Falls. À 15 km de l'entrée, il faut gravir une abrupte allée gravillonnée pour atteindre le parc de stationnement du Lake Dobson. Plusieurs courtes promenades en partent, ainsi que des randonnées d'une journée. Le trajet de 10 km qui mène à la Tarn Shelf (Saillie du lac glaciaire) est particulièrement beau en automne quand les hêtres à feuilles caduques parent de rouge et d'orange vallées et montagnes. Des sentiers plus longs permettent de rejoindre le Mount Field West et le Mount Mawson apprécié en hiver pour le ski de fond et le ski de piste.

Bruny Island ㉒

📷 *jusqu'à Kettering.* 🚢 *depuis Kettering.* ℹ️ *Bruny D'Entrecasteaux Visitors' Centre, terminal des ferries Kettering (03) 6267 4494.*

À courte distance de Hobart, la Huon Valley et la rive du D'Entrecasteaux Channel se prêtent aussi bien à une escapade de quelques heures qu'à un séjour plus long. Cent kilomètres séparent la capitale et la ville la plus au sud de Tasmanie, Southport. Le trajet est jalonné par de jolis bourgs entourés de pommiers comme Huonville, le plaisant port de pêche de Dover et les reliefs boisés et creusés de défilés du Hartz Mountains National Park. De l'autre côté du chenal, Cygnet possède de belles plages au milieu de vergers et de vignobles.

À vingt minutes en voiture de Hobart, un *ferry* assure depuis le port de plaisance de Kettering des liaisons régulières avec Bruny Island. Nommée d'après le chevalier Antoine de Bruny d'Entrecasteaux qui explora la région en 1792, celle-ci comprend en fait deux îles reliées par un isthme étroit. Une demi-heure de route seulement sépare le débarcadère du nord des villages du sud : Adventure Bay et Alonnah.

Un temps habitée par des pêcheurs de baleine, Bruny Island est aujourd'hui un paradis pour les pêcheurs et les amoureux des oiseaux. Plages, lagunes et baies abritées s'y prêtent à la baignade comme à la promenade en dromadaire. Des sentiers fléchés sillonnent plusieurs réserves naturelles.

Le dernier Aborigène de sang pur de Tasmanie, la princesse Truganinni, mourut en 1876.

Truganinni, dernière Aborigène de l'île

Port Arthur ㉓

Menottes du musée de Port Arthur

La colonie pénitentiaire créée en 1830 sur la péninsule de Tasman recevait les criminels récidivistes envoyés, pour la plupart, de Nouvelle-Galles du Sud. Alors que la déportation depuis le continent cessa en 1853, le centre de détention ne ferma qu'en 1877. Douze mille hommes avaient alors fait un séjour dans cette institution considérée comme la plus dure de son genre dans l'Empire britannique. Les châtiments infligés aux récalcitrants comprenaient l'incarcération dans une « prison modèle » où ils restaient dans un complet isolement censé aider à une « réforme morale ». Victime de plusieurs incendies après son abandon et restaurée de 1979 à 1986, la colonie de Port Arthur, d'une superficie de 40 ha, est devenue l'attraction touristique la plus populaire de Tasmanie.

Commandant's House
Meublée dans le style du début du XIXe siècle, cette maison fut une des premières construites à Port Arthur.

Le sémaphore
et ses bras articulés permettaient d'envoyer des messages au reste de la péninsule et à Hobart.

La Guard Tower, une tour de guet érigée en 1836, prévenait les évasions et les vols dans le magasin d'intendance qu'elle dominait.

Vers le cimetière de l'Isle of Dead

JETTY ROAD

0   50 m

★ Le pénitencier
Ce bâtiment, probablement le plus grand d'Australie à l'époque où il fut construit, en 1844, abritait un moulin et son grenier à grain. Après l'aménagement de dortoirs et de cellules en 1857, il accueillit plus de 600 prisonniers.

À NE PAS MANQUER

★ La Model Prison

★ Le pénitentier

L'hôpital
Achevé en 1842, l'hôpital de la colonie pénitentiaire comprenait quatre salles de 18 lits. La cuisine et la morgue, appelée « chambre des morts », se trouvaient en sous-sol.

MODE D'EMPLOI

Hwy A9. (03) 6250 2363.
8 h 30-20 h 30, t.l.j.

Le Paupers'Mess était le réfectoire des prisonniers pauvres.

Musée et boutique

L'asile
En 1872, plus de cent bagnards aliénés ou séniles y vivaient. À la fermeture de la colonie, il abrita l'hôtel de ville de Port Arthur. L'édifice accueille maintenant un musée et une boutique.

AMP STREET

ETON STREET

Trenthan Cottage

★ La Model Prison
Les prisonniers punis étaient enfermés dans les cellules de la « prison modèle » inspirée de la Pentonville Prison de Londres et terminée en 1852. Ils vivaient dans le silence et étaient appelés par des numéros.

CHURCH STREET

Le Government Cottage fut construit en 1853. Il servait de résidence aux visiteurs de marque.

L'église
Construite en 1837, l'église néo-gothique ne fut jamais consacrée car on y célébrait tous les rites chrétiens. Un incendie la ravagea en 1884, mais ses ruines sont maintenant entretenues.

LES BONNES ADRESSES

HÉBERGEMENT 462-491

RESTAURANTS 492-523

FAIRE DES ACHATS EN AUSTRALIE 524-525

SÉJOURS À THÈMES ET
ACTIVITÉS DE PLEIN AIR 526-529

HÉBERGEMENT

L'Australie offre une grande variété d'hébergements qui reflètent la taille du pays, sa diversité et son nouveau statut de grande destination touristique : *resorts* (complexe hôtelier proposant de nombreuses activités sportives) de style tropical, hôtels de luxe et *boutique hotels* dans les villes, *lodges* (hébergement dans une ambiance familiale), gîtes de mon-

Portier d'un hôtel de Sydney

tagne, baraques des tondeurs de moutons aménagées en hôtels dans les grands élevages, *bed-and-breakfast* dans les cottages coloniaux, locations meublées, auberges de jeunesse, péniches et naturellement toutes les chaînes hôtelières internationales. Des établissements adaptés à toutes les bourses sont décrits en détail des pages 466 à 491.

La façade Art déco de l'hôtel Criterion à Perth *(p. 480)*

LE CLASSEMENT DES HÔTELS ET LES SERVICES

L'Australie ne possède aucun système de classification officiel à l'échelon national. Le nombre d'étoiles ne correspond à aucune norme établie. Dans chaque État, des automobile-clubs, un office de tourisme et des bureaux d'information locaux publient leurs propres classements qui sont une bonne indication des catégories et des services.

Les hôtels et motels sont presque tous climatisés l'été et chauffés l'hiver. Les chambres ont en général télévision, radio, mini-bar et tout le nécessaire pour faire du thé ou du café. Elles ont toujours une salle de bains privée, mais si vous désirez une baignoire, précisez-le, car les douches sont plus répandues. Pour les chambres doubles, indiquez votre préférence pour un grand lit ou deux lits jumeaux. Les hôtels de luxe ont souvent une piscine, une salle de sport, un bar ou un restaurant.

LE PRIX DES HÔTELS

Le prix des hébergements est régi par l'emplacement et les services proposés. La suite présidentielle d'un hôtel de luxe peut atteindre plusieurs milliers de dollars alors qu'un lit dans un hôtel pour *backpackers* (routards) coûtera moins de 20 \$A. Les motels bon marché et la majorité des *bed-and-breakfast* se situent dans la fourchette 50-100 \$A. Les prix sont parfois légèrement

majorés en haute saison mais des tarifs réduits sont souvent pratiqués en basse saison.

LES RÉSERVATIONS

Les hôtels sont de plus en plus fréquentés, surtout dans les capitales d'État et les stations balnéaires du Queensland, avec un pic critique lors des grandes manifestations sportives et culturelles *(p. 36-39)*. Il est donc recommandé de réserver le plus tôt possible.

Les offices de tourisme des États peuvent effectuer vos réservations ou vous guider dans votre choix. La plupart des grandes compagnies aériennes desservant l'Australie proposent des forfaits à prix réduits *(p. 542-545)*.

LES ENFANTS

Visiter l'Australie avec des enfants est relativement aisé. Les chambres familiales sont en général équipées d'un petit lit ou d'un berceau, et souvent proposées sans supplément. La plupart des

L'hôtel Hyatt près du Triangle parlementaire à Canberra *(p. 472)*

L'architecture victorienne chamarrée de l'hôtel Vue Grand à Queenscliff *(p. 488)*

grands hôtels proposent un service de baby-sitting, et dans les petits établissements on veillera volontiers sur le sommeil d'un enfant pendant le dîner des parents.

Dans certaines auberges, les enfants ne sont pas acceptés.

Le Conrad International Treasury Casino à Brisbane *(p. 473)*

LES PERSONNES HANDICAPÉES

Les normes australiennes de construction ou de rénovation obligent à rendre les bâtiments accessibles aux handicapés, mais il est préférable de s'en assurer.

LES HÔTELS ET LES *RESORTS* DE LUXE

Dans les capitales des États, le choix d'hôtels de luxe est très large. Des chaînes internationales comme **Hyatt, Hilton, Regent, Sheraton** et **Intercontinental** voisinent

avec des établissements locaux comme le Sebel à Sydney *(p. 467)* et The Windsor à Melbourne *(p. 485)*.

Les principales destinations touristiques regorgent de *resorts* de bord de mer.

LES CHAÎNES D'HÔTELS

Dans toutes les régions d'Australie, différentes chaînes d'hôtels et de motels proposent un hébergement fiable et confortable, bien que parfois dénué d'originalité et de cachet. Les styles et les prix sont variables, du groupe **Parkroyal** de catégorie luxe aux chaînes de motels meilleur marché comme **Flag, Budget, Best Western, Country Comfort** et **Golden Chain.** Ces hôtels sont particulièrement appréciés de la clientèle d'affaires et la plupart offrent des services de télécopie et de communications électroniques.

Vitrail chez Simpsons à Sydney *(p. 467)*

LES AUBERGES

Élégants manoirs ou simples cottages de type *bed-and-breakfast,* les auberges existent maintenant dans toute l'Australie. Contrairement aux chaînes d'hôtels, elles proposent un hébergement personnalisé et permettent de découvrir le mode de vie australien. Comme elles n'ont souvent qu'une chambre ou deux, on y séjourne dans le calme absolu, avec toutes les commodités « maison ».

Les meilleures auberges se trouvent dans les régions viticoles *(p. 32-33),* autour des anciens terrains aurifères *(p. 50-51)* et en Tasmanie *(p. 440-459).* L'**Australian Tourist Commission** et les offices de tourisme des États fournissent la liste actualisée des *bed-and-breakfast* de chaque région.

La piscine couverte de l'hôtel Observatory à Sydney *(p. 468)*

Salle de réception « The Grand » au Windsor Hotel de Melbourne *(p. 486)*

LES *BOUTIQUE HOTELS*

L es *boutique hotels* possèdent un nombre limité de chambres mais offrent un hébergement de grande qualité, dans une ambiance intime. Ils sont de plus en plus recherchés, notamment dans les grandes villes comme Sydney et Melbourne.

La plupart de ces hôtels se font connaître par le bouche à oreille. L'Australian Tourist Commission et les offices de tourisme des États vous donneront volontiers des renseignements précis et actualisés sur les *boutique hotels* de la région. Certains des meilleurs figurent sur les listes des pages ci-après.

LES HÔTELS POUR ROUTARDS ET LES AUBERGES DE JEUNESSE

L es hôtels pour routards, toujours plus nombreux, connaissent un développement fulgurant. La plupart sont propres et confortables, bien que les normes soient très variables d'une région à l'autre.

La Fédération unie des auberges de jeunesse, connue dans le monde entier, possède aussi sa propre chaîne d'auberges aux quatre coins du pays, dans toutes les grandes villes, les stations de sports d'hiver et la plupart des parcs nationaux.

Dans certaines auberges, il faut réserver à l'avance, dans d'autres les lits sont attribués dans l'ordre d'arrivée. On peut choisir appartement, chambre ou dortoir, mais ces derniers sont souvent mixtes ; renseignez-vous à l'avance.

Comme la situation évolue sans cesse, il est préférable de consulter d'autres routards pour les changements récents. On peut aussi obtenir des renseignements actualisés auprès des bureaux de tourisme des États.

Notez que, malgré son nom, la Fédération unie des auberges de jeunesse n'impose pas de limite d'âge.

Enseigne des auberges pour routards

LOGER DANS UN PUB

L es pubs australiens sont en général appelés hôtels parce qu'ils hébergeaient autrefois les voyageurs. De nombreux pubs proposent toujours la formule *bed-and-breakfast*. La qualité est variable mais ils offrent en général un bon rapport qualité-prix.

LES SÉJOURS INDÉPENDANTS

L es appartements meublés sont très en vogue depuis peu. Ils disposent en général d'une cuisine entièrement équipée et d'une laverie. Dans les villes, des appartements destinés également à une clientèle d'affaires bénéficient d'un télécopieur et d'autres moyens de communication. Les prix sont sensiblement

L'hôtel victorien Lenna of Hobart dans la capitale de la Tasmanie *(p. 491)*

Hébergement dans un pub australien classique au Bellbird Hotel dans la Hunter Valley (p. 469)

équivalents à ceux des grandes chaînes de motels.

LES SÉJOURS À LA FERME ET SUR UNE PÉNICHE

De nombreux grands élevages de moutons et de bétail accueillent aujourd'hui les visiteurs désirant séjourner à la ferme. Ce type de séjour offre une occasion unique de découvrir la vie rurale en Australie. Beaucoup d'élevages sont situés près des grandes villes, d'autres dans le vaste Outback *(p. 24-25).* On peut être logé soit dans les baraques traditionnelles des tondeurs de moutons ou des vachers, soit dans la maison de maître.

Le séjour offre en général l'occasion de participer aux travaux quotidiens de l'élevage. Vous pouvez aussi choisir de parcourir sur une péniche l'immense Murray qui s'étend de la Nouvelle-Galles du Sud et du Victoria à l'Australie-Méridionale. Un permis de conduire international suffit pour piloter soi-même son bateau.

LE CAMPING ET LE CARAVANING

Des terrains de camping ouverts aussi aux caravanes sont répartis en majorité sur l'immense littoral et dans les nombreux parcs nationaux de l'intérieur. Ce type d'hébergement permet de profiter de la beauté naturelle du pays.

De nombreux terrains de camping n'exigent pas de réservation préalable ; les places sont attribuées en fonction des disponibilités. Certaines régions peuvent exiger un permis. Mieux vaut se renseigner à l'avance auprès du bureau de tourisme de l'État ou de la région.

La majorité des terrains de caravaning pratiquent la location de caravanes fixes à des prix relativement bas. Ils sont en général équipés de douches et de laveries et souvent une petite épicerie propose les vivres et les boissons de base.

CARNET D'ADRESSES

BUREAUX DE TOURISME

Australian Tourist Commission
France (01 41 91 38 61.
Belgique (02 714 31 99.
Suisse (018 38 53 30.
États-Unis et Canada
Suite 1920, 2049 Century Park East, Los Angeles, CA 90067.
(310) 229 4870.

NSW Travel Centre
11-31 York St, Sydney, NSW 2077. (13 20 77.

Queensland Travel Centre
196 Adelaide St, Brisbane St, QLD 4000.
(13 18 01.

Darwin Tourism Association
Beagle House
Angle de Mitchell St et Knuckey St, Darwin, NT 0800.
(03) 6230 8233.

Western Australia Tourist Centre
Angle de Forest Place et Wellington St, Perth, WA 6000.
(09) 483 1111.

South Australian Travel Centre
1 King William St, Adelaide, SA 5000.
(08) 8212 1505.

Victorian Visitor Information Centre
Angle de Little Collins St et Swanston St, Melbourne, VIC 3000.
(03) 9658 9949.

Tasmanian Travel Centre
20 Davey St, Hobart, Tasmania 7000.
(03) 6230 8233.

HÔTELS DE LUXE

Hilton
(1 800) 222 255.

Hyatt
13 12 34.

Intercontinental
(02) 9232 1199.

Regent
(02) 9377 8450.

Sheraton
(1 800) 073 535.

CHAÎNES D'HÔTELS

Best Western
13 17 79.

Budget Motels
(03) 5143 1077.

Country Comfort
(1 800) 065 064.

Flag
13 24 00.

Golden Chain
(1 800) 023 966.

Parkroyal (comprend Centra et Travelodge)
(1 300) 363 300.

AUBERGES DE JEUNESSE

Youth Hostel Association
422 Kent St, Sydney, NSW 2000.
(02) 9261 1111.

Choisir un hôtel

Nous avons sélectionné ces établissements, dans une large gamme de prix, pour leur emplacement ou la qualité de leurs prestations. En commençant par Sydney, ils sont présentés par régions et les onglets de couleur correspondent à ceux du corps du guide. Pour les restaurants, consultez les pages 498 à 523.

	NOMBRE DE CHAMBRES	RESTAURANT	ÉQUIPEMENTS ENFANTS	JARDIN OU TERRASSE	PISCINE
SYDNEY					
BONDI BEACH : *Ravesi's on Bondi Beach* $$ Angle de Campbell Parade et Hall St, NSW 2026. ((02) 9365 4422. FAX (02) 9365 1481. On y retrouve le style décontracté de Bondi. Certaines suites disposent d'un balcon privé sur l'océan. 🚗 TV 🗐 🔊	16	●	■		■
BOTANIC GARDENS ET THE DOMAIN : *Inter.Continental Sydney* $$$$ 117 Macquarie St, NSW 2000. **Plan** 1 C3. ((02) 9230 0200. FAX (02) 9240 1240. Dans cet hôtel à l'architecture impressionnante, le vieux Treasury Building de 1851 se marie à un hall moderne aménagé sous des voûtes hautes de trois étages. 🚗 24 TV 🗐 🔊 P 🔊	49	●	■		■
BOTANIC GARDENS ET THE DOMAIN : *Ritz Carlton Sydney* $$$$ 93 Macquarie St, NSW 2000. **Plan** 1 C3. ((02) 9252 4600. FAX (02) 9247 8672. Cheminées et mobilier d'époque créent une ambiance paisible. Vue superbe depuis la piscine sur le toit. 🚗 24 TV 🗐 🔊 P 🔊	106	●	■		■
CENTRE-VILLE : *All Seasons Premier Menzies* $$ 14 Carrington St, NSW 2000. **Plan** 1 A4. ((02) 9299 1000. FAX (02) 9290 3819. Le Menzies se targue de son ambiance traditionnelle qui rappelle un club privé. Le Sporters Bar and Bistro retransmet en permanence les manifestations sportives sur ses 15 moniteurs. 🚗 24 TV 🗐 🔊 P 🔊	446	●	■		■
CENTRE-VILLE : *Castlereagh Inn* $$ 169-171 Castlereagh St, NSW 2000. **Plan** 1 B5. ((02) 9264 2281. FAX (02) 9283 2496. Dans cet hôtel suranné, la salle à manger restaurée est dotée de lustres et de pimpantes nappes blanches. 🚗 TV 🗐 🔊	83	●	■		
CENTRE-VILLE : *Sydney Marriott* $$$ 36 College St, NSW 2000. **Plan** 4 F3. ((02) 9361 8400. FAX (02) 9361 8599. Idéal pour la clientèle d'affaires avec ses salles de conférence, son centre d'affaires et son salon affaires. 🚗 24 TV 🗐 🔊 P 🔊	241	●	■		■
CENTRE-VILLE : *Wentworth* $$$ 61-101 Phillip St, NSW 2000. **Plan** 1 B4. ((02) 9230 0700. FAX (02) 9227 9133. Excellents équipements dans toutes les chambres. Quatre étages sont réservés aux non-fumeurs. 🚗 24 TV 🗐 🔊 P 🔊	431	●	■		■
CENTRE-VILLE : *York Apartment Hotel* $$$ 5 York St, NSW 2000. **Plan** 1 A3. ((02) 9210 5000. FAX (02) 9290 1487. Hôtel renommé pour ses appartements conçus individuellement. Bel ameublement et spacieux balcons. 🚗 TV 🗐 🔊 *limité.* P 🔊	133	●	■	●	■
CENTRE-VILLE : *Sheraton on the Park* $$$$ 161 Elizabeth St, NSW 2000. **Plan** 1 B5. ((02) 9286 6000. FAX (02) 9286 6686. Cet hôtel rénové proche du Hyde Park est commode pour les affaires et les commerces (p. 95). 🚗 24 TV 🗐 🔊 P 🔊	557	●	■		■
CENTRE-VILLE : *Sydney Hilton* $$$$ 259 Pitt St, NSW 2000. **Plan** 1 B5. ((02) 9266 0610. FAX (02) 9265 6065. Cet hôtel cinq étoiles offre un large éventail de prestations. Ne manquez pas le Marble Bar historique et chamarré. 🚗 24 TV 🔊 P 🔊	585	●	■		■
DARLING HARBOUR : *Citistay Westend* $ 412 Pitt St, NSW 2000. **Plan** 4 E4. ((02) 9211 4822. FAX (02) 9281 9570. À l'orée de Chinatown, cet hôtel à l'ancienne mode offre un excellent rapport qualité-prix. Réfrigérateur dans toutes les chambres. 🚗 TV 🗐 🔊	90	●			
DARLING HARBOUR : *Carlton Crest* $$ 169-179 Thomas St, Haymarket NSW 2000. **Plan** 4 D5. ((02) 9281 6888. FAX (02) 9281 6688. À l'intérieur d'un ancien hôpital, l'hôtel propose des chambres spacieuses et une piscine sur le toit. 🚗 TV 🗐 🔊 P 🔊	251	●	■	●	■

		NOMBRE DE CHAMBRES	RESTAURANT	ÉQUIPEMENTS ENFANTS	JARDIN OU TERRASSE	PISCINE
Les **prix** correspondent à une nuit en chambre double, service et taxes compris. $ moins de 100 $A $$ de 100 à 150 $A $$$ de 150 à 200 $A $$$$ de 200 à 250 $A $$$$$ plus de 250 $A	**RESTAURANT** Sauf indication contraire, le restaurant ou la salle à manger accueille d'autres clients que les hôtes. **ÉQUIPEMENTS ENFANTS** Berceaux, lits d'enfants et baby-sitting disponibles. Certains établissements proposent des menus pour enfants et possèdent des chaises hautes. **JARDIN OU TERRASSE** Hôtel possédant un jardin, une cour intérieure ou une terrasse. Souvent, possibilité de manger dehors. **PISCINE** Hôtel doté d'une piscine couverte ou à ciel ouvert, ou de *spas* à l'usage des hôtes.					
DARLING HARBOUR : *Novotel Sydney on Darling Harbour* $$$ 100 Murray St, Pyrmont, NSW 2009. **Plan 3 C2.** ((02) 9934 0000. FAX (02) 9934 0099. Vue panoramique depuis les chambres de grand confort. Salle de sport, court de tennis et sauna.		527	●	■		■
DARLING HARBOUR : *Waldorf Apartment Hotel* $$$ 57 Liverpool St, NSW 2000. **Plan 4 E3.** ((02) 9261 5355. FAX (02) 9261 3753. Spacieux appartements d'une ou deux chambres avec cuisines bien équipées. Le bar du balcon donne sur la ville.		63	●	■		
DARLING HARBOUR : *Hotel Nikko Darling Harbour* $$$$ 161 Sussex St, NSW 2000. **Plan 4 D2.** ((02) 9299 1231. FAX (02) 9299 3340. Dans des bâtiments du xixe siècle rénovés, un pub ancien a été aménagé en bar pour l'hôtel. Toutes les chambres ont vue du port.		645	●	■	●	
KINGS CROSS ET DARLINGHURST : *Dorchester Inn* $ 38 Macleay St, Potts Point NSW 2011. **Plan 2 E5.** ((02) 9358 2400. FAX (02) 9357 7579. Ce charmant hôtel de 1886, situé dans un quartier tranquille de Kings Cross, a conservé des éléments victoriens d'origine.		15	●	■		
KINGS CROSS ET DARLINGHURST : *L'otel* $ 114 Darlinghurst Rd, Darlinghurst NSW 2010. **Plan 5 B1.** ((02) 9360 6868. FAX (02) 9331 4536. Cet hôtel situé au cœur du quartier de la monoculture des cafés propose des suites décorées dans différents styles.		16	●	■		
KINGS CROSS ET DARLINGHURST : *Simpsons of Potts Point* $$ 8 Challis Ave, Potts Point NSW 2011. **Plan 2 E4.** ((02) 9356 2199. FAX (02) 9356 4476. Le bâtiment construit en 1892 fut d'abord une résidence familiale. Il a été restauré et possède de splendides vitraux.		14		■		
KINGS CROSS ET DARLINGHURST : *Sebel of Sydney* $$$ 23 Elizabeth Bay Rd, Elizabeth Bay NSW 2011. **Plan 2 F5.** ((02) 9358 3244. FAX (02) 9357 1926. Fréquenté par les célébrités du rock and roll et du cinéma de passage. Suites somptueuses.		165	●	■	●	■
KINGS CROSS ET DARLINGHURST : *Woolloomooloo Waters* $$$ 88 Dowling St, Woolloomooloo NSW 2011. **Plan 2 E5.** ((02) 9358 3100. FAX (02) 9356 4839. Cet hôtel moderne et spacieux a été aménagé dans un entrepôt dans l'ancien quartier des docks.		80	●	■		■
MANLY : *Manly Pacific Parkroyal* $$$ 55 North Steyne, NSW 2095. ((02) 9977 7666. FAX (02) 9977 7822. Situé sur la plage de Manly, l'hôtel a des vues imprenables et des chambres claires et aérées. Bars, restaurants, boîte de nuit. Nombreux pubs et cafés à proximité.		169	●	■	●	■
PADDINGTON : *Paddington Grand National* $ 161 Underwood St, NSW 2021. **Plan 6 D4.** ((02) 9363 3096. FAX (02) 9363 3542. Rénové avec talent, cet ancien pub vieux de cent ans est devenu le rendez-vous branché des habitants du quartier.		20	●			
PADDINGTON : *Hughenden* $$ 14 Queen St, Woollahra NSW 2025. **Plan 6 E4.** ((02) 9363 4863. FAX (02) 9362 0398. Ce bâtiment ancien (1876) a été restauré avec des escaliers superbement sculptés et des cheminées en marbre.		35	●	■		
LES ROCKS ET CIRCULAR QUAY : *Lord Nelson Brewery Hotel* $ 19 Kent St, NSW 2000. **Plan 1 A2.** ((02) 9251 4044. FAX (02) 9251 1532. Depuis 150 ans, les plaisanteries de bar font l'éloge des fameuses bières maison de ce pub. À l'étage, chambres douillettes aux murs de pierre rustique.		5	●	■		

Légende des symboles, voir rabat de couverture

	NOMBRE DE CHAMBRES	RESTAURANT	ÉQUIPEMENTS ENFANTS	JARDIN OU TERRASSE	PISCINE

Les **prix** correspondent à une nuit en chambre double, service et taxes compris.

⑤ moins de 100 \$A
⑤⑤ de 100 à 150 \$A
⑤⑤⑤ de 150 à 200 \$A
⑤⑤⑤⑤ de 200 à 250 \$A
⑤⑤⑤⑤⑤ plus de 250 \$A

RESTAURANT
Sauf indication contraire, le restaurant ou la salle à manger accueille d'autres clients que les hôtes.
ÉQUIPEMENTS ENFANTS
Berceaux, lits d'enfants et baby-sitting disponibles. Certains établissements proposent des menus pour enfants et possèdent des chaises hautes.
JARDIN OU TERRASSE
Hôtel possédant un jardin, une cour intérieure ou une terrasse. Souvent, possibilité de manger dehors.
PISCINE
Hôtel doté d'une piscine couverte ou à ciel ouvert, ou de *spas* à l'usage des hôtes.

LES ROCKS ET CIRCULAR QUAY : *Russell*　⑤⑤ 143a George St, NSW 2000. **Plan 1** B2. ((02) 9241 3543. FAX (02) 9252 1652. Hôtel accueillant et intime, avec un jardin sur le toit, idéal pour prendre un verre au calme après une journée agitée en ville. 🖼 🌳	29	●	■	●	
LES ROCKS ET CIRCULAR QUAY : *ANA Hotel Sydney*　⑤⑤⑤⑤ 176 Cumberland St, NSW 2000. **Plan 1** A3. ((02) 9250 6000. FAX (02) 9250 6250. Hôtel moderne mais somptueux. Le soir, on contemple les lumières du port à l'Horizon Bar. 🖼 24 TV ▤ & P 🌳	570	●	■		■
LES ROCKS ET CIRCULAR QUAY : *Regent Sydney*　⑤⑤⑤⑤ 199 George St, NSW 2000. **Plan 1** B3. ((02) 9238 0000. FAX (02) 9251 2851. Moderne et imposant, l'hôtel offre une vue imprenable du port. On s'ouvrira l'appétit au club de remise en forme avant de choisir l'un des trois restaurants haut de gamme. 🖼 24 TV ▤ & P 🍴 🌳	594	●	■		■
LES ROCKS ET CIRCULAR QUAY : *Renaissance Sydney*　⑤⑤⑤⑤ 30 Pitt St, NSW 2000. **Plan 1** B3. ((02) 9372 2233. FAX (02) 9251 1122. Hôtel accueillant avec un somptueux hall à trois niveaux et un appartement de luxe au dernier étage. 🖼 24 TV ▤ & P 🌳	579	●	■		■
LES ROCKS ET CIRCULAR QUAY : *Observatory*　⑤⑤⑤⑤⑤ 89-113 Kent St, Millers Point, NSW 2000. **Plan 1** A2. ((02) 9256 2222. FAX (02) 9256 2233. Élégant hôtel situé au centre de ce quartier historique du XIXᵉ siècle. 🖼 24 TV ▤ & P 🌳	100	●	■		■
LES ROCKS ET CIRCULAR QUAY : *Park Hyatt Sydney*　⑤⑤⑤⑤⑤ 7 Hickson Rd, The Rocks NSW 2000. **Plan 1** B1. ((02) 9241 1234. FAX (02) 9256 1555. Cet hôtel de luxe proche du port se trouve à l'ombre du Harbour Bridge *(p. 76-77).* 🖼 24 TV ▤ & P 🌳	154	●	■		■

DES BLUE MOUNTAINS À BYRON BAY

ARMIDALE : *Abbotsleigh Motor Inn*　⑤ 76 Barney St, NSW 2350. ((02) 6772 9488. FAX (02) 6772 7066. Motel de base pour voyageurs, calme malgré sa situation centrale : proche des musées, magasins et cafés d'Armidale. 🖼 TV & P 🌳	33	●	■		
BARRINGTON TOPS : *Barrington Guest House*　⑤⑤⑤ Salisbury, *via* Dungog, NSW 2420. ((02) 4995 3212. FAX (02) 4995 3248. Authentique pension des années trente entourée par la forêt tropicale et voisine du Barrington Tops National Park *(p. 164).* & P 🌳	40	●		●	
BARRINGTON TOPS : *Eaglereach Wilderness Resort*　⑤⑤⑤⑤ Summer Hill Rd, Vacy *via* Paterson, NSW 2421. ((02) 4938 8233. FAX (02) 4938 8234. Ces *lodges* aux vues panoramiques sur les Barrington Tops peuvent accueillir huit personnes. 🖼 TV & P 🍴 🌳	30	●	■	●	■
BLUE MOUNTAINS : *Jenolan Caves House*　⑤⑤ Jenolan Caves, NSW 2790. ((02) 6359 3304. FAX (02) 6359 3388. Cette retraite appréciée des habitants de Sydney est proche des Jenolan Caves, dans le Blue Mountains National Park. TV & P 🌳	80	●	■		
BLUE MOUNTAINS : *Hydro Majestic Hotel*　⑤⑤ Great Western Hwy, Medlow Bath, NSW 2780. ((02) 4788 1002. FAX (02) 4788 1063. Cet hôtel romantique surplombe les falaises de Medlow Bath et ménage des vues saisissantes de la Megalong Valley. 🖼 TV ▤ P 🌳	55	●		●	■
BLUE MOUNTAINS : *Crystal Lodge*　⑤⑤⑤ 19 Abbotsford Rd, Katoomba, NSW 2780. ((02) 4782 5122. FAX (02) 4782 3742. Cette *resort* de remise en forme de style Art déco propose un choix de thérapies « parallèles ». Repas végétariens et alcool interdit. P 🌳	19	●		●	

BLUE MOUNTAINS : *Lilianfels* $$$$ | 86
Lilianfels Ave, Katoomba, NSW 2780. ((02) 4780 1200. FAX (02) 4780 1300.
Ce centre de congrès apprécié des cadres supérieurs et des hommes
politiques offre un service de première classe. 🛏 TV 🖥 P 🍴 🏊

BOURKE : *Bourke Riverside Motel* $ | 8
3 Mitchell St, NSW 2840. ((02) 6872 2539. FAX (02) 6872 2539.
Bâtiment historique de 1875 sur les rives de l'imposante Darling River.
Le motel est calme mais proche du centre-ville. 🛏 TV 🖥 🖥 P 🏊

BROKEN HILL : *Grand Guesthouse & Broken Hill Historic Cottages* $ | 24
317 Argent St, NSW 2880. ((08) 8087 5305. FAX (08) 8087 5305.
Au cœur de la ville, ce *bed-and-breakfast* dispose aussi d'un cottage
de mineur avec cuisine équipée. TV 🖥 🖥 P 🏊

BROKEN HILL : *The Lodge Motel* $$ | 21
Angle de Mica St et Chloride St, NSW 2880. ((08) 8088 2722. FAX (08) 8088 2636.
Motel confortable et accueillant dans un édifice Belle Époque doté
d'un joli jardin paisible. 🛏 TV 🖥 P 🏊

BYRON BAY : *Byron Bay Beach Club* $$ | 78
Bayshore Drive, NSW 2481. ((02) 6685 8000. FAX (02) 6685 6916.
Resort privée au milieu de 93 ha d'espaces verts naturels avec une
plage privée isolée de sable blanc. 🛏 TV 🖥 P 🏊

COFFS HARBOUR : *Pelican Beach Travelodge Resort* $$$ | 112
Pacific Hwy, NSW 2450. ((02) 6653 7000. FAX (02) 6653 7066.
Cette *resort* familiale est dotée d'un club junior pendant les vacances et
les week-ends. 🛏 24 TV 🖥 🖥 P 🍴 🏊

DUBBO : *Country Comfort Inn* $ | 60
Newell Hwy, NSW 2830. ((02) 6882 4777. FAX (02) 6881 8370.
À 10 mn en voiture de la ville, c'est l'hôtel le plus proche du
magnifique Western Plains Zoo *(p. 172)*. 🛏 TV 🖥 🖥 P 🏊

HUNTER VALLEY : *The Bellbird Hotel* $ | 15
388 Wollombi Rd, Bellbird, NSW 2325. ((02) 4990 1094.
Bed-and-breakfast proche des célèbres domaines viticoles *(p. 166)* et
terrains de golf de la vallée. TV P 🏊

HUNTER VALLEY : *The Olives Country House* $$$ | 5
Campbell's Lane, Pokolbin, NSW 2320. ((02) 4998 7838. FAX (02) 4998 7456.
Détente assurée dans le cadre d'une auberge de style toscan entourée
d'oliviers, de vignobles et d'agréables jardins. 🛏 🖥 P 🏊

HUNTER VALLEY : *The Convent at Pepper Tree Vineyard* $$$$$ | 17
Halls Rd, Pokolbin, NSW 2320. ((02) 4998 7764. FAX (02) 4998 7323.
L'hôtel de style gothique propose un forfait week-end avec repas
gastronomiques, champagne et petit déjeuner. 🛏 🖥 P 🏊

MUDGEE : *Lauralla Historic Guesthouse* $$$ | 6
Angle de Lewis St et Mortimer St, NSW 2850. ((02) 6372 4480. FAX (02)
6372 3320. Une des plus belles demeures victoriennes de Mudgee.
Visite des vignobles en voiture avec chauffeur. 🛏 🖥 P 🏊

MUNGO NATIONAL PARK : *Mungo Lodge* $ | 18
Arumpo Rd, NSW 3500. ((03) 5029 7297. FAX (03) 5029 7296.
Séjournez à l'entrée même du Mungo National Park, dans des
bungalows très simples mais confortables. 🛏 TV 🖥 P 🏊

NEWCASTLE : *The Esplanade Newcastle Beach* $$$ | 72
Shortland Esplanade, 2300. ((02) 4929 5576. FAX (02) 4926 5467.
Toutes les chambres de luxe ont des vues exceptionnelles de la courbe
majestueuse que décrit la côte du Pacifique. 🛏 TV 🖥 🖥 P 🍴 🏊

TOOWOON BAY : *Kims Beachside Retreat* $$$$$ | 34
Charlton St, NSW 2261. ((02) 4332 1566. FAX (02) 4333 1544.
Coûteux mais réputé pour son intimité, sa gastronomie et ses possibilités
de détente. Pension complète incluse dans le prix. 🛏 24 TV P 🏊

WAGGA WAGGA : *Old Wagga Inn* $ | 90
Angle de Tarcutta St et Morgans St, NSW 2650. ((02) 6921 6444. FAX (02)
6921 2922. Connu pour son excellent restaurant, ce grand motel n'est
qu'à 5 mn à pied du centre-ville. 🛏 24 🖥 🖥 P 🏊

Légende des symboles, voir rabat de couverture

Les **prix** correspondent à
une nuit en chambre
double, service et taxes
compris.

§ moins de 100 $A
§§ de 100 à 150 $A
§§§ de 150 à 200 $A
§§§§ de 200 à 250 $A
§§§§§ plus de 250 $A

RESTAURANT
Sauf indication contraire, le restaurant ou la salle
à manger accueille d'autres clients que les hôtes.
ÉQUIPEMENTS ENFANTS
Berceaux, lits d'enfants et baby-sitting disponibles.
Certains établissements proposent des menus pour
enfants et possèdent des chaises hautes.
JARDIN OU TERRASSE
Hôtel possédant un jardin, une cour intérieure ou
une terrasse. Souvent, possibilité de manger dehors.
PISCINE
Hôtel doté d'une piscine couverte ou à ciel ouvert,
ou de *spas* à l'usage des hôtes.

LA SOUTH COAST ET LES SNOWY MOUNTAINS

	NOMBRE DE CHAMBRES	RESTAURANT	ÉQUIPEMENTS ENFANTS	JARDIN OU TERRASSE	PISCINE
ADAMINABY : *Reynella Rides and Country Farmstay* §§§§ Bolaro Rd, NSW 2630. ((02) 6454 2386. FAX (02) 6454 2530. Cet élevage de moutons et de bétail organise des randonnées équestres dans le Kosciuszko National Park, avec camping dans le *bush*. **P ⧉**	20	●	▦	●	
BATEMANS BAY : *The Reef Motor Inn* § 27 Clyde St, NSW 2536. ((02) 4472 6000. FAX (02) 4472 6059. L'hôtel est à deux pas des plages propices au surf et des parcs nationaux. Excursions en bateau et parties de pêche. **⧉ TV ▤ P ⧉**	34	●	▦		▦
BATEMANS BAY : *Lincoln Downs* §§ Princes Hwy, NSW 2536. ((02) 4472 6388. FAX (02) 4472 6821. Luxueuse *resort* en bord de mer, idéale pour la détente, les vins fins et la bonne chère. **⧉ ▤ P ⧉ ⧉**	33	●		●	▦
BERRY : *Bunyip Inn Guesthouse* §§§ 122 Queen St, NSW 2535. ((02) 4464 2064. FAX (02) 4464 2324. Abritée dans une banque de 1889, cette confortable pension tenue par ses propriétaires est une base idéale pour explorer la région. **P ⧉**	13				
CHARLOTTE PASS : *Mount Kosciuszko Chalet* §§§§ Kosciuszko Rd, NSW 2624. ((02) 6457 5245. FAX (02) 6457 5362. Le chalet le plus haut d'Australie, au milieu de prairies alpines fleuries l'été et de bonnes pistes de ski l'hiver. **⧉ ⧉ P** *seulement l'été.* **⧉**	34	●	▦	●	
EDEN : *Wonboyn Lake Resort* §§ 1 Oyster Lane, Wonboyn Lake, NSW 2551. ((02) 6496 9162. FAX (02) 6496 9100. Ces cottages équipés sont idéaux pour les vacances familiales. Pêche, plage et observation des baleines. **⧉ TV P**	14	●	▦	●	▦
GOULBURN : *Loaded Dog Hotel* § Braidwood Rd, Tarago, NSW 2580. ((02) 4849 4499. FAX (02) 4849 4603. Construit en 1848, ce pub en activité typique du *bush* a conservé sa large véranda à deux niveaux et son cachet historique. **P ⧉**	10	●		●	
GOULBURN : *Pelican Sheep Station* § Braidwood Rd, NSW 2580. ((02) 4821 4668. FAX (02) 4822 1179. Cette ferme familiale en activité peut loger 60 personnes dans des dortoirs économiques ou dans des bâtiments équipés. Excursions dans les fermes et randonnées pédestres dans le *bush*. **⧉ P ⧉**	10	●	▦	●	
KIAMA : *Villa Dalmeny L'Hotel Privé* §§§§§ 72 Shoalhaven St, NSW 2533. ((02) 4233 1911. FAX (02) 4233 1912. Dîners gastronomiques de cinq plats tous les soirs dans cette demeure classée proche de la mer. Les enfants ne sont pas admis. **⧉ TV P ⧉**	4	●			
MERIMBULA : *Albacore Apartments* §§§§§ Market St, NSW 2548. ((02) 6495 3187. FAX (02) 6495 3439. Appartements de luxe avec vue sur la plage. À proximité : terrains de golf, pêche et plages propices au surf. **⧉ TV ⧉ P ⧉**	20			●	▦
NAROOMA : *Mystery Bay Cottages* § Lot 5, Mystery Bay Rd, Mystery Bay, NSW 2546. ((02) 4473 7431. Les cottages du Mystery Bay sont équipés et entourés de vastes terres cultivées. Ils disposent tous de feux de bois, d'un espace barbecue et de deux chambres donnant sur la plage. **⧉ TV P**	4			●	
SOUTHERN HIGHLANDS : *Tree Tops Guesthouse* §§ 101 Railway Ave, Bundanoon, NSW 2578. ((02) 4883-6372. FAX (02) 4883 6176. Paisible retraite rustique meublée de lits à baldaquin et de cheminées en état de marche. **⧉ ⧉ P ⧉**	13	●		●	

SOUTHERN HIGHLANDS : *Craigieburn* — $$$$ — 68
Centennial Rd, Bowral, NSW 2576. ((02) 4861 1277. FAX (02) 4862 1690.
À moins de 2 h de route de Sydney, Craigieburn est un domaine
paysager de 2 ha qui possède son propre terrain de golf neuf trous, son
terrain de cricket et ses courts de tennis. Pension complète. 🔒 P 📺 🍴 🌿

SOUTHERN HIGHLANDS : *Milton Park Country Resort* — $$$$$ — 40
Horderns Rd, Bowral, NSW 2576. ((02) 4861 1522. FAX (02) 4861 4716.
Vieille demeure élégante entourée d'espaces verts : golf, équitation,
tennis, cours d'art et pique-niques dans le *bush*. 🔒 📺 ♿ P 🌿

THREDBO : *Thredbo Alpine Hotel* — $$$$ — 64
Friday Drive, Thredbo, NSW 2625. ((02) 6459 4200. FAX (02) 6459 4201.
Vaste complexe d'attractions et de congrès très fréquenté par les
skieurs l'hiver. Beaucoup moins cher l'été. 🔒 📺 P 🍴 🌿

THREDBO : *Novotel Lake Crackenback Resort* — $$$$ — 46
Lake Crackenback, Alpine Way, *via* Jindabyne, NSW 2625. ((02) 6456 2960.
FAX (02) 6456 1008. Ouverte l'été comme l'hiver, cette *resort* de luxe
occupe un emplacement idéal pour les skieurs. 🔒 📺 ♿ P 🍴 🌿

TILBA TILBA : *Valley Country Home* — $$$$$ — 4
Guluga Track, NSW 2546. ((02) 4473 7405. FAX (02) 4473 7300.
Cet établissement de grand luxe avec cuisine gastronomique est
proche des superbes plages de la région. 🔒 ♿ P 🌿

WOLLONGONG : *Novotel Northbeach Wollongong* — $$$$ — 20
2-14 Cliff Rd, NSW 2500. ((02) 4226 3555. FAX (02) 4229 1705.
Hôtel niché entre les montagnes et la mer, proche de Sydney. Toutes
les chambres ont un balcon sur l'océan. Paisibles promenades à pied et
pistes cyclables à proximité. 🔒 24 📺 🍽 ♿ P 🍴 🌿

CANBERRA ET L'ACT

BRINDABELLA : *Brindabella Station* — $$$$ — 6
Brindabella Valley, ACT 2611. ((02) 6236 2121. FAX (02) 6236 2128.
Randonnées dans le *bush*, observation des oiseaux, équitation,
excursions en 4 × 4, pêche à la truite dans cette luxueuse ferme. P 🌿

BUNGENDORE : *Carrington at Bungendore* — $$$ — 26
21 Malbon St, NSW 2621. ((02) 6238 1044. FAX (02) 6238 1036.
Retraite appréciée le week-end des habitants de Canberra qui adorent
flâner chez les antiquaires de cette ville. 🔒 24 📺 ♿ P 🌿

CANBERRA : *Blue and White Lodge* — $ — 21
524 Northbourne Ave, Downer, ACT 2602. ((02) 6248 0498. FAX (02) 6248
8277. Réputé comme le premier et le plus accueillant des *bed-and-
breakfast* de Canberra. 📺 🍽 P 🌿

CANBERRA : *Chelsea Lodge* — $ — 10
526 Northbourne Ave, Downer, ACT 2602. ((02) 6248 0655.
Agréable *bed-and-breakfast*, à 4 km au nord du centre-ville. Toutes les
chambres sont non-fumeurs. 🔒 📺 🚭 P

CANBERRA : *City Walk Hotel* — $ — 52
2 Mort St, Canberra City, ACT 2601. ((02) 6257 0124. FAX (02) 6257 0116.
En plein centre-ville, cet hôtel économique propose des dortoirs pour
les routards mais aussi des chambres confortables. 📺 🌿

CANBERRA : *Kingston Hotel* — $ — 10
Canberra Ave, Kingston, ACT 2602. ((02) 6295 0123.
Ce pub animé est très apprécié des routards. Possibilité de cuisiner,
mais le pub sert au comptoir des repas à prix très abordables.

CANBERRA : *Last Stop Ambledown Brook* — $ — 2
Ambledown Brook, Brooklands Rd, *via* Hall, ACT 2618. ((02) 6230 2280.
FAX (02) 6230 2280. À 20 mn de route de Canberra, on dort dans un
tramway de Melbourne de 1929 aménagé ou un wagon de chemin de
fer de Sydney de 1935. 🔒 24 P 🍴 🌿

CANBERRA : *Macquarie Hotel* — $ — 530
18 National Circuit, Barton, ACT 2600. ((02) 6273 2325. FAX (02) 6273 4241.
Fréquenté jadis par les députés, cet hôtel rénové est situé à l'intérieur
du Triangle parlementaire. 🔒 📺 P 🍴 🌿

Légende des symboles, voir rabat de couverture

Les **prix** correspondent à une nuit en chambre double, service et taxes compris.

$ moins de 100 $A
$$ de 100 à 150 $A
$$$ de 150 à 200 $A
$$$$ de 200 à 250 $A
$$$$$ plus de 250 $A

RESTAURANT
Sauf indication contraire, le restaurant ou la salle à manger accueille d'autres clients que les hôtes.
ÉQUIPEMENTS ENFANTS
Berceaux, lits d'enfants et baby-sitting disponibles. Certains établissements proposent des menus pour enfants et possèdent des chaises hautes.
JARDIN OU TERRASSE
Hôtel possédant un jardin, une cour intérieure ou une terrasse. Souvent, possibilité de manger dehors.
PISCINE
Hôtel doté d'une piscine couverte ou à ciel ouvert, ou de *spas* à l'usage des hôtes.

	Prix	NOMBRE DE CHAMBRES	RESTAURANT	ÉQUIPEMENTS ENFANTS	JARDIN OU TERRASSE	PISCINE
CANBERRA : *University House* Angle de Balmain St et Liversidge St, Acton, ACT 2601. (02) 6249 5211. FAX (02) 6249 5252. Dans les jardins de l'Australian National University, chambres spacieuses et ambiance universitaire.	$	100	●		●	
CANBERRA : *Brassey Hotel* Belmore Gardens, Barton, ACT 2600. (02) 6273 3766 FAX (02) 6273 2791. Cet hôtel avec jardins donne sur une rue calme près du Club de la presse et de la National Gallery.	$$	95	●	■	●	
CANBERRA : *Canberra International Hotel* 242 Northbourne Ave, Dickson, ACT 2602. (02) 6247 6966. FAX (02) 6248 7823. Proche du centre-ville, l'hôtel est apprécié des hommes d'affaires et des congressistes pour ses tarifs raisonnables.	$$	156	●	■		■
CANBERRA : *Canberra Rex Hotel* 150 Northbourne Ave, Braddon, ACT 2612. (02) 648 5311. FAX (02) 6248 8357. Hôtel accueillant et raffiné, proche de l'université et du centre-ville.	$$	156	●			■
CANBERRA : *Olims Canberra Hotel* Angle d'Ainslie Ave et Limestone Ave, Braddon, ACT 2612. (02) 6248 5511. FAX (02) 6247 0864. Hôtel traditionnel et calme dans un charmant domaine, proche du War Memorial et du centre-ville.	$$	125	●		●	
CANBERRA : *Rydges Canberra* London Circuit, Canberra City, ACT 2600. (02) 6247 6244. FAX (02) 6257 3071. Cet hôtel considérablement modernisé ménage des vues superbes du Lake Burley Griffin.	$$	205	●	■	●	■
CANBERRA : *Capital Parkroyal* 1 Binara St, ACT 2602. (02) 6247 8999. Cet hôtel quatre étoiles au centre-ville (dans le « Civic ») propose de nombreux services. Il est particulièrement apprécié de la clientèle d'affaires de passage.	$$$	200	●	■		■
CANBERRA : *Hotel Kurrajong* National Circuit, Barton, ACT 2600. (02) 6234 4444. FAX (02) 6234 4466. Cet hôtel ravissant et tranquille construit en 1926 a accueilli de nombreux Premiers ministres australiens.	$$$	26	●			
CANBERRA : *Hyatt Hotel* Commonwealth Ave, Yarralumla, ACT 2600. (02) 6270 1234. FAX (02) 6281 5998. Ce domaine champêtre en plein cœur de la capitale est un véritable petit bijou.	$$$$	249	●	■	●	■

BRISBANE

	Prix	NOMBRE DE CHAMBRES	RESTAURANT	ÉQUIPEMENTS ENFANTS	JARDIN OU TERRASSE	PISCINE
CENTRE-VILLE : *Annies Shandon Inn* 405 Upper Edward Street, QLD 4000. (07) 3831 8684. FAX (07) 3831 3073. Petit *bed-and-breakfast* tenu par des particuliers, proche de Wickham Terrace à la limite du centre-ville.	$	19				
CENTRE-VILLE : *Astor Motel* 193 Wickham Terrace, Spring Hill, QLD 4000. (07) 3831 9522. FAX (07) 3831 7360. Un des motels économiques de Wickham Terrace, la plupart donnent sur Albert Park ou Wickham Park. *limité.*	$	63	●	■		■
CENTRE-VILLE : *Embassy* Angle d'Edward St et Elizabeth St, QLD 4000. (07) 3221 7616. FAX (07) 3220 0855. L'Embassy est l'un des plus anciens hôtels de Brisbane. Bon marché et central, il pâtit cependant d'un décor suranné.	$	17				

CENTRE-VILLE : *Bellevue Hotel Brisbane* ⑤⑤ 99
103 George St, QLD 4000. ☎ *(07) 3221 6044.* FAX *(07) 3221 7474.*
Juste en face du Treasury Casino, cet hôtel rénové propose des
chambres assez petites mais joliment meublées. 🛏 📺 🍴 🅿 🏊

CENTRE-VILLE : *Brisbane City Travelodge* ⑤⑤⑤ 218
Roma Street, QLD 4003. ☎ *(07) 3238 2222.* FAX *(07) 3238 2288.*
Un Travelodge typique – sérieux, tarifs compétitifs, service souriant –
qui propose des chambres de bonne dimension. 🛏 24 📺 🍴 🅿 🍴 🏊

CENTRE-VILLE : *Novotel Brisbane* ⑤⑤⑤ 45
200 Creek St, QLD 4000. ☎ *(07) 3309 3309.* FAX *(07) 3309 3308.*
En plein centre-ville, c'est un Novotel typique et bien géré. 🛏 24 📺
🍴 🅿 🍴 🏊

CENTRE-VILLE : *Quay West Brisbane* ⑤⑤⑤ 103
132 Alice St, QLD 4000. ☎ *(07) 3853 6000.* FAX *(07) 3853 6060.*
À quelques pas du centre-ville, cet hôtel offre un luxe cinq étoiles à
prix raisonnable, avec de superbes vues des Botanic Gardens et du
fleuve. Suites uniquement. 🛏 24 📺 🍴 🅿 🍴 🏊

CENTRE-VILLE : *River Plaza Park Inn International* ⑤⑤⑤ 141
21 Dock St, QLD 4101. ☎ *(07) 3844 4455.* FAX *(07) 3844 9254.*
Cette tour se trouve à quelques minutes de marche des Southbank
Parklands et du Queensland Performing Arts Centre, au bord du fleuve
Brisbane *(p. 219).* 🛏 📺 🍴 🅿 🍴 🏊

CENTRE-VILLE : *Brisbane Parkroyal* ⑤⑤⑤⑤ 153
Angle d'Alice St et Albert St, QLD 4000. ☎ *(07) 3221 3411.* FAX *(07) 3229 9817.*
Le Parkroyal parvient à concilier l'ambiance intime d'un petit hôtel et
toutes les commodités d'un vaste établissement. 🛏 24 📺 🍴 🅿 🍴 🏊

CENTRE-VILLE : *Carlton Crest* ⑤⑤⑤⑤ 445
Angle d'Ann St et Roma St, QLD 4000. ☎ *(07) 3229 9111.* FAX *(07) 3229 9618.*
Sur King George Square, en face de l'hôtel de ville, le Carlton Crest est
proche des principaux sites touristiques de Brisbane. 🛏 24 📺 🍴 🅿 🏊

CENTRE-VILLE : *Country Comfort Lennons Hotel* ⑤⑤⑤⑤ 187
66 Queen St, QLD 4000. ☎ *(07) 3222 3222.* FAX *(07) 3221 9389.*
Situation idéale pour le shopping, sur le *mall* de Queen Street, le
principal quartier commerçant de Brisbane. 🛏 24 📺 🍴 🅿 🏊

CENTRE-VILLE : *Mercure Hotel Brisbane* ⑤⑤⑤⑤ 190
85 North Quay, QLD 4003. ☎ *(07) 3236 3300.* FAX *(07) 3236 1035.*
Le Mercure est un hôtel moderne offrant un bon rapport qualité-prix,
avec vue sur la Brisbane River, le Centre culturel et les Southbank
Parklands qui sont tout proches. 🛏 24 📺 🍴 🅿 🏊

CENTRE-VILLE : *Brisbane Hilton* ⑤⑤⑤⑤⑤ 326
190 Elizabeth St, QLD 4000. ☎ *(07) 3231 3131.* FAX *(07) 3231 3199.*
Le Hilton est synonyme de bon service et de confort. Son élégant Atrium
Lobby est un lieu de rendez-vous très fréquenté. 🛏 24 📺 🍴 🅿 🍴 🏊

CENTRE-VILLE : *Conrad International Treasury Casino* ⑤⑤⑤⑤ 152
130 William St, QLD 4000. ☎ *(07) 3306 8888.* FAX *(07) 3306 8880.*
Ce luxueux hôtel cinq étoiles est un bâtiment historique incorporé au
complexe du Treasury Casino. Il est situé de l'autre côté du parc par
rapport au casino. 🛏 24 📺 🍴 🅿 🏊

CENTRE-VILLE : *The Heritage* ⑤⑤⑤⑤ 252
Angle de Margaret St & Edward St, QLD 4001. ☎ *(07) 3221 1999.* FAX *(07)
3221 6895.* Cet élégant hôtel qui appartient à la chaîne Beaufort Hotel
se trouve en face des Botanic Gardens et possède un des meilleurs
restaurants japonais de la ville. 🛏 24 📺 🍴 🦼 🅿 🍴 🏊

CENTRE-VILLE : *Sheraton Brisbane Hotel & Towers* ⑤⑤⑤⑤⑤ 435
249 Turbot St, QLD 4000. ☎ *(07) 3835 3535.* FAX *(07) 3835 4960.*
L'ambiance très chaleureuse de cet hôtel s'ajoute à la qualité habituelle
des Sheraton. 🛏 24 📺 🍴 🦼 🅿 🍴 🏊

KANGAROO POINT : *Ryan's on the River* ⑤⑤ 24
269 Main Street, QLD 4169. ☎ *(07) 3391 1011.* FAX *(07) 3391 1824.*
Ce petit motel économique a de charmants jardins et offre des vues de
la ville et du fleuve. 🛏 📺 🍴 🦼 🅿 🏊

Légende des symboles, voir rabat de couverture

	Les **prix** correspondent à une nuit en chambre double, service et taxes compris. $ moins de 100 \$A $$ de 100 à 150 \$A $$$ de 150 à 200 \$A $$$$ de 200 à 250 \$A $$$$$ plus de 250 \$A	**RESTAURANT** Sauf indication contraire, le restaurant ou la salle à manger accueille d'autres clients que les hôtes. **ÉQUIPEMENTS ENFANTS** Berceaux, lits d'enfants et baby-sitting disponibles. Certains établissements proposent des menus pour enfants et possèdent des chaises hautes. **JARDIN OU TERRASSE** Hôtel possédant un jardin, une cour intérieure ou une terrasse. Souvent, possibilité de manger dehors. **PISCINE** Hôtel doté d'une piscine couverte ou à ciel ouvert, ou de *spas* à l'usage des hôtes.	NOMBRE DE CHAMBRES	RESTAURANT	ÉQUIPEMENTS ENFANTS	JARDIN OU TERRASSE	PISCINE

	Prix	Chambres	Restaurant	Équipements enfants	Jardin ou terrasse	Piscine
SPRING HILL : *Thornbury House* 1 Thornbury St, QLD 4000. ((07) 3832 5985. Petit *bed-and-breakfast* bien tenu, dans un *Queenslander* en bois à deux étages construit en 1886 et restauré avec amour. TV	$	9				
SPRING HILL : *Metro Inn Tower Mill* 239 Wickham Terrace, QLD 4000. ((07) 3832 1421. FAX (07) 3835 1013. De plan circulaire comme le vieux moulin d'en face, c'est le meilleur des motels de Wickham Terrace. TV P	$$	78		■		
SPRING HILL : *Hotel Grand Chancellor* Angle de Leichhardt St et Wickham Terrace, QLD 4000. ((07) 3831 4055. FAX (07) 3831 5031. Le Grand Chancellor donne sur la ville et ménage des vues superbes pour un prix raisonnable. TV P	$$$	180	●	■	●	■
WOOLLOONGABBA : *Hotel Diana* 12 Annerley Rd, QLD 4102. ((07) 3391 2911. FAX (07) 3391 2944. Cet hôtel quatre étoiles chaleureux, propose un hébergement standard et des appartements indépendants. 24 TV P	$$	95	●	■		■

AU SUD DE TOWNSVILLE

	Prix	Chambres	Restaurant	Équipements enfants	Jardin ou terrasse	Piscine
CARNARVON GORGE : *Oasis Lodge* Carnarvon National Park, *via* Rolleston, QLD 4702. ((07) 4984 4503. FAX (07) 4984 4500. On peut allier ici confort et intimité avec la nature, dans des « bungalows » de toile disséminés parmi les arbres. P	$$$	23	●	■		
FRASER ISLAND : *Fraser Island Retreat* Happy Valley, QLD 4650. ((07) 4127 9144. FAX (07) 4127 9131. Cette agréable *resort* sans prétention propose des chalets en bois équipés avec vue de la Seventy-Five Mile Beach. TV P	$$	9		■	■	■
FRASER ISLAND : *Kingfisher Bay Resort* QLD 4650. ((07) 4120 3333. FAX (07) 4127 9333. Sur la côte ouest de Fraser Island, cette nouvelle *resort* à la mode propose des chambres d'hôtel et des villas. 24 TV P	$$$$	202	●	■	●	■
GOLD COAST : *Royal Pines Resort* Ross St, Ashmore, QLD 4214. ((07) 5597 1111. FAX (07) 5597 2277. *Resort* sportive : golf 27 trous, courts de tennis, centre de remise en forme et piste de jogging. 24 TV P	$$$$	392	●	■	●	■
GOLD COAST : *Sheraton Mirage Gold Coast* Sea World Drive, Main Beach, QLD 4217. ((07) 5591 1488. FAX (07) 5591 2299. Cet hôtel élégamment meublé d'antiquités et de tapisseries surplombe l'océan. 24 TV P	$$$$$	335	●	■	●	■
ARRIÈRE-PAYS DE LA GOLD COAST : *Binna Burra Mountain Lodge* Binna Burra Rd, Beechmont, QLD 4211. ((07) 5533 3622. FAX (07) 5533 3658. Haut perché dans les montagnes du parc national de Lamington (p. 232), c'est un endroit apprécié des randonneurs du *bush*. P	$$$$	22	●	■	●	
ARRIÈRE-PAYS DE LA GOLD COAST : *O'Reilly's Rainforest Guesthouse* Lamington National Park Rd, *via* Canungra, Green Mountain, QLD 4275. ((07) 5544 0644. FAX (07) 5544 0638. Cette confortable pension tenue par la troisième génération de O'Reilly a une promenade surélevée au niveau des arbres qui offre une vue unique de la forêt tropicale. P	$$$$	43	●	■	●	
HERVEY BAY : *Hervey Bay Resort Motel* 249 The Esplanade, QLD 4655. ((07) 4128 1555. FAX (07) 4128 4688. La vue sur la baie vers Fraser Island en fait une étape agréable pour observer les baleines. TV P	$	25	●	■		■

HERVEY BAY : *Susan River Homestead Ranch Resort* $\$\$$ 16
Fraser Coast Hwy, QLD 4655. **[** *(07) 4121 6846.* **FAX** *(07) 4122 2675.*
Entre Maryborough et Hervey Bay, c'est l'endroit idéal pour les
enfants. Nombreuses activités de loisirs.

MACKAY : *Ocean Resort Village Beachfront* $\$$ 34
5 Bridge Rd, Illawong Beach, QLD 4740. **[** *(07) 4951 3200.* **FAX** *(07) 4951
3246.* C'est une bonne *resort* pour budgets serrés avec espace
barbecue, courts de tennis, aquagym, pêche et piscine.

MACKAY : *Ocean International Hotel* $\$\$$ 46
1 Bridge Rd, Illawong Beach, QLD 4740. **[** *(07) 4957 2044.* **FAX** *(07) 4957
2636.* L'hôtel le plus prestigieux de Mackay, à 3 km seulement du
centre-ville, donne sur Sandringham Bay.

MAGNETIC ISLAND : *Arcadia Hotel Resort* $\$$ 27
Marine Parade, Arcadia, QLD 4819. **[** *(07) 4778 5177.* **FAX** *(07) 4778 5939.*
Bâtiments de type motel dans la nature. Au crépuscule, on entend le
chœur magnifique des cris d'oiseaux.

ROCKHAMPTON : *Country Comfort Inn* $\$\$$ 72
86 Victoria Parade, QLD 4700. **[** *(07) 4927 9933.* **FAX** *(07) 4927 1615.*
Ce motel-tour au bord du fleuve, classé quatre étoiles et demi, est
membre de la chaîne Country Comfort.

SUNSHINE COAST : *French Quarter Resort* $\$\$\$$ 119
62 Hastings St, Noosa Heads, QLD 4567. **[** *(07) 5474 5300.* **FAX** *(07) 5474
8122.* Immeuble d'appartements gais disposant de services de première
classe. Le directeur de l'animation dispense des cours d'aquagym et
guide des randonnées dans le parc national.

SUNSHINE COAST : *Sheraton Noosa Resort* $\$\$\$\$$ 169
Hastings St, Noosa Heads, QLD 4567. **[** *(07) 5449 4888.* **FAX** *(07) 5449 2230.*
Cette *resort* cinq étoiles est reliée à la plage par une passerelle qui
traverse la route. Vues de l'océan et du fleuve.

TOWNSVILLE : *Seagulls Resort* $\$$ 70
74 The Esplanade, Belgian Gardens, QLD 4810. **[** *(07) 4721 3111.* **FAX** *(07)
4721 3133.* Proche du centre-ville, en bord de mer, cette *resort*
abordable offre des chambres en rez-de-chaussée entourées de jardins
tropicaux. Navette gratuite pour la ville.

TOWNSVILLE : *Sheraton Breakwater Casino Hotel* $\$\$\$\$$ 193
Sir Leslie Thiess Drive, QLD 4810. **[** *(07) 4722 2333.* **FAX** *(07) 4772 4741.*
Le seul hôtel cinq étoiles de Townsville est perché sur la digue et offre
de belles vues de Magnetic Island.

LE NORD DU QUEENSLAND

ALEXANDRA BAY : *Daintree Wilderness Lodge* $\$\$\$$ 10
83 Cape Tribulation Rd, QLD 4873. **[** *(07) 4098 9105.* **FAX** *(07) 4098 9125.*
Cette *lodge* lauréate d'un prix d'écologie est située au milieu des
palmiers-éventails.

BURKETOWN : *Escott Lodge* $\$$ 14
Escott Lodge, QLD 4830. **[** *(07) 4748 5577.* **FAX** *(07) 4748 5551.*
Élevage de bétail dans le lointain golfe de Savannah, au nord-ouest de
Burketown. Au milieu de l'immensité de l'Outback, on peut participer
à des safaris en 4 × 4 et à des excursions.

CAIRNS : *RIHGA Colonial Club* $\$\$$ 426
18 Cannon St, Manunda, QLD 4870. **[** *(07) 4053 5111.* **FAX** *(07) 4053 7072.*
Ces 80 unités équipées sont appréciées des familles. Randonnées dans
le *bush*, entre autres activités.

CAIRNS : *Mercure Hotel* $\$\$\$$ 173
209 The Esplanade, QLD 4870. **[** *(07) 4051 8999.* **FAX** *(07) 4051 0317.*
Bien situé en bord de mer. Toutes les chambres ont vue soit de Trinity
Bay soit des montagnes.

CAIRNS : *Cairns International* $\$\$\$\$$ 321
17 Abbott Street, QLD 4870. **[** *(07) 4031 1300.* **FAX** *(07) 4031 1801.*
Vénérable hôtel de luxe au centre de Cairns, apprécié des vedettes de
cinéma pendant la saison de la pêche au marlin.

Légende des symboles, voir rabat de couverture

Les **prix** correspondent à une nuit en chambre double, service et taxes compris.

$ moins de 100 $A
$$ de 100 à 150 $A
$$$ de 150 à 200 $A
$$$$ de 200 à 250 $A
$$$$$ plus de 250 $A

RESTAURANT
Sauf indication contraire, le restaurant ou la salle à manger accueille d'autres clients que les hôtes.
ÉQUIPEMENTS ENFANTS
Berceaux, lits d'enfants et baby-sitting disponibles. Certains établissements proposent des menus pour enfants et possèdent des chaises hautes.
JARDIN OU TERRASSE
Hôtel possédant un jardin, une cour intérieure ou une terrasse. Souvent, possibilité de manger dehors.
PISCINE
Hôtel doté d'une piscine couverte ou à ciel ouvert, ou de *spas* à l'usage des hôtes.

	Prix	NOMBRE DE CHAMBRES	RESTAURANT	ÉQUIPEMENTS ENFANTS	JARDIN OU TERRASSE	PISCINE
CAIRNS : *Radisson Plaza at the Pier* Pierpoint Rd, QLD 4870. (07) 4031 1411. FAX (07) 4031 3226. Proche des boutiques du Pier Marketplace et de Trinity Wharf d'où partent promenades en mer et excursions.	$$$$	220	●	■		■
CAPE TRIBULATION : *Coconut Beach Rainforest Resort* Cape Tribulation Rd, QLD 4873. (07) 4098 0033. FAX (07) 4098 0047. Cette séduisante *resort* dispose de 40 villas indépendants dans la forêt tropicale. Le *bure* (hutte-restaurant sur une île) donne sur la mer.	$$$	70	●	■	●	■
DAINTREE : *Daintree Eco Lodge* 20 Daintree Rd, QLD 4873. (07) 4098 6100. FAX (07) 4098 6200. Sous la voûte formée par la forêt, bungalows surélevés avec sols de marbre et ventilateurs de plafond.	$$$$	15	●			■
LONGREACH : *Albert Park Motel* Sir Hudson Fysh Drive, QLD 4730. (07) 4658 2411. FAX (07) 4658 3181. Hébergement le plus proche du Hall of Fame *(p. 249)*. Le prix Keep Australia Beautiful a été attribué aux jardins.	$	30	●	■	●	■
MALANDA : *Honeyflow Country Guesthouse* Heidke Rd, QLD 4885. (07) 4096 8173. FAX (07) 4096 8173. Charmant *bed-and-breakfast* dans une demeure coloniale. Parfait pour explorer les Atherton Tablelands.	$$	4		■	●	
MOSSMAN : *Silky Oaks Wilderness Lodge* Finlayvale Rd, Mossman River Gorge, QLD 4873. (07) 4098 1666. FAX (07) 4098 1983. À 20 mn de route de Port Douglas, c'est une des *lodges* les plus populaires du désert de l'Extrême-Nord (Far North).	$$$	60	●		●	■
MOUNT ISA : *Burke and Wills* Angle de Grace St et Camooweal St, QLD 4825. (07) 4743 8000. FAX (07) 4743 8424. Ce motel moderne avec *spas* et matelas d'eau est situé en plein centre de Mount Isa.	$	56	●	■		■
PORT DOUGLAS : *Coconut Grove Motel* 58 Macrossan St, QLD 4871. (07) 4098 5124. Ces appartements équipés offrent un bon rapport qualité-prix. Restaurant très coté sur place.	$	10	●			
PORT DOUGLAS : *Radisson Treetops Resort* 198 Port Douglas Rd, QLD 4871. (07) 4030 4333. FAX (07) 4030 4323. *Resort* où l'on dînera dans l'une des cinq cabanes construites dans les arbres.	$$$	360	●	■	●	■
PORT DOUGLAS : *Sheraton Mirage* Port Douglas Rd, QLD 4871. (07) 4099 5888. FAX (07) 4099 5398. Construit derrière les casuarinas qui bordent la Four Mile Beach, l'hôtel est entouré de lagons et de jardins luxuriants.	$$$$$	300	●	■	●	■

DARWIN ET LE TOP END

	Prix	NOMBRE DE CHAMBRES	RESTAURANT	ÉQUIPEMENTS ENFANTS	JARDIN OU TERRASSE	PISCINE
COBOURG PENINSULA : *Seven Spirit Bay Wilderness Lodge* Gurig National Park, Arnhem Land, NT 0886. (08) 8979 0277. FAX (08) 8979 0284. Cette *resort* primée sur la lointaine péninsule de Cobourg n'est accessible que par avion spécial. Pour explorer le désert.	$$$$	24	●		●	■
DARWIN : *Frogshollow Backpackers* 27 Lindsay St, NT 0800. (08) 8941 2600. FAX (08) 8941 0758. Auberge spacieuse et populaire proche du centre-ville. Trois *spas*, cuisine commune et transport assuré depuis l'aéroport.	$	142			●	■

DARWIN : *Metro Inn* $ 60
38 Gardens Rd, NT 0800. ((08) 8981 1544. FAX (08) 8941 2541.
Proche du centre-ville, ce motel de base mais accueillant offre des chambres et des appartements équipés.

DARWIN : *Top End Motel* $ 40
Angle de Mitchell St et Daly St, NT 0800. ((08) 8981 6511. FAX (08) 8941 1253. Motel moderne à la lisière du centre-ville, apprécié des routards et des budgets serrés.

DARWIN : *Alatai Holiday Apartments* $$ 71
Angle de McMinn St et Finniss St, NT 0800. ((08) 8981 5188. FAX (08) 8981 8887. Appartements modernes équipés autour d'une piscine. Le restaurant sert une bonne cuisine malaisienne.

DARWIN : *Hotel Darwin* $$ 66
10 Herbert St, NT 0800. ((08) 8981 9211. FAX (08) 8981 9575.
Revivez le passé colonial de Darwin dans ce vieil hôtel célèbre entouré d'arbres tropicaux et doté d'une piscine découverte.

DARWIN : *Mirrambeena Tourist Resort* $$ 125
64 Cavenagh St, NT 0800. ((08) 8946 0111. FAX (08) 8981 5116.
Le complexe hôtelier qui appartient aux Aborigènes bénéficie de jardins pittoresques avec cascades, piscines et *spas*.

DARWIN : *Novotel Atrium Hotel* $$$ 140
100 The Esplanade, NT 0800. ((08) 8941 0755. FAX (08) 8981 9025.
Construit autour d'un atrium de verre qui abrite une forêt tropicale, l'hôtel est connu pour ses soirées typiques du *bush*.

DARWIN : *MGM Grand Darwin* $$$ 97
Gilruth Ave, The Gardens, NT 0800. ((08) 8943 8888. FAX (08) 8943 8999.
L'hôtel-casino dispose d'appartements de luxe et de grandes chambres bien équipées avec vue de la baie.

DARWIN : *Beaufort Hotel* $$$$ 196
The Esplanade, NT 0800. ((08) 8980 0800. FAX (08) 8980 0888.
Le plus bel hôtel de luxe de Darwin donne sur Esplanade Gardens et offre une vue superbe du port.

DARWIN : *Marrakai Luxury Apartments* $$$$ 30
93 Smith St, NT 0800. ((08) 8982 3711. FAX (08) 8981 9283.
Pour un séjour prolongé dans le luxe, ces appartements meublés possèdent un équipement de grande qualité.

DARWIN : *Rydges Plaza Hotel* $$$$ 233
32 Mitchell St, NT 0800. ((08) 8982 0000. FAX (08) 8981 1765.
Cet hôtel moderne cinq étoiles au centre-ville offre des chambres avec vue du port.

HOWARD SPRINGS : *Melaleuca Homestead* $ 2
163 Melaleuca Rd, NT 0835. ((08) 8983 2736.
Cette demeure en rez-de-chaussée au milieu du *bush* est proche des charmants étangs de Howard Springs.

KAKADU NATIONAL PARK : *Frontier Kakadu Lodge and Caravan Park* $ 30
Jabiru Drive, Jabiru, NT 0886. ((08) 8979 2422. FAX (08) 8979 2254.
Hébergement économique en dortoir. En général, chambre à quatre couchettes pour les familles.

KAKADU NATIONAL PARK : *Gagadju Crocodile Hotel* $$$ 110
Flinders St, Jabiru, NT 0886. ((08) 8979 2800. FAX (08) 8979 2707.
Hôtel construit en forme de crocodile, on entre par la mâchoire ! Tous les agréments d'un grand hôtel.

KATHERINE : *Knotts Crossing Resort* $ 81
1475 Cameron St, NT 0850. ((08) 8972 2511. FAX (08) 8972 2628.
Cette *resort* touristique bien équipée propose des chambres économiques avec possibilité de cuisiner.

KATHERINE : *Springvale Homestead Tourist Park* $ 60
Shadforth Rd, NT 0850. ((08) 8972 1355. FAX (08) 8972 3201.
Hébergement de type motel sur la belle Katherine River. Canoë et natation avec les Aborigènes dans les eaux fraîches de la rivière.

Légende des symboles, voir rabat de couverture

Les **prix** correspondent à une nuit en chambre double, service et taxes compris.

$ moins de 100 \$A
$$ de 100 à 150 \$A
$$$ de 150 à 200 \$A
$$$$ de 200 à 250 \$A
$$$$$ plus de 250 \$A

RESTAURANT
Sauf indication contraire, le restaurant ou la salle à manger accueille d'autres clients que les hôtes.
ÉQUIPEMENTS ENFANTS
Berceaux, lits d'enfants et baby-sitting disponibles. Certains établissements proposent des menus pour enfants et possèdent des chaises hautes.
JARDIN OU TERRASSE
Hôtel possédant un jardin, une cour intérieure ou une terrasse. Souvent, possibilité de manger dehors.
PISCINE
Hôtel doté d'une piscine couverte ou à ciel ouvert, ou de *spas* à l'usage des hôtes.

LE RED CENTRE

	Prix	Nombre de chambres	Restaurant	Équipements enfants	Jardin ou terrasse	Piscine
ALICE SPRINGS : *Desert Rose Inn* 15 Railway Terrace, NT 0870. (08) 8952 1411. FAX (08) 8952 3232. Les chambres de ce motel proche du centre d'Alice Springs donnent sur Anzac Hill et sur les MacDonnell Ranges.	$	75	●	▪	●	▪
ALICE SPRINGS : *Melanka Lodge Hotel* 94 Todd St, NT 0870. (08) 8952 2233. FAX (08) 8952 2890. Fréquenté par une clientèle internationale, cet hôtel économique offre un environnement propre et confortable, sans fioritures.	$	83	●	▪	●	▪
ALICE SPRINGS : *Diplomat Hotel* Angle de Gregory Terrace et Hartley St, NT 0870. (08) 8952 8977. FAX (08) 8953 0225. Toutes les chambres de cet hôtel du centre-ville tenu par ses propriétaires s'ouvrent sur un balcon ou sur le jardin.	$$	81	●		●	▪
ALICE SPRINGS : *Territory Motor Inn* Leichhardt Terrace, NT 0870. (08) 8952 2066. FAX (08) 8952 7829. Renommé pour son ambiance décontractée et chaleureuse, ce motel a six chambres équipées pour les voyageurs handicapés.	$$	108	●	▪	●	▪
ALICE SPRINGS : *Vista Hotel* Stephens Rd, NT 0870. (08) 8952 6100. FAX (08) 8952 1988. Au pied des MacDonnell Orientales. La plupart des chambres offrent une vue spectaculaire.	$$	140	●	▪	●	▪
ALICE SPRINGS : *Pacific Resort* 34 Stott Terrace, NT 0870. (1 800) 805 055. FAX (08) 8953 0995. Cet hôtel central au bord de la Todd River possède de bons équipements, notamment une piscine chauffée.	$$$	50	●	▪	●	▪
ALICE SPRINGS : *Rydges Plaza Hotel* Barrett Drive, NT 0870. (08) 8952 8000. FAX (08) 8952 3822. Le meilleur hôtel d'Alice Springs, situé sur la rive est de la Todd River, à 1,5 km seulement de la ville.	$$$$	235	●	▪	●	▪
ROSS RIVER : *Ross River Homestead* Ross Hwy, NT 0871. (08) 8956 9711. FAX (08) 8956 9823. Halte importante pour les touristes qui se rendent sur les sites des MacDonnell Orientales, cette demeure rurale est proche de Trephina Gorge. Promenades à dos de chameau et safaris nocturnes.	$	32	●	▪	●	▪
TENNANT CREEK : *Eldorado Motor Lodge* Paterson St, Stuart Hwy, NT 0860. (08) 8962 2402. FAX (08) 8962 3034. Carrefour pour les voyageurs qui font le tour de l'Australie par la route, ce motel accueillant possède plusieurs suites familiales.	$	78	●	▪	●	▪
WATARRKA NATIONAL PARK : *Kings Canyon Resort* Luritja Rd, NT 0872. (08) 8956 7442. FAX (08) 8956 7410. L'unique hébergement de Kings Canyon offre un vaste choix d'options : dortoirs pour les routards, terrains de camping et caravaning, le tout dans une étendue désertique.	$$$$$	92	●			
YULARA : *Desert Gardens Hotel* Yulara Drive, NT 0872. (08) 8956 2100. FAX (08) 8956 2156. Ce luxueux hôtel quatre étoiles a 60 chambres avec vue sur Uluru. Il est proche du parc national (*p. 278-281*).	$$$$$	160	●		●	▪
YULARA : *Outback Pioneer Hotel* Yulara Drive, NT 0872. (08) 8956 2170. FAX (08) 8956 2320. Avec ses douze charmants bungalows rustiques, cet hôtel décontracté de style champêtre s'adresse aux familles.	$$$$$	137	●	▪	●	▪

YULARA : *Sails in the Desert Hotel* $$$$ 220
Yulara Drive, NT 0872. ((08) 8956 2200. FAX (08) 8956 2018.
Cet hôtel de luxe est très recherché : le jardin indigène est primé et les
chambres ont vue sur Uluru. 🛏 TV 📋 & P 🛒

PERTH ET LE SOUTHWEST

ALBANY : *Flinders Park Lodge* $ 8
Angle de Lower King Rd et Harbour Rd, WA 6330. ((08) 9844 7062.
FAX (08) 9844 7062. Cette jolie pension se trouve sur un terrain paysager
avec une excellente vue d'Oyster Harbour. 🛏 P 🛒

BUNBURY : *The Rose Hotel* $ 45
Victoria St, WA 6230. ((08) 9721 4533. FAX (08) 9721 8285
Cet hôtel victorien, qui est un des bâtiments historiques les mieux
préservés du centre-ville, a conservé l'opulence et les excentricités du
XIXe siècle. 📋 & P 🛒

BUSSELTON : *Prospect Villa* $ 4
1 Pries Ave, WA 6280. ((08) 9752 1509. FAX (08) 9752 2273.
À côté de Geographe Bay, ce *bed-and-breakfast* à deux étages de 1855
a un style champêtre. TV P 🛒

DENMARK : *The Peppermints* $ 3
Happy Valley Rd, WA 6333. ((08) 9840 9305. FAX (08) 9840 9305.
Une bonne base pour explorer la région. La ferme a une chambre *bed-
and-breakfast* et deux cottages sur ses terres. 🛏 & P

FREMANTLE : *« Fothergills » of Fremantle* $ 6
20-22 Ord St, WA 6160. ((08) 9335 6784. FAX (08) 9430 7789.
Élégante maison de ville en calcaire de 1892, avec vue de l'océan et
joli jardin. Les chambres sont meublées d'antiquités. P 🛒

FREMANTLE : *Fremantle Hotel* $ 35
Angle de High St et Cliff St, WA 6160. ((08) 9430 4300. FAX (08) 9335 2636.
Cet hôtel connu installé dans un des nombreux édifices victoriens du
port marie confort moderne et antiquités. TV P 🛒

FREMANTLE : *Esplanade Hotel* $$$$ 259
Angle de Marine Terrace et Essex St, WA 6160. ((08) 9432 4000. FAX (08) 9430
4539. Ce luxueux hôtel de chaîne au cœur de Fremantle offre un large
éventail de services : un sauna, trois *spas* en plein air, un terrain de jeux
pour les enfants et des bicyclettes à louer. 🛏 24 TV 📋 & P 🛒

HYDEN : *Hyden Wave Rock Hotel* $ 60
2 Lynch St, WA 6359. ((08) 9880 5052. FAX (08) 9880 5041.
Ce séduisant hôtel trois étoiles du RAC, proche du célèbre Wave Rock
(p. 310), est décoré de jarrah naturel et de boiseries. P 🛒

KALGOORLIE : *York Hotel* $ 20
259 Hannan St, WA 6430. ((08) 9021 2337. FAX (08) 9021 2337.
Cet hôtel a été construit à l'époque de la ruée vers l'or *(p. 310)*.
L'intérieur du XIXe siècle a été soigneusement préservé. P 🛒

MARGARET RIVER : *1885 Motel* $ 23
Farrelly St, WA 6285. ((08) 9757 3177. FAX (08) 9757 3076.
Sur les terres de l'ancienne Davies Homestead construite en 1885.
Chambres de style cottage avec lits à baldaquins et meubles de style
victorien. 🛏 TV & P 🛒

MARGARET RIVER : *Gilgara Homestead* $$$ 6
300 Caves Rd, WA 6285. ((08) 9757 2705. FAX (08) 9757 3259.
Au cœur de la région viticole de Margaret River, cette réplique d'une
demeure de 1870 propose un hébergement primé. 🛏 P 🛒

NORSEMAN : *Norseman Hotel* $ 25
Angle de Robert St et Talbot St, WA 6443. ((08) 9039 1023. FAX (08) 9039
1503. Cet hôtel de style colonial à deux étages, offrant un confort de
base, est situé au centre de Norseman. Petit déjeuner compris. P 🛒

NORTHAM : *Shamrock Hotel & Mitchell House* $ 18
112 Fitzgerald St, WA 6401. ((08) 9622 1092. FAX (08) 9622 5707.
Cet hôtel historique offre 14 suites avec *spa* et 4 chambres *bed-and-
breakfast* dans l'élégante Mitchell House. 🛏 24 TV 📋 P 🛒

Légende des symboles, voir rabat de couverture

Les **prix** correspondent à une nuit en chambre double, service et taxes compris.

$ moins de 100 \$A
$$ de 100 à 150 \$A
$$$ de 150 à 200 \$A
$$$$ de 200 à 250 \$A
$$$$$ plus de 250 \$A

RESTAURANT
Sauf indication contraire, le restaurant ou la salle à manger accueille d'autres clients que les hôtes.
ÉQUIPEMENTS ENFANTS
Berceaux, lits d'enfants et baby-sitting disponibles. Certains établissements proposent des menus pour enfants et possèdent des chaises hautes.
JARDIN OU TERRASSE
Hôtel possédant un jardin, une cour intérieure ou une terrasse. Souvent, possibilité de manger dehors.
PISCINE
Hôtel doté d'une piscine couverte ou à ciel ouvert, ou de *spas* à l'usage des hôtes.

	Prix	NOMBRE DE CHAMBRES	RESTAURANT	ÉQUIPEMENTS ENFANTS	JARDIN OU TERRASSE	PISCINE
PEMBERTON : *Karri Valley Resort* Vasse Hwy, WA 6260. (08) 9776 2020. FAX (08) 9776 2012. Située au milieu des forêts de karri de Pemberton, cette *resort* offre un hébergement attrayant en motel, chalet ou caravane.	$$	68	●	■	●	
PERTH : *Rose & Crown Hotel* 105 Swan St, Guildford, WA 6055. (08) 9279 8444. FAX (08) 9377 1628. Le plus vieil hôtel en activité d'Australie-Occidentale. Hébergement en motel à côté d'un superbe bâtiment victorien.	$	28	●	■	●	■
PERTH : *Miss Maud Swedish Hotel* 97 Murray St, WA 6000. (08) 9325 3900. FAX (08) 9221 3225. Petit déjeuner traditionnel de type *smorgasbord* dans cet élégant *bed-and-breakfast*. Peintures murales et meubles en pin.	$$	51	●			
PERTH : *Sullivan's* 166 Mounts Bay Rd, WA 6000. (08) 9321 8022. FAX (08) 9481 6762. Petit hôtel tenu par ses propriétaires, proche du beau Kings Park *(p. 298)*. Ambiance amicale et sans prétention.	$$	69	●	■		■
PERTH : *Criterion Hotel* 560 Hay St, WA 6000. (08) 9325 5155. FAX (08) 9325 4176. Ce bâtiment Art déco unique au centre de la ville a été entièrement rénové en 1996. Le prix comprend le petit déjeuner.	$$$	76	●	■		
PERTH : *Radisson Observation City Hotel* The Esplanade, Scarborough Beach, WA 6019. (08) 9340 5555. FAX (08) 9245 1345. Cet hôtel moderne est situé sur Scarborough Beach. De nombreuses chambres ont vue de l'océan.	$$$	333	●	■		■
PERTH : *Burswood Resort Hotel & Casino* Great Eastern Hwy, Burswood, WA 6100. (08) 9362 7777. FAX (08) 9470 2553. Cette *resort* haut de gamme est située sur la Swan River, dans un parc paysager, et offre de superbes vues de la ville.	$$$$$	414	●	■		■
ROTTNEST ISLAND : *Rottnest Lodge Resort* Rottnest Island, WA 6161. (08) 9292 5161. FAX (08) 9292 5158. Une occasion rare de séjourner dans les cellules du Quod, une prison du XIXe siècle pour les détenus aborigènes *(p. 301)*. Les cellules ont toutes les commodités d'une chambre d'hôtel moderne.	$$	80	●	■	●	■
YORK : *Imperial Inn* 83 Avon Terrace, WA 6302. (08) 9641 1010. FAX (08) 9641 2201. Avec son charme d'antan et son joli jardin, cet hôtel victorien situé dans la ville historique d'York est un lieu de séjour séduisant.	$	16	●			

LE NORD DE PERTH

	Prix	NOMBRE DE CHAMBRES	RESTAURANT	ÉQUIPEMENTS ENFANTS	JARDIN OU TERRASSE	PISCINE
BROOME : *Mangrove Hotel* Carnarvon St, WA 6725. (08) 9192 1303. FAX (08) 9193 5169. Situé dans de beaux jardins, cet hôtel accueillant proche du Chinatown de Broome offre une vue de Roebuck Bay.	$$	67	●	■	●	■
BROOME : *Cable Beach Intercontinental Resort* Cable Beach Rd, WA 6725. (08) 9192 0400. FAX (08) 9192 2249. Cette *resort* de luxe qui donne sur la fameuse Cable Beach de Broome propose studios, bungalows et suites.	$$$$	276	●	■	●	■
CARNARVON : *Fascine Lodge* 1002 Brand Drive, WA 6701. (08) 9941 2411. FAX (08) 9941 2491. Plusieurs unités confortables autour d'un patio et d'une piscine. Seul le rez-de-chaussée est accessible aux handicapés.	$	61	●		●	■

DAMPIER : *Mercure Dampier* ⑤ 65
The Esplanade, WA 6713. ☎ *(08) 9183 1222.* 🆑 *(08) 9183 1028.*
À 50 m seulement de la plage, le Mercure Dampier propose trois suites
familiales équipées, idéales pour les touristes avec des enfants. 🛏 📺
🍽 🅿 🖥

DENHAM : *Heritage Resort Hotel* ⑤⑤ 27
Angle de Knight Terrace et Durlacher St, WA 6537. ☎ *(08) 9948 1133.* 🆑 *(08)*
9948 1134. Hôtel familial abordable au bord de l'océan. Situation idéale
pour partir en excursion à Shark Bay *(p. 318-319).* 🛏 📺 🍽 ♿ 🅿 🖥

EXMOUTH : *Exmouth Cape Tourist Village* ⑤ 65
Truscott Crescent, WA 6707. ☎ *(08) 9949 1101.* 🆑 *(08) 9949 1402.*
Chalets à prix raisonnables, terrain de camping et caravaning. Parmi les
services, offre de bicyclettes et de jeeps. 🛏 🍽 🅿 🖥

FITZROY CROSSING : *Fitzroy River Lodge* ⑤⑤ 40
Great Northern Hwy, WA 6765. ☎ *(08) 9191 5141.* 🆑 *(08) 9191 5142.*
Au milieu d'un terrain de 20 ha dans le Kimberley, cet élevage de
l'Outback propose chambres, cottages et caravanes. 🛏 📺 🍽 ♿ 🅿 🖥

GERALDTON : *Hospitality Inn* ⑤ 55
Cathedral Ave, WA 6530. ☎ *(08) 9921 1422.* 🆑 *(08) 9921 1239.*
Cet hôtel de chaîne proche du centre de Geraldton propose également
quelques appartements. 🛏 📺 🍽 ♿ 🅿 🖥

KALBARRI : *Kalbarri Beach Resort* ⑤⑤ 114
Clotworthy St, WA 6536. ☎ *(08) 9937 1061.* 🆑 *(08) 9937 1323.*
Appartements modernes et indépendants de deux chambres. Pour
partir explorer le Kalbarri National Park. 🛏 📺 🍽 ♿ 🅿 🖥

MONKEY MIA : *Monkey Mia Dolphin Resort* ⑤ 44
Monkey Mia Rd, Shark Bay, WA 6537. ☎ *(08) 9948 1320.* 🆑 *(08) 9385 3486.*
Sur la plage même, à côté de l'endroit où les dauphins viennent se nourrir,
cette *resort* est idéale pour observer ces cétacés. 🛏 🍽 ♿ 🅿 📷 🖥

MOUNT HART : *Mount Hart Homestead* ⑤ 7
Via Gibb River Rd, WA 6536. ☎ *(08) 9191 4645.* 🆑 *(08) 9191 4645.*
Hôtel tranquille situé dans la King Leopold Mountain Range, au cœur
du Kimberley. Petit déjeuner et dîner compris. 🅿 🖥

NEW NORCIA : *Monastery Guesthouse* ⑤ 15
WA 6509. ☎ *(08) 9654 8002.* 🆑 *(08) 9654 8097.*
Dans ce paisible monastère bénédictin, le gîte et le couvert sont
gratuits mais un don d'environ 40 \$A par personne et par jour est
suggéré pour participer aux frais d'entretien. 🛏 ♿ 🅿 🖥

NEW NORCIA : *New Norcia Hotel* ⑤ 17
Great Northern Hwy, WA 6509. ☎ *(08) 9654 8034.* 🆑 *(08) 9654 8011.*
Construit en 1927, le New Norcia a un majestueux escalier central et du
mobilier d'époque. Les équipements sportifs comptent un terrain de
golf et d'excellents courts de tennis. 🅿 🖥

ROEBOURNE : *Victoria Hotel* ⑤ 54
7 Roe St, WA 6718. ☎ *(08) 9182 1001.* 🆑 *(08) 9182 1046.*
Logement en motel dans cet hôtel propre mais au confort élémentaire,
installé dans un bâtiment victorien très orné. 🛏 📺 🍽 🅿 🖥

ADÉLAÏDE ET LE SOUTHEAST

ADÉLAÏDE : *Tiffins on the Park* ⑤⑤ 55
176 Greenhill Rd, Parkside, SA 5063. ☎ *(08) 8271 0444.* 🆑 *(08) 8272 8675.*
À deux pas de la place principale d'Adélaïde, au milieu de rues
bordées d'arbres. 🛏 🕑 📺 🍽 ♿ 📷 🖥

ADÉLAÏDE : *Adelaide Heritage Cottages* ⑤⑤⑤ 12
Friendly Meeting Chapel, Tynte St, North Adelaide, SA 5006. ☎ *(08) 8272 1355.*
🆑 *(08) 8272 1355.* *Resort* superbement restaurée par ses propriétaires
antiquaires, dans un faubourg de la ville. 🛏 📺 🍽 🅿 🖥 ♿ *limité.*

ADÉLAÏDE : *Country Comfort Inn* ⑤⑤⑤ 96
226 South Terrace, SA 5000. ☎ *(08) 8223 4355.* 🆑 *(08) 8232 5997.*
En plein centre-ville. Toutes les chambres donnent sur le beau South
Parklands ou sur la piscine et les jardins. 🛏 📺 🍽 🅿 📷 🖥

Légende des symboles, voir rabat de couverture

		NOMBRE DE CHAMBRES	RESTAURANT	ÉQUIPEMENTS ENFANTS	JARDIN OU TERRASSE	PISCINE

Les **prix** correspondent à une nuit en chambre double, service et taxes compris.

$ moins de 100 $A
$$ de 100 à 150 $A
$$$ de 150 à 200 $A
$$$$ de 200 à 250 $A
$$$$$ plus de 250 $A

RESTAURANT
Sauf indication contraire, le restaurant ou la salle à manger accueille d'autres clients que les hôtes.
ÉQUIPEMENTS ENFANTS
Berceaux, lits d'enfants et baby-sitting disponibles. Certains établissements proposent des menus pour enfants et possèdent des chaises hautes.
JARDIN OU TERRASSE
Hôtel possédant un jardin, une cour intérieure ou une terrasse. Souvent, possibilité de manger dehors.
PISCINE
Hôtel doté d'une piscine couverte ou à ciel ouvert, ou de *spas* à l'usage des hôtes.

Établissement	Prix	Chambres	Restaurant	Équip. enfants	Jardin/Terrasse	Piscine
ADÉLAÏDE : *Hindley Parkroyal Hotel* 65 Hindley St, SA 5000. (08) 8231 5552. FAX (08) 8237 3800. Une oasis de calme dans Hindley Street, le cœur de la vie nocturne d'Adélaïde.	$$$$	178	●	■	●	■
ADÉLAÏDE : *Hilton International Hotel* 233 Victoria Square, SA 5000. (08) 8217 2000. FAX (08) 8217 2001. Situation centrale, proche de l'animation du Central Market et du quartier de restaurants qui l'entoure (p. 514-515).	$$$$$	380	●	■	●	●
ADÉLAÏDE : *Hyatt Regency Hotel* North Terrace, SA 5000. (08) 8231 1234. FAX (08) 8238 2387. Voisin du casino d'Adélaïde, cet hôtel de luxe est typique de la chaîne Hyatt. La plupart des chambres ont une vue spectaculaire de la ville.	$$$$$	367	●	■	●	●
ADÉLAÏDE : *Stamford Plaza Hotel* 150 North Terrace, SA 5000. (08) 8461 1111. FAX (08) 8231 7572. Les chambres bien aménagées ont vue soit de la ville soit des espaces verts en direction d'Adélaïde nord.	$$$$$	335	●	■	●	●
ANGASTON : *Collingrove Homestead* Eden Valley Rd, SA 5353. (08) 8564 2061. FAX (08) 8564 2061. Dans ce manoir des années 1850, propriété du National Trust, on séjourne dans les logements des domestiques. *dans 3 chambres.*	$$$	5			●	
COONAWARRA : *Chardonnay Lodge* Riddoch Hwy, SA 5263. (08) 8736 3309. FAX (08) 8736 3383. Au milieu des vignobles de Coonawarra, cette *lodge* propose des chambres spacieuses et un bon restaurant.	$	24	●	■	●	●
GLENELG : *Stamford Grand Hotel* Moseley Square, SA 5045. (08) 8376 1222. FAX (08) 8376 1222. Proche des excellents aménagements de la meilleure plage des environs d'Adélaïde. Toutes les chambres ont vue sur la mer ou sur les Adelaide Hills.	$$$$	243	●	■	●	●
HAHNDORF : *The Old Mill Motel* 98 Main Rd, SA 5245. (08) 8388 7888. FAX (08) 8388 7242. Une minoterie de 1854 a été partiellement incorporée à ce complexe dans la plus vieille ville allemande d'Australie (p. 344).	$$	32	●	■		
KANGAROO ISLAND : *Ozone Seafront Hotel* The Foreshore, Kingscote, SA 5223. (08) 8553 2011. FAX (08) 8553 2249. Cet hôtel accueillant et confortable se trouve sur les rochers où les pingouins nichent tous les soirs.	$$	36	●		●	■
KANGAROO ISLAND : *Wanderer's Rest* Bayview Rd, American River, SA 5221. (08) 8553 7140. FAX (08) 8553 7282. Avec une vue panoramique de l'American River, l'hôtel permet de profiter des plaisirs du *bush*.	$$	9	●		●	●
KANGAROO ISLAND : *Wisteria Lodge Motel* 7 Cygnet Rd, Kingscote, SA 5223. (08) 8553 2707. FAX (08) 8553 2200. De toutes les chambres, vue de la mer depuis un balcon ou un patio. La plage aménagée est idéale pour la promenade à pied.	$$	20	●	■	●	●
LYNDOCH : *Château Yaldara Motel* Barossa Valley Hwy, SA 5351. (08) 8524 4268. FAX (08) 8524 4725. Ce motel situé à l'entrée de la région viticole de la Barossa Valley (p. 348-349) organise des visites quotidiennes du château et de ses collections d'œuvres d'art ainsi que des dégustations de vins.	$$	34	●	■	●	●

MARANANGA : *The Hermitage of Marananga* $$$ 10
Angle de Seppeltsfield Rd et Stonewell Rd, SA 5355. 〖 (08) 8562 2722. FAX
(08) 8562 3133. Au cœur de la région viticole de la Barossa Valley. Les
suites de luxe disposent toutes d'un patio privé. 🛏 TV ☰ 🚿 P 🌿

MOUNT GAMBIER : *Lakes Resort* $$ 40
17 Lakes Terrace West, SA 5290. 〖 (08) 8725 5755. FAX (08) 8723 2710.
Sur les pentes du volcan éteint. Vaste choix d'hébergement, de la
chambre économique à l'appartement de luxe. 🛏 TV ☰ P 🌿

MYLOR : *Warrawong Sanctuary* $$$ 18
Angle de Stock Rd et William Rd, SA 5153. 〖 (08) 8370 9422. FAX (08) 8370
8332. Séjours dans des tentes luxueuses en plein cœur de la réserve
naturelle *(p. 344)*. Le prix inclut un dîner de trois plats au restaurant, des
randonnées guidées et le petit déjeuner complet à l'anglaise. 🛏 ☰ P 🌿

PADTHAWAY : *Padthaway Estate Homestead* $$$ 6
Riddoch Hwy, SA 5271. 〖 (08) 8765 5039. FAX (08) 8765 5097.
Luxueuse pension dans une demeure de 1882. Isolée dans la
campagne, elle est idéale pour les amateurs de calme. P 🌿

ROBE : *Robe House* $ 3
Hagen St, SA 5276. 〖 (08) 8768 2770. FAX (08) 8768 2770.
La plus vieille maison de la ville, construite en 1847, abrite maintenant
trois appartements équipés et confortables. 🛏 TV P 🌿

STIRLING : *Thorngrove Manor* $$$$$ 5
2 Glenside Lane, SA 5152. 〖 (08) 8339 6748. FAX (08) 8370 9950.
Dans le calme des Adelaide Hills, cette folie hérissée de tours accorde
la priorité à l'intimité et au bien-être. 🛏 24 TV ☰ 🚿 P 🌿

TANUNDA : *Weintal Hotel* $$ 40
Murray St, SA 5352. 〖 (08) 8563 2303. FAX (08) 8563 2279.
Situé au centre de Tanunda, dans la Barossa Valley *(p. 348-349)*. Idéal
pour accéder à tous les domaines viticoles. 🛏 TV ☰ 🚿 P 🌿

VICTOR HARBOUR : *Whaler's Inn* $$ 14
The Bluff, Encounter Bay, SA 5211. 〖 (08) 8552 4400. FAX (08) 8552 4240.
Chaque appartement de trois chambres en duplex a une cuisine
entièrement équipée et un double *spa* donnant sur une cour privée.
La vue embrasse Encounter Bay. 🛏 TV ☰ 🚿 P 🌿

LES PÉNINSULES D'YORKE ET D'EYRE

ARKAROOLA : *Arkaroola Resort* $$ 63
Arkaroola, SA 5732. 〖 (08) 8648 4848. FAX (08) 8648 4846.
La plus grande *resort* des Flinders Ranges offre un vaste choix de formules
d'hébergement. Vols touristiques et excursions en 4×4. 🛏 ☰ P 🌿

AUBURN : *Rising Sun Hotel* $ 10
Main North Rd, SA 5451. 〖 (08) 8849 2015. FAX (08) 8849 2266.
Chambres et suites aménagées dans des écuries victoriennes dans cet
hôtel situé à l'entrée de la Clare Valley. 🛏 TV 🚿 P 🌿

BLINMAN : *Blinman Hotel* $ 16
Main St, SA 5730. 〖 (08) 8648 4867. FAX (08) 8648 4621.
Au cœur des Flinders Ranges, proche des principaux sites. Bar
fréquenté par les habitants du voisinage. 🛏 ☰ 🚿 P 🌿

BURRA : *Burra Heritage Cottages* $$ 4
Tivers Row, 1 Young St, SA 5417. 〖 (08) 8892 2461. FAX (08) 8892 2461.
Spacieux cottages de pierre de 1856, avec feux de bois et radios à
l'ancienne. Télévision sur demande. 🛏 🚿 P 🌿

CLARE : *Clare Valley Motel* $ 33
74a Main North Rd, SA 5453. 〖 (08) 8842 2799. FAX (08) 8842 3121.
Base paisible mais centrale pour explorer les domaines viticoles et les
autres curiosités de la région. 🛏 TV ☰ 🚿 P 🌿

COOBER PEDY : *The Underground Motel* $ 8
Catacomb Rd, SA 5723. 〖 (08) 8672 5324. FAX (08) 8672 5911.
La fraîcheur des chambres troglodytiques est indispensable l'été dans la
chaleur torride de cette ville de l'Outback *(p. 360)*. De la véranda, admirez
les couchers de soleil spectaculaires sur le désert. 🛏 TV 🚿 P 🌿

Légende des symboles, voir rabat de couverture

Les **prix** correspondent à une nuit en chambre double, service et taxes compris.

$ moins de 100 $A
$$ de 100 à 150 $A
$$$ de 150 à 200 $A
$$$$ de 200 à 250 $A
$$$$$ plus de 250 $A

RESTAURANT
Sauf indication contraire, le restaurant ou la salle à manger accueille d'autres clients que les hôtes.
ÉQUIPEMENTS ENFANTS
Berceaux, lits d'enfants et baby-sitting disponibles. Certains établissements proposent des menus pour enfants et possèdent des chaises hautes.
JARDIN OU TERRASSE
Hôtel possédant un jardin, une cour intérieure ou une terrasse. Souvent, possibilité de manger dehors.
PISCINE
Hôtel doté d'une piscine couverte ou à ciel ouvert, ou de *spas* à l'usage des hôtes.

	NOMBRE DE CHAMBRES	RESTAURANT	ÉQUIPEMENTS ENFANTS	JARDIN OU TERRASSE	PISCINE
COOBER PEDY : *Desert Cave Hotel* $$$ Hutchinson St, SA 5723. ((08) 8672 5688. FAX (08) 8672 5198. Luxueux hôtel troglodytique *(p. 360)*, avec magasins, bars et restaurants creusés dans le sol.	50	●	■		■
EDITHBURGH : *The Anchorage Motel* $ 25 O'Halloran Parade, SA 5583. ((08) 8852 6262. FAX (08) 8852 6147. Logements d'une et deux chambres sur la plage près de la jetée. Les passionnés de pêche et de voile disposent des tables pour nettoyer les poissons et de matériel pour laver les bateaux *(p. 359)*.	11		■	●	
MINTARO : *Martindale Hall* $$ Mintaro, SA 5415. ((08) 8843 9088. FAX (08) 8843 9082. Vivez au quotidien dans la plus belle demeure d'Australie-Méridionale, dîners cérémonieux servis par un maître d'hôtel.	9	●		●	
PORT LINCOLN : *Blue Seas Motel* $ 7 Gloucester Terrace, SA 5606. ((08) 8682 3022. FAX (08) 8682 6932. Au cœur de Port Lincoln, ce motel donne sur Boston Bay. Il est proche des aménagements et curiosités touristiques.	15		■	●	
PORT LINCOLN : *Lincoln Cove Apartments* $$ Bridge Crescent, SA 5606. ((08) 8683 0495. FAX (08) 8683 0495. Appartements de trois chambres équipés de *spas*, lave-vaisselle et services de blanchissage. Séjour minimum : deux nuits.	5		■	●	
RAWNSLEY PARK : *Rawnsley Park Cabins* $ Hawker-Wilpena Rd, SA 5434. ((08) 8648 0030. FAX (08) 8648 0013. Dans de beaux paysages à la base de Rawnsley Bluff. Équitation et randonnées dans le *bush* à l'entrée du parc.	19		■		
WHYALLA : *Alexander Motor Inn* $$ 99 Playford Ave, SA 5600. ((08) 8645 9488. FAX (08) 8645 2211. Chambres individuelles et suites de deux chambres. Le restaurant propose un menu spécial aux résidents *(p. 517)*.	40	●	■		■
WILPENA : *Wilpena Pound Motel* $$ Wilpena, SA 5434. ((08) 8648 0004. FAX (08) 8648 0028. Les terrains paysagers contrastent avec l'environnement souvent rude. Randonnées dans la brousse et excursions en 4 × 4.	60	●	■	●	■
MELBOURNE					
ALBERT PARK : *Avoca* $$ 98 Victoria Ave, VIC 3206. **Plan 5** A2. ((03) 9696 9090. FAX (03) 9696 9092. Dans une rangée de maisons mitoyennes de l'époque victorienne, ce *bed-and-breakfast* est idéalement situé à 3 km du centre-ville.	3				
ALBERT PARK : *Carlton Crest Hotel* $$ 65 Queens Rd, VIC 3004. **Plan 3** B5. ((03) 9529 4300. FAX (03) 9521 3111. Chambres spacieuses dont certaines ont vue du lac d'Albert Park. L'hôtel, proche des arrêts de bus, est bien situé.	374	●	■		■
ALBERT PARK : *Hotel Victoria* $$ 123 Beaconsfield Parade, VIC 3004. **Plan 2** D5. ((03) 9690 3666.. Cet hôtel construit en 1888 et restauré offre une vue spectaculaire de la baie de Melbourne, notamment depuis les chambres d'angle.	50	●	■		
ALBERT PARK : *Park Royal on St Kilda Road* $$ 562 St Kilda Rd, VIC 3004. **Plan 2** D5. ((03) 9529 8888. FAX (03) 9525 1242. St St Kilda Road est un boulevard qui relie la ville à la plage. Les chambres ont vue de la ville ou du parc.	220	●	■		■

CARLTON : *Downtowner on Lygon* $$ 97
66 Lygon St, VIC 3053. **Plan 1 C1.** ((03) 9663 5555. FAX (03) 9662 3308.
Hébergement de qualité dans un motel commodément situé sur le
tronçon animé de Lygon Street *(p. 387).*

CENTRE-VILLE : *Victoria Vista Hotel* $$ 501
215 Little Collins St, VIC 3000. **Plan 2 D3.** ((03) 9653 0441. FAX (03) 9650
9678. Cet hôtel construit en 1880 offre des chambres économiques, à
proximité des théâtres, restaurants et magasins.

CENTRE-VILLE : *All Seasons Crossley* $$$ 90
51 Little Bourke St, VIC 3000. **Plan 1 B2.** ((03) 9639 1639. FAX (03) 9639
0566. Service exceptionnel pour hommes d'affaires et touristes.
Chambres spacieuses.

CENTRE-VILLE : *Centra Melbourne* $$$ 384
Angle de Flinders St et Spencer St, VIC 3005. **Plan 1 C4.** ((03) 9629 5111. FAX
(03) 9629 5624. Au bord de la Yarra River, proche de Southgate, de l'Arts
Centre et autres centres d'intérêt.

CENTRE-VILLE : *Novotel Melbourne On Collins* $$$ 323
270 Collins St, VIC 3000. **Plan 1 C3.** ((03) 9650 5800. FAX (03) 9650 7100.
L'hôtel le plus central de Melbourne a des chambres spacieuses qui
donnent sur Collins Street.

CENTRE-VILLE : *Oakford Gordon Place* $$$ 82
24 Little Bourke St, VIC 3000. **Plan 1 B2.** ((03) 9663 2888. FAX (03) 9639 1537.
Ce *boutique botel* historique propose des studios et des appartements
de luxe.

CENTRE-VILLE : *Rydges Melbourne* $$$ 363
186 Exhibition St, VIC 3000. **Plan 2 D2.** ((03) 9662 0511. FAX (03) 9663 6988.
Hôtel élégant au cœur du quartier des théâtres, avec des suites de luxe
pour ceux qui veulent se faire choyer.

CENTRE-VILLE : *Adelphi* $$$$ 34
187 Flinders Lane, VIC 3000. **Plan 2 D3.** ((03) 9650 7555. FAX (03) 9650 2710.
Petit hôtel de luxe connu pour son esthétique novatrice et son
restaurant en sous-sol *(p. 518).*

CENTRE-VILLE : *Rockman's Regency* $$$$ 185
Angle de Exhibition et Lonsdale sts, VIC 3000. **Plan 2 D2.** ((03) 9662 3900.
FAX (03) 9663 4297. Fréquenté par le monde du théâtre de Melbourne.
Chambres et suites aménagées avec élégance.

CENTRE-VILLE : *Grand Hyatt* $$$$$ 547
123 Collins St, VIC 3000. **Plan 2 D3.** ((03) 9657 1234. FAX (03) 9650 3491.
Cet hôtel de luxe de la chaîne Hyatt est à quelques minutes à pied de
la plupart des boutiques élégantes de la ville.

CENTRE-VILLE : *Holiday Inn Park Suites* $$$$$ 144
333 Exhibition St, VIC 3000. **Plan 2 D2.** ((03) 9663 3333. FAX (03) 9663 8811.
Cet hôtel moderne, proche du quartier des théâtres et de Chinatown,
propose des suites d'une et deux chambres.

CENTRE-VILLE : *Le Meridien at Rialto* $$$$$ 242
495 Collins St, VIC 3000. **Plan 1 B4.** ((03) 9620 9111. FAX (03) 9614 1219.
L'hôtel dissimule derrière une façade historique un décor intérieur
moderne.

CENTRE-VILLE : *Sebel of Melbourne* $$$$$ 58
321 Flinders Lane, VIC 3000. **Plan 2 D3.** ((03) 9629 4088. FAX (03) 9629 4066.
Toutes les suites ont une ambiance intime et opulente. Les appartements
de luxe donnent sur une cour-jardin.

CENTRE-VILLE : *Sofitel* $$$$$ 363
25 Collins St, VIC 3000. **Plan 2 D3.** ((03) 9653 0000. FAX (03) 9650 4261.
L'hôtel occupe les 16 étages supérieurs d'un bâtiment ancien. Les
chambres sont disposées autour d'un atrium.

CENTRE-VILLE : *Stamford Plaza Melbourne* $$$$$ 283
111 Little Collins St, VIC 3000. **Plan 2 D3.** ((03) 9659 1000. FAX (03) 9659 0999.
Foyer distingué, tours jumelles et atrium. Les suites élégantes disposent
d'une cuisine entièrement équipée.

Légende des symboles, voir rabat de couverture

Les **prix** correspondent à une nuit en chambre double, service et taxes compris.

- $ moins de 100 \$A
- $$ de 100 à 150 \$A
- $$$ de 150 à 200 \$A
- $$$$ de 200 à 250 \$A
- $$$$$ plus de 250 \$A

RESTAURANT
Sauf indication contraire, le restaurant ou la salle à manger accueille d'autres clients que les hôtes.

ÉQUIPEMENTS ENFANTS
Berceaux, lits d'enfants et baby-sitting disponibles. Certains établissements proposent des menus pour enfants et possèdent des chaises hautes.

JARDIN OU TERRASSE
Hôtel possédant un jardin, une cour intérieure ou une terrasse. Souvent, possibilité de manger dehors.

PISCINE
Hôtel doté d'une piscine couverte ou à ciel ouvert, ou de *spas* à l'usage des hôtes.

CENTRE-VILLE : *The Windsor* $$$$$
103 Spring St, VIC 3000. **Plan 2 D2.** (03) 9633 6000. FAX (03) 9633 6001.
Ce somptueux hôtel victorien est une institution à Melbourne. Charme et luxe d'un cinq étoiles.

EAST MELBOURNE : *Georgian Court* $
21-25 George St, VIC 3002. (03) 9419 6353. FAX (03) 9416 0895. Style *bed-and-breakfast* traditionnel pour cette grande maison georgienne dans le quartier historique d'East Melbourne.

EAST MELBOURNE : *Magnolia Court Boutique Hotel* $$
101 Powlett St, VIC 3002. (03) 9419 4222. FAX (03) 9416 0841.
L'hôtel tenu par ses propriétaires se situe dans une résidence des années 1850 au sein d'un quartier verdoyant.

EAST MELBOURNE : *Hilton on the Park* $$$$$
192 Wellington Parade, VIC 3002. (03) 9419 2000. FAX (03) 9419 2001.
Cet hôtel cinq étoiles établi de longue date donne sur les Fitzroy Gardens. À quelques minutes à pied du centre-ville.

FITZROY : *Royal Gardens Quest Inn* $$$
8 Royal Lane, VIC 3065. **Plan 2 D1.** (03) 9419 9888. FAX (03) 9416 0451.
Situé dans un des quartiers cosmopolites du nord de Melbourne, à côté des Carlton Gardens. Grande variété d'appartements.

RICHMOND : *Rydges Riverwalk* $$
649 Bridge Rd, VIC 3121. **Plan 4 D3.** (03) 9246 1200. FAX (03) 9246 1222.
Cet endroit agréable à l'écart du centre-ville a vue de la Yarra River. Il s'adresse aux amateurs de calme.

ST KILDA : *Novotel Bayside* $$
16 The Esplanade, VIC 3182. **Plan 5 B5.** (03) 9525 5522. FAX (03) 9525 5678.
Proche de la ville mais ambiance de station balnéaire. Certaines chambres ont vue de la baie.

SOUTHBANK : *Crown Towers* $$$$$
8 Whiteman St, VIC 3006. **Plan 1 B5.** (03) 9292 6666. FAX (03) 9292 6600.
Les chambres luxueuses, meublées de riches soieries et de boiseries chaudes ont vue de la ville ou de la baie.

SOUTHBANK : *Sheraton Towers Southgate* $$$$$
1 Southgate St, VIC 3006. **Plan 1 C4.** (03) 9696 3100. FAX (03) 9626 4110.
Cet hôtel moderne mais d'une élégance toute victorienne se trouve sur la rive sud de la Yarra River.

SOUTH YARRA : *The Tilba* $$$
30 West Toorak Rd, VIC 3141. **Plan 4 D5.** (03) 9867 8844. FAX (03) 9867 6567. Charmante demeure victorienne pourvue de mobilier d'époque et d'antiquités. Accès facile au centre-ville.

SOUTH YARRA : *The Hotel Como* $$$$$
630 Chapel St, VIC 3141. **Plan 4 E5.** (03) 9824 0400. FAX (03) 9824 1263.
Situé dans la rue des cafés élégants de South Yarra, cet hôtel est fréquenté par les artistes et les sportifs. Transport gratuit en limousine jusqu'au centre-ville.

LE VICTORIA OCCIDENTAL

APOLLO BAY : *Greenacres Country House by the Sea* $$
Great Ocean Rd, VIC 3233. (03) 5237 6309. FAX (03) 5237 6891.
Le charme d'antan allié aux équipements modernes. L'hôtel est à quelques minutes à pied d'Apollo Bay.

Hôtel	NOMBRE DE CHAMBRES	RESTAURANT	ÉQUIPEMENTS ENFANTS	JARDIN OU TERRASSE	PISCINE
The Windsor	180	●	■		
Georgian Court	32		■		
Magnolia Court Boutique Hotel	25		■	●	
Hilton on the Park	405	●	■		■
Royal Gardens Quest Inn	65			●	
Rydges Riverwalk	94	●	■	●	
Novotel Bayside	202	●	■	●	■
Crown Towers	500	●	■		■
Sheraton Towers Southgate	386	●	■		■
The Tilba	18			●	
The Hotel Como	107	●	■	●	■
Greenacres Country House by the Sea	29	●	■	●	

APOLLO BAY : *Whitecrest Holiday Retreat* $$ 11
5230 Great Ocean Rd, VIC 3221. (*(03) 5237 0228.* FAX *(03) 5237 0245.*
Pour un week-end romantique. Toutes les chambres ont une cheminée
et une vue imprenable de l'océan.

APOLLO BAY : *Chris's Beacon Point Restaurant & Villas* $$$ 6
280 Skenes Creek Rd, VIC 3233. (*(03) 5237 6411.* FAX *(03) 5237 6930.*
Lieu idéal pour une escapade de week-end, situé dans le *bush* sur une
hauteur. Vue de l'océan et excellent restaurant *(p. 519).*

APOLLO BAY : *Claerwen Retreat* $$$$ 6
Tuxion Rd, VIC 3233. (*(03) 5237 7064.* FAX *(03) 5237 7054.*
Cette retraite luxueuse surplombe la côte au milieu de terres riches en
flore et en faune. Entièrement non-fumeurs.

BALLARAT : *Craig's Royal Hotel* $ 43
10 Lydiard St South, VIC 3350. (*(03) 5331 1377.* FAX *(03) 5331 7103.*
Somptueux hôtel de l'époque de la ruée vers l'or, en plein centre de
Ballarat, proche de Lydiard Street *(p. 424).*

BALLARAT : *Ansonia* $$ 20
32 Lydiard St South, VIC 3350. (*(03) 5332 4678.* FAX *(03) 5332 4698.*
Hôtel de style rustique tenu par ses propriétaires dans un bâtiment des
années 1870 rénové. Bibliothèque et salon.

BALLARAT : *Ballarat Heritage Homestay* $$$ 5
PO Box 1360, VIC 3354. (*(03) 5332 8296.* FAX *(03) 5331 3358.*
Toutes les commodités de la vie moderne dans quatre cottages
victoriens et Belle Époque proches de Ballarat.

BENDIGO : *Greystanes* $$ 7
57 Queen St, VIC 3550. (*(03) 5442 2466.* FAX *(03) 5441 8131.*
Proche des principales curiosités, ce petit hôtel victorien a des chambres
décorées d'antiquités et un bon restaurant *(p. 520).*

BENDIGO : *Shamrock Hotel* $$ 30
Angle de Pall Mall St et Williamson St, VIC 3552. (*(03) 5443 0333.* FAX *(03)
5442 4494.* Les chambres de cet hôtel central, de la chaîne Heritage,
construit en 1897, donnent sur la rue principale.

DAYLESFORD : *Ambleside* $$ 3
15 Leggatt St, VIC 3460. (*(03) 5348 2691.*
Cette maison édouardienne destinée aux amateurs de tranquillité est
proche des sentiers de randonnée et du centre-ville.

DAYLESFORD : *Lake House* $$$$ 22
3 King St, VIC 3460. (*(03) 5348 3329.* FAX *(03) 5348 3995.*
Retraite primée, idéale pour le week-end. Les chambres élégantes ont
vue du pittoresque Lake Daylesford.

DUNKELD : *Southern Grampians Cottages* $ 8
Victoria Valley Rd, VIC 3294. (*(03) 5577 2457.* FAX *(03) 5577 2489.*
Cabanes en rondins au milieu d'un paysage de montagne
spectaculaire. Base idéale pour randonner dans le *bush.*

ECHUCA : *Echuca Gardens* $$ 3
103 Mitchell St, VIC 3564. (*(03) 5480 6522.*
Dans le quartier du port, bâtiment des années 1860 restauré avec feux
de bois et *spa* dans la plupart des chambres.

ECHUCA : *Echuca's River Gallery Inn* $$$ 8
578 High St, VIC 3564. (*(03) 5480 6902.* FAX *(03) 5480 6902.*
Bâtiment des années 1860 restauré dans le port, à côté de la Murray River.
Feux de bois et *spa* dans la plupart des chambres.

GEELONG : *Lilydale House Home Hosting* $$ 2
100 Dog Rocks Rd, VIC 3221. (*(03) 5276 1302.* FAX *(03) 5276 1026.*
Proche de la Great Ocean Road *(p. 418-419),* cette propriété située sur
80 ha de *bush* se distingue par son accueil chaleureux.

KYNETON : *Kyneton Country House* $$ 4
66 Jennings St, VIC 3444. (*(03) 5422 3556.* FAX *(03) 5422 3556.*
Propriété de 1862 restaurée, chambres romantiques et vues à flanc de
coteau. Proche du Mount Macedon et de Hanging Rock.

Légende des symboles, voir rabat de couverture

Les **prix** correspondent à une nuit en chambre double, service et taxes compris.

ⓢ moins de 100 \$A
ⓢⓢ de 100 à 150 \$A
ⓢⓢⓢ de 150 à 200 \$A
ⓢⓢⓢⓢ de 200 à 250 \$A
ⓢⓢⓢⓢⓢ plus de 250 \$A

RESTAURANT
Sauf indication contraire, le restaurant ou la salle à manger accueille d'autres clients que les hôtes.
ÉQUIPEMENTS ENFANTS
Berceaux, lits d'enfants et baby-sitting disponibles. Certains établissements proposent des menus pour enfants et possèdent des chaises hautes.
JARDIN OU TERRASSE
Hôtel possédant un jardin, une cour intérieure ou une terrasse. Souvent, possibilité de manger dehors.
PISCINE
Hôtel doté d'une piscine couverte ou à ciel ouvert, ou de *spas* à l'usage des hôtes.

	NOMBRE DE CHAMBRES	RESTAURANT	ÉQUIPEMENTS ENFANTS	JARDIN OU TERRASSE	PISCINE
LORNE : *Stanmorr* ⓢⓢ 64 Otway St, VIC 3232. ☎ *(03) 5289 1530.* ℻ *(03) 5289 2247.* Maison victorienne prisée des habitants de Melbourne qui viennent y passer le week-end. Chambres d'époque. 🛏 📺 🅿 🌿	6			●	
LORNE : *Cumberland Lorne Resort* ⓢⓢⓢ 150-178 Mountjoy Parade, VIC 3232. ☎ *(03) 5289 2400.* ℻ *(03) 5289 2400.* Les appartements dotés d'un salon, d'une cuisine, d'un *spa* et d'un balcon donnent sur l'océan. 🛏 📺 🍴 ♿ 🅿 🍽 🌿	98	●	■	●	■
MALDON : *Heritage Cottages of Maldon* ⓢ 26 Adair St, VIC 3463. ☎ *(03) 5475 1094.* ℻ *(03) 5475 1094.* Onze cottages des années 1850 restaurés, avec feu de cheminée l'hiver et jolis jardins, situés à Maldon et dans les environs. 🛏 📺 🅿 🌿	11		■	●	
MILDURA : *Grand Hotel Resort* ⓢ Seventh St, VIC 3502. ☎ *(03) 5023 0511.* ℻ *(03) 5022 1801.* Au cœur de Mildura, cet hôtel très prisé offre un choix de chambres et de suites de luxe, certaines avec vue de la rivière. 🛏 24 📺 🍴 ♿ 🅿 🌿	104	●		●	■
OCEAN GROVE : *Ti-Tree Village* ⓢⓢ 34 Orton St, VIC 3226. ☎ *(03) 5255 4433.* ℻ *(03) 5255 4433.* Douze cottages indépendants au cœur de séduisants jardins, proches de la plage et à 5 mn de la Great Ocean Road. 🛏 📺 🅿 🌿	12			●	
PORT FAIRY : *Hickory House* ⓢⓢ 4 Princes St, VIC 3284. ☎ *(03) 5568 2530.* ℻ *(03) 5568 2731.* *Bed-and-breakfast* dans une demeure de 1851. Les chambres spacieuses ont vue de ce hameau historique de bord de mer. 🛏 🅿 🌿	2			●	
PORTLAND : *Victoria House* ⓢⓢ 5-7 Tyers St, VIC 3305. ☎ *(03) 5521 7577.* ℻ *(03) 5523 6300.* Ce bâtiment de 1853 se trouve dans un jardin pittoresque. La maison est proche de la plage, des magasins et des domaines viticoles. 🛏 📺 🅿 🌿	9		■	●	
QUEENSCLIFF : *Mietta's Queenscliff Hotel* ⓢ 16 Gellibrand St, VIC 3225. ☎ *(03) 5258 1066.* ℻ *(03) 5258 1899.* Certaines chambres de cet hôtel victorien donnent sur Port Phillip Bay. Le restaurant est très réputé *(p. 520).* 24 🅿 🍽 🌿	22	●		●	
QUEENSCLIFF : *Vue Grand* ⓢⓢⓢⓢ 46 Hesse St, VIC 3225. ☎ *(03) 5258 1544.* ℻ *(03) 5252 3471.* Cet hôtel au décor chargé et restauré a retrouvé sa splendeur victorienne d'origine. Il se trouve au centre du vieux Queenscliff. 🛏 📺 ♿ 🅿 🍽 🌿	32	●	■	●	■
WARRNAMBOOL : *Manor Gums* ⓢⓢ Shady's Lane, Mailors Flat, VIC 3275. ☎ *(03) 5565 4410.* ℻ *(03) 5565 4410.* *Bed-and-breakfast* tenu par ses propriétaires, proche du centre-ville et du centre d'observation des baleines à Logans Beach *(p. 418).* 🛏 📺 🅿 🌿	3			●	

LE VICTORIA ORIENTAL

	NOMBRE DE CHAMBRES	RESTAURANT	ÉQUIPEMENTS ENFANTS	JARDIN OU TERRASSE	PISCINE
BAIRNSDALE : *Riversleigh Country Hotel* ⓢ 1 Nicholson St, VIC 3875. ☎ *(03) 5152 6966.* ℻ *(03) 5152 4413.* Deux manoirs victoriens restaurés ont été convertis pour offrir vingt chambres luxueuses dans ce centre régional du Gippsland *(p. 434-435),* donnant sur la Mitchell River. 🛏 24 📺 🍴 ♿ 🅿 🌿	20	●	■	●	■
BEECHWORTH : *Finches of Beechworth* ⓢⓢ 3 Finch St, VIC 3747. ☎ *(03) 5728 2655.* ℻ *(03) 5728 2656.* Belle demeure de 1880 avec un jardin clos de style anglais au centre d'une ville historique. 🛏 🅿 🌿	6	●		●	

DANDENONG RANGES : *Penrith Country House Retreat* $$$ 6
1411-1413 Mt Dandenong Tourist Rd, Mt Dandenong, VIC 3767. **(** (03) 9751
2391. **FAX** (03) 9751 2391. Vieux jardins à l'anglaise, détente, atmosphère
romantique, feux de bois et luxe. 🔲 📺 🅿 🗑

DINNER PLAIN : *Crystal Creek Resort* $$ 21
Big Muster Drive, VIC 3898. **(** (03) 5159 6422. **FAX** (03) 5159 6500.
Spectaculaire *resort* d'hiver et d'été offrant des suites et des chalets. Ski,
randonnées en montagne et balades à cheval. 🔲 📺 ♿ 🅿 🗑

EILDON : *Eucalypt Ridge* $$$$ 4
Skyline Rd, VIC 3713. **(** (03) 5774-2033. **FAX** (03) 5774 2610.
Excellente cuisine dans cette petite pension. Ski nautique gratuit.
Enfants non admis. Entièrement non-fumeurs. 🔲 💈 ☰ 🅿 🗑

FALLS CREEK : *The Falls Creek Motel* $$$$ 24
Ski Bowl, VIC 3699. **(** (03) 5758 3282. **FAX** (03) 5758 3296.
D'excellentes pistes de ski passent juste devant le motel. Location de
skis l'hiver. Demi-tarif l'été. 🔲 📺 🅿 *seulement l'été.* 🗑

GIPPSLAND LAKES : *Wattle Point Holiday Retreat* $ 10
200 Wattle Point Rd, Wattle Point, VIC 3875. **(** (03) 5157 7517. **FAX** (03) 5157
7517. Pour séjourner dans des petites *lodges* en bois, en pleine nature, au
bord du lac. Profitez du bassin d'eau minérale en plein air. 🔲 📺 🅿 🗑

LAKES ENTRANCE : *Emmanuel Holiday Apartments* $$ 10
90 Marine Parade, VIC 3909. **(** (03) 5155 2600. **FAX** (03) 5155 2401.
Les appartement sont adaptés aux routards comme aux familles car ils
sont proches de la plage et ont vue du lac. 🔲 📺 ☰ ♿ 🅿 🗑

MANSFIELD : *Mansfield Valley Motor Inn* $$ 23
Maroondah Hwy, VIC 3722. **(** (03) 5775 1300. **FAX** (03) 5775 1693.
Proche des stations de ski, le motel est près du centre historique de la
ville. Bonne base pour explorer la région. 🔲 📺 ☰ ♿ 🅿 🗑

MANSFIELD : *Howqua Dale Gourmet Retreat* $$$$ 6
Howqua River Rd, VIC 3722. **(** (03) 5777 3503. **FAX** (03) 5777 3896.
Tenu par deux chefs renommés, le Howqua Dale est une auberge
primée au bord de la Howqua River. 🔲 🅿 🗑

MORNINGTON PENINSULA : *Carmel's Bed and Breakfast* $ 5
142 Ocean Beach Rd, Sorrento, VIC 3943. **(** (03) 5984 3512.
Pension décontractée en bord de mer, avec des appartements équipés.
Idéal pour les vacances d'hiver et d'été. 🔲 📺 🅿 🗑

MORNINGTON PENINSULA : *Delgany* $$$$ 31
Point Nepean Rd, Portsea, VIC 3944. **(** (03) 5984 4000. **FAX** (03) 5984 4022.
Cette demeure classée du National Trust propose des chambres et des
restaurants de luxe. 🔲 📺 ♿ 🅿 🗑

MOUNT BUFFALO : *Mount Buffalo Chalet* $$$$ 97
Mount Buffalo National Park, VIC 3745. **(** (03) 5755 1500. **FAX** (03) 5755
1892. Idéal pour les sports d'hiver et d'été, ce chalet qui surplombe
l'Ovens Valley offre une vue magnifique. Pension complète. 🅿 🍴 🗑

MOUNT BULLER : *Mount Buller Chalet Hotel* $$$$ 65
Mount Buller Village, VIC 3723. **(** (03) 5777 6566. **FAX** (03) 5777 6455.
Toutes les chambres de cette station de ski ont une vue majestueuse
sur les Victorian Alps. 🔲 24 📺 ♿ 🅿 *été seulement.* 🍴 🗑

PHILLIP ISLAND : *Rothsaye on Lovers Walk Bed-and-Breakfast* $ 3
2 Roy Court, Cowes, VIC 3922. **(** (03) 5952 2057. **FAX** (03) 5952 2057.
Trois cottages face à une plage de baignade et proche de la ville
principale de Cowe. Les enfants ne sont pas admis. 🔲 📺 ☰ ♿ 🅿 🗑

PHILLIP ISLAND : *Narrabeen Gourmet Guest House* $$$ 5
16 Steele St, Cowes, VIC 3922. **(** (03) 5952 2062. **FAX** (03) 5952 3670.
Pour une escapade romantique et gastronomique le temps d'un week-
end. Les enfants ne sont pas admis. 🅿 🗑

RUTHERGLEN : *Mount Ophir Estate* $$ 9
Stillards Lane, VIC 3685. **(** (02) 6032 8920. **FAX** (02) 6032 9911.
Dans un élevage d'émeus et d'élans de la région viticole du Victoria,
chambres en pension complète ou cottage privé. ♿ 🅿

Légende des symboles, voir rabat de couverture

						NOMBRE DE CHAMBRES	RESTAURANT	ÉQUIPEMENTS ENFANTS	JARDIN OU TERRASSE	PISCINE

Les **prix** correspondent à une nuit en chambre double, service et taxes compris.

$ moins de 100 \$A
$$ de 100 à 150 \$A
$$$ de 150 à 200 \$A
$$$$ de 200 à 250 \$A
$$$$$ plus de 250 \$A

RESTAURANT
Sauf indication contraire, le restaurant ou la salle à manger accueille d'autres clients que les hôtes.
ÉQUIPEMENTS ENFANTS
Berceaux, lits d'enfants et baby-sitting disponibles. Certains établissements proposent des menus pour enfants et possèdent des chaises hautes.
JARDIN OU TERRASSE
Hôtel possédant un jardin, une cour intérieure ou une terrasse. Souvent, possibilité de manger dehors.
PISCINE
Hôtel doté d'une piscine couverte ou à ciel ouvert, ou de *spas* à l'usage des hôtes.

Établissement	Prix	Chambres	Restaurant	Équip. enfants	Jardin/terrasse	Piscine
SOUTH GIPPSLAND : *Waratah Park Country House* Thomson Rd, Waratah Bay, VIC 3959. (03) 5683 2575. FAX (03) 5683 2275. Construite sur une ferme en activité, cette retraite rustique surplombe le littoral. Le dîner est inclus dans le forfait de luxe. ▦ TV P ▱	$$$$	6	●		●	
WILSON'S PROMONTORY : *Tidal River Cottages* National Parks Service, Tidal River, VIC 3690. (03) 5680 9500. FAX (03) 5680 9516. C'est le seul hébergement, excepté le camping dans le *bush*, du Wilson's Promontory National Park. ▱ *deux bungalows seulement.* P ▱	$	30		▦	●	
YARRA VALLEY : *Sanctuary House Motel* Badger Creek Rd, Healesville, VIC 3777. (03) 5962 5148. FAX (03) 5962 5392. Excellente cuisine familiale dans cette retraite du *bush* proche du Healesville Wildlife Sanctuary *(p. 433).* ▦ TV ▤ ▱ P ▱	$	12	●	▦	●	▦
YARRA VALLEY : *The Yarra Glen Grand Hotel* Bell St, Yarra Glen, VIC 3775. (03) 9730 1230. FAX (03) 9730 1124. L'imposant Grand Hotel domine la petite ville de Yarra Glen et ses vignobles. À partir de l'hôtel, on peut visiter les meilleurs domaines viticoles du Victoria *(p. 370-371).* ▦ TV P ▱	$$	10	●	▦	●	

LA TASMANIE

Établissement	Prix	Chambres	Restaurant	Équip. enfants	Jardin/terrasse	Piscine
BICHENO : *Gaol House* Angle de James St et Burgess St, TAS 7215. (03) 6375 1430. FAX (03) 6375 1368. Le Gaol House est le plus vieil édifice de cette station balnéaire. À quelques minutes à pied des principaux sites. TV P ▱	$	2		▦	●	
BRUNY ISLAND : *Morella Island Retreats* Simpsons Bay, TAS 7150. (03) 6293 1131. FAX (03) 6293 1137. Trois cottages à thème dans une pépinière à l'isthme de Bruny Island, avec une vue époustouflante. TV P ▱	$$	3		▦	●	
BURNIE : *The Duck House* 26 Queen St, TAS 7320. (03) 6431 1712. Un cottage du début du xxᵉ siècle, avec une agréable véranda, un salon, une cuisine et des provisions pour un petit déjeuner maison. TV P ▱	$	2		▦	●	
COLES BAY : *Freycinet Lodge* Freycinet National Park, TAS 7215. (03) 6257 0101. FAX (03) 6257 0278. *Lodge* primée, accueillante et écologique, au bout de Hazards Beach, avec pour toile de fond la chaîne des Hazards. ▦ TV P ▱ ▱	$$	36	●	▦	●	
CRADLE MOUNTAIN : *Cradle Mountain Lodge* Cradle Mountain Rd, TAS 7306. (03) 6492 1303. Ce refuge confortable offre un hébergement alpin élémentaire dans la *lodge* ou dans les bungalows en rondins. ▦ P ▱ ▱	$$$	77	●	▦	●	
DEVONPORT : *Birchmore Bed and Breakfast* 8-10 Oldaker St, TAS 7310. (03) 6423 1336. FAX (03) 6423 1338. Pension de luxe avec des suites au mobilier classique, pour une ou deux personnes. Le petit déjeuner est servi dans la serre. ▦ TV P ▱ ▱ ▱	$	6		▦		▦
FLINDERS ISLAND : *Clara's Seaside Cottage* Badger Corner Rd, Lady Barron, TAS 7255. (03) 6359 4530. Dans le minuscule village de pêcheurs de Lady Barron au sud de l'île. Idéal pour la randonnée et les activités nautiques. ▦ TV P ▱ ▱	$	1		▦	●	
HOBART : *Colonial Battery Point Manor* 13 Cromwell St, Battery Point, TAS 7004. (03) 6224 0888. FAX (03) 6224 2254. Cette pension cinq étoiles, au mobilier victorien traditionnel, jouit d'une vue magnifique sur la marina. ▦ TV P ▱ ▱	$$	8		▦	●	

HOBART : *Corinda's Cottage* $$$ 1
17 Glebe St, Glebe, TAS 7000. ((03) 6234 1590. FAX (03) 6234 2744.
Ce cottage de pierre, dans les jardins d'une demeure victorienne,
abritait jadis les logements des domestiques.

HOBART : *Lenna of Hobart* $$$ 50
20 Runnymede St, Battery Point, TAS 7004. ((03) 6232 3900. FAX (03) 6224
0112. Hôtel victorien, à deux pas de Salamanca Place.

HOBART : *Salamanca Executive Suites* $$$ 6
Unit 3, 5 Gladstone St, Battery Point, TAS 7004. ((03) 6224 3896.
FAX (03) 6224 3897. Au cœur de Sullivans Cove, les appartements de
deux chambres donnent sur Salamanca Place.

LAUNCESTON : *Alice's Cottages* $$ 3
129 Balfour St, TAS 7250. ((03) 6334 2231. FAX (03) 6334 2696.
Cottages des années 1840 meublés sur le thème d'*Alice au pays des
merveilles*. Provisions pour le petit déjeuner.

LAUNCESTON : *Novotel Hotel* $$$ 3
29 Cameron St, TAS 7250. ((03) 6334 3434. FAX (03) 6331 7347.
Luxueux hôtel de chaîne au cœur de la ville avec son propre restaurant.
Le décor est somptueux et le service international.

LONGFORD : *The Racecourse Inn* $$ 5
114 Marlborough St, TAS 7301. ((03) 6391 2352. FAX (03) 6391 2430.
Auberge georgienne restaurée à la lisière de cette ville historique. Pour
explorer la campagne du nord de l'île.

LAUNCESTON : *Country Club Casino* $$$ 20
Prospect Vale, TAS 7140. ((03) 6444 8855.
Cet hôtel de luxe, à 5 km au sud de la ville, est idéal pour un séjour de
détente, avec des tables de jeux sur place.

NEW NORFOLK : *Glen Dhu Country Retreat* $$ 2
Glen Dhu Rd, Molesworth, TAS 7140. ((03) 6261 4443. FAX (03) 6261 4443.
Ces deux cottages de cueilleurs de houblon, restaurés, sont proches de
la Derwent Valley et du Mount Field National Park.

NEW NORFOLK : *Tynwald Willow Bend Estate* $$$ 1
Lyell Hwy, TAS 7140. ((03) 6261 2667. FAX (03) 6261 2040.
Ce cottage de pierre qui donne sur la Lachlan River et la Derwent River
fait partie d'une ancienne minoterie.

RICHMOND : *Emerald Cottage* $$ 1
23 Torrens St, TAS 7025. ((03) 6266 2192. FAX (03) 6260 2610.
Écurie en briques des années 1830 aménagée dans une des plus
vieilles villes de Tasmanie. Pour les romantiques.

RICHMOND : *Hatcher's Manor* $$ 5
75 Prossers Rd, TAS 7025. ((03) 6260 2622. FAX (03) 6260 2744.
Pour une escapade de luxe à la campagne en couple ou en famille.
L'hôtel est entouré de jardins et d'un lac privé.

ROSS : *Historic Ross Cottages* $$ 3
Church St, TAS 7209. ((03) 6381 5354. FAX (03) 6381 5408.
Décorés de meubles en pin et d'antiquités, ces cottages appartiennent
à la ville historique de Ross depuis les années 1840.

STANLEY : *Gateforth Cottages* $$ 3
Black River, TAS 7321. ((03) 6458 3230. FAX (03) 6458 3237.
Ces cottages font partie du groupe Tasmania Country Cottages. Ils
donnent sur le détroit de Bass et ses plages tranquilles.

STRAHAN : *Franklin Manor* $$$ 18
The Esplanade, TAS 7468. ((03) 6471 7311. FAX (03) 6471 7267.
Cette vieille maison de capitaine du port est aujourd'hui un manoir
accueillant qui donne sur Macquarie Harbour.

TASMAN PENINSULA : *Norfolk Bay Convict Station* $ 6
5862 Arthur Hwy, Taranna, TAS 7180. ((03) 6250 3487. FAX (03) 6250 3487.
Construit par les détenus, le Commissariat Store (ancien entrepôt) est
devenu un havre de confort avec feux de bois et vue sur la baie.

Légende des symboles, voir rabat de couverture

RESTAURANTS

Ces vingt dernières années, une cuisine spécifique a été élaborée en Australie et la nourriture contemporaine, souvent d'inspiration méditerranéenne ou asiatique, est omniprésente. La profusion des restaurants ethniques reflète le caractère multiculturel de la population australienne. Toutes les cuisines, de l'algérienne à la zambienne, sont présentes, notamment dans les grandes villes. Un repas ne saurait être complet sans un verre de vin ou de bière locale *(p. 496-497)*. Pour une formule plus économique, choisissez un des nombreux restaurants affichant le sigle *BYO* (apportez le vôtre). Ces restaurants n'ont pas de licence leur permettant de servir de l'alcool, aussi les clients apportent-ils leur propre vin (paiement d'un droit de bouchon minime).

Crabe à la chinoise

Le restaurant Marco Polo du Conrad à Brisbane *(p. 505)*

LES TYPES DE RESTAURANTS

Les grandes villes offrent un large choix de restaurants. Établissements huppés, bistrots, cafés et pubs élégants sont adaptés à tous les budgets et proposent de la grande cuisine ou de simples en-cas. D'excellents restaurants existent dans les nombreuses régions viticoles et souvent dans les domaines vinicoles mêmes *(p. 32-33)*.

Les prix sont très variables ; ils sont parfois plus élevés à Sydney, mais ils sont dans l'ensemble inférieurs, à Melbourne et dans les autres grandes destinations touristiques, aux prix pratiqués par des établissements comparables en Europe et aux États-Unis. La note dans un restaurant haut de gamme de Melbourne ou Sydney ayant pour chef une célébrité tournera autour de 100 \$A par personne, avec une bouteille de vin pour la table Dans un petit restaurant *BYO* ou asiatique, elle sera inférieure à 30 \$A par personne. Un repas au comptoir dans un pub ou une cafétéria ne devrait pas dépasser 10 \$A par personne.

Depuis peu, les restaurants utilisent de plus en plus une cour, un jardin ou un boulevard pour installer des tables en plein air, ce qui permet aux clients de profiter du temps clément du pays.

HEURES DES REPAS ET RÉSERVATIONS

Dans la plupart des restaurants, le déjeuner est servi de 12 h 30 à 15 h et le dîner de 18 h 30 à 22 h 30. De nombreux établissements, notamment les bistrots et les cafés des grandes villes, ont des horaires plus élastiques : ils ouvrent pour le petit déjeuner et ferment tard. Les restaurants économiques et ethniques ferment souvent un peu plus tôt, vers 21 h 30, en fonction de la demande. La plupart des établissements ouvrent sept jours sur sept, 365 jours par an. Mieux vaut se renseigner au préalable auprès de chaque restaurant, notamment en dehors des grandes villes. Il est recommandé de réserver par téléphone.

PRIX ET POURBOIRES

La plupart des restaurants australiens acceptent les principales cartes de crédit. Il n'y a ni taxes gouvernementales ni service et le pourboire n'est pas obligatoire. En reconnaissance d'un service exceptionnel ou d'un repas particulièrement savoureux, une petite gratification est toujours appréciée. Son montant est laissé à l'appréciation du client mais un pourboire correspondant à 5 % du total de la note est en

Skillogalee Winery and Restaurant dans la Clare Valley *(p. 516)*

Le populaire Fez Café à Darlinghurst, Sydney *(p. 499)*

général considéré comme généreux. On peut le laisser en espèces sur la table à la fin du repas ou l'ajouter à la note si l'on règle par chèque ou carte de crédit.

Façade de la brasserie Café Capri à Darwin *(p. 509)*

LES ENFANTS

Rares sont les restaurants qui refusent les enfants, mais ceux-ci doivent être sages. Les restaurants proposent souvent chaises hautes et menus spéciaux. Les chaînes de hamburgers et les restaurants italiens ou asiatiques sont les plus économiques.

ACCÈS EN FAUTEUIL ROULANT

Encouragés par la législation des différents États, la plupart des restaurants disposent d'un accès spécial pour les fauteuils roulants et de toilettes accessibles.

LES VÉGÉTARIENS

Un plat ou un choix de plats végétariens est normalement proposé dans tous les restaurants, surtout dans les régions riches en produits du terroir. Les grandes villes ont des établissements végétariens spécialisés. Pour de plus amples renseignements, voir la colonne des spécialités végétariennes *(p. 498-523)*.

L'ALCOOL ET LES BOISSONS ALCOOLISÉES

Un restaurant *licensed* détient une licence qui lui permet de vendre de l'alcool. En Australie, la carte des vins est remarquable et met généralement en vedette les crus de l'État ou de la région concernée *(p. 32-33)*. Le vin se vend à la bouteille, à la carafe ou au verre. Il s'accompagne d'un bon choix de bières, cidres et alcools.

Les restaurants *BYO,* qui n'ont pas le droit de vendre de l'alcool, sont extrêmement populaires et permettent aux clients d'apporter leur propre vin, ce qui revient en général moins cher. L'eau du robinet est parfaitement saine mais les Australiens préfèrent souvent boire de l'eau en bouteille, plate ou gazeuse. Les jus de fruits frais sont également très prisés *(p. 496-497)*.

LA TENUE VESTIMENTAIRE

Les restaurants australiens n'imposent quasiment jamais une tenue particulière, mais certains restaurants haut de gamme peuvent exiger le port de la cravate le soir. La plupart des établissements, y compris les cafés sur la plage, peuvent refuser des clients vêtus d'une tenue de plage.

Dans l'ensemble, les Australiens adoptent une tenue sportive mais chic pour une sortie au restaurant.

FUMEURS ET NON-FUMEURS

De nombreux restaurants anciens et tous les nouveaux établissements ont des tables séparées pour les non-fumeurs ou des zones entières non-fumeurs. En revanche, l'interdiction de fumer s'applique rarement aux pubs traditionnels.

Le Café Provincial au cœur de Fitzroy à Melbourne *(p. 518)*

Que manger en Australie

Tourte au steak avec sauce tomate

L'Australie élabore sa propre cuisine depuis les années soixante-dix. Des chefs créatifs marient les ingrédients locaux aux saveurs de l'Europe, de l'Asie et du Proche-Orient pour concocter des plats authentiquement australiens. Chaque région a ses spécialités : huîtres sauvages, miel et agneau de Nouvelle-Galles du Sud, huile d'olive d'Australie-Méridionale, saumon de Tasmanie, produits laitiers du Victoria, fruits exotiques du Queensland et fromages d'Australie-Occidentale, sans oublier le barbecue !

Miel d'eucalyptus
Les abeilles importées semblent adorer les eucalyptus. Le miel de dirca, de couleur claire, est celui qui a le goût le plus fort.

Quartiers de pomme de terre
Enrobées d'un assaisonnement épicé puis frites en deux étapes, ces variantes de la modeste frite sont servies avec de la crème aigre et une sauce au piment.

Yum Cha
Le banquet chinois est composé de dim sum, petits raviolis fourrés de viande, poisson ou légumes, cuits à la vapeur.

Focaccia
Ce sandwich à l'italienne se compose de salade et de tranches de viande entre deux tranches grillées de pain plat.

Meze libanais
Tout un assortiment d'entrées : mousses de légumes frais et secs, légumes marinés et grillés et petits pâtés fourrés.

Crabe
Punaises
Huîtres sauvages
Coquilles Saint-Jacques
Homard
Crevettes roses
Moules

Assiette de fruits de mer
Provenant d'eaux relativement saines, les produits de la mer sont abondants et de tout premier choix.

Salade mixte
La salade, servie ici avec de la feta et des légumes grillés, est très appréciée.

Filet de kangourou
Le filet de kangourou, pauvre en matières grasses, est en général servi saignant.

Curry vert à la thaï
La variété au poulet est la plus populaire mais il existe une savoureuse version végétarienne.

Filet de bœuf grillé
Le bœuf australien, enveloppé ici dans de l'écorce d'arbre, est servi avec des légumes de saison.

Barbecue
Viandes, volailles et fruits de mer frais comme le petit calamar sont grillés au feu de bois sur un barbecue et accompagnés en général de pain et de salade verte.

Langoustines
Appelées aussi yabbies, *elles constituent un plat principal servi sur un lit de légumes verts avec une sauce de type aïoli.*

Colin
Ce poisson de haute mer a la consistance de la viande et une saveur douce. Il est souvent servi sous forme de darne épaisse.

Filet d'agneau
Tranches épaisses et tendres d'agneau grillé servies sur une salade de roquette et de mange-tout frais. Plat idéal pour l'été.

Gâteau à la ricotta
Les rosella buds *(baies sauvages) accompagnent de nombreux desserts.*

Pavlova
Ce dessert à la meringue est nappé de crème fraîche et de fruits d'été.

Glace aux baie assorties
Des glaces maison sont souvent servies avec des fruits de saison.

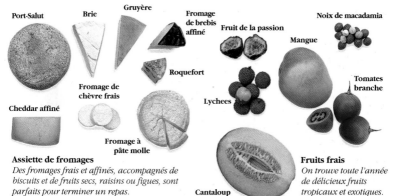

Assiette de fromages
Des fromages frais et affinés, accompagnés de biscuits et de fruits secs, raisins ou figues, sont parfaits pour terminer un repas.

Fruits frais
On trouve toute l'année de délicieux fruits tropicaux et exotiques.

Que boire en Australie

Semillon Chardonnay

Selon une vieille plaisanterie, un repas australien de sept plats, c'est une tourte à la viande et un pack de six bières. Il est vrai que les Australiens adorent leur bière, mais aujourd'hui ils apprécient aussi certains des meilleurs vins du monde *(p. 32-33)*, vendus à des prix avantageux. On estime qu'il existe 10 000 vins australiens différents sur le marché. Les Australiens peuvent choisir parmi des dizaines d'eaux en bouteille et de jus de fruits frais et savourer une limonade alcoolisée à base de citron et une boisson alcoolisée à base de rhubarbe.

Vins mousseux

Pinot noir Chardonnay

Les viticulteurs australiens utilisent trois cépages classiques de Champagne - le chardonnay, le pinot noir et le pinot meunier - pour fabriquer des vins mousseux renommés et dont certains ne coûtent que quelques dollars. Le chiraz rouge est utilisé uniquement pour faire un bourgogne pétillant original et apprécié.

Les principales régions viticoles

❶ Hunter Valley
❷ Mudgee
❸ Riverina
❹ Yarra Valley
❺ Geelong
❻ Nord-est du Victoria
❼ Clare Valley
❽ Barossa Valley et Adelaide Hills
❾ Coonawarra et Padthaway
❿ Margaret River
⓫ Tasmanie

L'Australie-Méridionale est le plus grand producteur de vins du pays

Grange-hermitage

Vins blancs

Rhine Riesling   **Botrytis Semillon**

Quand les Australiens adoptèrent les vins de table dans les années soixante et soixante-dix, ils choisirent un vin doux, de type moselle – riesling et gewurtztraminer. Ils apprécièrent ensuite des vins plus secs comme le semillon, le sauvignon blanc et le chardonnay, le meilleur cépage blanc du monde, puis se délectèrent des vins vieillis au tonneau. Aujourd'hui d'autres variétés comme la marsanne ont été plantées avec succès. Les viticulteurs australiens utilisent aussi le *botrytis cinera* ou pourriture noble, pour faire de succulents vins de dessert. Les muscat et les tokay du Victoria sont aussi de niveau international *(p. 371)*.

Vendanges manuelles dans la Hunter Valley au nord de Sydney

Le cépage chardonnay *donne de riches tons de miel à de nombreux vins australiens excellents.*

CÉPAGE	MEILLEURES RÉGIONS	MEILLEURS PRODUCTEURS
Chardonnay	Barossa Valley	Penfold's, Peter Lehmann
	Hunter Valley	Rosemount Estate, Tyrrell's
	Yarra Valley	Coldstream Hills, St Hubert's
Riesling	Barossa Valley	Leo Buring, Orlando
(Rhine Riesling)	Clare Valley	Petaluma, Grosset
Semillon	Hunter Valley	McWilliam's, Rothbury Estate
	Margaret River	Leeuwin, Evans & Tate
Semillon Chardonnay	Hunter Valley	Rosemount Estate
Semillon (dessert)	Riverina	De Bortoli
Muscat/Tokay	Nord-est du Victoria	Bailey's, Campbell's, Morris

Vignobles du Leeuwin Estate, Margaret River

Vins rouges

En Australie, le rouge de référence est le grange-hermitage, créé par le regretté Max Schubert, négociant en vins, dans les années cinquante. Il préférait les vins nécessitant un vieillissement de dix ans minimum. Wolf Blass, un viticulteur plus moderne, a prôné en revanche les vins « à boire tout de suite ». Les viticulteurs mélangent souvent des vins de différents États et régions. Les rouges légers que l'on peut servir légèrement rafraîchis ont été introduits récemment.

Shiraz   **Pinot noir**

Cépage	Meilleures régions	Meilleurs producteurs
Cabernet sauvignon	Barossa Valley	Henschke, Penfold's, Wolf Blass
	Coonawarra	Bowen Estate, Lindeman's, Rouge Homme, Wynn's
	Margaret River	Leeuwin Estate, Vasse Felix
Shiraz (Hermitage)	Barossa Valley	Henschke, Penfold's, Wolf Blass
	Hunter Valley	Brokenwood, Lindeman's
	Margaret River	Cape Mentelle
Pinot noir	Geelong	Bannockburn, Scotchman's Hill
	Hunter Valley	Rothbury Estate
	Yarra Valley	Coldstream Hills, Diamond Valley
Cabernet shiraz	Barossa Valley	Penfold's, Wolf Blass
	Coonawarra	Leconfield, Lindeman's, Mildara
	Margaret River	Cape Mentelle

Le cabernet sauvignon *de la région de Coonawarra est un cépage rouge de qualité très prisé.*

Bières

Tooheys Red Bitter   **Cascade Premium Lager**

Les principales bières australiennes sont l'ale ou la lager fermentées en cuve qui se boivent glacées. La bière très forte a un taux d'alcool d'environ 4,8 %, la bière moyenne d'environ 3,5 % et les bières « légères » de moins de 3 %. La filtration à froid remplace de plus en plus la traditionnelle stérilisation à chaud. Parmi les centaines de bonnes bières blondes et brunes figurent la James Boag et la Cascade de Tasmanie, la Castlemaine XXXX (prononcez « forex ») du Queensland, la Fosters et la Melbourne Bitter du Victoria, la Toohey de la Nouvelle-Galles du Sud et la Sparkling Ale de Cooper, appelée sur place la « soupe folle » d'Australie-Méridionale. Les mordus de véritable ale doivent chercher une brasserie artisanale, il en existe dans toute l'Australie. Pour commander une bière, annoncez la taille du verre et le nom de la marque.

Boissons alcoolisées

Les distillateurs australiens produisent de bons rhums bruns et blancs à partir des plantations de canne à sucre du Queensland *(p. 238)*. Les marques les plus connues sont Bundaberg et Beenleigh. Le cépage australien sert aussi de base à des cognacs à prix avantageux. Les marques les plus connues sont St Agnes et Hardy's.

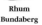

Rhum Bundaberg

Autres boissons

Avec un climat qui oscille entre le tropical et l'alpin, l'Australie a toute l'année des fruits frais pour la fabrication de jus. Ses pommes servent à faire du cidre. Une foule d'eaux minérales plates et gazeuses et autres eaux en bouteille alimentent aujourd'hui un marché d'environ 200 millions de litres par an. Hepburn Spa, Deep Spring et Mount Franklin sont distribués dans tout le pays. Le café est également très prisé.

Café crème

Poire et kiwi frappés

Délice de banane

Jus de fraise

Café latte

Choisir un restaurant

Classés par régions, en commençant par Sydney, les
établissements de cette sélection ont été choisis dans
une large gamme de prix pour la qualité de leur cuisine,
leur bon rapport qualité-prix ou l'attrait de leur situation.
Les onglets de couleur correspondent à ceux utilisés dans
les chapitres consacrés aux différentes régions.

	TABLES À L'EXTÉRIEUR	SPÉCIALITÉS VÉGÉTARIENNES	BAR OU BAR À COCKTAILS	MENUS À PRIX FIXES	ENFANTS BIENVENUS
SYDNEY					
BONDI BEACH : *Sports Bard* $ 32 Campbell Parade, NSW 2026. ((02) 9130 4582. Cet endroit gai est très fréquenté. Spécialités de risotto et de desserts décadents. ● *midi, lun.-jeu.*		●			
BONDI BEACH : *Ravesi's on Bondi Beach* $$$$$ Angle de Campbell Parade St et Hall St, NSW 2026. ((02) 9365 4422. Installés à un balcon sur l'océan, vous dégusterez du *fish and chips* (poisson pané et frites) à l'aïoli suivi de mangue flambée.	■	●			■
BOTANIC GARDENS ET THE DOMAIN : *Botanic Gardens Restaurant* $$$ Mrs Macquarie's Rd, NSW 2000. **Plan 2 D4.** ((02) 9241 2419. Le charmant balcon domine les Royal Botanic Gardens *(p. 102-103)*. Cet établissement ouvert à midi sert une cuisine d'inspiration nettement méditerranéenne. ● *soir.*	■	●			■
CENTRE-VILLE : *Casa Asturiana* $$ 77 Liverpool St, NSW 2000. **Plan 4 E3.** ((02) 9264 1010. Les tapas sont le principal attrait de ce restaurant. Spécialités de calamars et de sardines. ● *midi, sam. et lun.* limité.		●			
CENTRE-VILLE : *Grand Taverna* $$ Sir John Young Hotel, 557 George St, NSW 2000. **Plan 4 E3.** ((02) 9267 3608. Ce bistrot et pub populaire sert des plats espagnols traditionnels comme les crevettes, les calamars et la paella.	■		■		
CENTRE-VILLE : *Criterion Brasserie* $$$ Lobby Level, MLC Centre, Martin Place, NSW 2000. **Plan 1 B4.** ((02) 9233 1234. Un décor chic s'ajoute au service familial libanais à l'ancienne. La spécialité maison est l'assiette de *meze*.	■	●			
CENTRE-VILLE : *Il Edna's Table* $$$ Lobby, MLC Centre, Martin Place, NSW 2000. **Plan 1 B4.** ((02) 9231 1400. Cette carte originale de l'Outback annonce des plats comme la truite enveloppée de *ky choy* et d'écorce d'arbre, servie avec l'aïoli à la tomate du *bush* local. ● *lun. soir ; sam. midi ; dim.*	■	●		●	
CENTRE-VILLE : *Forty One* $$$$$ Level 41, Chifley Tower, Chifley Square, NSW 2000. **Plan 1 B4.** ((02) 9221 2500. Vue impressionnante du port de Sydney. Le restaurant sert des plats français avec des influences asiatiques. ● *sam. midi ; dim.*		●		●	
DARLING HARBOUR : *Golden Century* $ 393-399 Sussex St, NSW 2000. **Plan 4 E4.** ((02) 9212 3901. Ici les clients choisissent poissons ou crustacés vivants dans un aquarium et décident avec le serveur de la façon de les accommoder.		●			
DARLING HARBOUR : *Golden Harbour* $$ 31-33 Dixon St, NSW 2000. **Plan 4 D3.** ((02) 9212 5987. Les queues pour le *yum cha* peuvent serpenter jusque dans la rue mais les superbes petits raviolis justifient l'attente.		●			
DARLING HARBOUR : *Silver Spring* $$ Sydney Central, angle de Hay St Pitt St, NSW 2000. **Plan 4 E4.** ((02) 9211 2232. Les serveurs communiquent par talkie-walkie en installant les clients dans ce restaurant trépidant. *Yum cha* et spécialités cantonaises.		●			
DARLING HARBOUR : *Kamogawa* $$$$ 1er étage, 177 Sussex St, NSW 2000. **Plan 1 A5.** ((02) 9299 5533. Une clientèle en majorité japonaise vient déguster des menus *kaiseki* (de 7 à 12 plats) dans des salles avec *tatami*. ● *midi.*				●	

	TABLES À L'EXTÉRIEUR	SPÉCIALITÉS VÉGÉTARIENNES	BAR OU BAR À COCKTAILS	MENUS À PRIX FIXES	ENFANTS BIENVENUS

Catégories de prix pour un repas de trois plats, une demi-bouteille de vin de la maison, taxes et service compris.
⑤ moins de 25 \$A
⑤⑤ de 25 à 35 \$A
⑤⑤⑤ de 35 à 50 \$A
⑤⑤⑤⑤ de 50 à 70 \$A
⑤⑤⑤⑤⑤ plus de 70 \$A

TABLES À L'EXTÉRIEUR
Tables dans un patio ou sur une terrasse.
SPÉCIALITÉS VÉGÉTARIENNES
La carte propose un choix de plats végétariens.
BAR OU BAR À COCKTAILS
Possibilité de boire un verre ailleurs qu'à table dans le restaurant.
MENUS À PRIX FIXES
Menu au prix intéressant, généralement de trois plats, proposé au déjeuner et/ou au dîner.
ENFANTS BIENVENUS
Portions réduites et/ou chaises hautes disponibles.

KINGS CROSS ET DARLINGHURST : *No Names* ⑤ 1er étage, 81 Stanley St, NSW 2010. **Plan** 5 A1. ((02) 9360 4711. Bien qu'elle n'ait pas d'enseigne, cette excellente cantine à spaghettis est facile à trouver. Il suffit de chercher la queue.	▦	●	▦	●	▦
KINGS CROSS ET DARLINGHURST : *Fez Café* ⑤⑤ 247 Victoria St, NSW 2010. **Plan** 5 B1. ((02) 9360 9581. Le menu moyen-oriental commence par une assiette de hors-d'œuvres à la turque et de légumes au vinaigre suivie de tagines marocains.	▦	●			
KINGS CROSS ET DARLINGHURST : *Fishface* ⑤⑤ 132 Darlinghurst Rd, NSW 2010. **Plan** 5 B1. ((02) 9332 4803. Dans ce minuscule café, le menu change tous les jours. Le meilleur rapport qualité-prix de Sydney pour les produits de la mer.	▦				
KINGS CROSS ET DARLINGHURST : *Lime & Lemongrass* ⑤⑤ 42 Kellett St, NSW 2011. **Plan** 5 B1. ((02) 9358 5577. Les boulettes au tapioca avec des cacahuètes et des saucisses chinoises sont une spécialité de cette carte thaïe. ● *midi.*	▦	●			
KINGS CROSS ET DARLINGHURST : *Oh! Calcutta!* ⑤⑤ 251 Victoria St, NSW 2010. **Plan** 5 B2. ((02) 9360 3650. La carte couvre tout le Moyen-Orient et le sous-continent indien ; goûtez le *mantu* afghan (raviolis vapeur) fourré d'agneau haché et de céleri. ● *midi, sam.-jeu.*		●			
KINGS CROSS ET DARLINGHURST : *Beppi's* ⑤⑤⑤ Angle de Stanley St etYurong St, NSW 2010. **Plan** 4 F3. ((02) 9360 4558. Ouvert en 1956, Beppi's est toujours le meilleur sanctuaire de la cuisine et des vins italiens. Excellent service. ● *sam. midi ; dim.*					
KINGS CROSS ET DARLINGHURST : *Macleay Street Bistro* ⑤⑤⑤ 73a Macleay St, NSW 2011. **Plan** 2 E5. ((02) 9358 4891. Le menu français s'harmonise avec la vie jadis bohème de Kings Cross. Le week-end, arrivez tôt pour avoir une table. ● *midi, lun.-jeu.*	▦				
KINGS CROSS ET DARLINGHURST : *Riberries* ⑤⑤⑤ 411 Bourke St, NSW 2010. **Plan** 5 A3. ((02) 9361 4929. Cuisine française classique à base de produits locaux : *bunya nuts* (sorte de noix de macadamia), *witjuti grubs* (sorte de ver).		●		●	
KINGS CROSS ET DARLINGHURST : *The Edge* ⑤⑤⑤ 60 Riley St, NSW 2010. **Plan** 5 A1. ((02) 9360 1372. Cette réplique d'une brasserie française des années trente a des sols en bois et des bars en marbre. Délicieuses pizzas au feu de bois.	▦	●	▦		
KINGS CROSS ET DARLINGHURST : *Cicada* ⑤⑤⑤⑤ 29 Challis Ave, NSW 2011. **Plan** 2 E4. ((02) 9358 1255. Les saveurs de la Méditerranée et du Moyen-Orient sont subtilement interprétées. Spécialité de terrine d'*escalivada* (aubergine) avec du pain aux olives noires. ● *midi, sam.-mar.*	▦				
KINGS CROSS ET DARLINGHURST : *Mezzaluna* ⑤⑤⑤⑤ 123 Victoria St, NSW 2011. **Plan** 2 E5. ((02) 9357 1988. Le meilleur de la cuisine de l'Italie du Nord, d'excellents vins et de magnifiques vues sur les toits de la ville. À ne pas manquer.	▦	●			
KINGS CROSS ET DARLINGHURST : *Paramount* ⑤⑤⑤⑤ 73 Macleay St, NSW 2011. **Plan** 2 E5. ((02) 9358 1652. Fibre de verre moulée, bar en verre et éclairage blanc créent une toile de fond spectaculaire pour des plats comme la tourte au canard et aux champignons *shiitake* et de délicieux desserts. ● *midi.*		●			

Légende des symboles, voir rabat de couverture

Catégories de prix pour un repas de trois plats, une demi-bouteille de vin de la maison, taxes et service compris.
$ moins de 25 \$A
$$ de 25 à 35 \$A
$$$ de 35 à 50 \$A
$$$$ de 50 à 70 \$A
$$$$$ plus de 70 \$A

TABLES À L'EXTÉRIEUR
Tables dans un patio ou sur une terrasse.
SPÉCIALITÉS VÉGÉTARIENNES
La carte propose un choix de plats végétariens.
BAR OU BAR À COCKTAILS
Possibilité de boire un verre ailleurs qu'à table dans le restaurant.
MENUS À PRIX FIXES
Menu au prix intéressant, généralement de trois plats, proposé au déjeuner et/ou au dîner.
ENFANTS BIENVENUS
Portions réduites et/ou chaises hautes disponibles.

	TABLES À L'EXTÉRIEUR	SPÉCIALITÉS VÉGÉTARIENNES	BAR OU BAR À COCKTAILS	MENUS À PRIX FIXES	ENFANTS BIENVENUS
MANLY : *Armstrong's Manly* — $$$	■	●			■
MANLY : *Le Kiosk* — $$$	■	●			
PADDINGTON : *Lucio's* — $$$					
PADDINGTON : *Claude's* — $$$$$				●	
PARRAMATTA : *Barnaby's Riverside* — $$	■	●		●	■
PARRAMATTA : *Courtney's Brasserie* — $$$	■	●			■
LES ROCKS ET CIRCULAR QUAY : *Rock Fish Café* — $$		●			■
LES ROCKS ET CIRCULAR QUAY : *The Wharf Restaurant* — $$$	■	●			
LES ROCKS ET CIRCULAR QUAY : *Merrony's* — $$$$		●			
LES ROCKS ET CIRCULAR QUAY : *Bel Mondo* — $$$$$	■	●		●	
LES ROCKS ET CIRCULAR QUAY : *Bennelong Restaurant* — $$$$$		●			
LES ROCKS ET CIRCULAR QUAY : *Rockpool* — $$$$$				■	

MANLY : *Armstrong's Manly* $$$
Manly Wharf, NSW 2095. (02) 9976 3835.
Les vues du port, l'atmosphère détendue et les excellents produits de la mer font du Manly un restaurant à ne pas manquer à Sydney.

MANLY : *Le Kiosk* $$$
1 Marine Parade, Shelly Beach, NSW 2095. (02) 9977 4122.
Ce cottage de grès propose d'excellentes assiettes de fruits de mer et des vins blancs australiens bouquetés.

PADDINGTON : *Lucio's* $$$
47 Windsor St, NSW 2021. **Plan** 6 D3. (02) 9380 5996.
Téléphonez la veille pour commander la spécialité maison, le *pesce al sale* (poisson au four à la croûte au sel) dans cette institution célèbre pour sa carte haut de gamme de l'Italie du Nord. ● *dim.*

PADDINGTON : *Claude's* $$$$$
10 Oxford St, Woollahra, NSW 2025. **Plan** 6 D4. (02) 9331 2325.
Discrétion et excellent service sont proverbiaux chez Claude qui est renommé pour le talent de son chef, Tim Pak Poy. ● *dim. midi.*

PARRAMATTA : *Barnaby's Riverside* $$
66 Phillip St, NSW 2150. (02) 9633 3777.
La carte marie les influences asiatique, méditerranéenne et nord-africaine. Ne manquez pas les grosses frites « buffalo ». ● *dim. midi.*

PARRAMATTA : *Courtney's Brasserie* $$$
2 Horwood Place, NSW 2150. (02) 9635 3288.
Ce bâtiment de brique construit par les détenus était le mess des officiers en 1830. ● *sam. midi.*

LES ROCKS ET CIRCULAR QUAY : *Rock Fish Café* $$
14 Loftus St, NSW 2000. **Plan** 1 B3. (02) 9252 3114.
Bon rapport qualité-prix, service rapide et excellents plats comme les sardines aux copeaux de parmesan. ● *sam. et dim.*

LES ROCKS ET CIRCULAR QUAY : *The Wharf* $$$
Pier 4, Hickson Rd, Millers Point, NSW 2000. **Plan** 1 A1. (02) 9250 1761.
Situé au bout du quai, il offre de belles vues du port et une bonne nourriture simple : pâtes, risotto et produits de la mer. ● *dim.*

LES ROCKS ET CIRCULAR QUAY : *Merrony's* $$$$
2 Albert St, NSW 2000. **Plan** 1 C3. (02) 9247 9323.
La carte d'inspiration française change régulièrement, mais le confit de canard à l'oseille et au persil frit et la bisque de crevettes ou de fruits de mer sont suivis. ● *sam. midi ; dim.*

LES ROCKS ET CIRCULAR QUAY : *Bel Mondo* $$$$$
Level 3, Argyle Dept Store, 12-24 Argyle St, NSW 2000. **Plan** 1 B2.
(02) 9241 3700. La carte de l'Italie du Nord et la vue de l'Opéra de Sydney *(p. 80-81)* sont à ne pas manquer.

LES ROCKS ET CIRCULAR QUAY : *Bennelong Restaurant* $$$$$
Sydney Opera House, Bennelong Point, NSW 2000. **Plan** 1 C2.
(02) 9250 7578. Situé dans une des coques de l'Opéra. Menus pour dîner avant ou après le spectacle. ● *dim.* sur demande.

LES ROCKS ET CIRCULAR QUAY : *Rockpool* $$$$$
107 George St, NSW 2000. **Plan** 1 B3. (02) 9252 1888.
Le bar branché à l'entrée du restaurant donne le ton. La cuisine met l'accent sur les produits de la mer. ● *sam. midi ; dim.*

DES BLUE MOUNTAINS À BYRON BAY

ARMIDALE : *Jitterbug Mood* $$
231 Bardy St, NSW 2350. **(** *(02) 6772 3022.*
Il est conseillé de réserver dans cet établissement prisé. Ambiance intime
et cuisine vraiment multiculturelle. ● *midi ; dim. et lun. soir.* 🛦 ₺ 🗲

BALLINA : *Shelley's on the Beach* $
Shelley Beach Rd, NSW 2478. **(** *(02) 6686 9844.*
Ce café de plage propose de succulents fruits de mer, prix raisonnables,
ambiance décontractée et vue sur l'océan. ● *soir, avr.-oct.* ₺ 🗲

BLACKHEATH : *Vulcan's* $$
33 Govetts Leap Rd, NSW 2785. **(** *(02) 4787 6899.*
Phillip Searle, le chef de Sydney, sert un excellent bœuf suivi d'une
glace multicolore. ● *lun.-jeu.* 🛦 ₺ 🗲

BLACKHEATH : *Glenella* $$$
56 Govetts Leap Rd, NSW 2785. **(** *(02) 4787 8352.*
Cette vénérable pension *(p. 468)* propose des plats australiens
contemporains à base de kangourou. ● *lun.* ₺ 🍷 🗲

BLACKHEATH : *Cleopatra* $$$$
118 Cleopatra St, NSW 2785. **(** *(02) 4787 8456.*
Le chef Dany Chouet a remporté de nombreux prix pour sa cuisine
franco-australienne qui propose des soupes de poisson et de
sensationnels desserts. ● *midi, lun.-sam.* 🗲

BROKEN HILL : *Alfresco* $
397 Argent St, NSW 2880. **(** *(08) 8087 5599.*
Avec ses longues heures d'ouverture et sa carte abordable – pizzas,
crêpes, pâtes et steaks –, ce café animé est idéal pour les voyageurs. 🎵 ₺

BRUNSWICK HEADS : *Fins Restaurant* $
Pacific Hwy, NSW 2483. **(** *(02) 6685 1876.*
Situé sur la pittoresque Brunswick River, le Fins est censé servir les
meilleurs produits de la mer de la côte nord. ● *midi, lun.-sam. ; dim. soir.* 🗲

BYRON BAY : *Toscani's* $$
Angle de Jonson St et Marvel St, NSW 2481. **(** *(02) 6685 7320.*
Ce café-restaurant propose une remarquable cuisine italienne
contemporaine à des prix adaptés à tous les budgets. ₺ 🍷 🗲

COFFS HARBOUR : *Crossroads Café* $
1/7 Vernon St, NSW 2450. **(** *(02) 6651 6441.*
Idéal pour les amateurs de hamburgers, petits pains et hot dogs. Décor
années cinquante avec boxes à l'américaine. ₺

CORLETTE : *Merretts at the Anchorage* $$
Corlette Point Rd, NSW 2315. **(** *(02) 4984 2555.*
Les pieds dans l'eau. C'est l'endroit idéal pour déguster des fruits de
mer locaux cuisinés avec des influences asiatiques. ₺ 🗲

KATOOMBA : *Darleys* $$$
Lillianfels, Lillianfels Ave, Katoomba, NSW 2780. **(** *(02) 4780 1200.*
Installé dans une élégante maison du XIXᵉ siècle, le Darleys utilise des
produits locaux : truite, champignons sauvages, etc. ● *lun. et mar.* 🍷 🗲

LEURA : *Silk's Brasserie* $$$
128 Leura Mall, NSW 2780. **(** *(02) 4784 2534.*
Les chefs Laurent Cambon et David Waddington préparent une
nourriture de montagne avec des techniques modernes dans leur
restaurant très coté. Silk's a remporté le prix American Express du
meilleur restaurant de la région ouest. ₺ 🍷 🗲

NEWCASTLE : *Karltons* $
19 Scott St, NSW 2300. **(** *(02) 4929 2989.*
Ce restaurant décontracté près de la plage de Newcastle sert des plats
du jour inscrits sur une ardoise et un excellent café. ₺

NEWCASTLE : *Tongue 'n Groove* $
196 Union St, The Junction, NSW 2300. **(** *(02) 4940 8133.*
Prisé par les habitants du quartier, cet établissement sert une nourriture
australienne contemporaine. Très bonne musique.

Légende des symboles, voir rabat de couverture

	TABLES À L'EXTÉRIEUR	SPÉCIALITÉS VÉGÉTARIENNES	BAR OU BAR À COCKTAILS	MENUS À PRIX FIXES	ENFANTS BIENVENUS

Catégories de prix pour un repas de trois plats, une demi-bouteille de vin de la maison, taxes et service compris.
$ moins de 25 $A
$$ de 25 à 35 $A
$$$ de 35 à 50 $A
$$$$ de 50 à 70 $A
$$$$$ plus de 70 $A

TABLES À L'EXTÉRIEUR
Tables dans un patio ou sur une terrasse.
SPÉCIALITÉS VÉGÉTARIENNES
La carte propose un choix de plats végétariens.
BAR OU BAR À COCKTAILS
Possibilité de boire un verre ailleurs qu'à table dans le restaurant.
MENUS À PRIX FIXES
Menu au prix intéressant, généralement de trois plats, proposé au déjeuner et/ou au dîner.
ENFANTS BIENVENUS
Portions réduites et/ou chaises hautes disponibles.

		TABLES À L'EXTÉRIEUR	SPÉCIALITÉS VÉGÉTARIENNES	BAR OU BAR À COCKTAILS	MENUS À PRIX FIXES	ENFANTS BIENVENUS
NEWCASTLE : *View Factory* Angle de Scott St et Telford St, NSW 2300. ((02) 4929 4580. Cette brasserie chic du front de mer tire un excellent parti des produits de la mer locaux pour ses plats créatifs. ● *lun.* ☺	$	▪	●	▪		▪
NEWCASTLE : *Fat Olive Bistro* 54 Beaumont St, Hamilton, NSW 2303. ((02) 4940 8668. On dîne dans la fraîcheur de la véranda en savourant une excellente cuisine française et italienne. ● *midi, sam.-jeu. ; dim. et lun. soir.* ⚡ ☺	$$	▪	●	▪	●	
NEWCASTLE : *Scratchleys* 200 Wharf Rd, NSW 2300. ((02) 4929 1111. Ce restaurant du front de mer se targue de proposer les meilleurs fruits de mer, steaks et plats de poulet de la ville. Vue superbe. ♿ ☺	$$	▪			●	▪
NEWCASTLE : *Seaspray* Noah's on the Beach, angle de Shortland Esplanade St et Zaara St, NSW 2300. ((02) 4929 5181. Sur les quais, le Seaspray propose en mai et juin un menu spécial « migration des baleines » : on peut voir le départ des baleines à partir des fenêtres du restaurant. ♿ ♫ ☺	$$	▪		▪		▪
POKOLBIN : *Chez Pok at Peppers* Peppers Guesthouse, Ekerts Rd, NSW 2320. ((02) 4998 7596. Ce restaurant maintes fois primé propose une cuisine australienne d'inspiration européenne et asiatique. ♿ ♥ ☺	$$	▪	●	▪		▪
POKOLBIN : *Casuarina Restaurant* Hermitage Rd, NSW 2320. ((02) 4998 7888. Ce restaurant établi de longue date, entouré de vignobles, sert une cuisine méditerranéenne. Spécialités flambées. ● *midi, lun.-ven.* ♿ ♥ ☺	$$$	▪		▪		
POKOLBIN : *Robert's at Pepper Tree* Halls Rd, NSW 2320. ((02) 4998 7330. Ce charmant restaurant installé dans un cottage en bois de gommier de 1876 classé propose une cuisine régionale d'inspiration française. ♿ ☺	$$$	▪	●			▪
PORT MACQUARIE : *Harpo's* 4 Flynn St, Flynn's Beach, NSW 2444. ((02) 6583 1401. Des souvenirs des Marx Brothers décorent cet établissement qui sert des plats australiens, classiques, steaks, crevettes, etc. ● *midi, dim.-lun.* ♫ ☺	$$	▪	●	▪	●	▪
WAGGA WAGGA : *Indian Tavern* 176 Baylis St, NSW 2650. ((02) 6921 3121. Ce restaurant indien sert des plats raffinés. Goûtez le poulet parfumé au beurre de noix de cajou. ● *midi.* ♿ ☺	$$		●			

LA SOUTH COAST ET LES SNOWY MOUNTAINS

		TABLES À L'EXTÉRIEUR	SPÉCIALITÉS VÉGÉTARIENNES	BAR OU BAR À COCKTAILS	MENUS À PRIX FIXES	ENFANTS BIENVENUS
BATEMANS BAY : *Starfish Deli* Shop 1-2, Promenade Plaza, Clyde St, NSW 2536. ((02) 4472 4880. Ce bistrot haut de gamme qui donne sur les eaux noires de la Clyde River sert d'excellentes pizzas au feu de bois, des pâtes et des huîtres. ♪ ☺	$	▪	●	▪		▪
BERRIMA : *The White Horse Inn* Market Place, NSW 2577. ((02) 4877 1204. Construit comme auberge en bord de route en 1832, le White Horse sert des repas substantiels mais sophistiqués. ☺	$$$			▪		
BRAIDWOOD : *Doncaster Inn* Wilson St, NSW 2622. ((02) 4842 2356. Dans ce couvent aménagé, on dégustera une excellente cuisine française à base de produits locaux. ● *midi ; lun.-jeu. et dim. soir.* ♪ ♿ ☺	$$		●		●	

EDEN : *Eden Fishermen's Club* Ⓢ
Imlay St, NSW 2551. (*(02) 6496 1577.*
Ce caverneux établissement met l'accent sur la quantité mais le thon, les
langoustines et les crevettes locales sont également délicieux. 🅑 🎵 🖼

GOULBURN : *Benton's Rimbolin* ⓈⓈⓈ
380 Auburn St, NSW 2580. (*(02) 4821 7633.*
Dans la journée, c'est un café gastronomique ; le soir, c'est un
restaurant raffiné. ● *lun. ; mar. et dim. soir.* 🔑 🅑 🎵 🖼

GOULBURN : *Willowvale Mill Guesthouse Restaurant* ⓈⓈⓈ
Willowvale Mill, Laggan *via* Crookwell, NSW 2583. (*(02) 4837 3319.*
Le chef Graham Liney, qui cultive également les pommes de terre, sert des
repas de saison originaux et consistants. ● *lun.-jeu., ven. et sam. midi.* 🖼

NOWRA : *The Boatshed Restaurant* ⓈⓈ
Wharf Rd, NSW 2541. (*(02) 4421 2419.*
Au bord de la Shoalhaven River, le restaurant sert des produits de la mer
locaux. Réservation indispensable le week-end. ● *lun. ; midi, mar.-jeu.* 🖼

SNOWY MOUNTAINS : *Duffers Ridge Restaurant* ⓈⓈⓈ
Novotel Lake Crackenback Resort, Alpine Way *via* Jindabyne, NSW 2627.
(*(02) 6456 2960.* Ce restaurant donne sur le lac argenté et les
montagnes environnantes. La carte internationale et australienne
contemporaine propose fondues, kangourou et truite. 🅑 🍷 🖼

SOUTHERN HIGHLANDS : *Blue Cockerel Bistro* ⓈⓈ
95 Hume Hwy, Mittagong, NSW 2575. (*(02) 4872 1677.*
Le chef Martial Cosyn propose des produits locaux ; baies, asperges et
plats de viande. ● *midi ; dim. et lun. soir.* 🖼

SOUTHERN HIGHLANDS : *Gambells on the Park* ⓈⓈ
Gullies Rd, Bundanoon, NSW 2578. (*(02) 4883 6892.*
Entouré de 2 ha de jardins, le Gambells sert d'intéressants plats rustiques
contemporains. Réservation indispensable. ● *lun.-mer.* 🔑 🅑 🖼

SOUTHERN HIGHLANDS : *Milton Park* ⓈⓈⓈⓈ
Horderns Rd, Bowral, NSW 2576. (*(02) 4861 1522.*
Cadre élégant, cuisine australienne contemporaine d'inspiration
européenne et asiatique. Réservation conseillée. 🅑 🍷 🖼

TILBA TILBA : *Valley Country Home* ⓈⓈⓈⓈ
Guluga Track, NSW 2546. (*(02) 4473 7405.*
Le chef formé en Suisse cuisine une soupe épaisse aux fruits de mer
(chowder), de la longe de veau et de la ratatouille fraîche. 🔑 🅑 🍷 🖼

ULLADULLA : *Cookaburra* ⓈⓈⓈ
Shop 2, 10 Wason St, NSW 2539. (*(02) 4454 1443.*
Produits de la mer locaux pêchés par la flottille à Ulladulla, viandes
rouges et plats de poulet. ● *lun.-mer. et sam. midi ; jeu.* 🔑 🖼

WOLLONGONG : *Due Mezzi* ⓈⓈⓈ
233 Princes Hwy, Bulli, NSW 2516. (*(02) 4283 5405.*
Dans ce restaurant éclectique, le chef Lorenzo Pagnan confectionne
aussi bien la salade de poulet à l'égyptienne que les sèches grillées.
● *lun.-mar. ; mer. et jeu. midi ; dim. soir.* 🔑 🅑 🖼

CANBERRA ET L'ACT

CANBERRA : *Taj Mahal* Ⓢ
39 Northbourne Ave, Canberra City, ACT 2601. (*(02) 6247 6528.*
Ce restaurant bruyant sert une cuisine indienne délicieuse et bon marché.
Le poulet tandoori est chaudement recommandé. ● *sam. midi ; dim.* 🖼

CANBERRA : *Timmy's Kitchen* Ⓢ
Manuka Shopping Centre, Furneaux St, Manuka, ACT 2603.
(*(02) 6295 6537.* Ce minuscule restaurant chinois sert une cuisine du
Sud-Est asiatique savoureuse et bon marché. À ne pas manquer. 🔑 🖼

CANBERRA : *Tosolini's* Ⓢ
Bailey's Corner, angle de London Circuit et East Row, Canberra City, ACT
2600. (*(02) 6247 4317.* C'est l'endroit où il faut être vu dans les milieux
jeunes et branchés. La nourriture est bon marché et cosmopolite et le
café passe pour le meilleur de la ville. ● *dim. soir.* 🅑 🍷 🖼

Catégories de prix pour un repas de trois plats, une demi-bouteille de vin de la maison, taxes et service compris.

⑤ moins de 25 \$A
⑤⑤ de 25 à 35 \$A
⑤⑤⑤ de 35 à 50 \$A
⑤⑤⑤⑤ de 50 à 70 \$A
⑤⑤⑤⑤⑤ plus de 70 \$A

TABLES À L'EXTÉRIEUR
Tables dans un patio ou sur une terrasse.
SPÉCIALITÉS VÉGÉTARIENNES
La carte propose un choix de plats végétariens.
BAR OU BAR À COCKTAILS
Possibilité de boire un verre ailleurs qu'à table dans le restaurant.
MENUS À PRIX FIXES
Menu au prix intéressant, généralement de trois plats, proposé au déjeuner et/ou au dîner.
ENFANTS BIENVENUS
Portions réduites et/ou chaises hautes disponibles.

	Prix	TABLES À L'EXTÉRIEUR	SPÉCIALITÉS VÉGÉTARIENNES	BAR OU BAR À COCKTAILS	MENUS À PRIX FIXES	ENFANTS BIENVENUS
CANBERRA : *Sufficient Grounds* High Court of Australia, Parkes Place, Parkes, ACT 2600. ☎ *(02) 6270 6828.* Dans l'édifice de verre de la High Court, cet élégant restaurant permet de déjeuner en profitant de la vue sur le lac. ● *soir ; sam. et dim. midi.* ♿ 🛇	⑤⑤					■
CANBERRA : *Ruby's Chinese Restaurant* 18-20 Woolley St, Dickson, ACT 2602. ☎ *(02) 6249 8849.* Ruby's a la fascinante réputation d'être le rendez-vous des espions de toute nationalité. Spécialisé dans les produits de la mer vivants, il se trouve au cœur de l'unique rue « chinoise » de Canberra. ♿ 🛇	⑤⑤		●	■	●	
CANBERRA : *Tu Tu Tango* 124 Bunda St, Canberra City, ACT 2600. ☎ *(02) 6257 7100.* Le mariage des cuisines californienne et du Grand Sud a donné naissance à la carte primée du Tu Tu Tango. ♿ 🎵 *occasionellement.* 🛇	⑤⑤	■	●	■		
CANBERRA : *Asakusa* Green Square, Jardine St, Kingston, ACT 2604. ☎ *(02) 6295 3608.* Cet authentique restaurant japonais proche du Triangle parlementaire est très apprécié. ● *sam. et dim.* 🛇	⑤⑤⑤				●	
CANBERRA : *Cavalier Carousel Restaurant* Red Hill Lookout, Red Hill, ACT 2603. ☎ *(02) 6273 1808.* C'est une véritable institution à Canberra. Cuisine internationale fortement influencée par la France. Vues fantastiques. ● *dim.* 🍷 🛇	⑤⑤⑤	■		■		
CANBERRA : *The Chairman and Yip* 108 Bunda St, Canberra City, ACT 2601. ☎ *(02) 6248 7109.* Ce restaurant chinois déchaîne l'enthousiasme des critiques gastronomiques. La carte est légère, fraîche et novatrice. ♿ 🛇	⑤⑤⑤	■	●	■		
CANBERRA : *Hill Station Restaurant* Sheppard St, Hume, ACT 2620. ☎ *(02) 6260 1393.* Cette ancienne ferme d'élevage de moutons isolée, transformée en un charmant restaurant, sert une cuisine rustique sophistiquée. Réservation nécessaire. ● *lun. et mar. ; midi, mer.-sam. ; dim. soir.* ♿ 🍷 🛇	⑤⑤⑤	■		■	●	
CANBERRA : *The Lobby Restaurant* King George Terrace, Parkes, ACT 2600. ☎ *(02) 6273 1563.* Les hommes politiques apprécient sa cuisine australienne contemporaine. Proche du Parlement. ● *dim. et lun. soir ; sam. midi.* ♿ 🍷 🛇	⑤⑤⑤	■		■		
CANBERRA : *Ottoman Cuisine* Angle de Franklin St et Flinders Way, Manuka, ACT 2603. ☎ *(02) 6239 6754.* Une des meilleures tables turques d'Australie. L'accent est mis sur les produits de la mer et les épices. Réservez à l'avance. ● *sam. midi ; dim.* 🛇	⑤⑤⑤		●			
CANBERRA : *The Republic Brasserie* 20 Allara St, Canberra City, ACT 2600. ☎ *(02) 6247 1717.* L'ambiance est bruyante et colorée et la carte australienne contemporaine légère et raffinée est intéressante. ● *midi, sam.-lun.* ♿ 🍷 🛇	⑤⑤⑤	■	●	■		
CANBERRA : *The Village Chef* Palmerston Lane, Manuka, ACT 2603. ☎ *(02) 6295 6703.* Ce petit restaurant est réputé pour son authentique cuisine italienne servie dans une ambiance intime. ● *sam. et dim. midi.* 🍷 🛇	⑤⑤⑤			■		
CANBERRA : *The Boat House by the Lake* Grevillea Park, Menindee Drive, Barton, ACT 2600. ☎ *(02) 6273 5500.* Situé sur la rive nord du lac Burley Griffin, le Boat House offre des vues saisissantes sur les principaux points de repère de Canberra. Carte internationale. ● *lun. ; sam. midi ; dim. soir.* ♿ 🍷 🛇	⑤⑤⑤⑤	■		■		

CANBERRA : *Fringe Benefits* $$$$
54 Marcus Clarke St, Canberra City, ACT 2601. (*(02) 6247 4042.*
Le nom s'inspire de la loi des années quatre-vingt stipulant que les
déjeuners d'affaires ne sont plus déductibles des impôts. Somptueuse
cuisine australienne contemporaine exotique. ● *sam. midi, dim.* 🍴 🌿

CANBERRA : *The Oak Room* $$$$
Hyatt Hotel, Commonwealth Ave, Yarralumla, ACT 2600. (*(02) 6270 8977.*
Le restaurant le plus huppé de Canberra sert une cuisine australienne
contemporaine primée. ● *dim. et lun. ; sam. midi.* 🖤 🍴 🌿

QUEANBEYAN : *Byrne's Mill* $$$
58 Collett St, Queanbeyan, ACT 2620. (*(02) 6297 8283.*
Dans un moulin historique classé. Plusieurs prix culinaires pour une
nouvelle cuisine aventureuse. ● *dim. et lun. ; sam. midi.* 🍴 🌿

BRISBANE

BREAKFAST CREEK : *Breakfast Creek Hotel* $
Kingsford Smith Drive, QLD 4010. (*(07) 3262 5988.*
Institution depuis sa construction en 1889. C'est l'endroit idéal pour un
barbecue australien typique – on peut même choisir son steak. 🌿

CENTRE-VILLE : *Enjoy Inn* $
167 Wickham St (angle de Duncan St), QLD 4006. (*(07) 3252 3838.*
Situé à Chinatown, l'Enjoy Inn sert la meilleure nourriture chinoise de
Brisbane, primée par de nombreuses récompenses. 🖤 🌿

CENTRE-VILLE : *Pancakes at the Manor* $
18 Charlotte St, QLD 4000. (*(07) 3221 6433.*
Cet établissement sans prétention s'abrite dans une vieille église rénovée.
Steak, salade, hamburger ou crêpe gastronomique à toute heure. 🌿

CENTRE-VILLE : *Tortilla* $
26 Elizabeth Arcade, off Charlotte St, QLD 4000. (*(07) 3221 4416.*
Les plats espagnols et mexicains sont accompagnés de musique de
flamenco le samedi soir. ● *sam. et dim. midi.* 🎵 🌿

CENTRE-VILLE : *Giardinetto* $$
366 Brunswick St, QLD 4006. (*(07) 3252 4750.*
Les murs de ce restaurant douillet s'ornent des œuvres d'artistes
locaux. Délicieux *risotto marinara.* ● *midi, sam.-lun.* 🖤 🌿

CENTRE-VILLE : *Peking House* $$
Rydges South Bank, Glenelg St,QLD 4101. (*(07) 3255 0822.*
Le restaurant de l'hôtel Rydges South Bank se flatte d'avoir des chefs
venus tout droit de Pékin. Spécialité de canard laqué. Au déjeuner,
goûtez le *yum cha.* ● *sam. midi ; lun.* 🖤 🌿

CENTRE-VILLE : *Customs House Brasserie* $$$
399 Queen Street, QLD 4000. (*(07) 3365 8999.*
Élégant café dans un bâtiment historique donnant sur le fleuve. Cuisine
australienne fraîche et pleine d'imagination. ● *dim. et lun. soir.* 🖤 🌿

CENTRE-VILLE : *E'cco* $$$
Angle d'Adelaide St et Boundary St, QLD 4000. (*(07) 3831 8344.*
Dans un ancien entrepôt de thé. L'accent est mis sur les produits de
qualité et les saveurs appétissantes. ● *dim. soir ; lun.* 🌿

CENTRE-VILLE : *Il Centro* $$$
Eagle St Pier, QLD 4000. (*(07) 3221 6090.*
Restaurant italien haut de gamme avec vue du fleuve. La salle élégante
est disposée autour d'une grande cuisine sans cloison. ● *sam. midi.* 🖤 🌿

CENTRE-VILLE : *Indochine* $$$
Angle de Creek St et Edison Lane, QLD 4000. (*(07) 3229 4033.*
Foodie Bill Ahearn et le chef thai Timmy Kemp président au mariage des
traditions orientale et occidentale dans cette excellente brasserie. 🖤 🌿

CENTRE-VILLE : *Marco Polo* $$$
Level 2, Conrad International Treasury Casino, William St, QLD 4000.
(*(07) 3306 8888.* Ce restaurant haut de gamme sert une cuisine
« Orient-Occident ». Une trouvaille originale : la carte est inspirée des
voyages de Marco Polo en Asie. ● *midi.* 🖤 🌿

Légende des symboles, voir rabat de couverture

	TABLES À L'EXTÉRIEUR	SPÉCIALITÉS VÉGÉTARIENNES	BAR OU BAR À COCKTAILS	MENUS À PRIX FIXES	ENFANTS BIENVENUS

Catégories de prix pour un repas de trois plats, une demi-bouteille de vin de la maison, taxes et service compris.
$ moins de 25 \$A
$$ de 25 à 35 \$A
$$$ de 35 à 50 \$A
$$$$ de 50 à 70 \$A
$$$$$ plus de 70 \$A

TABLES À L'EXTÉRIEUR
Tables dans un patio ou sur une terrasse.
SPÉCIALITÉS VÉGÉTARIENNES
La carte propose un choix de plats végétariens.
BAR OU BAR À COCKTAILS
Possibilité de boire un verre ailleurs qu'à table dans le restaurant.
MENUS À PRIX FIXES
Menu au prix intéressant, généralement de trois plats, proposé au déjeuner et/ou au dîner.
ENFANTS BIENVENUS
Portions réduites et/ou chaises hautes disponibles.

	TABLES À L'EXTÉRIEUR	SPÉCIALITÉS VÉGÉTARIENNES	BAR OU BAR À COCKTAILS	MENUS À PRIX FIXES	ENFANTS BIENVENUS
CENTRE-VILLE : *Pier Nine* **$$$** Eagle Street Pier, QLD 4000. ((07) 3229 2194. Trois fois primé par l'American Express, ce restaurant spécialisé dans les produits de la mer est une des meilleures tables de Brisbane. 🛆 🍽	■	●			■
CENTRE-VILLE : *Shingle Inn* **$$$** 254 Edward St, QLD 4000. ((07) 3221 9039. Inauguré dans les années trente, il rappelle le style de cette époque raffinée. Le pavlova est délicieux. ● *sam. soir ; dim.* 🛆 🍽		●			
CENTRE-VILLE : *Indigo* **$$$$** 695 Brunswick St, QLD 4005. ((07) 3254 0275. Dirigé par la talentueuse Gillian Hirst, il sert une nourriture australienne contemporaine simple et très savoureuse. Saumon au poivre et sa sauce au citron vert et au soja. ● *midi, sam.-lun.* 🛆 🍽	■	●	■		
CENTRE-VILLE : *Michael's Riverside Restaurant* **$$$$** Riverside Centre, 123 Eagle St, QLD 4000. ((07) 3832 5522. Ce restaurant qui porte la griffe du restaurateur Michael Platsis propose une nourriture de choix et ménage de superbes vues. ● *dim.* 🛆 🎵 🍽		●	■		
CENTRE-VILLE : *Siggi's at the Port Office* **$$$$** Angle d'Edward St et Margaret St, QLD 4000. ((07) 3221 4555. Situé dans un ancien bureau portuaire restauré, c'est l'un des plus élégants restaurants de Brisbane. Cuisine française métissée d'influences australiennes contemporaines. ● *midi ; dim. et lun.* 🛆 🍷 🍽		●	■	●	
CENTRE-VILLE : *Tables at Toowong* **$$$$** 85 Miskin St, QLD 4066. ((07) 3371 4558. Lauréat d'un prix du meilleur restaurant. Cuisine exceptionnelle appréciée des célébrités. ● *midi ; sam.-jeu. ; dim. et lun.* 🍽	■	●		●	
HAMILTON : *Bretts Wharf Restaurant* **$$$** 449 Kingsford Smith Drive, QLD 4007. ((07) 3868 1717. On embrasse la silhouette de la ville depuis l'autre rive du fleuve tout en dégustant d'excellents fruits de mer. 🛆 🍽	■	●	■		■
MILTON : *La Dolce Vita* **$** 20 Park Rd, QLD 4064. ((07) 3368 1191. C'est l'un des nombreux établissements « café society » de Brisbane. Focaccias et pizzas pour un déjeuner décontracté et bon marché. 🛆 🎵 🍽	■	●	■		■
MILTON : *Omeros Brothers by the River* **$$$** 6/249 Coronation Drive, QLD 4064. ((07) 3368 1200. Le restaurant dans une maison au bord du fleuve sert un superbe poisson du jour sauce aux huîtres. ● *sam. midi.* 🍽		●	■		■
MOUNT COOT-THA : *Kuta Cafe* **$** Sir Samuel Griffith Drive, QLD 4066. ((07) 3369 9922. Vous mangerez dans une ambiance décontractée en profitant de la vue du Mount Coot-tha. 🛆 🍽	■	●			
MOUNT COOT-THA : *Mount Coot-tha Summit* **$$$$** Sir Samuel Griffith Drive, QLD 4066. ((07) 3369 9922. Ce restaurant à la carte offre des vues époustouflantes de Brisbane à Moreton Bay, de jour comme de nuit. 🛆 🍽	■	●	■	■	■
NEWSTEAD : *Breakfast Creek Wharf* **$$** 192 Breakfast Creek Rd, QLD 4006. ((07) 3252 2451. L'explorateur John Oxley ayant pris ici son petit déjeuner, une réplique de son bateau est au centre du décor du restaurant. Excellents produits de la mer. 🛆 🎵 *dim.* 🍽	■	●	■		■

AU SUD DE TOWNSVILLE

BOREEN POINT : *The Jetty* $$$
1 Boreen Pole, QLD 4680. (07) 5485 3167.
Situé au bord de l'eau, ce restaurant est fameux pour la fraîcheur de
ses produits locaux.

GLADSTONE : *Flinders Seafood Restaurant* $$$
Angle d'Oaks Lane et Flinders Parade, QLD 4680. (07) 4972 8322.
Lauréat du prix du meilleur restaurant du Queensland central, Flinders
est renommé pour son chili et son crabe à la vapeur.

GLADSTONE : *Swaggies Australian Restaurant* $$$
56 Goondoon St, QLD 4680. (07) 4972 1653.
Cuisine australienne aborigène : kangourou et crocodile servis avec
une sauce cantonaise ou au citron vert. ● *sam. et dim. midi.*

MACKAY : *Waterfront Restaurant and Espresso Bar* $
8 River St, QLD 4740. (07) 4957 8131.
La terrasse qui donne sur le fleuve offre un cadre idyllique. À la carte,
repas légers ou barramundi entier cuit au four. ● *midi.*

NOOSA HEADS : *Co Co's* $
Angle de Park Rd et Mitti St, Noosa Heads, QLD 4567. (07) 5447 2440.
Ce petit restaurant sans prétention sert des plats légers et novateurs,
parfaits au déjeuner comme au dîner. ● *dim. midi.*

NOOSA HEADS : *Eduardo's on the Beach* $
25 Hastings St, QLD 4567. (07) 5447 5875.
Ici, on sert un copieux petit déjeuner avec crêpes aux myrtilles ou des
pommes de terre et du saumon fumé nappé d'un œuf poché.

NOOSA HEADS : *La Plage* $
5 Hastings St, QLD 4567. (07) 5447 3308.
Ce magnifique restaurant bien établi sert une nourriture française
classique à base de produits locaux. ● *midi.*

NOOSA HEADS : *Palmers* $
Hastings St, QLD 4567. (07) 5447 5666.
Ce bar à tapas très populaire à Noosa Heads est idéal pour un repas
décontracté. L'assiette de fruits de mer est très appréciée. ● *midi.*

NOOSA HEADS : *Saltwater* $$$
8 Hastings St, QLD 4567. (07) 5447 2234.
Ce restaurant élégant, spécialisé dans les produits de la mer, est un des
meilleurs de Noosa Heads. Salle de restaurant sur le toit.

ROCKHAMPTON : *Le Bistro* $$$
120 William St, QLD 4700. (07) 4922 2019.
La carte étendue propose des plats de bœuf, de porc et des produits
de la mer. ● *sam. et dim. midi.*

LE QUEENSLAND DU NORD

CAIRNS : *Hides Bar and Grill* $
Angle de Lake St et Shields St, QLD 4870. (07) 4031 5333.
Le Bar and Grill, qui appartient à l'hôtel Hides, sert steaks, pâtes et
produits de la mer accompagnés de salades à des prix raisonnables.

CAIRNS : *Barnacle Bill's Seafood Inn* $$$
65 The Esplanade, QLD 4870. (07) 4051 2241.
Restaurant de poissons réputé pour la qualité de la cuisine et du service.
Goûtez le jambalaya chaud ou le poisson poêlé. ● *dim. et lun. midi.*

CAIRNS : *Kani's* $$$
59 The Esplanade, QLD 4870. (07) 4051 1550.
Kani's met l'accent sur les produits de la mer mais l'excellente carte
propose également de délicieux steaks. ● *midi, sam.-lun.*

CAIRNS : *Red Ochre Grill* $$$
Angle de Shields St et Sheridan St, QLD 4870. (07) 4051 0100.
Idéal pour goûter la nourriture du *bush* australien avec une note
moderne. Le four au feu de bois d'eucalyptus donne une saveur
unique à la viande, surtout au kangourou. ● *sam. et dim. midi.*

Légende des symboles, voir rabat de couverture

Catégories de prix pour un repas de trois plats, une demi-bouteille de vin de la maison, taxes et service compris.
- $ moins de 25 $A
- $$ de 25 à 35 $A
- $$$ de 35 à 50 $A
- $$$$ de 50 à 70 $A
- $$$$$ plus de 70 $A

TABLES À L'EXTÉRIEUR
Tables dans un patio ou sur une terrasse.
SPÉCIALITÉS VÉGÉTARIENNES
La carte propose un choix de plats végétariens.
BAR OU BAR À COCKTAILS
Possibilité de boire un verre ailleurs qu'à table dans le restaurant.
MENUS À PRIX FIXES
Menu au prix intéressant, généralement de trois plats, proposé au déjeuner et/ou au dîner.
ENFANTS BIENVENUS
Portions réduites et/ou chaises hautes disponibles.

Restaurant	Prix	Tables à l'extérieur	Spécialités végétariennes	Bar ou bar à cocktails	Menus à prix fixes	Enfants bienvenus
CAIRNS : Tawny's — Marlin Parade, QLD 4870. (07) 4051 1722. Le meilleur restaurant de produits de la mer de Cairns. Situation idéale sur le front de mer. ● midi, lun.-dim.	$$$		●	▦		▦
CHARLEVILLE : Outback Restaurant — Mulga Country Motor Inn, Cunnamulla Rd, QLD 4470. (07) 4654 3255. Agréable restaurant entouré d'un jardin avec une piscine en contrebas. Cuisine australienne et internationale. ● dim ; midi, lun.-sam.	$$	▦	●	▦		▦
CLONCURRY : Gidgee Bar and Grill — Gidgee Inn, McIlwraith St, QLD 4824. (07) 4742 1599. Spécialités de bœuf et de produits de la mer locaux expédiés tout frais par avion du golfe de Carpentarie. ● midi, lun.-dim.	$$	▦	●	▦		▦
CUNNAMULLA : Warrego Hotel/Motel — 9 Louise St, QLD 4490. (07) 4655 1737. Agréable salle à manger dans un pub de campagne typique. Fréquentée le soir par les habitants du voisinage.	$	▦	●	▦	●	▦
DAINTREE : Jacanas Restaurant — Daintree Village, QLD 4873. (07) 4098 6146. Ce restaurant accueillant qui domine la Daintree River tire un bon parti des barramundis répandus dans la région.	$	▦	●			▦
LONGREACH : Jolly Jumbuck — Jumbuck Motel, Sir Hudson Fysh Drive, QLD 4730. (07) 4658 1799. Ce bon restaurant de motel sert une large sélection de plats. ● dim. ; midi, lun.-sam.	$$	▦	●	▦		▦
McKINLAY : Walkabout Creek Hotel — Matilda Hwy, QLD 4823. (07) 4746 8424. A servi de décor au film *Crocodile Dundee*. Bonne cuisine familiale alliée à l'hospitalité australienne du patron.	$	▦	▦	●	●	
MOUNT ISA : Los Toros Mexican Restaurant — Camooweal St, QLD 4825. (07) 4743 7718. Une des tables les plus populaires de l'« Isa ». Plats mexicains dont les portions sont adaptées aux appétits de l'Outback. ● lun. ; dim. midi.	$		●	▦		
MOUNT ISA : Verona — The Verona Hotel, Marian St, QLD 4825. (07) 4743 3024. Cet établissement très haut de gamme pour un restaurant de l'Outback sert aussi bien des steaks que du homard. ● dim. et lun. midi.	$$$		●	▦		▦
PORT DOUGLAS : On the Inlet — Dickson Inlet, QLD 4871. (07) 4099 5255. Spécialité de délicieux *fish and chips* et de produits de la mer frais pêchés. Idéal pour un déjeuner décontracté, un dîner au coucher du soleil ou pour un simple verre accompagné d'un bol de crevettes.	$	▦	▦			▦
PORT DOUGLAS : Karnak Playhouse Restaurant — Whyanbeel Valley, QLD 4871. (07) 4098 8144. Ce « restaurant-théâtre dans la forêt tropicale » est une création originale de l'actrice Diane Cilento. Spécialités d'aliments complets biologiques de la propriété et de fruits tropicaux rares. ● midi ; lun.-dim.	$$	▦	●	▦		▦
PORT DOUGLAS : La Marina Ristorante Italiano — Marina Mirage, Wharf Rd, QLD 4871. (07) 4099 5548. Renommé pour ses pâtes faites maison et ses somptueux desserts, La Marina a remporté le prix du restaurant de l'année décerné par la Queensland Tourism and Travel Corporation.	$$	▦	●		●	▦

PORT DOUGLAS : *Catalina* $$$
22 Wharf St, QLD 4871. ☏ (07) 4099 5287.
Vous dînerez dans le jardin sous les étoiles et dégusterez un crabe
entier, des langoustines ou des huîtres fraîches. ● *midi, lun.-dim.* �& ☒

PORT DOUGLAS : *Island Point* $$$
Murphy St, QLD 4871. ☏ (07) 4099 5323.
Une des tables les plus prisées de la ville, avec de belles vues sur la forêt
tropicale de la Daintree. Les saveurs méditerranéennes et asiatiques se
marient aux produits locaux frais. ● *lun. ; midi, mar.-jeu.* ☒ ☒

WINTON : *The Winton Club* $
Vindex St, QLD 4735. ☏ (07) 4657 1488.
Le Winton Club gère un restaurant chinois d'un bon rapport qualité-prix ;
la carte propose aussi quelques plats australiens. ● *dim. midi.* ☒

DARWIN ET LE TOP END

DARWIN : *Café Bella* $
40 Progress Drive, Nightcliff, NT 0810. ☏ (08) 8948 2773.
Détendez-vous dans le cadre tropical ombragé de ce café de plein air
tout simple, idéal pour un rapide café ou un repas léger. �&

DARWIN : *Rumpoles* $
Supreme Court Complex, State Square, Bennett St, NT 0800. ☏ (08) 8941 1513.
Si vous aimez les décors monumentaux, vous apprécierez le
rafraîchissant café Rumpoles. ● *sam. et dim. midi ; soir.* �&

DARWIN : *Speakers Corner Café* $
Ground Floor, Parliament House, NT 0800. ☏ (08) 8981 4833.
Déjeunez à côté des politiciens et des bureaucrates du Territoire du
Nord dans un cadre décontracté, dans l'enceinte du Parlement, tout en
profitant de la vue du port de Darwin. ● *sam. et dim. midi ; soir.* �&

DARWIN : *Café Capri* $$
37 Knuckey St, NT 0800. ☏ (08) 8981 0010.
Ce restaurant moderne de style brasserie possède un décor élégant.
Excellente cuisine australo-méditerranéenne. �& ☒

DARWIN : *Cornucopia Museum Café* $$
Museum etArt Gallery of the NT, Conacher St, Fanny Bay, NT 0820.
☏ (08) 8981 1002. Apprécié pour le brunch dominical, ce café propose
aussi du barramundi et du kangourou. ● *dim. et lun. soir.* �& ☒ ☒

DARWIN : *Lindsay Street Café* $$
2 Lindsay St, NT 0800. ☏ (08) 8981 8631.
Les tables du café installées dans le jardin d'une demeure historique
recréent l'ambiance d'un dîner entre amis. ● *dim. soir.* �& ☒

DARWIN : *Charlie's Restaurant* $$$
Angle de Knuckey St et Austin Lane, NT 0800. ☏ (08) 8981 3298.
Une institution de Darwin où l'on se réunit tous les vendredis pour un
long déjeuner. La carte propose de bonnes pâtes maison. ☒ ☒

DARWIN : *Christo's on the Wharf* $$$
Stokes Hill Wharf, NT 0800. ☏ (08) 8981 8658.
Vues saisissantes du port et excellents produits de la mer à la manière
grecque. ● *oct.-avr. ; midi, sam.-lun.* ☒ ☒

DARWIN : *Dragon Court* $$$
MGM Grand Darwin, Gilruth Ave, Mindil Beach, NT 0810. ☏ (08) 8943 8888.
Ce restaurant chinois primé sert de l'ormeau, des langoustines vivantes
et la soupe d'aileron de requin. ● *midi ; lun. soir.* �& ☒ ☒

DARWIN : *Hanuman Restaurant* $$$
28 Mitchell St, NT 0800. ☏ (08) 8941 3500.
Plats thaïs d'une délicatesse exquise, notamment une entrée aux
huîtres renommée dans toute l'Australie. ● *sam. et dim. midi.* ☒ ☒

DARWIN : *Sandbar Restaurant* $$$
51 Marina Blvd, Cullen Bay, NT 0820. ☏ (08) 8981 3688.
La marina haut de gamme de Darwin a aquis rapidement une
réputation d'endroit branché. Le barbecue du dimanche soir au
Sandbar est très fréquenté. ● *lun. ; midi, sam.-mar.* ☒

Légende des symboles, voir rabat de couverture

Catégories de prix pour un repas de trois plats, une demi-bouteille de vin de la maison, taxes et service compris.
$ moins de 25 $A
$$ de 25 à 35 $A
$$$ de 35 à 50 $A
$$$$ de 50 à 70 $A
$$$$$ plus de 70 $A

TABLES À L'EXTÉRIEUR
Tables dans un patio ou sur une terrasse.
SPÉCIALITÉS VÉGÉTARIENNES
La carte propose un choix de plats végétariens.
BAR OU BAR À COCKTAILS
Possibilité de boire un verre ailleurs qu'à table dans le restaurant.
MENUS À PRIX FIXES
Menu au prix intéressant, généralement de trois plats, proposé au déjeuner et/ou au dîner.
ENFANTS BIENVENUS
Portions réduites et/ou chaises hautes disponibles.

Établissement	Prix	TABLES À L'EXTÉRIEUR	SPÉCIALITÉS VÉGÉTARIENNES	BAR OU BAR À COCKTAILS	MENUS À PRIX FIXES	ENFANTS BIENVENUS
DARWIN : *Siggi's* The Beaufort Hotel, The Esplanade, NT 0800. (08) 8980 0880. Spécialités du Queensland comme le barramundi, le kangourou et le saumon mariné aux fourmis vertes ! ● midi ; dim. soir.	$$$$			■		
KAKADU : *Kakadu Frontier Lodge Poolside Bistro* Kakadu Frontier Lodge, Jabiru, NT 0886. (08) 8979 2422. Mangez au bord de la piscine de la *lodge (p. 477)*. Nourriture simple mais le barramundi et le steak sont excellents. ● midi.	$	■		■		■
KAKADU : *Gagadju Crocodile Hotel Restaurant* Gagadju Crocodile Hotel, Flinders St, Jabiru, NT 0886. (08) 8979 2800. Le restaurant de cet hôtel en forme de crocodile *(p. 477)* sert une nourriture australienne contemporaine ; crocodile et barramundi.	$$$			■		■
KATHERINE : *Aussie's Bistro* Angle de Katherine Tce et Giles St, NT 0850. (08) 8972 1622. Allez-y pour goûter un repas typique de pub australien. Parmi les plats principaux, steak, barramundi et kangourou arrosés de bière locale.	$	■		■		■
KATHERINE : *Nitmiluk National Park Visitor's Centre Bistro* Nitmiluk National Park, NT 0850. (08) 8972 1253. Ce bistrot sert des plats légers et modernes qu'on savoure en contemplant de la terrasse le coucher de soleil. ● dim. soir.	$$	■	●	■		■

LE RED CENTRE

Établissement	Prix	TABLES À L'EXTÉRIEUR	SPÉCIALITÉS VÉGÉTARIENNES	BAR OU BAR À COCKTAILS	MENUS À PRIX FIXES	ENFANTS BIENVENUS
ALICE SPRINGS : *Bar Doppio* Shop 2, Fan Arcade, Todd Mall, NT 0870. (08) 8952 6525. La cuisine est surtout végétarienne et d'inspiration méditerranéenne. Les plats les plus typiques sont les boulettes de riz et le tofu mariné.	$	■	●		●	
ALICE SPRINGS : *Bojangles Restaurant* 80 Todd St, NT 0870. (08) 8952 2873. Le Bojangles met l'accent sur les viandes du Territoire du Nord comme le buffle, l'émeu, le chameau et le kangourou. ● sam. et dim. midi.	$		●	■	●	■
ALICE SPRINGS : *Kings Restaurant* Lasseters Casino, 93 Barrett Drive, NT 0870. (08) 8950 7734. Le Kings est connu pour son buffet de trois plats à prix fixe mais on peut aussi manger à la carte. Cuisine internationale.	$	■	●	■	●	■
ALICE SPRINGS : *Swingers Café* 71 Gregory Terrace, NT 0870. (08) 8952 9291. L'ambiance gaie et décontractée est en harmonie avec les plats australiens contemporains. ● dim. ; lun. et mar. soir.	$	■	●			■
ALICE SPRINGS : *Midland's Mediterranean* Midlands Motel, 4 Traeger Ave, NT 0870. (08) 8952 1588. Une des spécialités est la *melazanosalata*, purée d'aubergines servie avec du pain pita. ● lun. soir.	$$	■	●	■		■
ALICE SPRINGS : *Oscar's Café Restaurant* Cinema Complex, Todd Mall, NT 0870. (08) 8953 0930. Carte européenne avec des plats italiens, portugais et espagnols. L'accent est mis sur les produits de la mer. Réservation recommandée.	$$		●	■	●	■
ALICE SPRINGS : *The Overlanders Steakhouse* 72 Hartley St, NT 0870. (08) 8952 2159. Réputé pour ses énormes *drovers blowout* (gueuleton de conducteur de bestiaux) à base de buffle, crocodile, barramundi, chameau, kangourou et émeu. ● midi.	$$		●	■	●	■

ALICE SPRINGS : *Ristorante Puccini* $$
Ansett Building, Todd Mall, NT 0870. (*(08) 8953 0935.*
La cuisine essentiellement italienne a remporté de nombreux prix et
met l'accent sur les produits de la mer. Spécialité de pâtes et de
marron frais (sorte de langoustine). ● *midi.*

ROSS RIVER : *Ross River Homestead* $
Ross Hwy, NT 0871. (*(08) 8956 9711.*
Des plats australiens substantiels sont servis en portions généreuses
dans la maison de maître. Logements disponibles *(p. 478).*

TENNANT CREEK : *The Dolly Pot Inn* $$
Angle de Noble St et Davidson St, NT 0860. (*(08) 8962 2824.*
L'ambiance décontractée est en harmonie avec les produits de la mer,
les plats australiens et le veau à la parmesane.

WATARRKA : *Carmichael's* $$
Kings Canyon Resort, Luritja Rd, Watarrka National Park, NT 0872.
(*(08) 8956 7442.* Le restaurant de la *resort,* qui ménage des vues
époustouflantes du canyon et des étendues désertes, laisse le choix
entre le buffet, un repas à la carte ou un barbecue.

YULARA : *Bough House Restaurant* $$
Outback Pioneer Hotel, Yulara Drive, NT 0872. (*(08) 8956 2170.*
Le restaurant de l'hôtel Outback Pioneer *(p. 478)* est réputé pour ses
grillades et son buffet.

YULARA : *Rockpool Restaurant* $$
Sails in the Desert Hotel, Yulara Drive, NT 0872. (*(08) 8956 2200.*
Le Rockpool qui donne sur la piscine de l'hôtel *(p. 479)* met l'accent
sur les plats thaïs. ● *oct.-mars ; soir.*

YULARA : *Kuniya Room* $$$$
Sails in the Desert Hotel, Yulara Drive, NT 0872. (*(08) 8956 2200.*
C'est la meilleure table de Yulara. Cuisine australienne contemporaine
métissée d'influences internationales. ● *midi.*

PERTH ET LE SOUTHWEST

ALBANY : *Kooka's Restaurant* $$$
204 Stirling Terrace, WA 6330. (*(08) 9841 5889.*
Ce beau restaurant sert une nourriture australienne contemporaine
métissée d'influences française et indienne. ● *sam. midi ; dim. soir ; lun.*

BUNBURY : *Barons* $$$
Lord Forrest Hotel, Symmons St, WA 6230. (*(09) 9721 9966.*
Ce vaste restaurant élégant et décontracté attire une clientèle cosmopolite.
Repas légers d'inspiration méditerranéenne. ● *midi ; dim.-mar.*

BUSSELTON : *Newtown House* $$$$
Bussell Hwy, Vasse, WA 6280. (*(08) 9755 4485.*
La carte du Newtown House utilise des produits locaux frais. Parmi les
spécialités : *yabbies* (langoustines), raviolis aux poireaux et cailles
sautées avec gâteau de risotto. ● *dim. et lun.*

COWARAMUP : *Cellar Café* $$
Cullen Winery, Caves Rd, WA 6284. (*(08) 9755 5277.*
Ce café de domaine viticole sert de délicieux déjeuners légers
d'inspiration rustique. ● *dim. et lun. soir.*

FREMANTLE : *The George Street Café Club* $
73 George Street, WA 6160. (*(08) 9339 6352.*
Cet accueillant café propose une excellente nourriture végétarienne et
de délicieux desserts. ● *midi ; soir, dim.-mar.*

FREMANTLE : *Apicius Restaurant* $$
2 Wray Ave, WA 6160. (*(08) 9335 9892.*
Les plats essentiellement végétariens sont servis à la lueur des chandelles.
Cuisine récompensée par le Gold Plate Award. ● *lun., dim. midi.*

FREMANTLE : *Locarnos* $$$
Angle de Norfolk etMarine terraces, WA 6160. (*(08) 9336 4330.*
Ce restaurant de style méditerranéen, élégant mais décontracté,
propose des plats européens servis en salle ou en terrasse.

Légende des symboles, voir rabat de couverture

TABLES À L'EXTÉRIEUR
Tables dans un patio ou sur une terrasse.
SPÉCIALITÉS VÉGÉTARIENNES
La carte propose un choix de plats végétariens.
BAR OU BAR À COCKTAILS
Possibilité de boire un verre ailleurs qu'à table dans le restaurant.
MENUS À PRIX FIXES
Menu au prix intéressant, généralement de trois plats, proposé au déjeuner et/ou au dîner.
ENFANTS BIENVENUS
Portions réduites et/ou chaises hautes disponibles.

	TABLES À L'EXTÉRIEUR	SPÉCIALITÉS VÉGÉTARIENNES	BAR OU BAR À COCKTAILS	MENUS À PRIX FIXES	ENFANTS BIENVENUS
KALGOORLIE : *Basil's on Hannan* **$$** 268 Hannan St, WA 6430. (08) 9021 7832. Le restaurant sert une très bonne cuisine méditerranéenne mais est surtout réputé pour ses desserts. ● *soir, dim.-mar.*	■	●			■
MARGARET RIVER : *Marron Farm Café* **$** Wickham Rd, Witchcliffe, WA 6286. (08) 9757 6279. Café situé dans un élevage de *marron* du sud-ouest. Ce mets délicat proche de la langoustine figure en bonne place sur la carte. ● *soir.*	■			●	
MARGARET RIVER : *1885 Restaurant* **$$$** Farrelly St, WA 6285. (08) 9757 3177. Le 1885, qui est l'un des meilleurs restaurants d'Australie-Occidentale, utilise des produits régionaux frais pour créer des plats novateurs présentés avec talent. Logements disponibles *(p. 479).*	■	●	■	●	■
MARGARET RIVER : *Leeuwin Estate Winery Restaurant* **$$$$** Leeuwin Estate Winery, Stevens Rd, WA 6825. (08) 9757 6253. Voisin du Leeuwin Estate Winery *(p. 32),* ce restaurant propose une carte de choix composée de plats simples. ● *soir, dim.-ven.*	■				
NORTHAM : *The Gallery Restaurant* **$$$** Shamrock Hotel, 112 Fitzgerald St, WA 6401. (08) 9622 1092. Ce restaurant intime décoré en bois de jarrah marie les plats européens et les spécialités australiennes comme l'émeu.		●	■		
PEMBERTON : *Gloucester Ridge Café* **$$$** Gloucester Ridge Vineyard, Burma Rd, WA 6260. (08) 9776 1035. Cet élégant restaurant offre une cuisine australienne de qualité et met l'accent sur les produits locaux frais accompagnés des vins de ses propres vignes. ● *soir, dim.-jeu.*	■	●	■	●	■
PERTH : *Canton Restaurant* **$** 532 Hay St, WA 6000. (08) 9221 1501. Ouvert en 1965, c'est un des plus vieux restaurants chinois de Perth. Spécialité de banquets. ● *dim. midi.*		●	■		
PERTH : *Dim Sim House* **$** 275 William St, Northbridge, WA 6000. (08) 9328 8485. Authentique restaurant de *dim sum* idéal pour un brunch dominical à la chinoise ou pour un repas de *dim sum* variés en semaine. ● *soir.*		●			
PERTH : *The Moon* **$** 323 William St, Northbridge, WA 6000. (08) 9328 7474. Ce café branché ouvert tard le soir sert des repas légers et des en-cas. Délicieuses pâtes et remarquable salade César. ● *midi.*	■	●	■		
PERTH : *L'Escargot* **$$** 71 Bennett St, WA 6004. (08) 9325 1660. L'Escargot propose une cuisine française bon marché, et naturellement des escargots. ● *sam. et dim. midi ; dim. et lun. soir.*	■	●		●	
PERTH : *Romany* **$$** 188 William St, WA 6000. (08) 9328 8042. Ce restaurant italien serait le plus vieux de Perth. Les portions sont généreuses et les prix raisonnables. ● *sam. midi.*		●	■	■	■
PERTH : *The Moorings Café on the Jetty* **$$$** Old Perth Port, Barrack St Jetty, WA 6000. (08) 9325 4575. Perché sur la jetée avec des vues fabuleuses sur l'autre rive de la Swan River. Spécialités australiennes comme le filet de kangourou servi avec une sauce à la groseille et au poivre noir.	■				

PERTH : *Ristorante Botticelli* $$$
Angle de James St et Lake St, Northbridge, WA 6000. ((08) 9328 3422.
Élu meilleur restaurant de l'American Express à Northbridge, cet Italien
sert des plats florentins et toscans classiques. 🛦 🍷 🗐

PERTH : *Townhouse Bar & Brasserie* $$$
778 Hay St, WA 6000. ((08) 9321 9141.
Situé en face du théâtre de Sa Majesté. Les clients sont invités à
commencer leur repas avant la représentation et à revenir pour le
dessert après le spectacle. ● *dim. soir.* 🛦 🎵 🍷 🗐

PERTH : *Hilite 33 Revolving Restaurant* $$$$
33rd Floor, 44 St George's Terrace, Perth WA 6000. ((08) 9325 4844.
Perché à 180 m au-dessus du sol, ce restaurant tournant ménage aux
clients d'excellentes vues sur la ville. ● *lun. et sam. midi.* 🛦 🍷 🗐

ROTTNEST ISLAND : *Brolly's Restaurant* $$$
Rottnest Hotel, Bedford Ave, WA 6161. ((08) 9292 5011.
Le Brolly's appartient à l'hôtel Rottnest. Belles vues du village de
Thomson Bay. Cuisine internationale, notamment un délicieux curry à
la thaïe et tout un choix de poissons locaux. 🎵 🍷 🗐

WILLYABRUP : *Flutes* $$
Brookland Valley Vineyard, Caves Rd, WA 6284. ((08) 9755 6250.
Ce célèbre restaurant de campagne est situé dans la Brookland Valley.
Cuisine australienne contemporaine métissée d'influences asiatiques et
méditerranéennes. ● *lun. midi ; soir, dim.-ven.* 🛦 🎵 🍷 🗐

YORK : *1853 Bistro* $$
Castle Hotel, 97 Avon Terrace, WA 6302. ((08) 9641 1007.
Bon rapport qualité-prix dans ce bistrot qui appartient à l'hôtel Castle
du XIXᵉ siècle. Excellent buffet de salades. 🛦 🎵 🗐

YORK : *Settlers House* $$
125 Avon Terrace, WA 6302. ((08) 9641 1096.
Bel édifice de style colonial dans une cour verdoyante. Les repas sont
servis toute la journée. Le petit déjeuner est copieux. 🗐

LE NORD DE PERTH

BROOME : *Chin's Restaurant* $
7 Hammersley St, WA 6725. ((08) 9192 1466.
Au centre du Chinatown historique de Broome *(p. 322)*, le Chin's est le
meilleur restaurant chinois du quartier. ● *midi.* 🗐

BROOME : *Settlers Bar & Grill* $
Mangrove Hotel, 120 Carnarvon St, WA 6725. ((08) 9192 1303.
Établissement original où les clients achètent barramundi frais, steaks
ou poulet qu'ils font cuire eux-mêmes sur le barbecue. ● *midi.* 🛦 🗐

BROOME : *Lord Mac's* $$$
Cable Beach Intercontinental Resort, Cable Beach Rd, WA 6725. ((08) 9192
0400. Le principal restaurant de la station propose un buffet à prix fixe
ou des repas à la carte dans un beau cadre tropical. 🛦 🎵 🍷 🗐

CARNARVON : *Dragon Pearl Chinese Restaurant* $
17 Francis St, WA 6701. ((08) 9941 1941.
Seul restaurant indépendant de Carnarvon, le Dragon Pearl propose des
plats chinois (sur place ou à emporter). ● *sam. et dim. midi ; lun.* 🛦 🗐

DENHAM : *The Old Pearlers Restaurant* $$
71 Knight Terrace, WA 6537. ((08) 9948 1373.
Ce petit restaurant sans prétention du bord de mer sert des produits de
la mer, *snapper* grillé (sorte de bar) et des écrevisses. 🏃 🗐

EXMOUTH : *The Whaler's Restaurant* $$
5 Kennedy St, WA 6707. ((08) 9949 2416.
Ce restaurant en plein air propose des repas légers et des en-cas. Au dîner,
carte composée de poissons et fruits de mer locaux frais pêchés. 🛦 🗐

GERALDTON : *Beach Break Bar & Grill* $$
166 Chapman Rd, WA 6530. ((08) 9964 3382.
Restaurant décontracté spécialisé dans les fruits de mer et les poissons.
Clientèle en majorité locale. ● *midi.* 🛦 🗐

Légende des symboles, voir rabat de couverture

Catégories de prix pour un repas de trois plats, une demi-bouteille de vin de la maison, taxes et service compris.

$ moins de 25 $A
$$ de 25 à 35 $A
$$$ de 35 à 50 $A
$$$$ de 50 à 70 $A
$$$$$ plus de 70 $A

TABLES À L'EXTÉRIEUR
Tables dans un patio ou sur une terrasse.
SPÉCIALITÉS VÉGÉTARIENNES
La carte propose un choix de plats végétariens.
BAR OU BAR À COCKTAILS
Possibilité de boire un verre ailleurs qu'à table dans le restaurant.
MENUS À PRIX FIXES
Menu au prix intéressant, généralement de trois plats, proposé au déjeuner et/ou au dîner.
ENFANTS BIENVENUS
Portions réduites et/ou chaises hautes disponibles.

	Prix	TABLES À L'EXTÉRIEUR	SPÉCIALITÉS VÉGÉTARIENNES	BAR OU BAR À COCKTAILS	MENUS À PRIX FIXES	ENFANTS BIENVENUS
KALBARRI : *Zuytdorp Restaurant* Angle de Grey St et Clotworthy, WA 6536. (08) 9937 2222. Restaurant apprécié pour son *smorgasbord* à prix fixe et pour ses menus enfants dont le prix est fonction de l'âge de l'enfant. ● *midi.*	$$	■	●	■	●	
MONKEY MIA : *The Bough Shed Restaurant* Shark Bay, WA 6537. (08) 9948 1171. Joli restaurant de plage proche de l'endroit où l'on nourrit les dauphins *(p. 318)*. Repas servis toute la journée.	$$$	■	●	■		
NEW NORCIA : *Salvado's Restaurant* Monastery Roadhouse, Great Northern Hwy, WA 6509. (08) 9654 8020. Ce relais routier de base sert des repas bon marché. La carte propose les fameux pains de New Norcia cuits à la boulangerie du monastère et vendus maintenant dans toute l'Australie-Occidentale.	$		●			■

ADÉLAÏDE ET LE SOUTHEAST

	Prix	TABLES À L'EXTÉRIEUR	SPÉCIALITÉS VÉGÉTARIENNES	BAR OU BAR À COCKTAILS	MENUS À PRIX FIXES	ENFANTS BIENVENUS
ADÉLAÏDE : *Café Paesano* 100 O'Connell St, North Adelaide, SA 5006. (08) 8239 0655. Avec ses tables sur le trottoir, ce café bruyant évoque l'Italie d'où est originaire le propriétaire. Solide cuisine familiale sans prétention.	$	■	●			■
ADÉLAÏDE : *Stanley's Great Aussie Fish Café* 76 Gouger St, SA 5000. (08) 8410 0909. Restaurant très animé, spécialisé dans les fruits de mer frais accommodés avec simplicité.	$	■			●	■
ADÉLAÏDE : *Alphutte* 242 Pulteney St, SA 5000. (08) 8223 4717. Version contemporaine du chalet alpin suisse traditionnel. La nourriture est également suisse ; spécialité de fondue. ● *sam. et dim.*	$$		●		●	
ADÉLAÏDE : *Jasmin Restaurant* 31 Hindmarsh Square, SA 5000. (08) 8223 7837. D'authentiques plats indiens à base de produits locaux comme le barramundi, la chèvre et le kangourou. ● *dim. et lun. ; soir, mar.-ven.*	$$		■		●	
ADÉLAÏDE : *The Oxford* 101 O'Connell St, North Adelaide, SA 5006. (08) 8267 2652. L'Oxford a une ambiance minimaliste. La nourriture contemporaine est servie avec beaucoup d'élégance. ● *sam. midi ; dim. soir.*	$$		●	■		
ADÉLAÏDE : *Universal Wine Bar* 285 Rundle St, SA 5000. (08) 8232 5000. Ce bistrot moderne offre une cuisine australienne et une excellente carte des vins. ● *dim.*	$$	■	●	■		■
ADÉLAÏDE : *Jolleys Boathouse* Jolleys Lane, SA 5000. (08) 8223 2891. Dans un ancien hangar à bateaux au bord de la rivière Torrens. Carte contemporaine. ● *dim. soir.*	$$$	■	●			■
ADÉLAÏDE : *Nediz Tu* 170 Hutt St, SA 5000. (08) 8223 2618. Ce restaurant a la réputation méritée de marier les influences européennes et asiatiques avec les produits locaux frais. ● *dim. et lun.*	$$$	■			●	
ADÉLAÏDE : *Red Ochre Grill* Ebenezer Place, East End, SA 5000. (08) 8223 7566. Authentique restaurant australien où le kangourou, l'émeu et les sauces cantonaises sont la base de plats novateurs et délicieux.	$$$	■	●	■	●	■

ADÉLAÏDE : *The Grange Restaurant* $$$$
Hilton International Hotel, 233 Victoria Square, SA 5000. ((08) 8217 2000.
Le célèbre chef Cheong Liew marie les saveurs de l'Asie et les
techniques culinaires traditionnelles. ● *midi ; dim. et lun. soir.* 🔧 🎵 🍷 🎴

ADÉLAÏDE : *Shiki Restaurant* $$$$
Hyatt Regency Hotel, North Terrace, SA 5000. ((08) 8231 1234.
Ce restaurant japonais de type *teppanyaki* comprend cinq bars à
teppan et un bar à *tempura.* ● *midi ; dim. et lun. soir.* 🔧 🍷 🎴

BARMERA : *Bonneyview Winery Restaurant* $
Sturt Hwy, SA 5345. ((08) 8588 2279.
L'établissement tenu par ses propriétaires fait partie d'un domaine
viticole. Déjeuners dans un cadre agréable. ● *soir.* 🍷 🎴

BRIDGEWATER : *Bridgewater Mill* $$$
Mount Barker Rd, SA 5155. ((08) 8339 3422.
Ce restaurant marie les techniques européennes et asiatiques avec les
ingrédients locaux frais. ● *midi, lun.-mer. ; soir.* 🍷 🎴

COONAWARRA : *Chardonnay Lodge Restaurant* $$
Riddoch Hwy, SA 5263. ((08) 8736 3309.
Cuisine régionale avec des influences françaises. Chambres à la *lodge*
voisine *(p. 482).* 🔧 🍷 🎴

COONAWARRA : *The Hermitage* $$$
Riddoch Hwy, SA 5263. ((08) 8737 2122.
Situé au milieu des vignobles de Coonawarra, l'Hermitage sert un
choix toujours renouvelé de plats régionaux audacieux. 🔧 🍷 🎴

CRAFERS : *The Summit* $$
Mount Lofty Summit Rd, SA 5152. ((08) 8339 2600.
Ce restaurant se trouve au sommet de la montagne la plus élevée
d'Adélaïde. Décor moderne et élégant, à l'instar de la carte. 🔧 🍷 🎴

KANGAROO ISLAND : *The Old Post Office Restaurant* $$
Penneshaw, SA 5222. ((08) 8553 1063.
La carte change régulièrement pour profiter des produits de saison,
cependant l'influence thaïe est évidente et l'accent est mis sur les
produits de la mer. ● *midi ; mar. et mer. soir.* 🔧 🎴

MARANANGA : *The Hermitage of Marananga* $$
Angle de Seppeltsfield Rd et Stonewell Rd, SA 5355. ((08) 8562 2722.
On choisit de dîner aux chandelles avec l'argenterie ou en plein air au
milieu des vignes. Cuisine exceptionnelle. 🔧 🍷 🎴

PADTHAWAY : *Padthaway Estate Homestead* $$
Riddoch Hwy, SA 5271. ((08) 8765 5039.
Dîners élégants dans cette demeure victorienne à deux étages de 1882.
Logements disponibles *(p. 483).* ● *midi ; mar. et mer. soir.* 🍷 🎴

ROBE : *Gray Masts* $$$
1 Smillie St, SA 5276. ((08) 8768 2203.
Pour le chef, ce restaurant de port de pêche est le mariage de la mer et
de la terre. Les produits de la mer locaux sont cuisinés selon ce
principe. ● *août ; mar. et mer. (juin-août).* 🎴

SECOND VALLEY : *Leonards Mill Restaurant* $$$
Cape Jervis Rd, SA 5204. ((08) 8598 4184.
Moulin historique, vieux de 150 ans, restauré avec soin et converti en
restaurant chaleureux et accueillant. Bon rapport qualité-prix. 🔧 🍷 🎴

LES PÉNINSULES D'YORKE ET D'EYRE

ARKAROOLA : *Native Pine Restaurant* $$
Arkaroola Village, SA 5732. ((08) 8837 3262.
Situé dans la réserve naturelle d'Arkaroola *(p. 361),* ce restaurant
propose une carte limitée mais appétissante où figure le kangourou à
la sauce cantonaise. Barbecues à côté du restaurant. 🎴

AUBURN : *Rising Sun Hotel Restaurant* $
Main North Rd, SA 5451. ((08) 8849 2015.
L'hôtel Rising Sun *(p. 483)* propose une carte étendue. Les repas sont
servis soit dans le salon soit dans la salle à manger. ● *dim. soir.* 🍷 🎴

Légende des symboles, voir rabat de couverture

Catégories de prix pour un repas de trois plats, une demi-bouteille de vin de la maison, taxes et service compris.
$ moins de 25 $A
$$ de 25 à 35 $A
$$$ de 35 à 50 $A
$$$$ de 50 à 70 $A
$$$$$ plus de 70 $A

TABLES À L'EXTÉRIEUR
Tables dans un patio ou sur une terrasse.
SPÉCIALITÉS VÉGÉTARIENNES
La carte propose un choix de plats végétariens.
BAR OU BAR À COCKTAILS
Possibilité de boire un verre ailleurs qu'à table dans le restaurant.
MENUS À PRIX FIXES
Menu au prix intéressant, généralement de trois plats, proposé au déjeuner et/ou au dîner.
ENFANTS BIENVENUS
Portions réduites et/ou chaises hautes disponibles.

		TABLES À L'EXTÉRIEUR	SPÉCIALITÉS VÉGÉTARIENNES	BAR OU BAR À COCKTAILS	MENUS À PRIX FIXES	ENFANTS BIENVENUS
BLINMAN : *Blinman Hotel Restaurant* Main St, SA 5730. ((08) 8648 4867. Ce pub à la campagne offre un vaste choix et la nourriture y est excellente. Logements disponibles *(p. 483)*.	$	■	●	■	●	■
CLARE : *Brice Hill Vineyard Restaurant* Main North Rd, SA 5453. ((08) 8842 2925. Ce restaurant à flanc de coteau offre de belles vues de la vallée, une carte étendue pour le dîner et des déjeuners légers. ● *lun. et mar.*	$$			■		■
CLARE : *Clarevale Restaurant* 15 Lennon St, SA 5453. ((08) 8842 1222. Cette ancienne remise pour voitures à chevaux de 1878 abrite un restaurant accueillant et décontracté. Spécialité de steak grillé au feu de bois. Aire de jeux et vidéo pour les enfants. ● *lun.-jeu.*	$$	■	●		●	■
COOBER PEDY : *Umberto's* Desert Cave Hotel, Hutchinson St, SA 5723. ((08) 8672 5688. Cadre élégant dans une ville de l'Outback. Carte variée et originale. Goûtez en entrée la crêpe au basilic à l'émeu fumé et à la crème fraîche. ● *midi.*	$$$		●	■		■
EDITHBURGH : *Sails Seafood and Steak Restaurant* Troubridge Hotel, Blanche St, SA 5583. ((08) 8852 6013. Un nom révélateur pour une cuisine simple, fraîche et substantielle. Le poisson est pêché régulièrement à proximité de l'hôtel.	$			■		■
HAWKER : *Old Ghan Restaurant* Old Railway Station, SA 5434. ((08) 8648 4176. Situé dans l'ancienne gare ferroviaire de l'Old Ghan *(p. 361)*, ce restaurant s'occupe particulièrement bien des enfants. ● *lun. et mar.*	$$					■
MINTARO : *Mintaro Mews* Burra St, SA 5415. ((08) 8843 9001. Spécialités : fromage de brebis à la menthe grillé et canard avec glaçage au porto et à la baie poivrée *(pepperberry)*. ● *midi ; mer. soir.*	$$$	■				■
PORT LINCOLN : *Bugs Pastifico* Harwill Court, SA 5606. ((08) 8682 6244. Ce bistrot propose pâtes, steaks, plats de veau, produits de la mer et des soupes bien chaudes l'hiver. Excellent rapport qualité-prix.	$	■	●			■
PORT LINCOLN : *Country Garden Bistro* 10 Tasman Terrace, SA 5606. ((08) 8682 1197. Ce restaurant populaire sert des steaks et des poissons de qualité, pêchés le jour même et bien accommodés. ● *midi ; dim. soir.*	$$		●	■		■
PORT VINCENT : *Gerimia's* Marine Parade, SA 5581. ((08) 8853 7021. Restaurant étonnamment bon dans cette ville de pêcheurs. Poissons locaux et excellent canard rôti. ● *midi ; soir, lun.-mer. (déc.-mars).*	$$	■		■	●	■
QUORN : *Old Willows Brewery Restaurant* Port Augusta Rd, Pichi Richi Pass, SA 5433. ((08) 8648 6391. Dans la Willows Brewery de 1880 merveilleusement restaurée, cuisine australienne novatrice avec notamment un hors-d'œuvre au crocodile et une tourte à la cantonaise en dessert. ● *lun. et mar.*	$$	■	●	■	●	■
SEVENHILL : *Skillogalee Winery and Restaurant* Trevarrick Rd, Via Clare, SA 5453. ((08) 8843 4311. Cuisine simple mais excellente avec feu de cheminée l'hiver et dîner dans la véranda au printemps. ● *midi ; mer. soir ; dim. et lun.*	$$	■				■

WHYALLA : *Alexander Motor Inn Restaurant* $$$
99 Playford Ave, SA 5600. **(** *(08) 8645 9488*.
Carte éclectique : escargots, crevettes indiennes, agneau de Mongolie,
huîtres locales et filet de kangourou. ● *sam. et dim. midi.* 🗺

MELBOURNE

ALBERT PARK : *The Point* $$$$$$
Aquatic Drive, VIC 3206. **Plan 5** A2. **(** *(03) 9682 5544*.
Cet élégant restaurant au bord du lac d'Albert Park est spécialisé dans
la cuisine australienne contemporaine. Magnifiques vues de la ville. 🗺

CARLTON : *Abla's* $
109 Elgin St, VIC 3053. **Plan 1** C1. **(** *(03) 9347 0006*.
L'Abla's est un restaurant libanais coté. Le poulet au riz aux amandes et
à la cannelle et le caviar d'aubergine *(baba ghannouj)* sont les
spécialités les plus prisées. ● *midi, sam.-mer. ; dim. soir.* 🎵 🗺

CARLTON : *Casa Malaya* $$
118 Lygon St, VIC 3053. **Plan 1** C1. **(** *(03) 9663 7068*.
Cuisine malaisienne traditionnelle primée, excellent curry de bœuf
(daging rendang). ● *sam. et dim. midi ; dim. soir.* ♿ 🗺

CARLTON : *Shakahari Vegetarian* $$
201-203 Faraday St, VIC 3052. **Plan 1** C1. **(** *(03) 9347 3848*.
Plats multiculturels novateurs dans ce restaurant végétarien, le meilleur
de Melbourne. Couscous à la coriandre servi avec un ragoût aux noix
et aux pois chiches. ● *dim. midi.* ♿ 🗺

CARLTON : *Universita Bar Restaurant* $$
257 Lygon St, VIC 3053. **Plan 1** C1. **(** *(03) 9347 2142*.
Cette institution sert une excellente cuisine italienne. Le café en sous-sol
sert des pâtes, un café remarquable et des pâtisseries. ● *dim. midi.* ♿ 🗺

CARLTON : *Jimmy Watson's* $$$
333 Lygon St, VIC 3053. **Plan 1** C1. **(** *(03) 9347 3985*.
Dans ce restaurant très coté, la cuisine est internationale. Bar à vins au
sous-sol. ● *midi, dim. et lun. soir.* 🗺

CARLTON : *Toofey's Seafood Restaurant* $$$
162 Elgin St, VIC 3123. **Plan 1** C1. **(** *(03) 9347 9838*.
Ce restaurant est considéré comme la meilleure table de produits de la
mer de Melbourne. Glaces maison. ● *sam. et dim. midi.* 🍷 🗺

CENTRE-VILLE : *Café K* $$
35 Little Bourke St, VIC 3000. **Plan 1** C3. **(** *(03) 9639 0414*.
Ce café populaire sert une bonne cuisine australo-méditerranéenne
dans un cadre élégant et à des prix abordables. ● *sam. midi ; dim.* 🗺

CENTRE-VILLE : *Kuni's* $$
56 Little Bourke St, VIC 3000. **Plan 1** C3. **(** *(03) 9663 7243*.
Ce restaurant japonais sert une nourriture délicieuse au bar à sushi ou
dans la salle à manger. ● *sam. midi ; dim.* 🗺

CENTRE-VILLE : *Madam Fang* $$
27-29 Crossley St, VIC 3000. **Plan 1** C3. **(** *(03) 9663 3199*.
Cuisine australienne contemporaine d'inspiration asiatique comme les
roulés à l'avocat en beignet. ● *sam. midi ; dim.* ♿ 🍷 🗺

CENTRE-VILLE : *Adelphi* $$$
187 Flinders Lane, VIC 3000. **Plan 2** D3. **(** *(03) 9650 7555*.
Au sous-sol ultramoderne de l'hotel Adelphi *(p. 485)*, une excellente
cuisine de bistrot est servie du petit matin jusqu'en fin de soirée. 🗺

CENTRE-VILLE : *Il Bacaro* $$$
168-170 Little Collins St, VIC 3000. **Plan 1** C3. **(** *(03) 9654 6778*.
Ce petit restaurant primé au décor de style vénitien est réputé pour sa
carte italienne authentique. ● *dim.* 🍷 🗺

CENTRE-VILLE : *Il Solito Posto* $$$
The Basement, 113 Collins St, VIC 3000. **Plan 2** D3. **(** *(03) 9654 4466*.
Au rez-de-chaussée de cet endroit élégant, un bar trépidant et
populaire sert des repas légers. Le restaurant rustique en sous-sol
propose des plats plus substantiels de l'Italie du Nord. ● *dim.* 🗺

Légende des symboles, voir rabat de couverture

	TABLES À L'EXTÉRIEUR	SPÉCIALITÉS VÉGÉTARIENNES	BAR OU BAR À COCKTAILS	MENUS À PRIX FIXES	ENFANTS BIENVENUS

Catégories de prix pour un repas de trois plats, une demi-bouteille de vin de la maison, taxes et service compris.
- $ moins de 25 $A
- $$ de 25 à 35 $A
- $$$ de 35 à 50 $A
- $$$$ de 50 à 70 $A
- $$$$$ plus de 70 $A

TABLES À L'EXTÉRIEUR
Tables dans un patio ou sur une terrasse.

SPÉCIALITÉS VÉGÉTARIENNES
La carte propose un choix de plats végétariens.

BAR OU BAR À COCKTAILS
Possibilité de boire un verre ailleurs qu'à table dans le restaurant.

MENUS À PRIX FIXES
Menu au prix intéressant, généralement de trois plats, proposé au déjeuner et/ou au dîner.

ENFANTS BIENVENUS
Portions réduites et/ou chaises hautes disponibles.

Restaurant	Prix	TABLES À L'EXTÉRIEUR	SPÉCIALITÉS VÉGÉTARIENNES	BAR OU BAR À COCKTAILS	MENUS À PRIX FIXES	ENFANTS BIENVENUS
CENTRE-VILLE : *Mask of China*	$$$		●	■	●	■
CENTRE-VILLE : *Stella*	$$$		●	■		■
CENTRE-VILLE : *Florentino*	$$$$		●	■		
CENTRE-VILLE : *Marchetti's Latin*	$$$$		●	■	■	■
CENTRE-VILLE : *Flower Drum*	$$$$$				●	
FITZROY : *Café Provincial*	$	■	●	■		
FITZROY : *Mario's Café*	$	■	●	■		
FITZROY : *Guernica*	$$$		●	■		
KEW : *Beate's Restaurant*	$$$	■				■
PRAHRAN : *Jacques Reymond's Restaurant*	$$$$	■	●	■	●	
RICHMOND : *Vlado's*	$$$$					
ST KILDA : *Café di Stasio*	$$	■	●	■	●	

CENTRE-VILLE : *Mask of China* $$$
115-117 Little Bourke St, VIC 3000. **Plan 1** C3. ((03) 9662 2116.
Élégant restaurant chinois haut de gamme avec une carte étendue et variée. Les plats d'aileron de requin sont particulièrement réputés. ♥ ⬛

CENTRE-VILLE : *Stella* $$$
159 Spring St, VIC 3000. **Plan 2** D2. ((03) 9639 1555.
Endroit très fréquenté au cœur du quartier des théâtres. Saveurs méditerranéennes et asiatiques, canard à la peau croustillante accompagné de *bak choi* (légume vert chinois). ● *sam. et dim. midi.* ♥ ⬛

CENTRE-VILLE : *Florentino* $$$$
80 Bourke St, VIC 3000. **Plan 1** B3. ((03) 9662 1811.
Élégance à l'ancienne faite de boiseries et de peintures murales. Très bonne cuisine italienne traditionnelle. ● *sam. midi ; dim.* ⬛

CENTRE-VILLE : *Marchetti's Latin* $$$$
55 Lonsdale St, VIC 3000. **Plan 1** C2. ((03) 9662 1985.
Ce restaurant italien réputé depuis longtemps sert des calamars épicés et des raviolis fourrés au potiron. ● *dim. midi.* ♿ ♥ ⬛

CENTRE-VILLE : *Flower Drum* $$$$$
17 Market Lane, VIC 3000. **Plan 1** C2. ((03) 9662 3655.
Le meilleur restaurant chinois de Melbourne sert du canard laqué et des plats cantonais traditionnels. ● *dim. midi.* ♿ ♥ ⬛

FITZROY : *Café Provincial* $
299 Brunswick St, VIC 3065. **Plan 2** E1. ((03) 9417 2228.
Ce café bohème bruyant installé dans un pub rénové sert une cuisine française et italienne bon marché. Plats de kangourou. ⬛

FITZROY : *Mario's Café* $
303 Brunswick St, VIC 3065. **Plan 2** E1. ((03) 9417 3343.
La bonne cuisine italienne est rehaussée par les nappes blanches, un service de qualité et un excellent café. ♿

FITZROY : *Guernica* $$$
257 Brunswick St, VIC 3065. **Plan 2** E1. ((03) 9416 0969.
Cuisine exceptionnelle de style méditerranéen – goûtez les fameuses sardines avec une sauce aux cacahuètes, à la menthe et au chili. ⬛

KEW : *Beate's Restaurant* $$$
Studley Park Boathouse, Boathouse Rd, VIC 3101. ((03) 9853 1828.
À l'étage d'un hangar à bateaux de 1863 avec de magnifiques vues de la Yarra River. Produits locaux frais. ● *lun. et mar. ; dim. soir.* ♿ ⬛

PRAHRAN : *Jacques Reymond's Restaurant* $$$$
78 Williams Rd, VIC 3181. **Plan 6** F3. ((03) 9525 2178.
Situé dans une élégante villa du XIXᵉ siècle, ce restaurant sert d'excellents plats australiens contemporains d'inspiration française, gibier et produits de la mer. ● *sam. midi ; dim. et lun.* ♿ ♥ ⬛

RICHMOND : *Vlado's* $$$$
61 Bridge Rd, VIC 3121. **Plan 4** D1. ((03) 9428 5833.
Ce grill-room établi de longue date s'adresse aux amateurs de viande qui aiment les gros steaks. ● *sam. midi ; dim.* ⬛

ST KILDA : *Café di Stasio* $$
31 Fitzroy St, VIC 3182. **Plan 5** B4. ((03) 9525 3999.
Ce restaurant sophistiqué et animé sert des plats italiens contemporains. Goûtez le *malta gliati* (pâtes à la chapelure avec calamars et chicorée) ou le petit barramundi sans arêtes. ♿ ♥ ⬛

St Kilda : *The Stokehouse* $\$\$\$$
30 Jacka Boulevard, VIC 3182. **Plan 5 B5.** ((03) 9525 5555.
Situé en bordure de la plage. Excellents produits de la mer à l'étage.
Bistrot de type *fish and chips* au sous-sol. &

Southbank : *Blakes* $\$\$\$$
Ground level, 2 Southgate, VIC 3006. ((03) 9699 4100.
Ce restaurant populaire sert une cuisine australienne contemporaine
d'inspiration asiatique. Vue sur la Yarra River. &

Southbank : *Walter's Wine Bar* $\$\$\$$
Level 3 Southgate, VIC 3006. **Plan 1 C4.** ((03) 9690 9211.
Avec sa vue sur la Yarra River, c'est un endroit idéal pour déjeuner,
dîner ou souper tranquillement en plein air. &

South Melbourne : *The Isthmus of Kra* $\$\$$
50 Park St, VIC 3205. ((03) 9690 3688.
La cuisine thaïe contemporaine est la spécialité de ce restaurant primé,
avec des plats tentants comme les huîtres à la sauce piquante au citron
vert et les raviolis au poulet. ● *sam. et dim. midi.* &

South Melbourne : *O'Connell's* $\$\$\$$
Angle de Montague St etCoventry St, VIC 3205. ((03) 9699 9600.
Cet ancien pub abrite un restaurant élégant, spécialités contemporaines
du Proche-Orient et d'Afrique du nord. ● *sam. midi ; dim. ; lun. soir.*

South Melbourne : *Colonial Tramcar Restaurant* $\$\$\$\$$
183 Bank St, Tramstop 125, Normanby Rd, VIC 3205. ((03) 9696 4000.
L'unique restaurant du monde installé dans un tramway mobile sert
une cuisine internationale d'inspiration australienne. Réservation
indispensable. ● *dim. et lun. midi.*

South Yarra : *Caffe e Cucina* $\$\$\$$
581 Chapel St, VIC 3141. **Plan 4 E5.** ((03) 9827 4139.
Ce café italien trépidant qui rappelle Rome et Milan sert des spécialités
novatrices comme la glace au parmesan.

South Yarra : *France-Soir* $\$\$\$$
11 Toorak Rd, VIC 3141. **Plan 4 E5.** ((03) 9866 8569.
Vous dégusterez dans ce restaurant français établi de longue date des
« classiques » de la cuisine française. &

South Yarra : *Lynch's* $\$\$\$\$$
133 Domain Rd, VIC 3141. **Plan 3 C4.** ((03) 9866 5627.
Ce charmant restaurant a été joliment remis à neuf. Cuisine
internationale d'inspiration asiatique. ● *sam. midi ; dim.* &

Le Victoria occidental

Apollo Bay : *Buff's Bistro* $\$\$$
51-53 Great Ocean Rd, VIC 3233. ((03) 5237 6403.
Ce bistrot de style taverne, animé et moderne, sert une cuisine
méditerranéenne qui met l'accent sur les produits de la mer. &

Apollo Bay : *Bernie's at Whitecrest* $\$\$\$$
5230 Great Ocean Rd, Wongarra, VIC 3221. ((03) 5237 0228.
Ce restaurant romantique avec vue sur l'océan propose une cuisine
australienne contemporaine. ● *dim. et lun. midi.* &

Apollo Bay : *Chris's Beacon Point Restaurant & Villas* $\$\$\$$
280 Skenes Creek Rd, VIC 3233. ((03) 5237 6411.
Le chef Chris Talihmanidis marie les saveurs méditerranéennes et les
produits locaux. Parmi les spécialités figurent la soupe de fruits de mer
à la grecque *(kakavia)* et les écrevisses grillées au feu de bois.

Ballarat : *Europa Café* $\$$
411 Sturt St, VIC 3350. ((03) 5331 2486.
Cet élégant bistrot et bar sert une cuisine italienne et australienne
contemporaine. ● *soir, dim.-mer.* &

Ballarat : *Ansonia* $\$\$$
32 Lydiard St South, VIC 3350. ((03) 5332 4678.
Restaurant contemporain dans le cœur historique de Ballarat
(p. 424-425). Carte australienne d'inspiration méditerranéenne. &

Légende des symboles, voir rabat de couverture

Catégories de prix pour un repas de trois plats, une demi-bouteille de vin de la maison, taxes et service compris.
$ moins de 25 $A
$$ de 25 à 35 $A
$$$ de 35 à 50 $A
$$$$ de 50 à 70 $A
$$$$$ plus de 70 $A

TABLES À L'EXTÉRIEUR
Tables dans un patio ou sur une terrasse.
SPÉCIALITÉS VÉGÉTARIENNES
La carte propose un choix de plats végétariens.
BAR OU BAR À COCKTAILS
Possibilité de boire un verre ailleurs qu'à table dans le restaurant.
MENUS À PRIX FIXES
Menu au prix intéressant, généralement de trois plats, proposé au déjeuner et/ou au dîner.
ENFANTS BIENVENUS
Portions réduites et/ou chaises hautes disponibles.

	TABLES À L'EXTÉRIEUR	SPÉCIALITÉS VÉGÉTARIENNES	BAR OU BAR À COCKTAILS	MENUS À PRIX FIXES	ENFANTS BIENVENUS
BALLARAT : CAFFÈ PAZANI $$ 102 Sturt St, VIC 3350. (03) 5331 7100. Cuisine internationale, salade d'agneau à la thaï ou coquilles Saint-Jacques au four, par exemple.		●	■	●	■
BALLARAT : *L'espresso* $$ 417 Sturt St, VIC 3350. (03) 5333 1789. Ce restaurant populaire sert une cuisine australienne contemporaine d'inspiration italienne comme le risotto et les pâtes. *midi, lun.-mer.*	■	●			■
BENDIGO : *Bazzani* $$$ Howard Place, VIC 3550. (03) 5441 3777. Élégant restaurant dans un édifice classé des années 1880. Cuisine australienne et italienne métissée d'influences asiatiques.	■	●	■	●	■
BENDIGO : *Greystanes* $$$ 57 Queen St, VIC 3550. (03) 5442 2466. Logements *(p. 487)* et restauration remontent aux années 1850. Cuisine européenne contemporaine. *mer. et sam. midi ; dim., lun. et mar.*	■		■	●	■
CASTLEMAINE : *Bonkers on Barker* $$ 233 Barker St, VIC 3450. (03) 5472 4454. Cet hôtel de la ruée vers l'or restauré comporte un bistrot australien qui sert une nourriture simple. *mar. et mer.*	■	●	■		
CASTLEMAINE : *Globe Garden Restaurant* $$$ 81 Forest St, VIC 3450. (03) 5470 5055. Abrité dans un pub des années 1850 aménagé, le Globe a une salle à manger élégante qui donne sur une cour-jardin. Bonne nourriture contemporaine. *lun. et mar. ; midi, mer.-sam.*	■	●			■
DAYLESFORD : *Lake House* $$$$ 3 King St, VIC 3460. (03) 5348 3329. Tout ce qui figure à la carte de la première retraite gastronomique du Victoria – pâtisseries, charcuteries, confitures et chocolats - est préparé dans la cuisine. Belle vue sur le lac Daylesford.	■	●	■		■
ECHUCA : *Echuca Cock 'n' Bull Restaurant* $$ 17-21 Warren St, VIC 3564. (03) 5480 6988. Situé dans un hôtel de 1869 restauré, le restaurant sert des plats internationaux de choix. *mer. et sam. midi ; lun. et mar.*	■	●	■		
GEELONG : *Café Botticelli* $ Shop 9, 111 Pakington St, VIC 3218. (03) 5229 8292. Le Botticelli est un lieu accueillant au décor éclectique. Cuisine méditerranéenne simple, paella aux fruits de mer, assiette de tapas et gnocchi à la roquette et au basilic. *dim.*	■	●	■	●	
GEELONG : *Le Parisien* $$$ 16 The Esplanade South, Drumcondra, VIC 3218. (03) 5229 3110. Ce restaurant français sert un carré d'agneau au fromage de chèvre et du poulet farci au saumon fumé. *sam. midi ; dim.*		●		●	■
LORNE : *Kosta's Taverna* $$ 48 Mountjoy Parade, VIC 3232. (03) 5289 1883. Ce restaurant animé sert une cuisine australienne contemporaine avec une influence grecque très nette. *mar. et mer. (avr.-nov.).*	■	●	■		■
MALMSBURY : *The Mill Restaurant* $$$ Calder Hwy, VIC 3446. (03) 5423 2267. D'excellents plats de bœuf et de canard sont servis dans ce moulin de pierre construit en 1861 et restauré. *lun.-jeu. ; ven. midi ; dim. soir.*	■	●			■

MILDURA : *Bay Tree Café* $$
145 Eighth St, VIC 3500. (*(03) 5021 1244.*
Ce café populaire propose des plats de qualité bon marché. Cuisine
méditerranéenne et australienne. ● *dim.* ⓧ ⓔ

MILDURA : *Stefano's Restaurant* $$
Mildura Grand Hotel Resort, Seventh St, VIC 3500. (*(03) 5023 0511.*
Dans les caves du Grand Hotel de la fin du XIXᵉ siècle. Plats italiens à
base de produits locaux. ● *midi ; dim. soir.* ⓧ ⓨ ⓔ

PORT FAIRY : *Merrijig Inn* $$$
1 Campbell St, VIC 3284. (*(03) 5568 2324.*
Dans une auberge georgienne de 1841, spécialités du *bush* australien,
plats méditerranéens et produits de la mer locaux. ● *midi.* ⓧ ⓔ

QUEENSCLIFF : *Mietta's Queenscliff Hotel* $$$$
16 Gellibrand St, VIC 3225. (*(03) 5258 1066.*
Dîner mémorable dans la grandiose salle à manger éclairée aux
chandelles de cet hôtel victorien restauré. ⓨ ⓔ

QUEENSCLIFF : *Vue Grand* $$$$
46 Hesse St, VIC 3225. (*(03) 5258 1544.*
Restaurant très prisé dans une salle à manger du XIXᵉ siècle rénovée.
Carte internationale avec des plats originaux comme la caille aux
épices et l'autruche avec une sauce au miel et au vinaigre. ⓧ ♫ ⓔ

LE VICTORIA ORIENTAL

BEECHWORTH : *The Bank* $$$
86 Ford St, VIC 3747. (*(03) 5728 2223.*
Cette vieille banque d'Australasie qui conservait jadis l'or de la ruée vers
l'or du Victoria *(p. 50-51)* accueille aujourd'hui les dîners aux chandelles.
Spécialités de bœuf et de truite de la région. ● *midi, lun.-sam.* ⓧ ⓨ ⓔ

BRIGHT : *Simone's* $$
Ovens Valley Motor Inn, angle de Great Alpine Way Rd et Ashwood Ave, VIC
3741. (*(03) 5755 2022.* Le Simone's sert une cuisine italienne
traditionnelle sans pareil, gnocchi maison et *osso buco*. ● *midi.* ⓨ ⓔ

DANDENONG RANGES : *Wild Oak Café* $
232 Ridge Rd, Mount Dandenong, VIC 3767. (*(03) 9751 2033.*
Le cadre décontracté permet d'assister à la fabrication du pain, des
plats principaux et des desserts. ⓐ ⓔ

DANDENONG RANGES : *Cotswold House* $$$
24 Blackhill Rd, Menzies Creek, VIC 3159. (*(03) 9754 7884.*
Le plat griffé de ce restaurant primé est la « bourse de soie » – oreille de
porc farcie au poulet. ● *lun.-mer. ; dim. soir.* ⓧ ⓔ

FALLS CREEK : *Snowdrift* $$$
The Bowl, VIC 3699. (*(03) 5758 3303.*
Les grandes baies vitrées offrent vue des Victorian Alps et la cuisine
contemporaine est signée par David Bligh, le chef primé. ● *midi.* ⓔ

LAKES ENTRANCE : *Skipper's Wine Bar and Restaurant* $$
481 The Esplanade, VIC 3909. (*(03) 5155 3551.*
Chris Fenner, un ancien pêcheur, propose produits de la mer locaux,
agneau du Gippsland et plats de bœuf. ● *midi.* ⓨ ⓔ

METUNG : *Morcomb's* $
70 Metung Rd, VIC 3904. (*(03) 5156 2646.*
En plein sur les quais des Gippsland Lakes, cette vieille cabane de
pêcheurs est devenue un restaurant décontracté. ● *lun.-mar. ; midi, mer.-
ven. (sauf pendant la saison).* ⓔ

MILAWA : *The Epicurean Centre* $$
Brown Bros Winery, off Snow Rd, VIC 3678. (*(03) 5720 5540.*
Ce grand pavillon appartient au domaine viticole des Brown Bros
(p. 370). Produits de la région. ● *soir.* ⓧ ⓨ ⓔ

MORNINGTON PENINSULA : *Arthurs* $$$
Arthurs Seat Scenic Rd, Arthurs Seat, Dromana, VIC 3936. (*(03) 5981 4444.*
Dans un cadre magnifique dominant la péninsule, ce bistrot de vignoble
sert des dîners sans prétention. ● *lun.-jeu. ; ven. midi ; dim. soir.* ⓧ ⓨ ⓔ

Catégories de prix pour un repas de trois plats, une demi-bouteille de vin de la maison, taxes et service compris.
$ moins de 25 \$A
$$ de 25 à 35 \$A
$$$ de 35 à 50 \$A
$$$$ de 50 à 70 \$A
$$$$$ plus de 70 \$A

TABLES À L'EXTÉRIEUR
Tables dans un patio ou sur une terrasse.
SPÉCIALITÉS VÉGÉTARIENNES
La carte propose un choix de plats végétariens.
BAR OU BAR À COCKTAILS
Possibilité de boire un verre ailleurs qu'à table dans le restaurant.
MENUS À PRIX FIXES
Menu au prix intéressant, généralement de trois plats, proposé au déjeuner et/ou au dîner.
ENFANTS BIENVENUS
Portions réduites et/ou chaises hautes disponibles.

	Prix	TABLES À L'EXTÉRIEUR	SPÉCIALITÉS VÉGÉTARIENNES	BAR OU BAR À COCKTAILS	MENUS À PRIX FIXES	ENFANTS BIENVENUS
MORNINGTON PENINSULA : *Delgany Country House* Point Nepean Rd, Portsea, VIC 3944. (03) 5984 4000. Crabes, coquilles Saint-Jacques, *snapper* et merlan ; plats d'agneau et de veau australiens.	$$$	■		■	●	
MOUNT BULLER : *Pension Grimus* Mount Buller Ski Village, VIC 3723. (03) 5777 6396. Ce chalet alpin de style européen propose des plats autrichiens et un choix de schnaps. ● *midi, lun.-ven. (juin-août).*	$$$			■		■
PHILLIP ISLAND : *The Jetty Restaurant* 11-13 The Esplanade, Cowes, VIC 3922. (03) 5952 2060. Principal restaurant de produits de la mer de l'île, le Jetty sert homard, ormeau et autres fruits de mer locaux. ● *midi.*	$$$	■		■		■
RUTHERGLEN : *The House at Mount Prior* Howlong Rd, VIC 3685. (02) 6026 5256. Un dîner dans cette somptueuse demeure de 1882 est une cérémonie destinée aux grandes occasions. Réservez à l'avance. ●	$$$$				●	
WANGARATTA : *The Vine Hotel* Detour Rd, VIC 3677. (03) 5721 2605. Le chef Dennis Mifsud marie les ingrédients asiatiques aux traditions culinaires de Malte. ● *lun. ; midi, mar.-ven. ; dim. soir.*	$$	■	●	■		
YARRA VALLEY : *Fergusson of Yarra Glen* Wills Rd, Yarra Glen, VIC 3775. (03) 5965 2237. Ce restaurant populaire appartenant au domaine viticole de Fergusson allie cadre rustique et bonne cuisine. Ambiance conviviale. ● *soir, dim.-ven.*	$$	■		■	●	
YARRA VALLEY : *Adam's of North Riding Restaurant* Heidelberg-Kinglake Rd, St Andrews, VIC 3761. (03) 9710 1461. Ce bâtiment simple en brique au cœur de l'épais *bush* australien propose des plats et des desserts primés. ● *lun.-mer. ; jeu. midi.*	$$$		●	■		
YARRA VALLEY : *De Bertoli Winery and Restaurant* Pinnacle Lane, Dixons Creek, VIC 3775. (03) 5965 2271. Le restaurant qui a vue sur les vignobles sert une cuisine italienne, pâtes faites maison. ● *midi, dim.-ven.*	$$$	■		■		

LA TASMANIE

	Prix	TABLES À L'EXTÉRIEUR	SPÉCIALITÉS VÉGÉTARIENNES	BAR OU BAR À COCKTAILS	MENUS À PRIX FIXES	ENFANTS BIENVENUS
CRADLE VALLEY : *Lemonthyme Lodge* Dolcoagh Rd, off Cradle Mountain Rd, Moina, TAS 7306. (03) 6492 1112. On dînera dans la plus grande « cabane en rondins » de l'hémisphère Sud en savourant la délicieuse cuisine rustique de la Tasmanie.	$$$		●	■		
HOBART : *Da Angelo Ristorante* 47 Hampden Rd, Battery Point, TAS 7004. (03) 6223 7011. Ce petit coin d'Italie situé dans le quartier de Battery Point éclairé au gaz sert pâtes, pizzas et glaces maison. Réservez à l'avance.	$		●			
HOBART : *The Fish Bar* 50 King St, Sandy Bay, TAS 7005. (03) 6234 5961. On y savoure les meilleurs produits de la mer de Tasmanie, cuisinés avec simplicité, marinés ou grillés.	$				●	■
HOBART : *Blue Skies* Ground Floor, Murray Street Pier, TAS 7000. (03) 6224 3747. L'emplacement du Blue Skies sur les quais a inspiré son décor marin. Ses plats de poissons figurent parmi les plus novateurs de la ville.	$$	■	●		●	■

HOBART : *Café Who* $$
251 Liverpool Street, TAS 7000. 〖 *(03) 6231 2744.*
Dans ce joyeux bar, café et boîte de nuit, l'ambiance est d'inspiration
nautique. Longs déjeuners et dîners décontractés mais élégants. ✉

HOBART : *Mit Zitrone* $$
333 Elizabeth Street, TAS 7000. 〖 *(03) 6234 8113.*
Situé dans une maison rénovée, le Mit Zitrone est élégant mais pas
guindé. Plats et desserts méditerranéens. ✉

HOBART : *Panache* $$
89 Salamanca Place, TAS 7000. 〖 *(03) 6224 2929.*
Cette ancienne minoterie est devenue une caverne éclairée aux
chandelles. Produits tasmaniens. ♿ ✉

HOBART : *Drunken Admiral* $$$
17-19 Hunter Street, Old Wharf, TAS 7000. 〖 *(03) 6234 1903.*
Le restaurant de marins le plus caractéristique de la Tasmanie sert du
poisson frais selon des recettes traditionnelles et internationales. ✉

HOBART : *Kelleys* $$$
5 Knopwood St, Battery Point, TAS 7004. 〖 *(03) 6224 7225.*
Lauréat du prix Australian Gold Plate. Produits de la mer frais et vins
de Tasmanie, rehaussés par des vues saisissantes de la baie. ♿ ✉

HOBART : *Prossers On The Beach* $$$
Beach Road, Long Point, Sandy Bay, TAS 7005. 〖 *(03) 6225 2276.*
Installé dans un abri à canots donnant sur la plage la plus populaire de
Hobart, ce restaurant est spécialisé dans les produits de la mer. 🍷 ✉

HOBART : *Sisco's* $$$
1st level, Murray Street Pier, TAS 7000. 〖 *(03) 6223 2059.*
Le meilleur restaurant espagnol d'Australie marie la cuisine de la
Catalogne et les ingrédients du terroir. Décor d'inspiration espagnole. ✉

LAUDERDALE : *Eating on the Edge* $
13 North Terrace, TAS 7021. 〖 *(03) 6248 7707.*
Ce restaurant de plage décontracté sert de bons produits de la mer, des
salades et des pâtisseries. ● *lun. ; midi, mar.-jeu.* ✉

LAUNCESTON : *Pepper Berry Café* $$
91 George Street, TAS 7250. 〖 *(03) 6334 4589.*
Cette baie poivrée *(pepperberry)* du *bush* de Tasmanie est utilisée dans
tous les plats – muffins, glaces ou poisson. ♿ ✉

LAUNCESTON : *Ripples River Café* $$
Ritchies Mill, 2 Bridge Rd, TAS 7250. 〖 *(03) 6331 4153.*
Ce petit café situé sur les rives de la Tamar River est décontracté et
accueillant. Spécialité de cafés avec plus de 12 variétés. ♿ ✉

LAUNCESTON : *Tairyo Japanese Restaurant* $$
Shop 25, York Town Square, TAS 7250. 〖 *(03) 6334 2620.*
Le Tairyo a une ambiance raffinée mais simple. La carte marie plats
japonais et ingrédients tasmaniens frais. ● *midi, sam.-lun.*

LAUNCESTON : *Fee and Mee* $$$
190 Charles St, TAS 7250. 〖 *(03) 6331 3195.*
Produits de la mer, émeu et kangourou figurent sur la carte
contemporaine du meilleur restaurant de l'État. ✂ ♿ ✉

RICHMOND : *Prospect House* $$$
1384 Richmond Rd, TAS, 7025. 〖 *(03) 6260 2207.*
Une bonne nourriture est servie dans ce manoir georgien à
l'atmosphère élégante. Logements disponibles. ♿ ✉

SHEFFIELD : *Little Weindorfers* $
83 Main St, TAS 7306. 〖 *(03) 6491 2244.*
En souvenir de Gustav Weindorfer *(p. 455)*, le Little Weindorfers sert
de généreuses portions de plats autrichiens faits maison. ♿ ✉

STANLEY : *Sullivans Country Restaurant* $$
25 Church St, TAS 7306. 〖 *(03) 6458 1144.*
Une des meilleurs tables de Tasmanie. Ambiance douillette et détendue.
Sur place, une épicerie fine vend des produits locaux. ✂ ♿ 🍷 ✉

FAIRE DES ACHATS EN AUSTRALIE

**Enseigne colorée
à Margaret River**

Les souvenirs courants du type porte-monnaie en koala ou boomerang en plastique ne sont pas, loin de là, les seuls articles à rapporter d'Australie. Les magasins touristiques proposent des articles de bonne qualité, parfois introuvables dans d'autres pays. Dans chaque capitale d'État, notamment à Sydney *(p.128-131)* et Melbourne *(p. 398-399),* des quartiers commerçants et des marchés de rue offrent un vaste choix de magasins, éventaires et cafés. Les vins et les spécialités gastronomiques ont la vedette et on trouve un grand choix d'articles de niveau international à des prix raisonnables. Les stylistes australiens contemporains traitent les conventions avec une irrévérence salutaire – leurs articles de maison et leur vêtements sont en vente dans les quartiers commerçants du centre. En zone rurale, les articles originaux fabriqués par les artisans locaux sont intéressants.

Devant un éventaire au Mindil Beach Sunset Market de Darwin *(p. 264)*

HEURES D'OUVERTURE

En semaine, les heures d'ouverture sont de 9 h à 17 h 30, du lundi au vendredi, avec en général une nocturne le jeudi ou le vendredi jusqu'à 21 h. Les horaires du week-end sont très variables. La déréglementation permet à de nombreux magasins d'ouvrir le samedi et le dimanche, surtout dans les villes, mais à la campagne les magasins ferment à 13 h le samedi. Dans les villes et les banlieues, de nombreux supermarchés sont ouverts 24 h sur 24. Les librairies et autres commerces spécialisés du centre-ville ferment tard, vers 22 h.

MODES DE PAIEMENT

Nombre d'établissements acceptent les cartes bancaires, en général au-dessus d'un montant minimum. Pour utiliser les chèques de voyage, il faut présenter une pièce d'identité, un passeport en cours de validité ou un permis de conduire. Les chèques personnels sont acceptés dans les grands magasins sur présentation d'une pièce d'identité. L'argent liquide reste le mode de paiement préféré des commerçants.

DROITS ET REMBOURSEMENTS

Les lois sur les droits des consommateurs varient légèrement d'un État à l'autre. En cas de problème, consultez la rubrique *Consumer* dans les pages info au début des Pages Blanches de l'annuaire téléphonique. Si les articles achetés sont défectueux, le client a droit au remboursement intégral. Si vous regrettez votre achat, vous pourrez toujours essayer de vous faire rembourser mais vous devrez probablement vous contenter d'un avoir ou d'un échange. En règle générale, plus le magasin est grand, plus vous êtes protégé.

ACHATS TYPIQUES

Les objets d'art aborigène sont en vente dans les galeries gérées par les communautés dans le Territoire du Nord et dans les bonnes galeries spécialisées en ville. Prenez le temps de parler de l'œuvre avec l'auteur ou le vendeur car la signification spirituelle et culturelle est étroitement liée à l'esthétique. Vous apprécierez d'autant plus votre œuvre d'art que vous aurez compris les intentions de l'artiste. Ces objets uniques sont coûteux, ne vous laissez pas abuser par des imitations bon marché.

Shopping à London Court, la rue de style Tudor de Perth *(p. 296)*

Objets artisanaux, marché du dimanche de Kingston Bus Depot à Canberra

L'Australie assure 95 % de la production mondiale d'opales. La qualité est très variable, aussi est-il bon de comparer avant d'acheter. On trouve facilement des opales dans les magasins hors taxes. Sur présentation du passeport, on pourra aussi vous déduire la taxe sur les produits de luxe dans d'autres magasins.

Les vêtements de l'Outback représentent une industrie spécialisée. La plupart des articles sont très solides et certains sont très à la mode. On trouve les chapeaux Akubra, les chaussures RM Williams et les pardessus Driza-bone dans les magasins de camping et les surplus de l'armée où ils sont moins chers que dans les magasins destinés aux touristes.

Poissons frais au marché aux poissons de Wollongong *(p. 178)*

MARCHÉS

Un grand marché central de produits alimentaires existe dans la plupart des villes et plusieurs petits marchés locaux ont lieu pendant le week-end. Les marchés d'alimentation des villes offre un choix extraordinaire de produits frais et bon marché. Les spécialités locales sont les fromages, les olives et les fruits originaux. Le Queen Victoria Market à Melbourne *(p. 378)* et le Central Market d'Adélaïde *(p. 338)* méritent une visite. Des marchés locaux comme ceux de Paddington à Sydney *(p. 121)* et de Salamanca Place à Hobart *(p. 448)* offrent un choix éclectique et intéressant de vêtements et d'objets artisanaux de fabrication locale. Uniques en leur genre, les Mindil Beach Sunset Markets de Darwin marient restaurants, magasins et distractions dans un cadre tropical spectaculaire *(p. 264)*.

GRANDS MAGASINS

Les grands magasins représentent le haut de gamme des chaînes de commerces et proposent des marchandises de qualité. Les plus connus sont Myer, David Jones et Grace Brothers *(p. 398)*. On y trouve la haute couture locale et étrangère, les grandes marques de cosmétiques et toutes sortes de meubles et d'articles pour la maison. Les prix, compétitifs, sont souvent alignés sur ceux que pratiquent les magasins plus bas de gamme pour les mêmes articles. Leurs services clientèle sont excellents.

QUARTIERS COMMERÇANTS

Le centre-ville étant envahi par les géants du commerce de détail, de nombreuses petites boutiques intéressantes ont émigré vers les quartiers animés à mi-chemin du centre et de la banlieue. Boutiques de jeunes stylistes, librairies spécialisées, ateliers d'artisanat et galeries d'art voisinent avec les épiceries, cafés, restaurants et bars. Certains de ces quartiers sont haut de gamme, d'autres sont attachés à leurs racines bohèmes. Le mélange des influences culturelles – juives, italiennes, libanaises, vietnamiennes par exemple – est frappant et varie selon la région et la ville. Dans chaque ville, les centres d'information touristique vous indiqueront les meilleurs quartiers.

Infusions en vente au Chinatown de Brisbane *(p. 216)*

HORS DE LA VILLE

Faire des achats en zone rurale est une entreprise aléatoire. Dans certaines régions, le choix d'articles courants est limité et les prix beaucoup plus élevés qu'en ville. Pourtant certains magasins d'occasion poussiéreux vendent des babioles rares à des prix ridiculement bas. Des petites boutiques et des galeries d'artisanat proposent des articles originaux.

Bel intérieur carrelé d'une galerie marchande à Adélaïde

Séjours à thèmes
et activités de plein air

Pour bien profiter d'un voyage dans un pays aussi vaste et aussi varié que l'Australie, un séjour à thème est une excellente idée. S'intéresser à un sujet, acquérir de nouvelles aptitudes ou étudier l'environnement sont des expériences très gratifiantes. On peut choisir dans une large sélection d'organismes spécialisés. Si vous venez

Annonce d'une promenade en bateau à fond de verre

de l'étranger, adressez-vous d'abord à l'Australian Tourism Commission de votre pays ou à votre agence de voyages. Une fois dans le pays, adressez-vous aux bureaux de tourisme des États *(p. 535)* pour obtenir des conseils sérieux, effectuer des réservations auprès de compagnies fiables et demander des renseignements aux associations locales.

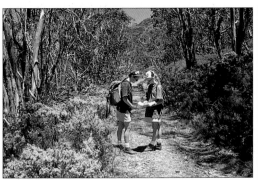

Randonnée dans le *bush* au Namadgi National Park dans l'ACT *(p. 199)*

Randonnée
dans le *bush*

Les parcs nationaux sont l'endroit idéal pour randonner dans le *bush* australien ; les sentiers sont balisés et les guides vous donnent de précieux conseils. Ces parcs sont gérés par les États qui ont chacun un service central d'information. Consultez la rubrique *National Parks* dans les pages info au début de l'annuaire téléphonique.

On peut louer l'équipement nécessaire dans les magasins de camping en ville et à la campagne. Si l'on envisage une longue randonnée, il est bon de se joindre à un groupe pour bénéficier des connaissances d'un guide sur la flore et la faune locales et pour accéder à des zones désertiques reculées. Les meilleures régions pour la randonnée sont Cradle Mountain en Tasmanie *(p. 455),* les MacDonnell Ranges dans le Territoire du

Nord *(p. 276)* et les Blue Mountains en Nouvelle-Galles du Sud *(p. 162-165).*

À bicyclette

Avec ses longues routes pratiquement désertes, souvent sans une colline en vue, il n'est pas étonnant que l'Australie soit si appréciée des randonneurs à bicyclette. Les visiteurs peuvent apporter leur propre vélo mais interrogez votre compagnie aérienne. Trains et autocars transportent les vélos à condition qu'ils soient démontés. Pour louer un vélo en Australie, consultez la rubrique *Bicycles* dans les Pages Jaunes. Le port du casque est partout obligatoire. On peut en louer un ou en acheter un à bas prix.

Nombre de cyclistes voyagent plusieurs jours en campant en cours de route ; d'autres établissent un itinéraire de façon à s'arrêter dans une ville pour bénéficier d'un lit confortable et d'un repas. Les régions viticoles d'Australie-Méridionale *(p. 330-331),* la Great Ocean Road au Victoria *(p. 418-419)* et la quasi-totalité de la Tasmanie *(p. 444-459)* sont idéales pour le cyclisme.

Les associations australiennes de cyclotourisme organisent régulièrement des circuits auxquels tout le monde peut s'inscrire. Elles assurent l'hébergement, les repas et l'assistance technique. La plupart d'entre elles étant à but non lucratif, les prix sont en général modérés. **Bicycle New South Wales** fournit une brochure des publications consacrées au cyclotourisme en Australie.

À bicyclette autour du lac de Canberra

SPORTS D'AVENTURE

Un bon entraînement est indispensable à la pratique des sports d'aventure mais les débutants sont les bienvenus. Voyagistes spécialisés et associations *(p. 529)* proposent un choix d'activités, du stage d'un jour à l'excursion de deux semaines.

La descente en rappel, le canyoning, l'escalade et la spéléologie sont très pratiquées dans les Blue Mountains, la Mecque des passionnés de ces sports. Naracoorte en Australie-Méridionale *(p. 347)* est fabuleux pour la spéléologie, et le Grampians National Park dans le Victoria *(p. 417)* attire un grand nombre de praticiens du rappel et de l'escalade.

Escalade du Wilsons Promontary dans le Victoria *(p. 434-435)*

GOLF

L'Australie compte 150 terrains de golf et 1 580 clubs de golf. De nombreux clubs sont affiliés à des clubs étrangers dont ils accueillent les membres ; informez-vous auprès de votre club. De nombreuses villes ont aussi des terrains de golf municipaux.

Les terrains australiens sont d'excellente qualité et Melbourne possède deux des trente meilleurs golfs du monde, le Royal Melbourne et le Kingston Heath. Une partie de golf coûte de 20 à 250 $A. Contactez l'**Australian Golf Union** pour plus de renseignements.

Promenade à dos de chameau sur Cable Beach à Broome *(p. 304)*

À LA DÉCOUVERTE DU PATRIMOINE DES ABORIGÈNES

Cette découverte peut être la visite d'une galerie d'art aborigène ou une exploration de plusieurs jours en terre d'Arnhem ou au Kakadu National Park dans le Territoire du Nord *(p. 268-269)* en compagnie d'un guide australien. Le Territoire du Nord, qui possède le plus fort pourcentage de terres et d'habitants aborigènes, offre le plus grand nombre d'activités. Les thèmes des activités sont variés : la nourriture traditionnelle du *bush,* la chasse, l'art rupestre et la culture aborigène.

Ces excursions sont surout l'occasion d'admirer les remarquables paysages australiens sous un angle différent car la spiritualité aborigène est étroitement liée à la terre. De plus, certaines excursions touchent les régions les plus reculées d'Australie et traversent des terres aborigènes qui ne sont habituellement accessibles qu'aux membres des communautés locales.

RANDONNÉE À DOS DE CHAMEAU

Le chameau est un moyen de transport précieux dans l'Outback depuis que les caravanes dirigées par les Afghans ont transporté les marchandises à travers le désert australien, des années 1840 à la construction de la voie ferrée. Vous pouvez essayer la balade d'une heure ou un treckking de deux semaines (nourriture et hébergement compris). Alice Springs *(p. 274-275)* est le point de départ le plus fréquent mais des circuits sont proposés dans tout le pays.

CIRCUITS AÉRIENS

Les circuits aériens offrent des vues panoramiques extraordinaires et conviennent aux voyageurs désirant parcourir de grandes distances rapidement. Les safaris aériens, avec escale aux principaux sites, sont populaires dans l'Outback. Pour les vols charter vers l'Antarctique, le territoire le plus étendu de l'Australie, contactez **Croyden Travel.**

Hydravion amarré à Rose Bay à Sydney et prêt pour un vol touristique

PÊCHE

Vu ses avantages naturels, il n'est pas étonnant que l'Australie compte près de quatre millions de passionnés de la pêche. De vastes océans, 12 000 km de côtes et un réseau fluvial étendu alliés à un climat fantastique font du continent le paradis des pêcheurs.

La pêche au barramundi dans les rivières reculées du Territoire du Nord et la pêche aux espèces comme le marlin noir et le thon à nageoires jaunes au large des côtes tropicales d'Australie sont des expériences uniques. Il faut se joindre à un groupe car ces activités exigent une connaissance approfondie du terrain. Les organisateurs fournissent souvent le matériel.

Les rivières de Tasmanie sont réputées pour leur excellente pêche à la truite. Les estuaires et les plages des États du Sud – par exemple la Fleurieu Peninsula en Australie-Méridionale *(p. 342-343)* – regorgent d'espèces comme la brème et le saumon. Il est facile de louer un petit bateau et on peut acheter ou louer l'attirail de pêche dans les ports aux quatre coins du pays. Dans chaque État, un département dispose d'un service dédié à la pêche dont le personnel donne d'excellentes informations sur les emplacements, les restrictions et les questions de sécurité. Consultez la météo et observez les mises en garde contre les coins dangereux, notamment les plate-formes rocheuses.

ÉCOTOURISME

Ce concept touristique relativement neuf a pour origine des activités aussi vieilles que l'ornithologie et l'examen des fleurs sauvages. Il englobe plusieurs activités mais est surtout axé sur l'observation et la conservation du patrimoine naturel. Les organisateurs profitent de l'énorme richesse naturelle de l'Australie pour offrir une gamme fabuleuse d'activités basées sur la nature : observation de la flore et de la faune (baleines, oiseaux et dauphins notamment), promenades dans la nature, expéditions de trekking et rafting vers des régions reculées et sauvages.

Les visiteurs peuvent séjourner dans des *resorts* gérées selon des principes strictement « verts », écologiques, situées en général dans les environnements les plus précieux. Adressez-vous à l'**Ecotourism Association of Australia** pour obtenir des renseignements sur les organisateurs de circuits et les publications.

SPORTS NAUTIQUES

L'Australie est une destination idéale pour la plongée sous-marine, avec comme principal centre, la Grande Barrière de Corail *(p. 204-209)*. On peut combiner des vacances sur le récif avec des leçons de plongée dans l'une des nombreuses et excellentes écoles de la région. La plongée se pratique partout en Australie, citons notamment Rottnest Island *(p. 300-301)*, Esperance *(p. 304)* en Australie-Occidentale et la très belle zone inscrite au Patrimoine mondial (World Heritage Area) de Lord Howe Island au large de la Nouvelle-Galles du Sud.

Les amateurs de canoë peuvent pagayer paisiblement dans un bateau de location sur un lac en ville ou entreprendre une passionnante aventure en kayak en haute mer. Ce sport d'un prix raisonnable se pratique dans tout le pays. Les endroits les plus prisés sont la Murray River *(p. 347)*, le port de Sydney *(p. 92-93)* et les rivières des parcs nationaux.

Le rafting en eau vive (descente de torrents en canot pneumatique) est un sport apprécié des amoureux du plein air qui peuvent facilement tenter l'expérience quel que soit leur niveau. Les novices essaieront un

Canoë sur la Roper River dans le Territoire du Nord *(p. 260-261)*

Publicité murale pour un loueur de bateaux

Voile dans le Gippsland Lakes Coastal Park

parcours facile d'une journée avec un moniteur. Les confirmés s'attaqueront à un circuit de deux semaines sur la Franklin-Gordon Wild River en Tasmanie *(p. 457)*, le paradis du rafting.

Les longues étendues de littoral vierge, les baies et ports reculés, les récifs tropicaux et les îles désertes ravissent les passionnés de voile. Les croisières avec skipper sont les plus courantes mais on peut également louer un bateau sans équipage. Il faut dans ce cas prouver au loueur que l'on est un marin expérimenté. Les splendeurs tropicales des Whitsunday Islands au Queensland *(p. 208)* sont à voir. Les marins apprécient aussi Pittwater dans la Nouvelle-Galles du Sud et la Gold Coast du Queensland *(p. 230-231)*.

L'Australie est renommée dans le monde entier pour ses plages exceptionnelles, propices au surf *(p. 34-35)*.

SKI

La saison du ski va de juin à septembre. Les pistes de ski se cantonnent aux Alpes du Victoria *(p. 437)*, aux montagnes de la Nouvelle-Galles du Sud et à deux petites stations en Tasmanie *(p. 456)*. Les équipements sont excellents mais les pistes sont parfois bondées pendant les vacances scolaires et les ponts.

Les environs des stations d'altitude sont idéales pour le ski de fond. Les skieurs peuvent apprécier la flore et

Ski sur Eagle Ridge à Mount Hotham dans les Victorian Alps

la faune alpines rares de l'Australie et admirer de vastes panoramas spectaculaires.

MANIFESTATIONS SPORTIVES

L'Australie reçoit des visiteurs venus tout spécialement pour des manifestations sportives comme les prochains Jeux olympiques de l'an 2000 à Sydney *(p. 138-139)*. Mieux vaut réserver tôt car on s'arrache les billets. Les championnats réguliers sont l'Australian Tennis Open, la Melbourne Cup et le Grand Prix automobile qui se déroulent à Melbourne ainsi que l'International Test (finale internationale de cricket) et l'Australian Open de golf qui ont lieu tous les ans dans un État différent *(p. 36-39)*. Le Rugby League (jeu à treize) et l'Australian Rules (football australien) sont les sports favoris des spectateurs.

La grande finale de l'Australian Football League à Melbourne

CARNET D'ADRESSES

CLUBS ET ASSOCIATIONS

Australian Golf Union
153-155 Cecil St,
South Melbourne, VIC 3205.
(03) 9699 7944.

Australian Parachute Federation
PO Box 144,
Deakin West, ACT 2600.
(02) 6281 6830.

Australian Yachting Federation
33 Peel St,
Milsons Point, NSW 2061.
(02) 9922 4333.

Bicycle New South Wales
GPO Box 272,
Sydney, NSW 2001.
(02) 9283 5200.

Ecotourism Association of Australia
PO Box 26, Red Hill, QLD 4059.
(07) 3352 7220.

Gliding Federation of Australia
Building 130, Wirraway Rd,
Essendon Airport, VIC 3041.
(03) 9379 7411.

New South Wales Ski Association
PO Box 733, Glebe,
NSW 2037.
(02) 9552 2701.

Ski Victoria
Mail Bag 6, 120 Collins St,
Melbourne, VIC 3000.
(03) 9650 7270.

ORGANISATEURS DE VOYAGES

Adventure Associates
197 Oxford St, Bondi Junction,
NSW 2022. (02) 9389 7466.

Croyden Travel
34 Main St, Croyden, VIC 3136.
(03) 9725 8555.

Peregrine Adventures
258 Lonsdale St, Melbourne,
VIC 3000. (03) 9663 8611.

STA Travel
224 Faraday St, Carlton,
VIC 3053. (03) 9349 2411.

World Expeditions
3rd Floor, 441 Kent St, Sydney,
NSW 2000. (02) 9264 3366.

RENSEIGNEMENTS PRATIQUES

L'AUSTRALIE MODE D'EMPLOI 532-541

ALLER EN AUSTRALIE ET Y CIRCULER 542-551

L'AUSTRALIE MODE D'EMPLOI

L'Australie n'est devenue une grande destination touristique que très récemment et les services proposés aux visiteurs ont connu un développement rapide. C'est un pays sûr et accueillant où le touriste ne rencontre guère de problème. Hébergements et restaurants *(p. 462-523)* sont de niveau international, les transports en commun sont omniprésents *(p. 544-551)*, de

Enseigne d'un aquarium

même que les centres d'information touristique. Les pages suivantes donnent des informations utiles : le chapitre Santé et Sécurité *(p. 536-537)* recommande un certain nombre de précautions, les pages Banques et Monnaie *(p. 538-539)* répondent à toutes les questions financières essentielles et une section porte sur le téléphone et les services postaux *(p. 540-541)*.

Piste de ski à Creek Falls dans le Victoria oriental

QUAND PARTIR

La moitié nord du pays, située en zone tropicale, connaît les saisons « humide » et « sèche » *(p. 40-41)*. La saison sèche, de mai à octobre, est considérée comme le meilleur moment pour visiter cette région. Pendant la saison humide, la chaleur est très forte et de nombreuses zones sont inaccessibles à cause des inondations. Pourtant c'est l'époque où certains endroits comme le Kakadu National Park *(p. 268-269)* sont particulièrement spectaculaires.

La moitié sud du continent est tempérée et les saisons y sont inversées par rapport à celles de l'Europe et de l'Amérique du Nord. Le Victoria et la Tasmanie peuvent être légèrement nuageux et humides l'hiver mais ils sont très doux en automne. Le long littoral sud est une destination touristique populaire pendant les mois d'été – le climat est chaud

avec une brise légère. L'été, évitez l'Outback car les températures peuvent être extrêmes. La haute saison pour le ski dans les Alpes du Victoria dure de juin à septembre *(p. 436)*. Les États d'Australie-Méridionale et d'Australie-Occidentale sont superbes de septembre à décembre.

VISAS

Les visiteurs doivent être munis d'un passeport valide au-delà de la durée prévue du séjour et d'un visa délivré dans leur pays d'origine. Adressez-vous à l'ambassade d'Australie (quatre semaines minimum pour la réponse). La demande de visa doit être accompagnée d'une déclaration attestant la possession d'un billet de retour et de fonds suffisants pour le séjour. Une fois en Australie, on peut faire prolonger son visa en

s'adressant au **Department of Immigration,** mais les visas de tourisme sont rarement prorogés au-delà d'un an.

INFORMATIONS TOURISTIQUES

L'**Australian Tourist Commission** est l'organisme de tourisme principal mais chaque État a ses propres services. Dans les capitales, les centres de tourisme sont les meilleurs conseillers en matière de circuits spéciaux et de réservation. Il y a des kiosques d'information dans les aéroports, sites touristiques et centres commerciaux. Dans les petites villes, les bureaux de tourisme sont abrités dans les épiceries, les galeries d'art ou les stations-service qui affichent le logo bleu et blanc. Dans les régions reculées, les centres d'accueil des parcs nationaux donnent de bonnes informations.

Panneau d'information touristique

Kiosque d'informations touristiques, gare centrale de Sydney

Montagnes russes au Seaworld Theme Park dans le Queensland *(p. 230)*

HORAIRES D'OUVERTURE ET DROITS D'ADMISSION

La plupart des grands sites touristiques sont ouverts 7 jours sur 7. Dans les petites villes, les galeries d'art et les sites sont souvent fermés en début de semaine. Comparés à l'Europe, les droits d'admission sont modérés et l'entrée est parfois gratuite. Les exceptions sont les grandes exposions itinérantes dans les musées, les zoos, les parcs à thème et les attractions spéciales comme Sovereign Hill à Ballarat *(p. 423)*. Privilégiez les jours de semaine car les Australiens se disputent les places le week-end.

SAVOIR-VIVRE

La société australienne est relativement décontractée mais quelques règles tacites doivent être respectées par les visiteurs. Évitez de boire et de manger dans les transports en commun, taxis, magasins et musées. Les Australiens s'habillent de façon sportive et décontractée, surtout l'été quand il fait très chaud, mais certains bars et restaurants exigent le port de la chemise pour les hommes et interdisent les jeans et les chaussures de sport. La baignade seins nus est tolérée sur de nombreuses plages.

Le pourboire est facultatif mais il est d'usage de laisser dans un restaurant 10 % du montant de la note pour un bon service et quelques dollars aux chauffeurs de taxis, porteurs et barmen.

Il est interdit de fumer dans les bâtiments publics, transports en commun, taxis et dans la plupart des magasins. Interrogez hôtels et restaurants au moment de la réservation.

VISITEURS HANDICAPÉS

Dans l'ensemble, les infrastructures publiques, hôtels, restaurants, sites touristiques, cinémas, théâtres, aéroports, centre commerciaux, sont adaptées aux visiteurs handicapés.

Les transports en commun posent souvent un problème aux fauteuils roulants mais la plupart des États aménagent leurs véhicules pour en faciliter l'accès. Contactez la direction des transports des États ou les centres d'information touristique et les bureaux municipaux qui proposent cartes et plans avec les sites accessibles aux fauteuils roulants.

Une des organisations les plus utiles pour les visiteurs handicapés est le **National Information Communication Awareness Network (NICAN)** à Canberra. Cette base de données qui couvre l'ensemble du territoire donne des informations sur les équipements des différentes régions ; elle dispose aussi de la liste des nombreuses publications destinées spécifiquement aux visiteurs handicapés.

La Circular Quay Station à Sydney est accessible aux visiteurs handicapés

LES FUSEAUX HORAIRES EN AUSTRALIE

L'Australie s'étend sur trois fuseaux horaires : Western Standard Time (ouest), Central Standard Time (centre) et Eastern Central Time (est). L'est du pays a deux heures d'avance sur l'ouest et le centre une heure et demie. L'heure d'été est observée en Nouvelle-Galles du Sud et dans l'ACT, au Victoria et en Australie-Méridionale, d'octobre à mars, ce qui ajoute une heure au décalage horaire.

Ville et État	Heures + GMT
Adélaïde (AM)	+ 9,5
Brisbane (QLD)	+ 10
Canberra (ACT)	+ 10
Darwin (TN)	+ 9,5
Hobart (TAS)	+ 10
Melbourne (VIC)	+ 10
Perth (AO)	+ 8
Sydney (NGS)	+ 10

Des étudiants en vacances explorent les paysages australiens

ENFANTS

Avec ses belles plages de sable, sa faune et sa flore abondantes, ses grands espaces et ses possibilités d'aventures, l'Australie est une destination idéale pour les enfants. La plupart des hôtels acceptent les enfants et fournissent berceaux, chaises hautes et parfois baby-sitting. Certains petits *bed-and-breakfast* annoncent qu'ils n'acceptent pas les enfants.

En général, les enfants sont bienvenus dans les restaurants et on leur offre des portions réduites, mais mieux vaut interroger les établissements les plus haut de gamme. Les grands magasins dans les villes et les principaux sites touristiques sont normalement équipés d'une nurserie et de tables à langer.

Les parents qui voyagent avec de jeunes enfants bénéficient de nombreuses réductions quand ils prennent l'avion, le car, le train et le bateau *(p. 542-551)*.

En voiture, les enfants de moins de quatre ans doivent occuper des sièges auto aux normes de sécurité australiennes, mais de nombreux véhicules ne sont pas équipés en série. Vous devez vous procurer ce matériel avant d'entreprendre un voyage. **Hire for Babe** loue sièges, poussettes et porte-bébé, livrés aux aéroports et aux hôtels. Dans les grandes villes, les loueurs de voitures fournissent des véhicules équipés de sièges auto pour une somme modique.

ÉTUDIANTS

La carte internationale d'étudiant (ISIC) est à la disposition de tous les étudiants à temps complet aux quatre coins du monde. Elle doit être achetée dans le pays d'origine auprès d'une association de voyages pour étudiants. Elle n'est délivrée en Australie qu'aux étudiants inscrits dans un établissement australien.

Carte internationale d'étudiant

La carte donne droit à des réductions sur les vols internationaux et à 25 % sur les vols intérieurs *(p. 542-545)*. Les étudiants bénéficient de 15 % de réduction sur les voyages en autocar *(p. 547)* et de tarifs réduits dans les cinémas, musées, galeries d'art et la plupart des sites touristiques.

JOURNAUX, TÉLÉVISION ET RADIO

Les deux quotidiens nationaux sont *The Australian,* un excellent journal d'information, sérieux et respecté, qui traite l'actualité nationale et internationale, et l'*Australian Financial Review* spécialisé dans les affaires économiques internationales. *Bulletin* et *Time* sont les principaux hebdomadaires d'actualités internationales. *Bulletin* est

Les célèbres marsupiaux d'Australie ne sont pas toujours sauvages

réputé pour ses excellents articles sur les arts et les médias. Les grands quotidiens et magazines étrangers sont disponibles dans les capitales des États dont chacune a aussi son propre quotidien et souvent un journal de petit format.

L'Australian Broadcasting Corporation (ABC) est une chaîne de télévision nationale qui traite l'actualité et diffuse émissions pour enfants et pièces de théâtre locales et internationales de qualité. La Corporation possède ses

Logo de la chaîne de télévision ABC

propres stations de radio AM et FM avec tout un choix d'émissions – actualités, informations rurales pour les agriculteurs, commentaires artistiques, musique moderne et classique, magazines féminins – et la chaîne Triple J, populaire dans le pays auprès des moins de 30 ans. SBS (Special Broadcasting Service), l'autre réseau national de télévision, s'adresse aux nombreuses cultures du pays avec des émissions de radio et de télévision en langues étrangères. Trois chaînes commerciales de télévision, Channels 7, 9 et 10, offrent tout un choix de feuilletons, actualités, émissions sportives, jeux et divertissements divers.

Les capitales des États ont de nombreuses stations locales de radio FM et AM dont les programmes sont donnés par les quotidiens locaux. Ces stations s'intéressent aux affaires sociales et culturelles du voisinage.

Dans l'ensemble, toutes les émissions australiennes sont d'un excellent niveau.

Quotidiens australiens

APPAREILS ÉLECTRIQUES

L e courant électrique est d'un voltage de 240-250 volts. Les prises ont deux ou trois fiches. De nombreux hôtels sont équipés de prises pour rasoirs en 110 volts et de sèche-cheveux, mais un adaptateur pour les prises à deux ou trois fiches plates est nécessaire pour les autres appareils.

Prise australienne standard

TABLEAU DE CONVERSION

Système britannique
1 inch = 2,54 centimètres
1 foot = 30 centimètres
1 mile = 1,6 kilomètre
1 ounce = 28 grammes
1 pound = 454 grammes
1 pint = 0,6 litre
1 gallon = 4,6 litres

Système métrique
1 centimètre = 0,4 inch
1 mètre = 3 feet, 3 inches
1 kilomètre = 0,6 mile
1 gramme = 0,04 ounce
1 kilogramme = 2,2 pounds
1 litre = 1,8 pint

CARNET D'ADRESSES

IMMIGRATION

Department of Immigration
Level 3, 1 Farrell Place,
Canberra, ACT 2601
(02) 6264 1111.

VISITEURS HANDICAPÉS

NICAN
PO Box 407, Curtain,
ACT 2605.
1 800 806 769.

ÉQUIPEMENTS ENFANTS

Hire for Babe
Wattle Creek,
Mandalong Rd,
Dooralong 2259.
(02) 4355 1280.

INFORMATIONS TOURISTIQUES

France
01 41 91 38 61.

Belgique
02 714 31 99.

Suisse
018 385 330.

États-Unis et Canada
Suite 1920,
2049 Century Park East,
Los Angeles, CA 9067.
(310) 229 4870.
FAX (310) 552 1215.

BUREAUX DE TOURISME DES ÉTATS

ACT
330 Northbourne Ave,
Dickson,
ACT2602.
(02) 6205 0044.

Nouvelle-Galles du Sud
11-31 York St,
Sydney,
NSW 2000.
Plan 4 E2.
13 20 77.

Territoire du Nord
38 Mitchell St,
Darwin,
NT 0800.
(08) 8981 4300.
Gregory Terrace,
Alice Springs,
NT 0870.
(08) 8952 5800.

Queensland
196 Adelaide St,
Brisbane,
QLD 4000.
(07) 3874 2800
Angle de Grafton St et
Hartley St, Cairns,
QLD 4870.
(07) 4051 3588.

Australie-Méridionale
1 King William St,
Adélaïde,
SA 5000.
(08) 8212 1505.

Tasmanie
20 Davey St,
Hobart,
TAS 7000.
(03) 6230 8233.

Australie-Occidentale
jAngle de Forest Place et
Wellington St,
Perth,
WA 6000.
(08) 9483 1111.

Victoria
Town Hall,
angle de Swanston St et
Little Collins St,
Melbourne, VIC 3000.
Plan 1 C2.
(03) 9658 9949.

Santé et sécurité

Enseigne d'un parc national

Son faible taux de criminalité fait de l'Australie une destination touristique sûre. La police est très présente dans toutes les capitales des États et les petites villes ont au moins un policier. En revanche, le climat et l'environnement imposent aux visiteurs de respecter certaines règles de sécurité quand ils se rendent dans des régions reculées ou quand ils vont à la plage. En cas de problème, appelez un des services nationaux d'urgence dont les numéros figurent dans l'annuaire téléphonique.

Voiture de police

Camion de pompiers

Ambulance

SÉCURITÉ DES BIENS

Laissez objets de valeur et documents importants dans le coffre de votre hôtel. Ne transportez pas des sommes importantes en liquide mais préférez les chèques de voyage, moyen de paiement plus sûr. Photocopiez les documents importants en cas de perte ou de vol éventuel.

Méfiez-vous des pickpockets dans les lieux publics fréquentés par les foules. Ils opèrent surtout dans les grandes attractions touristiques, plages, marchés, terrains de sport et transports en commun aux heures de pointe.

Ne mettez jamais votre portefeuille dans une poche extérieure où il sera une cible facile. Fermez bien vos sacs et portez-les en bandoulière de même que vos appareils photo. Si vous avez une voiture, stationnez dans les rues éclairées et passantes. Verrouillez le véhicule et ne laissez pas en évidence des objets de valeur.

SÉCURITÉ DES PERSONNES

Il n'existe pas vraiment de quartier mal famé dans les villes australiennes. Les quartiers « rouges » sont parfois sordides, mais comme ils sont animés et surveillés, ils sont plus sûrs que n'importe quelle rue de banlieue le soir. L'autobus (et le tramway à Melbourne) est considéré comme un moyen de transport sûr le soir. Si vous prenez le train, n'oubliez pas qu'il n'y a plus de personnel

Auxiliaire d'ambulance

dans les gares après la fermeture, surtout dans les banlieues. Montez dans le wagon le plus proche du conducteur. Les taxis sont sûrs et efficaces pour se déplacer tard le soir. L'auto-stop est formellement déconseillé à tous et présente un réel danger pour les femmes.

Les visiteurs sont souvent étonnés de l'heure précoce de fermeture dans les villes de campagne. Il est conseillé d'arriver à destination avant la tombée de la nuit et d'éviter d'errer à la recherche d'une chambre ou d'un repas la nuit venue. Dans la plupart des régions, les voyageurs sont extrêmement bien accueillis, mais dans les régions reculées ils se font remarquer et constituent donc des cibles potentielles pour des personnes mal intentionnées.

SOINS MÉDICAUX

Les services médicaux australiens figurent parmi les meilleurs du monde. Des conventions passées avec certains pays prévoient que leurs ressortissants bénéficient gratuitement des soins médicaux et hospitaliers assurés par Medicare, le régime australien de Sécurité sociale. Mais ni la France, ni la Belgique, ni la Suisse ne bénéficient de ces conventions et les ressortissants devront payer des frais médicaux prohibitifs. Il faut donc contracter une

Ranger d'un parc national

Policier

Pompier

assurance médicale appropriée avant le départ.

Partout dans le pays, faites le 000 pour appeler une ambulance. La plupart des hôpitaux publics ont un service d'urgence, mais pour les soins non urgents il y a parfois de longues files d'attente. Dans les grandes villes, les centres médicaux sont ouverts 24 heures sur 24. Consultez dans les Pages Jaunes locales la rubrique *Medical Practitioners*.

Dans les capitales des États, des cabinets dentaires assurent les soins d'urgence. Appelez l'**Australian Dental Association** pour les urgences dentaires et pour obtenir la liste des praticiens de votre région.

Pharmacie à Sydney

PHARMACIES

Les pharmacies sont nombreuses dans les villes et les banlieues mais parfois rares dans les régions reculées. Toutes les pharmacies ont en stock les médicaments en vente libre comme les analgésiques et divers articles – cosmétiques, produits de toilette, crèmes solaires et produits pour bébés. Dans la plupart des pharmacies, vous recevrez gracieusement des conseils sur les affections mineures, mais pour être honorées les ordonnances étrangères doivent être avalisées par un médecin australien.

Dans les grandes villes, demandez à votre hôtel et aux hôpitaux l'adresse des pharmacies de garde.

RISQUES NATURELS

Attention au soleil ! Les rayons ultraviolets sont très intenses, même par temps couvert. Utilisez en permanence un écran solaire indice 15 minimum. Portez des lunettes de soleil et un chapeau et évitez le soleil entre 10 h et 14 h.

Dans les zones fréquentées, les maîtres nageurs patrouillent sur les plages et les drapeaux rouge et jaune indiquent les lieux où la baignade est sûre. Mais de vastes étendues non surveillées sont soumises à des courants dangereux. En cas de doute, évitez de vous baigner.

Ne sous-estimez jamais le *bush* australien. Même dans les régions fréquentées, les marcheurs peuvent s'égarer. Le personnel des parcs nationaux vous donnera des cartes et de précieux conseils et prendra note de l'itinéraire de votre excursion. Emportez une trousse à pharmacie, de la nourriture, de l'eau et des vêtements supplémentaires. Souvent, les températures chutent au coucher du soleil.

Logo des parcs de Tasmanie

Certains animaux sont extrêmement venimeux. Le risque de morsure est faible mais des précautions élémentaires s'imposent : portez de bonnes chaussures et soyez vigilant. En cas de morsure de serpent, restez calme en attendant les secours. Essayez d'identifier l'espèce par la taille et la couleur pour pouvoir utiliser le contrepoison adéquat. Les crocodiles sont des animaux fascinants mais dangereux. Dans le nord du continent, respectez les avertissements et renseignez-vous avant de vous baigner dans des zones reculées et non surveillées. Les guêpes de mer sont répandues dans les eaux tropicales d'octobre à mai. Elles sont difficiles à voir et leur piqûre est extrêmement dangereuse. Une fois encore, respectez les panneaux.

Les incendies dans le *bush* sont une réalité. Si vous partez camper, appelez la **Country Fire Authority** pour connaître les consignes. L'interdiction totale de faire du feu n'est pas rare pendant la saison chaude et sèche. Évitez les zones à haut risque et composez le 000 en cas d'urgence incendie.

CARNET D'ADRESSES

URGENCES

Police, Pompiers et Ambulance
📞 *000, 24 h sur 24, appel gratuit*

SERVICES NATIONAUX D'ASSISTANCE TÉLÉPHONIQUE

Australian Dental Association
📞 *(02) 9906 4412*

Country Fire Authority
📞 *13 15 99.*

Lifeline
📞 *13 11 14.*

Poisons Information Centre
📞 *13 11 26.*

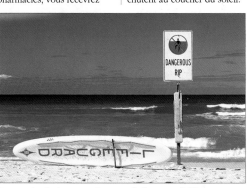

Panneau signalant un courant sous-marin dangereux (*rip*)

Banques et monnaie

D es agences des banques nationales, régionales et parfois étrangères se trouvent dans les quartiers d'affaires au centre des capitales des États. Les centres commerciaux des banlieues et les villes de campagne abritent au moins une agence d'une grande banque australienne. Les banques offrent en général le taux de change le plus avantageux ; on peut aussi changer de l'argent dans les bureaux de change, certains grands magasins et les hôtels. Il n'existe aucune restriction sur l'importation et l'exportation de devises, mais les montants en espèces supérieurs à 5 000 \$A doivent être déclarés à la douane à l'entrée et à la sortie.

Logos de banques

LES BANQUES

L es horaires d'ouverture sont en général de 9 h 30 à 16 h du lundi au jeudi et de 9 h 30 à 17 h le vendredi. Certaines agences ouvrent aussi jusqu'à midi le samedi. Dans les villes, les grandes banques sont ouvertes de 8 h 30 à 17 h en semaine.
Les taux de change sont affichés dans la vitrine ou le hall des banques principales.

LES CHÈQUES DE VOYAGE

L es chèques de voyage en dollars australiens des grands organismes comme Thomas Cook et American Express sont acceptés (sur présentation d'un passeport) dans les principaux magasins, mais pas toujours chez les petits détaillants. Dans les grandes villes, les chèques en devises étrangères s'échangent dans les grandes banques, bureaux de change et hôtels de standing. Les banques prennent une

faible commission. Westpac Bank échange les chèques en dollars australiens sans commission ; ANZ, la National Bank et la Commonwealth Bank prélèvent une somme modique.

LES CARTES BANCAIRES

L es principales cartes bancaires internationales sont largement acceptées en Australie. Celles des grands réseaux comme VISA, MasterCard, Diners Club et American Express permettent de réserver et de régler notes d'hôtels, billets d'avion, locations de voiture, excursions et places de spectacle. Les cartes sont acceptées dans la plupart des restaurants et magasins où les logos correspondants sont affichés sur la

Distributeur de billets

porte et le comptoir et permettent d'effectuer des retraits aux distributeurs automatiques de billets de nombreuses banques.
Les cartes bancaires sont très pratiques pour effectuer des réservations téléphoniques et elles évitent de transporter du liquide. Elles peuvent s'avérer très utiles en cas d'urgence ou de retour précipité.
Si l'on se rend dans des régions reculées, notamment dans l'Outback, il faut toujours avoir un peu d'argent liquide sur soi car les petits magasins et les cafés n'acceptent pas toujours les cartes bancaires.

LES DISTRIBUTEURS AUTOMATIQUES DE BILLETS ET LE PAIEMENT ÉLECTRONIQUE

O n trouve des distributeurs automatiques de billets *(automatic teller machine* ou *ATM)* dans de nombreuses banques, quartiers commerçants et secteurs touristiques. On peut en général accéder à un compte étranger à partir d'un *ATM* grâce à une carte bancaire reliée au réseau.
La carte bancaire permet d'effectuer des paiements électroniques (système *EFTPOS)* : les dépenses sont réglées avec la carte et le montant est automatiquement débité sur le compte bancaire. Dans nombre de magasins, les clients peuvent retirer des espèces, à condition d'effectuer un achat. C'est un service utile si la ville où l'on se trouve n'a pas d'*ATM*.

LES BUREAUX DE CHANGE

L es bureaux de change sont nombreux dans les villes grandes et moyennes, surtout quand elles sont touristiques. Ils ouvrent en général du lundi au samedi de 9 h à 17 h 30. Certaines agences ouvrent aussi le dimanche.
Leurs horaires étant plus étendus que ceux des banques, ils sont pratiques mais leur commission est en général plus élevée.

CARNET D'ADRESSES

CHANGE

American Express
(1 800) 804 874 *(informations générales)* ; (1 800) 251 902 *(chèques de remplacement)* ; (1 800) 021 205/205 *(taux de change)*.

Commonwealth Bank
13 22 21 *(renseignements concernant le change)*.

Thomas Cook
(1 800) 127 495 *(chèques de remplacement)*.

MONNAIE

La monnaie australienne est le dollar australien ($A) divisé en 100 cents (c). Le système décimal est en vigueur depuis 1966.

Il arrive que les prix comportent des cents mais comme les pièces de 1c et 2c ne sont plus en circulation, le montant à payer est arrondi aux 5c supérieurs ou inférieurs.

Il peut être difficile de changer les billets de 50 et 100 $A ; évitez de les utiliser dans les petits magasins et les cafés et surtout pour régler une course de taxi. Si vous n'avez pas de monnaie, précisez-le au chauffeur avant le début de la course pour éviter les malentendus. Sinon, arrivé à destination, vous devrez peut-être chercher de la monnaie au magasin ou au distributeur le plus proche.

Pour renforcer la sécurité et prolonger leur durée de vie, tous les billets de banque australiens sont maintenant plastifiés.

Les billets

Les billets de banque australiens valent 5, 10, 20, 50 et 100 $A. Deux types de billets sont en circulation : les anciens billets qui ont toujours cours et les billets plastifiés de même couleur.

Billet de 100 dollars (100 $A)

Billet de 50 dollars (50 $A)

Billet de 20 dollars (20 $A)

Billet de 10 dollars (10 $A)

Billet de 5 dollars (5 $A)

5 cents (5c)   10 cents (10c)   20 cents (20c)   50 cents (50c)

1 dollar (1 $A)   2 dollars (2 $A)

Les pièces

Les pièces en circulation en Australie valent 5, 10, 20, 50c, 1 et 2 $A. Plusieurs types de pièces de 50c sont en circulation ; elles ont toutes la même taille et la même forme mais sont ornées d'images différentes. Les pièces de 10 et 20c sont utiles pour les appels téléphoniques locaux (p. 540-541).

Le téléphone

Les téléphones publics fonctionnent correctement. Ils sont nombreux dans les rues des grandes villes et des villes de campagne, ainsi que dans les cafés, magasins, bureaux de poste, édifices publics, gares et stations-service. Une télécarte évite d'avoir à chercher de la monnaie. Ne passez pas des appels depuis votre chambre car les hôtels fixent leurs propres tarifs, mais préférez le téléphone public dans le hall de l'hôtel.

Logo de la Telstra Co

LES TÉLÉPHONES PUBLICS

La majorité des publiphones acceptent les pièces et les télécartes mais certains ne fonctionnent qu'avec ces dernières et avec les cartes bancaires. Les télécartes sont en vente chez les marchands de journaux et les nombreux revendeurs affichant le logo Telstra bleu et orange.

Bien que leur forme et leur couleur varient légèrement, tous les publiphones comportent un combiné à main et un clavier de 12 touches, un mode d'emploi (en anglais), une liste des numéros utiles et des annuaires.

LE PRIX DES COMMUNICATIONS

Les appels locaux coûtent 40 cents sans limitation de durée. La zone « locale » étant variable, demandez à **Telstra** les prix exacts. Composez le 1222 (appel gratuit) pour demander le prix des appels longue distance et internationaux. Si l'on utilise une carte, téléphonique ou bancaire, le tarif minimum débité est de 1,20 $A. Les appels longue distance sont meilleur marché si l'on se passe des services de l'opérateur. Les appels aux heures creuses sont plus économiques. Les trois tranches horaires sont les suivantes, par ordre croissant de coût : tarif de nuit du

Publiphones

Utilisateur de téléphone portable

samedi 18 h au lundi 8 h, et tous les jours de 22 h à 8 h ; tarif réduit du lundi au vendredi de 18 h à 22 h ; tarif de jour du lundi au samedi de 8 h à 18 h.

LES TÉLÉPHONES MOBILES

On peut louer un mobile pour une courte durée mais les appels sont coûteux, même les appels locaux sont facturés au tarif STD (longue distance en automatique).

Téléphoner en conduisant est illégal et passible d'une amende élevée. Les endroits reculés ne sont pas reliés au réseau.

LES SERVICES DE TÉLÉCOPIE

De nombreux bureaux de poste proposent des services de télécopie et beaucoup d'ateliers de photocopie enverront ou recevront vos fax. Consultez les Pages Jaunes à la rubrique *Facsimile and Telex Communication Services*.

Les bureaux de poste pratiquent un tarif à la page, dégressif à partir de la deuxième page. Si vous n'êtes pas sûr du numéro de votre destinataire, vous pouvez faxer le document au bureau de poste le plus proche qui le transmettra par courrier à la bonne adresse.

LES ANNUAIRES TÉLÉPHONIQUES

Chaque ville et région d'Australie a deux annuaires téléphoniques : les Pages Blanches et les Pages Jaunes. Les Pages Blanches comprennent la liste des

UTILISER UN PUBLIPHONE À PIÈCES OU À TÉLÉCARTE

1 Décrochez le combiné et attendez la tonalité.

2 Insérez les pièces ou une télécarte Telstra.

3 Composez le numéro et attendez la communication.

5 Raccrochez à la fin de la conversation et retirez votre carte ou récupérez les pièces inutilisées.

4 L'écran affiche le montant de votre crédit. Quand celui-ci est épuisé, vous êtes averti par un bip. Insérez alors des pièces ou une nouvelle carte.

6 À la fin de la communication, la télécarte est rendue avec un petit trou qui indique approximativement le crédit restant.

Les télécartes
Elles sont vendues à différents prix :
5 $A, 10 $A, 20 $A
et 50 $A.

abonnés (particuliers et professionnels) classés alphabétiquement ainsi que les services d'urgence. Les Pages Jaunes rassemblent les professionnels classés par rubriques.

NUMÉROS UTILES

Telstra Mobile Communications
13 11 15 .

LE BON NUMÉRO

• Pour appeler l'Australie de la France, la Belgique ou la Suisse, composez le 0061, puis le code d'accès régional et le numéro.

• Pour appeler l'Australie du Canada, composez le 011 61, puis le code d'accès régional et le numéro.

• Pour un appel automatique longue distance (STD) en Australie, composez le code d'accès régional suivi du numéro.

• Pour un appel automatique à l'étranger (ISD), composez le **0011** suivi du code d'accès du pays (France 33, Belgique 32, Suisse 41, Canada 1) et le numéro complet sans le premier zéro.

• Renseignements et communications automatiques locales et nationales : **12456.**

• Renseignements locaux et nationaux : **1223.**

• PCV ou paiement par une tierce personne : **12550.**

• Appels nationaux et internationaux par un opérateur : **1234.**

• Renseignements sur le prix des appels nationux et internationaux : **1222.**

• Rappel immédiat pour indication du prix des appels internationaux : **0012.**

• Les numéros commençant par **1 800** sont des numéros verts.

• Les numéros commençant par **13** sont facturés au tarif local.

• Les numéros commençant par **014, 015, 018, 019** ou **041** sont ceux de téléphones mobiles ou de voiture.

• Numéros des services d'urgence *(p. 537).*

Les services postaux

Logo de la poste

Les bureaux de poste ouvrent en semaine de 9 h à 17 h et certains le samedi et le dimanche, consultez l'**Australia Post Customer Service.** De nombreux bureaux de poste offrent un large éventail de services comme la poste restante et le courrier électronique. Dans les villes de campagne, c'est souvent l'épicerie générale qui fait office de bureau de poste.

Facteur australien

ENVOYER DU COURRIER

Un courrier pour l'Australie au tarif normal *(first class)* arrive de un à cinq jours après son envoi, en fonction de la distance. Précisez bien le code postal pour éviter les retards de livraison.

Express Post garantit la distribution le lendemain dans certaines régions d'Australie ; il faut acheter les enveloppes spéciales jaunes et blanches vendues dans les bureaux de poste. Le courrier par avion

Étiquettes pour le courrier étranger

Timbres pour le courrier local

Timbres ornés de lieux touristiques

mettra entre cinq et dix jours pour atteindre son destinataire. Il existe deux services express internationaux : EMS International Courier assure une livraison en deux à trois jours dans presque tous les pays ; Express Post International en quatre à cinq jours.

Boîtes aux lettres

BOÎTES AUX LETTRES

Les boîtes aux lettres rouges sont destinées au service normal, les jaunes sont réservées au courrier express. Les deux types de boîtes se trouvent à de nombreux carrefours et devant les bureaux de poste. En l'absence de boîte jaune, allez à la poste et déposez votre courrier express au guichet.

POSTE RESTANTE

Vous pouvez recevoir du courrier en poste restante dans tous les bureaux de poste d'Australie. Les lettres doivent porter l'adresse clairement libellée et la mention « poste restante ». Pour retirer le courrier, il faut présenter une pièce d'identité.

NUMÉRO UTILE

Australia Post Customer Service Centre
13 13 18.

ALLER EN AUSTRALIE ET Y CIRCULER

On peut gagner l'Australie par bateau mais la plupart des visiteurs s'y rendent en avion. À l'intérieur du pays, l'avion reste le mode de transport le plus fréquent pour les longs parcours mais d'autres formules permettent de prendre davantage son temps et d'admirer les paysages. Le réseau ferroviaire national relie toutes les grandes villes et

L'Airport Express va au centre de Sydney

les autocars assurent des services réguliers vers les provinces et les campagnes. Si vous avez du temps, l'automobile est un excellent choix. Le bateau s'adresse à ceux qui veulent visiter les îles australiennes comme la Tasmanie, mais des services réguliers sont assurés à destination d'autres îles comme Rottnest Island au large de la côte d'Australie-Occidentale *(p. 300-301)*.

Un vol international Qantas arrive à Sydney

LES TRANSPORTS AÉRIENS

L'Australie est desservie par 50 compagnies aériennes internationales. La compagnie australienne **Qantas** a un réseau mondial. L'autre transporteur national, **Ansett International,** est surtout orienté vers le Sud-Est asiatique et la Nouvelle-Zélande. **Air New Zealand,** Qantas et **United Airlines** ont des vols réguliers en provenance des États-Unis. Les grands transporteurs asiatiques et européens, **British Airways, Singapore Airlines, Cathay Pacific** et **Japan Airlines** desservent la ligne Europe-Asie-Australie. Les voyageurs canadiens peuvent prendre **Canadian Airlines** qui assure la correspondance avec les vols Qantas à Hawaii.

LES VOLS INTERNATIONAUX

Les vols Europe-Australie durent 22 heures ou parfois plus de 30 heures avec les attentes. Pensez à choisir vos vols en fonction des décalages horaires, il vaut mieux arriver l'après-midi, pour lutter plus facilement contre le décalage horaire.

L'Australie a plusieurs aéroports internationaux, ceux de Sydney et Melbourne accueillent des vols en provenance du monde entier.

Sydney est parfois saturé et Melbourne serait l'un des meilleurs du monde. Qantas assure un vol direct Paris-Sydney et des vols à destination de Melbourne, Perth, Brisbane et Adélaïde *via* Londres ou Francfort ; Swissair assure un vol Zurich-Sydney *via* Singapour. De Bruxelles et Genève, on peut se rendre à Sydney *via* Londres, Francfort ou Rome. Hobart reçoit des vols en provenance de Nouvelle-Zélande l'été. Il existe des vols directs Adélaïde-Singapour et Adélaïde-Europe *via* Sydney ou Melbourne. Sur la côte Ouest, Perth reçoit les vols en provenance d'Afrique et d'Asie et les vols directs en provenance du Royaume-Uni. Darwin, Brisbane et Cairns sont surtout reliées à l'Asie mais il y a quelques correspondances pour l'Europe.

AÉROPORT	RENSEIGNEMENTS
Sydney	(02) 9667 9111
Melbourne	(03) 9297 1814
Brisbane	(07) 3406 3190
Cairns	(07) 4052 9759
Perth	(08) 9478 8510
Adélaïde	(08) 8308 9211
Darwin	(08) 8920 1811
Hobart	(03) 6248 5279

Un 747 de Singapore Airlines décolle à l'aéroport de Perth

LES TARIFS AÉRIENS

Les billets pour l'Australie sont onéreux, surtout en décembre qui est la haute saison. La période janvier-avril est un peu moins chère. En basse saison, les compagnies proposent des tarifs APEX inférieurs de 30 à 40 % aux tarifs économiques *(p. 544)*. Les réservations sont fermes et des pénalités sont prévues en cas d'annulation. Les billets tour du monde sont avantageux.

Pour une réservation de dernière minute, consultez les soldeurs car ils reçoivent régulièrement des invendus des compagnies aériennes (réservations fermes).

À L'AÉROPORT

Avant d'atterrir, vous recevrez un formulaire de douane à remplir. À l'arrivée, vous présenterez ce formulaire et votre passeport à la police des frontières *(p. 532)*. Il faudra jeter les produits alimentaires que vous pourriez avoir avec vous. Vous pourrez ensuite récupérer vos bagages et si vous n'avez rien à déclarer, vous rendre directement dans le hall principal de l'aéroport.

Si les grands aéroports offrent de meilleures prestations, la plupart sont bien équipés en magasins, poste et infirmerie. On peut louer une voiture et changer de l'argent dans tous les aéroports. Taxis et autobus vous conduiront au centre-ville.

Panneau des comptoirs d'enregistrement à Sydney

Les correspondances avec les vols intérieurs sont en général réservées à l'achat du billet international. À Melbourne, les lignes intérieures et internationales sont regroupées dans le même terminal mais les terminaux sont souvent différents et parfois éloignés. Des navettes relient gratuitement les terminaux.

DISTANCE CENTRE-VILLE-AÉROPORT	PRIX DE LA COURSE EN TAXI $A	NAVETTE CENTRE-VILLE-AÉROPORT
9 km	18-20 $A	30 mn
22 km	25 $A	30 mn
15 km	18 $A	30 mn
6 km	10 $A	5 mn
15 km	20 $A	25 mn
6 km	12 $A	15 mn
6 km	12 $A	10 mn
22 km	15 $A	20-30 mn

Les vols intérieurs

L'avion est le moyen de transport le plus fréquent sur les longues distances et il est de loin le plus pratique pour parcourir un pays aussi étendu, surtout quand on dispose d'un temps limité. Les deux principaux transporteurs nationaux, **Qantas** et **Ansett,** assurent les lignes les plus fréquentées entre les États et une foule de petites compagnies desservent l'intérieur des États et les lieux reculés. Les tarifs sont élevés, mais l'éventail des réductions disponibles dans cette industrie déréglementée et la concurrence agressive vous éviteront probablement de payer plein tarif, à condition de planifier vos déplacements à l'avance. Il existe aussi des circuits aériens spéciaux et spectaculaires vers des curiosités éloignées ou difficiles d'accès *(p. 529)*.

Un avion d'Ansett à l'aéroport de Yulara près d'Uluru *(p. 281)*

Minuscule terminal pour les vols intérieurs à Birdsville

LES LIGNES ET LES COMPAGNIES AÉRIENNES

Le réseau aérien est étendu mais relativement rationnel. Organiser son itinéraire vers les points les plus reculés ne devrait pas poser de problème. Des vols directs relient la plupart des grandes villes comme Sydney-Darwin ou Melbourne-Perth. Mais pour les petites villes vous devrez passer par la capitale de l'État pour atteindre votre destination. Les petites compagnies aériennes qui assurent les lignes peu fréquentées étant le plus souvent affiliées soit à Qantas soit à Ansett, on peut réserver par l'intermédiaire de ces gros transporteurs.

LES RÉDUCTIONS POUR LES VOYAGEURS ÉTRANGERS

Les vols intérieurs à prix réduit étant souvent proposés dans le cadre d'un forfait international, consultez votre agent de voyage avant de quitter votre pays. Une fois en Australie, Ansett et Qantas accordent aux voyageurs étrangers des réductions immédiates de l'ordre de 25 à 40 %. Il faut présenter une attestation de résidence à l'étranger au moment de la réservation. Différents types de forfaits *(pass)* permettent d'effectuer un certain nombre de vols aller pour un prix fixé d'avance. On peut se déplacer dans le pays sans avoir à prendre les vols aller-retour qui sont normalement onéreux. Quand on achète ces forfaits à l'étranger, il faut parfois payer la moitié avant le départ et le solde à la réservation des vols. Évitez dans ce cas d'acheter trop de billets pour le cas où vous changeriez d'avis. Les forfaits sont flexibles mais comportent des contraintes.

LES TARIFS APEX

Les tarifs APEX *(Advance Purchase Excursion - voyage payé à l'avance)* s'appliquent souvent aux billets aller-retour et offrent jusqu'à 55 % de réduction par rapport au plein tarif en classe économique. Ces billets ne sont pas remboursables mais on peut modifier les réservations. En règle générale, plus vous réservez tôt, plus le rabais est important. Vous devrez en général séjourner sur place un samedi soir. Guettez les tarifs très bas et exceptionnels annoncés aux périodes peu chargées de l'année, en général sur les lignes fréquentées comme

Un avion sur la piste voisine du port à Hamilton Island *(p. 209)*

Melbourne-Sydney. Ces billets offrent très peu de flexibilité : les vols doivent ainsi être effectués obligatoirement à certaines dates.

Comparez les offres de Qantas et Ansett. Sur les vols intérieurs, le prix des billets enfants est toujours le même.

LA FORMULE AVION PLUS VOITURE

Une excellente façon de visiter l'Australie est d'aller en avion jusqu'à un certain point puis de continuer en voiture. La prise en charge et la remise du véhicule loué peuvent s'effectuer à des endroits différents : on peut par exemple rouler de Sydney à Brisbane, y prendre l'avion pour Alice Springs et là louer une autre voiture. Ansett et Qantas ayant des accords avec Avis et Hertz respectivement, les loueurs proposent des réductions à leurs clients *(p. 548)*.

QANTAS
Logo de Qantas

File d'attente des taxis à l'arrivée des vols intérieurs

LES LIMITATIONS DE BAGAGES

Sur les vols intérieurs, les passagers en classe économique peuvent enregistrer un bagage de 32 kg maximum. Sur les vols Ansett, les enfants âgés de moins de trois ans ont droit à un bagage. Qantas demande 10 $A par bagage mais si le vol n'est pas trop chargé, le transport est gratuit. Les limitations concernant les bagages à main sont strictement respectées. Les objets personnels, cannes, caméras, sacs à main, porte-documents et manteaux sont pesés comme bagages à main autorisés.

L'ENREGISTREMENT

Les compagnies aériennes invitent les passagers à enregistrer au minimum 30 mn avant le décollage. Appelez la compagnie pour vous assurer que le vol n'a pas de retard. Attention ! Descendez au bon terminal car de nombreux terminaux pour les vols intérieurs et internationaux ne se trouvent pas au même endroit.

CARNET D'ADRESSES

VOLS INTÉRIEURS

Ansett Australia
Réservations
☎ 13 13 00.

Qantas Airways
Réservations
☎ 13 13 13.

RÉSEAU AÉRIEN DE L'AUSTRALIE

Les vols intérieurs couvrent de très longues distances, le vol Sydney-Perth fait 3 400 km et dure cinq heures. Le vol Adélaïde-Darwin parcourt 2 600 km et dure trois heures et demie.

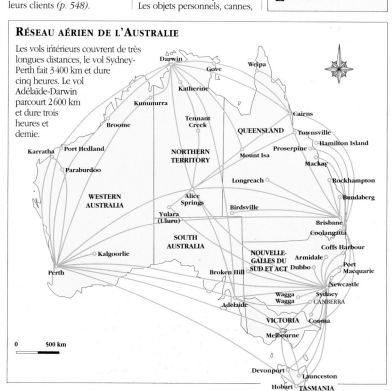

0   500 km

Circuler en train et en autocar

Le continent australien ne dispose pas d'un réseau ferroviaire étendu. Avec sa faible population, le pays n'a jamais pu financer un important réseau de chemin de fer et le nombre des services a même diminué au cours des dernières décennies. Plusieurs possibilités s'offrent cependant aux passionnés du rail. On peut encore faire en Australie quelques magnifiques voyages en train et les villes de la côte Est sont reliées par des services réguliers. Le train est également un moyen de sortir rapidement du centre-ville. L'autocar dessert les grands centres et les avant-postes reculés.

La gare ferroviaire Mass Transit à Perth

LE RÉSEAU FERROVIAIRE AUSTRALIEN

Les chemins de fer australiens sont gérés par les États. **Rail Australia** est un organisme fédéral. Le changement de personnel aux frontières des États révèle aux passagers le cloisonnement du système.

Le train coûte moins cher que l'avion mais le trajet dure longtemps : 13h30 sur Sydney-Brisbane et 10h30 sur Sydney-Melbourne.

L'avenir du rail est incertain dans les États. Très onéreux, il est de plus en plus souvent remplacé par des autocars gérés par l'État sur les lignes peu fréquentées.

Les États sont chargés d'assurer l'accès à la majorité des régions. Aussi, en l'absence de réseau ferroviaire, en Tasmanie par exemple, des services d'autocars efficaces et bon marché assurent-ils la relève. Le Queensland a toutefois augmenté ses services ferroviaires touristiques.

LES VOYAGES EXCEPTIONNELS

En Australie, les voyages en train sont exceptionnels parce qu'ils permettent d'admirer des paysages extraordinaires. Le confort est excellent et le luxe des wagons rappelle la grande époque du voyage en train.

L'itinéraire de l'*Indian Pacific* couvre en trois jours les 4 352 km qui séparent Sydney de Perth. La traversée de la Nullarbor Plain *(p. 310)*, qui représente 478 km, fait partie de la voie ferrée rectiligne la plus longue du monde.

Le légendaire chemin de fer du *Ghan* relie Adélaïde à Alice Springs. Il faut deux jours pour parcourir les 1 559 km qui offrent de sensationnels paysages désertiques.

Trois lignes différentes couvrent les 1 681 km qui séparent Brisbane de Cairns : le *Queenslander,* le *Sunlander* et le *Spirit of the Tropics*. Un autre parcours au Queensland à bord du *Gulflander* traverse sur 152 km des régions extrêmement reculées de l'Australie.

L'*Overland* (Melbourne-Adélaïde) et les rapides *XPT* (Brisbane-Sydney-Melbourne) sont des liaisons plus utilitaires.

LES CLASSES

Trois classes sont disponibles sur la plupart des lignes entre États. Les trains de nuit comme Melbourne-Adélaïde ou Sydney-Melbourne offrent des wagons-lits de 1re classe et des places assises de 1re et 2e classes. L'*Indian Pacific*, le *Ghan* et différents trains du Queensland proposent également des couchettes de 2e classe. Sur les longs parcours, tous les trains ont un service de restauration.

Le service auto-train permet de voyager avec sa voiture mais il est onéreux ; nous vous conseillons de louer un véhicule sur place.

BILLETS ET RÉSERVATIONS

On peut réserver des places de train dans les agences de voyage, les gares ou en téléphonant au numéro vert central de Rail Australia.

Le chemin de fer Indian Pacific relie Sydney à Perth

La gare routière des Greyhound à Sydney

Plusieurs types de forfaits sont proposés aux visiteurs étrangers. L'*Austral Pass* permet de voyager dans toute l'Australie, y compris sur les services métropolitains, pendant un certain nombre de jours consécutifs – 14, 21 ou 30. Avec l'*Austrail Flexipass,* on peut circuler de 8 à 29 jours à n'importe quelle date sur une période de six mois.

Les tarifs ferroviaires normaux sont élevés mais des réductions allant jusqu'à 40 % s'appliquent aux réservations effectuées à l'avance.

EN AUTOCAR

En Australie, l'autocar est bon marché, efficace et sûr. Les deux principales compagnies, **Greyhound Pioneer** et **McCafferty's,** font des forfaits qui abaissent considérablement le prix d'un long voyage. Le *Greyhound Pioneer Unlimited Travel Pass* permet de voyager 7 jours sur une période de 30 jours. Avec le *McCafferty's Coast and Centre Pass* on peut, en partant de Cairns, descendre la côte Est de l'Australie et remonter vers Uluru et Alice Springs, mais au prix de journées entières sur la route et de nuits passées à dormir assis.

D'autres compagnies opérant au niveau local sont recommandées pour se rendre sur des sites particuliers et dans les parcs nationaux. Les organismes d'information touristique de chaque État vous indiqueront les itinéraires desservis par les différents caristes (*p. 535*).

PRINCIPALES LIAISONS EN TRAIN ET EN AUTOCAR

En Australie, on peut combiner les itinéraires ferroviaires et routiers pour arriver à destination.

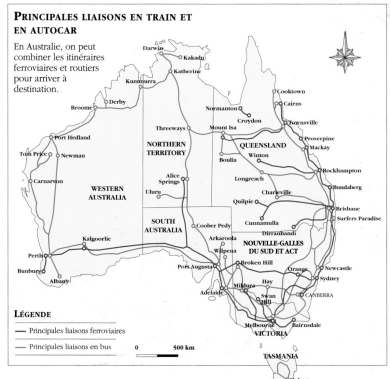

LÉGENDE

— Principales liaisons ferroviaires

— Principales liaisons en bus

0   500 km

Circuler en voiture et en tout-terrain

Panneau de la Great Ocean Rd

La location de voiture est conseillée pour visiter l'Australie. Il existe d'autres moyens de transport dans les villes et entre les villes de campagne, mais dans une zone rurale ou dans une petite localité, il est parfois impossible d'explorer la région autrement qu'à pied ou en voyage organisé. L'automobiliste peut parcourir des régions comme les vignobles d'Australie-Méridionale *(p. 330-331)*, les Southern Highlands de la Nouvelle-Galles du Sud *(p. 178-179)* et la Great Ocean Road dans le Victoria *(p. 434-435)*, et peut tenter l'expérience du voyage dans l'Outback sur des routes quasi désertes.

Traversée des Pinnacles dans le Nambung National Park *(p. 316)*

LES PERMIS DE CONDUIRE

Pour conduire en Australie, il suffit d'avoir un permis de conduire en anglais et la preuve de son statut de touriste. Si votre permis n'est pas en anglais, procurez-vous un permis international dans votre pays. La loi exige que l'on ait son permis sur soi quand on est au volant.

LOCATION DE VOITURES

On peut louer une voiture n'importe où en Australie. On peut la prendre à l'aéroport à l'arrivée ou demander qu'elle soit livrée à l'hôtel. Les grandes sociétés comme **Avis, Budget, Hertz** et **Thrifty** ont un réseau national, ce qui est un avantage si l'on compte effectuer plusieurs trajets dans le pays. Demandez à votre agent de voyage avant le départ si votre billet d'avion vous donne droit à des réductions ou à des offres spéciales avion-voiture.

Les prix vont de 55 \$A environ par jour pour une petite voiture à 100 \$A par jour pour un plus gros véhicule. La location d'un 4 × 4 est toujours plus coûteuse ; les tarifs tournent autour de 120 \$A et sont plus élevés dans les régions reculées où la demande est forte. On peut abaisser les tarifs journaliers en louant pour une plus longue période (trois jours minimum) ou avec un kilométrage limité. Le forfait journalier inclut normalement 100 km par jour auxquels s'ajoutent les kilomètres supplémentaires. Cette formule n'est valable que si l'on reste en ville. Les petites sociétés locales proposent des tarifs très intéressants, parfois 25 \$A par jour seulement, mais lisez soigneusement le texte imprimé en petits caractères. Souvent le prix ne comprend pas les suppléments qui sont inclus d'office chez les grandes sociétés. Si vous voyagez avec des enfants, vérifiez que la voiture est équipée de sièges auto aux normes de sécurité *(p. 534)*.

Les cartes bancaires sont le moyen de paiement le plus courant. Si vous réglez en espèces, vous devrez normalement payer la totalité de la location plus une caution à la prise en charge du véhicule.

LES ASSURANCES

Pour votre tranquillité d'esprit, il est bon d'opter pour l'assurance tous risques quand vous louez une voiture. L'assurance aux tiers, vol et incendie est automatiquement incluse dans le prix de la location, de même que l'assurance dégâts accidentels au véhicule loué. Vous devrez payer un supplément pour réduction de franchise. Une prime de 7 \$A par jour minimum permet de ramener la franchise de 700 \$A environ à 100 \$A, ce qui est plus rassurant. Cette option n'est en général proposée que par les grandes sociétés. L'assurance dommages corporels peut être superflue si vous êtes déjà

Société de location de voitures et camionnettes à Sydney

couvert par votre assurance personnelle. Les véhicules 4 × 4 sont soumis à une franchise d'environ 4 000 $A qui, pour une prime de 20 $A par jour, peut descendre à 1 000 $A qui est le montant minimum. Vous ne serez plus assuré si vous sortez des routes, quel que soit le type de véhicule. Des majorations s'appliquent aux conducteurs de moins de 25 ans. Il faut avoir 21 ans minimum pour louer un véhicule.

Station-service à Sydney

LES CARBURANTS

L'essence est bon marché dans les agglomérations – moitié moins chère qu'en Europe – mais très chère dans les régions reculées. Elle se vend au litre. On trouve l'essence plombée, la sans plomb ordinaire, la sans plomb super et le gasoil. De nombreuses stations-service sont en self-service. La plupart sont reliées à un réseau de paiement électronique (p. 538) et acceptent les principales cartes bancaires.

LE CODE DE LA ROUTE

Les Australiens roulent à gauche et, sauf indication contraire, la priorité est toujours à droite. Efforcez-vous de vous garer sur le côté de la route quand vous entendez une sirène. La vitesse est limitée à 60 km/h en agglomération et à 100-110 km/h sur les principales routes nationales. Le port de la ceinture de sécurité est obligatoire pour le conducteur et les passagers. La conduite en état d'ivresse

est sévèrement punie en Australie. Le taux légal d'alcoolémie est inférieur ou égal à 0, 05 %. Si vous avez ce taux lors d'un accident, votre assurance peut être invalidée. En zone rurale, la police est aussi vigilante qu'en ville.

Tout accident entraînant des dommages corporels doit être signalé à la police dans les 24 heures. En Australie-Occidentale, tous les accidents doivent être déclarés et il est conseillé de faire de même dans les autres États si les dégâts matériels sont importants. Demandez toujours à l'autre automobiliste les coordonnées de son assurance. N'admettez jamais votre responsabilité – mieux vaut raconter à la police sa version des faits et la laisser décider.

Deux arrêtés s'appliquent à la ville de Melbourne pour dégager les voies de tramways : en premier lieu, les automobilistes doivent stopper derrière un tramway à l'arrêt pour laisser descendre les passagers ; ensuite, à certains carrefours, les automobilistes qui veulent tourner à droite doivent serrer à gauche puis effectuer un virage à grand rayon (p. 402-403). Ces intersections sont clairement signalées.

L'ÉTAT DES ROUTES

Vu les distances à couvrir, le réseau routier australien est remarquable. La plupart des itinéraires principaux comportent des tronçons de nationales à plusieurs voies. Les autres itinéraires sont assurés en majorité par des nationales à deux voies, bien asphaltées et bien signalisées. Il subsiste des chemins non macadamisés en zone rurale mais ils sont rarement incontournables, sauf dans les régions particulièrement reculées. Les routes à péage sont limitées au voisinage immédiat des grandes villes comme le Western Motorway qui couvre une partie de

l'itinéraire Sydney-Blue Mountains. Melbourne a un réseau complexe de routes à péage, actuellement en cours de construction.

Les stations-service sont nombreuses sur les itinéraires fréquentés mais parfois très espacées dans l'Outback. Les animaux qui traversent les nationales à la campagne constituent un grave danger, propre à l'Australie. Le risque augmente considérablement la nuit venue quand les mammifères nocturnes comme les kangourous et les wallabies sortent pour se nourrir. Les automobilistes ont souvent du mal à les voir.

« Attention aux kangourous »

ASSISTANCE DÉPANNAGE

Les sociétés de location de voitures assistent leurs véhicules en cas de panne et peuvent fournir une voiture de remplacement. Les automobile-clubs des États dépannent leurs membres dans tout le pays. Leurs principaux bureaux vendent des cartes et des guides et sont une excellente source de renseignements sur le code de la route, l'état des routes et la conduite dans l'Outback. Les membres des automobile-clubs de Grande-Bretagne, du Canada et des États-Unis peuvent profiter des services offerts par leurs homologues australiens.

Véhicule de la Royal Automobile Association à Adélaïde

Arrivée par le sud sur le Harbour Bridge à Sydney

CONDUIRE EN VILLE

Si vous envisagez de conduire dans une ville, un bon plan est indispensable. Essayez d'éviter les heures de pointe (7 h 30-9 h 30 et 16 h 30-19 h 30). Des informations sur la circulation sont diffusées par les stations de radio.

Plus la ville est grande, plus il est difficile de stationner au centre-ville. Des panneaux indiquent clairement les zones de parcmètres où le stationnement est payant et limité à une heure ou deux aux heures de bureau. Pensez à avoir des pièces pour les parcmètres. Dans de nombreuses zones, le stationnement est interdit à certains moments de la journée et les véhicules sont enlevés par la fourrière en cas d'infraction. Il faut alors appeler la police pour savoir où le véhicule a été emporté. On trouve des parkings au centre-ville et aux alentours. Vérifiez les tarifs avant de vous garer.

CONDUIRE DANS L'OUTBACK

Dans certaines zones, les routes sont suffisamment bonnes pour accueillir les véhicules classiques mais un 4 × 4 est indispensable pour aller dans des coins sauvages et reculés. Renseignez-vous auprès des automobile-clubs et des centres d'information touristique.

Il faut respecter un certain nombre de règles élémentaires de sécurité. Établissez votre itinéraire et emportez des cartes mises à jour. Si vous voyagez dans des secteurs reculés, communiquez à la police locale vos heures estimées de départ et d'arrivée. Vérifiez l'état de la route avant le départ et prévoyez beaucoup d'eau et de nourriture. Assurez-vous que vous savez où trouver du carburant. En cas de panne mécanique ou de panne d'essence, restez près de votre véhicule car il vous protège des éléments. Si vous n'arrivez pas à l'heure prévue, une équipe de secours sera envoyée à votre recherche.

L'**Australian Council of the Royal Flying Doctor Service** (**RFDS** ou service des docteurs volants) donne des conseils de sécurité pour les voyages dans l'Outback. Certaines bases du RFDS louent des radios munies d'un bouton spécial pour les appels d'urgence.

N'endommagez pas la flore et la faune indigènes. Restez sur les voies pour véhicules, emportez un réchaud et du carburant pour ne pas allumer de feu et ramassez tous vos détritus. Informez-vous sur les frontières des terres aborigènes et des parcs nationaux et laissez les barrières comme vous les trouvez, ouvertes ou fermées.

En 4 × 4 sur la Gibb River Road dans le Kimberley

Circuler en *ferry-boat* et en paquebot de croisière

Pour une île-continent, l'Australie offre étonnamment peu de croisières touristiques. L'itinéraire principal relie Melbourne à la Tasmanie. Sinon, les *ferry-boats* circulent entre le continent et des îles comme Rottnest Island en Australie-Occidentale *(p. 300-301)* et Fraser Island au large de la côte du Queensland *(p. 234)*. En revanche, beaucoup de croisières sont organisées sur les voies navigables locales. Les gros paquebots sont concentrés sur la zone Pacifique.

Le navire de croisière *Queen Elizabeth II* amarré à Sydney

EN BATEAU

L'idéal pour une arrivée en Australie est d'entrer dans le port de Sydney à bord d'un paquebot. Mais les croisières sont onéreuses et les services vers l'Australie très limités. Au départ des États-Unis ou de l'Europe, il faudra peut-être attendre le prochain tour du monde sur les navires de **P&O** ou de **Cunard Line.** On peut aussi aller en avion jusqu'à une ville d'Asie comme Hong-Kong et y embarquer sur un navire de **Princess Cruises.** Sydney est le port d'escale principal de la plupart des paquebots de croisière.

LES *FERRY-BOATS* POUR LA TASMANIE

Le *Spirit of Tasmania* prend un peu plus de 14 heures pour traverser le détroit de Bass entre Melbourne et l'île-État de Tasmanie. Il part à 18h, du lundi au samedi, en alternance de Port Melbourne et de Devonport. Le navire dispose de toutes les

catégories d'hébergement, de la simple couchette aux appartements de première classe. Il y a plusieurs restaurants et boutiques, une piscine et des distractions pour les enfants. Les tarifs sont raisonnables pour la qualité offerte – une cabine double coûte 440 \$A aller-retour pour un couple en basse saison.

LIAISONS MARITIMES ENTRE LES ÎLES

Un *ferry-boat* de la Sealink relie Cape Jervis, au sud d'Adélaïde, à Kangaroo Island *(p. 354)*. En Australie-Occidentale, des *ferry-boats* circulent régulièrement entre Rottnest Island et Perth. De nombreux services relient le continent et les îles de la Grande Barrière de corail *(p. 208)*. Une ligne relie Seisia, Cape York et Thursday Island *(p. 244)*. Contactez le **Queensland Government Travel Centre.**

RIVIÈRES ET PORTS

Certaines rivières, comme la Hawkesbury River en Nouvelle-Galles du Sud et la Murray River qui traverse la Nouvelle-Galles du Sud, le Victoria et l'Australie-Méridionale peuvent se parcourir en péniche. Il existe des promenades dans les ports de Darwin et de Sydney, des croisières sur la Swan River à Perth et la Yarra River à Melbourne. Renseignez-vous auprès des autorités touristiques des États *(p. 535)*.

Le *ferry-boat* pour Rottnest Island

Index

Les numéros de page en **gras** renvoient aux principales entrées.

A

Aborigènes 14-15
  Aboriginal Dreamtime Cultural
    Centre (Rockhampton) 236
  Art Gallery of New South Wales
    (Sydney) 108
  art 28-29
  Australian Museum (Sydney) 90
  boutiques 131
  Brisbane Waters National Park 161
  Burrup Peninsula 320
  Carnarvon National Park 237
  colonisation de l'Australie 46
  culture 26-27
  Darwin et le Top End 259
  découverte du patrimoine des
    Aborigènes 527
  droits fonciers 27
  droits territoriaux **54,** 55
  histoire 43-44
  Kakadu National Park 268
  Kimberley 289
  Ku-ring-gai Chase National Park
    122
  Laura 244
  magasins 524-525
  Moochalabra Dam 323
  Mulka's Cave 310
  Mungo World Heritage Area 173
  Museum and Art Gallery of the
    Northern Territory (Darwin) 265
  Museum of Sydney (Sydney) 88
  Namadgi National Park 199
  National Gallery of Australia
    (Canberra) 194, 195
  poètes 31
  Red Centre 271
  Tasmanie 445, 453
  Temps du Rêve 14-15
  terres aborigènes 254-255
  Territoire du Nord multiculturel 257
  Tiwi 252
  Ubirr Rock 255
  Uluru-Kata Tjuta National Park 272,
    278, **280-281**
  Woollool Woolloolni Aboriginal
    Place 168
  Woolnorth 455
Aboriginal and Tribal Art Centre
  (Sydney) 131
Aboriginal Dance Festival (Cape
  York) 39
Aboriginal Islander Dance Theatre
  (Sydney) 135
Abrolhos Islands 316, **317**
Accès en fauteuil roulant *voir*
  voyageurs handicapés
Accidents 549
Achats 524-525
  droits et remboursements 524
  grands magasins 525
  heures d'ouverture 524
  hors de la ville 525
  marchés 525
  modes de paiement 524
  quartiers commerçants 525
  souvenirs 524-525
Acland Street (Melbourne) **395**
ACT *voir* Canberra et le Territoire de
  la Capitale australienne (ACT)
Adélaïde et le Southeast 333-349
  Adélaïde 336-339
  aéroport 542-543
  Ayers House 340-341
  carte 334-335

  climat 40
  côte du Southeast 342-343
  excursion dans la Barossa Valley
    348-349
  fuseau horaire 534
  histoire 333
  hôtels 481-483
  plan 339
  plan pas à pas 336-337
  restaurants 514-515
Adelaide Festival 37
Adelaide Hills 330
Adelaide House (Alice Springs) 274
Adelaide Town Hall 338
Adventure Associates 529
Aéroports 542-543
Agnes Waters 235
Air New Zealand 543
Aireys Inlet 419
Airport Transfers 403
Albany 304, **308**
  hôtels 479
  restaurants 511
Albert, prince consort
  statue de 111
Albert Park (Melbourne) **395**
  hôtels 484
  restaurants 517
Alcool
  code de la route 549
  restaurants 493
  voir aussi vins
Alexander, John 424
Alexandra Bay
  hôtels 475
Alexandra Gardens (Melbourne) 367
Alice Springs 253, 271, 273, **274-275**
  hôtels 478
  manifestations 36, 39
  plan 275
  restaurants 510-511
Alice Springs Show 39
Alligator Creek 238
Almond Blossom Festival (Mount
  Lofty) 39
Almonta Beach 358, 359
Alpine Way 152
Ambulances 536, 537
America's Cup 55, **302**
AMP Tower (Sydney) 87
Ananas
  Sunshine Plantation 230
Anangu (aborigènes) 278, 279, 280,
  281
Andrew (Boy) Charlton Pool (Sydney)
  67
Angas, famille 349
Anglesea Barracks et Military Museum
  (Hobart) **449**
Animaux *voir* flore et faune ; zoos
Ansett Australia 545
Ansett International 543
« Antipodiens » 30
Anzac Day 38, 39, **52-53**
  Martin Place (Sydney) 86
Anzac Memorial (Sydney) 62, 89
Anzac Parade (Canberra) 187
Anzac Square (Brisbane) 212, **218**
ANZUS (traité) 54
Apollo Bay 419
  hôtels 486-487
  restaurants 519
Appareils électriques 535
Aquariums
  Aquascene (Darwin) 264
  Great Barrier Reef Wonderland 239

  National Aquarium (Canberra) 197
  Oceanworld (Manly) 122
  Sydney Aquarium 93, **94**
  Underwater World (Perth) 298
Arakoon 170
Aranda (Aborigènes) 277
Arbre de la connaissance (Barcaldine)
  241
Archer, John Lee 448
Archibald, J. F. 89
Architecture
  les plus beaux bâtiments de
    Melbourne 368-369
  les plus beaux édifices de Sydney
    62-63
Arid Lands Botanic Garden (Port
  Augusta) 357
Arkaroola 361
  hôtels 483
  restaurants 515
Armidale 167
  hôtels 468
  restaurants 501
Armytage
  Caroline 397
  Charles Henry 397
  famille 397
Arnhem Land 259
  art rupestre 29
Arrière-pays de la Gold Coast
  hôtels 474
Art Gallery of New South Wales
  (Sydney) 59, 61, **106-109**
  art asiatique 109
  art australien 108
  art contemporain 109
  art européen 108
  gravures et dessins 109
  mode d'emploi 107
  photographie 108
Art Gallery of South Australia
  (Adélaïde) 337
Art rupestre *voir* Aborigènes
Art 17
  art aborigène 28-29
  voir aussi musées et galeries
Arthur's Seat 432
Ashes 426
Assistance téléphonique 537
Assurance, Voitures 548-549
Athenaeum Theatre (Melbourne) 401
Atherton 247
Atherton Tableland **247**
Atherton,
  John 247
  Kate 247
Auberges 463
Auberges de jeunesse **464,** 465
Auburn
  hôtels 483
  restaurants 515
Augusta 304
Augustin, saint 44
Aussie Boys (Sydney) 131
Australia Act (1986) 55
Australia Day 39
Australia Day Concert (Sydney) 37
Australia on Collins (Melbourne) 399
Australia Post Customer Service
  Centre 541
Australian Aviation Heritage Centre
  (Darwin) 264
Australian Ballet 17
Australian Capital Territory (ACT) *voir*
  Canberra et le Territoire de la
  Capitale australienne (ACT)

Australian Celtic Festival (Glen Innes) 38
Australian Contemporary Art Fair (Sydney) 36
Australian Council of the Royal Flying Doctor Service 550
Australian Craftworks (Sydney) 131
Australian Dental Association 537
Australian Football League Grand Final 36
Australian Gallery of Sport and Olympic Museum (Melbourne) 388
Australian Golf Union 529
Australian Institute of Sport (Canberra) 197
Australian Museum (Sydney) 61, **90-91**
Australian National Botanic Gardens (Canberra) 196
Australian Open (tennis) 37
Australian Parachute Federation 529
Australian Rugby League Grand Final 36
Australian Rules
   Sydney 138
Australian Sailing Academy (Sydney) 136
Australian Tourist Commission 465, 535
Australian Toy Museum (Melbourne) 388
Australian War Memorial (Canberra) 187, **192-193**
Australian Wildlife Sanctuary (Canberra) 197
Australian Woolshed (Brisbane) 211, **223**
Australian Yachting Federation 529
Australian-American Memorial (Canberra) 187
Australiana shops 131
Australie-Méridionale 325-361
   Adélaïde et le Southeast 333-349
   automobile-clubs 550
   bureau de tourisme de l'État 535
   carte 326-327
   histoire 49
   oiseaux d'Australie-Méridionale 328-329
   péninsules d'Yorke et d'Eyre et Far North 351-361
   vins d'Australie-Méridionale 330-331
Australie-Occidentale 283-323
   automobile-clubs 550
   bureau de tourisme de l'État 535
   carte 284-285
   côte sud 304-305
   fleurs sauvages d'Australie-Occidentale 286-287
   histoire 48
   Kimberley 288-289
   nord de Perth et Kimberley 313-323
   Perth et le Southwest 291-311
Auteurs dramatiques 31
Auto-stop 536
Autocar 547
Automobile-clubs 549, 550
Avalon 137
Avis 550
Avon River 309
Ayers House (Adélaïde) 340-341
Ayers Rock *voir* Uluru-Kata Tjuta National Park
Ayers, sir Henry 340, **341**
Ayr 238

B

Babinda et les Boulders 247
Backhouse, Benjamin 216
Bacs
   Sydney 127
Baignade
   sécurité 537
Bairnsdale 435
   hôtels 488
Bald Rock 168
Baldessin, George 194
Baleines
   Ceduna 359
   Hervey Bay 233
   Jaycee's Whaleworld (Albany) 308
Ballandean Estate 33
Ballarat Fine Art Gallery 424
Ballarat 364, **424-425**
   hôtels 487
   manifestations 38
   plan 425
   restaurants 519-520
Ballet
   Sydney **134,** 135
Ballina
   restaurants 501
Balmain Market (Sydney) 129
Balmoral 137
Balmoral House 33
Balmoral Sailboard School (Sydney) 136
Bandemonium (Sydney) 39
Banks, sir Joseph
   Botany Bay 46, 47
   National Herbarium of New South Wales (Sydney) 102
   statue de 88
Banques 538
Barcaldine 241
Barmah Forest 421
Barmera
   restaurants 515
Barnet, James
   Australian Museum (Sydney) 90
   Customs House (Sydney) 79
   General Post Office (Sydney) 86
   Justice and Police Museum (Sydney) 79
   Lands Department Building (Sydney) 88
Barney, lieutenant-colonel George 121
Barossa Valley 15, 333
   excursion 348-349
   vignoble 327
Barracks Archway (Perth) 296
Barrington Tops World Heritage Area 167
Barrington Tops
   hôtels 468
Basket-ball
   Sydney 138
Bass, détroit de 455
Bass, George 48
   statue de 88
Bass, Tom 193
Bateaux
   America's Cup 55, **302**
   bateaux à aubes de la Murray River 420
   bateaux-promenades du Sydney Harbour 68
   bateaux-taxis 127
   ferry-boats et paquebots de croisière 551
   Grande Barrière de corail 208

liaisons fluviales (Melbourne) 403
Maritime Museum (Hobart) 449
National Maritime Museum (Sydney) 62, **96-97**
   péniches 465, 551
Polly Woodside Maritime Museum (Melbourne) 393, **394**
Queensland Maritime Museum (Brisbane) 219
régate Sydney-Hobart 37
voile 136, 529
Western Australian Maritime Museum (Fremantle) 302
Whyalla Maritime Museum (Whyalla) 357
Bateaux à aubes 420
   bacs et bateaux-promenades 127
Bateaux-taxis
   Sydney 127
Bateman, Edward La Trobe 366
Batemans Bay 181
   hôtels 470
   restaurants 502
Bathers (Bunny) 220
Bathurst Island 252, 259, **266**
Batman, John 48, 373
Battery Point (Hobart) 445, **449**
Baxters Cliff 311
Bayliss, Charles 108
Beach Watch Info Line (Sydney) 136
Beachport 343
Beare Park (Sydney) 116
Beatus 44
Bedarra Island 209
Beechworth 430, **438**
   hôtels 488
   restaurants 521
Beedelup National Park 307
Begonia Festival (Ballarat) 38
Belair National Park 344
Bellarine Peninsula 416
Bellenden Ker National Park 247
Bells Beach 419
   manifestations 38
Ben Boyd National Park 176, 181
Ben Lomond National Park 452
Benalla Art Gallery 439
Benalla 439
   manifestations 37
Bendigo Art Gallery 422
Bendigo 422
   hôtels 487
   restaurants 520
   ruée vers l'or 51
Bénédictins 313
Bennelong 47
Bent, sir Thomas 394, 396
Bentley Bar (Sydney) 135
Bentley, Peter 424
Beresford Hotel (Sydney) 135
Berri 347
Berrima
   restaurants 502
Berry Springs 264
Berry
   hôtels 470
Best Western 465
Bibb, John 75
Bibliothèques
   Mitchell Library (Sydney) **105,** 110
   National Library of Australia (Canberra) 187, **189**
   State Library (Brisbane) 221
   State Library (Melbourne) 377
   State Library of New South Wales (Sydney) **105,** 110

Bicentennial Park (Darwin) 262
Bicentennial Park (Sydney) 64
Bicheno 451
  hôtels 490
Bicyclette
  à Melbourne 402
  à Sydney 124, 138
  séjours à thèmes 526
Bière 497
Big Desert Wilderness Park 420
Bijouteries 130-131
Bilgola 137
Billets de banque 539
Birdland (Sydney) 131
Birdsville Races 25
Birdwood 345
Black Mountain National Park 244
Blackall Mountain Range 232
Blackdown Tableland National Park
  236
Blacket, Edmund
  Garrison Church (Sydney) 78
  Justice and Police Museum
    (Sydney) 79
  St Andrew's Cathedral (Sydney) 89
  St Philip's Church (Sydney) 78
Blackheath 165
  restaurants 501
Blackman, Charles 30
Blackwood River 307
Blake, William 109
Blaxland, Gregory 48, 164
  statue de 88
Blechynden, John 307
Bligh, Ivo 426
Bligh, William 49
Blinman
  hôtels 483
  restaurants 516
Block Arcade (Melbourne) 381
Blowholes 317
Blue Lake 152, 327
Blue Mountains 43
Blue Mountains (des) à Byron Bay
  157-173
  carte 158-159
  climat 41
  hôtels 469-469
  manifestations 36, 39
  restaurants 501-502
Blue Mountains National Park 162-165
Blue Pyrenees Estate 370
Bluff Knoll 308
Blundell, George 188
Blundells Cottage (Canberra) 186,
  188
Bogong High Plains 437
Boissons alcoolisées
  Que boire en Australie 497
Boissons *voir* nourriture et boissons
Boîtes de nuit
  Sydney **134,** 135
Boldrewood, Rolf 30, 172
Bond, Albert 89
Bondi Beach Market (Sydney) 129
Bondi Beach **122-123,** 137
  hôtels 466
  manifestations 37
  restaurants 498
Bondi Surf Company (Sydney) 136
Bondietto, Basilio 386
Bonner, Neville 54
Boodjidup Beach 304
Bool Lagoon 334, 347
Boomerangs 26
Boonoo Boonoo Falls 168

Boreen Point
  restaurants 507
Boston Bay 358
Botanic Gardens (Adélaïde)
  plan pas à pas 337
Botanic Gardens (Brisbane) 216-217
Botanic Gardens et The Domain
  (Sydney) 101-111
  The Domain 65, **105**
  hôtels 466
  restaurants 498
Botanical Gardens (Ballarat) 425
Botany Bay 46
Bothwell 450-451
Boulder *voir* Kalgoorlie-Boulder
Bourke 150,**173**
  hôtels 469
Bowali Visitors' Centre 269
Bowling Green Bay National Park 238
  manifestations 37
Bowrrady, Lake 234
Boxing Day 39
Boyd, Arthur 30, 108, 161
  National Gallery of Australia
    (Canberra) 194
  tapisserie du Parliament House
    (Canberra) 190
Boyd, David 30
Brack, John 30
Bradbridge, frères 89
Bradfield, Dr John 77
Bradleys Head (Sydney) 65
Bradman, sir Donald 388
Bradman Museum (Bowral) **178,** 179
Braidwood
  restaurants 502
Brampton Island 209
Brass Monkey Festival (Stanthorpe) 39
Breakfast Creek
  restaurants 505
Bridal Falls 165
Bridgetown 307
Bridgewater Mill (cave) 330
Bridgewater
  restaurants 515
Bright Autumn Festival 38
Bright 437
  restaurants 521
Brindabella
  hôtels 471
Brisbane Botanic Gardens 212, **222-
223**
Brisbane Forest Park 223
Brisbane Ranges National Park 417
Brisbane River 211, 218, 219, 223
Brisbane Waters National Park 161
Brisbane 203, **210-225**
  aéroport 542-543
  circuler 225
  climat 41
  faire des achats **224,** 225
  fuseau horaire 534
  hôtels 472-474
  plan 212-213
  plan pas à pas 214-215
  Queensland Cultural Centre 220-
    221
  renseignements pratiques 224-225
  restaurants 505-506
  se distraire 224-225
Brisbane, sir Thomas 211
British Airways 543
Broken Bay 122
Broken Hill 150, **173**
  hôtels 469

  restaurants 501
Bronte 137
Broome 322
  hôtels 480
  manifestations 39
  restaurants 513
Brown Brothers 33, 371
Brown, Ford Madox 108
Brown, John Graham 33
Brunswick City Centre 399
Brunswick Heads
  restaurants 501
Brunswick Street (Melbourne) 388
Bruny d'Entrecasteaux, chevalier
  Antoine de 457
Bruny Island 457
  hôtels 490
Budawang-Morton National Park 180
Budget Motels 465
Buffalo River 437
Builders Labourers' Federation 74
Building 8 du RMIT (Melbourne) 377
Bulcock Beach (Caloundra) 230
Bunbury Dolphin Centre 306
Bunbury 306
  hôtels 479
  restaurants 511
Bundaberg 227, 233
Bundaberg and District Historical
  Museum (Bundaberg) 233
Bungaree Station 356
Bungendore
  hôtels 471
Bungle Bungles **288-289,** 313, 322,
  323
Bunker Bay 304
Bunning, Walter 189
Burdekin River Delta 227, 238
Bureaux d'informations touristiques
  535
  Brisbane 225
  Melbourne 403
Bureaux de change 538
Bureaux de tourisme des États 535
Burge, Grant
  excursion dans la Barossa Valley 348
Burge, Helen 348
Burke, Robert O'Hara 25, 49
Burketown 249
  hôtels 475
Burleigh Heads National Park 230
Burley Griffin, Lake 187, 188
Burley Griffin, Walter 52, **189**
  Canberra 151, 183, **189,** 190, 193
Burley Griffin, Walter
  General Post Office (Melbourne)
    380
  Parliamentary Triangle (Canberra)
    186
Burnie 454
  hôtels 490
Burra Mine 356
Burra
  hôtels 483
Burrup Peninsula 320
Bus
  Melbourne 402-403
  Sydney 125
Busby, James 32
Bussell, Alfred 307
Busselton 306
  hôtels 479
  restaurants 511
Butler, capitaine Harry 354
Butterfield, William 376, 381
Byron Bay 159, 170

hôtels 469
restaurants 501

C

Cabaret (Sydney) **134, 135**
Cable Beach 288, 322
Cadman's Cottage (Sydney) 62, **74**
  plan pas à pas 73
Cadman, Elizabeth 73, **74**
Cadman, John 73, **74**
Cairns 202, 242, **246**
  aéroport 542-543
  hôtels 475-476
  plan 246
  restaurants 507-508
Cairns Show 39
Caloundra 230
Camel Cup (Alice Springs) 39
Camp Cove 137
Campbell's Storehouses (Sydney) 75
Campbell, famille 188
Campbell, Robert 75
Camping 465
  Outback 24
Canaques 227
Canberra et le Territoire de la Capitale australienne (ACT) 16, 151, **183-199**
  à la découverte de l'ACT 198-199
  Australian War Memorial 192-193
  bureau de tourisme de l'État 535
  climat 41
  fuseau horaire 534
  hôtels 471-472
  manifestations 36
  Namadgi National Park 199
  National Gallery of Australia 194-195
  Parliament House 190-191
  Parliamentary Triangle 186-189
  plan 184-185
  restaurants 503-505
Canberra Space Centre 198
Canoë 528
Cape Barren Island 453
Cape Byron 157
Cape Inscription 318
Cape Jervis 342
Cape Leeuwin 304
Cape Range National Park 320
Cape Tribulation 245
  hôtels 476
Cape Vlamingh Lookout 300
Cape Woolamai 432
Cape York
  manifestations 39
Capitol Theatre (Sydney) 135
Caravaning 465
Carburant 549
Carey, Peter 79
Carlton
  hôtels 485
  restaurants 517
Carlton Gardens (Melbourne) 366
Carnarvon 317
  hôtels 480
  restaurants 513
Carnarvon Gorge
  hôtels 474
Carnarvon National Park 227, **237**
Carnival of Flowers (Toowoomba) 37
Carols by Candlelight (Melbourne) 37
Cartes bancaires 538
  dans les magasins 128, 524
  dans les restaurants 492
Cartes et plans
  à l'ouest du Divide 172
  champs aurifères et Nullarbor Plain 10

côte de la Great Ocean Road 418-419
côte du Southeast 342-343
côte nord de la Nouvelle-Galles du Sud 170-171
Darwin 263
Darwin et le Top End 260-261
des Blue Mountains à Byron Bay 158-159
excursion dans la Barossa Valley 348-349
excursion dans la Hunter Valley 166-167
excursion dans les Macedon Ranges 426-427
Fraser Island 234
Fremantle 303
Grande Barrière de corail 208
Hobart 449
Kakadu National Park 268-269
Kimberley 288-289
Kimberley et les déserts 322
King Island 446
les meilleurs musées et galeries de Sydney 60-61
les plus beaux édifices de Sydney 62-63
les plus beaux parcs et réserves de Sydney 64-65
liaisons en train et en autocar 547
Melbourne 374-375
Melbourne : atlas des rues 404-411
Melbourne : lignes de tramways 402-403
Melbourne : quartier de Swanston Street 376-377
Melbourne : quartier du Parlement 384-385
Namadgi National Park 199
Nouvelle-Galles du Sud et ACT 150-151
Outback du Queensland 248
Paddington (Sydney) 118-119
péninsules d'Yorke et d'Eyre 352-353
Perth 294-295, 297
Perth : Grand Perth 298
Perth : nord de Perth 314-315
Perth et le Southwest 292-293
plages de Sydney 137
Port Arthur 458-459
Queensland 202-203
Queensland : nord du Queensland 242-243
Queensland: côte du sud du Queensland 230-231
Red Centre 272-273
réseau aérien national 545
Rottnest Island 300-301
sites du Patrimoine mondial 22-23
Snowy Mountains 152-153
South Coast et Snowy Mountains 176-717, 180-181
Sydney : atlas des rues 140-147
Sydney : Botanic Gardens et the Domain 101
Sydney : centre-ville 58-59
Sydney : centre-ville et Darling Harbour 84-85, 83
Sydney : Darling Harbour 92-93
Sydney : de Garden Island à la Farm Cove 66-67
Sydney : Grand Sydney 122
Sydney : Kings Cross, Darlinghurst et Paddington 113
Sydney : Potts Point 114-115

Sydney : Sydney 2000 139
Sydney : Sydney Harbour 66-69
Sydney : The Rocks et Circular Quay 71, 72-73
Tasmanie 446-447
terres aborigènes 254
Territoire du Nord 252-253
Uluru-Kata Tjuta National Park 278-279
Victoria 364-365
Victoria : côte du Victoria oriental 434-435
Victoria : Victoria occidentale 414-415
Victoria : Victoria oriental 430-431
vins australiens 32-33
vins d'Australie-Méridionale 330-331
vins de la Nouvelle-Galles du Sud et de l'ACT 154-155
vins du Victoria 370-371
Cascades
  Atherton Tableland 247
  Boonoo Boonoo Falls 168
  Bridal Falls 165
  Edith Falls 267
  Jim Jim Falls 260
  MacKenzie Falls 417
  Nelson Falls 446
  Queen Mary Falls National Park 232
  Russell Falls 442, 457
  Stevenson Falls 436
  Trentham Falls 426
  Twin Falls 269
  Upper Alijon Falls 237
  Wentworth Falls 163
  Wollomombi Gorge 167
Castlemaine 422-423
  restaurants 520
Castray Esplanade (Hobart) 449
Catani, Lake 437
Cathay Pacific 543
Cathedral of Ferns 162
Cathedral Ranges 436
Cathédrales
  St Andrew's Cathedral (Sydney) 89
  St Francis Xavier Cathedral (Geraldton) 314
  St Francis Xavier Catholic Cathedral (Adélaïde) 338
  St George's Anglican Cathedral (Perth) 294, 296-197
  St James' Old Cathedral (Melbourne) **379**
  St John's Anglican Cathedral (Brisbane) **218**
  St Mary's Cathedral (Sydney) **88**
  St Mary's Roman Catholic Cathedral (Perth) 295
  St Patrick's Cathedral (Melbourne) 385
  St Paul's Cathedral (Melbourne) 376, **381**, 405
  St Peter's Anglican Cathedral (Adélaïde) 333, 334
  St Stephen's Cathedral (Brisbane) 214, **216**
Cauldron (Sydney) 135
Cazneaux, Harold 108
Ceduna 359
Centennial Park (Sydney) 65, **121**
Centennial Park Cycles (Sydney) 138
Centra 465
Central Deborah Goldmine (Bendigo) 422
Central Land Council 254

Central Market (Adélaïde) 338
Central Station Records and Tapes
  (Sydney) 131
Central Tilba 180
Centre-ville et Darling Harbour
  (Sydney) 83-99
  plan général 83
  plan pas à pas 84-85
Centrepoint (Sydney) 129
Centrepoint Shopping Centre
  (Melbourne) 399
Cépages
  vins australiens 33
  vins blancs 496
  vins d'Australie-Méridionale 331
  vins de la Nouvelle-Galles du Sud
    et de l'ACT 155
  vins du Victoria 370
  vins rouges 497
Cerfs-volants 35
Chadstone 399
Chaffey, George 420
Chaffey, William 420, 421
Challis Avenue (Sydney)
  plan pas à pas 115
Chambers Pillar Historical Reserve
  253, **276**
Chameau
  randonnée à dos de chameau 527
Champion Bay 316
Chan, Harry 256
Chants aborigènes 27
Chapel Street (Melbourne) 395
Charles Sturt University Winery 154
Charleville
  restaurants 508
Charlotte's Pass 152
  hôtels 470
Charters Towers 227, 239
Château Tahbilk 365
Château Yaldara
  excursion dans la Barossa Valley
  348
Chèques de voyage 538
  dans les magasins 128, 524
  sécurité 536
Chevaux
  Great Mountain Race of Victoria
    (Mansfield) 37
  Hanging Rock Picnic Races 37
  Melbourne Cup 37
  Three Day Equestrian Event
    (Gawler) 39
Chifley Plaza (Sydney) 129
Chiltern 438
Chinatown (Brisbane) 218-219
Chinatown (Melbourne) 383
Chinatown (Sydney) 95
Chinese Garden (Sydney) 94-95
Chirnside, famille 416
Christo 74
Cinéma 17
  Melbourne Film Festival 39
  Outback 25
  Powerhouse Museum (Sydney) 60
  Sydney **134,** 135
  Sydney Film Festival 39
Circuits aériens 527
Circular Quay (Sydney) *voir* The
  Rocks et Circular Quay
Circuler
  à Sydney 124-127
  Adélaïde et le Southeast 335
  au sud de Townsville 229
  bacs et bateaux-promenades 127
  bateaux-taxis 127

Brisbane 213, 225
  bus 125, 402-403
  Canberra et l'ACT 185
  Darwin et le Top End 260
  des Blue Mountains à Byron Bay
    159
  en bicyclette 124, 402
  en monorail 126
  en taxi 124
  en train 126
  en tramway 124
  en voiture 402
  Melbourne 375, 402-403
  Met (Melbourne) 402-403
  nord de Perth 315
  nord du Queensland 242
  péninsules d'Yorke et d'Eyre 352
  Perth et le Southwest 292
  Red Centre 273
  South Coast et Snowy Mountains
    176
  Tasmanie 447
  trains 402
  tramways 402-403
  Victoria : Victoria occidentale 414
  Victoria : Victoria oriental 431
City Baths (Melbourne) 376, 405
City Experience Centre (Melbourne)
  403
City Explorer Bus (Melbourne) 403
City Hall (Brisbane) 217
City of York Bay 300
City Sights Tram-Bus Tour (Brisbane)
  225
City to Surf Race 39
City Wanderer Bus (Melbourne) 403
CityRail (Sydney) 126
Civic Square (Canberra) 193
Clare
  hôtels 483
  restaurants 516
Clare Valley 352, **356**
Clarence, duc de 424
Clark, John James 384
Clarke Ranges 238
Clarke, Lady 426
Clarke, sir William John 426
Cleland Wildlife Park (Mount Lofty)
  345
Clifton Gardens 137
Climat 40-41
Cloncurry 249
  restaurants 508
Clovelly 137
Clyde River 450
Cobourg Peninsula 266
  hôtels 476
Coburn, John
  Curtain of the Moon 81
Cockburn Ranges 289
Cockington Green (Canberra) 197
Cocklebiddy 311
Coffin Bay 351
Coffin Bay National Park 358-359
Coffs Harbour 170
  hôtels 469
  restaurants 501
Coles Bay 451
  hôtels 490
Collingwood Homestead (Angaston)
  excursion dans la Barossa Valley
  349
Collins Place (Melbourne) 399
Collins Street (Melbourne)
  N°. 120 382-383
  N°. 333 380

Colonisation de l'Australie 46-47
Combes, James 75
Comedy Theatre (Melbourne) 401
Commercial Bank of Australia 380
Commissariat Stores (Brisbane) 216
  plan pas à pas 214
Commonwealth Bank 538
Commonwealth of Australia 52
Commonwealth Park (Canberra) 187
Communauté chinoise
  les Chinois des champs aurifères
    423
  les Chinois du Top End 256
Como Gaslight Gardens 399
Como House (Melbourne) 397
Compagnie britannique des Indes
  orientales 75
Conder, Charles 30, 108
Conjola, Lake 181
Conner Dennis 302
Conrad International Treasury Casino
  (Brisbane) 225
Conrad, Joseph 79
Conservatorium of Music (Sydney)
  104
Conspicuous Beach 305
Constable, John 109
Constitution Dock (Hobart) 446, **448**
Continent australien 19
Convention and Exhibition Centre
  (Sydney)
  plan pas à pas 92
Coober Pedy 326, **360**
  hôtels 483-484
  restaurants 516
Coo-ee Aboriginal Art Gallery
  (Sydney) 131
Coogee 137
Coogee Bay Hotel (Sydney) 135
Cook's Cottage (Melbourne)
  plan pas à pas 384
Cook, capitaine James 46, 47
  Cape Tribulation 245
  Captain Cook Memorial Jet
    (Canberra) 187, **188-189**
  Cook's Cottage (Melbourne) 384
  Cooktown 244
  Endeavour 97
  Gladstone 235
  Glasshouse Mountains 223, 233
  Indian Head 234
  James Cook Memorial Museum
    (Cooktown) 244
  journal 187
  Magnetic Island 239
  Moreton Bay 211
  nord et Outback du Queensland
    241
  Nouvelle-Galles du Sud 157
  Point Hicks 435
Cook, Thomas 538
Cooktown 244
Coolangatta 230
Cooloola National Park 231
Cooma 177, **179**
Coomera 230
Coonawarra 326
  hôtels 482
  restaurants 515
Cooper, Robert 120
Cooper, Sarah 120
Cooraminta Estate 154
Coorong National Park 333, 343
Corail
  Grande Barrière de corail 204-209
  Houtman Abrolhos Islands 317

Ningaloo Reef Marine Park 320
Corin Dam 199
Corlette
    restaurants 501
Corner Inlet 434
Corrigan, Peter 369
Corroboree Rock 276, **277**
Cossack Historical Town 321
Côte du Southeast 342-343
Côte sud (Australie-Occidentale) 304-
    305
Côtes *voir* plages
Cotter River 198
Cottesloe Beach 298
Country Comfort 465
Country Fire Authority 537
Country Music Festival (Tamworth) 37
Country Road (Sydney) 131
Countrylink Travel Centres 126
Cours d'eau
    croisières à Melbourne 403
Course automobile
    Australian Formula One Grand Prix
    (Melbourne) 38
Cowan, Edith 52, 309
Cowan, Walkinshaw 309
Cowaramup
    restaurants 511
Cowes 432
Cox River 164
Cox, Philip 96, 369
Cradle Mountain 18
    hôtels 490
Cradle Mountain Lake St Clair
    National Park 442, **455**
Cradle Valley
    restaurants 522
Crafers
    restaurants 515
Cranbourne Botanic Gardens
    (Melbourne) 432
Crescent Head 171
Cricket
    Bradman Museum (Bowral) **178,**
    179
    match international (Melbourne) 37
    match international (Sydney) 37
    Melbourne Cricket Ground 389
    Rupertswood et les Ashes 426
    Sydney 138
Criminal Courts et Penitentiary Chapel
    (Hobart) 448
Croajingolong National Park 429, 435
Crocodiles
    Broome Crocodile Park 322
    sécurité 537
    Wyndham Crocodile Park 323
Crowdy Bay 170
Crown Entertainment Centre
    (Melbourne) 393
Croyden Travel 529
Cunard Line 551
Cunnamulla
    restaurants 508
Curl Curl 137
Customs House (Brisbane) 218
Customs House (Sydney) 79
Cutta Cutta, grottes de 267
Cyclone Tracy 264

D

D'Entrecasteaux National Park 305
Daimaru (Melbourne) 399
Daintree
    hôtels 476
    restaurants 508

Daintree National Park 242, **245**
Dampier 320-321
    hôtels 481
Dampier Archipelago 321
Dampier, William 45, 313
Dandenong Plaza 399
Dandenong Ranges 433
    hôtels 489
    restaurants 521
Danse
    aborigène 27
    Aboriginal Dance Festival (Cape
    York) 39
    Sydney **134**, 135
Darling Downs 232
Darling Harbour (Sydney) 83
    plan 58
    plan pas à pas 92-93
    hôtels 466-467
    restaurants 498-489
Darling Harbour Information Line
    (Sydney) 133
Darling River 173
Darlinghurst (Sydney) *voir* Kings
    Cross, Darlinghurst et Paddington
Darlinghurst Court House (Sydney)
    63, **117**
Darwin, Charles 79, 259
Darwin et le Top End 259-269
    aéroport 542-543
    carte 260-261
    climat 40
    Darwin 16, 252, **262-265**
    fuseau horaire 534
    Grand Darwin 264
    histoire 259
    hôtels 476-477
    Museum and Art Gallery of the
    Northern Territory 265
    restaurants 509-510
    Territoire du Nord multiculturel
    256-257
Darwin Tourism Association 465
Dauphins
    Bunbury Dolphin Centre 306
David Jones (Melbourne) 399
David Jones (Sydney) 129
Dawson, Alexander 79
Daydream Island 209
Daylesford
    hôtels 487
    restaurants 520
De Bortoli 154
De Groot, Francis 76
Dead Horse Gap 152
Deanery (Perth)
    plan pas à pas 294
Dee Why 137
Del Rio (Sydney)
    plan pas à pas 115
Délinquance 536
Dendy Cinema (Sydney) 135
Denham 318
    hôtels 481
    restaurants 513
Denmark 305, **308**
    hôtels 479
Dentistes 537
Derby 323
Derwent River 448, 450
Déserts
    déshydratation 279
    Kimberley et déserts 322
Détaxes 128
Détroit de Bass
    ferry-boats 551

Devil's Marbles 253
Devil's Marbles Conservation Park 277
Devonian Reef National Park 323
Devonport 454
    hôtels 490
Dickerson, Robert 30
Dinner Plain 436
    hôtels 489
Dinnigan, Collette 131
Dive Centre Manly (Sydney) 136
Dobell House (Wangi Wangi) 161
Dobell, William 30, 108
    Dobell Memorial Sculpture
    (Sydney) 86
Domaine Chandon 433
Done Art and Design (Sydney) 131
Done, Ken 30, 99
Donnelly River 307
Douanes 543
Douglas Apsley National Park 451
Dover 457
Dowie, John 338
Downe, William Benyon 422-423
Dragon Boat Festival (Sydney)
    plan pas à pas 92
Drake, Sir Francis 44, 45
Droits du consommateur, achats 524
Dromadaires 24
Drysdale, sir Russell 30, 108
    Bushfire 220
    Sofala 106
Dubbo 172
    hôtels 469
Ducker, Andy 308
Dunk Island 209, 243, **247**
Dunkeld
    hôtels 487
Dunn, Alfred 380
Dunsborough 304
Duxford Street (Sydney)
    plan pas à pas 118
Dymocks (Sydney) 131

E

Eagle Bluff 318
Eagle Point 435
Eagles Heritage Raptor Wildlife Centre
    (Margaret River) 306-307
Earlystreet Historical Village
    (Brisbane) 222
East Melbourne
    hôtels 486
East Timor 257
Easter Fair (Maldon) 38
Eastern Creek Raceway (Sydney) 135
Echo Point 157
Echuca 421
    hôtels 487
    restaurants 520
Ecotourism Association of Australia
    529
Écotourisme 528
Écrivains 31
    Melbourne Writers' Festival 36
Eden Valley 327
Eden 180
    hôtels 470
    restaurants 503
Édimbourg, prince Alfred, duc d' 424
Edith Falls 267
Edithburgh
    hôtels 484
    restaurants 516
Edmiston, Leona 131
Edmund Wright House (Adélaïde) 338
Églises *voir* cathédrales *et localités*

individuelles
Eildon
  hôtels 489
Eildon, Lake 431, **436**
El Alamein Fountain (Sydney) 116
Eli Creek 234
Élisabeth II, reine d'Angleterre
  High Court of Australia (Canberra) 189
  Sandringham Garden (Sydney) 89
Elizabeth Arcade (Brisbane)
  plan pas à pas 214
Elizabeth Bay (Sydney) 59
  plan pas à pas 59
Elizabeth Bay House (Sydney) 61, 63, **116**
Elizabeth Farm (Parramatta) 123
Ellensbrook 307
Elsey Homestead 253
Elsey National Park 267
Emerald 236
Émeus 329
Emma Gorge 289
Endeavour 46, 241
  National Maritime Museum (Sydney) 60
Enfants **534**, 535
  dans les hôtels 462-463
  dans les restaurants 493
Engelbrecht Cave 346
Enright, Nick 31
Ensemble Theatre (Sydney) 135
Ensoleillement 40-41
Entally House (Hadspen) 454
Eora 88
Esperance 311
Étudiants 534
Eucalyptus 13
Eucla National Park 311, **238**
Eureka Museum (Ballarat) 425
Eureka Stockade 50, **424**
Evans, Len 166
Everglades House (Leura) 164
  Excursions en voiture
    Barossa Valley 348-349
    Hunter Valley 166-167
    Macedon Ranges 26-427
Exmouth 320
  hôtels 481
  restaurants 513
Explorateurs 25
Eyre, Edward John 25, 48, 49
Eyre, Lake 361
Eyre Highway 310, 311, 359
Eyre Peninsula *voir* péninsules d'Yorke et d'Eyre

F

Faire des achats
  art aborigène 131
  bijoux 130-131
  Brisbane **224**, 225
  galeries marchandes et centres commerciaux 128-129, 398-399
  grands magasins 129, **398**, 399
  heures d'ouverture 128, 398
  livres et disques **130**, 131
  marchés 129, 398-399
  Melbourne 398-399
  mode australienne **130**, 131
  mode féminine **130**, 131
  mode masculine **130**, 131
  modes de paiement 128
  soldes 128
  souvenirs **130**, 131
  Sydney 128-131

ventes détaxées 128
Fairy Bower 137
Falls Creek 436, 437
  hôtels 489
  restaurants 521
Famous Grapevine Attraction (Chiltern) 438
Far North (Australie-Méridionale) 360
  carte 360
Farm Cove (Sydney) 67
Fawkner Park (Melbourne) 367
Fawkner, John 367
Fédération 52
Felton, Alfred 394
Ferry-boats 551
Festival Centre (Adélaïde)
  plan pas à pas 336
Festival of Perth 37
Festival of the Winds (Bondi Beach) 35, 36
Festivals 36-39
Finke Gorge National Park 276-277
Fire Services Museum of Victoria (Melbourne) 387
Fisher, Andrew 189
Fishermans Beach 137
Fitzroy (Melbourne) 388
  hôtels 486
  restaurants 518
Fitzroy Crossing
  hôtels 481
Fitzroy Gardens (Melbourne) 366
  plan pas à pas 385
Fitzroy Island 209
Fitzroy River 236
Fitzroy Street (Melbourne) 395
Five Ways (Sydney) 120
  plan pas à pas 118
Flag (hôtels de chaîne) 465
Flagstaff Gardens (Melbourne) 367
Flame Opals (Sydney) 131
Flecker Botanic Gardens (Cairns) 246
Fleurieu Peninsula 333
Fleurs
  Carnival of Flowers (Toowoomba) 37
  fleurs sauvages d'Australie-Occidentale 286-287
  flore et faune 20-21
  International Flower and Garden Show (Melbourne) 38
  Jacaranda Festival (Grafton) 37
  Rose Festival (Benalla) 37
  voir aussi parcs et jardins
Fleuves
  péniches 551
Flinders 432
Flinders, Matthew 48
  statue de 88, 105
Flinders Bay 304
Flinders Chase National Park 342, 346
Flinders Island 453
  hôtels 490
Flinders Ranges 327, **361**
  oiseaux d'Australie-Méridionale 328
Flinders Ranges National Park 351, 361
Flinders Street Station (Melbourne) 365, 373, 377, 392, **394**, 405
Flore et faune 13, **20-21**
  Alice Springs Desert Park 275
  Arkaroola 361
  Australian Wildlife Sanctuary (Canberra) 197
  Blue Mountains 162
  Bool Lagoon 347

Broome Crocodile Park 322
Bunbury Dolphin Centre 306
Cleland Wildlife Park (Mount Lofty) 345
Eagles Heritage Raptor Wildlife Centre (Margaret River) 306-307
Eyre Peninsula 358
  fonds marins 21
  forêts clairsemées 21
  forêts pluviales 20
Grampians 417
Grande Barrière de corail 204-209
Healesville Sanctuary 433
Howard Springs Nature Park 264
Kangaroo Island 346
King Island 455
Lone Pine Koala Sanctuary (Brisbane) 222
Mon Repos Conservation Park 235
Ningaloo Reef Marine Park 320
  oiseaux d'Australie-Méridionale 328-329
Phillip Island 432
  quokkas 301
  régions arides 20
Shark Bay World Heritage and Marine Park 284, 313, 314, **318-319**
Simpson Desert Conservation Park 361
  Snowy Mountains 153
  Tasmanie 442-443
Territory Wildlife Park (Berry Springs) 264
Tidbinbilla Nature Reserve 198
Walkabout Creek Wildlife Centre (Brisbane) 223
Warrawong Sanctuary 344
Whyalla Wildlife and Reptile Sanctuary (Whyalla) 357
Wyndham Crocodile Park 323
  voir aussi aquariums ; oiseaux ; parcs nationaux ; reptiles ; zoos
Floriade (Canberra) 36
Flugelman, Bert 86, 194
Flynn, révérend John 249, 274
  John Flynn's Memorial Grave 276
Football
  Sydney 138
Footbridge Theatre (Sydney) 135
Forçats
  colonisation de l'Australie 15-16, 46-47
  Hyde Park Barracks (Sydney) 61
  Port Arthur 458-459
Forêts pluviales 205
Formule avion plus voiture 545
Fort Denison (Sydney) 104
Fortitude Valley (Brisbane) 218-219
Forum Theatre (Melbourne) 401
François Peron National Park 318
Franklin Lower Gordon Wild Rivers National Park 443
Franklin River 443, 456-457
Franklin, Miles 31, 79
Franklin-Gordon Wild Rivers National Park 446, 456-457
Fraser, Elizabeth 234
Fraser Island 229, **234**
  hôtels 474
Fraser, James 234
Fraser, Malcolm 55
Fraser National Park 436
Free Traders 52
Fremantle Museum and Arts Centre (Fremantle) 303
Fremantle 284, **302-303**

plan 303
hôtels 479
restaurants 511
French Island 432
French, Leonard 189, 369
Frenchman's Cap 456
Freshwater 137
Freycinet National Park 447, **451**
Freycinet Reach 318
Friend, Donald 116
Furneaux, archipel de 453
Fuseaux horaires 534
Fysh, Hudson 249

G

Galeries marchandes
Melbourne 398-399
Sydney 128-129
Galleria Plaza (Melbourne) 399
Gammon Ranges National Park 361
Garden Island (Sydney) 66
Garden of Joy (Bendigo) 422
Garigal National Park 64
Garrison Church (Sydney) 78
plan pas à pas 72
Gascoyne River 317
Gaunt, Thomas 381
Gawler
manifestations 39
Gay and Lesbian Mardi Gras Festival
(Sydney) 37
Geelong 416-417
hôtels 487
restaurants 520
Gemmes
opales 25, 172, 360
saphirs 168, 169, 236
Gemstone Boutique (Sydney) 131
General Post Office (Brisbane) 216
General Post Office (Melbourne) 380
George III, roi d'Angleterre 46, 47
George V, roi d'Angleterre 89, 424
George VI, roi d'Angleterre 89
Geraldton 314, **316-317**
hôtels 481
restaurants 513
Gibb River Road 289
Gibraltar Range National Park 168
Gibson Desert 322
Giles, Alfred 266
Ginn, Henry 78
Gippsland 429
côte du Victoria oriental 434-435
Gippsland Lakes 434, 435
hôtels 489
Gipsy Point 435
Gladstone 235
restaurants 507
Glasser, Neil 86
Glasshouse Mountains 223, **233**
Glenelg
hôtels 482
Glen Innes
manifestations 38
Glenoran Pool 307
Glenrowan 439
Gliding Federation of Australia 529
Glitz Bijouterie (Sydney) 131
Gloucester National Park 307
Glover, John 108
Gold Coast 203, 227
hôtels 474
Golden Beach (90 Miles Beach) 434
Golden Chain 465
Golden Dragon Museum (Bendigo)
422

Golf 527
Sydney 138
Gommiers 13
Gondwana 19
Goona Warra 427
Gordon River 456
Gordons Bay 137
Goulburn 179
hôtels 470
restaurants 503
Gosford 160-161
Goulburn River 436, 439
Gouvernement 16-17
Government House (Canberra) 191
Government House (Melbourne) 391
Government House (Perth)
plan pas à pas 294
Government House (Sydney) 68
Governor Phillip Tower (Sydney) 62
Gow, Charles 340
Gowings (Sydney) 129
Grace Bros (Sydney) 129
Grafton 170
manifestations 37
Grampians National Park 364, **417**
Grampians 413, 415
flore et faune 417
Grand Prix de Formule 1 d'Australie
(Melbourne) 129
Grande Baie australienne 352, 359
Grande Barrière de corail 19, 34, 203,
204-209
îles 235
Grande Dépression 53
Grands magasins 525
Melbourne **398**, 399
Sydney 129
Great Australian Jumper Company
(Sydney) 131
Great Barrier Reef Wonderland 239
Great Dividing Range 13, 18
Great Keppel Island 209
Great Mountain Race of Victoria
(Mansfield) 37
Great Northern Highway 288
Great Ocean Road 415, 416
côte de la Great Ocean Road 418-
419
Great Sandy Desert 322
Great Synagogue (Sydney) 89
Greater Union (Sydney) 135
Green Island 241, **245**
Greenway, Francis 62, **161**
Conservatorium of Music (Sydney)
104
Hyde Park Barracks (Sydney) 110
Macquarie Place (Sydney) 79
Old Government House
(Parramatta) 123
St James' Church (Sydney) 62, 111
St Matthew's Church (Windsor) 160
Gregory National Park 267
Grey, Zane 180
Greyhound (Melbourne) 403
Greyhound Pioneer 547
Griffin, Walter Burley voir Burley
Griffin, Walter
Grose River 164, 165
Grottes
Carnarvon National Park 237
Cutta Cutta 267
Engelbrecht Cave 346
Jenolan Caves 162, **165**
Kutikina Cave 455
Lake Cake 305
Maternity Cave 347

Mount Etna National Park 236
Mulka's Cave 310
Naracoorte Caves Conservation
Park 347
Nullarbor Plain 359
Victoria Cave 347
Wombeyan Caves 178-179
Yarrangobilly Caves 153
Grotto Point (Sydney) 65
Grounds, sir Roy 369
Group Hassell 382
Guerard, Eugene von 424
Guerre du Viêt-nam 54, 55
Guilfoyle, William 366-367, 390, 391
Guluyambi Cultural Cruises 269
Gundagai 173
Gunlom Waterhole 268
Gunn, Jeannie 253, 267
Gurig National Park 266
Guston, Philip 109
Guth, Hendrik
Panorama Guth (Alice Springs) 274

H

Hadspen 454
Hahn, capitaine Dirk 344
Hahndorf 333, **344-345**
hôtels 482
Halftix (Sydney) 133
Halls Creek 323
Halls Gap 364
Halpern, Dennis 404
Hamelin Bay 304
Hamilton Island 209
Hamilton
restaurants 506
Hanging Rock Picnic Races 37
Hanging Rock 427
Hannan, Paddy 311
Harbourside Festival Shopping Centre
(Sydney) 129
plan pas à pas 92
Hargraves, Edward 50
Harris Street Motor Museum (Sydney) 94
plan pas à pas 92
Hartog, Dirk 45, 318
Hattah-Kulkyne National Park 420
Hawke, Bob 55
Hawker
restaurants 516
Hawkesbury Museum (Windsor) 160
Hawkesbury River 122, 160
Hawks Head 317
Hayman Island 209
Hazards Mountains 451
Head of Bight 359
Healesville Sanctuary 433
Heathcote Winery 370
Heidelberg, école de 30
Henbury Meteorites Conservation
Reserve 276
Henley-on-Todd Regatta (Alice
Springs) 36
Henrietta Rocks 301
Henry le Navigateur 44
Hepburn Springs 426
Her Majesty's Theatre (Melbourne) 401
Her Majesty's Theatre (Sydney) 135
Herbert, Daniel 452
Herbig Family Tree
excursion dans la Barossa Valley
349
Heritage and Nautical Museum
(Wallaroo) 355
Hermannsburg Historic Precinct **276,**
277

Heron Island 209
Hervey Bay 233
　hôtels 474-475
Heysen, sir Hans 30, 345
High Court of Australia (Canberra) 186, **189**
Hill, Walter 217
Hills Forest 299
Hilton 465
Hinchinbrook Island 247
Hindmarsh Island 342
Hindmarsh, John 333
Hinkler, Bert 233
Histoire 43-55
Hitler, Adolf 117
Ho, Lisa 131
Hobart 49, 446, **448-449**
　aéroport 542-543
　fuseau horaire 534
　hôtels 490-491
　plan 449
　restaurants 522-523
Hockney, David 74
Hoddle, Robert 169, 380
Hogarth Galleries Aboriginal Art Centre (Sydney) 131
Holden 53
Holt, Harold 188, 432
Homebush Bay 123
Honeymoon Cove 321
Hôpitaux 536-537
Hopwood, Henry 421
Horseshoe Bay Beach (Bermagui) 180
Hot Tuna (Sydney) 131
Hôtels pour routards et auberges de jeunesse **464**, 465
　Outback 25
　Boutique hotels 464
Hôtels 462-491
　Adélaïde et le Southeast 481-483
　au sud de Townsville 474-475
　auberges 463
　auberges de jeunesse **464,** 465
　Brisbane 472-474
　camping et caravaning 465
　Canberra et ACT 471-472
　classement et services 462
　Côte Sud et Snowy Mountains 470-471
　Darwin et le Top End 476-477
　Des Blue Mountains à Byron Bay 468-469
　enfants 462-463
　hôtels de chaîne **463,** 465
　hôtels et *resorts* de luxe **463,** 465
　loger dans un pub 464
　Melbourne 484-486
　nord de Perth 480-81
　nord du Queensland 475-476
　péninsules d'Yorke et d'Eyre 483-484
　personnes handicapées 463
　Perth et le Southwest 479-80
　prix 462
　Red Centre 478-479
　réservations 462
　séjours à la ferme et sur une péniche 465
　séjours indépendants 464-465
　Sydney 466-468
　Tasmanie 490-491
　Victoria Occidental 486-488
　Victoria Oriental 488-490
Houtman Abrolhos Islands 317
Hovell
　statue de 88

Howard, John 55
Howard Springs
　hôtels 477
Howard Springs Nature Park 264
Howqua Mountain Ranges 436
Hoyts Centre (Sydney) 135
Hume, Hamilton 48, 88, 179
Humphries, Barry 79
Hunter Valley
　excursion dans la Hunter Valley 167
　hôtels 469
　vignobles 32, 159
　vins 155
Hunter, Henry 448
Hyatt 465
Hyde Park (Sydney) 64, **89**
Hyde Park Barracks (Sydney) 61, 63, **110**
Hyden
　hôtels 479

I

Îles
　liaisons maritimes 551
　Grande Barrière de corail 209
Îles du détroit de Torres **244**
Immigration 53, 535
　après la Seconde Guerre mondiale 16
　Immigration Restriction Act 52
　immigration d'après-guerre 54
　Migration and Settlement Museum (Adélaïde) 336, 339
Indian Head 234
Indicatifs téléphoniques 541
Informations touristiques 532
Innes National Park 354
Insulaires du détroit de Torres 54
Intercontinental 465
International Flower and Garden Show (Melbourne) 38
International Surfing Competition (Bells Beach) 38
Inverell 169

J

Jabiru 269
Jacaranda Festival (Grafton) 37
Jackson, Daryl 382
James, Clive 79
Jamison Valley 164
Jansz, Willem 45
Jaru (Aborigènes) 323
Jaycee's Whaleworld (Albany) 308
Jazz
　Sydney **134,** 135
Jenolan Caves 162, **165**
Jervis Bay 181
Jeux du Commonwealth 211
Jeux olympiques
　Melbourne (1956) 54
　Sydney (2000) 55, 123, **139**
Jim Jim Falls 260
Jindabyne 179
Johanna Beach 419
John Forrest National Park 299
Johnson, Lyndon B. 55
Johnston, major George 48, 49
Jondaryan Woolshed (Darling Downs) 232
Jones, Louisa 396, 397
Jouets
　Australian Toy Museum (Melbourne) 388
Journaux 132, 534-535

Jours fériés 39
Juifs
　Great Synagogue (Sydney) 89
　Sydney Jewish Museum (Sydney) 61
　Sydney Jewish Museum (Sydney) 117
Jukes, F. 46
Juniper Hall (Sydney) 120
Justice and Police Museum (Sydney) 79

K

Kadina 355
Kakadu National Park 22, 29, 252, 259, 260, **268-269**
　hôtels 477
Kakadu
　restaurants 510
Kalbarri National Park 317
Kalbarri
　hôtels 481
　restaurants 514
Kalgoorlie 285
　hôtels 479
　restaurants 512
Kalgoorlie-Boulder 310-311
Kangaroo Island 326, 333, 342, **346**
　hôtels 482
　restaurants 515
Kangaroo Point (Brisbane)
　hôtels 473
Kangourous 14
Kantju Gorge 279
Karijini National Park 285, 315, **321**
Karri Forest Discovery Centre 307
Kata Tjuta (monts Olga) *voir* Uluru-Kata Tjuta National Park
Katherine Gorge *voir* Nitmiluk National Park
Katherine 266-267
　hôtels 477
　restaurants 510
Katoomba 162, **164-165**
　restaurants 501
Keating, Paul 55
Keep River National Park 267
Kelly, archevêque
　statue de 88
Kelly, Ellen 386
Kelly, Ned 386
　Beechworth 438
　Benalla 439
　capture 429, 439
　Glenrowan 439
　masque mortuaire 49
　peintures de Sidney Nolan 30
　Stringybark Creek 436-437
Kemp, J.E. 120
Keneally, Thomas 31
Kennedy, Edmund 241
Kernewek Lowender Cornish Festival (Little Cornwall) 38
Kerr, sir John 188
Kerry, Charles 108
Kew
　restaurants 518
Kiama
　hôtels 470
Kiandra 179
Kiewa River 429, 437
Kija (Aborigènes) 323
Kimberley **288-289,** 322
　carte 322
King Cottage Museum (Bunbury) 306
King Island 455

carte 446
Kings Canyon 277
Kings Cross, Darlinghurst et
   Paddington (Sydney) 112-121
   hôtels 467
   plan 59, 113
   restaurants 499
Kings Domain (Melbourne) 366, **390-
   391**
Kings Park (Perth) 298
Kingscote 342
Kingston, sir George Strickland 340
Kinselas (Sydney) 135
Kiosques de la State Transit Authority
   (Sydney) 124
Klein, Yves 109
Knappstein 330
Kngwarreye, Emily Kame 27, 108
Knorr, Frances 386-387
Koalas
   Lone Pine Koala Sanctuary
   (Brisbane) 222
Koorie (Aborigènes) 26
Koppio Smithy Museum (Port Lincoln)
   358
Kuranda 246
Ku-ring-gai Chase National Park 122
Kutikina Cave 455
Kyneton
   excursion dans les Macedon Ranges
   427
   hôtels 487

L
La Trobe, Charles 391
La Trobe's Cottage (Melbourne) 391
Labor Party 52, 55
Lachlan River 173
Lady Elliot Island 209
Laine
   Australian Woolshed (Brisbane) 223
   Jondaryan Woolshed (Darling
   Downs) 232
   National Wool Museum (Geelong)
   417
Lake Cake 305
Lake Eyre National Park 361
Lake Mountain 436
Lake, Max 166
Lakefield National Park 241, **244**
Lakes Entrance 434
   hôtels 489
   restaurants 521
Lakes Folly
   excursion dans la Hunter Valley 166
Lalor, Peter 424
Lambing Flag, champs aurifères de 51
Lamington National Park 232
Land Titles Office (Sydney) 111
Lands Department Building (Sydney)
   88
Lane Cove National Park 64
Lanyon Homestead 198
Lauderdale
   restaurants 523
Launceston 452-453
   hôtels 491
   restaurants 523
Laura 244
Laurasie 19
Lawler, Ray 31
Lawson, Henry 31
   Henry Lawson Centre (Gulgong)
   169
Lawson, Louisa 31
Lawson, William 48, 164, 169

statue de 88
Layman, George 306
Leeuwin Estate Winery 32
Leeuwin Estate Winery Music Concert
   37
Leeuwin Naturaliste National Park
   292, **305**
Lehmann, Peter
   excursion dans la Barossa Valley 348
Leichhardt, Ludwig 31, 88, 236, 241
Leslie, Patrick 222
Letts Beach (90 Mile Beach) 434
Leura Garden Festival (Blue
   Mountains) 36
Leura 163, **164**
   restaurants 501
Lewis, Mortimer 90, 117
Lewis, T. C. & Co. 381
Liberal Party 52
Libraries **130,** 131
Lichtenstein, Roy 74
Licola 436
Lifeline 537
Light, William 333
Lightning Ridge 172
Lignes de chants 27
Lincoln National Park 358
Lindemans
   excursion dans la Hunter Valley
   166
Lindesay, Ethel 438
Lindsay, Lionel 109
Lindsay, Norman 109, 167
   Norman Lindsay Gallery and
   Museum 164
Litchfield National Park 259, 261, **266**
Littérature 31
   Melbourne Writers' Festival 36
Little Cornwall 355
   manifestations 38
Little Desert National Park 420
Little Parakeet Bay 301
Lizard Island 209
Loch Ard Gorge 415, 419
Lois aborigènes 255
London Tavern (Sydney)
   plan pas à pas 118
Lone Pine Koala Sanctuary (Brisbane)
   222
Long Island 209
Long Reef 137
Longford 453
   hôtels 491
Longreach 202, **249**
   hôtels 476
   restaurants 508
Lord Howe Island 23
Lorne 419
   hôtels 488
   restaurants 520
Lost City 261, 266
Lovell, William 48
Low Isles 209
Ludlow Tuart Forest National Park
   306
Luthériens 348
Lydiard Street (Ballarat) 424
Lygon Street (Melbourne) 387
Lygon Street Festa (Melbourne) 36
Lyndoch
   hôtels 482

M
Mabo, Edward Koiki (Eddie) **54,** 55,
   244
Macalister River 436

MacArthur, Elizabeth 32
MacArthur, John
   Elizabeth Farm (Parramatta) 123
   mouton mérinos 47, 123
   Révolte du Rhum 49
   vin 32
MacDonnell Ranges 276-277
Macedon Ranges 414
   excursion dans les Macedon
   Ranges 426-427
Mackay
   hôtels 475
   restaurants 507
MacKennal, Bertram 86, 88
MacKenzie Falls 417
Macleay, Alexander 115, 116
Macquarie, Elizabeth
   Mrs Macquarie's Chair 103, **104**
Macquarie, gouverneur Lachlan 78
   Conservatorium of Music (Sydney)
   104
   et Francis Greenway 161
   Hyde Park (Sydney) 105
   Macquarie Place (Sydney) 79
   Oatlands 451
   révolte du Rhum 49
   St Mary's Cathedral (Sydney) 88
   Windsor 160
Macquarie, Lake 161
Macquarie Harbour 456
Macquarie Place (Sydney) 79
Macquarie River 172, 452
Macquarie Street (Sydney) 110-111
Macrobe 44
Magasins de souvenirs 524-525
Magellan, Ferdinand 44
Magnetic Island 209, 227, **239**
   hôtels 475
Maison du gouverneur Phillip
   (Sydney) 47
« Maisons en pain d'épice » (Sydney)
   118
Maitland 354-355
Maîtres nageurs 537
Makers Mark (Sydney) 131
Malanda
   hôtels 476
Maldon 422
   hôtels 488
   manifestations 37, 38
Maldon Folk Festival 37
Maleny 233
Mallacoota 435
Mallacoota Inlet 435
Malmsbury
   excursion dans les Macedon
   Ranges 426
   restaurants 520
Malouf, David 31
Mambo Friendship Store (Sydney) 131
Mammifères 21
Manchots
   Phillip Island 432
Manifestations sportives 529
Manjimup 307
Manly 122
   hôtels 467
   restaurants 500
Manly Beach 137
Mansfield 436-437
   hôtels 489
   manifestations 37
Mapplethorpe, Robert 108
Marais
   oiseaux d'Australie-Méridionale 329
Marananga

hôtels 483
restaurants 515
Marble Bar (Sydney)
plan pas à pas 84
Marchés 525
Central Market (Adélaïde) 338
Fremantle Markets 302
Melbourne 398-399
Mindil Beach Sunset Markets
(Darwin) 256, 264
Paddington Bazaar (Sydney) 121
Paddy's Market (Sydney) 95
Queen Victoria Market
(Melbourne) 378
Salamanca Market (Hobart) 448,
449
Sydney 129
The Rocks Market (Sydney) 73
Margaret River 306-307
hôtels 479
restaurants 512
Maritime Museum (Hobart) 449
Maritime Museum (Port Victoria) 354
Maroochydore Beach 230
Maroubra 137
Martens, Conrad 30, 78
Martin, Emil 274
Martin Place (Sydney) 86
plan pas à pas 85
Martindale Hall (Mintaro) 356
Martyn, John 75
Maruku Gallery 278
Mary River 233
Maryborough 203, **233**
Marylebone Cricket Club (MCC) 426
Marysville 436
Mât de drapeau (Cockle Bay, Sydney)
plan pas à pas 93
Mataranka 267
Maternity Cave 347
McCafferty's 403, 547
McCubbin, Frederick 30, 108
McElhone Stairs (Sydney)
plan pas à pas 114
McGill, Walter 103
McKay, Hugh Victor 249
McKenzie, Lake 234
McKinlay
restaurants 508
McLaren Vale 343
McPherson Mountain Range 232
McRae, George 86
McWilliams Mount Pleasant Winery
excursion dans la Hunter Valley
166
Meale, Richard 31
Médecins 536-537
Méduses 34
Melba, Nellie 17, 387, 416
Melbourne 373-411
aéroport 542-543
architecture 368-369
atlas des rues 404-411
circuler 402-403
climat 41
code de la route 549
faire des achats 398-399
fuseau horaire 534
hôtels 484-486
manifestations 36-39
parcs et jardins 366-367
plan 374-375
plan pas à pas : quartier du
Parlement 384-385
quartier de Swanston Street 376-
377

renseignements pratiques 402-403
restaurants 517-519
Rippon Lea **396-397,** 405
Royal Botanic Gardens et Kings
Domain 390-391
spectacles 400-401
Yarra River 392-393
Melbourne Central 377, 399
Melbourne Convention Centre 393
Melbourne Cricket Ground 389
Melbourne Cup 37
Melbourne Exhibition Centre 393
Melbourne Festival 36
Melbourne Film Festival 39
Melbourne International Comedy
Festival 38
Melbourne Marathon 36
Melbourne Park (National Tennis
Center) 369, **389**
Melbourne Town Hall 376, **381,** 401
Melbourne Writers' Festival 36
Melville Island 252, 259, **266**
Menzies, Robert 54-55
Merchants' House (Sydney) 60, **75**
plan pas à pas 73
Merimbula Beach 180
Merimbula Wharf 175
Merimbula
hôtels 470
Mersey Bluff 454
Mersey River 454
Met (Melbourne) 402-403
Météorites
Henbury Meteorites Conservation
Reserve 276
Wolfe Creek Meteorite Crater
Reserve 323
Metung 435
restaurants 521
Mid City Centre (Sydney) 129
Middle Head (Sydney) 65
Middleton Beach 304
Midnight Shift (Sydney) 135
Midsumma Festival (Melbourne) 37
Migration and Settlement Museum
(Adélaïde) 339
plan pas à pas 336
Milawa
restaurants 521
Mildura 420-421
hôtels 488
restaurants 521
Mile Beach 434
Miles, John 249
Mill Cottage Museum (Port Lincoln)
358
Millstream-Chichester National Park
321
Milton
restaurants 506
Mimosa Rocks 181
Mindil Beach Sunset Markets
(Darwin) 256, 264
Minlaton 354
Mintaro 356
hôtels 484
restaurants 516
Mister Goodbar (Sydney) 135
Mitchell Library (Sydney) **105,** 110
Mitchell, major Thomas 88, 421
Mitchelton Winery 371
MLC Centre (Sydney) 129
Molonglo River 183
Mon Repos Conservation Park 235
Monet, Claude 108
Monkey Mia 313, 319

hôtels 481
restaurants 514
Monnaie 538-539, 539
Monorail
Sydney 126
Montrose Cottage (Ballarat) 424-425
Monts Olga *voir* Uluru-Kata Tjuta
National Park
Moochalabra Dam 323
Mooloolaba Wharf 230
Moomba Festival (Melbourne) 38
Moonarie 351
Moonee Beach 170
Moonlight Head 419
Moonta Mines State Heritage Area 355
Moore Park (Sydney) 65
Moore Park Golf Club (Sydney) 138
Moore, Henry 108
Moran, cardinal
statue de 88
Moreton Bay 211, 230
Morgan 347
Morgan, Francis 104
Morgan, Sally 31
Mornington Peninsula 432
hôtels 489
restaurants 521-522
Morris, Mick 371
Morris Wines 371
Morsures de serpent 537
Mort, Thomas 79
Morton-Budawang National Park
176, **179**
Mossman
hôtels 476
Mount Ainslie 184
Mount Beauty 437
Mount Bogong 437
Mount Buffalo National Park 437
Mount Buffalo 437
manifestations 37
hôtels 489
Mount Buller 436, 437
hôtels 489
restaurants 522
Mount Buller Alpine Village 429
Mount Clear 199
Mount Coot-tha
restaurants 506
Mount Coot-tha Forest Park
(Brisbane) 212, **222-223**
Mount Etna National Park 236
Mount Feathertop 437
Mount Field National Park 442, **457**
Mount Gambier 327, **346**
hôtels 483
Mount Hart
hôtels 481
Mount Hotham 436, 437
Mount Hurtle, domaine viticole du 32
Mount Hypipamee 247
Mount Isa 202, **249**
hôtels 476
restaurants 508
Mount Isa Rodeo 39
Mount Kosciuszko 150, 152
Mount Lofty 345
manifestations 39
Mount Lofty Botanic Gardens 345
Mount Macedon 427
Mount Morgan 236
Mount Ossa 455
Mount Remarkable National Park 361
Mount Stirling 436, 437
Mount Stromlo Observatory 198
Mount Tomah Botanic Gardens 163, **165**

Mount Townsend 152
Mount Warning 171
Mount Wilson 162
Moutons
　Australian Woolshed (Brisbane) 211, **223**
　Jondaryan Woolshed (Darling Downs) 232
　National Wool Museum (Geelong) 417
Mouvement du « Grand Frère » 52
Mouvement moderniste de Sydney 30
Movie Room (Sydney) 135
Mrs Macquarie's Chair (Sydney) 66, 103, **104**
Mudgee 169
　vins 155
　hôtels 469
Mudgee Wine Festival 36
Mueller, baron von 366
Mulka's Cave 310
Munch, Edvard 109
Mungo National Park 421
　hôtels 469
Mungo (sites archéologiques de) 173
Mungo, Lake 43, 173
Murchison River 317
Murramang National Park 181
Murray Island 244
Murray River 333, 335, **347**
　Adélaïde 338
　bateaux à aubes 420
　Echuca 421
　Hattah-Kulkyne National Park 420
　Swan Hill Pioneer Settlement 413
Murray-Sunset Country 420
Murrumbidgee River 198
Musées et galeries (général)
　droits d'admission 533
　horaires d'ouverture 533
Musées et galeries (individuel)
　Aboriginal Dreamtime Cultural Centre (Rockhampton) 236
　Adelaide House (Alice Springs) 274
　Anglesea Barracks et Military Museum (Hobart) 449
　Art Gallery of New South Wales (Sydney) 59, 61
　Art Gallery of South Australia (Adélaïde) 337
　Australian Aviation Heritage Centre (Darwin) 264
　Australian Gallery of Sport and Olympic Museum (Melbourne) 388
　Australian Museum (Sydney) 61, **90-91**
　Australian Toy Museum (Melbourne) 388
　Ballarat Fine Art Gallery (Ballarat) 424
　Benalla Art Gallery (Benalla) 439
　Bendigo Art Gallery (Bendigo) 422
　Bradman Museum (Bowral) **178,** 179
　Bundaberg and District Historical Museum 233
　Cairns Museum (Cairns) 246
　Commissariat Stores (Brisbane) 214
　Conservatorium of Music (Sydney) 104
　Elizabeth Bay House (Sydney) 61, 116
　Elizabeth Farm (Parramatta) 123
　Eureka Museum (Ballarat) 425
　Famous Grapevine Attraction (Chiltern) 438

Fire Services Museum of Victoria (Melbourne) 387
Fremantle Museum and Arts Centre (Fremantle) 303
Geraldton Art Gallery (Geraldton) **316,** 317
Geraldton Museum (Geraldton) **316,** 317
Golden Dragon Museum (Bendigo) 422
Harris Street Motor Museum (Sydney) 92, **94**
Hawkesbury Museum (Windsor) 160
Henry Lawson Centre (Gulgong) 169
Heritage and Nautical Museum (Wallaroo) 355
Hermannsburg Historic Precinct **276,** 277
Hyde Park Barracks (Sydney) 61, **110**
James Cook Memorial Museum (Cooktown) 244
Jaycee's Whaleworld (Albany) 308
Jondaryan Woolshed (Darling Downs) 232
Justice and Police Museum (Sydney) 79
Kadina Heritage Museum (Kadina) 355
Karri Forest Discovery Centre 307
King Cottage Museum (Bunbury) 306
Koppio Smithy Museum (Port Lincoln) 358
les meilleurs de Sydney 60-61
Maitland Museum (Maitland) 355
Manjimup Timber Park (Manjimup) 307
Maritime Museum (Hobart) 449
Maritime Museum (Port Victoria) 354
Merchants' House (Sydney) 60, 73, **75**
Migration and Settlement Museum (Adélaïde) 336, 339
Mill Cottage Museum (Port Lincoln) 358
Museum and Art Gallery of the Northern Territory (Darwin) 265
Museum of Central Australia (Alice Springs) 274
Museum of Childhood (Perth) 298
Museum of Chinese Australian History (Melbourne) 383
Museum of Contemporary Art (Sydney) 60, 72, **74**
Museum of Sydney (Sydney) 60, **88**
Museum of the Gold Fields (Kalgoorlie-Boulder) 311
National Capital Exhibition (Canberra) 188-189
National Gallery of Australia (Canberra) 186, **194-195**
National Gallery of Victoria (Melbourne) 369, 392, **394**
National Maritime Museum (Sydney) 60, 62, 93, **96-97**
National Motor Museum (Birdwood) 345
National Museum of Australia (Canberra) 196
National Trust Centre (Sydney) 78
National Trust Museum (Port Pirie) 356

National Wool Museum (Geelong) 417
New England Regional Art Museum (Armidale) 167
New Norcia Museum and Art Gallery (New Norcia) 316
Newcastle Region Art Gallery (Newcastle) 161
Norman Lindsay Gallery and Museum (Faulconbridge) 164
Norseman Historical and Geological Museum (Norseman) 311
Old Fire Station (Perth) 297
Old Ghan Train Museum (Alice Springs) 275
Old Schoolhouse National Trust Museum (Ceduna) 359
Old Settlement (Margaret River) **306,** 307
Panorama Guth (Alice Springs) 274
Perth Cultural Centre (Perth) 296
Pilbara Railways Historical Museum (Dampier) 320
Polly Woodside Maritime Museum (Melbourne) 393, **394**
Port of Morgan Historical Museum (Morgan) 347
Powerhouse Museum (Sydney) 60, **98-99**
Queen Victoria Museum and Art Gallery (Launceston) 453
Queensland Cultural Centre (Brisbane) 220-221
Queensland Maritime Museum (Brisbane) 219
Queensland Museum (Brisbane) 221
Questacon (Canberra) 186, **189**
Riversleigh Interpretive Centre (Mount Isa) 249
Rottnest Museum (Rottnest Island) 301
Sciencentre (Brisbane) 214
Scienceworks Museum (Melbourne) 395
Sidney Nolan Gallery (Lanyon Homestead) 198
South Australian Museum (Adélaïde) 337, 339
South Australian Police Museum (Adélaïde) 337
Sovereign Hill 423
State Library (Brisbane) 221
Stockman's Hall of Fame (Longreach) 249
Strehlow Research Centre (Alice Springs) 275
Susannah Place (Sydney) 74
Sydney Jewish Museum 61, **117**
Tandanya (Adélaïde) 339
Tasmanian Museum and Art Gallery (Hobart) 448
Telegraph Station (Tennant Creek) 277
Tennant Creek Stamp Battery (Tennant Creek) 277
Tiagarra (Devonport) 454
Uluru-Kata Tjuta Cultural Centre 281
Umoona Opal Mine and Museum (Coober Pedy) 360
Wadlata Outback Centre (Port Augusta) 357
Western Australian Maritime Museum (Fremantle) 302

Western Australian Museum (Perth) 296
Whyalla Maritime Museum (Whyalla) 357
York Motor Museum (York) 309
York Residency Museum (York) 309
Musique
Australia Day Concert (Sydney) 37
Bandemonium (Sydney) 39
Country Music Festival (Tamworth) 37
Leeuwin Estate Winery Music Concert (Margaret River) 37
Maldon Folk Festival 37
musique classique 135
opéra 135
Opera in the Alps (Mount Buffalo) 37
rock, jazz et blues 135
Muybridge, Eadweard 108
Myall Beach 245
Myer Centre (Brisbane) 225
Myer Melbourne 399
Mylor
hôtels 483
Mythologie aborigène 289

N

Nageurs sauveteurs 35
Namadgi National Park **199**
Namatjira, Albert 276
Nambucca Heads 171
Nambung National Park 314, **316**
Naracoorte 22
Naracoorte Caves Conservation Park 334, **347**
Narooma
hôtels 470
Narrabeen 137
Natation 35
Sydney 136
Nathan, Benjamin 396
Nathan, famille 396
National Aquarium (Canberra) 197
National Capital Exhibition (Canberra) 188-189
National Gallery of Australia (Canberra) 186, **194-195**
National Gallery of Victoria (Melbourne) 369, 392, **394**
National Herbarium of New South Wales (Sydney) 102, 103
National Library of Australia (Canberra) 187, **189**
National Maritime Museum (Sydney) 60, 62, **96-97**
plan pas à pas 93
National Motor Museum (Birdwood) 345
National Museum of Australia (Canberra) 196
National Trust Centre (Sydney) 78
National Trust Museum (Port Pirie) 356
National Wool Museum (Geelong) 417
Neilsen Park (Sydney) 65
Nelson Falls 446
Nepean River 43
New England Regional Art Museum 167
New Guinea Primitive Arts (Sydney) 131
New Norcia 316
hôtels 481
restaurants 514

New Norfolk 450
hôtels 491
New South Wales Ski Association 529
Newcastle Region Art Gallery 161
Newcastle 161
hôtels 469
restaurants 501-502
Newport Beach 137
Newstead House (Brisbane) 222
Newstead
restaurants 506
Ningaloo Reef Marine Park 320
Nitmiluk (Katherine Gorge) National Park 259, 266-267
N°. 120 Collins Street (Melbourne) 382-383
N°. 333 Collins Street (Melbourne) 380
Noël 37, 39
Nolan, sir Sidney 30
Art Gallery of New South Wales (Sydney) 108
Kelly in Spring 30
National Gallery of Australia (Canberra) 194
Queensland Cultural Centre (Brisbane) 220
Sidney Nolan Gallery (Lanyon Homestead) 198
Noonuccal, Oodgeroo 31, 79
Noosa Heads 231
restaurants 507
Noosa National Park 231
Nord de Perth et le Kimberley 313-323
carte 314-315
climat 40
hôtels 480-481
Kimberley et déserts 322
restaurants 513-514
Shark Bay World Heritage and Marine Park 318-319
Nord et Outback du Queensland 241, **241-249**
carte 242-243
climat 40
hôtels 475-476
restaurants 513-514
Outback 248
Norfolk Plains 453
Norman Lindsay Gallery and Museum (Faulconbridge) 164
Norman River 248
Normanton 248
Norrie, Susan 109
Norseman 311
hôtels 479
North Arm Walk (Sydney) 64
North Head (Sydney) 65
Northam 309
hôtels 479
restaurants 512
Northern Land Council 254
Northern Territory Parks and Wildlife Commission 254
Nourlangie Rock 254, 269
Nourriture et boissons
Que boire en Australie 496-497
Que manger en Australie 494-495
sur la plage 25
vins australiens 32-33
vins d'Australie-Méridionale 330-331
vins de la Nouvelle-Galles du Sud et de l'ACT 154-155
vins du Victoria 370-371
voir aussi restaurants
Nouvelle-Galles du Sud et l'ACT 149-199

bureau de tourisme de l'État 535
Canberra et l'ACT 182-199
carte 150-151
côte nord de la Nouvelle-Galles du Sud 170-171
des Blue Mountains à Byron Bay 157-173
Snowy Mountains 152-153
South Coast et Snowy Mountains 175-181
Sydney 57-147
vins de la Nouvelle-Galles du Sud et de l'ACT 154-155
Nowra 180
restaurants 503
Nowra, Louis 31
NSW Travel Centre (Sydney) 465
Nullarbor Plain 19, **311, 359**
carte 310

O

Oatlands 451
Obelisk Bay (Sydney) 65, 137
Observatoires
Mount Stromlo 198
Sydney 72, **78**
Ocean Beach 305, 308
Ocean Grove
hôtels 488
Oceanworld (Manly) 122
Oenpelli 269
Oiseaux
d'Australie-Méridionale 328-329
Eagles Heritage Raptor Wildlife Centre (Margaret River) 306-307
émeus 329
flore et faune 20-21
Grande Barrière de corail 207
Kakadu National Park 268
Phillip Island 432
Old Fire Station (Perth) 297
plan pas à pas 295
Old Gaol, Darlinghurst (Sydney) 117
Old Ghan Train Museum (Alice Springs) 275
Old Government House (Brisbane) 217
Old Government House (Parramatta) 123
Old Magistrate's Court (Melbourne) 375, **386**
Old Melbourne Gaol (Melbourne) 386-387
Old Parliament House (Canberra) 186, **188**
Old Schoolhouse National Trust Museum (Ceduna) 359
Old Settlement (Margaret River) **306, 307**
Old Sydney Town (Gosford) 160-161
Old Windmill (Brisbane) 218
Olga Gorge 272, 379
Oliver Hill 301
Opales
Coober Pedy 360
Lightning Ridge 172
magasins 525
mines 23
Open Garden Scheme (Victoria) 36
Opéra
Opera in the Alps (Mount Buffalo) 37
Sydney **134,** 135
Sydney Opera House **80-81,** 133
Organ Pipes
excursion dans les Macedon

Ranges 427
Orlando
    excursion dans la Barossa Valley 348
Orpheus Island 209
Orroral Bush Camp Site 199
Otway National Park 419
Outback 24-25
    à l'ouest du Divide 172
    Australie-Méridionale 360
    conduite 550
    oiseaux d'Australie-Méridionale 328
    Queensland 248-249
    randonnée dans le *bush* 526
    sécurité 537
    Wadlata Outback Centre (Port Augusta) 357
Ovens River Valley 437
Overland Track 455
Overseas Passenger Terminal (Sydney)
    plan pas à pas 73
Oxford Hotel (Sydney) 135
Oxley, John 172, 211
Oxley Wild Rivers National Park 167

P

Paddington (Sydney) *voir aussi* Kings Cross, Darlinghurst et Paddington
Paddington (Sydney)
    hôtels 467
    plan 59
    plan pas à pas 118-119
    restaurants 500
Paddington Bazaar (Sydney) 121
Paddington Street (Sydney) 121
Paddington Town Hall (Sydney) 120
Paddington Village (Sydney) 120
Paddy's Market (Sydney) 95
Padthaway
    hôtels 483
    restaurants 515
Palais Theatre (Melbourne) 401
Palm Beach 137
Panorama Guth (Alice Springs) 274
Paquebots de croisière 551
Pâques 38, 39
Parcs à thèmes
    Coomera 230
Parcs et jardins
    Albert Park (Melbourne) 395
    Alexandra Gardens (Melbourne) 367
    Arid Lands Botanic Garden (Port Augusta) 357
    Australian National Botanic Gardens (Canberra) 196
    Beare Park (Sydney) 116
    Bicentennial Park (Darwin) 262
    Bicentennial Park (Sydney) 64
    Botanic Gardens (Adélaïde) 337
    Botanic Gardens (Brisbane) 216-217
    Botanic Gardens (Darwin) 264
    Botanic Gardens (Rockhampton) 236
    Botanical Gardens (Ballarat) 425
    Brisbane Botanic Gardens (Brisbane) 212
    Brisbane Forest Park (Brisbane) 223
    Carlton Gardens (Melbourne) 366
    Centennial Park (Sydney) 65, 121
    Chinese Garden (Sydney) 94-95
    Commonwealth Park (Canberra) 187
    Dandenong Ranges 433

Everglades House (Leura) 164
Fawkner Park (Melbourne) 367
Fitzroy Gardens (Melbourne) 366, 385
Flagstaff Gardens (Melbourne) 367
Flecker Botanic Gardens (Cairns) 246
Garden of Joy (Bendigo) 422
Hyde Park (Sydney) 64, **89**
International Flower and Garden Show (Melbourne) 38
Kings Domain (Melbourne) 366, **390-391**
Kings Park (Perth) 298
les plus beaux de Melbourne 366-367
les plus beaux de Sydney 64-65
Leura Garden Festival (Blue Mountains) 36
Macquarie Place (Sydney) 79
Moore Park (Sydney) 65
Mount Lofty Botanic Gardens 345
Mount Tomah Botanic Gardens 163, **165**
Open Garden Scheme (Victoria) 36
parcs de South Bank (Brisbane) 219
Pioneer Women's Garden (Melbourne) 390
Princes Park (Melbourne) 367
Queen Victoria Gardens (Melbourne) 366
Rippon Lea 365
Royal Botanic Gardens (Cranbourne) 432
Royal Botanic Gardens (Melbourne) 366-367, **390-391**
Royal Botanic Gardens (Sydney) 67, 101, **102-103**
The Domain (Sydney) 105
Treasury Gardens (Melbourne) 367
Victoria State Rose Garden (Werribee) 416
Whiteman Park (Perth) 299
Yarra Park (Melbourne) 367
voir aussi parcs nationaux
Parcs nationaux (général)
    randonnée dans le *bush* 526
Parcs nationaux (individuel)
    Barrington Tops 167
    Beedelup 307
    Belair 344
    Bellenden Ker 247
    Ben Boyd 176, 181
    Ben Lomond 452
    Black Mountain 244
    Blackdown Tableland 236
    Blue Mountains 162-165
    Brisbane Ranges 417
    Brisbane Waters 161
    Burleigh Heads 230
    Cape Range 320
    Carnarvon 227, **237**
    Coffin Bay **358-359**
    Cooloola 231
    Coorong 333, 343
    Cradle Mountain Lake St Clair 442, **455**
    Croajingolong 429, 435
    D'Entrecasteaux 305
    Daintree 242, **245**
    Devonian Reef 323
    Douglas Apsley 451
    Elsey 267
    Eucla 311
    Eungella 238

Finke Gorge 276-277
Flinders Chase 342, 346, 351, 361
François Peron 318
Franklin-Gordon Wild Rivers 443, 446, **456-457**
Freycinet 447, **451**
Gammon Ranges 361
Garigal 64
Gibraltar Range 168
Gloucester 307
Grampians 364, **417**
Gregory 267
Gurig 266
Hattah-Kulkyne 420
Hinchinbrook Island 247
Innes 354
John Forrest 299
Kakadu 22, 29, 252, 259, 260, **268-269**
Kalbarri 317
Karijini 285, 315, **321**
Keep River 267
Ku-ring-gai Chase 122
Lake Eyre 361
Lakefield 241, **244**
Lamington 232
Leeuwin Naturaliste 292, **305**
Lincoln 358
Litchfield 259, 261, **266**
Little Desert 420
Ludlow Tuart Forest 306
Millstream-Chichester 321
Mornington Peninsula 432
Morton-Budawang 176, **179**
Mount Buffalo 437
Mount Etna 236
Mount Field 442, **457**
Mount Remarkable 361
Mungo 421
Murramang 181
Namadgi 199
Nambung 314, **316**
Nitmiluk (Katherine Gorge) 259, 266-267
Noosa 231
Nullarbor 359
Otway 419
Oxley Wild Rivers 167
Port Campbell 364, 413
Purnululu (Bungle Bungle) 285, 313, **323**
Queen Mary Falls 232
Royal 178
Stirling Range **308-309**
Strezlecki 453
Uluru-Kata Tjuta 22, 252, 272, **278-281**
Walls of Jerusalem 445
Washpool 168
Watarrka 277
Willandra 173
Wilsons Promontory 429, **434**
Windjana Gorge 288
Witjira 361
Wyperfield 420
Park, Ruth 31
Parkes, sir Henry 168
Parliament House (Adélaïde)
    plan pas à pas 336
Parliament House (Brisbane) 216
    plan pas à pas 215
Parliament House (Canberra) 183, 186, **190-191**
Parliament House (Hobart) **448**
Parliament House (Melbourne) 365
    plan pas à pas 385

Parliament House (Sydney) **105**, 110-111
Parliamentary Triangle (Canberra) **186-189**
  plan 186-187
Parramatta **123**
  restaurants 500
Parsley Bay 137
Parti travailliste 241
Paspaley Pearls 131, 257
Passeports 532
Paterson, A. B. « Banjo » 31, 241, 437
Peaceful Bay 304
Pebbly Beach 181
Pedder, Lake 443
Pemberton **307**
  hôtels 480
  restaurants 512
Penfolds
  excursion dans la Barossa Valley 349
Péniches 465, 551
Péninsules d'Yorke et d'Eyre et Far North **351-361**
  carte 352-353
  climat 40
  Far North **360**
  faune de l'Eyre Peninsula **358**
  hôtels 483-484
  pêche et plongée sous-marine dans la Yorke Peninsula **355**
  restaurants 515-517
Penola 326, **347**
Perceval, John 30
Peregrine Adventures 529
Perles
  Broome 322
  Cossack Historical Town 321
  Darwin 257
Peron Homestead 318
Perry, Charles, évêque de Melbourne 379
Perth
  plan 297
Perth Cultural Centre 296
Perth et le Southwest 284, **291-311**
  aéroport 542-543
  cartes 292-293
  centre de Perth **296-297**
  champs aurifères et Nullarbor Plain **310-311**
  climat 40
  côte sud **304-305**
  fuseau horaire 534
  Grand Perth **298-299**
  hôtels 479-480
  manifestations 37
  plan pas à pas 294-295
  restaurants 511-513
  Rottnest Island **300-301**
Perth Mint 297
  plan pas à pas 295
Peterborough 419
Petersons Winery
  excursion dans la Hunter Valley 166
Petrie, Andrew 217
Phillip, capitaine Arthur 78, 122
Philippe III, roi d'Espagne 45
Philippines 257
Phillip Island 429, **432**
  hôtels 489
  restaurants 522
Pigeon House Moutain 179
Pilbara 43
Pilbara Railways Historical Museum

(Dampier) 320
Pinnacles Desert 314, 316
Pioneer Women's Garden (Melbourne) 390
Pionniers et explorateurs 25
Pipers Brook 33
Pissarro, Camille 108
Pitjantjatjara (Aborigènes) 26
Plages
  Bondi Beach 122-123
  côte de la Great Ocean Road 418-419
  côte du Southeast 342-343
  côte du sud du Queensland 230-231
  côte du Victoria oriental 434-435
  côte nord de la Nouvelle-Galles du Sud 170-171
  côte sud (Australie-Occidentale) 304-305
  « culture de la plage » 34-35
  Gosford 160
  sécurité 537
  Sunset Coast 298-299
  Sydney 136-137
  Wollongong 178
Planche à voile
  Sydney 136
Plantes
  fleurs sauvages d'Australie-Occidentale 286-287
  la nature dans les Snowy Mountains 153
  voir aussi parcs et jardins
Plongée 528
  Grande Barrière de corail 208
  pêche et plongée sous-marine dans la Yorke Peninsula 355
  Sydney 136
Poètes 31
Point Addis 419
Point Hicks 435
Point Lonsdale 416
Point Nepean 432
Point Samson 321
Poisons Information Centre 537
Poisson
  Grande Barrière de corail 206-207
  pêche 137, **528**
  pêche et plongée sous-marine dans la Yorke Peninsula 355
  Sydney Fish Market 129
  voir aussi aquariums
Pokolbin
  restaurants 502
Police 536, 537
  South Australian Police Museum (Adélaïde) 337
Politique de l'Australie blanche 52
Polly Woodside Maritime Museum (Melbourne) 393, **394**
Polo, Marco 45
Pomodoro, Arnaldo 217
Ponts
  Pyrmont Bridge (Sydney) 93
  Sydney Harbour Bridge 76-77
Port Albert 434
Port Arthur 458-459
Port Augusta 326, **357**
Port Campbell 419
Port Campbell National Park 364, 413
Port Douglas 245
  hôtels 476
  restaurants 508-509
Port Elliot 342
Port Essington 241

Port Fairy 418
  hôtels 488
  restaurants 521
Port Jackson 66
Port Lincoln 352, **358**
  hôtels 484
  manifestations 37
  restaurants 516
Port Macquarie 171
  restaurants 502
Port Noarlunga 342
Port of Morgan Historical Museum (Morgan) 347
Port Phillip Bay 416
Port Pirie 356
Port Victoria 354
Port Vincent
  restaurants 516
Portarlington 416
Portland 418
  hôtels 488
Portsea 432
Potts Point (Sydney)
  plan pas à pas 114-115
Power Cuts (Sydney) 135
Power, John 74
Powerhouse Museum (Sydney) 60, **98-99**
Prahran
  restaurants 518
Première Flotte 46, 71
Première Guerre mondiale 52-53, 53-54
Preston, Margaret 78, 108, 220
Princes Park (Melbourne) 367
Princess Cruises 551
Princess Theatre (Melbourne) 401
Prisons
  Port Arthur 458-459
Pro Dive Coogee (Sydney) 136
Proctor, Thea 109
Protectionnistes 52
Ptolémée d'Alexandrie 44
Public Transport Infoline (Sydney) 124
Puffing Billy 433
Pugh, Clifton 30
Pugin, A. W. 216
Purnululu (Bungle Bungle) National Park 285, 313, **323**
Pyrmont Bridge (Sydney)
  plan pas à pas 93
Pythagore 44

Q

Qantas
  Cloncurry 249
  histoire 52, 53
  réseau aérien national 545
  transports aériens internationaux 543
Quartier de Swanston Street (Melbourne) 376-377
Quartier du Parlement (Melbourne)
  plan pas à pas 384-385
Quayside Booking Centre (Sydney) 127
Queanbeyan
  restaurants 505
Queen Mary Falls National Park 232
Queen Victoria Building (Sydney) 86
  plan pas à pas 84
Queen Victoria Gardens (Melbourne) 366, **378**
Queen Victoria Museum and Art Gallery (Launceston) 453

Queen Victoria Statue (Sydney)
plan pas à pas 84
Queen's Birthday 39
Queenscliff 416
hôtels 488
restaurants 521
Queensland 201-249
au sud de Townsville 227-239
automobile-clubs 550
Brisbane 211-225
bureau de tourisme de l'État 535
carte 202-203
côte du sud du Queensland 230-
231
Grande Barrière de corail 204-209
histoire 48
nord et Outback du Queensland
241-249
Outback 248-249
site du Patrimoine mondial 23
Queensland Club (Brisbane)
plan pas à pas 215
Queensland Cultural Centre
(Brisbane) 220-221
Queensland du Nord et Outback
restaurants 507-509
Queensland Government Travel
Centre 551
Queensland Maritime Museum
(Brisbane) 219
Queensland Museum (Brisbane) 221
Queensland Performing Arts Centre
(Brisbane) **221**, 225
Queensland Travel Centre (Brisbane)
465
Questacon (Canberra) 186, **189**
Quinn, Anthony 94
Quokkas 301
Quorn 327
restaurants 516

R

Radio 535
Rafting 528
Rafting en eau vive 528
Rail Australia 547
Randonnée dans le *bush* 526
Ranger Uranium Mine 269
Ravenswood 203, 227, 228, **238**
Rawnsley Park
hôtels 484
Ray, Man 108
Red Centre 271-281
Alice Springs 274-275
carte 272-273
climat 40
hôtels 478-479
restaurants 510-511
Uluru-Kata Tjuta National Park 278-
281
Red Cliff Beach 170
Red Eye Records (Sydney) 131
Red Hill 432
Red Hill (Canberra) 190
Reed, Joseph
Melbourne Town Hall 381
Rippon Lea (Melbourne) 396-397
Royal Exhibition Building
(Melbourne) 387
Scots' Church (Melbourne) 382
St Paul's Cathedral (Melbourne) 381
State Library (Melbourne) 377
Rees, Lloyd 109
Régate Sydney-Hobart 37
Regent 465
Regent Theatre (Melbourne) **382**, 401

Remarkable Rocks 346
Rembrandt 109
Renmark 347
Reptiles
Broome Crocodile Park 322
New Australian Reptile Park
(Gosford) 161
sécurité 537
Wyndham Crocodile Park 323
Restaurants 492-523
Adélaïde et le Southeast 514-515
alcool et boissons alcoolisées 493
au sud de Townsville 507
Bring Your Own (Apportez le
vôtre) 492, 493
Brisbane 505-506
Canberra et ACT 503-505
Darwin et le Top End 509-510
des Blue Mountains à Byron Bay
501-502
enfants 493
fumeurs/non-fumeurs 493
heures des repas et réservations
492
Melbourne 517-519
nord de Perth 513-514
péninsules d'Yorke et d'Eyre 515-
517
personnes handicapées 493
Perth et le Southwest 511-513
prix et pourboires 492-493
que boire en Australie 496-497
que manger en Australie 494-495
queensland du Nord 507-509
Red Centre 510-511
South Coast et Snowy Mountains
502-503
Sydney 498-500
Tasmanie 522-523
tenue vestimentaire 493
types de restaurant 492
végétariens 493
Victoria occidentale 519-521
Victoria oriental 521-522
Révolte du Rhum (1808) 49
Rialto Towers (Melbourne) 379
Richardson, Henry Handel 31, 438
Richmond 160, **450**
Richmond
hôtels 486, 491
restaurants 518, 523
Riley, Edward et Mary 74
Rio Vista (Mildura) 420, 421
Rippon Lea (Melbourne) 365, 405,
396-397
Riva Night Club (Sydney) 135
Riversleigh 22
Riversleigh Interpretive Centre
(Mount Isa) 249
Rivières
croisières à Melbourne 403
péniches 551
Tasmanie 443
Robe 343
hôtels 483
restaurants 515
Roberts, John 449
Roberts, Tom 30, 108, 167
Robertson, Ethel 31
Robinson, révérend George Augustus
453
Rock
Sydney **134**, 135
Rockhampton 236
hôtels 475
restaurants 507

Rocks Market (Sydney) 129
plan pas à pas 73
Rocks Opal Mine (Sydney) 131
Rockwall (Sydney)
plan pas à pas 115
Rocky Bay (Rottnest Island) 300
Rodéo
Mount Isa Rodeo 39
Rose and Rodeo Festival (Warwick)
37
Roebourne 321
hôtels 481
Roper River 528
Roque, Jacqueline 107
Rose and Rodeo Festival (Warwick) 37
Rose Festival (Benalla) 37
Rose, Shamrock & Thistle Hotel
(Sydney) 135
Ross River
hôtels 478
restaurants 511
Ross 452
hôtels 491
Ross, John 276
Rothbury
excursion dans la Hunter Valley 167
Rothbury Estate
excursion dans la Hunter Valley 166
Rottnest Island 300-301
hôtels 480
restaurants 513
Rottnest Museum 301
Rowe, Thomas 89
Royal Arcade (Melbourne) 380-381
Royal Australian Mint (Canberra) 190-
191
Royal Australian Navy 97
Royal Automobile Club of Victoria 403
Royal Botanic Gardens (Cranbourne)
432
Royal Botanic Gardens (Melbourne)
366-367, **390-391**
Royal Botanic Gardens (Sydney) 67,
101, **102-103**
Royal Easter Show (Sydney) 38
Royal Exhibition Building
(Melbourne) 387
Royal Flying Doctor Service 53, **249**,
550
Royal Melbourne Institute of
Technology 369
Royal Melbourne Show 36
Royal Mint (Melbourne) 379
Royal National Park 178
Ruée vers l'or **50-51**, 91
Ballarat 424
Beechworth 438
Bendigo 422
carte 310
Central Deborah Goldmine
(Bendigo) 422
Charters Towers 239
Halls Creek 323
Kalgoorlie-Boulder 310-311
les Chinois des champs aurifères
423
Mudgee 169
Norseman 311
Sovereign Hill 423
Rugby à treize
Sydney 138
Rugby à quinze
Sydney 138
Rundle Mall (Adélaïde) 339
Rupertswood 414
excursion dans les Macedon

Ranges 427
Rupertswood et les Ashes 426
Russell Falls 442, 457
Rutherglen 438-439
  hôtels 489
  restaurants 522
Ryan, Phil 166

S

Sailors' Home (Sydney) 71, **75**
Salamanca Place (Hobart) 448-449
Saltram
  excursion dans la Barossa Valley 349
Sanctuary Cove 231
Sandringham Hotel (Sydney) 135
Sands Hill Vineyard 154
Sandstone Bluff 227
Sandy Cape 234
Sangster, William 397
Santé 536-537
  Royal Flying Doctor Service 53, **249,** 550
Saphirs 168, 169, 236
Sapphire Coast 175
Sarah Island 456
Sargood, famille 396
Savane de *Mallee*
  oiseaux d'Australie-Méridionale 328
Savannah, golfe de 248
Save Time Services (Melbourne) 401
Savoir-vivre 533
Scarborough Beach 299
Sciencentre (Brisbane)
  plan pas à pas 214
Scienceworks Museum (Melbourne) 395
Scobie, James 424
Scots' Church (Melbourne) **382**
Se distraire
  acheter sa place 132
  agences de location 132-133, 400-401
  boîtes de nuit **134,** 135
  Brisbane 224-225
  cabaret **134,** 135
  choisir sa place 133, 401
  cinéma **134,** 135
  danse **134,** 135
  Melbourne 400-401
  opéra et musique classique **134,** 135
  réductions 401
  rock, jazz et blues **134,** 135
  sources d'informations 132
  spectacles en plein air 401
  Sydney 132-135
  tarifs réduits 133
  théâtre **134,** 135
  voyageurs handicapés 133, 401
Seal Rocks 432
Sealink 551
Seaman's Hut 152
Second Valley
  restaurants 515
Seconde Guerre mondiale 262
Sécurité 536
  conduire dans l'Outback 550
  sur les plages 35
Séjours à la ferme 465
Séjours à thèmes et activités de plein air 526-529
Séjours indépendants 464-465
Sensberg, Jan 189
Seppeltsfield
  excursion dans la Barossa Valley 348

Services postaux 541
Seven Hills 330
Seven Shillings Beach 137
Sevenhill Cellars 356
Sevenhill
  restaurants 516
Seventy-Five Mile Beach 234
Sewell, Stephen 31
Seymour Theatre Centre (Sydney) 135
Shakespeare by the Sea (Sydney) 135
Shark Bay 22, 37
Shark Bay World Heritage and Marine Park 284, 313, 314, **318-319**
Sharp, William 116
Sheffield
  restaurants 523
Shell Beach 137, 319
Shepparton 439
Sheraton 465
Sherman, Cindy 109
Sherman Gallery (Sydney)
  plan à pas 119
Shinju Matsuri Festival (Broome) 39
Shoalhaven Coast 180
Shoalhaven Heads 181
Shrine of Remembrance (Melbourne) 374, 390
Shute, Nevil 249
Sicard, François 89
Sidney Myer Music Bowl (Melbourne) 390
Silverton 15, 173
Simpson (brancardier)
  statue de 366
Simpson Desert Conservation Park 361
Simpsons Gap 273, 276
Sinclair, James 366, 385
Sirsi Newport Marina (Sydney) 136
Sites du Patrimoine mondial 22-23
Ski 529
  stations de ski du Victoria 436
Skin Deep (Sydney) 131
Skygarden (Sydney) 129
  plan pas à pas 85
Smith, Joshua 30
Snowy Mountain Scheme 175,179
Snowy Mountains 179
  carte 152-153
  la nature dans les Snowy Mountains 153
  voir aussi South Coast et Snowy Mountains
  restaurants 503
Snowy River 152
Soldes 128
Sorrento 432
Sorrento Beach 298
Sotheby's Gallery (Sydney)
  plan pas à pas 119
South Alligator River 268
South Australian Museum (Adélaïde) 339
  plan pas à pas 337
South Australian Police Museum
  plan pas à pas 337
South Australian Tourist Centre (Adélaïde) 465
South Coast et Snowy Mountains 175-181
  cartes 176-177, 180-181
  climat 41
  hôtels 470-471
  restaurants 502-503
South Gippsland
  hôtels 490

South Head (Sydney) 65
South Melbourne
  restaurants 519
South Stradbroke Island Beach 231
South Yarra
  hôtels 486
  restaurants 519
Southbank
  hôtels 486
  restaurants 519
Southern Highlands 178-179
  hôtels 470-471
  restaurants 503
Southgate Complex (Melbourne) 399
Souvenirs 130
Sovereign Hill 423
Space Centre (Canberra) 198
Spencer, John 86
Spielberg, Steven 31
Sport
  Australian Gallery of Sport and Olympic Museum (Melbourne) 388
  Australian Institute of Sport (Canberra) 197
  Jeux olympiques de Melbourne (1956) 54
  Jeux olympiques de Sydney (2000) 55, 123, **139**
  Melbourne Park (National Tennis Center) 389
  sports d'aventure 527
  sports nautiques 528-529
  surf et « culture de la plage » 34-35
  Sydney 138-139
Spring Hill (Brisbane)
  hôtels 474
Squeaky Beach 434
St Andrew's Cathedral (Sydney) 89
St Clair, Lake 455
St Francis Xavier Cathedral (Geraldton) 314
St Francis Xavier Catholic Cathedral (Adélaïde) 338
St Francis' Church (Melbourne) 378
St George's Anglican Cathedral (Perth) 296-297
St George's Anglican Cathedral (Perth)
  plan pas à pas 294
St James' Church (Sydney) 62, **111**
St James' Old Cathedral (Melbourne) 379
St John the Baptist Church and Schoolhouse (Canberra)] 187
St John's Anglican Cathedral (Brisbane) 218
St John's Cemetery (Parramatta) 123
St Kilda (Melbourne) 395
  hôtels 486
  restaurants 518
St Leonards 416
St Mary's Cathedral (Sydney) 88
St Mary's Roman Catholic Cathedral (Perth) : plan pas à pas 295
St Michael's Golf Club (Sydney) 138
St Patrick's Cathedral (Melbourne)
  plan pas à pas 385
St Patrick's Day Parade (Sydney) 38
St Paul's Cathedral (Melbourne) 373, 376, **381,** 405
St Peter's Anglican Cathedral (Adélaïde) 333, 334
St Philip's Church (Sydney) 78
St Stephen's Cathedral (Brisbane) 216
  plan pas à pas 214
Stables Theatre (Sydney) 135

Standley Chasm 276
Stanford Fountain (Melbourne)
plan pas à pas 384
Stanford, William 384
Stanley 454-455
hôtels 491
restaurants 523
Stanthorpe 232
manifestations 39
State Library (Brisbane) 221
State Library (Melbourne) 377
State Library of New South Wales
(Sydney) **105**, 110
State Parliament House (Melbourne)
368
State Theatre (Sydney) 86
plan pas à pas 84
Stationnement 550
Steavenson Falls 436
Steep Point 318
Steiglitz 417
Stephenson, Robert 99
Stewart's Gentlemen's Outfitters
(Sydney) 131
Stirling
hôtels 483
Stirling, capitaine James 302
Stirling Range 291
Stirling Range National Park 308-309
Stockman's Hall of Fame (Longreach)
249
Stokes, John Lort 259
Storey Hall (Melbourne) 376
Strahan 456
hôtels 491
Strand Arcade (Sydney) 86
plan pas à pas 85
Strathalbyn 345
Streeton, Arthur 30, 108
Strehlow, professeur Ted 275
Strehlow Research Centre (Alice
Springs) 275
Strezlecki National Park 453
Strickland, sir Gerald 300
Strickland Bay 300
Stromatolithes de la Hamelin Pool 319
Stuart, John McDouall 25, 49
Sturt, Charles 48
Sud de Townsville 227-239
carte 228-229
climat 41
hôtels 470-471
restaurants 502-503
Sugareef (Sydney) 135
Sunset Coast (Perth) 298
Sunshine Coast 230
hôtels 475
Sunshine Coast Hinterland 232-233
Sunshine Plantation 230
Supreme Court (Melbourne) 378-379
Surf 34-35
International Surfing Competition
(Bells Beach) 38
Surfers Paradise 34,0203, 227, 231
Susannah Place (Sydney) 74
Sutherland, Joan 17
Swan Hill 421
Swan Hill Pioneer Settlement 413, 421
Swan Reach 335
Swan River 302
Swanbourne Beach 299
Sydney Aquarium 94
plan pas à pas 93
Sydney Cove 46, 71
drapeau britannique 78
Sydney Cricket Ground 135

Sydney Dance Company 135
Sydney Entertainment Centre 135
Sydney Film Festival 39, 135
Sydney Fish Market 129
Sydney Fringe Festival 135
Sydney Harbour Bridge 53, 68, **76-77**
Sydney Harbour Tunnel 77
Sydney Harbour
bacs et bateaux-taxis 127
de Garden Island à la Farm Cove
66-67
de la Sydney Cove à la Walsh Bay
68-69
Sydney Hospital 109
Sydney Jewish Museum 61, **117**
Sydney Light Rail (SLR) 126
Sydney Mint **109**, 110
Sydney Observatory 78
plan pas à pas 72
Sydney Olympic Park 123
Sydney Opera House 13, 17, 68, **80-81**
Sydney Opera House
bureau de renseignements 133
Sydney Philharmonia Choirs 135
Sydney Symphony Orchestra 133, 135
Sydney Tower *voir* AMP Tower
Sydney Town Hall 89
Sydney Traffic Control Centre 124
Sydney 57-147
aéroport 542-543
AMP Tower 87
architecture 62-63
Art Gallery of New South Wales
106-109
atlas des rues 140-147
Australian Museum 90-91
Botanic Gardens et the Domain
101-111
centre-ville et Darling Harbour 83-99
circuler 124-127
climat 41
de Garden Island à la Farm Cove
66-67
de la Sydney Cove à Walsh Bay 68-69
faire des achats 128-131
fuseau horaire 534
hors du centre 122-123
hôtels 466-468
Jeux olympiques (2000) 55, 123, **139**
Kings Cross, Darlinghurst et
Paddington 112-121
Macquarie Street 110-111
manifestations 36, 37, 38, 39
musées et galeries
National Maritime Museum 960-616-97
parcs et réserves naturelles 64-65
pêche 137
plages 136-137
plan 58-59
plan pas à pas : centre-ville 84-85
plan pas à pas : Darling Harbour
92-93
plan pas à pas : Paddington 118-119
plan pas à pas : Potts Point 114-115
port 66-69
Powerhouse Museum 98-99
restaurants 498-500
Royal Botanic Gardens 102-103
se distraire 132-135
sport 138-139

The Rocks et Circular Quay 71-81
Synagogues
Great Synagogue (Sydney) 89

T
Tallows Beach 171
Tamar River 452
Tamarama 137
Tamworth 151, **169**
manifestations 37
Tandanya (Adélaïde) 339
Tank Stream (Sydney) 69
Tanunda
hôtels 483
Tarpeian Market (Sydney) 129
Tasma Terrace (Melbourne) 368
plan pas à pas 385
Tasman, Abel 45, 105
Tasman Peninsula
hôtels 491
Tasmanian Museum and Art Gallery
(Hobart) 448
Tasmanian Travel Centre (Hobart) 465
Tasmanie 441-459
automobile-clubs 550
bureau de tourisme de l'État 535
carte 446-447
climat 41
ferry-boats 551
flore et faune 442-443
histoire 45, 48
Hobart 448-449
hôtels 490-491
Port Arthur 458-459
restaurants 522-523
site du Patrimoine mondial 23
Tathra Beach 181
Taxis
bateaux-taxis 127
Sydney 124
Tayler, Lloyd 380
Telstra Mobile Communications 541
Telstra Tower (Canberra) 196
Températures 40-41
Temple of the Winds (Melbourne) 391
Temps du Rêve 14-15, **26-27**
Tennant Creek 277
hôtels 478
restaurants 511
Tennis
Australian Open 37
Sydney 138
Tenterfield 151, **168**
Terre de Van Diemen 45
Territoire du Nord multiculturel 256-257
Territoire du Nord 251-281
automobile-clubs 550
bureau de tourisme de l'État 535
carte 252-253
Darwin et le Top End 259-269
Red Centre 271-281
terres aborigènes 254-255
Territoire du Nord multiculturel
256-257
Territory Wildlife Park (Berry Springs)
264
Tewantin 230
The Basement (Sydney) 135
The Basin (Rottnest Island) 301
The Basin (Sydney) 137
The Domain (Sydney) *voir* Botanic
Gardens et The Domain
The Mansions (Brisbane)
plan pas à pas 215
The Rocks et Circular Quay (Sydney)

69, **71-81**
Circular Quay 69
hôtels 467-468
plan 58
plan général 71
plan pas à pas 72-73
restaurants 500
Sydney Harbour Bridge 76-77
The Walk Arcade (Melbourne) 399
The Wharf (Sydney) 135
Theatre Royal (Hobart) 448
Theatre Royal (Sydney) 135
Théâtre
Sydney **134,** 135
Third Headland Beach 170
Thredbo
hôtels 471
Thredbo River 153
Thredbo Village 177
Three Day Equestrian Event (Gawler)
39
Three Sisters 151, 157, 158, 163
Thrifty 550
Thumm, Herman 348
Thursday Island 244
manifestations 38
Tiagarra (Devonport) 454
Ticketek (Brisbane) 225
Ticketek (Melbourne) 401
Ticketek (Sydney) 133, 138
Ticketmaster (Sydney) 133
Ticketmaster BASS (Melbourne) 401
Tidal Cascades (Sydney)
plan pas à pas 92
Tidbinbilla Nature Reserve 198
Tiffin, Charles 216, 217
Tilba Tilba
hôtels 471
restaurants 503
Tillers, Imants 109
Timewarp Records (Sydney) 131
Tirari Desert 361
Tiwi (Aborigènes) 26, 107, 252, 266,
Tiwi Land Council 254
Todd River 274
Todd, Alice 274
Todd, Charles 274
Toowoomba 232
manifestations 37
Toowoon Bay
hôtels 469
Top End *voir* Darwin et le Top End
Torrens River 336, 338
Torres Strait Cultural Festival
(Thursday Island) 38
Torres, Luis Vaez de 45
Tortues
Mon Repos Environmental Park
235
Tourisme
bureaux de tourisme 532, 535
Brisbane 225
Melbourne 403
Tower Hill Game Reserve 418
Towns, Robert 239
Townsville 239
hôtels 475
Traeger, Alfred 249
Trains
Melbourne 402
Pilbara Railways Historical Museum
(Dampier) 320
Sydney 126
Trains 546-547
Tramways
Melbourne 402-403

Sydney 124
Trans-Australian Railway 359
Transinfo (Brisbane) 225
Transport Information Kiosk
(Melbourne) 403
Transports 542-551
autocar 547
avion 542-545
ferry-boats et paquebots de
croisière 551
trains 546-547
voiture et 4 × 4 548-550
Transports aériens 542-545
Australian Aviation Heritage Centre
(Darwin) 264
international 542-543
vols intérieurs 544-545
Travelodge 465
Treasury Building (Melbourne)
plan pas à pas 384
Treasury Gardens (Melbourne) 367
Trentham Falls
excursion dans les Macedon
Ranges 426
« Triangle du cuivre » 355
Trigg Island Beach 299
Trollope, Anthony 338
Truganinni 49, 457
Tulip Festival (Bowral) 37
Tunarama Festival (Port Lincoln) 37
Turquoise Bay 320
Tusculum Villa (Sydney)
plan pas à pas 114
Twain, Mark 79
Twelve Apostles 364, 413
Twin Falls 269
Tyrrell Vineyard
excursion dans la Hunter Valley 166

U

Ubirr Rock 255, 269
Ulladulla 180
restaurants 503
Uluru-Kata Tjuta National Park 252,
278-281
art rupestre 29
carte 272
monts Olga 18
sites du Patrimoine mondial en
Australie 22
sites sacrés 255
Uluru (Ayers Rock) 271, **279**
Umoona Opal Mine and Museum
(Coober Pedy) 360
Underwater World (Perth) 298
Underwood, Jacky 172
Unesco 22, 347
Unicorn Hotel (Sydney) 135
United Airlines 543
Unsworth, Ken 109
Upper Alijon Falls 237
Upper Murray Valley 431
Uranium
Ranger Uranium Mine 269
Urunga 170
Utzon, Jørn
Sydney Opera House 63, 81

V

Valhalla (Sydney) 135
Vancouver, capitaine 308
Verge, John
Elizabeth Bay House (Sydney) 63,
116
Rockwall (Sydney) 115
St James' Church (Sydney) 111

Vêtements
magasins 130, 131
tenue vestimentaire 533
vêtements de l'Outback 525
Victor Harbour 342
hôtels 483
Victoria
automobile-clubs 550
bureau de tourisme de l'État 535
Victoria Barracks (Sydney) 63, **120-
121**
Victoria Cave 347
Victoria River 267
Victoria Spring Designs (Sydney) 131
Victoria Square (Adélaïde) 338
Victoria State Rose Garden (Werribee)
416
Victoria Street (Sydney) 116
plan pas à pas 114
Victoria Visitor Information Centre
(Melbourne) 401, 403, 465
Victoria 363-439
carte 364-365
côte de la Great Ocean Road 418-
419
côte du Victoria oriental 434-435
histoire 48
Melbourne 373-411
stations de ski du Victoria 436
Victoria occidental 413-427
Victoria oriental 429-439
vins du Victoria 370-371
Victoria's Open Range Zoo 416
Victoria, reine d'Angleterre 79, 215
statues de 84, 86, 366
Victorian Alps 365, 429, 431
Victorian Arts Centre (Melbourne)
392, 401
Vie politique 16-17
Vignobles du nord-est 438-439
voir aussi vins
Vins 32-33
d'Australie-Méridionale 330-331
du Victoria 370-371
excursion dans la Barossa Valley
348-349
Que boire en Australie 496-497
vignobles du nord-est (Victoria)
438-439
vins de la Nouvelle-Galles du Sud
et de l'ACT 154-155
Yarra Valley 433
Vins blancs 496
Vins mousseux 496
Vins rouges 497
Violet Gorge 227
Visas 532
Visiteurs handicapés 533
Vlamingh, Willem de 300, 301
Voile 529
America's Cup 55, **302**
régate Sydney-Hobart 37
Sydney 136
Voitures 548-550
assistance dépannage 549
assurance 548-549
carburant 549
code de la route 549
conduire à Melbourne 402
conduire à Sydney 124
conduire dans l'Outback 550
conduire en ville 550
état des routes 549
Harris Street Motor Museum
(Sydney) 94
location 548

National Motor Museum
(Birdwood) 345
sécurité 536
stationnement 550
York Motor Museum 309
location 550
voir aussi excursions en voiture
Vol 536
Volley-ball sur la plage 35
Voyageurs handicapés
Melbourne 403
salles de spectacle 401
se distraire 133

W

Wadlata Outback Centre (Port
Augusta) 357
Wagbara, Samuel 108
Wagga Wagga 173
hôtels 469
restaurants 502
Waikerie 347
Waitpinga Beach 342
Walkabout Creek Wildlife Centre
(Brisbane) 223
Walker Cinema (Sydney) 135
Walker Flat 335
Wallabies 301
Wallaroo 355
Walls of Jerusalem National Park 445
Walsh Bay (Sydney) 68
Wangaratta
restaurants 522
Wardang Island 354
Wardell, William 88
Warhol, Andy 74
Warrawong Sanctuary 344
Warrnambool 418
hôtels 488
Warwick (Queensland) 232
manifestations 37
Warwick (Sydney)
plan pas à pas 119
Washpool National Park 168, 227
hôtels 478
Watarrka
restaurants 511
Watson, G.W. 422
Watsons Bay 137
Wave Rock 285, **310**
Webb, Charles 380
Weindorfer, Gustav 455
Weiss Art (Sydney) 131
Welch, Dr Kenyon St Vincent 249
« Welcome stranger » pépite d'or 91
Weld, gouverneur 321
Wentworth Falls 163
Wentworth, William Charles 48, 164
statue de 88
Werribee Park 416
Werrington (Sydney)

plan pas à pas 114
Western Australia Tourist Centre
(Perth) 465
Western Australian Maritime Museum
(Fremantle) 302
Western Australian Museum (Perth) 296
Western Plains Zoo (Dubbo) 172
Whale Beach 137
Wharf Theatre (Sydney) 69
White, Patrick 31, 234
Whiteman Park (Perth) 299
Whitlam, Edward Gough 54, 55
déposition 188
Whyalla 357
hôtels 484
restaurants 517
Whyalla Maritime Museum (Whyalla)
357
Whyalla Wildlife and Reptile
Sanctuary (Whyalla) 357
Wickham, capitaine John 222
Willandra Lakes 23
Willandra National Park 173
Williams, Edward Eyre 397
Williamson, David 31
Williamson, J.C. 116
Williamstown Bay and River Cruises
(Melbourne) 403
Wills, William 49
Wilpena
hôtels 484
Wilson Inlet 305
Wilson, J.H. 89
Wilsons Promontory
hôtels 490
Wilsons Promontory National Park
429, 434
Windjana Gorge 323
Windjana Gorge National Park 288
Windsor 151, **160**
Windsor Hotel (Melbourne)
plan pas à pas 384
Windsor Street (Sydney)
plan pas à pas 119
Wineglass Bay 447, 451
Winton 241
restaurants 509
Witjira National Park 361
Wivenhoe, Lake 223
Wolf Blass 330
excursion dans la Barossa Valley
349
Wolfe Creek Meteorite Crater Reserve
323
Wollombi Gorge 167
Wollongong 178
hôtels 471
restaurants 503
Wombeyan Caves 178-179
Wonnerup House (Busselton) 306
Woodend

excursion dans les Macedon
Ranges 427
Woodside Beach 435
Woody Bay Beach 171
Woody Island 311
Woollool Woolloolni Aboriginal Place
168
Woolloomooloo Finger Wharf
(Sydney) 67
Woolloongabba
hôtels 474
Woolnorth 455
World Expeditions 529
Wreck Bay 181
Wright, Edmund 338
Wright, Judith 31, 79
Writers' Walk (Sydney) 79
Wyndham 323
Wynns Winery 331
Wyperfield National Park 420

Y

Yallingup 304
Yalumba Vineyard 331
Yamba 171
Yapurrara (Aborigènes) 320
Yarra Park (Melbourne) 367
Yarra River 367,**392-393**
Yarra Valley 433
hôtels 490
restaurants 522
Yarra Valley Grape Grazing 38
Yarra Yarra Water Taxis (Melbourne)
403
Yarralumla (Canberra) 192-193
Yarrangobilly Caves 153
Yass 179
Yellow Water 268
York 309
hôtels 480
Yorketown 354
Young and Jackson's (Melbourne) 377
Yulara 278
hôtels 478-479
restaurants 511
Yulara Resort 281
Yulefest (Blue Mountains) 39
Yungaburra 247

Z

Zampatti, Carla 131
Zoo
Lone Pine Koala Sanctuary
(Brisbane) 222
New Australian Reptile Park
(Gosford) 161
Perth Zoo 299
Victoria's Open Range Zoo 416
Western Plains Zoo (Dubbo) 172
voir aussi flore et faune
Zuytdorp Cliffs 318

Remerciements

L'éditeur remercie les organismes, les institutions et les particuliers suivants dont la contribution a permis la préparation de cet ouvrage.

Consultant
Helen Duffy est éditeur et auteur. Depuis 1992, elle a dirigé et participé à plusieurs publications touristiques sur l'Australie.

Auteurs
Louise Bostock Lang est auteur et éditeur. Elle a participé à la rédaction de plusieurs guides Voir et publié quatre autres livres.
Jan Bowen est auteur et chroniqueur touristique à la radio et à la télévision. Elle a écrit plusieurs récits de voyage, entre autres *The Queensland Experience*.
Paul Kloeden vit à Adélaïde. Écrivain indépendant et historien, il est l'auteur d'articles touristiques et d'études du patrimoine pour le compte du gouvernement.
Jacinta le Plaistrier est journaliste, poète et librettiste et elle vit à Melbourne. Elle a écrit des articles touristiques pour de nombreuses publications australiennes.
Sue Neales est une journaliste australienne lauréate de plusieurs prix. Ses articles touristiques ont paru dans les grands journaux et magazines australiens.
Ingrid Ohlsson est un écrivain de Melbourne. Elle a participé à plusieurs publications touristiques australiennes.
Tamara Thiessen est un écrivain et photographe tasmanien indépendant. Elle est spécialisée dans le tourisme.

Autres collaborateurs
Tony Baker, Libby Lester.

Photographies d'appoint
Simon Blackall, DK Studio, Geoff Dunn, Jean-Paul Ferrero, Jean-Marc La Roque, Michael Nicholson, Alan Williams.

Recherches cartographiques
Lovell Johns Ltd, Oxford, UK ; ERA-Maptec Ltd, Dublin, Irlande.

Lecteur
Sam Merrell.

Responsable de l'index
Hilary Bird.

Collaboration artistique et éditoriale
Rosemary Bailey, Hanna Bolus, Sue Callister, Wendy Canning, Donna Dailey, Jonathan Elphick, Gail Jones, Christine Keilty, Ciaran McIntyre, Claudine Meissner, John Miles, Tania Monkton, Michael Palmer, Manisha Patel, Luise Roberts, Mark Sayers, Adrian Tristram.

Avec le concours spécial de :
Sue Bickers, Perth ; Craig Ebbett, Perth ; Peter Edge, Met. Office, Londres ; Chrissie Goldrick, The Image Library, State Library of NSW ; Cathy Goodwin, Queensland Art Gallery ; Megan Howat, International Media & Trade Visits Coordinator, WA Tourist Commission ; John Hunter et Fiona Marr, CALM, Perth ; Vere Kenny, Auscape International ; Selena MacLaren, SOCOG ; Greg Miles, Kakadu National Park ; Ian Miller, Auslig ; Gary Newton, Perth ; Murray Robbins, Perth ; Ron Ryan, Coo-ee Historical Picture Library ; Craig Sambell et Jill Jones, GBRMPA ; Norma Scott, Australian Picture Library ; Andrew Watts, QASCO ; et tous les offices de tourisme des États et les services des parcs nationaux.

Autorisation de photographier
L'éditeur remercie les responsables qui ont autorisé des prises de vues dans leur établissement : Art Gallery of WA ; Australian Museum ; National Gallery of Australia ; Australian War Memorial ; Ayers House ; Department of Conservation and Land Management (WA) ; Department of Environment and Natural Resources (Adélaïde) ; Department of Environment (Queensland) ; Government House (Melbourne) ; Hermannsburg Historic Precinct ; Jondaryan Woolshed Historical Museum ; Museum and Art Gallery of NT ; Museum of WA ; National Gallery of Victoria ; National Maritime Museum ; National Museum of Australia ; National Parks and Wildlife Services (tous les États) ; National Trust of Australia (tous les États) ; Parliament House (Melbourne) ; Port Arthur Historic Site ; Powerhouse Museum ; Rottnest Island Authority ; Royal Flying Doctor Service of NT ; administrateurs du Shrine of Remembrance (Victoria) ; South Australian Museum ; *Spirit of Tasmania* ; Supreme Court (Melbourne), Tandanya National Aboriginal Cultural Institute Inc ; Victoria Arts Centre Trust ; WA Maritime Museum ; et tous les autres établissements trop nombreux pour être tous cités.

Crédit photographique
hg = en haut à gauche ; hcg = en haut au centre à gauche ; h = en haut ; hc = en haut au centre ; hcd = en haut au centre à droite ; hd = en haut à droite ; chg = au centre en haut à gauche ; ch = au centre en haut ; chd = au centre en haut à droite ; cg = au centre à gauche ; c = au centre ; cd = au centre à droite ; cbg = au centre en bas à gauche ; cb = au centre en bas ; cbd = au centre en bas à droite ; bg = en bas à gauche ; bcg = en bas au

centre à gauche ; b = en bas ; bc = en bas au centre ; bcd = en bas au centre à droite ; bd = en bas à droite ; bgh = en bas à gauche en haut ; bch = en bas au centre en haut ; bdh = en bas à droite en haut ; bgb = en bas à gauche en bas ; bcb = en bas au centre en bas ; bdb = en bas à droite en bas ; hcd = en haut au centre à droite ; hcg = en haut au centre à gauche ; hdb = en haut à droite en bas ; bh = en bas en haut ; dh = à droite en haut ; g = à gauche ; d = à droite.

Les œuvres d'art ont été reproduites avec l'aimable autorisation des organismes suivants :

Goanna Dreaming, 1996 © Michael Tommy Jabanardi 339g ; *Ngalyod and Ngalkunburriyaymi*, Namerredje Guymala, v. 1975, Pigments naturels sur écorce, The National Museum (Canberra) ©1978 Aboriginal Artists Agency Limited 13c, 196b.

L'éditeur exprime également sa reconnaissance aux particuliers, sociétés et bibliothèques qui ont autorisé la reproduction de leurs photographies : Allsport : 529b, 38h ; Ardea London Ltd : © D Parer & E Parer Cook 208hd ; © Ron and Valerie Taylor 208chg ; Art Gallery of NSW : © Ms Stephenson-Meere 1996, *Australian Beach Pattern* 1940, Charles Meere (1890 - 1961) huile sur toile, 91,5 × 122 cm, 61hg ; © The Cazneau Family 1996, *Bridge Pattern*, Harold Cazneaux (1890 - 1961), épreuve argentique, 29,6 × 21,4 cm, don de la famille Cazneaux, 1975, 68bc (d) ; © Lady Drysdale 1996 *Sofala* 1947, Russell Drysdale (1912-1981), huile sur toile sur Isorel, 71,7 × 93,1 cm 106hd ; *Sunbaker* 1937, Max Dupain, épreuve. argentique, 38,3 × 43,7 cm, 106ch ; *Madonna and Child With Infant St John The Baptist* v. 1541, Domenico Beccafumi, huile sur panneau de bois 92 × 69 cm, 106cbg ; © Tiwi Design Executive 1996, *Pukumnai Grave Posts, Melville Island* 1958, divers artistes, pigments naturels sur bois, 165,1 × 29,2 cm, don du Dr Stuart Scougall 1959, 107h ; © DACS 1996, *Nu dans un rocking-chair* 1956, Pablo Picasso (1881 - 1973), huile sur toile, 195 × 130 cm, 107ch ; acquisition de l'Art Gallery of NSW Foundation 1990, *A Pair of Tomb Guardian Figures*, fin du VIᵉ siècle après J.-C., auteur inconnu (Chine), terre cuite avec traces de pigments rouge et orange, 93 × 82 cm, 107cbd ; *The Golden Fleece - Shearing at Newstead* 1894, Tom Roberts, huile sur toile 104 × 158,7 cm, 107b ; © Estate of Francis Bacon, *Study for Self Portrait* 1976, Francis Bacon (1901 - 1992), huile et pastel sur toile, 198 × 147,5 cm, 108hd ; *Interior With Wardrobe Mirror* 1955, huile sur toile sur carton 91,4 × 73,7cm, 108chg ; © Wendy and Arkie Whitely 1996, *The Balcony 2* 1975, Brett Whitely (1939 - 1992), huile sur toile, 203,5 × 364,5 cm, 108b ; © Associated Press, Londres : 55h ; Auscape International : 35cd ;

© Kathie Atkinson 22cbg ; © Nicholas Birks 336bg ; © Donna Browning 260bd ; © John Cancalosi 21cbg, 237bg ; © Kevin Deacon 21cd ; © Jean-Paul Ferrero 2 - 3, 19b, 20h, 22chg, 151cbd, 153hdb, bh, 229, 234cg, 250 - 251, 252cb, 255h, 280cg, 443h, bdh, 460 - 461 ; © Jeff & Sandra Foott 21bd ; © Brett Gregory 162b, 442bg ; © Dennis Harding 23b, 440 - 441, 444 ; © Andrew Henley 36dh ; © Matt Jones 269chd, b ; © Mike Langford 23cbd ; © Wayne Lawler 153cd ; © Geoffrey Lea 445b ; © Darren Leal 20bd, 235h, 236h, 237cd ; © Reg Morrison 20bch, 234cd, 442hd, 443cg ; © Jean-Marc La Roque 14h, 20cd, 23cd, 24-25c, 173h, 230chg, 231cb, 253bd, 272g, 362-363, 368h, 369h, cb, 377chg, 416cd, 418h, cg, 420h, 532cg ; © Jamie Plaza Van Roon 20bg, 21cg, 153h, cb, 226 ; © Becca Saunders 21cb ; © Gary Steer 24hg ; Australian Broadcasting Corporation : 535h ; Australian Museum : 28hd, 91chd, bd ; Australian Picture Library : 14c, 150cbg, 544cg, 546b, 547h ; Adelaide Freelance 359b ; Douglas Baglin 43ch ; John Baker 17h, 165h, 170bh, 241h, 421hd ; JP & ES Baker 152b, 174, 459chd ; John Carnemolla 11h, 25cbd, 34g, 35chd, 36cbg, 37h, g, 39cd, 138b, 150cg, 176h, 202chg, 254hd, 256cg, 326cb, 343h, 357h, 358bg, 364cg, 543c, 544b ; Sean Davey 34 - 35c ; R. Eastwood 458hd ; Flying Photos 534b ; Evan Gillis 359h ; Owen Hughes 245b ; S & B Kendrick 327b, 344h ; Ian Kenins 389h ; Craig La Motte 203b ; Michael Lees 417b ; Gary Lewis 36h ; Lightstorm 180h, 352b, 353c, 453cb ; Johnathan Marks 177cd, 418cbd ; Aureo Martelli 163chd ; David May 203h ; Leo Meier 23h, 242cg, 244h, 255cbg ; PhotoIndex 249b ; Fritz Prenzel 418b, 432b ; Dereck Roff 36b ; Stephen Sanders 348b ; Peter Solness 34hd ; Oliver Strewe 26cg, 27hd ; Neale Winter 360b ; Gerry Withom 163h ; Australian War Memorial : 193c.

© Mervyn Bishop : 55cb ; Greg Barrett, the Australian Chamber Orchestra : 129b ; Bartel Photo Library : 165b ; Bill Bachman : 22h, 24cg, 27hg, 28b, 39h, b, 157b, 159h, 202cbg, 237bd, 248b, 266h, 267c, b, 268bg, 279b, 288b, 319cbd, 327bdh, 428, 436hd ; Bridgeman Art Library Londres/New York : *Kangaroo Dreaming with Rainbow Serpent*, 1992 (acrylique) Michael Nelson Tjakamarra (né v. 1949), Corbally Stourton Contemporary Art, Londres © Aboriginal Artists Agency Ltd 8 - 9 ; *Bush Plum Dreaming* 1991 (acrylique) par Clifford Possum Tjapaltjarri (né v. 1932), Corbally Stourton Contemporary Art, Londres © Aboriginal Artists Agency Ltd 27cd ; *Men's Dreaming* 1990 (acrylique) par Clifford Possum Tjapaltjarri (né v.1932), Corbally Stourton Contemporary Art, Londres © Aboriginal Artists Agency Ltd 28c ; *Kelly in Spring*, 1956 (ripolin sur planche) par Sidney Nolan (1917 - 1992), Arts Council, Londres © Lady Mary Nolan 30bg ; National Maritime Museum, Londres 45bgh (d) ; British Museum

47chd ; Mitchell Library, State Library of NSW 50hd, bg, 51hg ; National Library of Australia 46hd (d), 49hg, cb, 50 - 51c ; *Bush Tucker Dreaming*, 1991 (acrylique) par Gladys Napanangka (née v. 1920) Corbally Stourton Contemporary Art, Londres, © Aboriginal Artists Agency Ltd 255cd ; *The Ashes*, 1883 (The Urn) Marylebone Cricket Club, Londres, 426b ; BRITSTOCK-IFA/GOTTSCHALK : 252ch ; GRANT BURGE WINES PTY LTD : 346b.

CANBERRA TOURISM : 16b, 183b, 526c ; CENTREPOINT MANAGEMENT : 87bd ; CEPHAS PICTURE LIBRARY : Andy Christodolo 155h, 324-325, 330bgh, 331c, 370chg ; Chris Davis 326cg ; Mick Rock 15h, 32cg, 154hg, cg, 155cd, 166hd, chg, 33bd, 331c, 333b, 346hg, cbg, 347hd, 371h, ch, b ; BRUCE COLEMAN LTD : John Cancalosi 65b ; Alain Compost 329hg ; Francisco Futil 64hd ; Hans Reinhard 328bcg ; Rod Williams 329bg ; COLORIFIC : 29c ; Bill Angove 255b, 285c ; Bill Bachman 249h, 258, 351, 389b ; Penny Tweedie 257h, 259b ; Patrick Ward 227b ; COO-EE HISTORICAL PICTURE LIBRARY : 9c, 26-27c, 27b, 30hg, 31cd, 45h, 46b, 47bh, 48bdh, 52cd, 53cbg, 149c, 201c, 251c, 283c, 325c, 423cd, 424b, 441c, 443bg, 457c, 461c, 531c ; SYLVIA CORDAIY PHOTO LIBRARY LTD : © John Farmer 326bg ; Nick Rains 288c, 361h.

DIXON GALLERIES, STATE LIBRARY OF NSW : 76hd ; © DOMAINE CHANDON, AUSTRALIA : 433c ; © KEN DONE : © DW STOCK PICTURE LIBRARY : 180hd ; P. Brunotte 549b ; M French 548b.

MARY EVANS PICTURE LIBRARY : 57ch.

FAIRFAX PHOTO LIBRARY : 54cbg, bcb, 77bdh, 138 chg, 161bd (d), 264bd ; Ken James : 129hd ; McNeil 116b.

RONALD GRANT ARCHIVE : Buena Vista 17b ; Universal 31b ; © GREAT BARRIER REEF MARINE PARK AUTHORITY : 207h, 209h, cd ; Photo : S Browne 207bg ; Photo : W Craik 204b ; Photo : N Collins 204chg ; Photo : L Zell 205b, 206ch.

ROBERT HARDING PICTURE LIBRARY : 282-283, 367h, 543h ; © Rolf Richardson 290 ; © Nick Servian 332, 550h ; C Moore Hardy : 128bd ; HOOD COLLECTION, STATE LIBRARY OF NSW : 77bg ; HORIZON : © Andris Apse 271b ; HUTCHISON LIBRARY : © R. Ian Lloyd 12, 530-531 ; © Sarah Murray 546c.

IMAGES COLOUR LIBRARY : 22b, 203ch, 279h, 281b ; THE IMAGE LIBRARY, STATE LIBRARY OF NSW : 30hd, 32b, 44hg, cb, 45c, 48bgh, 51cbd, 54h, 341bd.

© DR RUTH KERR (Commissariat Stores, Brisbane) 214bg.

FRANK LANE PICTURE LIBRARY - Images de la Nature : 20cbg, 207bd, 328hgtl ; © Tom & Pam Gardner 21bc, 329bcd ; © David Hosking 21hd, 329hd, cb ; © E & D Hosking 329cbd, 443chd, cb ; © M Hollings 328cbd ; © Gerard Lacz 153bd ; © Silvestris 208hg, 442hg ; © Martin Withers 162ch, 328cbg ; LEISURE RAIL, RAIL AUSTRALIA : 546hg ; LOCHMAN TRANSPARENCIES : © Bill Belson 315d ; © Wade Hughes 288h ; © Jiri Lochman 299h, 300cg ; © Marie Lochman 285hc, 301h ; © Dennis Sarson 295cd ; © Len Stewart 295b.

© GREG MILES (ENVIRONMENTAL MEDIA) : 268bd ; © MIRROR AUSTRALIAN TELEGRAPH PUBLICATIONS : 54cd ; MITCHELL LIBRARY, STATE LIBRARY OF NSW : 44bgb ; 46-47c, 48b, 64hg, 77chd, 104c, 105h ; MUSEUM OF CONTEMPORARY ART, SYDNEY : Tony Dhanyula, *Nyoka (Mud Crabs)* v. 1984, ocres et polymères synthétiques sur écorce, legs de J.W. Power, acquis en 1984, Ramingining Collection, 60cg.

COLLECTION OF THE NATIONAL GALLERY OF AUSTRALIA, CANBERRA : Tom Roberts, *In a corner in a Macintyre* 1895, huile sur toile, 73,4 × 88,0 cm, 194cg ; Margaret Preston, *The Native Fuscia* 1925, gravure sur papier, 44,8 × 28,2 cm, 194cb ; Aristide Maillol, *La Montagne* 1937, plomb, 167,4 (h) × 193,0 (l) × 82,3 (p) cm 194b ; artiste inconnu de la période de Kamakura, Japon, *Prince Shotoku praying to the Buddha* v. 1300, bois, plâtre et laque, hauteur 48,2cm, 195hg ; © ARS, NY and DACS, Londres 1997, Jackson Pollock, *Blue Poles* 1952, huile, émail et peinture aluminium sur toile, 212,0 × 489,0 cm, 195chd ; © Bula'bula Arts, Ramingining Artists, Raminginging, Central Arnhem Land, NT, *The Aboriginal Memorial* 1998, pigments naturels sur bois : assemblage de 200 cercueils pratiqués dans des rondins creux, hauteur 40 à 327 cm, acquis avec des fonds fournis par les droits d'admission au musée et commandé en 1987, 195cd ; NATIONAL LIBRARY OF AUSTRALIA : 31h, 42, 45bdh (original en possession du WA Museum), 48ch, 49chd, 51chd, 52hg, 189bd ; collection Rex nan Kivell 45cbd, b, 47cbd ; ES Theodore, Campaign Director, ALP State of NSW, Trades Hall 52cbg ; NATIONAL MARITIME MUSEUM, SYDNEY : 47hg, 93chd, 96hg, cbg, 97hg, bc ; NATURE FOCUS : H & J Bestel 442cg ; Rob Blakers 442bd ; John Fields 64b ; Dave Watts 442cd ; Babs & Bert Wells 279chd, 328bd ; © Australian Museum 26hd, 28hg ; NATIONAL TRUST OF AUSTRALIA : © Christopher Groenhout 396cg, 397hg, b ; NATURAL HISTORY PHOTOGRAPHIC AGENCY : © A.N.T 20cg, 153ch, 205h, 287bg, bd, 328hd, cd, 442chd, cb, 446h ; © Patrick Faggot 240 ; © Pavel German 278hg ; © Martin Harvey 21ch ; © Ralph & Daphne Keller 286bch ; © Norbert Wu 206hg ; PETER NEWARK'S HISTORICAL PICTURES : 25cd, 46cbg, 363ch ; TOURISM NSW : 170cg, cb ; NORTHERN TERRITORY LIBRARY : 256-257c, 257cbd ; Percy Brown

Collection 256bd ; N Gleeson Collection 256hd ; NUCOLORVUE PRODUCTIONS PTY LTD : 49b

Photographies avec l'aimable autorisation du Comité olympique de coordination : 139 chg ; photo : Karl Carlstrom 139 cbg ; © OPEN SPACES PHOTOGRAPHY : photo : Andrew Barnes 429b ; photo : Glen Tempest 350, 527cg, 529h ; © OUTBACK PHOTOGRAPHICS, NT : Steve Strike 1994 280hd ; Steve Strike 1995 281c ; OXFORD SCIENTIFIC FILMS : © Mantis Wildlife Films 286cg ; © Babs & Bert Wells 286cbg.

PARLIAMENT HOUSE : The Hon Max Willis, RFD, ED, LLB, MLC, Président, Conseil législatif, Parlement de la NGS. The Hon J Murray, député, Speaker, Assemblée législative, Parlement de la NGS. Croquis original de l'artiste pour le tableau historique à l'huile d'Algernon Talmage, RA, *The Founding of Australia*. Aimablement prêté au Parlement de la NGS par M. Arthur Chard d'Adélaïde, 78h ; PHOTO INDEX : 55 b, 284cbg, 285hd, b, 286h, bg, bd, 286-287c, 294bgh, 299b, 300hd, 302b, 305cd, 311h, c, b ; © PHOTOTONE COLONIAL LIBRARY : 51b ; PICTOR INTERNATIONAL : 210, 344b ; PLANET EARTH PICTURES : © Gary Bell 200 - 201, 204hg, 206hd, b, 207c ; © Daryl Torkler 137b ; © Norbert Wu 355b ; © POLYGRAM/PICTORIAL PRESS 25h ; POWERHOUSE MUSEUM, reproduit avec l'aimable autorisation des administrateurs du Museum of Applied Arts and Sciences, Sydney : 46hg, 50hg, 53bgb, 60hg, bd ; © SUSANNA PRICE 417hd

QANTAS : 52bdb, 545ch ; COLLECTION OF THE QUEENSLAND ART GALLERY : © Estate of Ian Fairweather 1998, Tous droits réservés DACS, Ian Fairweather, *Epiphany* 1962, peinture polymère synthétique sur quatre feuilles de carton ; posé sur une plaque de stuc après exécution, 139,6 × 203,2 cm, acquis en 1962, 220h ; Russell Drysdale, *Bushfire* 1944, huile et encre sur toile sur plaque de stuc, 62 × 77 cm, don du Capt Neil McEacharn par l'intermédiaire de CL Harden 1954, 220c ; © Succession Picasso/DACS 1997, Pablo Picasso, *La Belle Hollandaise* 1905, gouache sur carton monté sur bois, 77 × 66,3 cm, acquis en 1959 avec des fonds fournis par le major Harold de Vahl Rubin, 220cbg ; Rupert Bunny, *Bathers* 1906, huile sur toile, 229,2 × 250 cm, acquis en 1988, 221h ; William Robinson, *William and Shirley, Flora and Fauna* 1985, huile sur toile, Gallery Foundation, 221b ; © QUEENSLAND BALLET : 220b ; JOHN OXLEY LIBRARY, STATE LIBRARY OF QUEENSLAND : 234bd ; QUEENSLAND TRAVEL AND TOURIST CORPORATION : 33h, 202b, 230bg

SAND HILLS VINEYARD : 154chd ; SCIENCE CENTRE

(BRISBANE) : 214cbg ; © SKYSCANS/Photographe : David Hancock 257cd, b ; SOUTHLIGHT PHOTO AGENCY : © Milton Wordley 327c, 330h, cbd, 331bd ; SPECTRUM COLOUR LIBRARY : 24b, 29b, 37cbd, 231cd, 254hg, 278-279c, 327hg, 361b, 544h ; © TONY STONE IMAGES : 310 ; Doug Armand 270 ; Gary John Norman 35h ; Fritz Prenzel 13b, 18 - 19c, 223h ; Robin Smith 38b, 159b, 175b ; Oliver Strewe 20cbd ; Penny Tweedie 29h ; Ken Wilson 54 bd ; CHARLES STURT UNIVERSITY WINERY : 154b ; SYDNEY FILM FESTIVAL : 130c ; SYDNEY JEWISH MUSEUM : 61bd ; SYDNEY OPERA HOUSE TRUST : 80hd, chg, cbg, b, 81H, cbd, bg ; Photographie avec l'aimable autorisation du Comité d'organisation des Jeux olympiques de Sydney (SOCOG) : 139h.

STATE LIBRARY OF TASMANIA : 47hdb ; TENTERFIELD DISTRICT & VISITORS'INFORMATION : 151hg ; TOURISM TASMANIA : 459cd ; TRIP & ARTDIRECTORS PHOTOGRAPHIC LIBRARY : Eric Smith 25bg, 198b, 437b ; D Silvestris 342b.

NATIONAL GALLERY OF VICTORIA : © Ann M Mills 1996, *The Bridge in Curve*, Grace Cossington Smith 1930, 77hg ; TOURISM VICTORIA : 397hd.

AVEC L'AIMABLE AUTORISATION DE WATERMARK PRESS (SYDNEY) : 53h ; © WILDLIGHT PHOTO AGENCY : Ellen Camm 151hd ; Greg Hard 34hg ; Carolyn Jones 211b, 365chd ; Tom Keating 289cd, cbd ; Mark Lang 148 - 149, 168h ; Philip Quirk 15b, 17cg, 35b, 173b, 162hg, 313b ; Sean Santos 172b ; Grenville Turner 171cd, 289h, bd ; WORLD PICTURES : 18h, 19h, 56-57, 192c, 209b, 242b, 243h, 293d, 430g.

ZEFA : 18cg, 459h.

Première page de garde : Photographies spéciales sauf : AUSCAPE INTERNATIONAL : © Dennis Harding dbc ; © Jamie Plaza Van Roon dhcd ; AUSTRALIAN PICTURE LIBRARY : JP & ES Baker Dcbd ; © Bill Bachman gbd ; COLORIFIC/BILL BACHMAN : dhg ; ROBERT HARDING PICTURE LIBRARY : © Rolf Richardson ghg ; © Nick Servian gcbg ; NHPA : © Patrick Faggot dhcg ; © OPEN SPACES PHOTOGRAPHY : Glen Tempest gcg ; © PICTOR INTERNATIONAL : dhd ; TONY STONE IMAGES : Doug Armand ghd.

COUVERTURE :
Photographies spéciales sauf © SYLVIA CORDAIY PHOTO LIBRARY : Photo Nick Rains Page 1h ; AUSTRALIAN PICTURE LIBRARY : Sean Davey Page 1chg ; Spine FLPA © T & P Gardener h ; NHPA © ANT Page 1c ; © WILDLIGHT PHOTO AGENCY : Philip Quirk Page 4hg.